U0936250

司馬溫公
資治通鑑

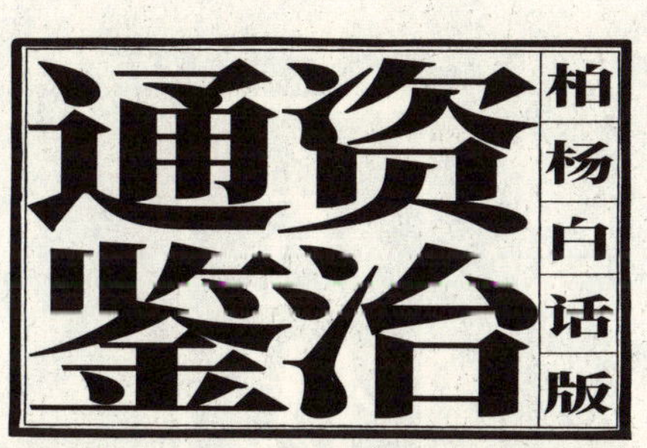

柏杨 著

人民东方出版传媒
東方出版社

第十七部

五代时代
小分裂

千里白骨
半截英雄

五代时代

导读

中国传统史学家的“正统”观念，在五代时代又受到挑战，朱全忠（朱温）篡夺了唐王朝政权后，中国四分五裂，七十余年间，原来统一完整的国土上，同时或前后出现了十六个独立王国、独立帝国，或独立的政治实体。跟罗马帝国崩溃后的欧洲局势完全类似。只有一点不同的是：欧洲知识分子没有正统观念，而中国有，所以十六国在历史上不能立于平等地位，而把居于中原一连串前仆后继的五个短命帝国，称作“五代”，即五个正统王朝，其他的十一国，则全是非正统的偏霸。传统史学家遂妄自改变他们的国名、曲解他们的行为，造成史籍无法符合事实的严重后果。我们所以沿用这个名词，只是为了方便记忆。实际上，我们忠于史实，使扭曲的复原，使被更改的呈现本来面目。我们认为：史学家不是神仙，不能保证没有错误，但应做到一点：不应说跟事实不符的话。

五代时代使传统史学招架不住的是，对他们深恶痛绝的弑君叛逆，不得不毕恭毕敬的称他为“帝”、为“上”、为“太祖”，而企图诛杀该弑君叛逆的，反而成了乱臣贼子。价值标准不但混乱，而且颠倒，“柏杨版”至少保持学术上最低限度的尊严。

柏杨　一九九一·一〇·一五

十世纪

十世纪〇〇年代

九〇二—九〇七年

小分裂

◉ 屠杀宦官，第二次宦官时代结束。

◉ 迁都洛阳，朱全忠诛杀李晔。

◉ 唐亡，后梁帝国成立，五代十一国时代开始，全国分裂。

◉ 日本禁止私购中国货物。

◉ 十世纪初，君士坦丁堡为欧洲第一大城。

九〇二年 壬戌

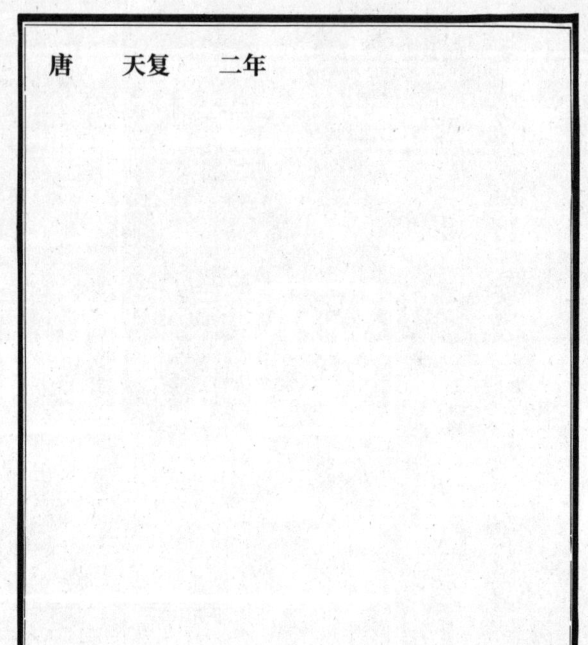

1 春季，正月六日，朱全忠（朱温，宣武〔总部汴州〕司令官）再进驻三原（陕西省三原县东北）。不久，移防武功（陕西省武功县西）。河东（总部太原府）将领李嗣昭、周德威，进攻慈（山西省吉县）、隰（山西省隰县）二州，牵制朱全忠（朱温）的兵力（二州州长已于去年〔九〇一〕六月投降河东〔总部太原府〕，或之后再次背叛）。

2 正月二十日，唐王朝（流亡首都凤翔府〔陕西省宝鸡市凤翔区〕）皇帝（二十四任昭宗）李晔（李敏，本年三十六岁。晔，音yè〔叶〕）命御前监督官（给事中）韦贻范，当国务院工程部副部长（工部侍郎）、二级实质宰相（同平章事）。

3 正月二十九日，李晔（李敏）命御前监督官（给事中）严龟，当凤翔（总部凤翔府）及宣武（总部汴州）二战区调解特使（岐汴和协使），赐朱全忠（朱温）姓李，命他跟李茂贞（宋文通）结为兄弟。朱全忠（朱温）拒绝。

当时，李茂贞（宋文通）紧闭城门，不出来作战，而朱全忠（朱温）不断接到河东兵团（总部太原府）南下的报告。

二月一日，朱全忠（朱温）率军返回河中（山西省永济市）。李嗣昭（河东〔总部太原府〕将领）等攻陷慈（山西省吉县）、隰（山西省隰县）二州，进逼晋（山西省临汾市）、绛（山西省新绛县）二州。

二月十二日，朱全忠（朱温）命侄儿朱友宁率军会同晋州（山西省临汾市）州长氏叔琮迎战。李嗣昭袭击绛州（山西省新绛县），攻陷，宣武（总部汴州）将领康怀贞又把它夺回，李嗣昭等退驻蒲县（山西省蒲县）。

二月十八日，宣武（总部汴州）十万大军在蒲南（山西省蒲县南）扎营，氏叔琮于夜晚率军袭击河东（总部太原府）部众，切断退路，进攻李嗣昭等营垒，击破，杀戮及俘虏一万余人。

二月二十二日，朱全忠（朱温）从河中（山西省永济市）出发，亲往前线督战。

二月二十八日，朱全忠（朱温）抵达晋州（山西省临汾市）。

4 盗墓贼挖掘二十任帝（懿宗）李漼坟墓简陵（陕西省富平县西北）。

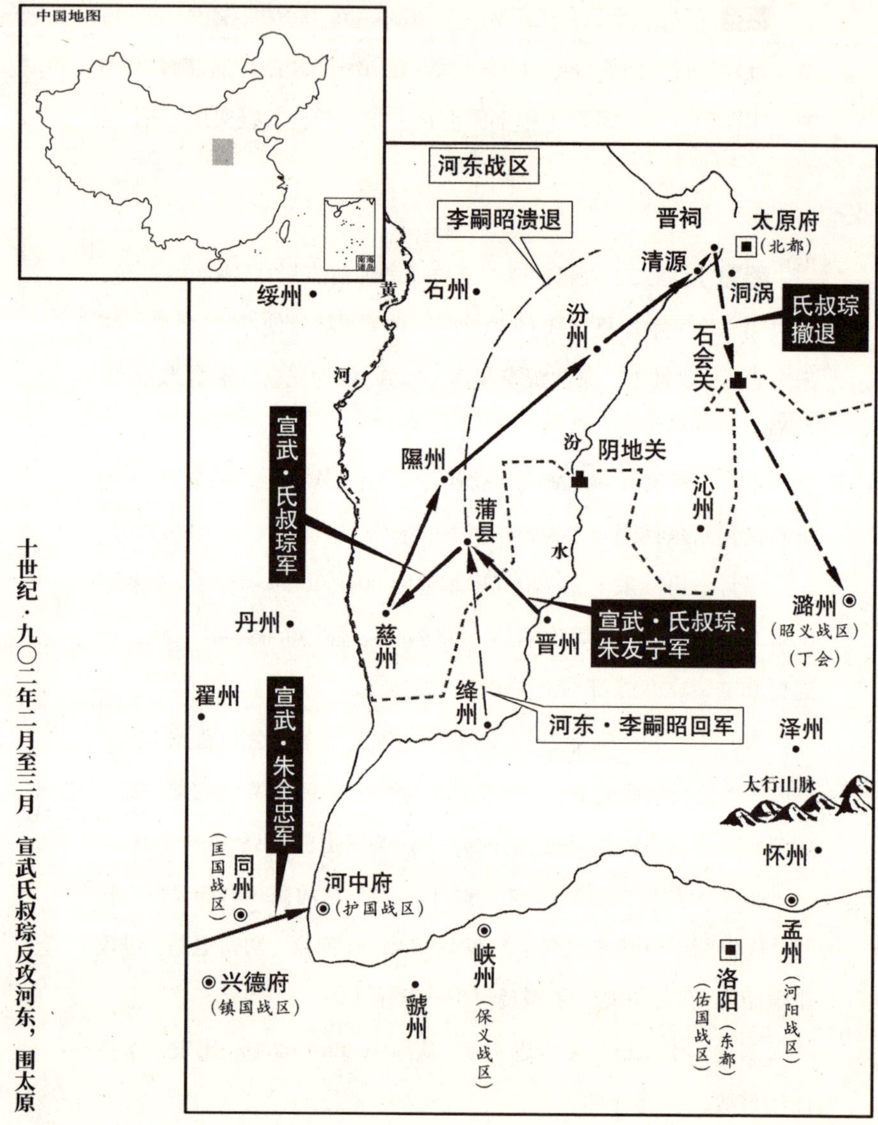

十世纪·九〇二年二月至三月　宣武氏叔琮反攻河东，围太原

5 西川（总部成都府）特遣兵团抵达利州（四川省广元市），李茂贞（宋文通，凤翔〔总部凤翔府〕司令官）任命的昭武战区（总部设利州〔四川省广元市〕）司令官（节度使）李继忠，放弃城池，逃回凤翔（陕西省宝鸡市凤翔区）。王建（西川〔总部成都府〕司令官）命剑州（四川省剑阁县）州长王宗伟，当利州（四川省广元市）军政总监（制置使）。

6 三月四日，李晔（李敏）跟李茂贞（宋文通）和各宰相、各皇家文学研究官（学士）、神策军总指挥宦官（中尉）、宫廷机要室主任宦官（枢密使）宴会，大家饮酒，兴致最高时，李茂贞（宋文通）和韩全诲（左神策军总指挥宦官）逃席溜走。李晔（李敏）忽然问宰相韦贻范说："我为什么逃亡到这个地方？"韦贻范说："我在外面，不得而知。"李晔（李敏）坚持追问，韦贻范不理。李晔（李敏）说："你怎能当着我的面说不知道！"又说："你既然用不正当的手段得到宰相高位，就应逆来顺受，依法处理公事。如果不公平，我就依法办你。"说罢，愤怒的注视着韦贻范，嗫嚅自语说："这个蟊贼，应该打二十大板！"回头向韩偓看一下，嗤之以鼻，说："这种人竟然也叫'宰相'！"韦贻范不断举起大杯向李晔（李敏）敬酒。李晔（李敏）反应如果稍慢，韦贻范就把手中的酒杯举上去碰李晔（李敏）的嘴唇。

7 三月十二日，宣武（总部汴州）将领氏叔琮、朱友宁，猛烈进攻河东（总部太原府）将领李嗣昭、周德威营寨。当时，宣武兵团（总部汴州）横亘十华里，而河东兵团（总部太原府）只不过数万人，而且深入敌境，军心惊慌。周德威出击，战败，密令李嗣昭率后卫部队先行撤退，而周德威也接着率骑兵撤退。氏叔琮、朱友宁长驱直入，乘胜追击。河东兵团（总部太原府）霎时崩溃，宣武兵团（总部汴州）生擒李克用的儿子李廷鸾，掳获无数武器及重要军事物资。朱全忠（朱温）令氏叔琮、朱友宁乘胜进攻河东（总部太原府）。

李克用（河东〔总部太原府〕司令官）接到李嗣昭等溃败消息，派李存信（张污落）率亲卫军南下迎接，走到清源（山西省清徐县），跟宣武兵团（总部汴州）遭遇，李存信（张污落）逃回晋阳（太原府所在县，山西省太原市）。宣武兵团（总部汴州）遂夺回慈（山西省吉县）、隰（山西省隰县）、汾（山西省汾阳市）三州。

三月十五日，宣武兵团（总部汴州）包围晋阳（山西省太原市），大营设在晋祠（太原市西南），集中力量进攻西门。周德威、李嗣昭沿途收集残余部众，沿着西山（西方各山，如介山、绵山）山麓北上，总算返回。此时，河东（总部太原府）各路人马还没有集合，而氏叔琮攻城十分猛烈。氏叔琮每出来视察督战，都穿着宽大的衣服和腰带，表示悠闲。

李克用日夜登城巡视，寝不安枕、食不安席，召集各将领会商，准备放弃晋阳（山西省太原市），退守云州（山西省大同市）。李嗣昭、李嗣源（邈佶烈）、周德威反对，说："我们做儿子的在这里，一定可以坚守到底，大王（李克用封晋王）不要打这种主意，这会动摇军心。"李存信（张污落）说："关东（潼关以东）、河北（河北平原）广大疆土，都被朱温（朱全忠）霸占，我们兵力既少，疆域又小，苦守这座孤城，他们却兴筑堡垒、挖掘壕沟，用长期围困手段对付我们，我们飞既飞不起，走更没有路，只有坐在这里被活活困死。现在事情十分紧急，不如暂且逃往北方，投奔蛮夷部落，慢慢准备反攻。"但李嗣昭竭力反对，李克用不能决定。刘夫人（李克用正妻）警告李克用说："李存信（张污落）不过川北（山西省陉岭以北）一个牧羊的野孩子，哪有远程见识？大王常讥笑王行瑜轻易离开他的城池，才死到别人之手（参考八九五年十一月），今天怎么反而效法？而且，想当年大王远投达靼，几乎难逃一死（参考八八〇年七月），幸亏国家多难（指黄巢民变），才重返家园（参考八八一年三月）。而今，只要一只脚踏出城门，祸变就难预测，塞外怎么能够到达！”李克用遂打消逃走计划。几天之后，溃散的士卒都回归大营，战区军政才告安定。李克用的老弟李克宁当忻州（山西省忻州市）州长，听到宣武（总部汴州）大军深入，赴任已走到中途，立刻折回晋阳（山西省太原市），说：“这个城是我的葬身之地，还往哪里走！”军心才告安定。

三月十六日，朱全忠（朱温）自前线返回河中（山西省永济市），派朱友宁率军西上，攻击李茂贞（宋文通，凤翔〔总部凤翔府〕司令官）占领的兴平（陕西省兴平市）、武功（陕西省武功县西）一带。河东（总部太原府）将领李嗣昭、李嗣源（邈佶烈）不断率敢死队勇士，于夜晚突击氏叔琮大营，格杀捕捉，毫不放松，宣武兵团（总部汴州）惊恐骚动，军心不安，连准备防御都来不及。正巧，又遇上瘟疫流行。

三月二十一日，氏叔琮撤退。李嗣昭及周德威率军追击，追到石会关（山西省榆社县西），氏叔琮在高冈上故意留下几匹战马及几面军旗。李嗣昭等认为定有埋伏，才收兵回去，再夺回慈（山西省吉县）、隰（山西省隰县）、汾（山西省汾阳市）三州。从此之后，一连数年，李克用不敢再跟朱全忠（朱温）争霸。

李克用用军政总部公文，向幕僚们征求意见，说：“不储蓄粮食，怎么能集结民众？没有武器铠甲，怎么能克敌制胜？不肯修筑城池，怎么能抵抗外来侵略？是非利害，请各位讨论！”机要秘书（掌书记）李袭吉献策，大略说：“国家是富是贫，不在仓库充实不充实；军队是强是弱，不在士卒数目多少。人民归附有恩德的领袖，连神仙都讨厌骄傲自大的人。如果只知道向人民横征暴敛，则人民就宁愿盗贼当家。暴政如同猛虎，所以散发鹿台财产，周王朝得以兴起（参考前二〇四年十二月。典故出自《书经·武成》）；齐国仓库失火焚烧，晏婴进宫向国君祝贺。”（李袭吉用典有误，这是晋国的事。《韩诗外传》：晋国三十一任国君〔平公〕姬彪的仓库失火，三天三夜才把它扑灭，皇子姬晏在绸缎上写下贺词说：“我听说，帝王把财富藏到天下，国君把财富藏到民间，农夫把财富藏到仓库。而今，人民普遍穷困，而政府征收赋税仍没完没了。从前，姒履癸〔夏王朝末任帝桀帝〕、子受辛〔商王朝末任帝纣帝〕残害人民，终于被人民诛杀。今天上天降火焚烧国库，是国君的鸿福！”）

李袭吉又说：“我认为，变法不如培育人才，改革不如依照旧规（司马光先生恐怕最服膺这两句）。韩建（镇国〔总部兴德府〕司令官）积蓄无数钱财，却第一个投降朱全忠（参考去年〔九〇一〕十一月）；王珂（护国〔总部河中府〕司令官）不断变法改革，却归顺盗贼（参考去年〔九〇一〕二月）；中山（定州〔河北省定州市〕，古中山王国所在）城墙不能说不高（王处直归降朱全忠事，参考前年〔九〇〇〕十一月），蔡州（河南省汝南县）的军队不能说不多（指秦宗权称帝失败，参考八八八年十二月），这些眼前的例证，十分明显，可以作为警戒。称霸的国家，领袖从不会贫穷；强悍的将领，手下没有衰弱的士兵。希望大王崇尚道德、爱护人民，铲除奢侈、减免差役，在沿边险要的地方设置工事，巩固边界防务，加强士卒战斗训练，辅导农夫勤奋耕田。物色武官平定祸乱，遴选文官治理人民，金钱粮草出纳，都应有详细严格的法定程序，民刑官司都应遵照中央颁布的法律规章。诛杀、赏赐，都出自统帅裁决，则下面的人就不可能作威作福、贪赃枉法。大王亲近的人如果都是正人君子，其他的人就不会忧虑自己被诽谤陷害。顺应天道法则运行，则欺诈诬害都会绝迹。尊敬鬼神，禁止一些荒谬杂滥的祭祀，国家虽不追求富有，也会富有；人民虽不追求平安，也会平安。对外击破元凶大恶（指朱全忠），对内振兴颓废的风俗，大王的声名势将高过五霸（春秋时代五霸：齐国姜小白、晋国姬重耳、秦国嬴任好、楚王国芈侣、吴王国吴光），道德也会超越‘八元’（参考一八四年五月注）。至于加强税收、修订房租、增加专卖收入、丈量耕地面积、开疆拓土、建立国家，恐怕并不是最迫切的事。”

李克用的亲卫军都由沙陀人和其他蛮夷部族组成，野蛮凶暴，杀人放火，抢夺掳掠，无所不为，河东（总部太原府）人民深为痛苦。李克用的儿子李存勖（本年十八岁）曾对老爹提出关切，李克用说：“这些人追随我南征北战，已数十年，最近军库空虚，部队不得不出卖战马，勉强维持。现在，各地军阀都用优厚的待遇，招兵买马，我如果执法太严，他们势将一哄而散，各奔前程，我用什么人保此一方？只好等到天下稍微平定，再整饬军纪！”李存勖幼年时便机警敏捷，有勇气谋略。李克用被朱全忠（朱温）围困，疆域日渐缩小，脸上掩饰不住忧虑（此时疆域与初得太原时一样，只拥有河东〔总部太原府〕、振武〔总部安北府〕两个战区。至于后来吞并的昭义战区〔总部潞州〕、卢龙战区〔总部幽州〕，已经脱幅而去；归附的义武〔总部定州〕、护国〔总部河中府〕两战区，也已改投朱全忠的阵营）。李存勖说：“事物发展不到极致，不会反弹；凶恶悖逆不到极致，不会灭亡。朱全忠（朱温）靠着诈术和蛮力，残暴无比，并吞四面邻居，人神共愤。而今又逼迫皇上，野心勃勃，觊觎宝座。宝座，正是他的极致，恐怕就要倒毙。我们家世世代代，忠贞不贰，虽然一时陷于困境，势力衰弱，但问心无愧，老爹应该采取卑微姿态，隐蔽休养，等待他们犯错。为什么轻易的就丧失斗志，使部属失望！”李克用大为高兴，下令摆设筵席，奏乐饮酒，尽欢而散。

李克用正妻刘夫人没有儿子，宠爱的小老婆曹女士生李存勖。刘夫人对曹女士特别厚待，李克用因此越发觉得她贤惠。其他小老婆生下儿子，李克用都教刘夫人抚养管教，刘夫人把他们都看作亲生。

8 李晔（李敏）任命左金吾（卫军第十一军）将军李俨，当江淮（华东地区）宣慰特使（江淮宣谕使），亲笔写信给杨行密（杨行愍，淮南〔总部扬州〕司令官），任命杨行密（杨行愍）当东方军团总指战官（东面行营都统）、最高立法长（中书令·使相），封吴王，训令他讨伐朱全忠（朱温）。又任命朱瑾当平卢战区（总部设青州〔山东省青州市〕）司令官（此时平卢实任司令官是王师范），又任命冯弘铎（昇州州长）当武宁战区（总部设徐州〔江苏省徐州市〕）司令官（节度使）、朱延寿（寿州州长）当奉国战区（总部设蔡州〔河南省汝南县〕）司令官（节度使。两战区同是朱全忠〔朱温〕势力范围）。加授武安战区（总部设潭州〔湖南省长沙市〕）司令官（节度使）马殷：遥兼二级宰相（同平章事·使相）。又训令说：淮南（总部扬州）、宁国（总部宣州）、武安（总部潭州）等各战区道立功的将士，总指战官（都统杨行密）有权代表皇帝先行颁发人事任免状，然后上疏备案。李俨，是张濬的儿子，李晔（李敏）赐他皇姓——李。

9 夏季，四月二十一日，宰相崔胤自华州（兴德府，陕西省渭南市华州区）前去河中（山西省永济市），向朱全忠（朱温）声泪俱下的诉说宦官的横暴，警告说：李茂贞（宋文通）可能把皇帝挟持到巴蜀（四川省），所以应把握时机夺回，形势迫切，不可缓慢。朱全忠（朱温）用盛大宴会招待，崔胤亲自拿起拍板，手打节拍，为朱全忠（朱温）高歌一曲敬酒。

10 四月二十五日，回鹘部落（不知道在什么地方）派使节来唐朝进贡，表示愿意出军为唐朝削平内乱。李晔（李敏）命皇家文学研究院院长（翰林学士承旨）韩偓回信允许。

四月二十九日，韩偓上疏说："蛮夷都是人面兽心，不可以信任依赖（胡扯）！当他看到我们政府官员豪华奢侈、生活糜烂，而城市却一片荒凉、屋瓦残破，军队铠甲不全，人民生活凋敝，一定会看不起我国，激起贪婪的野心。而且，自从八四三年，回鹘被大唐击破（指石雄迎太和公主，参考该年〔八四三〕正月。但真正击破回鹘的，不是大唐，而是黠戛斯部落，参考八四〇年九月），恐怕他们乘着这个机会，报仇复怨。所以在回答可汗的国书上，最好是告诉他们说：小小盗匪，不须前来救难，表面上感谢他们的好意，实际上阻止他们的阴谋。"李晔（李敏）同意。

国务院国防部副部长（兵部侍郎）、三级实质宰相（参知机务）卢光启免除官职，改任太子太保（太子三师之三）。

11 杨行密（杨行愍，淮南〔总部扬州〕司令官）释放顾全武回杭州（顾全武被俘，参考去年〔九〇一〕十月），交换秦裴（秦裴被俘事，参考八九八年九月）。钱镠（镇海〔总部杭州〕司令官）大喜过望，送秦裴回淮南（总部扬州）。

12 宣武（总部汴州）将领康怀贞，在莫谷（陕西省乾县北）攻击凤翔（总部凤翔府）将领李继昭，大破凤翔军队。李继昭，是蔡州（河南省汝南县）人，原姓符，名道昭（符道昭去年〔九〇一〕十一月还没有改姓名）。

13 五月五日，温州（浙江省温州市）州长朱褒逝世，老哥朱敖自称州长。

14 凤翔（陕西省宝鸡市凤翔区）军民听到朱全忠（朱温）大军就要抵达消息，陷于恐惧。

五月八日，凤翔城外居民全部迁到城里。

五月十四日，朱全忠（朱温）率精锐部队五万人，从河中（山西省永济市）出发，到达东渭桥（陕西省西安市高陵区南），遇到连绵阴雨，逗留十天。

15 五月二十五日，国务院工程部副部长（工部侍郎）、二级实质宰相（同平章事）韦贻范的娘亲逝世。宦官推荐皇家文学研究官（翰林学士）姚洎（音j[季]）当宰相。姚洎征求韩偓的意见，韩偓说："如果眼光放远一点，最好不要接受。但是，假如出于皇上的意思，当然接受也可以。试想一想，宣武兵团（总部汴州）的包围圈，不久就要合拢，凤翔一座孤城，难以保全。家族都在东方，怎么能不忧虑！"姚洎遂声称有病。而李晔（李敏）正巧也不同意。

16 镇海（总部杭州）、镇东（总部越州）两战区司令官（节度使）、彭城王钱镠，晋封越王。

17 六月二日，李晔（李敏）命立法官（中书舍人）苏检，当国务院工程部副部长（工部侍郎）、二级实质宰相（同平章事）。当时，韦贻范正给他的娘亲服丧，推荐苏检及姚洎接替自己的相位。李晔（李敏）拒绝任用姚洎。李茂贞（宋文通）跟宦官恐怕李晔（李敏）擅自决定其他人选，于是联合推荐苏检，遂有这项人事任命。

18 六月三日，朱全忠（朱温）大军进驻虢县（陕西省宝鸡市陈仓区）。

19 武宁战区（流亡总部设昇州〔江苏省南京市〕）司令官（节度使）冯弘铎，夹在淮南（总部扬州）跟宁国（总部宣州）之间，一直感到威胁，然而，仗恃自己楼船舰队强大，所以也不肯以低姿态跟两战区相处。宁国战区（总部设宣州〔安徽省宣城市〕）司令官（节度使）田頵（音jūn〔君〕）打算对他采取行动，遂招募曾经给冯弘铎建造楼船战舰的工匠，来给自己建造普通战舰，工匠说："冯大帅（冯弘铎）派人到很远的地方购买最结实的木材，所以他的战舰持久耐用，您这里没有这种木材！"田頵说："你们只管动手，我只要用一次就够！"

冯弘铎也察觉到田頵的企图，他的将领冯晖、颜建建议先行攻击，冯弘铎接受这个意见，于是率大军逆长江而上，声称进攻洪州（镇南战区总部所在，江西省南昌市），实际上是进攻宣州（安徽省宣城市）。杨行密（杨行愍，淮南〔总部扬州〕司令官）派使节前往劝阻，冯弘铎不理。

六月七日，田頵率他新建的舰队迎战冯弘铎，在葛山（安徽省宣城市西南）相遇，大破冯弘铎楼船舰队。

20 六月十日，李茂贞（宋文通）出动所有军队，亲自率领，在虢县（陕西省宝鸡市陈仓区）之北，向朱全忠（朱温）发动最猛烈的总攻，大败而回，被杀一万余人。

六月十二日，朱全忠（朱温）派他的将领孔勍，从散关（陕西省宝鸡市西南）南下，进攻凤州（陕西省凤县），攻克。

六月十三日，朱全忠（朱温）大军进到凤翔（陕西省宝鸡市凤翔区）城下。朱全忠（朱温）身穿正式官服，面对城楼，流泪哭泣说："我只是前来迎接皇上圣驾回京（首都长安），不是来跟岐王（李茂贞）比出谁胜谁败！"下令兴筑五座大营，把凤翔（陕西省宝鸡市凤翔区）包围。

21 一败涂地的冯弘铎，收拾残余部众，顺长江东下，打算进入东海（张雄夺取上元〔参考八八七年闰十一月十九日〕，不久逝世，冯弘铎继任，前后割据十六年而败），杨行密（杨行愍）恐怕后患无穷，于是派使节前去劳军，告诉他说：“你的部众仍然强大，为什么自我放逐到大海之上。我的辖区虽然很小，但足可以容纳你的部众，他们想做什么就可以做什么，你意下如何！”冯弘铎左右官员都放声痛哭，愿意接受。冯弘铎抵达东塘（江苏省扬州市东），杨行密（杨行愍）乘坐一只轻便小艇，亲自前来迎接，只携带随从卫士十余人，身穿日常的休闲服装，身上不带武器，登上冯弘铎的坐舰，向冯弘铎及各将领解释慰问，全军十分感激喜悦。杨行密（杨行愍）任命冯弘铎当淮南战区（总部设扬州〔江苏省扬州市〕）副司令官（节度副使），住宅及日常费用，都十分优厚。

最初，冯弘铎派营门官（牙将）丹徒（润州州政府所在县，江苏省镇江市）人尚公迺，晋见杨行密（杨行愍），要求割让润州（江苏省镇江市），杨行密（杨行愍）拒绝。尚公迺警告说：“您固然可以不接受我们要求，但恐怕您抵抗不住楼船舰队！”现在，杨行密（杨行愍）对尚公迺说：“你是不是还有点记得当年索取润州（江苏省镇江市）那件事？”尚公迺道歉说：“只是部属们各自效忠他的领袖而已，遗憾的是，没有成功。”杨行密（杨行愍）笑说：“你事奉杨老头如果能像你事奉冯大帅，你就没有什么忧虑！”

杨行密（杨行愍）任命李神福当昇州（江苏省南京市）州长。

22 东方军团总指战官（东面行营都统）杨行密（杨行愍）出动勤王大军，讨伐正包围凤翔（陕西省宝鸡市凤翔区）的朱全忠（朱温），命副司令官（副使）李承嗣暂时代理主管淮南（总部扬州）总部军政事务。后勤官员打算用巨舰运送军粮，总作战司令（都知兵马使）徐温反对，说："水运河道，早已荒废，久不通行，泥沙淤塞，草木丛生（自高骈跟中央决裂，财货不再前往京师〔参考八八二年五月〕，迄今二十一年），我建议改用小艇，或许容易通过！"

勤王大军前进到宿州（安徽省宿州市。经汴河而至），阴雨不止，重装备无法运送，士卒饥饿，脸色憔悴，巨舰不能移动，而小艇反而领先到达。杨行密（杨行愍）因此认为徐温是一个人才，跟他讨论军事。大军进攻宿州（安徽省宿州市），不能攻克，又因粮食来不及供应，撤退。

23 秋季，七月，宣武（总部汴州）将领孔勍向西挺进，攻陷成（甘肃省成县）、陇（陕西省陇县）二州，没有遇到抵抗。抵达秦州（甘肃省秦安县西北）时，州人登城防守，孔勍没有发动攻击，就自故关（陕西省陇县西固关镇）退回。

24 韦贻范当宰相时，接受很多人贿赂，允许给他们官做。可是不久，娘亲逝世，只好辞职守丧，不能履行承诺，那些债主每天到他家鼓噪喧哗，而他最亲信的助理刘延美，欠别人的债更多，无法应付。所以韦贻范急于复出，每天派人去左、右神策军总指挥宦官（中尉）韩全诲、张彦弘，以及宫廷机要室主任宦官（枢密使）袁易简、周敬容，以及李茂贞（宋文通）那里，请求促成。

七月甲戌日（七月甲辰朔，没有甲戌），李晔（李敏）命韩偓撰写征召韦贻范复出当宰相的诏书，韩偓说："手腕可以砍断，这个诏书不能起草。"并且上疏指控韦贻范：娘亲亡故不过几个月（事实上还不满两个月），就命他复出，实在是骇人听闻的大事，严重伤害帝国体制。

派驻皇家文学研究院的两位监视宦官（韩全诲等派两个宦官常驻翰林院，防范皇帝跟文学研究官〔学士〕秘密讨论国事），勃然大怒，警告韩偓说：“你阁下不要认为杀人只戏里才有！”韩偓把奏章交给宦官，然后脱下衣服睡觉。两个监视宦官无可奈何，只好奏报。李晔（李敏）就命停止起草，并对韩偓加以褒扬。

八月二日，早朝，文武百官已经依照次序站定，等候宣布诏书，却没有诏书可以宣布，宦官们愤怒的传出：“韩偓拒绝撰写诏书！”听到的人都大为震恐，预料有可怕事情发生。李茂贞（宋文通）进宫参见李晔（李敏），说：“陛下任命宰相，文学研究官（学士韩偓）竟拒绝撰写诏书，跟叛逆有什么不同？”李晔（李敏）说：“你们推荐韦贻范，我不反对；文学研究官（学士韩偓）不撰写诏书，我也不反对。不过韩偓奏章上的道理，十分明白，你们为什么不能接受！”李茂贞（宋文通）大不高兴，出宫后到宰相联合办公厅（中书）对苏检说：“邪恶的人结党营私，仍跟过去一样，没有改进！”自握手腕，叹息很久。但韦贻范受债权人逼迫，仍继续钻营，李茂贞（宋文通）告诉别人说：“我实在不知道儒家学派的规矩，被韦贻范害得丢脸，有机会我会把他安置到邠州（陕西省彬州市）！”韦贻范才停止。

25 保大战区（总部设鄜州〔陕西省富县〕）司令官（节度使）李茂勋，率军进驻三原（陕西省三原县东北），增援李茂贞（宋文通）。朱全忠（朱温）派他的部将康怀贞、孔勍迎击，李茂勋逃走。李茂勋，是李茂贞（宋文通）的堂弟。

26 最初，孙儒被杀（参考八九二年六月六日），他的残余部众大多数都投奔镇海战区（总部设杭州〔浙江省杭州市〕），司令官（节度使）钱镠（音刘〔流〕）欣赏他们的骁勇善战，一律编入中军，号称“武勇特别营”（武勇都）。作战参谋长（行军司马）杜稜警告说：“他们像狼崽一样，天生一副野蛮心肝，不知道感恩，有一天定会闯出大祸，请用本土人士代替。”（杜稜是杭州八指挥官之一，参考八七八年十二月。）钱镠不理。

钱镠前往衣锦军（钱镠是临安〔浙江省杭州市临安区〕人，当了大官之后，改所住村落称衣锦营，后来升为衣锦城，再升为衣锦军。钱镠常常回去宴请故乡父老，展示富贵，届时，连山林都蒙上锦绣绸缎），命武勇右翼特别营司令（武勇右都指挥使）徐绾，率部众整修衣锦军的沟渠，镇海战区（总部设杭州〔浙江省杭州市〕）副司令官（节度副使）成及听到士卒们口出怨言，立刻报告钱镠，请求停止这项工程，钱镠不准。

八月十三日，钱镠设宴招待各将领，徐绾阴谋就在宴会上诛杀钱镠，但不知道什么缘故，没有出手，于是声称有病，先行退出，钱镠感到讶异。

八月十四日，钱镠命徐绾率领他的部队，先回杭州（浙江省杭州市）。徐绾走到杭州（浙江省杭州市）外城，就开始放纵士卒杀人放火，大肆剽掠，武勇左翼特别营司令（武勇左都指挥使）许再思，率迎接钱镠回府的部队，跟反抗军会合，进攻内城（牙城）。钱镠的儿子钱传瑛，跟三城总指挥官（三城：杭州内中外三城）马绰等，关闭城门抵抗。营门官（牙将）潘长攻击徐绾，徐绾退守龙兴寺。钱镠回府途中，走到龙泉（杭州市西五公里），得到兵变消息，立即飞骑奔驰到城北，命成及举起钱镠的大帅旗帜，击动战鼓，攻击徐绾，而钱镠换穿平民便装，乘坐小艇抵达内城的东北角，翻越城墙进去，而岗哨上值夜的士兵，却正趴在更鼓上睡觉，钱镠亲自把他斩首，城里的人才知道钱镠已经到达。武安特别营司令（武安都指挥使）杜建徽，自新城（浙江省杭州市富阳区西南新登镇）驰往杭州（浙江省杭州市）入援，徐绾聚集木材，打算焚烧内城（牙城）北门，杜建徽先把它们全部纵火烧毁。杜建徽，是杜稜的儿子。湖州（浙江省湖州市）州长高彦听到事变消息，派他的儿子高渭率军入援，前进到灵隐山（位杭州市西郊），被徐绾的伏兵格杀。

最初，钱镠修建杭州（浙江省杭州市）外城（参考八九三年七月），对幕僚及助理官员说："十步就有一个城楼，应该是够坚固的了。"机要秘书（掌书记）余姚（浙江省余姚市）人罗隐说："城楼不如正对着城里！"现在，人们认为应验罗隐的话。

27 八月庚戌日（八月甲戌朔，没有庚戌），李茂贞（宋文通）派军利用夜晚袭击奉天（陕西省乾县），俘虏宣武（总部汴州）将领倪章、邵棠而回。

八月二十二日，李茂贞（宋文通）再次出动大军，向朱全忠（朱温）总攻，不能取胜；黄昏时撤退，宣武兵团（总部汴州）追击，几乎进入凤翔（陕西省宝鸡市凤翔区）西门。

28 八月二十六日，唐帝李晔（李敏）终于下诏征召韦贻范放弃守丧，重任国务院财政部副部长（户部侍郎）、二级实质宰相（同平章事）。此次由姚洎撰写诏书，韦贻范并没有援例表示谦辞，接到诏书后，立即急吼吼上疏谢恩。

第二天（八月二十七日），韦贻范就到职办公。

29 西川（总部成都府）勤王军向李茂贞（宋文通）的义子、山南西道战区（总部设兴元府〔陕西省汉中市〕）司令官（节度使）李继密（王万弘），要求借道通过兴元（陕西省汉中市）。李继密（王万弘）拒绝，并派军进驻三泉（陕西省宁强县西北阳平关镇），封锁关卡。

八月二十八日，西川（总部成都府）勤王军先锋官王宗播（许存）发动攻击，不能攻克，退回山寨固守。亲信幕僚柳修业警告王宗播（许存）说：“您携带全族人马，归附别人，却不肯替别人出力死拼，您用什么方法保护自己（许存投奔事，参考八九六年五月）！”王宗播（许存）下令说：“我跟你们奋力上前，决一死战，博取荣华富贵。如果不能胜利，就死在这里！”遂一连攻破金牛（陕西省宁强县北）、黑水（陕西省城固县西北）、西县（陕西省勉县西）、褒城（陕西省汉中市西北河东店镇）四座大营。中级军官（军校）秦承厚攻击西县（陕西省勉县西）时，敌军一箭射中左眼，插入右眼，箭头深陷骨肉之中，无法拔出。王建（西川〔总部成都府〕司令官）亲自用舌头舐他的伤口，脓包溃烂，箭头随脓而出。王宗播（许存）继续进攻马盘寨（勉县东北），李继密（王万弘）大败，逃回汉中（兴元府所在城，陕西省汉中市）。西川兵团（总部成都府）乘胜追到城下，王宗涤（华洪）率领部众，攀城先上，遂攻克兴元（陕西省汉中市）。李继密（王万弘）投降，被送到成都（四川省成都市）。王建接收步兵三万人、骑兵五千人。王宗涤（华洪）进驻兴元（陕西省汉中市）。王建说：“李继密（王万弘）不是东西，残害三辅（京畿）！”可是既然准他投降，不忍心处死，而只命他恢复原来姓名王万弘，经常召见他。其他将领对这位降将非常轻视，有机会就给他侮辱。王万弘（李继密）无可奈何，只好每天酗酒，甚至连演戏、唱歌的人，都对他嘲笑玩弄。王万弘（李继密）无法承受内心的忧虑和愤怒，有一天，在饮了很多酒后，投到水池里自杀。

李晔（李敏）下诏任命王宗涤（华洪）当山南西道战区（总部设兴元府〔陕西省汉中市〕）司令官（节度使）。王宗涤（华洪）勇敢而又有智慧，深受军队爱戴。王建（西川〔总部成都府〕司令官）对他相当猜疑。王建修筑军政总部的大门，漆成朱红颜色，当地人称之为“画红楼”，王建认为跟华洪发音一样，将来可能应验。而其他义子王宗佶（甘宗佶）等，嫉妒王宗涤（华洪）的功劳，再从中飞言飞语陷害。王建遂把王宗涤（华洪）召回成都（四川省成都市），向他追究斥责。王宗涤（华洪）悲愤的说：“大王听信谗言，而三蜀大致平定（三蜀，即三川：东川、西川、汉川〔陕西省南部〕），已到了可以杀功臣的时候！”王建命侍卫亲军骑兵总指挥官（亲随马军都指挥使）唐道袭在夜晚用酒把他灌醉，用绳索勒死。成都（四川省成都市）居民听到消息，立刻停止所有市场交易，而各营官兵也都流泪哭泣，好像死了亲人。王建命指挥官（指挥使）王宗贺暂任山南西道战区（总部设兴元府〔陕西省汉中市〕）候补司令官（留后）。唐道袭，是阆州（四川省阆中市）人，开始时，是一个跳舞童子，用舞技取悦王建，后来逐渐参与秘密计划。

30 九月二日，朱全忠（朱温）因阴雨连绵，官兵很多患病，召集军事会议，打算讨论撤退。护国（总部河中府）亲军指挥官（亲从指挥使）高季昌、左翼先遣军指挥官（左开道指挥使）刘知俊说：“天下英雄豪杰，全神贯注大王这次勤王战役，为时已有一年。而今，李茂贞（宋文通）已被困住，为什么舍弃离开？”朱全忠（朱温）对李茂贞（宋文通）闭门不出，感到束手无策，高季昌建议用诡计诱他出战，于是悬赏招募能进城从事间谍的勇士，骑兵马景愿意前往，说：“我这次前去，一定被杀，请大王照顾抚养我的妻子儿女。”朱全忠（朱温）

也感到哀伤，阻止他去，但马景坚持。当时，朱全忠（朱温）命朱友伦从大梁（河南省开封市）率军西上；预计时间，第二天就要到达，大营应当出军迎接。马景请求乘着这个机会，给他一匹骏马，混杂到骑兵部队中出营，朱全忠（朱温）同意，下令全军喂饱战马，用牛肉美酒犒劳官兵。

九月四日，凌晨，宣武（总部汴州）大营旗帜卸下，不准士卒随意走动，一律暗中埋伏，好像一座空营，寂静如死，毫无人踪。马景随着骑兵部队出营，忽然间一提马缰，向凤翔（陕西省宝鸡市凤翔区）城门狂奔，假装逃亡，进城后报告李茂贞（宋文通）说："朱全忠（朱温）全部撤退，只留下伤残病患将近一万人，守着空营，今天晚上也要离去，请尽快发动攻击！"李茂贞（宋文通）大喜过望，认为机会已到，下令大开城门，出动所有军队，向宣武兵团（总部汴州）发动攻击。朱全忠（朱温）留在中央大帐，战鼓雷动，数百个大小营寨的埋伏，同时出动，从四面八方包围迎击；又派骑兵部队数百人直接杀到城门，凤翔兵团（总部凤翔府）被隔在城外，进攻无力，退后无路，互相践踏，伤亡惨重，几乎全军覆没。自此，李茂贞（宋文通）心胆俱裂，志气沮丧，这才开始商议跟朱全忠（朱温）和解，承诺把皇帝送回京师（首都长安），不再动不动就使用诏书，训令朱全忠（朱温）返回战区。

朱全忠（朱温）上疏任命高季昌当宋州（河南省商丘市）民兵司令（团练使）。高季昌，是硖石（河南省三门峡市东硖石乡）人，本来是朱友恭（李彦威）的奴仆。

31 九月五日，凤翔（总部凤翔府）兵团所属武定战区（总部设洋州〔陕西省洋县〕）司令官（节度使）李思敬，献出洋州州城，投降王建（西川〔总部成都府〕司令官)。

32 九月八日，李茂贞（宋文通）派出他的全部骑兵到附近各州驻扎，就地觅取粮食。

九月九日，朱全忠（朱温）挖掘“蚰蜒堑”（弯曲盘旋，像蚰蜒一样的长壕深沟），布置警犬，在铁丝网上悬挂警铃，把凤翔（陕西省宝鸡市凤翔区）包围得密不透风，城内城外彻底隔绝。

33 九月二十日，李晔（李敏）任命李茂贞（宋文通）当凤翔（总部凤翔府）、静难（总部邠州）、武定（总部洋州）、昭武（总部利州）四战区司令官（此时武定、昭武，已被王建夺走）。

34 有人建议被围攻的钱镠（镇海〔总部杭州〕司令官），最好南渡浙江（钱塘江），东下退守越州（浙江省绍兴市），逃避徐绾、许再思发动的内乱。杜建徽（武安特别营司令）手按佩剑，呵责说：“事情如果失败，不过一同死在这里，怎么可以逃亡？”

钱镠恐怕徐绾等占领越州（浙江省绍兴市），派大将顾全武率军前往驻守，顾全武说：“教我去越州（浙江省绍兴市），不如教我去扬州（淮南总部，江苏省扬州市）。”钱镠说：“什么原因？”顾全武回答说：“听说徐绾等秘密商量，要请田頵（宁国〔总部宣州〕司令官）救援，田頵来后，一定得到淮南（总部扬州）支持，我们就难以抵抗。”杜建徽说：“当初孙儒南侵时，大王曾经援助过杨行密（杨行愍），对他有恩（参考八九一年十二月），今天前去求援，他应有回报。”钱镠同意，命顾全武去向杨行密（杨行愍，淮南〔总部扬州〕司令官）紧急求救，顾全武说：“空手前往没有用处，请派一位王子充当人质。”钱镠派他的儿子钱传璙改换衣服，打扮成顾全武的奴仆，跟顾全武一起北上广陵（扬州州政府所在城，江苏省扬州市），并且向杨行密（杨行愍）求婚。顾全武路过润州（江苏省镇江市），民兵司令（团练使）安仁义喜爱钱传璙眉清目秀，打算用十个奴仆交换。顾全武贿赂守门官员，于半夜悄悄逃走。（胡三省原注：“安仁义号称淮南〔总部扬州〕名将，专守一城，关卡竟如此松懈，不是好的守城将领。”）

徐绾等果然请田頵（宁国〔总部宣州〕司令官）支援，田頵率军抵达，但先派亲信何饶告诉钱镠说：“请大王东去越州（浙江省绍兴市），那里政府房舍已经完全腾空，等候驾临，不必多杀士卒。”钱镠回答说：“军中发生变乱，什么地方没有？您身为统帅，竟然帮助恶徒背叛他的长官！要作战就立刻作战，何必瞎说大话！”田頵修筑营垒，切断杭州（浙江省杭州市）跟城外的交通道路。钱镠十分忧愁，悬赏凡能摧毁田頵营垒的，命他担任州长。衢州（浙江省衢州市）军政总监（制置使）陈璋，率士卒三百人出城攻击，夺回据点，钱镠即命陈璋当衢州（浙江省衢州市）州长（由此可看出唐王朝时，“制置使”在“刺史”之下。直到宋王朝稍后，“刺史”还是“刺史”，“制置使”逐渐高升，位如总督）。

顾全武抵达广陵（江苏省扬州市），警告杨行密（杨行愍，淮南〔总部扬州〕司令官）说：“假如田頵夺取杭州（浙江省杭州市），势力突增，一定会成为大王的灾难。大王如果召回田頵，越王（钱镠）愿送儿子钱传璙当人质，并且请大王赐婚。”杨行密（杨行愍）允许，把女儿嫁给钱传璙。

35 冬季，十月，李俨（张俨，左金吾将军）抵达扬州（自凤翔出发，历时七个月才到，参考本年〔九○二〕三月）。杨行密（杨行愍）开始设置“皇命院”（制敕院），每次代表皇帝任官封爵时，就报告李俨（张俨），在紫极宫

（祭祀玄元皇帝李耳）九任帝（玄宗）李隆基的塑像前，陈列诏书，杨行密（杨行愍）叩头行礼，然后颁布。

36 王建（西川〔总部成都府〕司令官）攻陷兴州（陕西省略阳县，属昭武战区〔总部利州〕），命基地司令（军使）王宗浩当兴州（陕西省略阳县）州长。

37 十月六日，夜晚，李茂贞（宋文通）的义子李彦询率三个步兵特别营，投奔宣武（总部汴州）军营。

十月七日，李彦韬也投奔归降。

十月八日，朱全忠（朱温）派他的幕僚司马邺，携带奏章进城。

十月十二日，朱全忠（朱温）又派使节进城呈献熊油。从此，朱全忠（朱温）不断呈献食物、绸缎、布匹，前后相继。李晔（李敏）都先送给李茂贞（宋文通）打开检查，李茂贞（宋文通）也不敢打开先看。

十月十四日，朱全忠（朱温）再派使节进城跟李茂贞（宋文通）谈判和解，居民出城砍柴摘菜的，也不再掠夺。

十月十五日，朱全忠（朱温）上疏，声称已开始修复宫殿，准备迎接皇帝回宫。

十月十七日，李晔（李敏）派国立贵族大学副校长（国子司业）薛昌祚、宦官王延缵，携带诏书，出城送给朱全忠（朱温）。

十月二十一日，李茂贞（宋文通）再度出军攻击凤翔（陕西省宝鸡市凤翔区）城西宣武（总部汴州）军营；失败，撤退。朱全忠（朱温）命投降的官员，身穿红色衣袍（四、五品官服），命他们号召城里的人投降，城里很多人于夜晚缒下城墙，或借口出去砍柴摘菜，都一去不返。自此之后，李茂贞（宋文通）有时候发动攻击，而军心已变，往往溃

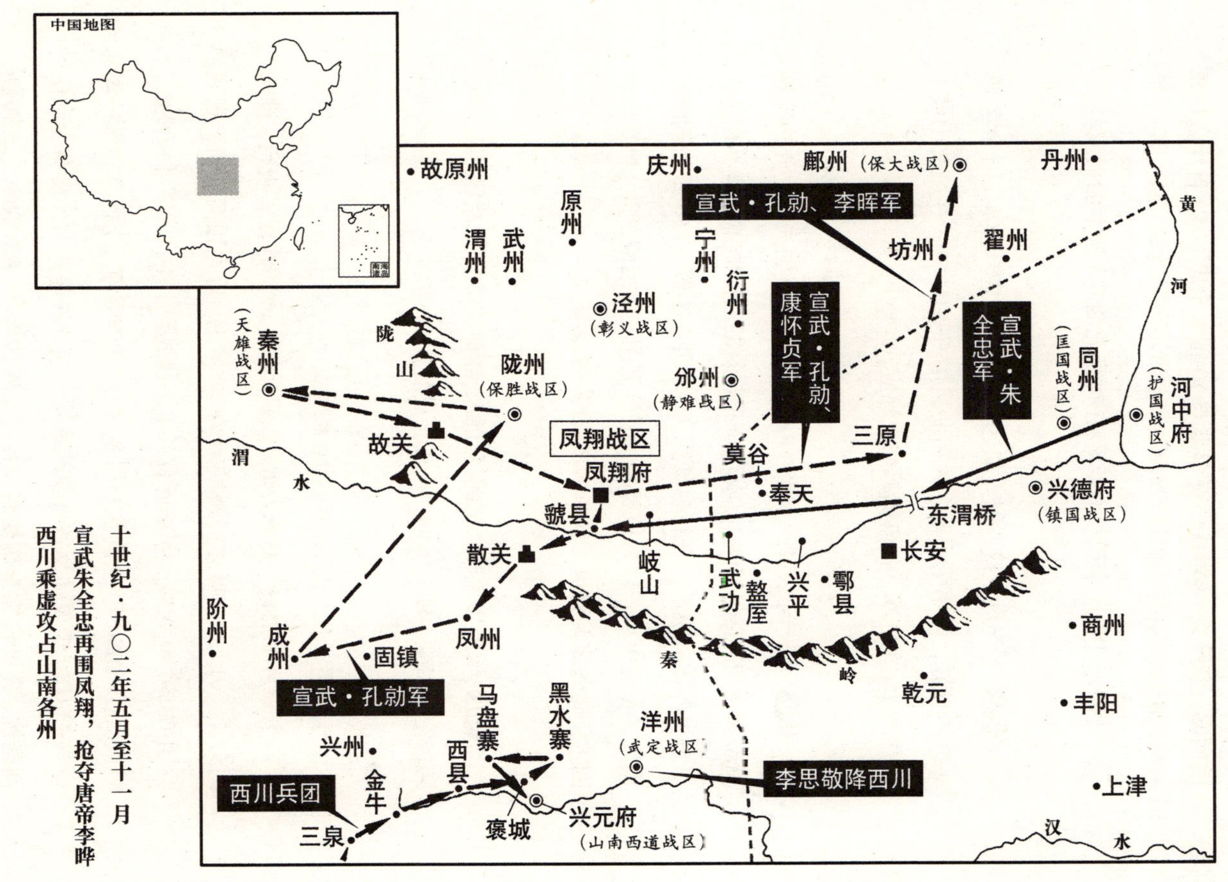

十世纪·九〇二年五月至十一月
宣武朱全忠再围凤翔，抢夺唐帝李晔
西川乘虚攻占山南各州

散而回。李茂贞（宋文通）怀疑李晔（李敏）跟朱全忠（朱温）有什么秘密约定，更加强防范。

十月三十日，李茂贞（宋文通）在行宫北墙外，派军加强戒备。

38 十一月一日，保大战区（总部设鄜州〔陕西省富县〕）司令官（节度使）李茂勋，再率军一万余人援助凤翔（总部凤翔府），在城北山坡上扎营，跟城里守军，各自燃起烽火呼应。

39 十一月二日，李晔（李敏）派小老婆赵国夫人，先去窥探皇家文学研究院（学士院），发现特派驻院的两位监视宦官不在，火急召见韩偓、姚洎，在行宫便门（土门）外，李晔（李敏）跟他们暗中相见，无话可说，只有拉着手，哭泣流泪。姚洎请李晔（李敏）迅速回宫，唯恐被人看见，李晔（李敏）仓猝转身回去。

40 朱全忠（朱温）派部将孔勍、李晖，乘保大战区（总部鄜州）防务空虚（军队都随司令官李茂勋出征），进攻鄜（陕西省富县）、坊（陕西省黄陵县）二州。

十一月十日，攻陷坊州（陕西省黄陵县）。

十一月十二日，天降大雪。宣武兵团（总部汴州）冒雪夜行，拂晓时分（十一月十三日）抵达鄜州（陕西省富县）城下，守军没有戒备，宣武兵团（总部汴州）入城，守军还有八千，巷战到中午，守军才算溃败。宣武兵团（总部汴州）生擒候补司令官（留后）李继璙。孔勍下令保护司令官（节度使）李茂勋及各将领的家属。社会秩序如常，没有受到任何骚扰。孔勍任命李晖暂时主持总部军政事务（权知军府事）。李茂勋得到消息，率军逃走。

围攻凤翔（陕西省宝鸡市凤翔区）的宣武（总部汴州）大军，每天夜晚都擂动战鼓，遍吹号角，城里被震撼得屋摇地动。宣武（总部汴州）士卒诟骂守军："劫持天子的贼！"凤翔（陕西省宝鸡市凤翔区）守军则诟骂宣武（总部汴州）士卒："抢夺天子的贼！"

本年（九〇二）冬季，大雪，凤翔城里粮食吃完，冻死饿死的难以计算数目。有人还没有断气，仍躺在床上呻吟，就被饥民用刀把身上的肉剐下来吞食。街市上出卖人肉，每斤一百钱，而狗肉每斤却高达五百钱（中国人，你的名字是苦难）。李茂贞（宋文通）的仓储也快耗光，只有拿狗肉、猪肉供应皇帝伙食。李晔（李敏）穿的衣裳以及小皇子们穿的衣裳，都拿到街市上出卖；用水泡过的松果或削下的柿皮去喂御马。

41 十一月十四日（原文"丙子"，据《新唐书》改），国务院财政部副部长（户部侍郎）、二级实质宰相（同平章事）韦贻范逝世。

42 十一月二十一日，朱全忠（朱温）派人把凤翔（陕西省宝鸡市凤翔区）城外所有的野草，统统割光，一根不剩，迫使守军更为困苦。

十一月二十二日，李茂贞（宋文通）增加守卫行宫城门的军队，宦官们逐渐发现难逃一死，于是互相怨恨。

苏检很多次替韩偓经营策划，盼望韩偓能当宰相，先向李茂贞（宋文通）及左、右神策军总指挥宦官（左右中尉）韩全诲、张彦弘，以及宫廷机要室主任宦官（枢密使）袁易简、周敬容竭力推荐，并且派自己的亲信告诉韩偓，韩偓大怒说："皇上把你跟韦贻范从贬窜的地方调回中央，只不过十天半月，就爬到宰相高位，到今天丝毫没有作为。早上不能保证活到晚上，想拿这个职务对我羞辱！”

43 田頵（宁国〔总部宣州〕司令官）猛烈攻击杭州（浙江省杭州市），准备船舰，打算从西陵（浙江省杭州市滨江区西兴街道）渡浙江（钱塘江）东进（进攻越州〔浙江省绍兴市〕）。钱镠（镇海〔总部杭州〕司令官）派他的部将盛造、朱郁迎战，击破攻势。

44 十二月，李茂勋（保大〔总部鄜州〕司令官）派使节晋见朱全忠（朱温），投降，并改姓名李周彝（李茂勋是李茂贞的堂弟，参考本年〔九〇二〕八月）。于是，李茂贞（宋文通）汉川（秦岭以南）所属州县，全归王建（西川〔总部成都府〕司令官）；关中（陕西省中部）所属州县，全归朱全忠（朱温）。李茂贞（宋文通）坐在那里，苦守孤城，束手无策，这才暗中计划诛杀宦官，赎罪自救，写信给朱全忠（朱温）说：“灾祸发生，都是韩全诲引起，我迎接皇上到这里，为的是防备别的强盗。大帅既然拯救帝国，就请您迎接皇上回宫。我将率领我所仅有的破盔旧甲，跟疲兵残将，追随您行动。”朱全忠（朱温）复信说：“我率大军到此，正是为了皇上流亡在外。大帅能够同心合力完成任务，正是我的心愿。”

45 杨行密（杨行愍，淮南〔总部扬州〕司令官）派人警告田頵（宁国〔总部宣州〕司令官）说：“你如果不回来，我就派人替你镇守宣州（安徽省宣城市）。”

十二月八日，田頵将要班师，向钱镠（镇海〔总部杭州〕司令官）索取劳军费二十万串，并要钱镠派一个儿子当人质，田頵愿把女儿嫁他。钱镠征求儿子们的意见："谁愿意当田家女婿？"没有人回答。钱镠打算命他最小的儿子钱传球前去，钱传球坚决拒绝。钱镠大怒，几乎把他处死。次子钱传瓘自愿前往，吴夫人（钱镠的正妻）哭泣说："为什么把孩儿放到虎口！"钱传瓘说："解除家国灾难，我怎么敢爱惜我的身子！"叩头又叩头，退出。钱镠不忍父子远别，哭泣相送。钱传瓘率领几个家丁，在北门缒城而下。田頵遂跟徐绾、许再思，回军宣州（安徽省宣城市）。钱镠免除钱传球内营官职。

越州（浙江省绍兴市）外籍兵团司令（客军指挥使）张洪，自认为是徐绾的一党，猜疑不安，于是率步兵三百人，投奔衢州（浙江省衢州市），衢州州长陈璋开城收容。温州（浙江省温州市）将领丁章，发动兵变，驱逐州长朱敖，朱敖投奔福州（威武战区总部所在，福建省福州市），丁章遂夺取州城；田頵派使节前来，召唤丁章前往，使节路过衢州（浙江省衢州市），陈璋允许他自由往返。钱镠因此痛恨陈璋。

46 十二月二十五日，李晔（李敏）召集李茂贞（宋文通）、苏检、李继诲（周承诲）、李彦弼（董彦弼）、李继岌、李继远、李继忠，入宫共同进餐，讨论跟朱全忠（朱温）和解事宜。李晔（李敏）说："十六宅亲王以下，每天都有几个人冻死饿死。就是住在行宫的亲王、公主、嫔妃，也一天吃稀粥、一天吃汤饼（北方乡间称"片汤"），现在也都吃完，你们有什么意见？"大家哑口无言。李晔（李敏）说："唯一的办法只有尽快和解。"

凤翔（总部凤翔府）士卒十余人，在行宫左银台门拦住韩全诲的马头，大声叫骂道："全境生灵悲苦，一城军民饿死，都是为了你们几个宦官！"韩全诲再向李茂贞（宋文通）叩头哭诉，李茂贞（宋文通）道歉说："他们知道什么！"命左右斟上两杯酒，相对举起，各干一杯，作为赔礼。韩全诲再向李晔（李敏）叩头哭诉，李晔（李敏）说些安慰的话纾解。李继昭（符道昭）对韩全诲说：“从前，杨复恭害死杨守亮（訾亮）一家（参考八九四年七月），而今，你也想害死我李继昭（符道昭）一家是不是？”破口大骂，出城投降朱全忠（朱温），恢复原姓名符道昭（改名事，参考本年〔九〇二〕四月）。

47 本年（九〇二），虔州（江西省赣州市）州长卢光稠，进攻岭南（南岭以南），攻陷韶州（广东省韶关市），派他的儿子卢延昌镇守，并进军包围潮州（广东省潮州市）。清海战区（总部设广州〔广东省广州市〕）候补司令官（留后）刘隐派军把他们击退，乘胜进攻韶州（广东省韶关市）。刘隐的老弟刘陟认为卢延昌有虔州（江西省赣州市）作为后援，不可能立刻攻克。刘隐不理，于是包围韶州（广东省韶关市）。想不到北江（流经韶州城东）猛涨，运粮船逆水而上，十分困难，供应难以为继。卢光稠又从虔州（江西省赣州市）率军增援，所属将领谭全播在山谷中埋伏一万人的精锐部队，而由老弱残兵向围城军挑战，就在韶州（广东省韶关市）城南，大破清海兵团（总部广州），刘隐逃回。谭全播把所有的功劳都让给其他将领，卢光稠对他十分欣赏。

48 岳州（湖南省岳阳市）州长邓进思逝世，老弟邓进忠自称州长。

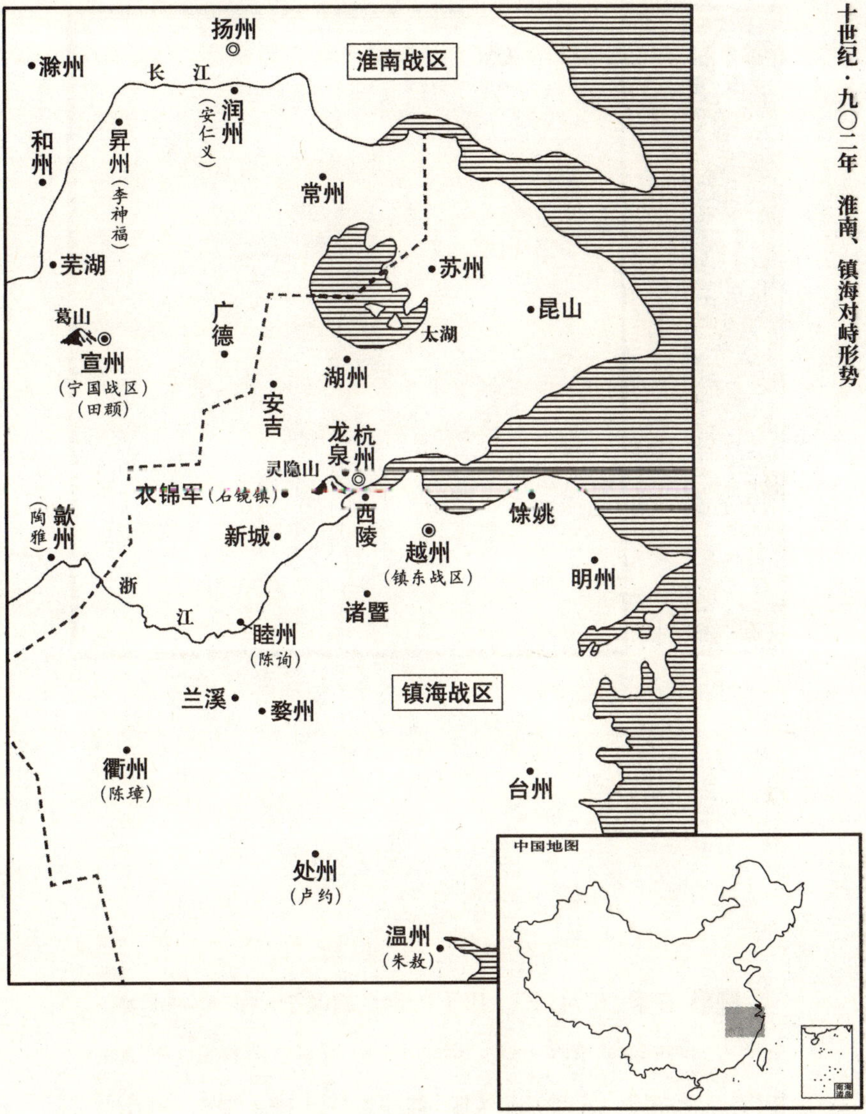

十世纪·九〇二年 淮南、镇海对峙形势

扬州
滁州
长 江
淮南战区
润州（安仁义）
昇州（李神福）
和州
常州
芜湖
苏州
昆山
太湖
葛山
宣州（宁国战区）（田頵）
广德
湖州
安吉
龙泉
杭州
灵隐山
衣锦军（石镜镇）
西陵
馀姚
歙州（陶雅）
新城
越州（镇东战区）
明州
浙 江
诸暨
睦州（陈询）
镇海战区
兰溪
婺州
衢州（陈璋）
台州
处州（卢约）
温州（朱敖）
中国地图
南海诸岛

九〇三年 癸亥

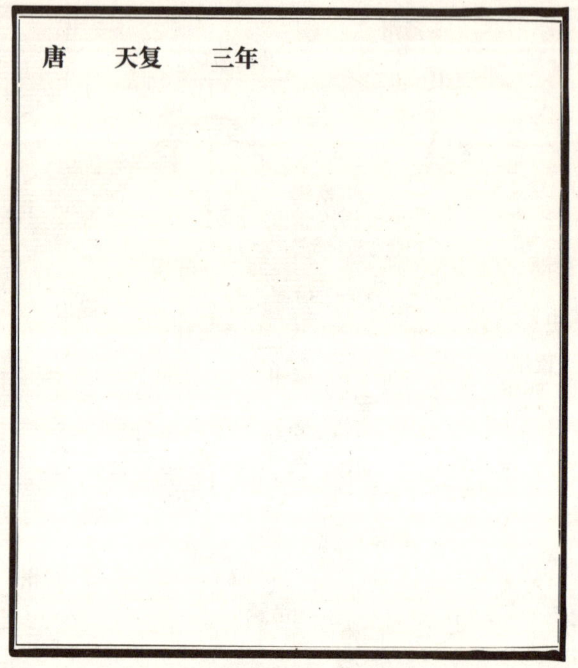

1 春季，正月二日，唐王朝（流亡首都凤翔府〔陕西省宝鸡市凤翔区〕）皇帝（二十四任昭宗）李晔（李敏。本年三十七岁）派宫廷监察官（殿中侍御史）崔构、贴身宦官（供奉官）郭遵诲，前往朱全忠（朱温，宣武〔总部汴州〕司令官）大营。

正月四日，李茂贞（宋文通，凤翔〔总部凤翔府〕司令官）也派营门官（牙将）郭启期，前往朱全忠（朱温）大营，缔结和解盟约。

2 平卢战区（总部设青州〔山东省青州市〕）司令官（节度使）王师范，求知欲强烈，非常好学，常期许自己成为忠义之士，拥有优良政绩和美好声望。朱全忠（朱温）包围凤翔（陕西省宝鸡市凤翔区），左神策军总指挥宦官（左军中尉）韩全诲，用皇帝名义发布诏书，征召各战区道勤王，拯救皇帝。王师范接到，哭泣流涕，泪满衣襟，说："身为皇家的屏障，怎么可以坐在这里观看皇上受到如此困辱！我们手握强兵，难道只用来自卫！"正巧，前宰相张濬也从长水（河南省洛宁县西南长水镇）送来信件，劝王师范发动义军。王师范说："张公的话，正合我的意思，还有什么怀疑？虽然力量不足，也要不计生死。"

此时，宣武（总部汴州）所属关东（潼关以东）各路兵马，都被朱全忠（朱温）调到凤翔（陕西省宝鸡市凤翔区）作战。于是王师范命各将领假扮进贡使节或做生意的小贩商人，暗把武器放到小车上，分别前往汴（河南省开封市）、徐（江苏省徐州市）、兖（山东省济宁市兖州区）、郓（山东省东平县）、齐（山东省济南市）、沂（山东省临沂市）、孟（河南省孟州市）、滑（河南省滑县）、陕（河南省三门峡市）、虢（河南省灵宝市）、华（兴德府，陕西省渭南市华州区）、河南（河南省洛阳市）、河中（山西省永济市）等州府，约定同一天一起暴动，起兵讨伐朱全忠（朱温）。可是，前往各州府的将领，都因阴谋泄露被捕，只有作战参谋长（行军司马）刘鄩，夺取兖州（山东省济宁市兖州区）成功。当时，隶属朱全忠（朱温）的泰宁战区（总部设兖州〔山东省济宁市兖州区〕）司令官（节度使）葛从周，率领他所有的部队，北上进驻邢州（河北省邢台市）。刘鄩先派人假扮油贩，挑着油担进城，侦察防务弱点及攻击路线。

正月四日，刘鄩率精锐战士五百人，于夜晚从兖州（山东省济宁市兖州区）排水沟潜入城里。等到天亮（正月五日），已完全控制兖州（山东省济宁市兖州区）内城（牙城），可是街巷居民还不知道。刘鄩占领战区总部后，晋见葛从周的娘亲，跪拜叩头，每天早上进去请安，对葛从周的妻子儿女，非常优厚谦恭，葛从周的子弟依旧担任原来官职，供应跟过去一样。

当天（正月五日），平卢（总部青州）营门官（牙将）张居厚，率勇士两百人，推着小车抵达华州（兴德府，陕西省渭南市华州区）东城，代理州长（知州事）娄敬思觉得有点不对劲，命他们停车检查，战士们大声呐喊，格杀娄敬思，进攻西城。退休宰相崔胤这时仍在华州（崔胤率中央全体官员迁华州〔兴德府〕，参考前年〔九〇一〕十二月二十日），率领部众抵抗，平卢（总部青州）战士不能取胜，于是向南逃亡，走到商州（陕西省商洛市商州区），追兵把他们擒获。

朱全忠（朱温，宣武〔总部汴州〕司令官）命战区军事执行官（节度判官）裴迪守卫大梁（汴州州政府所在城，河南省开封市）。王师范派差人送信到大梁（河南省开封市），裴迪问他东方情况，差人脸色突变，裴迪察觉有异，屏退左右询问，差人全盘供出。裴迪来不及报告朱全忠（朱温），立即请示步骑兵总指挥官（马步都指挥使）朱友宁（朱全忠的侄儿），率军一万余人，向东巡逻兖（山东省济宁市兖州区）、郓（山东省平县）二州。朱友宁紧急召唤进驻邢州（河北省邢台市）的葛从周回军，联合攻击王师范。朱全忠（朱温）得到消息，马上派一部分军队东进，命朱友宁一并统御。

3 正月六日，李茂贞（宋文通，凤翔〔总部凤翔府〕司令官）单独晋见李晔（李敏）；左右神策军总指挥宦官（左右军中尉）韩全诲、张彦弘，宫廷机要室主任宦官（枢密使）袁易简、周敬容，都不在场。李茂贞（宋文通）建议诛杀韩全诲等，跟朱全忠（朱温）和解，恭送皇帝回京（首都长安）。李晔（李敏）大喜，立刻派贴身宦官（内养）率凤翔（总部凤翔府）

官兵四十人，逮捕韩全诲等，斩首。命皇家膳食管理宦官（御食使）第五可范当左神策军总指挥宦官（左军中尉），宫廷事务南院总监（宣徽南院使）仇承坦当右神策军总指挥宦官（右军中尉）。命王知古当宫廷机要室东院主任宦官（上院枢密使），杨虔朗当宫廷机要室西院主任宦官（下院枢密使）。当天（正月六日）夜晚，又斩李继诲（周承诲）、李彦弼（董彦弼）、李继筠（以上三人，参考前年〔九〇一〕八月五日），以及禁宫各单位联合管理官（内诸司使）韦处廷等十六人。

4 正月七日，李晔（李敏）派皇家文学研究官（翰林学士）韩偓，跟赵国夫人宠颜，前往朱全忠（朱温）大营；另派使节携带韩全诲等二十余人的人头，请朱全忠（朱温）过目，传话说："前些日子里，恐怕受到责罚，强迫扣留我，离间君王跟臣属之间感情、拒绝和解的，就是这几个人。而今，我跟李茂贞（宋文通）已把他们诛杀，你可以把这种情形宣告给各军知悉，希望能平息大家的愤怒。"

正月九日，朱全忠（朱温）派行政执行官（观察判官）李振，携带奏章，进城叩谢皇帝。

韩全诲等虽然伏诛，可是朱全忠（朱温）对凤翔（陕西省宝鸡市凤翔区）的包围，仍没有解除。李茂贞（宋文通）怀疑崔胤从中鼓励朱全忠（朱温）夺取凤翔（陕西省宝鸡市凤翔区），于是报告李晔（李敏），紧急召见崔胤，命崔胤率文武百官前来皇帝所在地。计前后共发布四次诏书，又送出三次皇帝的亲笔信件，措辞用语，十分恳切，并完全恢复崔胤的官职爵位，但崔胤宣称他有病在身，拒绝前往。李茂贞（宋文通）越发恐惧，亲自写信给崔胤，姿态十分卑屈。朱全忠（朱温）也写信邀请崔胤前来，幽默的说："我不认识皇上，必须你来分辨真假！"崔胤这才启程。

正月十二日，凤翔（陕西省宝鸡市凤翔区）初次打开城门。

正月十四日，朱全忠（朱温）巡查各军营，走到城北时，发现有凤翔（总部凤翔府）军队从北方山上下来，朱全忠（朱温）怀疑可能对自己发动突袭，急派军出击，生擒他们的将领李继钦。李晔（李敏）派赵国夫人及冯翊夫人到朱全忠（朱温）大营，查问发生这场冲突的原因。朱全忠（朱温）派他的亲信蒋玄晖，携带奏章，进城报告。

李茂贞（宋文通）请求李晔（李敏）允许把平原公主嫁给自己的儿子李侃，又请求把宰相苏检的女儿嫁给景王李秘，希望用婚姻关系，保护自己的生命和权力。平原公主，是何皇后生的女儿，何皇后非常不愿意，李晔（李敏）说："只要我能够出去，何必担心你的女儿！"何皇后才同意。

正月二十日，平原公主下嫁宋侃（同姓不能嫁娶，所以李侃恢复本姓），并命李秘娶苏检的女儿。

这时，仅凤翔（陕西省宝鸡市凤翔区）一城，诛杀的宦官就有七十二人。朱全忠（朱温）又密令首都长安特别市政府（京兆）搜索逮捕已退休或来不及追随皇帝西迁的宦官，诛杀九十人。

正月二十二日，李晔（李敏）出凤翔（陕西省宝鸡市凤翔区）城，前往朱全忠（朱温）大营。朱全忠（朱温）改穿素色衣服，等候皇帝责罚。李晔（李敏）命礼宾宫（客省使）宣布赦免，撤除所有警卫，只派金吾卫（卫军第十一、十二军）将军一人，先去向朱全忠（朱温）报告平安（这种宫廷排场，旨在展示皇帝威风，繁文缛节，难弄清楚），朱全忠（朱温）穿文官常服晋见谢恩，看到李晔（李敏），跪下叩头，前额碰地，痛哭流涕（《资治通鉴》上这种节目多如牛毛，看起来必须在紧要关头能够急哭急泪，才能吃政治这一行饭，这就是官场文化：假得跟真的一样）！李晔（李敏）命韩偓把他扶起，也忍不住流泪说："皇家祖庙，帝国大业，全靠你的努力，转危为安。我

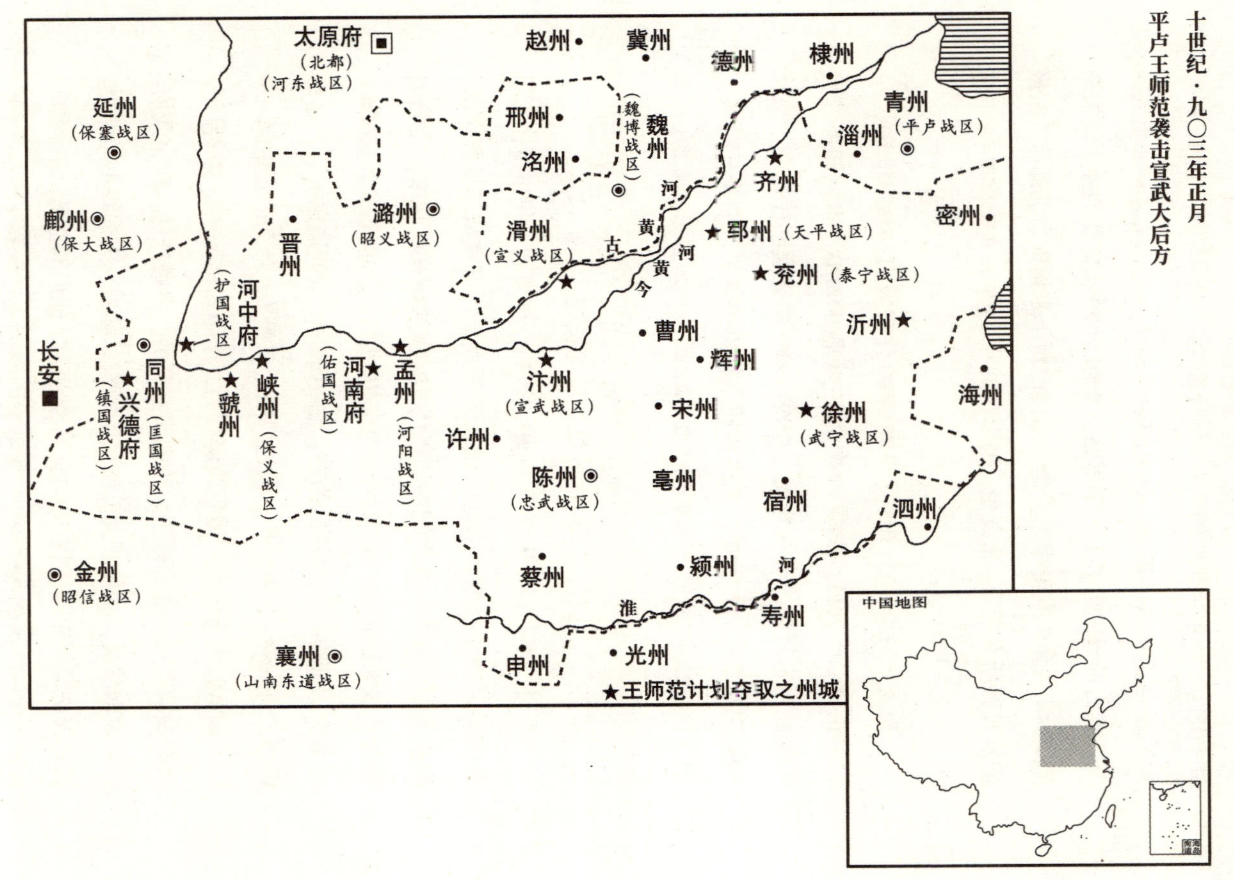

十世纪·九〇三年正月
平卢王师范袭击宣武大后方

跟我的家族，也全靠你的努力，绝处逢生。”亲自解下自己的玉带，赐给朱全忠（朱温）。稍微休息后，再继续前行。朱全忠（朱温）单人匹马，作为前导，走了十几华里路，李晔（李敏）一定要他停止。朱全忠（朱温）乃命朱友伦率军护送，而自己留下来指挥后卫部队，监督撤除焚毁所有营寨。朱友伦，是朱存的儿子（朱存，是朱全忠的二哥，参考八八〇年十二月十三日）。

当天（正月二十二日）夜晚，李晔（李敏）住宿岐山（陕西省岐山县）。

正月二十五日，李晔（李敏）抵达兴平（陕西省兴平市）。崔胤才率领文武百官赶到，迎接晋见，李晔（李敏）命崔胤回任司空（三公之三）、副监督长（门下侍郎）、二级实质宰相（同平章事），仍兼三司（领三司：全国财政总监〔度支〕、全国盐铁专卖暨运输总监〔盐铁使〕国务院财政部长〔户部尚书〕）。

正月二十七日，李晔（李敏）抵达首都长安（陕西省西安市）。

正月二十八日，朱全忠（朱温）、崔胤一同登殿晋见皇帝，崔胤奏报说：“唐王朝刚建立的时候，天下太平，宦官从不掌握军队，也从不参与政治。八世纪四〇年代（九任帝李隆基在位）以来，宦官的势力才逐渐扩张（参考七三〇年十二月）。八世纪八〇年代（十二任帝李适在位）稍后，把禁军羽林军分为左、右神策军，以便调遣护卫，才命宦官主持（参考七八四年十月），但也只限于二千人，作为固定编制。不过，却从此参与机密，侵犯政府权力，上下勾结，一起违法乱纪。大则煽动军阀，危害帝国；小则出卖官爵，贪赃枉法，伤害政府。皇家衰弱混乱，都由于此，如果不能斩草除根，灾祸终不能停止。我建议把掌握军政大权的宦官，全数罢黜。他们的业务，完全缴回政府。各战区道的监军宦官，也全部召唤回宫！”李晔（李敏）同意。当天（正月十八日），朱全忠（朱温）命军队把包括第五可范在内的数百名宦官，驱逐到宦官总管府（内侍省），全部屠杀，喊冤呼痛的声音，传到宫外。出使到各地的，李晔（李敏）下诏由各所在地政府逮捕，就地处死，只留穿黄色官服（六、七品）年幼体弱的小宦官三十人，以供洒扫。再下诏命成德战区（总部设镇州〔河北省正定县〕）司令官（节度使）王镕，遴选五十名宦官，只供传送命令，只因北方风土敦厚，人性朴实谨慎。李晔（李敏）怜悯第五可范等并没有犯罪，竟遭杀身之祸，特别撰写祭文哀悼。从此之后，皇帝的旨意诏令，都派宫女出入送达。左右神策军和内外八基地禁卫军，全部归属六军（神策军八基地，参考八二〇十月）。李晔（李敏）命崔胤兼管六军十二卫（兼判六军十二卫事）。

司马光曰

宦官掌握权柄，给国家制造灾难，由来已久。只因他们可以自由出入皇宫，君王从小到大，跟他们厮混在一起，感情容易亲密。最高级的政府官员（三公六卿），晋见皇帝，都有一定的时间，而且气氛严肃，内心充满敬重和畏怯。宦官中再有一些人天生机警，能够分辨利害，而又口舌伶俐，侍候主人时，察言观色，百般迎合。执行命令时，主人也从不担心他会违背。派出办事时，更有称心满意的效果。除非具有高等智慧的领袖，洞察人情物性，深谋远虑，只让他们侍候日常生活，不让他们处理政治事务，否则的话，常接近的人，自一天比一天亲信，不常接近的人，自一天比一天疏远。有些甜言蜜语、卑屈谄媚的请求，有时候忍不住会点头允许；有些挑拨离间、没有对证的诬陷，时间一久，也会听从。于是人事上的免除、调差、升迁、贬降，司法上的判罪、赦免、惩罚，以及政治上的奖励、犒赏大权，就会不知不觉滑到左右亲近之手，只领袖自己却不知不觉。好像饮酒一样，只喜欢它的味道，而忘了自己已醉。人事及司法大权一旦转移，而国家仍能不危不乱，自古以来，还没有过。

东汉王朝衰败时，宦官的骄傲横暴，闻名于世，但他们一切都通过主人，好像躲在神坛里的老鼠，不畏惧烟熏火烧，遂扰乱全国。不过他们却没有劫持天子、威胁皇帝，像控制一个婴孩一样，随意罢黜、任情拥立，完全操纵在他们之手，一会往东，一会往西，使主上恐惧得如同手捧蛇蝎，或骑在虎狼脊背之上，像唐王朝这种模样。造成此项差别的，不在于别的原因，在于东汉王朝宦官手中没有军权，唐王朝宦官手中掌握军权。

李世民（唐王朝二任帝太宗）有鉴于前代流弊，所以严格压低宦官的官阶，不准超过四品（参考七一三年七月）。李隆基（九任帝玄宗）才开始破坏优良传统，一方面鼓励，一方面擢升。到了晚年，更使高力士裁决政府官员的奏章，甚至任命或罢黜宰相时，也跟高力士商量，于是皇太子、亲王、公爵以下，对高力士都深怀畏惧，竭力讨他喜悦，宦官权势，自此提高（参考七四八年四月）。后来，中原沉沦（指安史之乱爆发），李亨（十任帝肃宗）前往灵武（宁夏灵武市）号召集结各路人马勤王，李辅国因是东宫时代旧部的缘故，参与军国大事（参考七五七年正月），恩宠太过，遂生骄傲，终于不能控制，竟使李亨对老爹（九任帝玄宗李隆基）和爱儿（建宁王李倓）都不能保护，在忧郁惊恐中逝世。李豫（十一任帝代宗）登极之后，继续走上使车辆翻覆的老路，程元振（参考七六二年六月）、鱼朝恩（参考七六三年十二月），前后掌权，玩弄国家的刑罚赏赐，遮蔽领袖的眼睛耳朵，把君王看作一件摆到椅子上的皮袄，把宰相当作一群俘虏奴隶。来瑱到中央朝见，竟被谗言害死（参考七六三年正月）；吐蕃王国大军侵犯京畿，宦官竟隐藏军情，拒不奏报，以致皇帝狼狈逃亡陕州（河南省三门峡市，参考七六三年十月）；而李光弼身陷危境，忧愁悲愤，竟被夺取生命（参考七六四年七月）；郭子仪受到排斥，闲住在家（参考七五九年七月），连祖宗坟墓都保不住（参考七六七年十二月）；仆固怀恩含冤受屈，投诉无门，最后抛弃所有功劳，背叛中央（参考七六四年正月）。李适（十二任帝德宗）刚登极时，整顿纲纪，宦官稍稍失势（参考七七九年六月），但是自兴元（陕西省汉中市）回京（参考七八四年七月）之后，对将领们心存猜忌，认为李晟、浑瑊都不可靠，完全剥夺他们的军权（李晟军权被剥夺，参考七八七年三月，浑瑊军权则并未被剥夺，参考七九九年十二月），而派窦文场、霍仙鸣当神策军总指挥宦官（中尉），负责皇家警卫（参考七九六年六月），从那时开始，太阿宝剑的剑柄，正式交到宦官之手。李纯（十四任帝宪宗）在位末年（九世纪一〇年代），吐突承璀打算罢黜嫡子，拥护庶子，以致激起陈弘志喋血宫廷（参考八二〇年正月）；李湛（十六任帝敬宗）跟宦官太过亲密，厮混纠缠，刘克明与苏佐明遂得以犯下谋杀大罪（参考八二六年十二月）。

从此之后，绛王李悟（参考八二六年十二月）以及李昂（十七任帝文宗）、李瀍（十八任帝武宗）、李忱（十九任帝宣宗）、李漼（二十任帝懿宗）、李俨（二十一任帝僖宗）、李晔（二十二任帝昭宗）六任皇帝，都由宦官推上皇帝宝座，宦官声势自然越发骄傲蛮横。接着是王守澄（参考八二三年四月）、仇士良（参考八三五年五月）、田令孜（参考八七五年正月）、杨复恭（参考八八六年四月）、刘季述（参考八八八年三月）、韩全诲（参考前年〔九〇一〕正月），都是宦官中杰出的首脑；杨复恭甚至自称“定策国老”，而把李晔（李敏）当作“天子门生”（参考八九四年八月）。根深蒂固，病入膏肓，已无药可救（病入膏肓，参考三一六年二月注）。李昂（十七任帝文宗）对他们的行为深恶痛绝，下定决心彻底铲除，可是，以宋申锡那样的贤才，都不能有所施展，反而受到陷害（参考八三一年二月）；何况李训（李仲言）、郑注之类反复无常的邪恶小人，竟去乞灵诡计，想用一次诈术（指甘露事变)，翦除百年累世胶固在一起的私党；结果血染宫廷，尸满政府，高官贵爵，一个接一个诛杀，一门连一门抄斩，皇帝不得不装聋作哑，每天酗酒，忍气吞声，自比姬延(周王朝末任王赧王)、刘协(东汉王朝末任帝献帝)，岂不可悲(参考八三六年十一月)。以李忱(十九任帝宣宗)的严明果决，智慧明察，尚且闭眼摇头，承认自己对宦官畏惧(参考八五四年十月)。何况李漼(二十任帝懿宗)、李儇(二十一任帝僖宗)，骄傲奢侈，声乐、女色、踢球、打猎，事事满足之后，把军政大权全部交给宦官，喊他们"阿爹"(参考八七五年正月)，自然一点也不奇怪。后来，盗匪污染宫廷。两次逃往梁州(兴元府，陕西省汉中市)、益州(成都府，四川省成都市)，都是田令孜造成(参考八八一年正月、八八六年三月)。李晔(二十二任帝昭宗)不能忍受这种耻辱，企图洗雪，然而，用人不当，又没有谋略。最初，张濬在平阳(指晋州，山西省临汾市)全军覆没，使李克用更加跋扈(参考八九〇年十一月)。杨复恭在山南(秦岭以南)亡命逃窜，又引起宋文通(李茂贞)犯上作乱。终于宫门之前，两军混战，飞箭射中皇帝所穿的御衣。李晔(二十二任帝昭宗)首先流亡莎城(陕西省西安市长安区西南，参考八九五年七月)，再次流亡华阴(指华州，参考八九六年七月)，在太子宫(少阳院)受到囚禁(参考九〇〇年十一月)，最后更被劫持到岐阳(岐山南麓，指凤翔府，陕西省宝鸡市凤翔区)。崔胤无可奈何，索性召唤朱全忠(朱温)出军讨伐。于是大军围城，为时两年，皇家膳食不够皇帝吃饱，王爷侯爵也饥饿而死，好不容易韩全诲伏诛，君王脱险东出，接着大肆屠杀，一个不留。而唐王朝政府，也因此成为废墟。往事历历，可以看出：宦官制造灾祸，由李隆基(九任帝玄宗)开端，而李亨(十任帝肃宗)、李豫(十一任帝代宗)在位时，大肆膨胀；但真正使宦官当权制度化的，却是李适(十二任帝德宗)，发展到李晔(二十二任帝昭宗)，更登峰造极。《易经》说："人们踏到霜的时候，就应该警觉到，结冰的日子就要来临。”国家领导人在微小的地方，就应防范，开始时怎么能不谨慎！这是宦官灾祸中特别明显的一些事迹。至于伤害贤能、引起混乱、卖官售爵、打击军心、损兵折将，毒害平民，已多到无法一一列举。

宦官的职务，在“三王时代”（三王：夏王朝一任帝姒文命、商王朝一任帝子天乙、周王朝一任王姬发），就详细的记载在《诗经》《礼经》里面（《诗经·巷伯》《礼经·札记》），目的就在严格隔绝妇女跟外界的联系，建立闺房和社会沟通的渠道，所以，怎么可以没有宦官！

《巷伯》的憎恨邪恶（《诗经·巷伯》，记载宦官身陷谗言时的怨恨），名披的宦官尽忠君王（参考二五八年十月注），郑众对于赏赐总是拒绝时多而接受时少（参考九二年六月）。吕强对皇帝直言规劝（参考一七九年四月）、曹日升救灾救难（参考七五七年五月）、马存亮消除变乱（参考八二四年四月、八三一年二月）、杨复光讨伐盗贼（参考八八一年五月）、严遵美躲避权势（参考前年〔九〇一〕正月）、张承业忠心耿耿（参考九一七年十月），难道宦官中没有贤能人才？只是皇帝不应该跟他们讨论军国大事和人事升迁任免，不应该使他们手握权柄，摇动人心！假如他们犯罪，小罪的话，可用刑罚；大罪的话，可用杀戮，毫不姑息宽恕。如果这样，即令教他们专权蛮横，他们也不敢！怎么可以不问好坏、不管是非，像割草、捕鸟一样，一扫而光、一网打尽？岂能不引起动乱！所以，袁绍从前做过一次（参考一八九年八月），董卓使东汉王朝衰弱；崔胤继续再做一次，朱全忠（朱温）篡夺政权，虽然一时之间，可以大快人心，但国家却随之灭亡，这就跟厌恶衣裳上有污垢而连衣裳也烧掉，痛恨木头里有蠹虫而把树砍掉一样，所造成的灾害，岂不更大？孔丘说：“一个坏蛋，如果憎恨他太过分，一定逼出反弹。”就是这个意思。

柏杨曰

中国历史上第二次宦官时代，在朱全忠无情的屠杀下结束，司马光长篇大论的追述前因后果，并提到第一次宦官时代若干重要事迹，作出两项结论：第一，天下不可以没有宦官，因为它在纪元前二十三世纪便开始设置，圣人对他们的职掌，有明确的规定。第二，因为彻底消灭宦官，唐王朝才亡，孔丘曾警告过，对恶人如太过严厉，会激起大乱。纵是铁石心肠，我们对这两项结论，也无法同意。宦官和妇女缠脚，是中华传统文化中两大邪恶。妇女缠脚属另一范围，而宦官这种违反人性尊严的制度，司马光竟宣称它是圣人允许的，绝不可以废除，真使人失声尖叫。因为宦官完全是有权有钱大爷拥有太多小老婆的副产品。一个人有一个小老婆，还可以紧紧看管，如果跟以乱伦丑闻名震史册的李隆基一样，有两万个小老婆，就必须依靠宦官。于是，人人都痛恨宦官，却没有谁敢提出根绝宦官的有效方法——取消小老婆制度，任何一位可敬的所谓大儒，在这上都闭口无言。我们看到的全是挑水救火的慷慨激昂镜头，却看不到有谁挺身而出，关闭汽油龙头，把那个开汽油龙头的恶棍逮捕归案。

司马光认为把宦官赶尽杀绝，致使唐王朝灭亡，犹如污垢跟衣裳同时烧毁，蛀虫跟木头一起砍掉。我们对“除恶务尽”，并不赞成，因为那绝不可能，只不过徒增杀机。但质疑的是，即令不屠宦官，唐王朝难道就会不亡？唐王朝覆灭的原因很多，跟杀尽不杀尽宦官无关，左右神策军仍然健在，他们岂能阻止李晔（李敏）不被裹挟东迁？如果认为崔胤不召唤朱全忠，唐王朝的寿命可能延长，我完全同意。但如果认为宦官不灭，唐王朝的寿命有可能延长，就毫无根据，靠宦官手里那星点禁卫士卒，欺压小民绰绰有余，岂能挡住朱全忠奔驰沙场的野战劲旅。

司马光的评论，对致命的宦官问题，所提出的解决方法，跟解决其他政治问题一样，充满一厢情愿的幻想，虽然他知道君王信任宦官是不可免的，但他仍然坚持只要君王不信任宦官，便再没有宦官之祸！历史对当权者没有教训功能，所以当权者才会不断重复的犯同一错误。对汉唐宦官时代的斑斑血迹，司马光写下长篇大论，是一项专为帝王设计出来的消灭宦官流弊的企划案。十一世纪以后，直到明清王朝，《资治通鉴》成为帝王必读课程之一，可是，第三次宦官时代，照样仍在十六世纪明王朝出现。只有我们千万小民读者，借着历史，凝视国人面对未来的轨道，充满哀伤悲戚。

王师范（平卢〔总部青州〕司令官）派遣使节晋见李克用（河东〔总部太原府〕司令官），报告对朱全忠（朱温）所发动的全面攻击，李克用回信褒扬赞美，河东（总部太原府）监军宦官张承业也游说李克用出军援救被围困中的凤翔（陕西省宝鸡市凤翔区）。李克用遂进攻晋州（山西省临汾市），但不久就得到皇帝李晔（李敏）已经东返的消息，这才作罢。

5 杨行密（杨行愍，淮南〔总部扬州〕司令官）用皇帝名义，任命朱瑾当东方军团副总指战官（东面诸道行营副都统）、遥兼二级宰相（同平章事·使相）；命昇州（江苏省南京市）州长李神福当淮南战区（总部设扬州〔江苏省扬州市〕）作战参谋长（行军司马），兼鄂岳特遣兵团征剿司令（鄂岳行营招讨使），命舒州（安徽省潜山市）民兵司令（团练使）刘存当副征剿司令；率军进攻武昌战区（总部设鄂州〔湖北省武汉市〕）司令官（节度使）杜洪。杜洪的将领骆殷放弃他驻守的永兴（湖北省阳新县）城池，逃走，县民方诏收拾残局投降。李神福说："永兴（湖北省阳新县）是一个大县，军粮靠它供应，我们已夺到半个鄂州（湖北省武汉市）。"

6 二月一日，李晔（李敏）下诏说：“最近在凤翔（陕西省宝鸡市凤翔区）所颁布的任官令，一律撤销。”

此时，宦官已全被诛杀，只有河东（总部太原府）监军张承业、卢龙（总部幽州）监军张居翰、清海（总部广州）监军程匡柔（投奔扬州）、西川（总部成都府）监军鱼全禋，跟已退休的严遵美（隐居巴蜀青城山〔四川省都江堰市西南〕），分别受到李克用、刘仁恭、杨行密（杨行愍）、王建保护，把他们藏匿起来，另找死囚处斩，应付诏书。

7 二月三日，副监督长（门下侍郎）、二级实质宰相（同平章事）陆扆（音yǐ〔以〕），贬作沂王李禋的师傅（王傅），东都洛阳（河南省洛阳市）办公。

李晔（李敏）返京师（首都长安）后，颁发给各战区道诏书，独不给凤翔战区（总部凤翔府）。陆扆说：“李茂贞（宋文通，凤翔〔总部凤翔府〕司令官）虽然罪大恶极，可是中央并没有跟他断绝关系。而今，只不给他诏书，未免显示我们度量狭隘。”另一宰相崔胤大怒，奏报皇帝贬逐陆扆。宫女宋柔等十一人，都是韩全诲呈献（参考前年〔九〇一〕闰六月），于是连同和尚、道士，以及跟宦官有深厚友情的二十余人，都押送首都长安特别市政府（京兆），乱棍打死。

8 李晔（李敏）对韩偓（皇家文学研究院院长〔翰林学士承旨〕）说：“崔胤虽然对皇家忠心耿耿，但比起你来，却很有点手腕。”韩偓说：“身负国家重大责任的人，全国官民的眼睛和耳朵，都集中在他身上，怎么可以认为仅靠小动作，就能把大家骗住？最好是诚恳待人、正直处事。每天计算，看不出成效，一年下来，成效就十分显著。”

9 二月五日，李晔（李敏）命国务院工程部副部长（工部侍郎）、二级实质宰相（同平章事）苏检（参考去年〔九〇二〕六月），及国务院文官部副部长（吏部侍郎）卢光启自杀。

二月六日，李晔（李敏）贬副立法长（中书侍郎）、二级实质宰相（同平章事）王溥为太子宾客（正三品），东都洛阳（河南省洛阳市）办公；以上都是崔胤所厌恶的人。（苏检、卢光启都是凤翔时期任命，李茂贞〔宋文通〕、韩全诲的同党。）

10 二月七日，李晔（李敏）赐给朱全忠（朱温）荣誉绰号："回天再造竭忠守正功臣"，赐给朱全忠（朱温）文职部属敬翔等荣誉绰号："迎銮协赞功臣"，武职部属朱友宁等荣誉绰号："迎銮果毅功臣"；作战司令（都头）以下军官荣誉绰号："四镇静难功臣"。

李晔（李敏）下令研究如何加授朱全忠（朱温）更大的荣耀，准备命一位皇子当全国各战区道兵马元帅，而命朱全忠（朱温）当副元帅。崔胤建议由辉王李祚出任。李晔（李敏）说："濮王（李裕）年纪大！"崔胤秉承朱全忠（朱温）的秘密指示：认为年幼的元帅对自己有利，所以坚持由辉王李祚出任。

二月八日，李晔（李敏）下诏命李祚当全国各战区道兵马元帅（《新唐书》说李晔十七子：德王〔濮王〕李裕、棣王李祤、虔王李禊、沂王李禋、遂王李祎、景王李祕、辉王李祚、祁王李祺、雅王李禛、琼王李祥、端王李祯、丰王李祁、和王李福、登王李禧、嘉王李祐、颍王李禔、蔡王李祐。何皇后生李裕及李祚。《旧唐书》说李晔十子，端王李祯以下七人都没有记载）。

二月九日，李晔（李敏）加授朱全忠（朱温）中央官衔：暂任太尉（守太尉，三公之一），充任副元帅；晋封梁王（自东平郡王晋升梁王）。命崔胤当司徒（三公之二）兼最高监督长（兼侍中）。

崔胤仗恃朱全忠（朱温）的势力，专权霸道，为所欲为，毫无顾忌，皇帝的一举一动，都得向他报告。追随皇帝前往凤翔（陕西省宝鸡市凤翔区）的文武官员中，有三十余人被他贬谪放逐。喜爱谁就赏赐谁，讨厌谁就惩罚谁，无论中央地方，对崔胤都十分畏惧，不敢多说一句话、多走一步路。

中央命敬翔暂任库藏部长（守太府卿），朱友宁遥兼宁远战区（总部设容州〔广西容县〕）司令官（空头官衔。此时宁远战区由庞巨昭割据。这种遥兼情况，五代时代非常普遍）。朱全忠（朱温）上疏推荐符道昭（李继昭）遥兼二级宰相（同平章事·使相），充任天雄战区（总部设秦州〔甘肃省秦安县西北〕）司令官（节度使）；派军护送符道昭（李继昭）前往秦州（甘肃省秦安县西北），因无法到达，退回（秦州是李茂贞势力范围，自不允背后插上一刀）。

11 最初，皇家文学研究院院长（翰林学士承旨）韩偓参加进士科考试及格（登进士第）时，总监察官（御史大夫）赵崇当主考官。李晔（李敏）从凤翔（陕西省宝鸡市凤翔区）回京（首都长安），打算命韩偓当宰相，韩偓推荐赵崇和国务院国防部副部长（兵部侍郎）王赞代替自己；李晔（李敏）打算接受，可是崔胤想到他们可能会分割自己的权力，十分厌恶，鼓动朱全忠（朱温）进宫抗争。朱全忠（朱温）遂警告李晔（李敏）说："赵崇是轻薄浮滑之徒，王赞毫无才能，韩偓怎么可以胡乱推荐他们出任宰相！"李晔（李敏）发现朱全忠（朱温）怒形于色，不敢违背。

二月十二日，把韩偓贬作濮州（山东省鄄城县）军务秘书长（司马）。李晔（李敏）秘密跟韩偓见面，哭泣告别，韩偓说："这个人（朱全忠）已不是前些时那个人，我能够被贬窜，死到远方，实在是万幸。只是不忍心看见陛下被篡被杀，受尽侮辱！"

12 二月十八日，李晔（李敏）命朱全忠（朱温）写信给李茂贞（宋文通），要李茂贞（宋文通）送回平原公主（李茂贞为儿子强娶平原公主，参考本年〔九〇三〕正月）；李茂贞（宋文通）不敢违抗，只好立刻把平原公主送回。

13 二月二十一日，李晔（李敏）命朱友裕当镇国战区（总部设兴德府〔陕西省渭南市华州区〕）司令官（节度使）。

14 二月二十四日，朱全忠（朱温）奏报说：留下步骑兵一万人，进驻已撤销的左右两神策军营房；命朱友伦当皇家左翼禁卫军总指挥官（左军宿卫都指挥使）。又命部将张廷范当御花园管理官（宫苑使），王殷当皇城管理官（皇城使），蒋玄晖当街道管理官（街使）。于是朱全忠（朱温）的党羽爪牙，遍布禁卫要津跟京畿各地。

二月二十七日，朱全忠（朱温）向李晔（李敏）告辞，返回本战区（宣武〔总部汴州〕）。李晔（李敏）在寿春殿设宴饯行，又在延喜楼第二次设宴饯行。临走时，李晔（李敏）登上高台，流泪挥别，并命朱全忠（朱温）就在楼前上马（表示最高宠信）。又作诗送朱全忠（朱温），朱全忠（朱温）也和诗呈献李晔（李敏），另呈献《杨柳枝辞》五首。文武百官在长乐驿（长安城东）排班恭送，而崔胤则单独送到霸桥（陕西省西安市东北灞桥街道），私人设置筵席，再一次饯行，直饮到二更时分（二十一时至二十三时），崔胤才回长安（陕西省西安市）。李晔（李敏）仍没有入睡，召唤崔胤入宫，亲切询问道：“全忠可平安？”就在宫中摆设酒宴，演奏音乐，欢饮到四更（凌晨一时至三时）才散。（隆重的仪式，柔情蜜意，不过官场游戏。）

15 中央擢升清海战区（总部设广州〔广东省广州市〕）司令官（节度

使）裴枢，当副监督长（门下侍郎）、二级实质宰相（同平章事）。这项人事任命，出于朱全忠（朱温）的推荐。

16 李克用（河东〔总部太原府〕司令官）的使节从京师（首都长安）回到晋阳（太原府所在县），报告崔胤专横跋扈情形，李克用说："崔胤当一个臣属，外面仗恃盗贼，里面胁迫君王，既掌握政权，又掌握军权。权力越大，痛恨他的人也越多；威势一旦跟主子（指朱全忠）相等，灾难一定发生。家破人亡，就在眼前。"

17 朱全忠（朱温）临走时，奏报说："李克用跟我之间，本来没有深仇大恨，请陛下对他特别厚待，派高级官员前去安抚，使他了解我的心意。"河东（总部太原府）进奏官报告李克用，李克用笑说："这个蠢贼打算进攻平卢（总部青州），恐怕我拉他的后腿罢了！"

18 三月十七日，朱全忠（朱温）抵达大梁（汴州州政府所在城，河南省开封市）。

王师范（平卢〔总部青州〕司令官）的老弟王师鲁，包围齐州（山东省济南市），宣武（总部汴州）将领朱友宁率军把他逐走。王师范派军增援刘鄩（刘鄩夺取兖州，参考本年〔九〇三〕正月），朱友宁又把他们击败，因此，兖州（山东省济宁市兖州区）的外援完全断绝，葛从周（泰宁〔总部兖州〕司令官）率军包围兖州，而朱友宁直接进攻王师范的根据地青州（山东省青州市）。

三月二十七日，朱全忠（朱温）率四战区（四战区，朱全忠所辖：宣武〔总部汴州〕、宣义〔总部滑州〕、天平〔总部郓州〕、护国〔总部河中府〕）及魏博（总部魏州）野战军，共十万人，继续进发。

19 淮南（总部扬州）将领李神福包围鄂州（湖北省武汉市），望见城里堆积很多荻草，对监军宦官尹建峰说："今天晚上，我替你把它烧掉！"尹建峰不相信。当时，据守鄂州的杜洪（武昌〔总部鄂州〕司令官）向朱全忠（朱温）求救。李神福派部将秦皋，乘坐轻快小艇前去滠口（滠，音shè〔射〕。湖北省武汉市黄陂区南二十公里，滠水注入长江处），在树顶上高举火把，杜洪在城里看到，认为援军抵达，也焚烧荻草呼应。

20 夏季，四月九日，中央命朱全忠（朱温）全权执行元帅职权（判元帅府事。唐王朝亲王不出宫，自九任帝李隆基以来，已成惯例〔参考七一四年六月〕。时到此日，更不敢出宫。朱全忠这项新职，使他合法的拥有全国军权，实质上虽没有什么用处，不听他的仍不听他的，但声势上不无补益）。

21 代理温州（浙江省温州市）州长丁章（丁章逐朱敖，参考去年〔九〇二〕十二月），被木匠李彦格杀，部将张惠乘机控制温州。（州长死于木匠之手，一定有传奇情节，可惜史书不载。）

22 王师范（平卢〔总部青州〕司令官）向淮南（总部扬州）求救。

四月二十五日，杨行密（杨行愍，淮南〔总部扬州〕司令官）派部将王茂章率步骑兵七千人北上增援；又派别动部队将领率军数万人进攻宿州（安徽省宿州市）。朱全忠（朱温）派部将康怀贞增援宿州（安徽省宿州市），淮南兵团（总部扬州）逃走。

23 杨行密（杨行愍）派使节晋见马殷（武安〔总部潭州〕司令官），强调朱全忠（朱温）蛮横霸道，请马殷跟他断绝关系，而跟自己结拜兄弟。武安（总部潭州）大将许德勋说："朱全忠（朱温）虽然蛮横霸道，然而‘挟天子以令诸侯’，大帅一向拥护中央，不可以轻率断绝关系。”马殷同意。

24 杜洪（武昌〔总部鄂州〕司令官）向朱全忠（朱温）求救，朱全忠命部将韩勍率一万人，进驻滠口（滠，音shè〔射〕湖北省武汉市黄陂区南二十公里，滠水注入长江处），派使节通知荆南战区（总部设江陵府〔湖北省江陵县〕）司令官（节度使）成汭（郭禹）和武安战区（总部设潭州〔湖南省长沙市〕）司令官（节度使）马殷，以及武贞战区（总部设朗州〔湖南省常德市〕）司令官（节度使）雷彦威，请他们出军援救杜洪。成汭（郭禹）畏惧朱全忠（朱温）的强大，而且也打算乘这个机会，夺取江淮（华东地区）城池，扩充自己割据的地盘，于是出动水上部队十万人，顺长江东下。这支庞大水上部队拥有的巨大军舰，历时三年才建立完成，俨然一个可以移动的指挥总部，旗舰名“和舟号”，其他较小各舰，分别名“齐山”“截海”“劈浪”，种类繁多。机要秘书（掌书记）李珽劝阻说：“每艘战船装载武装部队一千人，装载稻米又要加倍（“人”跟“米”的单位不同，不知道怎么“倍”法，文言文使人头痛），舰身沉重，遇到紧急情况，难以迅速反应。淮南（总部扬州）军队一向剽悍，行动敏捷，无法跟他们争胜。马殷（武安〔总部谭州〕司令官）、雷彦威（武贞〔总部朗州〕司令官），都是我们的仇敌，怎么能不防备！不如派一位勇将进驻巴陵（岳州州政府所在县，湖南省岳阳市），把主力部队停在对岸，严守营垒，不出来作战，用不了一个月，淮南（总部扬州）军队粮食吃完，自会撤退，鄂州（湖北省武汉市）的包围也自会解除。”成汭（郭禹）不接受。李珽，是李憕的五世孙（李憕死于安禄山兵变，参考七五五年十二月十二日）。

25 王建（西川〔总部成都府〕司令官）乘李茂贞（宋文通，凤翔〔总部凤翔府〕司令官）势力衰退，出兵攻击秦陇（甘肃省南部）。同时派执行官（判官）韦庄前往中央进贡，并跟朱全忠（朱温）建立友好关系。朱全忠（朱温）派大营管理官（押牙）王殷报聘，王建设宴招待。闲谈中王殷说:“蜀中（四川省）武装部队固然很多，可是缺少战马！”王建怒形于色，说:“我们这里千山万水，险要重重，骑兵派不上用场。不过并不缺少战马，将军请多留几天，当跟你一起检阅。”于是集合各州战马，在星宿山（四川省成都市北十公里）下，举行阅兵大典，计军马八千匹、私马四千匹，共一万二千匹，队伍操练，熟练整齐，王殷赞叹佩服。王建本来是骑兵将领，在割据巴蜀（四川省）之后，分别在文（甘肃省文县）、黎（四川省汉源县）、维（四川省理县）、茂（四川省茂县）等边疆各州，购买蛮夷马匹，十年累积，才达到这个数目。

26 五月七日，河东战区（总部设太原府〔山西省太原市〕）云州（山西省大同市）指挥官（都将）王敬晖，格杀州长刘再立，兵变，投降卢龙战区（总部设幽州〔北京市〕）司令官（节度使）刘仁恭。李克用（河东〔总部太原府〕）司令官派部将李嗣昭、李存审（符存审）出军讨伐。刘仁恭派部将率军五万人支援王敬晖；李嗣昭退保乐安（山西省代县北），王敬晖携带全家，放弃城池，随卢龙（总部幽州）援军而去。在此之前，振武战区（总部设安北府〔内蒙古和林格尔县〕）将领契苾让，驱逐驻军司令石善友，夺取城池，背叛李克用；李嗣昭等进攻，契苾让，纵火自焚，李嗣昭收复振武城（安北府，内蒙古和林格尔县），屠杀参与背叛的吐谷浑部落二千余人。李克用对于让王敬晖逃走，大发雷霆，下令棍打李嗣昭、李存审（符存审），并免除他们的官职。

27 成汭（郭禹，荆南〔总部江陵府〕司令官）率舰队浩浩荡荡东下，

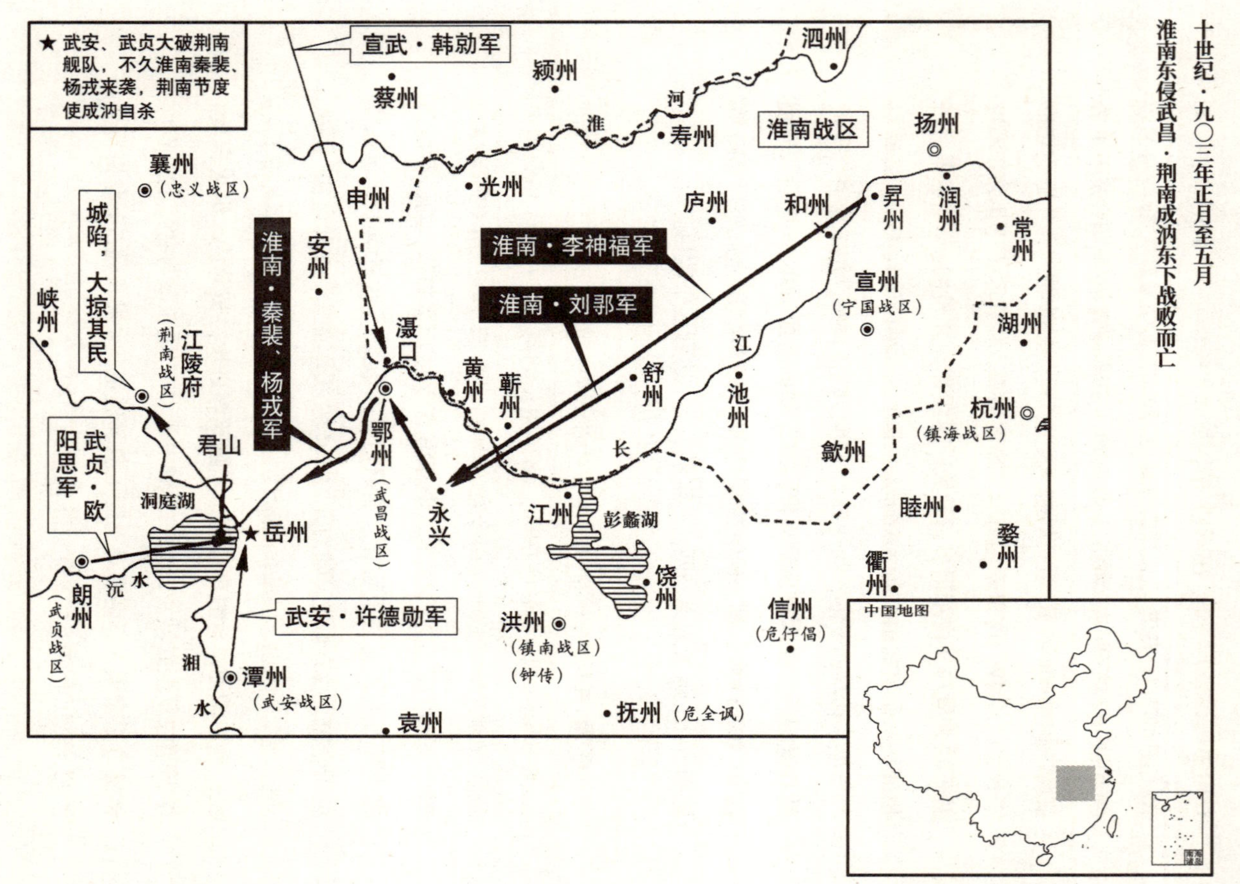

十世纪·九〇三年正月至五月
淮南东侵武昌·荆南成汭东下战败而亡

还没有抵达鄂州（湖北省武汉市），马殷（武安〔总部潭州〕司令官）派大将许德勋率水军一万余人，跟雷彦威（武贞〔总部朗州〕司令官）的部将欧阳思水军三千余人，在荆江口（洞庭湖注入长江处）秘密会师，乘虚袭击江陵（湖北省江陵县）。

五月十日，武安（总部潭州）、武贞（总部朗州）联合舰队攻陷江陵，把江陵城里的居民和财产，全部掳掠而去。成汭（郭禹）所率水军士卒突然间家破人亡，完全丧失战斗意志。

李神福（淮南〔总部扬州〕将领）听到荆南（总部江陵府）舰队就要逼近消息，亲自乘轻快小艇前往侦察，回来后告诉各将领说："成汭（郭禹）的战舰虽然多，但是互相间没有联络，容易对付，应该急行攻击。"

五月十二日，李神福派他的将领秦裴、杨戎，率数千名水军，在君山（原洞庭湖中小岛，今已跟陆地连成一块）迎头痛击，大破荆南（总部江陵府）舰队，顺风放火，把船舰焚毁。荆南（总部江陵府）水军完全崩溃，成汭（郭禹）投水而死（成汭〔郭禹〕袭据江陵，参考八八八年四月，前后十六年而灭）。李神福俘虏残余船舰二百艘。韩勍（音qíng〔情〕）得到消息，退走。

许德勋（武安〔总部潭州〕将领）回军，路过岳州（湖南省岳阳市），州长邓进忠大开城门，准备牛羊酒菜，犒劳军队。许德勋向他分析祸福利害，邓进忠遂全家迁往长沙（潭州州政府所在县，湖南省长沙市。变民首领邓进思陷岳州，参考八八六年十二月，传弟邓进忠，先后割据十八年而亡）。马殷命许德勋当岳州州长，命邓进忠当衡州（湖南省衡阳市）州长。

雷彦威（武贞〔总部朗州〕司令官）狡狯奸诈、残忍凶暴，完全是他老爹雷满的作风。常派船舰到邻境烧杀剽掠。江陵（湖北省江陵县）及鄂州（湖北省武汉市）之间，几乎没有人烟。

28 李茂贞（宋文通，凤翔〔总部凤翔府〕司令官）对朱全忠（朱温，宣武〔总部汴州〕司令官）十分畏惧，而自己的中央官衔是国务院总理（尚书令·使相），朱全忠（朱温）的中央官衔却只是暂任最高立法长（守中书令·使相），自己的官位反而更高，于心不安，不断上疏请求辞职。

李晔（李敏）下诏，命李茂贞（宋文通）中央官衔改为最高立法长（中书令·使相）。

29 宰相崔胤奏报说："左右龙武军、左右羽林军、左右神策军（崔胤当统帅的六军），名义虽然存在，但实际已经解体，保护皇家的力量，非常微弱，请求每军遴选步兵将领四人，每名将领招募士卒二百五十人；骑兵将领一人，招募士卒一百人，共计六千六百人；遴选体格健壮青年，轮班担任皇宫警卫。"李晔（李敏）批准，命六军十二卫副统帅、首都长安特别市长（京兆尹）郑元规，把招兵公告竖立街头，公开征募。（崔胤终于手握中央军政大权，政敌一扫而光，局势都在控制之下发展，崔胤对他自己的手腕，一定十分欣赏。）

30 朱全忠（朱温）上疏任命颍州（安徽省阜阳市）州长朱友恭（李彦威）当武宁战区（总部设徐州〔江苏省徐州市〕）司令官（节度使）。

31 朱友宁（宣武〔总部汴州〕将领）进攻博昌（山东省博兴县），一个月有余，不能攻克。朱全忠（朱温）大怒，派礼宾官（客将）刘捍前往督战。（胡三省注："现在〔十三世纪〕，'府''州''军'都设有礼宾官。唐王朝末年，各战区已设有此职，往往升迁到高位，威望不轻。"）刘捍到达后，朱友宁驱赶平民十余万人，背着木头石块，牵着牛马骡驴，前往城南挖掘泥土，修筑攻城假山，完工之后，朱友宁把平民、牲畜、木头、石块，一同推挤到壕沟之中，立即用土填满压平，呼痛喊冤的声音，数十华里以外都听得清楚。霎时间，城池陷落，全城被屠。

中国人，你的名字是苦难！

朱友宁再进攻，攻克临淄（山东省淄博市东临淄区），直到青州（山东省青州市）城下，另派别动部队将领进攻登（山东省烟台市蓬莱区）、莱（山东省莱州市）二州。

淮南（总部扬州）将领王茂章，会同王师范（平卢〔总部青州〕司令官）的老弟、莱州（山东省莱州市）州长王师诲，进攻密州（山东省诸城市），攻克，斩州长刘康乂（密州属宣武朱全忠所辖的泰宁战区〔总部兖州〕）。命淮海（淮河及东海）总游击司令（都游弈使）张训当密州（山东省诸城市）州长。

六月六日，宣武兵团（总部汴州）攻克登州（山东省烟台市蓬莱区）。王师范（平卢〔总部青州〕司令官）率登（山东省烟台市蓬莱区）、莱（山东省莱州市）二州军队，在石楼（山东省青州市西），修筑两个大营，抗拒朱友宁。

六月七日，夜晚，朱友宁攻击登州大营，登州大营情况危急，王师范催促王茂章出战，王茂章却按兵不动。朱友宁遂攻克登州大营，再进攻莱州大营。天色将亮（六月八日），王茂章推测宣武（总部汴州）士卒已经筋疲力尽，乃跟王师范联合反攻，大破宣武兵团（总部汴州）。朱友宁从一个丘陵上，骑马飞奔，杀入敌阵，而马突然跌倒，人从马上摔下，平卢（总部青州）将领张土，手起刀落，砍下朱友宁的人头，送到淮南战区（总部扬州）示众。平卢（总部青州）、淮南（总部扬州）二战区联军乘胜追击，直追到米河（今地不详），格杀及俘虏以万为单位计算，魏博（总部魏州）特遣兵团几乎死光（只死了外围部队，没有伤到朱全忠的主力）。朱全忠（朱温）接到朱友宁阵亡消息，亲自率军二十万人，昼夜不停，急行军赶到前线。

秋季，七月十四日，朱全忠（朱温）抵达临朐（山东省临朐县），命各将领进攻青州（山东省青州市）。王师范出战，被宣武兵团（总部汴州）痛击，惨败。王茂章紧闭营门，显示胆怯，等到宣武（总部汴州）士卒稍微懈怠，立刻拆除栅栏出击，迅如闪电，杀奔敌营，会战正紧张时，又立刻撤退，在营中摆设筵席，集合各将领饮酒，一会工夫，再出营作战。朱全忠（朱温）在高处望见，询问投降过来的官兵，知道是王茂章，赞叹说：“假使我能用这个人当部将，岂只是平定天下！”鏖战到下午，宣武兵团（总部汴州）撤退。王茂章评估形势，了解无法克服自己人数太少的劣势，于是就在当天（七月十四日）夜晚，悄悄回军。朱全忠（朱温）派曹州（山东省菏泽市定陶区）州长杨师厚追击，追到辅唐（山东省安丘市）。王茂章命先锋指挥官（先锋指挥使）李虔裕率骑兵五百人殿后，李虔裕誓死不退，杨师厚把他生擒，斩首。杨师厚，是颍州（安徽省阜阳市）人。

密州（山东省诸城市）州长张训得到王茂章后撤消息，对各将领说：“朱全忠（朱温）的人马就要来到，我们怎么抵挡？”各将领建议放火烧城，大肆剽掠，然后退走。张训说：“不可这样做。”而把仓库上锁加封，在城墙上遍插旗帜，命瘦小衰弱的人先行上道，亲自率精锐部队，在后跟随保护。朱全忠（朱温）派左翼侦察指挥官（左踏白指挥使）王檀，进攻密州（山东省诸城市），王檀率军抵达城下，看见旗帜迎风招展，心中迟疑，几天后才敢进城，发现仓库及各项建筑设备，全部完整，遂不再追击。张训得以全军而还。朱全忠（朱温）命王檀当密州（山东省诸城市）州长。

32 七月二十九日，中央擢升山南西道战区（总部设兴元府〔陕西省汉中市〕）候补司令官（留后）王宗贺，实任司令官（山南西道〔总部兴元府〕是王建势力范围）。

33 睦州（浙江省建德市）州长陈询，背叛钱镠（镇海〔总部杭州〕司令官），出军进攻兰溪（浙江省兰溪市），钱镠派指挥官（指挥使）方永珍讨伐。

武安特别营指挥官（武安都指挥使）杜建徽，跟陈询有姻亲关系，钱镠怀疑他的立场，而杜建徽从不分辩。这时，有陈询的亲信投奔过来，携带杜建徽写给陈询的信，都是规劝告诫的话，钱镠才觉得高兴。杜建徽的堂兄杜建思，暗中检举杜建徽家中私藏武器，阴谋叛乱。钱镠派人前往搜查，搜查人员一直冲到他的卧室，杜建徽正在吃饭，连回头看一眼都没有，钱镠因此对他越发器重。（大黑暗时代，每个人都生活在恐怖猜忌中，只有任凭亲人陷害、大官凌辱，以换取生存，可悲）。

34 八月一日，朱全忠（朱温）留下齐州（山东省济南市）州长杨师厚继续进攻青州（山东省青州市），自己返回大梁（汴州州政府所在城，河南省开封市）。

35 八月十三日，中央加授西川战区（总部设成都府〔四川省成都市〕）司令官（节度使）、西平王王建中央官衔：暂任司徒（守司徒，三公之二），晋封蜀王。

前渝州（重庆市）州长王宗本（谢从本），建议王建出军夺取荆南（总部江陵府），王建接受，命王宗本（谢从本）当开路总指挥官（开道都指挥使），率军东下三峡。

36 最初，宁国战区（总部设宣州〔安徽省宣城市〕）司令官（节度使）田頵击破冯弘铎（参考去年〔九〇二〕六月），前往广陵（江苏省扬州市）晋见杨行密（杨行愍，淮南〔总部扬州〕司令官）致谢，并请求把池（安徽省池州市贵池区）、歙（安徽省歙县）二州，回归自己管辖（池歙原是宣歙道〔宁国战区前身〕的属州），杨行密（杨行愍）不肯。而杨行密（杨行愍）左右人士，甚至最低级的监狱看守员（狱吏），都向田頵索取贿赂。田頵冒火说："看守员知道我就要下狱，是不是！"辞别时，指着广陵（江苏省扬州市）南门说："我不会再来。"

杨行密从一介平民进入统治阶级，是九世纪末叶军阀群中最能自律的首领之一，想不到只十有余年，就拥有一个可观的贪官污吏系统，连一个小小监狱看守员，都敢毫无忌惮的伸手向地位权势跟杨行密相等、当初一块在泥塘中打滚、生死与共、情如兄弟，而现在又位居上将的田頵要钱。不知淮南千万小民，又如何活命？

田頵手下兵马强壮、钱财充足，渴望扩充地盘。杨行密（杨行愍）夺取淮南（总部扬州）之后，心情消极，只想保境安民，对田頵的旺盛企图心，每每压制，田頵不愿接受。直到杨行密（杨行愍）强迫田頵放弃钱镠（参考去年〔九〇二〕十二月。杨行密确实想保境安民，但强迫田頵放弃钱镠，则是恐怕田頵更为壮大），田頵开始怨恨，渐渐生出背离的念头。李神福曾警告杨行密（杨行愍）说："田頵一定叛变，应该早一点阻止。"杨行密（杨行愍）说："田頵立过大功（指破赵锽、破孙儒、破冯弘铎），叛变的行为并没有显露，如果今天把他诛杀，将领们势将人人自危！"

田頵有位杰出的部将，名叫康儒，跟田頵的意见经常发生冲突。杨行密（杨行愍）得到消息，擢升康儒当庐州（安徽省合肥市）州长。田頵认为康儒背离自己，大怒若狂，竟屠杀康儒全族，康儒临死时，说："我死，田頵也不会剩几天！"田頵遂联合润州（江苏省镇江市）民兵司令（团练使）安仁义，同时起兵；安仁义派军把停泊在东塘（江苏省扬州市东）的淮南（总部扬州）战舰，纵火全部焚烧。

田頵派两个使节，假装成商人，前往寿州（安徽省寿县）密约奉国战区（总部设蔡州〔河南省汝南县〕）司令官（空头官衔。此时蔡州属宣武朱全忠）朱延寿（朱延寿遥兼，参考去年〔九〇二〕三月）。淮南（总部扬州）将领尚公迺遇到二人，说："你们绝对不是商人。"二人誓不承认，尚公迺把一人斩首，另一人才献出书信，尚公迺呈报杨行密（杨行愍）。杨行密（杨行愍）急命正在围攻鄂州（湖北省武汉市）的李神福回军。李神福恐怕杜洪（武昌〔总部鄂州〕司令官）截击，于是宣称西上进攻荆南（总部江陵府），集中部队，准备船舰，等到夜晚，舰队顺流东下，才把作战任务告诉全军将士。

八月二十二日，安仁义（润州民兵司令）袭击常州（江苏省常州市），常州州长李遇迎战，对安仁义破口大骂，安仁义说："他敢侮辱我，一定有准备。"率军撤退。

八月二十五日，杨行密（杨行愍）命王茂章当润州（江苏省镇江市）地区特遣兵团征剿司令（润州行营招讨使），进攻安仁义，不能攻克；杨行密（杨行愍）派徐温（淮南〔总部扬州〕总作战司令）率军增援。徐温命他的部队改用王茂章的军旗，改穿王茂章士卒的服装，安仁义不知道有生力军加入，再度出战，徐温发动猛攻，大破安仁义军。

杨行密（杨行愍）的妻子朱女士，是朱延寿的姐姐。杨行密（杨行愍）一向瞧不起这位妻弟，常对他戏弄羞辱，朱延寿怨恨忿怒，暗中跟田頵筹划背叛。（胡三省注："《书经·旅獒》：'性情忠厚的人从不戏弄羞辱别人！戏弄羞辱君子，得不到他的心；戏弄羞辱小人，得不到他的力。’杨行密戏弄羞辱朱延寿，几乎亡国丧家，经过最危险的奋斗才算获救，怎能不引以为戒！”）田頵派前进士杜荀鹤前往寿州（安徽省寿县），跟朱延寿结盟。田頵又派杜荀鹤前往大梁（河南省开封市）报告朱全忠（朱温），朱全忠（朱温）大喜过望，派军进驻宿州（安徽省宿州市），作为呼应。杜荀鹤，是池州（安徽省池州市贵池区）人。

37 杨师厚（宣武〔总部汴州〕将领）驻军临朐（山东省临朐县），扬言将去密州（山东省诸城市），把粮食辎重留在临朐（山东省临朐县）。

九月六日，王师范（平卢〔总部青州〕司令官）出兵奇袭临朐（山东省临朐县），杨师厚伏兵截击，大破平卢兵团（总部青州），格杀一万余人，俘虏王师范的老弟王师克。

第二天（九月七日），莱州（山东省莱州市）军队五千人增援青州（山东省青州市），杨师厚中途截击，几乎全部格杀俘虏，遂挺进到青州（山东省青州市）城下扎营。

38 朱延寿的阴谋逐渐泄露，杨行密（杨行慜）假装眼睛有病，视线模糊，面对朱延寿所派的使节，故意做出因看不清而发生错误的行动，有时甚至撞到柱子上，撞得跌倒在地，哀伤的告诉妻子朱女士说：“想不到竟会双目失明，悲痛万分。孩子们年龄还小，依靠何人？总部军政只有交给三舅（朱延寿在兄弟中排行第三），我才放心。”朱女士屡次写信给老弟，述及这项决定。最后，杨行密（杨行慜）派使节前去寿州（安徽省寿县）召唤朱延寿前来总部，而命徐温暗中准备应变。朱延寿抵达广陵（江苏省扬州市），杨行密（杨行慜）到卧房门口亲自迎接，把朱延寿制伏，立即诛杀。（胡三省注：“田頵派杜荀鹤到寿州，朱延寿当然会知道前二使已被生擒。杨行密召唤他，他竟然毫无警觉，前往送死，难道他的智商不足？或者，他鬼迷心窍。”）朱延寿既死，所率领的军队惊恐骚动，徐温向他们解释分析，大家都接受命令。杨行密（杨行愍）遂斩朱延寿所有兄弟，把妻子朱女士赶出家门。

稍前，朱延寿应召动身，他的妻子王女士对他说：“你这次行程，是吉是凶，难以预卜，请每天派一个人回来报告，使我安心！”那一天，没有使节抵达，王女士说：“事情已经明显！”立刻分配家奴及仆人，各就岗位，发给他们武器，紧闭大门；不久，骑兵前来搜捕，王女士乃集合家人，把金银财宝聚在一起，一百余个火把同时引发，焚毁房舍，说：“我誓死也不把我洁白的身体，去受仇人的侮辱。”纵身投入火窟，活活烧死。

朱延寿严厉残酷，喜欢用少数攻击多数。曾经派二百人跟宣武兵团（总部汴州）作战，有一人本应该留下，但他请求参加，朱延寿认为他违抗命令，立即斩首。

39 田頵（宁国〔总部宣州〕司令官）袭击昇州（江苏省南京市），俘虏李神福（淮南〔总部扬州〕将领）的妻子儿女，特别细心照顾。李神福从鄂州（湖北省武汉市）顺流东下，田頵派使节告诉他说：“你如果抓住千载难逢的机会，我愿意跟你平分土地，各霸一方称王。不然的话，妻子儿女，全部屠杀，不留一人。”李神福说：“我从当一个小兵，就事奉吴王（杨行密封吴王），而今身居上将，在大义上，不会因为妻子儿女，改变我的忠心。田頵上有年迈娘亲，却不顾她的生死，而去背叛故主，连‘三纲’都不知道（君为臣纲、父为子纲、夫为妻纲），还谈什么大义？”把使节斩首，继续进军，士卒都十分感动，奋发踊跃。田頵派他的将领王坛（原孙儒部将，参考八九二年十一月）、汪建，率舰队迎战。

九月十日，李神福抵达吉阳矶（安徽省东至县西北长江东岸），跟王坛、汪建遭遇，王坛、汪建生擒李神福的儿子李承鼎，押到营前，展示给李神福观看，李神福命左右官员发箭。对各将领说：“他们人多，我们人少，只有用计谋取胜。”傍晚，开始会战，李神福假装战败，率舰队逆流向西撤退，王坛、汪建追击，李神福迅速掉转舰头，回军顺流攻击。王坛、汪建在楼船上举起火炬，李神福下令说：“向有火炬的地方进攻。”王坛、汪建发现火炬成为靶心，下令熄灭。双方旗帜遂羼杂一起，交叉错乱，李神福利用风势，发动火攻，焚烧楼船，王坛、汪建大败，官兵被烧死、被淹死的很多。

九月十一日，两军在皖口（皖河注入长江处，安徽省安庆市）再次会战，王坛、汪建再次大败，仅逃出一命。李神福生擒徐绾，杨行密（杨行愍）把他装入囚车，送给钱镠（镇海〔总部杭州〕司令官）；钱镠（镇海〔总部杭州〕司令官）把徐绾的心脏挖出来祭祀高渭（徐绾叛钱镠，伏兵斩高渭，参考去年〔九〇二〕八月十四日）。

田頵接到王坛、汪建失败消息，亲自率主力舰队逆水迎战，李神福说：“盗贼放弃城池，跟我们野战，是上天要他们灭亡！”于是命舰队紧靠江边，建立水寨，拒不出战，但派使节报告杨行密（杨行愍），建议出动步兵切断田頵的退路，杨行密（杨行愍）派涟水（江苏省涟水县）军政总监（制置使）台濛（台，姓），执行这项任务。王茂章攻润州（江苏省镇江市），很久不能攻克，杨行密（杨行愍）命王茂章率军会同台濛，联合进攻田頵。

40 九月十四日，宣武（总部汴州）将领刘重霸，攻陷棣州（山东省惠民县），生擒州长邵播，斩首（棣州本属天平〔总部郓州〕，朱瑄〔天平司令官〕被灭，邵播不屈，投降王师范〔平卢司令官〕）。

41 九月十七日，朱全忠（朱温）前往东都洛阳（河南省洛阳市），生病，折返大梁（汴州州政府所在城，河南省开封市）。

42 九月二十一日，王师范（平卢〔总部青州〕司令官）派副司令官（副使）李嗣业，及老弟王师悦，向杨师厚（宣武〔总部汴州〕司令官）投降，说："我并不敢忘记朱大帅（朱全忠）的恩德，但韩全诲、李茂贞（宋文通）用皇上红笔亲写的诏书，要我出军，我不敢不接受。"愿送老弟王师鲁当人质。当时，朱全忠（朱温）得到李茂贞（宋文通，凤翔〔总部凤翔府〕司令官）、杨崇本（李继徽，静难〔总部邠州〕司令官）将出军逼近京师（首都长安）的情报，唯恐他们再把李晔（李敏）掳走，打算索性迁都洛阳（河南省洛阳市），因此接受王师范投降，先派将领分别接收登（山东烟台市蓬莱区）、莱（山东省莱州市）、淄（山东省淄博市）、棣（山东省惠民县）等州；并重新任命王师范暂任平卢战区（总部设青州〔山东省青州市〕）候补司令官（留后）。

王师范报告朱全忠（朱温）说，先前曾派作战参谋长（行军司马）刘鄩，率士卒五千人据守兖州（山东省济宁市兖州区），并不是他个人专断独行，请求对他赦免；同时也派使节告诉刘鄩。

43 田頵（宁国〔总部宣州〕司令官）听到台濛（涟水军政总监）就要来到的消息，亲率步骑兵混合部队迎头截击，而留下部将郭行悰率精锐士卒二万人，以及王坛、汪建率舰队官兵，驻扎芜湖（安徽省芜湖市），阻止李神福前进。田頵派出的斥候报告说："台濛的军营既窄又小，看情形最多只能容纳两千人。"田頵认为这样的敌人很容易对付，不再召唤其他地方军队协助。台濛自进入宁国战区（总部设宣州〔安徽省宣城市〕），全军备战，轮替前进，官兵们笑他胆小，台濛

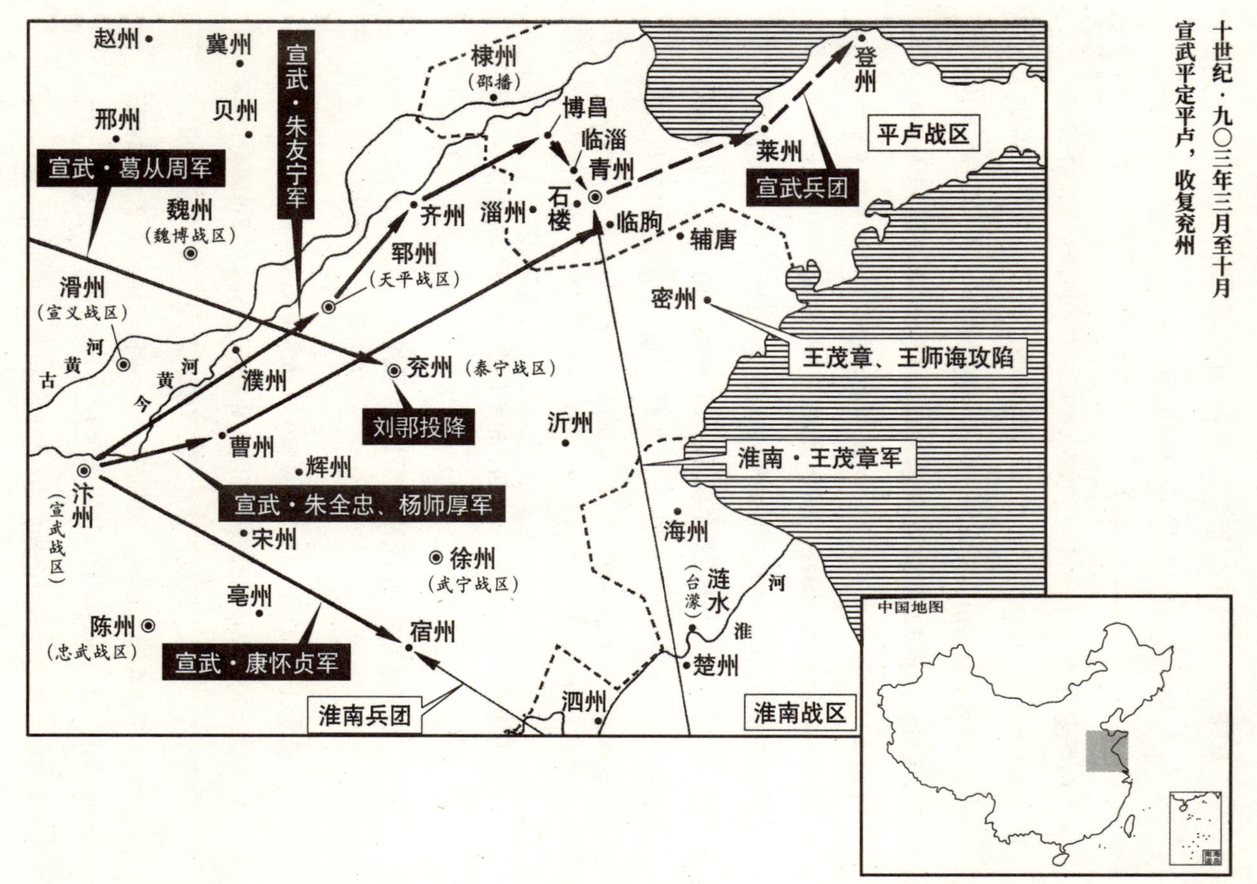

十世纪·九〇三年三月至十月

宣武平定平卢，收复兖州

十世纪·九〇三年八月至十月
西川、忠义瓜分荆南战区

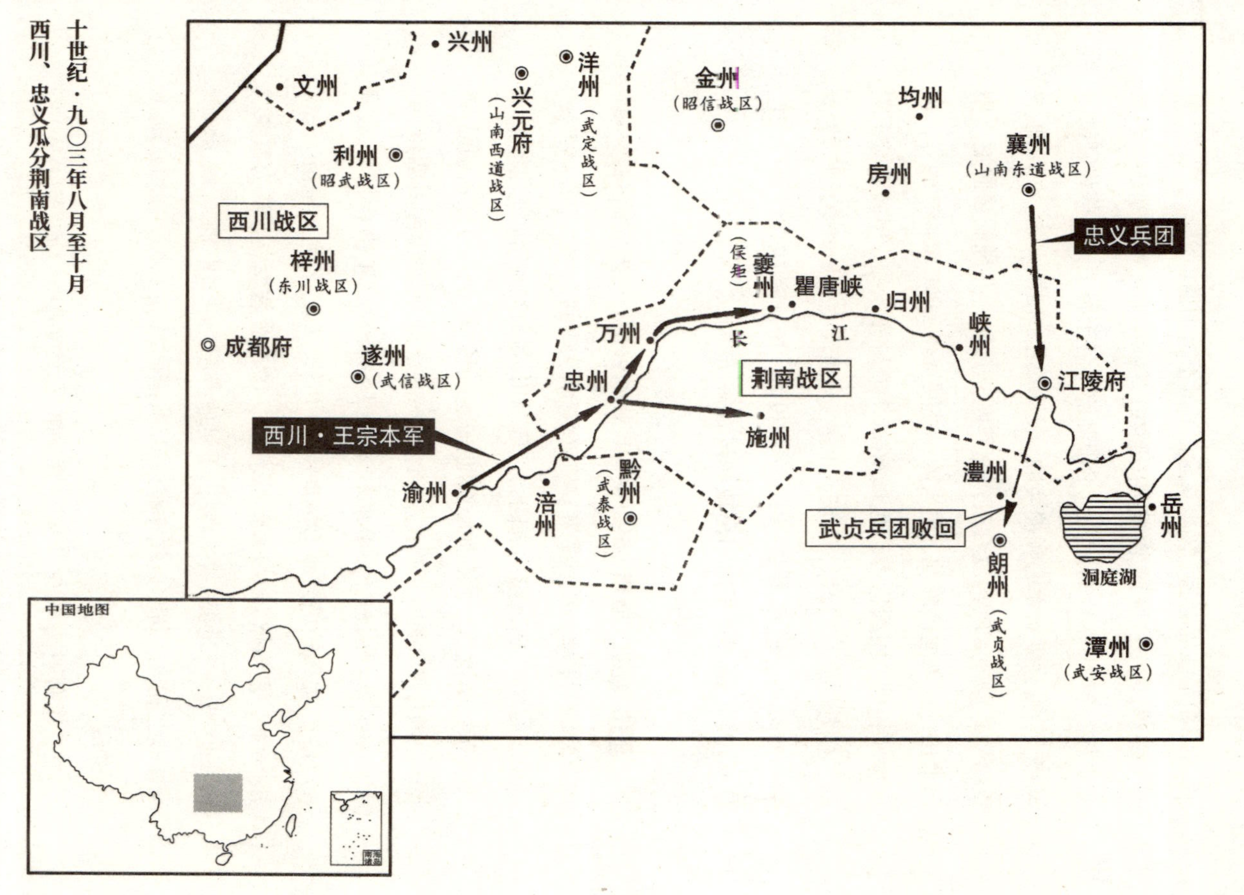

说:“田頵是沙场老将，智勇双全，不可不特别谨慎。”

冬季，十月二日，台濛跟田頵在广德（安徽省广德市）遭遇，台濛先把杨行密（杨行愍）的信，送给田頵部下各个将领，那些将领都下马接受，台濛乘着军心顿挫涣散，发动攻击，田頵大败。在黄池（安徽省当涂县东南黄池镇）再度会战，两军刚刚接触，台濛假装撤退，田頵追击，进入埋伏阵地，再大败，逃回宣州（安徽省宣城市）固守，台濛率军包围。田頵急命芜湖（安徽省芜湖市）驻军入援，但被围城军阻隔，不能进城。郭行悰、王坛、汪建，及当涂（安徽省当涂县）、广德（安徽省广德市）各地驻军司令，纷纷率军投降。杨行密（杨行愍）因台濛已击破田頵，命王茂章率军再攻润州（江苏省镇江市）。

44 最初，夔州（重庆市奉节县）州长侯矩，追随成汭（郭禹，荆南〔总部江陵府〕司令官）增援鄂州（湖北省武汉市），成汭（郭禹）自杀（参考本年〔九〇三〕五月十二日），侯矩逃回。正巧西川（总部成都府）将领王宗本（谢从本）东征军抵达，侯矩献出城池投降。王宗本（谢从本）遂占领夔（重庆市奉节县）、忠（重庆市忠县）、万（重庆市万州区）、施（湖北省恩施市）四州（夔、忠、万三州，原属荆南战区；施州，原属武泰战区〔总部黔州〕）。王建（西川〔总部成都府〕司令官）命侯矩仍当州（重庆市奉节县）州长，改姓名为王宗矩。王宗矩（侯矩），是易州（河北省易县）人。蜀中（四川省）智囊一致认为瞿塘峡（重庆市奉节县东）是蜀中的险要，于是放弃归（湖北省秭归县）、峡（湖北省宜昌市）二州，边防军只驻守夔州（荆南〔总部江陵府〕此后只剩下江陵、归、峡三府州）。

王建命王宗本（谢从本）当武泰战区（总部设黔州〔重庆市彭水县〕）候补司令官（留后）。王宗本（谢从本）因黔州（重庆市彭水县）地处蛮荒，又多瘴气瘟疫，请求把总部迁到涪州（重庆市涪陵区），王建同意。

45 葛从周（泰宁〔总部兖州〕司令官）猛烈攻击兖州（山东省济宁市兖州区），刘鄩请葛从周的娘亲乘坐小轿，登上城楼，告诉葛从周说："刘将军（刘鄩）侍奉我，不下于你，媳妇们全都安好，人都各为其主，你要明察这个道理。"葛从周悲泣流涕退下，攻势稍稍和缓。刘鄩把民间妇女及老年人或身患疾病，不能作战的人，一律驱逐出城，而只剩下年轻力壮的人，刘鄩跟他们一同操劳，同甘共苦，平均分享衣服食物，坚守城池，抵抗敌人攻击，军令清楚，纪律森严，官兵不骚扰平民，平民全都安居乐业（战斗中竟有这种现象，可谓仙境）。然而，久而久之，外援完全断绝，战区副司令官（节度副使）王彦温翻城出去投降，守军士卒很多人追随，无法遏止。刘鄩派人从容不迫地告诉王彦温说："官兵不是计划中派遣的，不要携带那么多！"同时也派人到城上巡查传话，说："不是奉命追随副司令官（王彦温），而擅自前去的，诛杀全族！"官兵们困惑惊恐，不敢再逃。围城的宣武（总部汴州）军队果然怀疑王彦温诈降，把他逮捕，押解城下斩首。因此，守城军的斗志更为坚定。

后来，王师范力量枯竭，屡战屡败，葛从周向刘鄩分析祸福利害，刘鄩说："我奉大帅（王师范）的命令守卫这座城池，一旦看见他失去优势，不等他吩咐就出来投降，不是事奉长官的态度。"等王师范的使节到达，刘鄩才决定放弃抵抗。

十月十一日，刘鄩出城投降。葛从周替他准备行装，送他前去大梁（河南省开封市）。刘鄩说："我是一个归降的将领，在没有接到梁王（朱全忠封梁王）宽恕释放的命令之前，怎么敢腿骑骏马，身穿皮衣！"乃改穿素色衣服，骑着毛驴，前去大梁（河南省开封市）。朱全忠（朱温）赏赐给他衣帽，刘鄩辞谢，请仍穿素色衣服晋见，朱全忠（朱温）不准。晋见时，朱全忠（朱温）嘉勉慰劳，筵席上劝他饮酒，刘鄩

十世纪·九〇三年八月至十二月 宣州田頵兵变

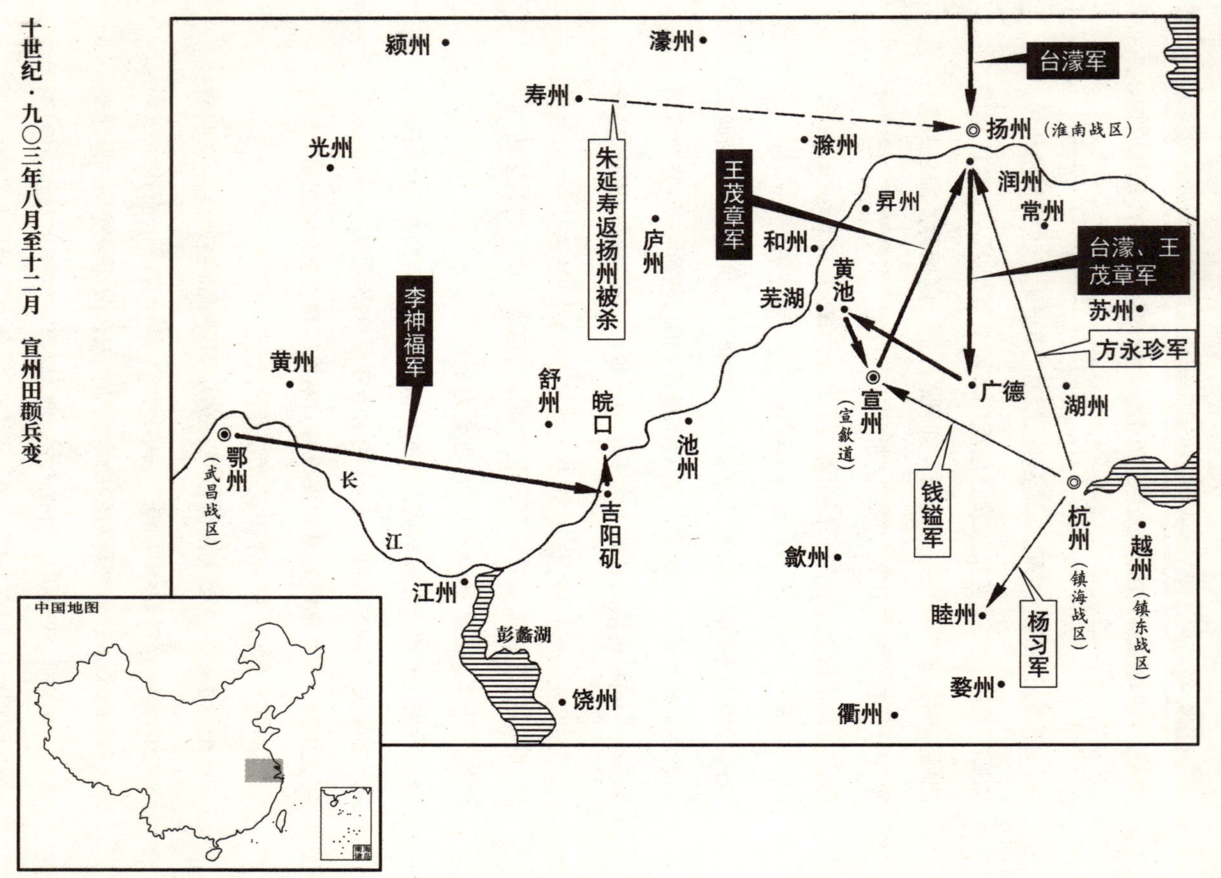

婉拒，说自己的量小。朱全忠（朱温）说："可是你夺取兖州（山东省济宁市兖州区），量怎的那么大！"任命他当元从大营总管理官（元从都押牙）。当时，四战区（宣武〔总部汴州〕、天平〔总部郓州〕、宣义〔总部滑州〕、护国〔总部河中府〕）的文武官员，都是功臣或长期追随朱全忠（朱温）的故旧，刘鄩以一个降将的身份，一夕之间，官位居他们之上，各将领都用军礼到庭前参拜，刘鄩坐在那里坦然接受，神色自若，朱全忠（朱温）越发认为他是一个奇才。（胡三省注："刘鄩坐那个位置，好像他原来就坐在那里，因他自己知道他的才干足足有余。"）不久，朱全忠（朱温）上疏任命刘鄩当保大战区（总部设鄜州〔陕西省富县〕）候补司令官（留后）。

葛从周长期患病，朱全忠（朱温）命康怀贞当泰宁战区（总部设兖州〔山东省济宁市兖州区〕）司令官（节度使），接替葛从周的职务。

46 十月十五日，皇家禁卫军总指挥官（宿卫都指挥使）朱友伦（朱全忠的侄儿），跟他的朋友在左神策军打马球，从马上栽下，不治身死。朱全忠（朱温）悲痛愤怒，怀疑是宰相崔胤故意设下的圈套，下令把同场打马球的十余人，全部诛杀；派侄儿朱友谅接替禁卫。

47 忠义战区（总部设襄州〔湖北省襄阳市〕）司令官（节度使）赵匡凝，派军袭击荆南（总部江陵府），守城的朗州（湖南省常德市）军队（雷彦威的残部，参考本年〔九〇三〕五月）放弃城池逃走。赵匡凝上疏任命他的老弟赵匡明当荆南战区（总部设江陵府〔湖北省江陵县〕）候补司令官（留后）。当时，中央力量微小衰弱，各战区道多数都不再进贡缴税，只赵匡凝兄弟从不中断。

48 杨行密（杨行愍）向钱镠求救，钱镠派部将方永珍增援攻击润州（江苏省镇江市）的王茂章，派堂弟钱镒增援攻击宣州（安徽省宣城市）的台濛；又派指挥官（指挥使）杨习攻击睦州（浙江省建德市。钱镠痛恨睦州州长陈璋事，参考去年〔九〇二〕十二月）。

49 凤翔（总部凤翔府）、静难（总部邠州）两战区不断派军逼近京师（首都长安）。朱全忠（朱温）怀疑他们阴谋再度劫持李晔（李敏）。

十一月，朱全忠（朱温）派骑兵进驻河中（山西省永济市）。

50 十二月九日，田頵（宁国〔总部宣州〕司令官）率敢死队数百人，出城攻击，台濛假装撤退，表示军力薄弱。田頵士卒越过壕沟战斗，台濛急行反击，田頵无法抵挡，想退回城里，可是桥梁折断，田頵从马上栽下，被砍下头颅（年四十六岁）。他的部众仍苦战不止，台濛命把田頵的人头拿给他们观看，他们才溃散逃走。台濛遂克复宣州（安徽省宣城市。田頵于八九二年七月割据宣州，前后十二年而灭）。

当初，杨行密（杨行愍）跟田頵同乡同里，从小就是好友，结拜义兄义弟。田頵的人头送到广陵（江苏省扬州市），杨行密（杨行愍）看到，流下眼泪；赦免田頵的娘亲殷女士，杨行密（杨行愍）跟儿女们都以子孙晚辈的礼节侍奉。

杨行密（杨行愍）命李神福当宁国战区（总部设宣州〔安徽省宣城市〕）司令官（节度使）。李神福认为杜洪（武昌〔总部鄂州〕司令官）还没有扫除，坚决辞让，不肯到差。宣州（安徽省宣城市）政务秘书长（长史）、合肥（庐州州政府所在县，安徽省合肥市）人骆知祥，擅长处理财务，行政侍卫官（观察牙推）沈文昌有文学素养，曾替田頵撰写文告，诟骂杨行密（杨行愍）。杨行密（杨行愍）命骆知祥当淮南（总部扬州）财务官（支计官），沈文昌当战区侍卫官（节度牙推）。沈文昌，是湖州（浙江省湖州市）人。

当初，田頵每逢作战失败，就要诛杀钱传瓘（钱传瓘当人质，参考去年〔九〇二〕十二月），田頵的娘亲殷女士及宣州（安徽省宣城市）总纠察官（都虞候）郭师从，一直居中保护。郭师从，是合肥（安徽省合肥市）人，田頵妻子郭夫人的老弟。田頵失败后，钱传瓘返回杭州（浙江省杭州市）。钱镠（镇海〔总部杭州〕司令官）命郭师从当镇东战区（总部设越州〔浙江省绍兴市〕）总纠察官（都虞候）。

51 十二月十五日，中央命国务院教育部长（礼部尚书）独孤损（独孤，复姓），当国务院国防部副部长（兵部侍郎）、二级实质宰相（同平章事）。独孤损，是独孤及的堂曾孙（独孤及，参考七六五年三月）。

副立法长（中书侍郎）兼国务院财政部长（兼户部尚书）、二级实质宰相（同平章事）裴贽，贬作国务院左最高执行长（左仆射）。

52 退休的国务院左最高执行长（左仆射）张濬，定居长水（河南省洛宁县西南长水镇），王师范（平卢〔总部青州〕司令官）起兵袭击朱全忠（朱温）这件事，张濬参与密谋（参考本年〔九〇三〕正月）。朱全忠（朱温）已着手准备篡夺唐王朝政权，恐怕张濬鼓动各战区道反抗，于是唆使张全义（佑国〔总部河南府〕司令官）想办法铲除。

十二月三十日，张全义派营门官（牙将）杨麟率军出发，扮作强盗，包围张濬的别墅，全家男女老幼，一次杀光。永宁（河南省洛宁县北）县政府官员叶彦，很受张濬的照顾器重，事先得到杨麟就要到达的消息，暗中通知张濬的儿子张格说：“宰相（张濬）的灾祸无法躲避，但你应该想办法自救！”张濬对张格说：“你留下来不过死在一起，如能远走高飞，我们张家还可以有后！”张格大哭，叩头辞别，叶彦率忠义之士三十人，护送张格渡过汉水才回，张格遂经过荆南（总部江陵府），进入西川（总部成都府）。

53 卢龙战区（总部设幽州〔北京市〕）司令官（节度使）刘仁恭，对契丹部落（王庭西楼城〔内蒙古巴林左旗〕）有深刻的了解，经常派遣勇将，率领精锐部队，趁秋季天高气爽，深入塞外，越过摘星岭（辽宁省凌源市西北），向契丹心脏地带发动攻击，契丹对他十分畏惧。每次下霜的时候，刘仁恭就派人沿着边塞，纵火焚烧野草，契丹的马大多数都被饿死，只好常用优良的马匹贿赂刘仁恭，购买牧场。契丹酋长耶律阿保机（耶律，复姓）派他妻子的老哥述律阿钵（述律，复姓），率一万余骑兵进攻渝关（河北省秦皇岛市抚宁区东榆关镇），刘仁恭派他的儿子刘守光驻防平州（河北省卢龙县），刘守光假装跟契丹和解，在城外摆设筵席，招待他们高阶层官员宴会，酒饮到半醉，伏兵发动，契丹官员全被生擒，带回城里。契丹部众号啕大哭，最后，付给刘仁恭很重的赎金，刘仁恭才把俘虏释放。

54 最初，宰相崔胤仗恃朱全忠（朱温）的力量，屠杀宦官（参考本年〔九〇三〕正月二十八日）。朱全忠（朱温）于击败李茂贞（宋文通，凤翔〔总部凤翔府〕司令官）之后，并吞关中（陕西省中部），威威震撼天下，看穿皇帝也者，不过如此，油然生出篡夺心意。崔胤这时候才开始恐惧，所以跟朱全忠（朱温）外貌虽十分亲密，心意却渐渐改变，对朱全忠（朱温）说："京师（首都长安）跟李茂贞（宋文通）紧紧相接，不可以没有防御设施。而六军（禁军）十二卫（卫军）现在只剩下空名，我建议招募新兵补充，也使你消除西方的顾虑。"朱全忠（朱温）了解他的用心，但仍敷衍他表示同意，一面密令他部属中的勇士，前往投效，从内部注意他的变化。崔胤还不知道，跟首都长安特别市长（京兆尹）郑元规等，加速整修制造铠甲武器，日夜赶工，没有休息。后来，朱友伦暴死，朱全忠（朱温）越发怀疑崔胤，而且，打算把首都迁到洛阳（河南省洛阳市），也恐怕崔胤反对，决定先下毒手。

九〇四年 甲子

唐　天复　四年
　　天祐　元年

1 春季，正月，朱全忠（朱温，宣武〔总部汴州〕司令官）呈递密奏，指控司徒（三公之二）兼最高监督长（兼侍中）、兼六禁十二卫统帅（判六军十二卫事）、兼全国盐铁专卖暨运输总监（盐铁转运使）、兼全国财政总监（判度支）崔胤：专权独断、扰乱国家、挑拨君王跟臣属间的感情。要求唐王朝（首都长安〔陕西省西安市〕）皇帝（二十四任昭宗）李晔（李敏。本年三十八岁）下诏：包括崔胤在内，以及他的同党：国务院司法部长（刑部尚书）兼首都长安特别市长（兼京兆尹）、六禁十二卫副统帅（六军诸卫副使）郑元规；连同威远军基地司令（威远军使）陈班等，全部诛杀。

正月九日，李晔（李敏）下诏，贬崔胤当太子少傅（太子三少之二），东都洛阳（河南省洛阳市）办公；贬郑元规当循州（广东省惠州市）户籍官（司户），贬陈班当溱州（重庆市綦江区东南）户籍官（司户）。

正月十日，李晔（李敏）再下诏宣布崔胤等罪状，命裴枢主管左三军（左龙武、左羽林、左神策）统帅（判左三军事），充任全国盐铁专卖暨运输总监（盐铁转运使）；命独孤损（独孤，复姓）主管右三军（右龙武、右羽林、右神策）统帅（判右三军事），兼全国财政总监（兼判度支）；崔胤所招募的士卒，全部遣散。命国务院国防部长（兵部尚书）崔远当副立法长（中书侍郎）；命皇家文学研究官（翰林学士）、见习监督官（左拾遗）柳璨当立法院高级顾问官（右谏议大夫）；二人都兼二级实质宰相（同平章事）。柳璨，是柳公绰的堂孙（柳公绰，参考八一六年十一月）。

正月十二日，朱全忠（朱温，宣武〔总部汴州〕司令官）密令皇家禁卫军总指挥官（宿卫都指挥使）朱友谅，派军包围崔胤家宅，诛杀崔胤、郑元规、陈班，以及崔胤的亲信数人。

2 最初，李晔（李敏）流亡华州（陕西省渭南市华州区）时，朱全忠（朱温）屡次上疏请迁都洛阳（崔胤提供的策略），李晔（李敏）虽不答应，但朱全忠（朱温）却已下令东都（洛阳，河南省洛阳市）留守长官兼佑国战区（总部设河南府〔河南省洛阳市〕）司令官（节度使）张全义，修建宫殿（参考八九六年九月）。

朱全忠（朱温）攻克邠州（陕西省彬州市）时，把静难战区（总部设邠州〔陕西省彬州市〕）司令官（节度使）杨崇本（李继徽）的妻子送到河中（山西省永济市）充当人质（参考九○一年十一月）。杨崇本的妻子十分美貌，朱全忠（朱温）命她上床，后来又把她送回给杨崇本。杨崇本大怒，派使节报告李茂贞（宋文通）说：“唐王朝就要灭亡，阿爹，你怎么忍心坐在那里旁观？”遂联军逼向京师（首都长安），仍改名李继徽（杨崇本本是李茂贞的义子，因投降朱全忠而恢复本名，参考九〇一年十一月）。

正月十三日，朱全忠（朱温）率军驻扎河中（山西省永济市）。

正月二十一日，李晔（李敏）登延喜楼，朱全忠（朱温）派营门官（牙将）寇彦卿呈递奏章，声称：凤翔（总部凤翔府）、静难（总部邠州）军队逐渐逼近京畿，请立刻迁都洛阳（河南省洛阳市）。李晔（李敏）从延喜楼下来，裴枢已接到朱全忠（朱温）的公文，催促文武百官马上启程。

正月二十二日，迁都行动开始，宣武（总部汴州）军队强行裹挟京师（首都长安）居民，放弃家宅，立刻上路，分秒不准停留，号叫哭喊的声音，充满道路，众口一致诟骂说：“奸贼崔胤找来朱全忠（朱温）颠覆帝国，使我们流亡离散到这个地步！”人民扶老携幼，前后相继，连续一个月有余，没有中断。

正月二十六日，李晔（李敏）从长安（陕西省西安市）出发，朱全忠（朱温）命部将张廷范当御营司令官（御营使），摧毁长安（陕西省西安市）所有宫殿和政府建筑，以及民间房舍（都是韩建修复，参考八九八年正月），把拆除下来的材料，利用渭河及黄河水流，漂浮而下，长安（陕西省西安市）从此成为一片废墟。（董卓强行把首都从洛阳迁往长安〔参考一九〇年二月〕，朱全忠强行把首都从长安迁往洛阳，凶恶手段，一模一样。洛阳后来有曹魏帝国、北魏帝国重建，多少恢复旧观，长安则从此一蹶不振，前后一千零三十八年，历时最久的古都，遂永远退出政治舞台）。

朱全忠（朱温）征调黄河南北各战区道青年及工匠数万人，命张全义（东都留守长官）修筑东都洛阳皇家宫殿，长江、浙江（钱塘江）、两湖（洞庭湖及鄱阳湖）等流域及岭南（南岭以南）地带，凡归附朱全忠（朱温）

的战区，都有捐献（长江流域：武昌〔总部鄂州〕杜洪。浙江流域：镇海〔总部杭州〕钱镠。两湖流域：武安〔总部潭州〕马殷、镇南〔总部洪州〕钟传、武贞〔总部朗州〕雷彦威。岭南地带：威武〔总部福州〕王审知、清海〔总部广州〕刘隐）。

正月二十八日，李晔（李敏）抵达华州（兴德府，陕西省渭南市华州区），人民夹道欢迎，高呼万岁，李晔（李敏）流下眼泪，说："不要再叫万岁了，我再也不能当你们的领袖！"下榻兴德宫（八九八年八月，李晔自华州返京，出发前，改华州为兴德府，改他所住过的地方〔战区总部〕为兴德宫，如今旧地重游），对左右侍从说："民间有句俗话：'纥干山（山西省大同市东）上，冻死麻雀，为什么不飞到别处？只因在生长的地方才有欢乐！'我今天漂泊流亡，不知道落脚哪里！"泪下如雨，沾满衣襟，左右侍从同声一悲，不能抬头。

二月十日，李晔（李敏）抵达陕州（河南省三门峡市），因东都（洛阳，河南省洛阳市）的宫殿还没有修建完成，暂时留下等候。

二月十一日，朱全忠（朱温）自河中（山西省永济市）前来陕州（河北省三门峡市）朝见，李晔（李敏）请朱全忠（朱温）到卧室跟何皇后见面，何皇后哭泣说："自今天起，我们夫妇性命，交给全忠！"

3 二月十九日，李晔（李敏）改封皇子李祯当端王，李祁当丰王，李福当和王，李禧当登王，李祐（应是李祜）当嘉王。

4 李晔（李敏）派人携带他的亲笔信，向王建（西川〔总部成都府〕司令官）要求急救，王建命邛州（四川省邛崃市）州长王宗祐当北方特遣兵团指挥官（北路行营指挥使），率军会同凤翔兵团（总部凤翔府），东下迎接皇帝，走到兴平（陕西省兴平市），遇到宣武兵团（总部汴州），不能前进，撤退。

自此，王建开始用皇帝的名义，以墨笔书写诏书，任官封爵，宣称：“等圣驾回京师（首都长安）之后，再上疏奏报备案。”

5 三月十二日，李晔（李敏）命朱全忠（朱温）兼管左右神策军等六禁十二卫（兼判左、右神策及六军诸事）。

三月十八日，朱全忠（朱温）在私宅摆设筵席，邀请皇帝李晔（李敏）赴宴。

三月二十日，朱全忠（朱温）向李晔（李敏）告辞，先往洛阳（河南省洛阳市）监督宫殿修建进度。李晔（李敏）跟朱全忠（朱温）一起设筵，宴请文武百官，筵席散后，李晔（李敏）单独留下朱全忠（朱温）跟忠武战区（总部设陈州〔河南省周口市淮阳区〕）司令官（节度使）韩建，继续饮酒。何皇后也出来，亲自捧着玉杯，向朱全忠（朱温）敬酒。这时候，晋国夫人可证（姓不详）附到李晔（李敏）耳朵上悄悄讲话。韩建在桌下轻轻向朱全忠（朱温）踢了一脚，朱全忠（朱温）认为是对自己下手，拒绝接受何皇后的敬酒，假装已经喝醉，告辞出宫。朱全忠（朱温）上疏把佑国战区（总部设河南府〔河南省洛阳市〕）总部，从洛阳（河南府所在县，河南省洛阳市）迁到长安（陕西省西安市），命韩建当佑国战区（总部设长安〔陕西省西安市〕）司令官（节度使）；命郑州（河南省郑州市）州长刘知俊当匡国战区（总部设同州〔陕西省大荔县〕）司令官（节度使）。

三月二十二日，李晔（李敏）再秘密派出使节，携带写在白绢（生丝粗绸）上的诏书，再向王建（西川〔总部成都府〕司令官）、杨行密（杨行愍·淮南〔总部扬州〕司令官）、李克用（河东〔总部太原府〕司令官）等，作最后一次求救，要他们号召各战区道筹划勤王，诏书上说：“我一到洛阳，就会内外隔绝、封锁囚禁，诏书皇命，都出自他手，我的真正意思，再不能表达。”

6 杨行密（杨行愍）把人质钱传瑑跟妻子（杨行密的女儿）以及使节顾全武，送返钱塘（杭州州政府所在县，浙江省杭州市。人质事，参考前年〔九〇二〕九月）。

杨行密（杨行愍）命作战参谋长（行军司马）李神福，当鄂岳（湖北省东部）征剿司令（招讨使），再度率军攻击杜洪（武昌〔总部鄂州〕司令官）。朱全忠（朱温）派使节晋见杨行密（杨行愍），请放弃鄂岳（湖北省东部），双方恢复昔日友谊（朱杨交恶，参考八九四年十一月）。杨行密（杨行愍）回答说："等到天子返回长安（陕西省西安市），我一定停止军事行动，重修旧好！"

7 夏季，四月十六日，朱全忠（朱温）上疏说：洛阳宫殿已经修建完成，请皇帝早日出发。奏章一个接连一个。李晔（李敏）屡次派宫女传话，告诉朱全忠（朱温）说，何皇后刚刚分娩，不堪承当道路颠簸，请等到十月启程。朱全忠（朱温）怀疑李晔（李敏）故意拖延日期，等待发生变化，大怒，告诉营门官（牙将）寇彦卿说："你马上到陕州（河南省三门峡市），当天就把那个皇帝打发上路！"

闰四月三日，李晔（李敏）从陕州（河南省三门峡市）动身东行。

闰四月八日，朱全忠（朱温）亲到新安（河南省新安县）迎接。李晔（李敏）在陕州（河南省三门峡市）时，天文台长（司天监）奏报说："天上星象有变，灾难就在今年（九〇四）深秋，往东走最不吉利。"所以李晔（李敏）盼望拖到十月再往洛阳。现在，朱全忠（朱温）命御医（医官）许昭远检举御医总管（医官使）阎祐之、天文台长（司天监）王墀、宦官总管府总务官（内都知）韦周、晋国夫人可证等，阴谋杀害元帅（朱全忠），于是把他们全部逮捕斩首。

闰四月九日，李晔（李敏）在谷水（流经洛阳城西）休息。自从崔胤被杀，六军四散逃亡，只剩下陪同皇帝游戏玩球的一些球员，和御花园及内宫听候差遣的一些青少年，共二百余人，跟随李晔（李敏）东来。朱全忠（朱温）对他们也同样猜忌，不肯放过，就在营帐之内摆设筵席，招待饮酒，然后把他们全部绞死。事先已选好二百余人，身材年龄，都跟他们相差不多，改穿他们的衣服，代替侍候守卫。李晔（李敏）最初还没有发觉，过了好几天才发现。自此之后，李晔（李敏）左右办理事务、听候呼唤的，都是朱全忠（朱温）的人。

闰四月十日，李晔（李敏）从谷水（流经洛阳城西）动身，进入洛阳皇宫，登金銮宝殿，接受文武百官的朝见和祝贺。

闰四月十一日，李晔（李敏）登皇城光政门，赦免天下，改年号天祐（之前是天复四年，之后是天祐元年）。把陕州（河南省三门峡市）升格为兴唐特别市（兴唐府）。下诏讨伐李茂贞（宋文通，凤翔〔总部凤翔府〕司令官）、李继徽（杨崇本，静难〔总部邠州〕司令官）。

闰四月十四日，李晔（李敏）命皇宫里面，除了宫廷事务总监署（宣徽院）等九个单位（宫廷事务南院总监〔宣徽南院使〕、宫廷事务北院总监〔宣徽北院使〕、皇家马坊管理官〔小马坊使〕、宫库管理官〔丰德库使〕、御厨房管理官〔御厨使〕、礼宾官〔客省使〕、宫门管理官〔阁门使〕、飞龙马厩管理官〔飞龙使〕、皇庄管理官〔庄宅使〕），其他所有单位，全部废除，并停止宫女传递诏令（去年〔九〇三〕正月屠杀宦官，改以宫女传令）。李晔（李敏）命蒋玄晖当宫廷事务南院总监（宣徽南院使）兼宫廷机要室主任官（兼枢密使），王殷当宫廷事务北院总监（宣徽北院使）兼皇城管理官（兼皇城使），张廷范当金吾（卫军第十一、十二军）将军兼净街司令（街使），命韦震当东都洛阳特别市市长（河南尹）兼六禁十二卫副总帅（兼六军诸卫副使）；又调武宁战区（总部设徐州〔江苏省徐州市〕）候补司令官（留后）朱友恭（李彦威）当左龙武（禁军第三军）统军（正三品），保大战区（总部设鄜州〔陕西省富县〕）司令官（节度使）氐叔

十世纪·九〇四年正月至闰四月
凤翔、静难威胁京师，朱全忠强迫中央迁都洛阳

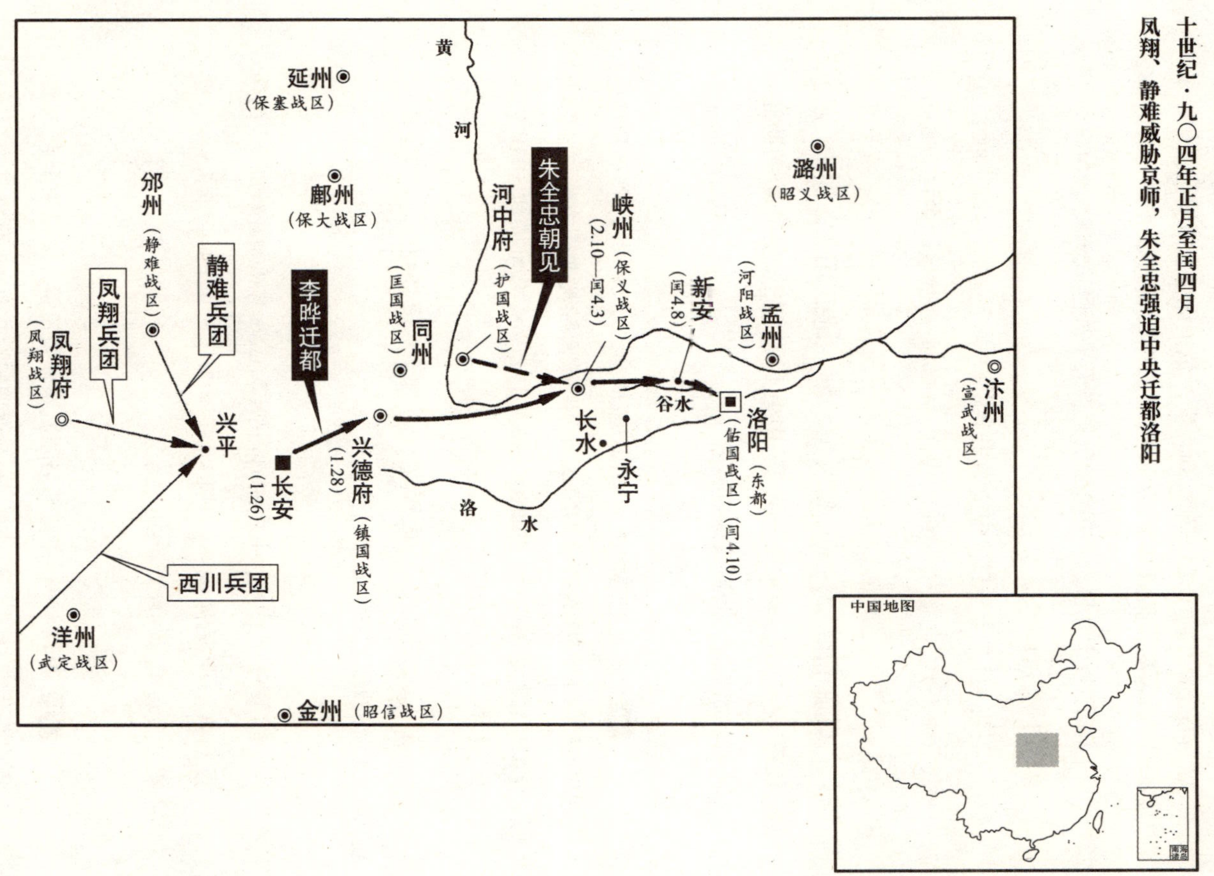

琮当右龙武（禁军第四军）统军（正三品），负责保护皇家安全。全是朱全忠（朱温）的心腹死党。

闰四月十九日，中央命张全义当天平战区（总部设郓州〔山东省东平县〕）司令官（节度使）。

闰四月二十一日，中央命朱全忠（朱温）当护国（总部河中府）、宣武（总部汴州）、宣义（总部滑州）、忠武（总部陈州）四战区司令官（节度使）。

8 镇海（总部杭州）、镇东（总部越州）二战区司令官（节度使）越王钱镠（音㳅〔流〕），要求封吴越王，中央不准。朱全忠（朱温）帮助他向当权高官说话，乃封钱镠当吴王。

9 中央把魏博战区（总部设魏州〔河北省大名县〕）改作天雄战区（一任司令官田承嗣曾奏请改称天雄战区，十一任帝李豫〔李俶〕批准，参考七六四年正月十九日，但官文书仍称魏博，不知何故。现在另有天雄战区，总部设秦州〔甘肃省秦安县西北〕）。

闰四月二十九日，天雄战区（总部设魏州〔河北省大名县〕）司令官（节度使）长沙郡王罗绍威晋封邺王。

10 五月二日，中央命河阳战区（总部设孟州〔河南省孟州市〕）司令官（节度使）张汉瑜（原河东〔总部太原府〕晋州州长，九〇一年正月降朱全忠），遥兼二级宰相（同平章事·使相）。

11 李晔（李敏）在首都洛阳城崇勋殿设筵，宴请朱全忠（朱温）及文武百官，结束后，李晔（李敏）再请朱全忠（朱温）到寝宫饮酒，朱全忠（朱温）顿起疑心，声称已经喝醉，拒绝进去。李晔（李敏）说：“全忠不想来，敬翔来！”朱全忠（朱温）给敬翔一拳，把他赶走，说：“敬翔也喝醉！”

五月七日，朱全忠（朱温）离洛阳东返。

五月十一日，朱全忠（朱温）抵达大梁（汴州州政府所在城，河南省开封市）。

12 忠义战区（总部设襄州〔湖北省襄阳市〕）司令官（节度使）赵匡凝，派长江舰队逆流进入三峡，攻击王建（西川〔总部成都府〕司令官）所辖的夔州（重庆市奉节县），代理渝州（重庆市）州长王宗阮（文武坚）等把他击败。

万州（重庆市万州区）州长张武，在长江两岸设立木栅，铸造巨大铁链，横悬长江中游，称为“锁峡”。

13 六月，李茂贞（宋文通，凤翔〔总部凤翔府〕司令官）、王建（西川〔总部成都府〕司令官）、李继徽（杨崇本，静难〔总部邠州〕司令官）发布文告，联合讨伐朱全忠（朱温）。朱全忠（朱温）命镇国战区（总部设兴德府〔陕西省渭南市华州区〕）司令官（节度使）朱友裕，当特遣兵团总指战官（行营都统），率步骑兵数万人进击。又命保大战区（总部设鄜州〔陕西省富县〕）司令官（节度使）刘鄩，放弃鄜州（陕西省富县），率军退守同州（陕西省大荔县）。

六月二十日，朱全忠（朱温）率军自大梁（河南省开封市）出发，西上讨伐李茂贞（宋文通）等。

秋季，七月二日，朱全忠（朱温）经过东都（首都洛阳城），晋见李晔（李敏）。

七月十日，朱全忠（朱温）抵达河中（山西省永济市）。

14 西川（总部成都府）各将领建议王建（西川〔总部成都府〕司令官）

乘李茂贞（宋文通）萎缩衰弱的时候，对他攻击，夺取凤翔（陕西省宝鸡市凤翔区）。王建征求军事执行官（节度判官）冯涓的意见，冯涓说："战争是一种凶暴的行为，杀戮人命，耗费钱财，不可以永无止境。而今，宣武（总部汴州）跟河东（总部太原府）龙争虎斗，势不两立，二者如果合并，出军攻击巴蜀（四川省），即令诸葛亮复生，也无法抵挡。凤翔（总部凤翔府）是我们的藩篱屏障，不如跟他和解亲善，双方结作姻亲，没有事的时候，大家种田务农，训练官兵战斗技能，保卫巩固封疆；有事的时候，则把握机会，作适当反应，就绝对安全。"王建说："好极！李茂贞（宋文通）虽然是一个庸才，但名声强悍，无论远近，都对他畏惧；跟朱全忠（朱温）一争胜负的能力当然不够，但采取守势自保，则足足有余，让他当我们的藩篱屏障，我们得到的利益可太多了。"遂跟李茂贞（宋文通）建立友谊。

七月十四日，李茂贞（宋文通）派执行官（判官）赵锽前往西川（总部成都府），替他的侄儿、天雄战区（总部设秦州〔甘肃省秦安县西北〕）司令官（节度使）李继勋求婚，王建把女儿嫁给李继勋。李茂贞（宋文通）屡次向王建要求供应绸缎跟武器，王建全都给他。

王建的田赋捐税很重，没有人敢劝阻。正巧王建生日，冯涓呈献颂辞，首先赞美王建的功业及对人民的恩德，然后提出人民的贫苦。王建惭愧，道歉说："你这样忠心耿耿的规劝，不愁功业没有成就。"赏赐给他金银绸缎，从此赋税稍微减轻。

15 当初，朱全忠（朱温）从凤翔（陕西省宝鸡市凤翔区）迎接李晔（李敏）回京（首都长安）时（参考去年〔九〇三〕正月），看到德王李裕眉清目秀，而且年龄渐大，心里十分厌恶，曾在私下对崔胤说："德王（李裕）曾经污染过皇帝宝座（指刘季述政变，参考九〇〇年十一月），怎么可以仍使他留在宫廷，您为什么不向皇上反映！”崔胤奏报李晔（李敏），李晔（李敏）问朱全忠（朱温），朱全忠（朱温）说：“陛下父子之间的事情，我怎么敢私下议论，明显的是崔胤诬陷我。”李晔（李敏）自从离开长安（陕西省西安市），每天都忧虑大祸临头，跟何皇后终日饮酒酣醉，或者相对啜泣。朱全忠（朱温）派宫廷机要室主任官（枢密使）蒋玄晖监视，所以李晔（李敏）一举一动、一哭一笑，朱全忠（朱温）都了如指掌。李晔（李敏）在一个平静的气氛中，曾经对蒋玄晖说：“德王（李裕），是我最爱的一个儿子，全忠为什么非杀他不可！”哭泣流泪，悲痛得咬住中指，流出鲜血。蒋玄晖一一报告朱全忠（朱温），朱全忠（朱温）更加不安。

李晔的轻脱行为，加速灾祸！

这时候，李茂贞（宋文通，凤翔〔总部凤翔府〕司令官）、李继徽（杨崇本，静难〔总部邠州〕司令官）、李克用（河东〔总部太原府〕司令官）、刘仁恭（卢龙〔总部幽州〕司令官）、王建（西川〔总部成都府〕司令官）、杨行密（杨行愍，淮南〔总部扬州〕司令官）、赵匡凝（忠义〔总部襄州〕司令官），公文来往，都强调抢救皇帝，恢复皇权，而朱全忠（朱温）正率军四出征战，看出李晔（李敏）气质聪明，恐怕在中央发生变故，打算换一位年幼的皇帝，将来容易推翻，于是派执行官（判官）李振前往首都洛阳，跟蒋玄晖以及左龙武（禁军第三军）统军（正三品）朱友恭（李彦威）、右龙武（禁军第四军）统军（正三品）氏叔琮等处理。

八月十一日，李晔（李敏）正在寝宫，蒋玄晖派右龙武军营门官

（龙武牙官）史太等一百人，深夜敲门，声称有紧急军情奏报，必须面见皇帝。夫人裴贞一开门，看到武装士卒，说：“有什么紧急军情，带兵来做什么？”史太一刀砍死裴贞一。蒋玄晖问：“皇上在哪里？”昭仪（小老婆群第一级）李渐荣靠着栏杆，高声呼叫道：“宁可杀我们，不要伤皇上！”李晔（李敏）饮得酣醉，被杀声惊醒，从被窝里跳起来，穿着睡衣，绕着柱子逃命，史太追上，一刀砍死（李晔年三十八岁）。李渐荣用自己的身体保护李晔（李敏），史太也把她格杀。又打算杀何皇后，何皇后乞求蒋玄晖，才饶她一死。

自古以来，亡国之君，未必都愚蠢昏庸，或凶暴苛虐。祸乱的来临，经过多少年的累积，等到大势已去，恰巧碰到那个时节，以致虽然有智慧、有勇气，也束手无策，可谓真正的不幸，李晔就是典型。

李晔有复兴的心胸壮志，可是，外患已成气候，内部又没有贤能辅佐，使人感慨。他希望物色到非常的奇才，而所用的人却都不适当，只能使已危乱的局势，更加危乱。

唐王朝灭亡之后，后遗症十分残酷，经过五代时代，五十余年，全国分裂，坏到极致，乱到顶点，然后才停止。追溯灾难所以酿成，岂是一朝一夕。

八月十二日，蒋玄晖假传诏书（不知道假传谁的诏书，说不清楚），宣告李渐荣、裴贞一谋杀李晔（李敏），特封辉王李祚当皇太子，改名李柷（音chù〔处〕），监督帝国军政。又假传何皇后命令，命太子李柷（李祚）在老爹（李晔）灵柩前登极称帝，皇宫一片恐怖，没有人敢哭出声音。

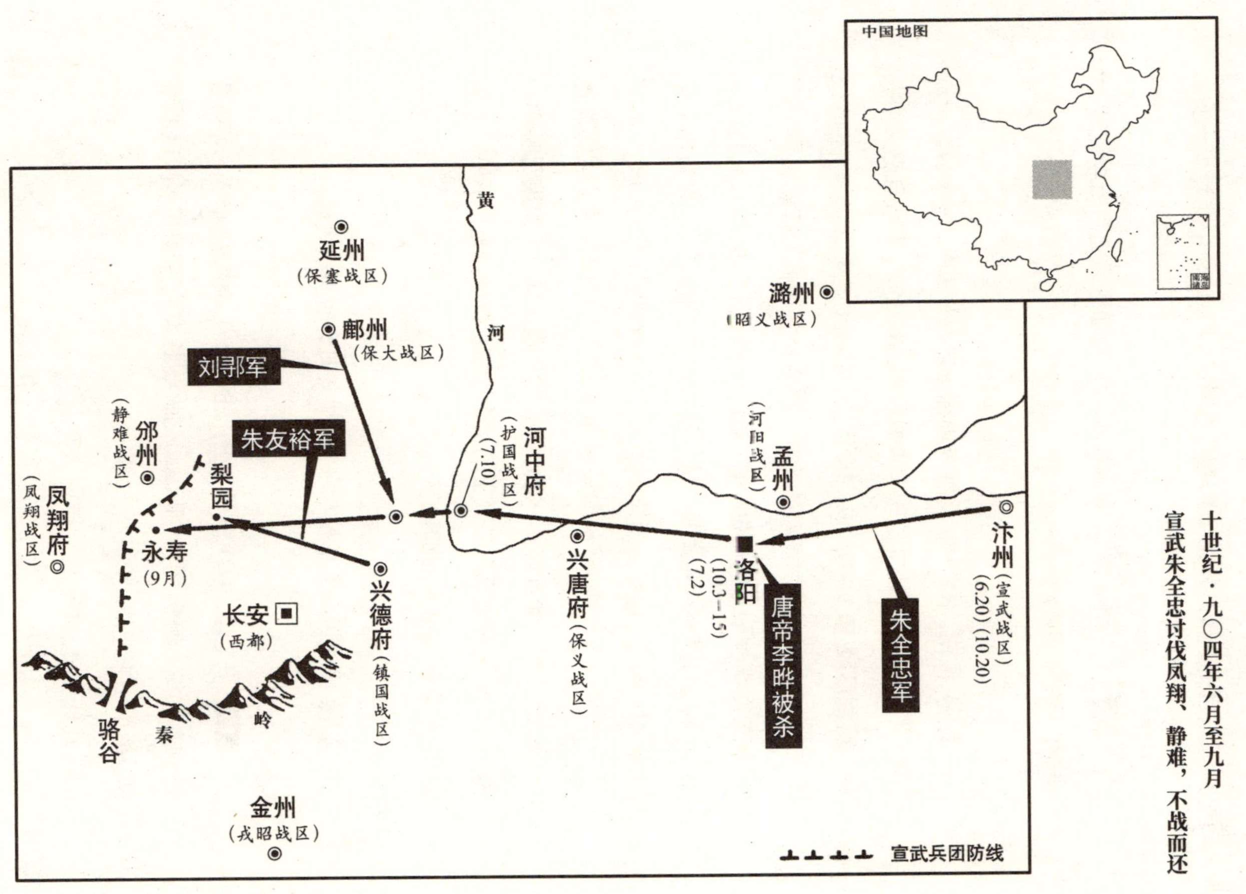

十世纪·九〇四年六月至九月
宣武朱全忠讨伐凤翔、静难，不战而还

八月十五日，李柷（李祚）坐上宝座（二十五任哀帝），本年十三岁。

16 李克用（河东〔总部太原府〕司令官）再命张承业当监军宦官（大屠杀时，李克用藏匿张承业，参考去年〔九〇三〕二月）。

17 淮南（总部扬州）将领李神福进攻鄂州（湖北省武汉市），一直不能攻克（参考去年〔九〇三〕正月，及本年〔九〇四〕三月），不料自己又染疾病，折回广陵（江苏省扬州市）。杨行密（杨行愍）命舒州（安徽省潜山市）民兵司令（团练使）泌阳（河南省唐河县）人刘存，接替他的征剿司令（招讨使）职位。李神福不久逝世。宣州道（首府设宣州〔安徽省宣城市）行政长官（观察使）台濛不久也逝世，杨行密（杨行愍）任命儿子、警备本部指挥官（牙内诸军使）杨渥，当宣州道（首府宣州）行政长官（观察使）。右翼总指挥官（右牙都指挥使）徐温对杨渥说："大王（杨行密封吴王）卧病在床，而长子出任地方官，一定是奸人的计谋。有一天如果召唤你回来，除非是我的使节携带大王的手令，你要特别慎重，不要马上动身。"杨渥流泪感谢辞别。

18 九月八日，李柷（李祚）尊娘亲何皇后当皇太后。

19 朱全忠（朱温）率军北上，驻扎永寿（陕西省永寿县），南到骆谷（陕西省周至县西南）。但凤翔（总部凤翔府）、静难（总部邠州）两战区的军队，拒不出来迎战。

九月十日，朱全忠（朱温）东返。

20 冬季，十月一日，日蚀。

21 朱全忠（朱温）得到朱友恭（李彦威）等谋杀李晔（李敏）消息，假装大吃一惊，高声哀号痛哭，从座位上栽到地上，悲伤说："奴才们辜负我，使我万代都受恶名！"

十月三日，朱全忠（朱温）抵达东都（首都洛阳城），趴到李晔（李敏）的灵柩上，痛哭流涕。然后晋见李柷（李祚），誓言这绝不是他的意思，请求搜捕弑君的凶手。在这之前，保护皇帝的禁卫军官兵，有人在大街上抢夺米粮，人心恐慌。

十月四日，朱全忠（朱温）上疏指控朱友恭（李彦威）、氏叔琮不能约束部属，使他们扰乱京师（首都洛阳）。于是，贬朱友恭（李彦威）做崖州（海南省海口市琼山区）户籍官（司户），恢复原姓名李彦威（《新唐书·奸臣传》：李彦威，寿州〔安徽省寿县〕人，在汴州〔河南省开封市〕定居，散财任侠。当朱全忠的义子后，曾诬陷朱全忠的长子朱友裕，参考八九三年二月），贬氏叔琮当白州（广西博白县）户籍官（司户），但接着就命他们自杀。李彦威（朱友恭）临刑时大喊说："朱温（朱全忠），你出卖我来堵天下人怨恨的口，头上三尺有神明，做出这种伤天害理的事，你还盼望有后代子孙！"

十月六日，天平战区（总部设郓州〔山东省东平县〕）司令官（节度使）张全义，进京（首都洛阳城）朝见。

十月七日，李柷（李祚）下诏，命朱全忠（朱温）再当宣武（总部汴州）、护国（总部河中府）、宣义（总部滑州）、天平（总部郓州）四战区司令官（节度使）；命张全义当首都洛阳特别市市长（河南尹）兼忠武战区（总部设陈州〔河南省周口市淮阳区〕）司令官（节度使），主管六禁十二卫（判六军诸卫事）。

十月十五日，朱全忠（朱温）向李柷（李祚）辞行，返回汴州（河南省开封市）。

十月二十日，朱全忠（朱温）抵达大梁（汴州州政府所在城）。

22 镇国战区（总部设兴德府〔陕西省渭南市华州区〕）司令官（节度使）朱友裕（朱全忠的长子），在梨园（陕西省淳化县）逝世。

23 淮南（总部扬州）所属的光州（河南省潢川县），背叛杨行密（杨行慜，淮南〔总部扬州〕司令官），投降朱全忠（朱温），杨行密（杨行慜）派军包围。光州（河南省潢川县）跟已被围很久的鄂州（湖北省武汉市），同向朱全忠（朱温）紧急求援。

十一月八日，朱全忠（朱温）亲统士卒五万人，在颍州（安徽省阜阳市）渡淮河南下，进驻霍丘（安徽省霍邱县），分一部分兵力增援鄂州（湖北省武汉市）。淮南（总部扬州）特遣兵团得到报告，解除光州（河南省潢川县）的包围，退回广陵（江苏省扬州市），按兵不出应战。朱全忠（朱温）分别命各将领在淮南（总部扬州）境内，大肆破坏剽掠，削弱敌人力量。

24 钱镠（镇海〔总部杭州〕司令官）命衢州（浙江省衢州市）外城巡察官（罗城使）叶让，暗杀州长陈璋，事情泄露（钱镠深恨陈璋，参考前年〔九〇二〕十二月）。

十二月，陈璋斩叶让，叛变，向杨行密（杨行慜）投降。

25 最初，马殷（武安〔总部潭州〕司令官）的老弟马賨（音cóng〔从〕），性情沉默，作战勇敢，追随孙儒，充当百胜特别营司令（百胜指挥使），孙儒死后，投降杨行密（杨行慜），屡次建立战功，升任黑云特别营司令（黑云指挥使）。一天，气氛轻松，杨行密（杨行慜）问到他有没有兄弟，才知道是马殷的老弟，不禁吓了一跳，说："我常纳闷你的器量胸襟，广阔包容，与众不同，果然非常，自当送你回到老哥身旁。"马賨流泪推辞说："我不过是淮西（指蔡州皇帝秦宗权）残留下来的一个老兵，蒙大王（杨行密封吴王）不杀，反而宠爱信任。武安（总部潭州）相距很近，曾经接到过老哥（马殷）的信。我事奉大王已经很久，不愿离开。"杨行密（杨行慜）坚持送他回去。本年（九〇四），马賨前去长沙（潭州州政府所在县，湖南省长沙市），杨行密（杨行慜）在郊外设筵，亲自为他饯行。

马賨抵达长沙（湖南省长沙市），马殷上疏任命他当战区副司令官（节度副使）。有一天，马殷商议向皇帝进贡，马賨说："杨士（杨行密）兵强地广，又跟我们接邻（事实上并没有接邻，武安〔总部潭州〕及淮南〔总部扬州〕之间，还隔一个镇南〔总部洪州〕），不如跟他结交和好。大的方面，发生紧急情况时，可以有个援手；小的方面，也可以获得通商贸易的利益。"马殷变脸说："杨行密（杨行慜）不事奉皇帝，一旦中央讨伐，灾难会落到我身上，快把这种想法放到脑后，别替我惹祸。"

26 最初，清海战区（总部设广州〔广东省广州市〕）司令官（节度使）徐彦若逝世时，遗疏推荐战区副司令官（副使）刘隐暂任候补司令官（权留后。参考九〇一年十二月）。中央却命国务院国防部长（兵部尚书）崔远接替。崔远走到江陵（湖北省江陵县），听说岭南（南岭以南）遍地都是变民，而且又恐怕刘隐拒绝移交，所以不敢再进，中央命崔远折返。刘隐派使节用贵重的财宝贿赂朱全忠（朱温），朱全忠（朱温）遂奏请命刘隐当清海战区（总部广州）司令官（节度使）。

九〇五年 乙丑

1 春季，正月，朱全忠（朱温，宣武〔总部汴州〕司令官）派各将领进逼寿州（安徽省寿县）。

2 淮南（总部扬州）叛将、润州（江苏省镇江市）民兵司令（团练使）安仁义，勇敢果决，深得军心，所以淮南（总部扬州）将领王茂章进攻长达一年有余，仍不能攻克（参考前年〔九〇三〕八月）。杨行密（杨行愍，淮南〔总部扬州〕司令官）派人告诉他说：“你的功劳，我不会忘记（指破赵锽、破孙儒，夺取宣州、润州），如果能放下武器投降，当用你为作战副司令官（行军副使），但不再带兵。”安仁义不接受。王茂章挖掘地道进城，才告攻克，安仁义率全族登上高楼，大家不敢逼近。先前，攻城军将领看见安仁义就破口大骂，只李德诚不这样做，最后，安仁义召唤李德诚上楼，说：“你彬彬有礼，我今天替你立功。”将心爱的小老婆赠给李德诚，把弓箭投到地上，李德诚挟住他的肩膀下楼。安仁义跟他的儿子，被押送到广陵（扬州州政府所在城，江苏省扬州市）闹市，一同斩首。（八九二年六月，安仁义斩孙儒，不久镇守润州，迄今十四年。）

3 镇海（总部杭州）特遣兵团把陈询包围在睦州（浙江省建德市。陈询背叛钱镠，参考前年〔九〇三〕七月），杨行密（杨行愍，淮南〔总部扬州〕司令官）派西南方面军征剿司令（西南招讨使）陶雅，率军增援陈询，而军中发生夜惊，士卒很多翻出营寨逃亡，左右侍从及初级将领韩球，飞奔进帐报告，陶雅睡在床上，一声不响，稍后混乱自行平息，逃走的人也自动回营。钱镠（镇海〔总部杭州〕司令官）派他的堂弟钱镒，跟指挥官（指挥使）顾全武、王球拦击，被陶雅击败，钱镒、王球全被俘虏，陶雅班师而回。

4 正月十一日，朱全忠（朱温）命李振代理青州（山东省青州市）州长，接替王师范（平卢〔总部青州〕司令官）。

5 朱全忠（朱温）包围寿州（安徽省寿县），守军紧闭城门，不出来应战。朱全忠（朱温）遂自霍丘（安徽省霍邱县）撤军而回（朱全忠进驻霍丘，参考去年〔九〇四〕十一月）。

二月二日，朱全忠（朱温）抵达大梁（河南省开封市）。

6 李振到达青州（山东省青州市）后，王师范（平卢〔总部青州〕司令官）全族西迁（八八二年九月，王敬武逐安师儒，割据平卢，传子王师范，共二代，前后共二十四年而亡。三年后，更满门被屠，参考九〇八年六月），走到濮阳（河南省濮阳市西南），改穿素色平民服装，换骑毛驴前进，抵达大梁（河南省开封市）后，朱全忠（朱温）用宾客的礼节招待。

朱全忠（朱温）上疏任命李振当平卢战区（总部设青州〔山东省青州市〕）候补司令官（留后）。

7 二月九日，唐政府征调静海战区（总部设安南府〔越南河内市〕）司令官（节度使）、遥兼二级宰相（同平章事·使相）的朱全昱（朱昱），以太师（三师之一）名义退休。朱全昱是朱全忠（朱温）的老哥（参考八八〇年十二月十三日），戆厚朴直，没有才能，稍早，就出来镇守静海（总部安南府），朱全忠（朱温）主动请求罢黜。

8 当天（二月九日〔戊戌〕）是“社日”（祭祀土地神的日子。立春后第五个“戊日”称“春社”，立秋后第五个“戊日”称“秋社”，分别在春分、秋分前后），朱全忠（朱温）命蒋玄晖在九曲池（洛阳宫中）摆设筵席，邀请前任帝（二十四任）李晔（李敏）的儿子：德王李裕、棣王李祤、虔王李禊、沂王李禋、遂王李袆、景王李祕、祁王李祺、雅王李禛、琼王李祥等欢宴，等到饮酒半醉，把他们全部绞死，尸首投到九曲池中。

9 朱全忠（朱温）派他的部将曹延祚，率军增援杜洪（武昌〔总部鄂州〕司令官），共守鄂州（湖北省武汉市）。

二月十一日，淮南（总部扬州）将领刘存，攻破鄂州（湖北省武汉市），生擒杜洪、曹延祚以及宣武（总部汴州）协防部队一千余人，押送广陵（江苏省扬州市），全体诛杀（杜洪乘虚入鄂州，参考八八六年十二月，前后割据二十年而灭）。杨行密（杨行愍）命刘存当鄂岳道（首府设鄂州〔湖北省武汉市〕。武昌战区降为道）行政长官（观察使）。

10 二月二十日，把前任皇帝（二十四任）李晔（李敏）安葬和陵（河南省洛阳市偃师区南缑山），绰号圣穆景文孝皇帝，庙号昭宗。

11 三月十一日，中央命王师范当河阳战区（总部设孟州〔河南省孟州市〕）司令官（节度使）。

12 三月十九日，中央命副监督长（门下侍郎）、二级实质宰相（同平章事）独孤损，遥兼二级宰相（同平章事·使相），充任静海战区（总部设安南府〔越南河内市〕）司令官（节度使）；命国务院教育部副部长（礼部侍郎）、河间（瀛州州政府所在县，河北省河间市）人张文蔚，兼二级实质宰相（同平章事）。

三月二十五日，中央又命副监督长（门下侍郎）、二级实质宰相（同平章事）裴枢，当国务院左最高执行长（左仆射）；命副立法长（中书侍郎）、二级实质宰相（同平章事）崔远，当国务院右最高执行长（右仆射）；都免除宰相职务。

最初，柳璨进士及第（进士科考试及格）后，不到四年，就出任宰相（参考去年〔九〇四〕正月），性情奸诈，举止轻佻，皇帝左右都是朱全忠（朱温）心腹，柳璨对他们小心翼翼的伺候奉承。同是宰相的裴枢、崔远、独孤损，都是政坛重量级元老，德高望重，对柳璨这种行为，十分轻视。柳璨怀恨在心。和王李福（也是李晔的儿子）王府师傅（王傅，从三品）张廷范，本是一位戏剧演员，很受朱全忠（朱温）的宠爱，朱全忠（朱温）上疏推荐他当祭祀部长（太常卿）。裴枢说：“张廷范是帝国的功臣，有很多地方官可当，怎么可能乐意于这个冷门职务！恐怕不是元帅（朱全忠）的意思。”搁置一旁，不作处理。朱全忠（朱温）听到报告，对左右幕僚说：“我一直认为裴枢的胸襟见识，深厚淳朴，不会流于轻佻浮躁，现在听他这一套话，原形终于露了出来。”柳璨遂在朱全忠（朱温）面前，连同崔远、独孤损，一起陷害，所以三人的宰相职务，同时撤除。

中央命国务院文官部副部长（吏部侍郎）杨涉，兼二级实质宰相（同平章事）。杨涉，是杨收的孙儿（杨收坐赃死，参考八六九年二月），温和忠厚、谦恭谨慎，听到被任命当宰相的消息，跟家人相对哭泣，对他的儿子杨凝式说：“这是我们家门不幸，一定连累你！”

13 中央命清海战区（总部设广州〔广东省广州市〕）司令官（节度使）刘隐，遥兼二级宰相（同平章事·使相）。

14 三月壬辰日（三月庚申朔，没有壬辰），河东（总部太原府）大营总管理官（都押牙）盖寓逝世（盖寓事，参考八九七年六月），遗书建议李克用（河东〔总部太原府〕司令官）减少营建工程，减低赋税，延聘贤能人才。

15 夏季，四月十二日，彗星出现西北天际。

16 淮南（总部扬州）将领陶雅（歙州州长），会合衢（浙江省衢州市）、睦（浙江省建德市）二州军队，进攻婺州（浙江省金华市）。钱镠（镇海〔总部杭州〕司令官）派他的老弟钱镖率军增援（杨行密攻田頵时，钱镠乘虚攻陷婺州）。

17 五月，祭祀司（礼院）上疏皇帝（二十五任哀帝）李柷（李祚，本年十四岁）说："皇上登极，应往京师（首都洛阳）南郊，祭祀天神。"

李柷（李祚）下诏，指定十月九日举行。

18 五月七日，彗星再在天际出现，光束划破长空（彗星出现，表示人间将除旧布新，参考四二〇年正月注）。

柳璨仗恃朱全忠（朱温）的势力，随他的高兴或不高兴，毫无忌惮的作威作福，而就在这个时候，天际星象发生变化（彗星出现），卜卦师说："君王和臣属都有灾祸，应该用杀戮化解。"柳璨遂把他平常最厌恶的人，写一份名单给朱全忠（朱温），说："这些人都拥有一群徒子徒孙，动不动就批评政府，煽风点火，有的口虽不言，却在心里诽谤，应该用他们应验天象变异。"李振也对朱全忠（朱温）说："政府公权力所以衰退，都是因为有些高级知识分子，轻薄浮滑，扰乱破坏国家的纪律。而且，大王（朱全忠封梁王）准备图谋大事，这些人都是最难控制的一群，不如全部铲除。"朱全忠（朱温）同意。

五月十五日，李柷（李祚）下诏，贬独孤损当棣州（山东省惠民县）州长，裴枢当登州（山东省烟台市蓬莱区）州长，崔远当莱州（山东省莱州市）州长。

五月十七日，贬国务院文官部长（吏部尚书）陆扆当濮州（山东省鄄城县）户籍官（司户），国务院工程部长（工部尚书）王溥当淄州（山东省淄博市）户籍官（司户）。

五月二十二日，贬退休的太子太保（太子三师之三）赵崇当曹州（山东省菏泽市定陶区）户籍官（司户），国务院国防部副部长（兵部侍郎）王赞当潍州（山东省潍坊市）户籍官（司户）。其余有的门第尊贵、世代高官；有的学历辉煌、进士及第（进士科考试及格）；有的身居政府要职，严守儒家的名教礼仪，稍有知名度的，都一律被指控为浮滑浅薄之徒，贬谪驱逐，没有一天停止。高阶层知识分子，几乎一扫而空。

五月二十三日，再贬裴枢当泷州（广东省罗定市南。泷，音shuāng〔双〕）户籍官（司户），独孤损当琼州（海南省定安县）户籍官（司户），崔远当白州（广西博白县）户籍官（司户）。

19 五月二十六日，忠义战区（总部设襄州〔湖北省襄阳市〕）司令官（节度使）赵匡凝，派使节晋见王建（西川〔总部成都府〕司令官），亲善和好。

20 六月一日，李柷（李祚）再下诏，命裴枢、独孤损、崔远、陆扆、王溥、赵崇、王赞等，就在他们所停留的地方自杀（陆扆年五十九岁，其余各人卒年不详）。

这时，朱全忠（朱温）把裴枢等，以及三十位被放逐的官员，聚集在白马驿（滑州州政府设白马县，白马驿在白马县），一夜之间，全部处死，把尸体投到黄河。最初，李振屡次参加进士科考试，屡次不能及第（及格），所以对凡是进士科及第的官员，深怀痛恨，对朱全忠（朱温）说："这群人平常都自称'清流'，就应该全部投到黄河，教他们成为'浊流'（官员清浊之分，参考八三九年六月）。"朱全忠（朱温）笑起来，同意这么做。

李振每次从汴州（河南省开封市）到首都洛阳，中央一定有人被贬窜，当时的人称李振是"鸱枭"（音chī xiāo〔吃萧〕。鸱枭，参考三一五年八月注），态度傲慢，看到中央政府官员，好像对待奴才一样发号施令，旁若无人。

朱全忠（朱温）曾经跟幕僚官员和来自其他地方的宾客，在大柳树下闲坐，朱全忠（朱温）脱口说："这柳树可以做车毂！"（毂，音gǔ

〔骨〕。车轮中心，用来供车轴穿过的圆环。）大家不敢开口，有几个游客应声说："当然，可以做车毂！"朱全忠（朱温）拉下脸来，厉声说："你们这些知识分子，就是喜欢顺着别人的话，来玩弄别人！像今天这种事，必须榆木才能做车毂，柳木怎么能做！"（车毂必须坚硬如铁，才能承受车轴的转动。柳木松软，会迅速磨损。）回头向左右卫士说："你们还等什么？"左右卫士数十人，揪住那几个说"可以做车毂"的人的头发，全都扑杀。

六月二日，司空（三公之三）退休的裴贽，贬作青州（山东省青州市）户籍官（司户），不久，命他自杀。

柳璨的愤怒不能平息，仍有十数人列在黑名单上，张文蔚竭力营救，柳璨才停止。

当时，政府官员逃难四方，多数不愿前往中央。

六月五日，李柷（李祚）下诏，命各州县强行遣送，不准在地方逗留。国务院文官部勋赏司前副司长（前司勋员外郎）李延古，是李德裕的孙儿（李德裕是九世纪中叶"李党"首领，参考八四九年十二月），离职定居平泉庄（河南省洛阳市南十五公里），诏书还没有到，人事命令已经发表。

六月二十一日，命李延古当军械供应部（卫尉寺）秘书官（主簿，从七品上）。

秋季，七月六日，太子宾客（正三品）退休的柳逊，贬作曹州（山东省菏泽市定陶区）军务秘书长（司马）。

21 七月十三日，夜晚，天雄战区（总部设魏州〔河北省大名县〕）营门官（牙将）李公佺跟总部警备队（牙军）发动兵变。战区司令官（节度使）罗绍威发觉，李公佺纵火焚烧政府机关及民间房舍，大肆抢劫，逃奔沧州（河北省沧州市东南。此刻刘守文守沧州）。

22 八月，王建（西川〔总部成都府〕司令官）派前山南西道战区（总部设兴元府〔陕西省汉中市〕）司令官（节度使）王宗贺等，率军进攻昭信战区（总部设金州〔陕西省安康市〕）司令官（节度使）冯行袭驻扎的金州（冯行袭附朱全忠）。

23 朱全忠（朱温）对赵匡凝（忠义〔总部襄州〕司令官）东跟杨行密（杨行愍，淮南〔总部扬州〕司令官）缔盟，西跟王建（西川〔总部成都府〕司令官）结亲，不能忍受。

八月九日，朱全忠（朱温）命武宁战区（总部设徐州〔江苏省徐州市〕）司令官（节度使）杨师厚，率军进攻。

八月十三日，朱全忠（朱温）率大军随后进发。

24 处州（浙江省丽水市）州长卢约（参考八八一年十一月），派他的老弟卢佶，攻陷温州（浙江省温州市），州长张惠逃往福州（威武战区总部所在，福建省福州市。张惠于前年〔九〇三〕四月据温州，前后三年而败）。

25 钱镠（镇海〔总部杭州〕司令官）派方永珍（镇东〔总部越州〕指挥官）增援婺州（浙江省金华市）。

26 最初，国务院教育部教育司副司长（礼部员外郎）兼诏书撰写官（知制诰）司空图（司空，复姓），放弃官职，隐居虞乡（山西省永济市东虞乡镇）王官谷（虞乡东南五老峰一谷）。唐王朝二十四任帝李晔（李敏）屡次征召，他都拒绝。现在，柳璨用皇帝诏书再对他征召，司空图恐惧，只好前往首都洛阳（河南省洛阳市）晋见，假装年老力衰，一举一动，故意粗俗不堪，连笏版都掉到地上，严重失礼。柳璨于是再下

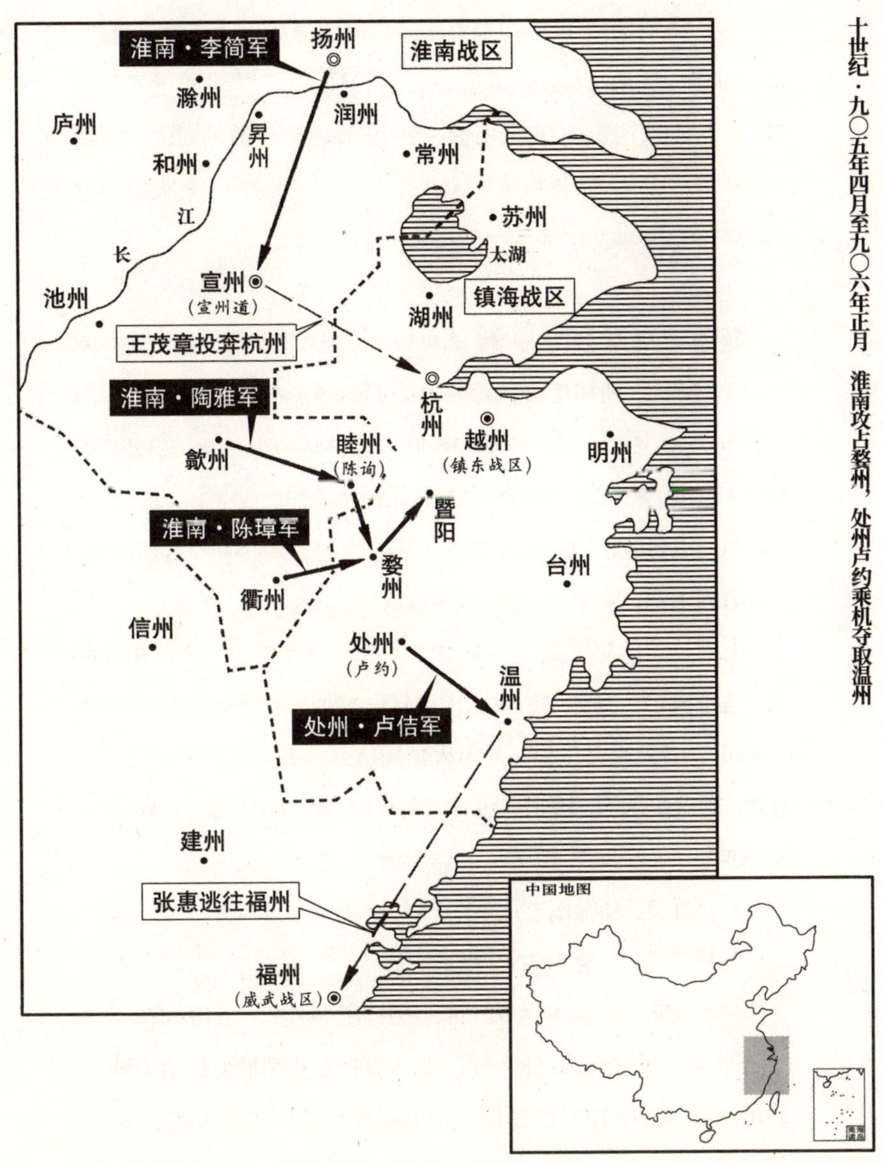

十世纪·九〇五年四月至九〇六年正月　淮南攻占婺州，处州卢约乘机夺取温州

诏驱逐，大略说："司空图全力培养自己的清高声望，傲视当代；却不过做一些愚公移山的呆事，沽名钓誉。"又说："他既不是伯夷，又不是柳下惠，没有资格留在公正的政府，可放他回山（伯夷事，参考二九年十二月注；柳下惠事，参考二〇八年九月注）。"司空图，是临淮（泗州州政府所在县，江苏省盱眙县淮河北岸）人。

27 杨师厚（武宁〔总部徐州〕司令官）一连攻陷忠义战区（总部设襄州〔湖北省襄阳市〕）所属唐（河南省泌阳县）、邓（河南省邓州市）、复（湖北省天门市）、郢（湖北省钟祥市）、随（湖北省随州市）、均（湖北省丹江口市西北）、房（湖北省房县）七州。朱全忠（朱温）率大军驻扎汉水北岸。

九月五日，朱全忠（朱温）命杨师厚在阴谷口（襄阳市西北）建造浮桥。

九月七日，朱全忠（朱温）大军渡汉水南下。

九月八日，赵匡凝（忠义〔总部襄州〕司令官）率军二万人，在汉水南岸建立阵地，杨师厚进攻，大破赵匡凝军，直抵襄州（湖北省襄阳市）城下。当天晚上，赵匡凝纵火焚烧总部，率领他的家族及部下官兵，顺汉水东下，逃奔广陵（江苏省扬州市。秦宗权部将赵德諲入襄州，参考八八四年九月，传子赵匡凝，前后割据二十二年而败）。

九月九日，杨师厚进入襄阳（襄州州政府所在县，湖北省襄阳市）。

九月十日，朱全忠（朱温）抵达。

赵匡凝到了广陵（江苏省扬州市），杨行密（杨行愍，淮南〔总部扬州〕司令官）开玩笑说："你在战区的时候，年年都把金银绸缎运送给盗贼（朱全忠），今天失败，却来投靠我（赵匡凝兄弟对中央进贡不断，参考前年〔九〇三〕十月）！"赵匡凝说："地方官事奉皇帝，每年进贡，是一种职责，怎么能叫送给盗贼（朱全忠）？今天投靠你，正说明我不服从盗贼（朱全忠）！"杨行密（杨行愍）待他十分优厚（赵杨很早便交好，参考八九八年七月）。

28 九月十日，李柷（李祚）封皇弟李禔当颍王，李祐当蔡王。

29 九月十一日，荆南战区（总部设江陵府〔湖北省江陵县〕）司令官（节度使）赵匡明，放弃城池，率军二万人，逃奔成都（四川省成都市。赵匡明于前年〔九〇三〕十月进入江陵，老哥赵匡凝既败，自己无法独存。但没有追随老哥东奔，可能东下途中险阻重重，也可能不愿把鸡蛋放到一个篮子里）。

九月十二日，朱全忠命杨师厚当山南东道战区（取消忠义，恢复前称）候补司令官（留后），率军进攻荆南（总部江陵府）。前进到乐乡（湖北省钟祥市西北乐乡关村），荆南（总部江陵府）营门官（牙将）王建武派使节出城投降。朱全忠（朱温）命总指挥官（部将）贺瓌当荆南战区（总部设江陵府〔湖北省江陵县〕）候补司令官（留后）。朱全忠（朱温）不久上疏任命杨师厚实任山南东道战区（总部设襄州〔湖北省襄阳市〕）司令官（节度使）。

30 王宗贺（西川〔总部成都府〕将领）等进攻冯行袭（昭信〔总部金州〕司令官），连战连捷。

九月二十日，冯行袭放弃金州（陕西省安康市），逃奔均州（湖北省丹江口市西北）；部将全师朗献出城池，投降王宗贺等。王建（西川〔总部成都府〕司令官）命全师朗改名为王宗朗，命他当金州道（首府设金州〔陕西省安康市〕）行政长官（观察使），另把渠（四川省渠县）、巴（四川省巴中市）、开（重庆市开州区）三州划归他管辖。

31 九月二十九日，李柷（李祚）下诏，改于十一月十九日南郊祭祀天神。

32 淮南（总部扬州）将领陶雅、陈璋，攻陷婺州（浙江省金华市），

十世纪·九〇五年八月至九月 宣武朱全忠吞并忠义、荆南

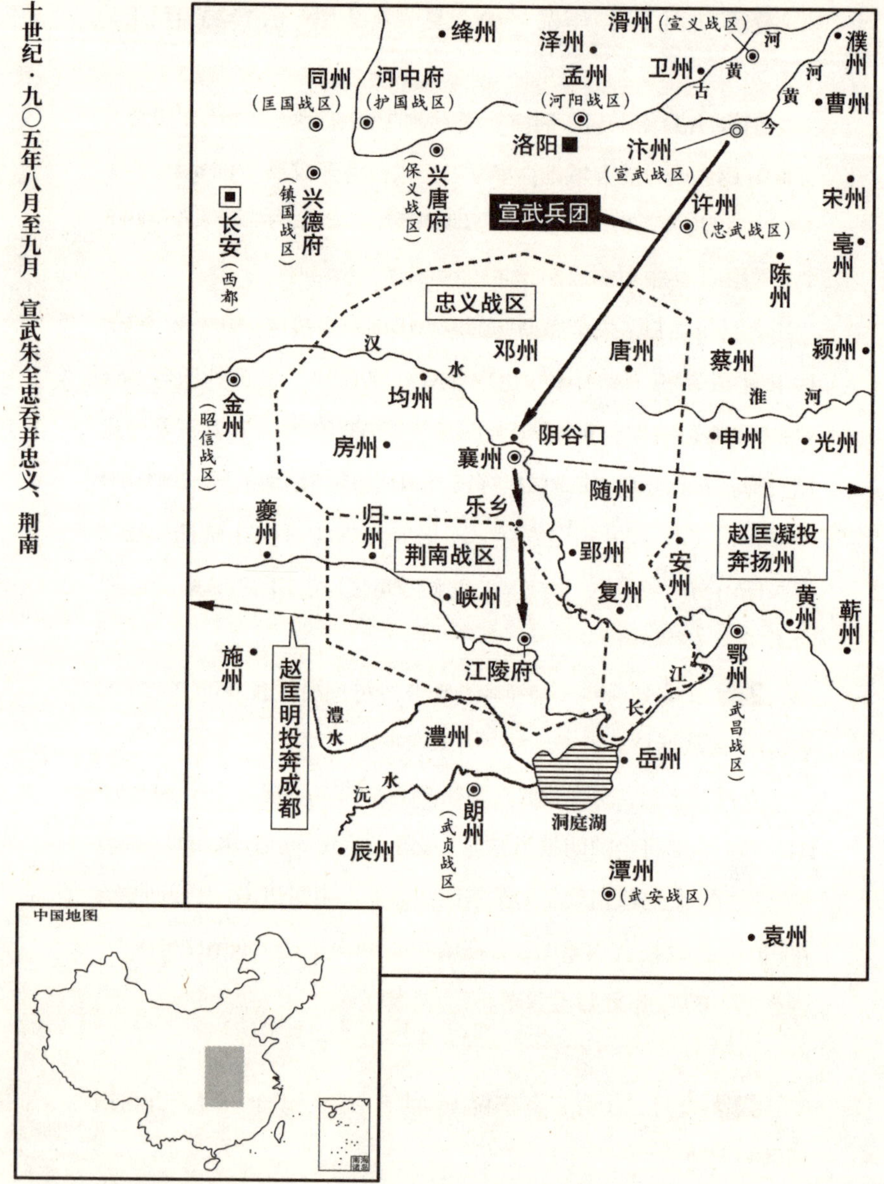

生擒州长沈夏，班师。杨行密（杨行愍，淮南〔总部扬州〕司令官）命陶雅当江南（长江以南）总征剿司令（都招讨使），暨歙（安徽省歙县）、婺（浙江省金华市）、衢（浙江省衢州市）、睦（浙江省建德市）四州行政长官（观察使）；命陈璋当衢、婺二州副征剿司令（副招讨使）。

陈璋进攻暨阳（浙江省诸暨市），镇海（总部杭州）将领方习把他击败，乘胜反攻婺州（浙江省金华市）。

33 濠州（安徽省凤阳县东北临淮关镇）民兵司令（团练使）刘金逝世（刘金降杨行密，参考八八七年五月），杨行密（杨行愍）命刘金的儿子刘仁规代理濠州（安徽省凤阳县东北临淮关镇）州长。

34 杨行密（杨行愍）的长子、宣州道（首府设宣州〔安徽省宣城市〕）行政长官（观察使）杨渥（音wò〔卧〕），一向没有好的名声，战区总部的官员，对他都很轻视。杨行密（杨行愍）卧病，命军事执行官（节度判官）周隐召唤杨渥。周隐性情愚昧朴实，反对说："长公子（杨渥）最容易听信谗言，喜欢玩球，又喜欢饮酒，不是保护家族的人。其他儿子们，年纪还小，没有能力驾驭各路兵将。庐州（安徽省合肥市）州长刘威，当大王尚是平民的时候，就追随左右，绝不会辜负大王，不如派他暂时兼管总部军政大事，等公子们长大成人，再交给他们。"杨行密（杨行愍）呆在那里，不再说话。总部警备队左翼指挥官（左牙指挥使）徐温、右翼指挥官（右牙指挥使）张颢（音hào〔浩〕）警告杨行密（杨行愍）说："大王一辈子冒着箭林石雨，几万次出生入死，不过是为子孙建立基业，怎么可以送到别人之手！"杨行密（杨行愍）说："我死也瞑目。"周隐，是舒州（安徽省潜山市）人。

柏杨曰

周隐的话说得太早，早了一千年，甚至直到一千年后的二十世纪，他的这番话也可能招来灾难。一项条件完全不具备的理念和建议，不应贸然实行，燕王姬哙让位给子之，就是一个例证（参考前三一四年）。十世纪的中国，如果传贤不传子，犹如二十世纪的文明世界，忽然有位总统传子不传贤一样，一定天下大乱。而且，没有任何可以使人信服的保证，保证刘威不屠杀杨家后裔。

昧于时代的特质，而乱出新鲜主意，正是一个典型的"天下本无事，庸人自扰之"的庸人。

有一天，将领们问候杨行密（杨行愍）的病，杨行密（杨行愍）用眼神命幕僚严可求留下，等大家都出来后，严可求问道："大王如果万一，总部军政应该怎么处理？"杨行密（杨行愍）说："我已命周隐召唤杨渥，我所以不肯死，就在等待。"严可求会同徐温前去探望周隐，周隐还没有出来见面，而召唤杨渥的公文，还放在书桌上，严可求跟徐温就把它拿起来，派使节送往宣州（安徽省宣城市）。严可求，是同州（陕西省大荔县）人。

杨行密（杨行愍）命润州（江苏省镇江市）民兵司令（团练使）王茂章，当宣州道（首府设宣州〔安徽省宣城市〕）行政长官（观察使）。

35 冬季，十月一日，中央命朱全忠（朱温）当全国各战区道兵马元帅，另设元帅府。

当天（十月一日），朱全忠（朱温）在襄州（湖北省襄阳市）集结大军，准备班师大梁（河南省开封市），忽然改变主意，打算乘胜进攻淮南（总部扬州）。智囊敬翔劝阻说："我们出军讨伐，不超过一个月，就削平两大战区，开拓疆土数千华里，远近各地听见，没有不感到震惊，这种威势和声望，应特别珍惜。不如回军休息，等待机会再采取行动。”朱全忠（朱温）不接受。

36 中央把昭信战区（总部设金州〔陕西省安康市〕）改称戎昭战区（总部设均州〔湖北省丹江口市西北〕。随冯行袭逃亡而迁移）。

37 十月六日，朱全忠（朱温）率大军从襄州（湖北省襄阳市）出发。

十月七日，朱全忠（朱温）抵达枣阳（湖北省枣阳市），天降大雨，大军继进，自申州（河南省信阳市）抵达光州（河南省潢川县），道路险要狭窄，泥泞不堪，人困马乏。天已入冬，寒冷刺骨，可是士卒还没有换上棉衣，很多人逃亡。朱全忠（朱温）派人告诉光州（河南省潢川县）州长柴再用说：“投降，我用你当蔡州（河南省汝南县）州长（蔡州是富庶大州，当蔡州还是战区总部的时代〔淮西、淮宁、彰义、奉国〕，光州都是它的属州）；不投降，我就屠城。”柴再用加强守卫戒备，全副武装，登上城楼，看见朱全忠（朱温），下跪叩头，毕恭毕敬，说：“光州（河南省潢川县）是个小城，兵少力弱，不值得大王为它震怒，大王如果先攻克寿州（安徽省寿县），我怎么敢不听从命令。”朱全忠（朱温）在城东逗留十几天才走。

38 皇家生活记录官（起居郎，从六品上）苏楷，是国务院教育部长（礼部尚书）苏循的儿子，能力既差，人品也劣，八九五年进士及第（进士科考试及格），二十四任帝李晔（李敏）亲自复试，把他的资格撤销，并下令永远不准再参加考试。

十月九日，苏楷率同列官员上疏说：“绰号是美是恶，臣属应秉大公，不应受私心影响，先帝（二十四任帝李晔）绰号，过分赞美，请再详细讨论。”李柷（李祚）交付祭祀部（太常）商议。

十月十二日，祭祀部长（太常卿）张廷范奏报，李晔（李敏）绰号改称恭灵庄愍孝皇帝，庙号改称襄宗。李柷（李祚）下诏批准（李晔原来的绰号及庙号，参考本年〔九〇五〕二月二十日）。

39 杨渥抵达广陵（江苏省扬州市）。

十月十六日，杨行密（杨行愍）用皇帝名义，任命杨渥当淮南战区（总部设扬州〔江苏省扬州市〕）候补司令官（留后）。

40 十月二十三日，朱全忠（朱温）自光州（河南省潢川县）继续东进，迷路一百余华里，又遇连绵大雨，等走到寿州（安徽省寿县），淮南兵团（总部扬州）早已坚壁清野，严阵以待。朱全忠（朱温）打算围城，却没有林木可以建筑栅栏，只好撤退到正阳（东正阳，安徽省寿县西南正阳关镇）。

41 十月二十八日，中央把成德战区（总部设镇州〔河北省正定县〕）改名为武顺战区（因朱全忠的老爹名朱诚，“诚”“成”同音，特别避讳）。

42 十一月二日，朱全忠（朱温）放弃进攻淮南（总部扬州）计划，渡淮河北返，柴再用（光州州长）派军抄他的后路，杀三千人，俘获军用物资以万为单位计算。朱全忠（朱温）十分后悔，更烦躁凶暴。

十一月十三日，朱全忠（朱温）抵达大梁（汴州州政府所在城，河南省开封市）。

先前，朱全忠（朱温）急于坐上皇帝宝座，暗中命宫廷事务总监

（宣徽使）蒋玄晖等安排。蒋玄晖跟柳璨等商议，认为曹魏帝国、晋王朝以来，都有一定的程序（篡夺列车要一站一站的通过），先由中央晋封国王，加授“九锡”（参考四年注），颁布特别礼遇（“入朝不趋”“拜赞不名”“剑履上殿”之类），然后才接受现任皇帝禅让，依照一定步骤，顺序进行。于是先发布朱全忠（朱温）当全国兵马元帅，表示事情渐进，并派国务院司法部长（刑部尚书）裴迪当送达官，朱全忠（朱温）大怒。宫廷事务副总监（宣徽副使）王殷、赵殷衡，嫉妒蒋玄晖所受的宠爱和所享的权力，打算取代他的职位，遂向朱全忠（朱温）打小报告说：“蒋玄晖、柳璨等阴谋延长唐王朝的寿命，所以故意拖延，等待变化。”蒋玄晖听到，大为恐惧，亲自到寿春（寿州州政府所在县，安徽省寿县）晋见，把所作的安排及程序，具体报告。朱全忠（朱温）说：“你们花言巧语，用些不相干的事，百般阻挠！假使我不接受他妈的什么‘九锡’，就不能当天子？”蒋玄晖说：“唐王朝气数已尽，天命归向大王，大小贤愚，全都知道，我和柳璨等并不敢背弃大王恩德，只因现在全国还有李克用（河东〔总部太原府〕司令官）、刘仁恭（卢龙〔总部幽州〕司令官）、李茂贞（宋文通，凤翔〔总部凤翔府〕司令官）、王建（西川〔总部成都府〕司令官），仍是我们的劲敌，大王如果立刻就接受禅让，他们心里不服，所以不可不在法理道义上力求完善，然后接受，只是为大王开创万代大业。”朱全忠（朱温）暴跳如雷说：“你们这些奴才，果然反了！”蒋玄晖惊恐告辞，返回首都洛阳（河南省洛阳市），跟柳璨讨论“九锡”的仪式。当时，李柷（李祚）正准备南郊祭祀天神，文武百官正加紧练习礼仪。裴迪从大梁（河南省开封市）返回首都洛阳，传达讯息说：朱全忠（朱温）已大怒若狂，说：“柳璨、蒋玄晖等阴谋延长唐王朝寿命，所以才要皇帝南郊祭天。”柳璨等惊恐。

十一月十六日，李柷（李祚）下诏：南郊祭天的日期改到明年（九〇六）正月七日。赵殷衡本叫孔循，是朱全忠（朱温）家里乳娘的义子，所以改姓赵，后来官位渐高，才恢复本来姓名。

43 十一月十八日，赵匡明（前荆南〔总部江陵府〕司令官）抵达成都（四川省成都市），王建（西川〔总部成都府〕司令官）用客礼相待。

二十四任帝李晔（李敏）之死，唐政府中央派告哀特使（告哀使）司马卿，前往通知王建，现在才进入巴蜀（四川省）。西川（总部成都府）机要秘书（掌书记）韦庄替王建设计，命武定战区（总部设洋州〔陕西省洋县〕）司令官（节度使）王宗绾（李绾）质问司马卿说："巴蜀（四川省）将士，世世代代，承受唐王朝恩德，去年（九〇四）听说皇上东迁，我们前后呈递二十次奏章，都没有批示。不久，有汴州（宣武战区）逃来的士卒，才知道先帝（二十四任李晔）已被朱全忠（朱温）害死。巴蜀（四川省）将士枕戈待旦，日夜都想为先帝报仇。不知阁下前来，有什么事见告？你应该为自己打算。"司马卿空手而回。

44 十一月二十六日，吴王（武忠王）杨行密（杨行愍）逝世（年五十四岁）。将领们共同请求宣慰特使（宣谕使）李俨（张俨），用皇帝名义，命杨渥当淮南战区（总部设扬州〔陕西省扬州市〕）司令官（节度使），及东南方面军总指战官（东南诸道行营都统），兼最高监督长（兼侍中·使相），封弘农郡王（李俨，参考九〇二年十月）。

45 柳璨、蒋玄晖等，商议的结果，先加授朱全忠（朱温）"九锡"，政府官员很多人私下愤愤不平，只国务院教育部长（礼部尚书）苏循扬言说："梁王（朱全忠）功业盛大，天命有归，皇上应该赶快让贤。"政府官员没有人敢表示异议。

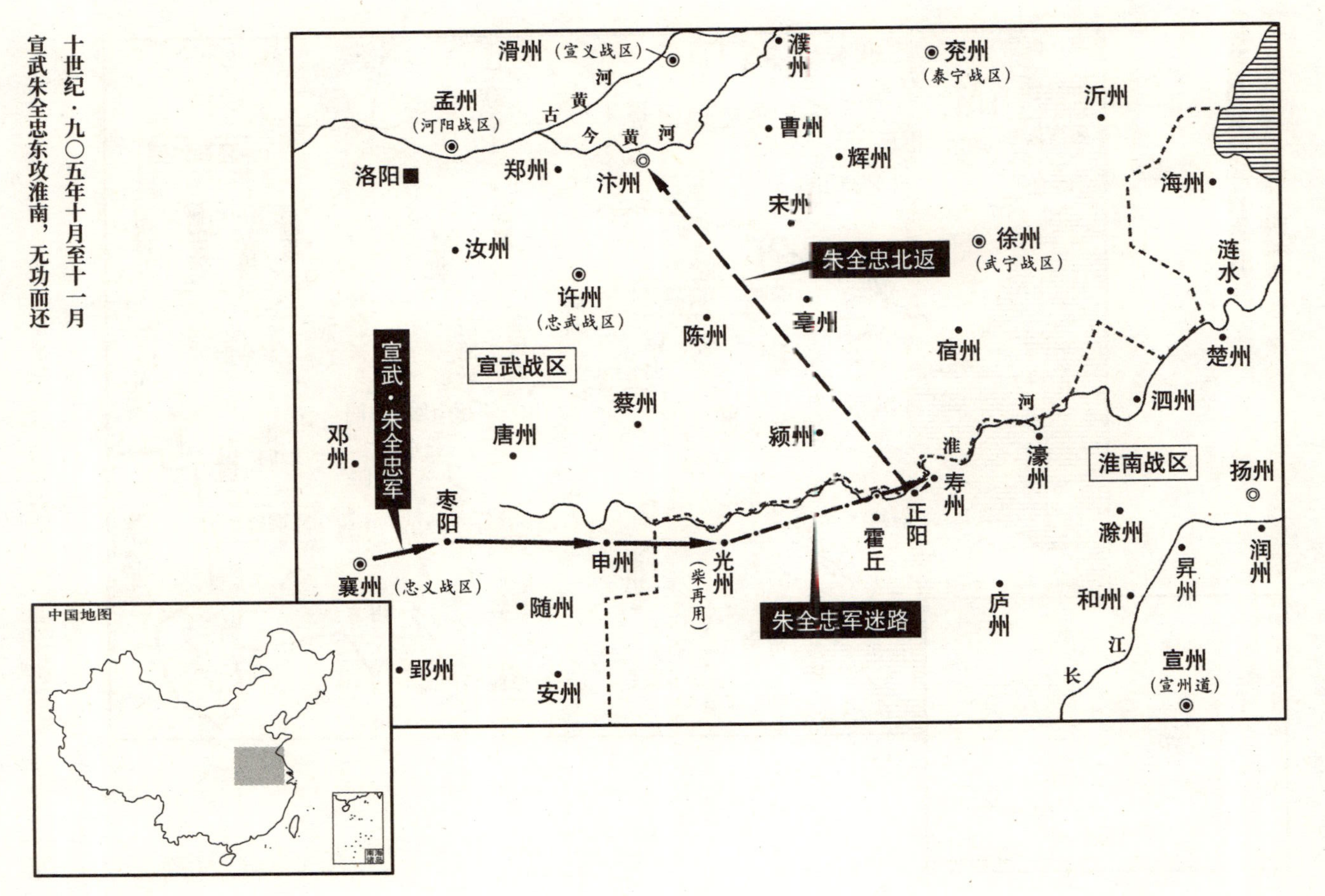

十世纪·九〇五年十月至十一月
宣武朱全忠东攻淮南，无功而还

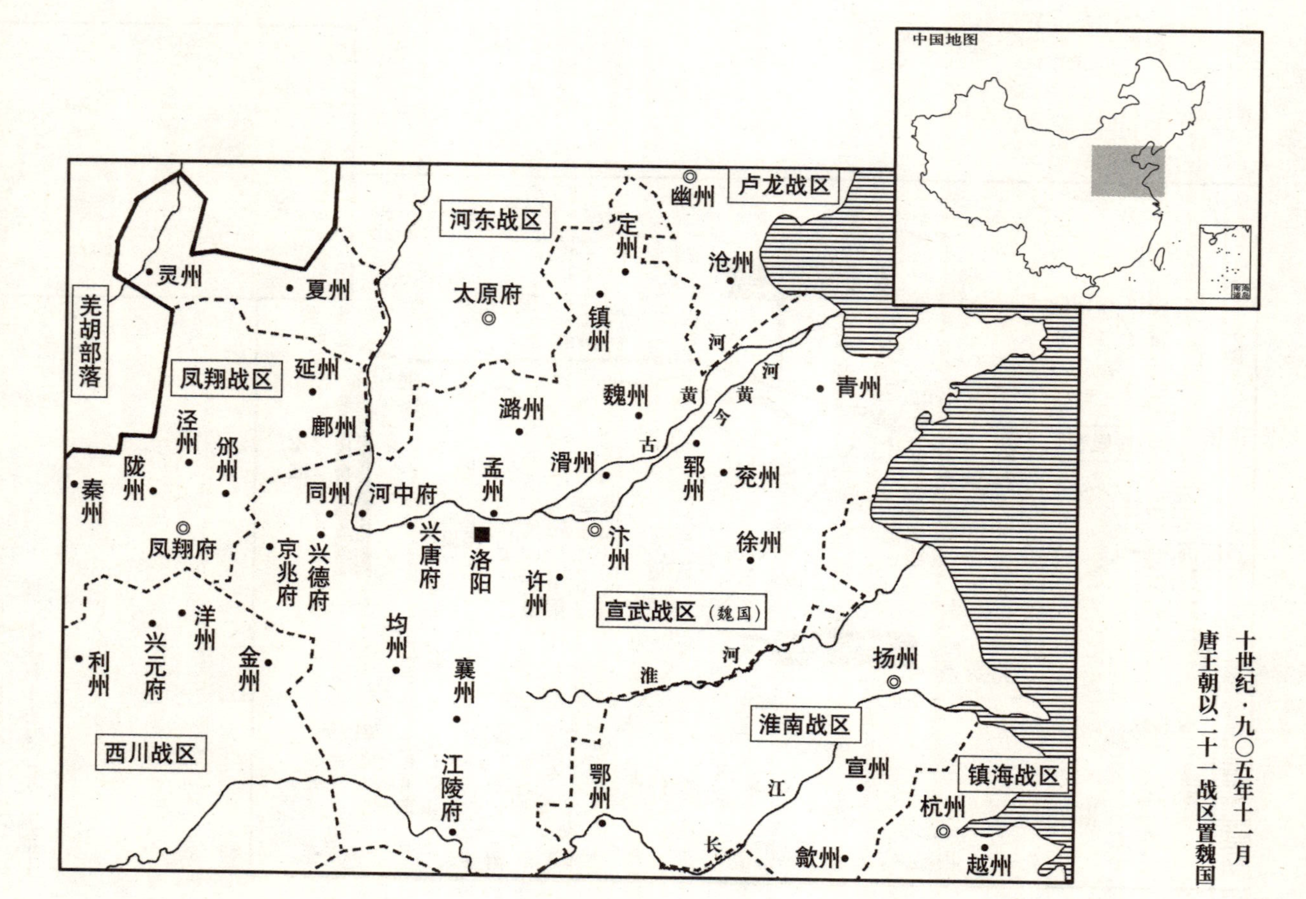

十世纪·九〇五年十一月
唐王朝以二十一战区置魏国

十一月二十七日，李柷（李祚）下诏，命朱全忠（朱温）当相国（唐王朝仅只朱全忠任此职），总督文武百官；指定宣武（总部汴州）、宣义（总部滑州）、天平（总部郓州）、护国（总部河中府）、天雄（总部魏州）、武顺（总部镇州）、佑国（总部京兆府）、河阳（总部孟州）、义武（总部定州）、昭义（总部潞州）、保义（总部兴唐府）、戎昭（总部均州）、武定（流亡总部均州）、泰宁（总部兖州）、平卢（总部青州）、忠武（总部许州）、匡国（总部同州）、镇国（总部兴德府）、武宁（总部徐州）、忠义（总部襄州）、荆南（总部江陵府）等二十一战区，建立魏国。封朱全忠（朱温）当魏王，仍加“九锡”。

朱全忠（朱温）愤怒步伐太慢，拒不接受。

十二月四日，李柷（李祚）派宫廷机要室主任官（枢密使）蒋玄晖，携带亲笔书写的诏书，前往汴州（河南省开封市）表达禅让之意。

十二月九日，蒋玄晖从汴州（河南省开封市）返回首都洛阳，告诉大家：朱全忠（朱温）怒火已无法化解。

十二月十日，柳璨奏报说：“全国人民都归附梁王（朱全忠），陛下卸下重担，正是时候。”当天，李柷（李祚）派柳璨前往大梁（河南省开封市），再传达禅让之意，朱全忠（朱温）一口拒绝。

最初，柳璨陷害太多政府官员，朱全忠（朱温）也觉得厌烦。柳璨、蒋玄晖、张廷范日夜欢宴聚会，互相推心置腹，结为深交，为禅让给朱全忠（朱温）的大事，作种种准备。何太后日夜哭泣，派宫女阿虔、阿秋向蒋玄晖致意，请托有那么一天，皇帝让位之后，求他保护母子性命。王殷、赵殷衡（孔循）遂陷害蒋玄晖说：“蒋玄晖跟柳璨、张廷范，聚集积善宫夜间宴会，在何太后面前，烧香盟誓，共同期许复兴唐王朝。”朱全忠（朱温）相信。

十二月十一日，李柷（李祚）下诏（朱全忠诏）逮捕蒋玄晖及宫库管理官（丰德库使）应顼、御厨房管理官（御厨使）朱建武，囚禁首都洛阳特别市政府（河南府）监狱。命王殷暂代宫廷机要室主任官（权知枢密），赵殷衡（孔循）暂任宫廷事务总监（权判宣徽院事）。朱全忠（朱温）连上三次奏章，坚决辞让魏王及“九锡”。 118

十二月十三日，李柷（李祚）下诏批准，更下诏命朱全忠（朱温）当天下兵马元帅；可是朱全忠（朱温）已在大梁（河南省开封市）将战区总部房舍，改建宫殿。当天（十二月十三日），斩蒋玄晖，乱棍打死应顼、朱建武。

十二月十六日，撤销宫廷机要室主任官（枢密使）及宫廷事务南院总监（宣徽南院使），只设宫廷事务总监（宣徽使）一人，由王殷充当，而命赵殷衡（孔循）当副总监（副使）。

十二月十七日，李柷（李祚）下诏，禁止宫女传递皇帝旨意，禁止宫女随皇帝登殿。追削蒋玄晖官爵，改称“凶逆平民”，命首都洛阳特别市政府（河南府）把尸首拖到城门外，在众目睽睽下，纵火焚烧。

蒋玄晖既死，王殷、赵殷衡（孔循）又诬陷蒋玄晖曾跟何太后上床，平时常命阿秋、阿虔私通信息。

十二月二十五日，朱全忠（朱温）密令王殷、赵殷衡（孔循）在积善宫把何太后处死。李柷（李祚）下诏把娘亲贬作平民；阿秋、阿虔拖到殿前扑杀。

十二月二十六日，李柷（李祚）因娘亲何太后逝世，停止群臣朝见三天。

十二月二十七日，李柷（李祚）下诏说：由于宫中内乱，停止明年（九〇六）正月十七日南郊祭祀天神大典。

十二月二十九日，暂任司空（守司空，三公之三），兼副监督长（兼门下侍郎）、二级实质宰相（同平章事）柳璨，贬作登州（山东省烟台市蓬莱区）州长，祭祀部长（太常卿）张廷范贬作莱州（山东省莱州市）户籍官（司户）。

十二月三十日，把柳璨绑到上东门外斩首，把张廷范绑到街市处车裂酷刑。柳璨临刑时，高呼道："负国贼柳璨，死得应该！"

46 西川（总部成都府）将领王宗朗（全师朗）不能坚守金州（陕西省安康市），于是纵火焚烧城池，逃奔成都（四川省成都市）。戎昭战区（总部设均州〔湖北省丹江口市西北〕）司令官（节度使）冯行袭，再回金州（陕西省安康市），上疏说："金州（陕西省安康市）荒凉残破，请把总部迁到均州（湖北省丹江口市西北）。"中央批准（冯行袭移均州，参考本年〔九〇五〕九月二十日），更命冯行袭遥兼武定战区（总部原设洋州〔陕西省洋县〕，此时属西川〔总部成都府〕王建）司令官（节度使）。

47 陈询无法守睦州（浙江省建德市），逃奔广陵（江苏省扬州市。陈晟于八八四年入睦州〔参考该年十二月〕，传弟陈询，前后割据二十二年而亡）。淮南（总部扬州）征剿司令（招讨使）陶雅，入据睦州（浙江省建德市）。

48 杨渥离开宣州（安徽省宣城市）时，打算携带他的篷帐营幕，以及所有亲军，行政长官（观察使）王茂章拒绝，杨渥大怒，既坐上老爹的职位，立刻派步骑兵总指挥官（马步都指挥使）李简等，率军向王茂章发动袭击。

49 武安兵团（总部潭州）攻击淮南（总部扬州），淮南（总部扬州）内营指挥官（牙内指挥使）杨彪，把他们击退。

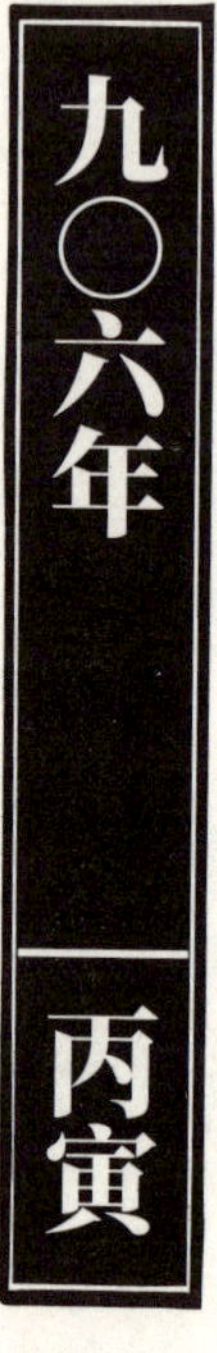

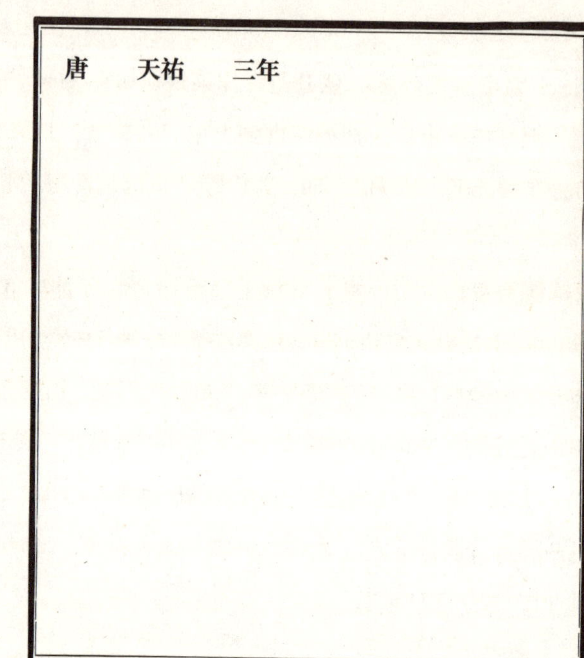

1 春季，正月八日，朔方战区（总部设灵州〔宁夏灵武市〕）司令官（节度使）韩逊奏报说：“吐蕃部落骑兵七千余人，在宗高谷（青海省西宁市东一段湟水河谷）扎营，将要攻击嗢末（吐蕃奴隶族群，分布河西走廊，参考八六二年十二月。嗢，音wà〔袜〕），并夺取凉州（甘肃省武威市）。”

2 李简（淮南〔总部扬州〕将领）率军迅速抵达宣州（安徽省宣城市），王茂章（宣州行政长官）考虑到无法久守（杨渥因私怨派李简袭王茂章，参考去年〔九〇五〕十二月），遂率亲信部众投奔镇海（总部杭州）。贴身卫士、上蔡（河南省上蔡县）人刁彦能，因娘亲年老，不能随行，登上城楼，向大家宣布说："王府（即淮南战区总部。因杨行密封王爵，故称"王府"）命我安抚你们，大军就要抵达。"大家才归于安定。据守睦州（浙江省建德市）的陶雅（陈询逃走，陶雅入守，参考去年〔九〇五〕十二月），恐怕王茂章切断他的退路，也率军返回歙州（安徽省歙县。歙，音shè〔射〕）。钱镠（镇海〔总部杭州〕司令官。镠，音liú〔流〕）再夺回睦州（浙江省建德市）。钱镠命王茂章当镇东战区（总部设越州〔浙江省绍兴市〕）副司令官（节度副使），改名王景仁。

3 正月十一日，唐政府命静海战区（总部设安南府〔越南河内市〕）司令官（节度使）曲承裕，遥兼二级宰相（同平章事·使相）。

4 最初，田承嗣当魏博战区（总部设魏州〔河北省大名县〕）司令官（节度使）时，在所属六个州中，选拔勇士五千人，组成总部警备队，称为"牙兵"（参考七六三年六月十八日），给他们很高的待遇，充当自己的卫士，当作心腹。从那时候起（迄今长达一百四十三年），官兵们父死子继，互相间不是亲戚，就是家属，盘根错节，团结密切，时日既久，逐渐骄傲蛮横，即令再小的不如意，也会发动兵变，屠杀统帅全家。自史宪诚以下，所有的战区司令官（节度使），都由他们推选（史宪诚夺权，参考八二二年正月；史宪诚死于兵变，参考八二九年六月。之后，八二九年六月拥立何进滔，八七〇年八月拥立韩君雄〔韩允中〕，八八三年二月拥立乐行达〔乐彦祯〕，八八八年二月拥立赵文玣，同月又拥立罗弘信）。天雄战区（总部设魏州〔河北省大名县〕）司令官（节度使）罗绍威（罗弘信的儿子）对所谓保护他的总部警备队（牙兵），既恐惧又憎恶，但没有能力控制。朱全忠（朱温）包围凤翔（陕西省宝鸡市凤翔区）时（参考九〇二年），罗绍威派将领杨利言把内情秘密报告朱全忠（朱温），打算借宣武兵团（总部汴州）把他们肃清。朱全忠（朱温）因军事吃紧，不能马上接受他的请求，但暗中承诺一定协助。后来，李公佺兵变（参考去年〔九〇五〕七月十三日），罗绍威越发害怕，再派营门官（牙将）臧延范晋见朱全忠（朱温）催促。朱全忠（朱温）遂征调黄河以南各战区野战军，共十万人，派将领李思安率领，会合天雄（总部魏州）、武顺（即成德，总部镇州）两兵团，进驻深州（河北省深州市）乐城（乐寿，河北省献县），对外扬言即将进攻沧州（河北省沧州市东南），讨伐他擅自收容叛将李公佺。就在这时候，嫁给罗绍威儿子罗廷规的朱全忠（朱温）的女儿，在魏州（河北省大名县）逝世。朱全忠（朱温）派礼宾官（客将）马嗣勋在行李中暗藏铠甲武器，遴选总部常备队士卒（长直兵）一千人，脱下军装，改穿民服，伪装成挑担民夫，挑着丧事用品，进入魏州（河北省大名县），说是会同夫家安葬朱女士；而朱全忠（朱温）则率大军紧跟在后，声称赶赴前线大营，天雄（总部魏州）总部警备队（牙兵）一点都不怀疑。

正月十六日，罗绍威秘密派人进入军械库，割断弓弦和铠甲上的扣门。当天（正月十六日）夜晚，罗绍威率领他的奴隶及宾客数百人，跟马嗣勋会合，向总部警备队（牙兵）发动攻击，警备队打算迎战，可是弓弦已断、铠甲上扣门已破，无法使用，遂全营被屠，凡八千家，连婴儿及妇女都死在刀下，一个不留。天亮时（正月十七日），朱全忠（朱温）率军进城。

5 正月十七日，唐政府命宁远战区（总部设容州〔广西容县〕）暂代候补司令官（权知留后）庞巨昭、岭南西道战区（总部设邕州〔广西南宁市〕）候补司令官（留后）叶广略，分别实任战区司令官（节度使）。

6 正月二十六日，钱镠（镇海〔总部杭州〕司令官）前往睦州（浙江省建德市）。

7 西川（总部成都府）将领王宗阮（文武坚），进攻归州（湖北省秭归县），俘虏归州将领韩从实（归州属荆南战区〔总部江陵府〕）。

8 陈璋（淮南〔总部扬州〕将领）守婺州（浙江省金华市。陈璋取婺州，参考去年〔九〇五〕九月），听到陶雅退回歙州（安徽省歙县）消息，立即退回衢州（浙江省衢州市）。镇海（总部杭州）将领方永珍等，收复婺州（浙江省金华市），进攻衢州（浙江省衢州市）。

9 杨渥（淮南〔总部扬州〕司令官）派先锋指挥官（先锋指挥使）陈知新，进攻武安战区（总部设潭州〔湖南省长沙市〕）。

三月十二日，陈知新攻陷岳州（湖南省岳阳市），驱逐州长许德勋（许德勋取岳州，参考九〇三年五月）。杨渥命陈知新当岳州（湖南省岳阳市）州长。

10 三月二十五日，唐政府命朱全忠（朱温）当全国盐铁专卖暨运输总监署（盐铁）、全国财政总监署（度支）、国务院财政部（户部）三司最高总监（三司都制置使）。“三司”（财政三机关）名称，从此出现（在此之前，“三司”只是三个部门首长的总称，如今独立设置首长，总揽原三部门职务，遂正式成为官称）。

朱全忠（朱温）拒绝接受。

11 夏季，四月一日，日蚀。

12 罗绍威（天雄〔总部魏州〕司令官）屠杀总部警备队（牙兵）之后，124
其他各部队全都震骇恐惧，罗绍威虽不断解释安慰，但部属更加猜忌怨恨。朱全忠（朱温）在魏州（河北省大名县）城东，扎营数十天，打算北上巡察特遣兵团前线大营。而就在这时候，天雄（总部魏州）营门官（牙将）史仁遇兵变，集结部众数万人，据守高唐（山东省高唐县），自称候补司令官（留后），天雄（总部魏州）所属州县，大多数起兵响应。朱全忠（朱温）改变行程，把北上的军队，调回魏州（河北省大名县）城里，派使节征召前线部队回军，进攻高唐（山东省高唐县），走到历亭（山东省武城县），军中的天雄（总部魏州）士卒叛变，跟史仁遇呼应。元帅府左参谋长（元帅府左司马）李周彝（李茂勋）、右参谋长（右司马）符道昭（李继昭）反击，诛杀超过一半，然后进攻高唐（山东省高唐县），攻克，一城生灵，无论军队平民、男女老幼，全被斩首。生擒史仁遇，把他锯死。

先前，史仁遇向河东（总部太原府）及义昌（总部沧州）两战区求救。李克用（河东〔总部太原府〕司令官）派他的将领李嗣昭率骑兵三千人进攻邢州（河北省邢台市），以纾解高唐（山东省高唐县）的压力。当时，邢州（河北省邢台市）守军才二百人，民兵司令（团练使）牛存节镇守，李嗣昭一连进攻七天，不能攻克。朱全忠（朱温）派总部常备队右翼大将（右长直都将）张筠，率骑兵数千人增援牛存节守城。张筠在马岭（邢台市西北）设下埋伏，把李嗣昭击败，李嗣昭撤退逃走。

义昌战区（总部设沧州〔河北省沧州市东南〕）司令官（节度使）刘守文派军一万人进攻贝州（河北省清河县）、冀州（河北省衡水市冀州区），攻克蓨县（河北省景县），再进攻阜城（河北省阜城县）。当时，武顺（即成德，总部镇州）大将王钊，进攻天雄（总部魏州）变军将领李重霸据守的宗城（河北省威县东）。朱全忠（朱温）派军增援冀州（河北省衡水市冀州区），义昌兵团

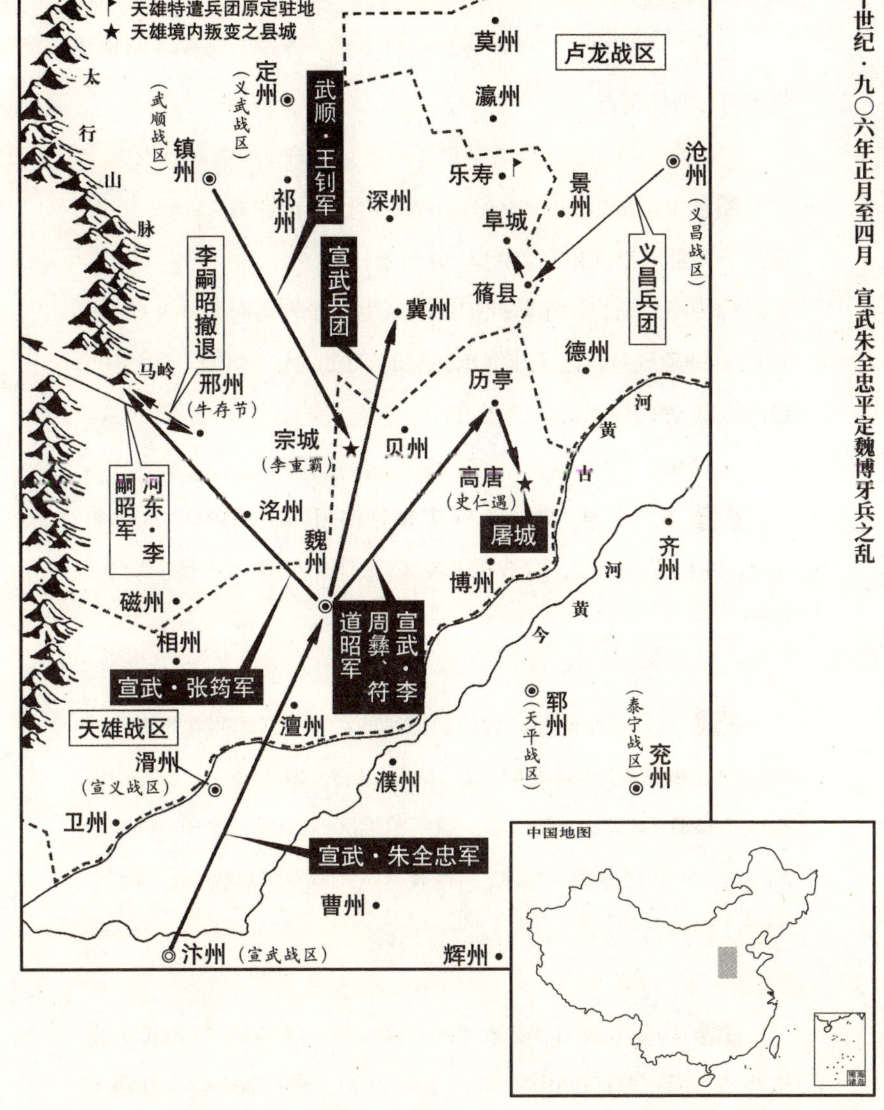

十世纪·九〇六年正月至四月　宣武朱全忠平定魏博牙兵之乱

（总部沧州）撤退。

四月二十四日，李重霸放弃城池逃走，宣武（总部汴州）将领胡规追赶，把他斩首。

13 镇南战区（总部设洪州〔江西省南昌市〕）司令官（节度使）钟传，命义子钟延规当江州（江西省九江市）州长。

钟传不久逝世，军队拥护他的亲生儿子钟匡时当候补司令官（留后）。钟延规对自己不能继承义父的官位，大为愤恨，遂派使节投降淮南（总部扬州）。

14 五月五日，朱全忠（朱温）前往洺州（河北省邯郸市永年区东南广府镇），乘机巡视北边，检查军事装备。回程中，进入天雄（总部魏州）境内。

15 五月二十四日，唐政府撤销戎昭战区（总部设均州〔湖北省丹江口市西北〕），把均州（湖北省丹江口市西北）、房州（湖北省房县），划归忠义战区（总部设襄州〔湖北省襄阳市〕），调武定战区（总部原设洋州〔陕西省洋县〕，流亡总部设均州）司令官（节度使）冯行袭当匡国战区（总部设同州〔陕西省大荔县〕）司令官（节度使）。

16 杨渥（淮南〔总部扬州〕司令官）命昇州（江苏省南京市）州长秦裴，当西南方面军总征剿司令（西南行营都招讨使），率军攻击据守江西（江西省）的钟匡时（镇南〔总部洪州〕司令官）。

17 六月二日，唐政府命忠义战区（总部设襄州〔湖北省襄阳市〕）改回原称山南东道战区（八八八年五月，改山南东道为忠义）。

18 朱全忠（朱温）因长安（陕西省西安市）邻近静难（总部邠州）、凤翔（总部凤翔府）二战区，不断发生战争，上疏调佑国战区（总部设京兆府〔陕西省西安市〕）司令官（节度使）韩建，当平卢战区（总部设青州〔山东省青州市〕）司令官（韩建跟李茂贞长期结盟，朱全忠恐怕他再度变卦），调平卢战区（总部青州）司令官（节度使）长社（许州州政府所在县，河南省许昌市）人王重师当佑国战区（总部京兆府）司令官（节度使）。

19 秋季，七月，朱全忠（朱温）攻克相州（河南省安阳市）。这时候，天雄（总部魏州）变军扩散，分别据守贝（河北省清河县）、博（山东省聊城市）、澶（河南省内黄县东南）、相（河南省安阳市）、卫（河南省卫辉市）等州。朱全忠（朱温）分别派将领进攻，现在全部平定，遂率大军南返汴州（河南省开封市）。

朱全忠（朱温）在魏州（河北省大名县）停留半年，罗绍威（天雄〔总部魏州〕司令官）竭力供应，共计宰杀牛羊猪将近七十万只，而粮食和其他物资的消耗，也跟这个数目相等，送礼以及所用的贿赂，同样接近一百万（一百万钱？一百万串？说不清楚）。等到朱全忠（朱温）离去的时候，天雄的（总部魏州）积蓄，一扫而空。罗绍威虽然解除兵变的威胁，但天雄兵团的战力，也从此衰退。罗绍威十分后悔，对别人说："聚集六州四十三县的铁，铸不出来这么大的错！"

七月二十一日，朱全忠（朱温）抵达大梁（河南省开封市）。

20 秦裴（淮南〔总部扬州〕将领）抵达洪州（江西省南昌市），在蓼洲（南昌市东）扎营。各将领请求前进到河畔筑寨（赣江流经洪州城西），秦裴不接受。钟匡时（镇南〔总部洪州〕司令官）果然派他的将领刘楚先行占据沿河地带。各将领抱怨秦裴，秦裴说：“钟匡时部下勇将，只刘楚一个人，如果率领大军固守城池，不可能很快攻陷，所以我故意暴露弱点，引诱他上钩。”不久，秦裴攻破镇南（总部洪州）军营，生擒刘楚，遂包围洪州（江西省南昌市）。饶州（江西省鄱阳县）州长唐宝，向秦裴投降。

21 八月四日，李茂贞（宋文通，凤翔〔总部凤翔府〕司令官）派他的儿子李侃（这位就是平原公主嫁过的宋侃，参考九〇三年正月二十日；现在又改回姓李）前往西川（总部成都府）充当人质。王建（西川〔总部成都府〕司令官）命李侃（宋侃）代理彭州（四川省彭州市）州长。

22 朱全忠（朱温）认为卢龙（总部幽州）、义昌（总部沧州），互相呼应，威胁天雄战区（总部设魏州〔河北省大名县〕）的生存，打算先攻取义昌（总部沧州）。

八月二十三日，朱全忠（朱温）率军从大梁（河南省开封市）出发。

23 镇海兵团（方永珍军）包围衢州（浙江省衢州市），衢州（浙江省衢州市）州长陈璋，向淮南（总部扬州）紧急求援，杨渥（淮南〔总部扬州〕司令官）派左翼步骑兵总纠察官（左厢马步都虞候）周本，率军迎接陈璋。

周本抵达衢州（浙江省衢州市），镇海兵团（总部杭州）解除包围，在城下筑阵。陈璋率部众进入周本大营，镇海兵团（总部杭州）遂进入衢州（浙江省衢州市）。周本的副将吕师造说：“镇海（总部杭州）距我们这么近，却毫不在意，是看我们不起，我们应发动攻击！”（吕师造青山大捷，参考九〇一年十月。）周本说：“我接到的命令是迎接陈州长（陈璋），

十世纪·九〇六年正月至九月
淮南夺洪、岳二州，镇海收复婺、衢二州

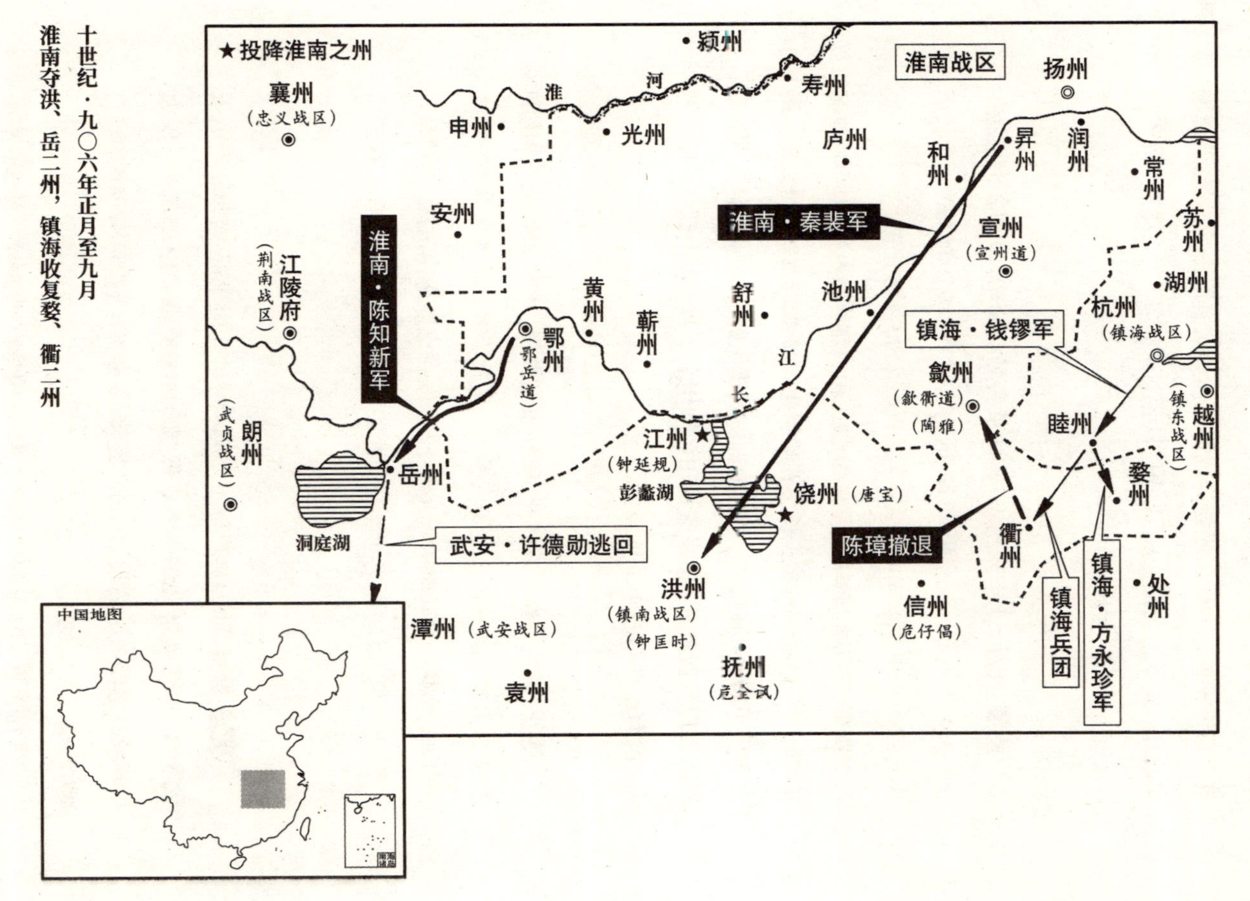

现在已迎接到，为什么还要作战？他们一定有严密的准备。”遂率军北还。周本亲自担任后卫，镇海兵团（总部杭州）在后尾随，周本在中途设下埋伏，大破追兵。

24 九月一日，朱全忠（朱温）从白马（河南省滑县）渡黄河北上。

九月十七日，朱全忠（朱温）抵达沧州（河北省沧州市东南），在长芦（河北省沧州市）扎营。守城的义昌兵团（总部沧州）不敢出战。

罗绍威（天雄〔总部魏州〕司令官）供应粮食辎重，从魏州（河北省大名县）到长芦（河北省沧州市），长达五华百里（二地航空距离二百七十公里），路上车马不断。又在魏州（河北省大名县）兴建元帅府。沿途驿站、宾馆，一律供应酒饭菜肴、篷帐床铺和各种用品器具。由上到下，几十万人，没有一件东西不准备完全。

25 秦裴（淮南〔总部扬州〕将领）攻陷洪州（江西省南昌市），俘虏钟匡时（镇南〔总部扬州〕司令官）等五千人，班师。（钟传进占洪州，参考八八二年五月，传子钟匡时，前后割据二十五年而灭。）杨渥自己兼镇南战区（总部设洪州〔江西省南昌市〕）司令官（节度使），命秦裴当洪州（江西省南昌市）军政总监（制置使）。

26 静难战区（总部设邠州〔陕西省彬州市〕）司令官（节度使）李继徽（杨崇本），集结凤翔（总部凤翔府）、保塞（总部延州）、彰义（总部泾州）、保大（总部鄜州）等四战区的兵力，进攻定难战区（总部设夏州〔陕西省靖边县北白城则村〕）。

匡国战区（总部设同州〔陕西省大荔县〕）司令官（节度使）刘知俊，攻击保大（总部州）所属的坊州（陕西省黄陵县）军队，杀三千余人，生擒坊州

(陕西省黄陵县)州长刘彦晖。

27 刘仁恭(卢龙〔总部幽州〕司令官)救援义昌(总部沧州),但不断被宣武兵团(总部汴州)击败。于是下令全境:“男子十五岁以上、七十岁以下,一律自备粮食武器,前往大营报到。军队出发之后,只要有一个人留在家乡,立刻诛杀,绝不饶命。”有人劝阻说:“老弱都当兵走了,妇女体力不能搬运粮食,命令一旦下达,恐怕死的人就多了。”刘仁恭遂命凡是拿得动武器的全部出征,而在他们脸上刺字“定霸都(定霸特别营)”,对知识分子破格礼遇,只把字刺到手腕上或手臂上,改为“一心事主”。于是辖区里所有军民,除了孩童,没有一个人不被刺青。最后,集结士卒十万人,进驻瓦桥(河北省雄县)。

当时,宣武兵团(总部汴州)构筑堡垒营寨,把沧州(河北省沧州市东南)重重包围,连天上飞鸟、地下老鼠,都不能通过。刘仁恭畏惧敌人强悍,不敢挑战。城里粮食吃完,军民饥饿难忍,抓吃泥土,有的更互相掠夺,格杀吞食。朱全忠(朱温)派人劝告刘守文(义昌〔总部沧州〕司令官)说:“援军来不及赶到,为什么不早早投降!”刘守文登上城楼回答说:“我跟卢龙(总部幽州)司令官(刘仁恭),是父子关系。大王(朱全忠封梁王)正用大义使天下人民顺服,如果儿子背叛老爹投降,你要这种人干什么?”朱全忠(朱温)因他的回答理直气壮,有点惭愧,攻势稍稍和缓。

28 冬季,十月六日,王建(西川〔总部成都府〕司令官)开始在巴蜀(四川省)建立唐王朝中央特遣政府(行台),王建面向东方(东都洛阳),行三跪九叩大礼,号啕大哭,遥向皇帝(二十五任李柷)奏报说:

"自从圣驾（指二十四任帝李晔）迁往东方，皇家诏命，从此中断，请准许我暂时建立中央特遣政府（行台），依照李晟、郑畋前例，代表皇上任官封爵。"（李晟讨伐朱泚，并没有被授权代表皇上任官封爵。参考七八四年，郑畋则被授权，参考八八〇年十二月五日。）并把这项决定写成文告，到所属各战区州县张贴公布周知。

29 刘仁恭（卢龙〔总部幽州〕司令官）向河东（总部太原府）紧急求救，前后派出使节一百多人。李克用（河东〔总部太原府〕司令官）痛恨刘仁恭反复无常（刘仁恭逃奔李克用，参考八九三年四月；李克用攻陷幽州后，命刘仁恭当卢龙战区司令官，参考八九五年二月；而刘仁恭叛李克用，投靠朱全忠，参考八九七年七月，后又叛朱全忠，参考八九九年正月），始终拒绝。他的儿子李存勖劝解说："环顾全国大势，朱温（朱全忠）已控制十分之七八，甚至天雄（总部魏州）、义武（总部定州）、成德（即武顺，总部镇州）三战区那么强大，也得向他低头。黄河以北地区，能跟朱全忠（朱温）对抗的，只有我们跟幽（卢龙总部，北京市）、沧（义昌总部，河北省沧州市东南）二州，而今，幽（北京市）、沧（河北省沧州市东南）二州被朱全忠（朱温）围困，如果不出力援助，对我们绝对不利。心怀大志的人，胸襟广阔，不记小仇小怨。他曾经伤害过我们，我们反而援救他，以德报怨，用一次军事行动，却可以名利双收。正是我们重振声威的契机，不可失去。"李克用认为正确，召集军事会议，跟将领们讨论会同卢龙兵团（总部幽州），进攻昭义战区（总部设潞州〔山西省长治市〕），说："这样对他们而言，可以解除沧州（河北省沧州市东南）的包围，对我们而言，可以扩充领土。"乃接受刘仁恭的和解，要他派军。刘仁恭派总指挥官（都指挥使）李溥，率三万人的部队，前往晋阳（太原府所在县，山西省太原市）。李克用派他的将领周德威、李嗣昭，联军南下，进攻潞州（山西省长治市）。

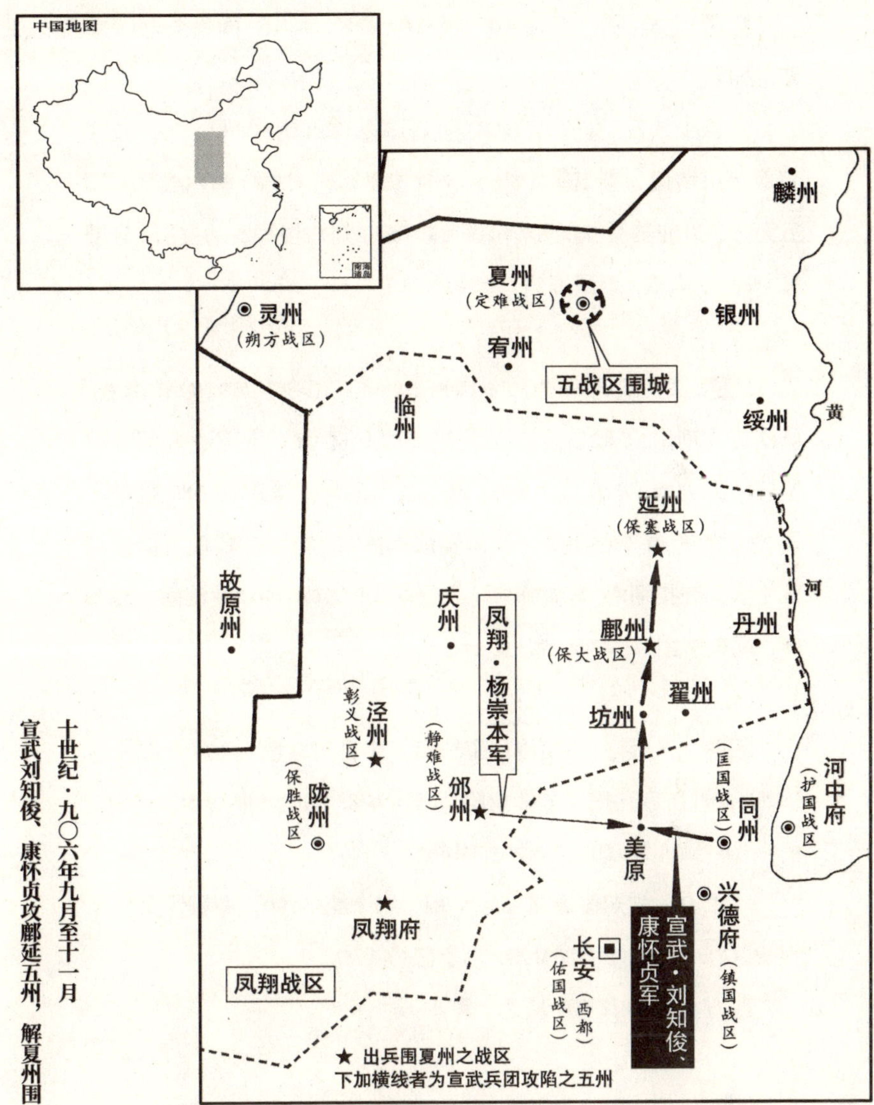

十世纪·九〇六年九月至十一月
宣武刘知俊、康怀贞攻鄜延五州，解夏州围

30 定难战区（总部设夏州〔陕西省靖边县北白城则村〕）向朱全忠（朱温）紧急求救。

十月十八日，朱全忠（朱温）命刘知俊（匡国〔总部同州〕司令官）及部将康怀贞增援。李继徽（杨崇本，静难〔总部邠州〕司令官）率六战区联军五万人，进驻美原（陕西省富平县东北美原镇）。刘知俊等发动攻击，李继徽（杨崇本）大败，退回邠州（陕西省彬州市）。

31 武贞战区（总部设朗州〔湖南省常德市〕）司令官（节度使）雷彦威，屡次进攻荆南（总部江陵府），战区候补司令官（留后）贺环，紧闭城门坚守，朱全忠（朱温）认为他胆小如鼠，命颍州（安徽省阜阳市）警备区司令（防御使）高季昌接替，又派驾前指挥官（驾前指挥使）倪可福率军五千人，驻扎荆南（总部江陵府），防备西川（总部成都府）及淮南（总部扬州）。武贞兵团（总部朗州）撤退。

32 十一月，刘知俊、康怀贞，乘胜进攻鄜（陕西省富县）、延（陕西省延安市）等五州，全部攻陷（五州：鄜州、延州、坊州〔陕西省黄陵县〕、丹州〔陕西省宜川县〕、翟州〔陕西省洛川县东南〕）。

唐政府命刘知俊遥兼二级宰相（同平章事·使相），命康怀贞当保大战区（总部设鄜州〔陕西省富县〕）司令官（节度使）。

西方军阀（李茂贞等）从此一蹶不振。

33 湖州（浙江省湖州市）州长高彦（参考九〇二年八月）逝世，儿子高澧继任。

34 十二月七日，钱镠（镇海〔总部杭州〕司令官）上疏推荐作战参谋长（行军司马）王景仁（王茂章）。唐帝李柷（李祚）下诏命王景仁（王茂章）遥兼宁国战区（总部设宣州〔安徽省宣城市〕）司令官（空头官衔。此时宣州属淮南〔总部扬州〕）。

35 朱全忠（朱温）分出步骑兵数万人，命作战参谋长（行军司马）李周彝（李茂勋）率领，自河阳（河南省孟州市）出发，增援潞州（山西省长治市）。

36 闰十二月十七日，唐政府撤销镇国战区（总部设兴德府〔陕西省渭南市华州区〕）及兴德府，兴德府仍降为华州（华州升格为兴德府，参考八九八年八月），隶属匡国战区（总部设同州〔陕西省大荔县〕）。中央另割金（陕西省安康市）、商（陕西省商洛市商州区）二州，改隶佑国战区（总部设京兆府〔陕西省西安市〕）。

37 最初，二十四任帝（昭宗）李晔（李敏）的死讯传到潞州（山西省长治市），昭义战区（总部设潞州〔山西省长治市〕）司令官（节度使）丁会，率领全体将士，改穿素色衣服，哭泣流泪，久久不停。而今，李嗣昭（河东〔总部太原府〕将领）进攻潞州（山西省长治市），丁会遂率领军民，献出城池，向河东（总部太原府）投降。李克用命李嗣昭当昭义战区（总部设潞州〔山西省长治市〕）候补司令官（留后）。

丁会晋见李克用，哭泣说："我并不是没有守城的能力，而是朱全忠（朱温）蹂躏皇家，我虽受他提拔大恩，但不能容忍这种行为，所以投奔大王（李克用封晋王）。"李克用对他十分厚待，位置在各将领之上。

闰十二月二十一日，朱全忠（朱温）命各军集中攻城武器，将对沧州（河北省沧州市东南）发动总攻。

闰十二月二十四日，朱全忠（朱温）得到潞州（山西省长治市）失守报告。

闰十二月二十六日，朱全忠（朱温）撤退。

先前，朱全忠（朱温）征调黄河南北粮食草料，水陆并进，运到前线各营，堆积如山（水路应自永济渠北上）。现在，就要回军，朱全忠（朱温）下令全部焚烧，火焰浓烟，上冲霄汉，几华里路外都看得清楚。船上有粮秣的，则一律把船凿沉。刘守文（义昌〔总部沧州〕司令官）写信给朱全忠（朱温）乞求说："大王因为怜悯人民的缘故，赦免我的罪，解除包围，光荣班师，是大王最大的恩德。城里男女老幼几万人，已几个月之久，没有饭吃，与其把粮食烧到天空，化成灰烬，沉到水里，变作泥浆，乞求拿来救人一命。"朱全忠（朱温）特别下令留下几个仓给刘守文，沧州（河北省沧州市东南）人靠这些得以渡过难关。

河东兵团（总部太原府）进攻泽州（山西省晋城市），不能攻克，退回。

38 吉州（江西省吉安市）州长彭玕（音gān〔甘〕）派使节去武安战区（总部设潭州〔湖南省长沙市〕）请求投降。

彭玕本来是赤石洞蛮（江西省吉安市西南蛮夷）酋长，钟传（已故镇南〔总部洪州〕司令官）命他当吉州（江西省吉安市）州长（钟传收吉州，参考八九七年八月）。

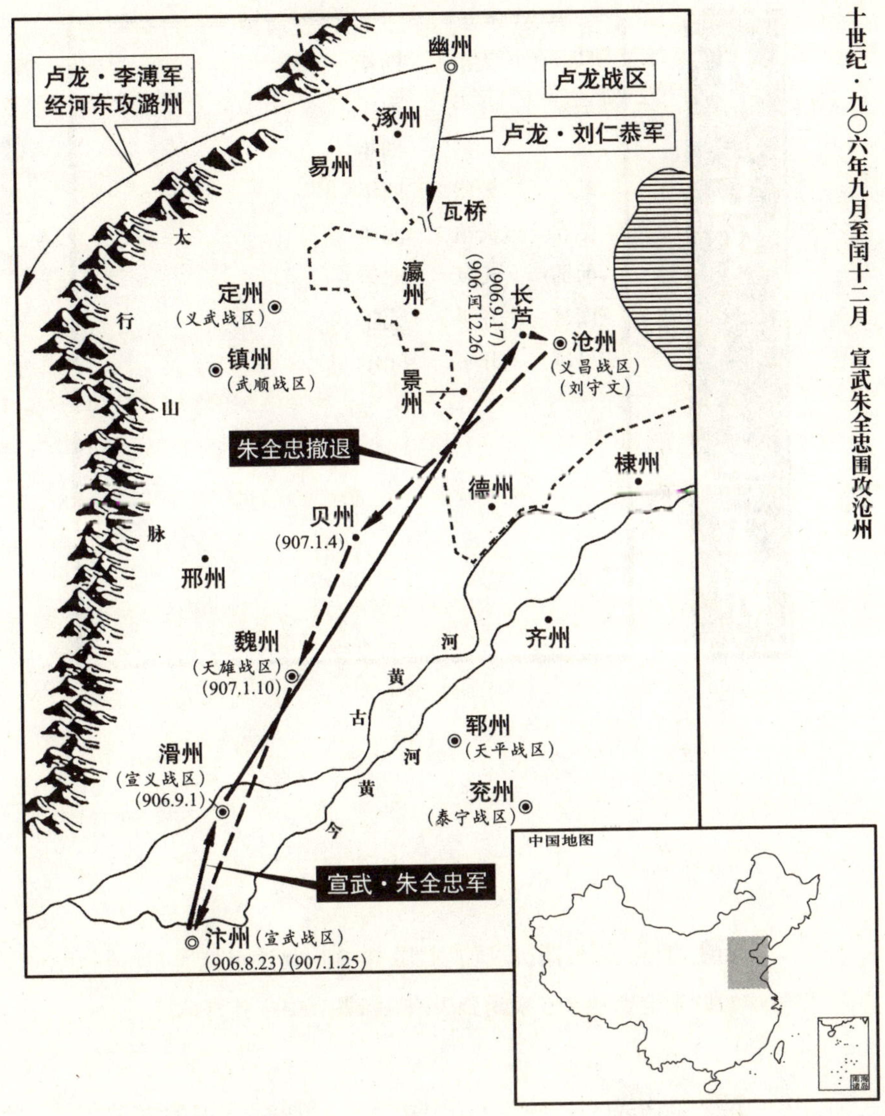

十世纪·九〇六年九月至闰十二月　宣武朱全忠围攻沧州

九〇七年 丁卯

唐	天祐	四年
后梁	开平	元年
晋	天祐	四年
岐	天祐	四年
弘农	天祐	四年
前蜀	天复	七年
南楚	开平	元年
吴越	开平	元年

1 春季，正月四日，宣武战区（总部设汴州〔河南省开封市〕）司令官（节度使）朱全忠（朱温），撤退到贝州（河北省清河县），扎营休息。

2 淮南战区（总部设扬州〔江苏省扬州市〕）司令官（节度使）兼最高监督长（兼侍中·使相）、东方军团总指战官（东面诸道行营都统）、弘农郡王杨渥，既吞并镇南战区（总部设洪州〔江西省南昌市〕），更加骄傲奢侈，忽然对军事执行官（节度判官）周隐说："你出卖自己的家国，还有什么脸相见！”遂斩周隐（周隐直言事，参考前年〔九〇五〕九月），因此将领们惶惶不安。

黑云特别营司令（黑云都指挥使）吕师周，跟副司令（副指挥使）綦章，率军驻防上高（江西省上高县）。吕师周跟武安（总部潭州）历年作战，每次都建立功劳，杨渥却对他猜忌。吕师周恐惧，跟綦章商量说："马殷（武安〔总部潭州〕司令官）待人宽大厚道，我打算逃命投奔，可不可以？"綦章说："这件事你自己决定，即令把我的舌头割断，我也不敢泄露。"吕师周遂逃往武安战区（总部设潭州〔湖南省长沙市〕），綦章放他的妻子儿女一块逃走。吕师周，是扬州（江苏省扬州市）人。

杨渥在为老爹杨行密（杨行愍）服丧期间（杨行密前年〔九〇五〕九月逝世，要到明年〔九〇八〕八月，服丧才满），一点也不悲伤，日夜不停的饮酒作乐，又于夜晚燃起十个人才抱得住的巨大蜡烛，照耀得如同白昼，用来打球，一支蜡烛要费数万钱。有时，杨渥单人匹马出来游荡，侍从们在路上四处寻找，不知道他到底跑到哪里。总部警备队左翼指挥官（左牙指挥使）张颢、右翼指挥官（右牙指挥使）徐温，声泪俱下的劝阻。杨渥大怒说："你说我不成材，你为什么不杀了我自己干！"二人大为恐惧。杨渥遴选青年勇士另组"东院骑兵营"（东院马军），任命大批亲信充当将领及文职官员，这些亲信依靠杨渥的权势，骄傲蛮横，欺压侮辱元老功臣。张颢、徐温秘密策划兵变。杨行密（杨行愍）在世时，有亲军数千人，驻扎内城（牙城），杨渥继位后，教他们全部迁出，把营地改作靶场。防卫既自行解除，张颢、徐温因此毫无忌惮。

杨渥镇守宣州（安徽省宣城市）时（参考九〇四年八月），命指挥官（指挥使）朱思勍（音qíng〔情〕）、范思，随从陈璠，统御士卒三千人。等到杨渥继任老爹位置（参考前年〔九〇五〕十一月），把他们调回广陵（江苏省扬州市）。

稍后，张颢、徐温派他们随从秦裴进攻镇南（总部洪州。参考去年〔九〇六〕140
五月），驻扎洪州（江西省南昌市）。张颢、徐温诬称他们谋反，派别动部队将领陈祐，前往行刑。陈祐从小路赶往，只六天便到洪州（江西省南昌市），身穿平民衣服，怀揣短刀，直接进入秦裴中央大帐，秦裴大惊，陈祐告诉他任务，遂摆设筵席，邀请朱思勍等赴宴，宴会中，陈祐斥责朱思勍等叛乱，就在筵席上逮捕，斩首。杨渥得到他最亲信的三位将领被处死的消息，越发猜忌，打算诛杀张颢、徐温。

正月九日，早晨，杨渥升堂办公，张颢、徐温，率总部警备队士卒（牙兵）二百人，弓上弦、刀出鞘，一直进入中庭，杨渥失色说："你们真的杀我呀！"二人回答说："不敢杀大王，只打算杀大王左右那些扰乱国政的奸邪！"就数说杨渥亲信十几个人的罪状，命人从座位上拖下，用铁锤击杀，宣称执行"兵谏"（中国历史上最早的兵谏，发生于春秋时代，参考五四九年二月二十五日注）。将领凡不跟张颢、徐温同心的，张颢、徐温就找个借口，把他们斩首。于是，淮南战区（总部设扬州〔江苏省扬州市〕）军政大权，全由二人控制，杨渥无可奈何。

3 最初，朱全忠（朱温）认为黄河以北各战区全都臣服，只有卢龙（总部幽州）、义昌（总部沧州）还在抗拒，所以采取大规模军事行动，想用战场上的胜利使各战区归附得更为坚定。想不到昭义（总部潞州）在内部背叛（参考去年〔九〇六〕十二月），朱全忠（朱温）只好烧毁营房撤退，威望下降。恐怕中央与地方离心，打算迅速篡夺唐王朝政权，用来镇压。

正月十日，朱全忠（朱温）下榻魏州（河北省大名县），生病，在宾馆休养，罗绍威（天雄〔总部魏州〕司令官）恐怕朱全忠（朱温）发动袭击，遂到卧室晋见，说："现在，各地纷纷聚众起兵，使大王烦恼的是，他们都打着拥护唐王朝中央政府的旗号。大王最好早早消灭李家，断绝人们的希望。”朱全忠（朱温）虽然没有马上允许，但心里十分感激，于是立刻返回。

正月二十五日，朱全忠（朱温）抵达大梁（河南省开封市）。

正月二十七日，唐王朝（首都洛阳〔河南省洛阳市〕）皇帝（二十五任哀帝）李柷（李祚）派总监察官（御史大夫）薛贻矩，到大梁（河南省开封市）慰劳朱全忠（朱温），薛贻矩请求以臣属的礼节晋见，但朱全忠（朱温）仍在公堂上作揖回礼，请薛贻矩登台。薛贻矩说："殿下的功业及恩德广在人间。天心、地心、人心，都归向殿下。唐王朝皇帝正要实行姚重华（黄帝王朝末任帝舜帝）传位给姒文命（夏王朝一任帝禹帝）的人事，我怎么敢违背。”乃在庭院中，面向北方，三跪九叩，朱全忠（朱温）稍稍侧一下身子，表示谦逊。

薛贻矩回到首都洛阳（河南省洛阳市），报告李柷（李祚）说："元帅（朱全忠）已有接受传位之意！”李柷（李祚）乃下诏命二月传位。又派宰相写信给朱全忠（朱温）强调这项讯息，朱全忠（朱温）辞让。

4 河东兵团（总部太原府）仍驻扎长子（山西省长子县），打算进攻泽州（山西省晋城市。去年〔九〇六〕十二月进攻失败）。朱全忠（朱温）命保大战区（总部设鄜州〔陕西省富县〕）司令官（节度使）康怀贞，征调佑国（总部京兆府）、匡国（总部同州）二战区全部兵力，进驻晋州（山西省临汾市），严密戒备。

5 二月，唐王朝文武百官联合奏请皇帝李柷（李祚）退位。

二月五日，李柷（李祚）下诏命宰相率领文武百官前往大梁（河南省开封市）元帅府劝进。朱全忠（朱温）则派使节前来洛阳（河南省洛阳市）

阻止。然而，中央及地方官员和武安（总部潭州）、清海（总部广州）等战区，上书朱全忠（朱温），请他登极称帝的官员和民众，前后相继。

6 三月六日，朱全忠（朱温）命亳州（安徽省亳州市）州长李思安，当北方军团总指战官（北路行军都统），率军进攻卢龙（总部幽州）。

7 三月十三日，唐帝李柷（李祚）派薛贻矩再去大梁（河南省开封市），向朱全忠（朱温）解释传位的诚意，又派国务院教育部长（礼部尚书）苏循，携带文武百官联合奏章，继往大梁（河南省开封市）。

8 镇海战区（总部设杭州〔浙江省杭州市〕）暨镇东战区（总部设越州〔浙江省绍兴市〕）司令官（节度使）吴王钱镠，派他的儿子钱传璙、钱传瓘，讨伐卢佶割据的温州（浙江省温州市）。

9 三月二十七日，唐王朝末任皇帝李柷（李祚）亲笔下诏，把帝位传给朱全忠（朱温），命摄理最高立法长（摄中书令）张文蔚当禅让特使（册礼使），国务院教育部长（礼部尚书）苏循当副特使；命摄理最高监督长（摄侍中）杨涉当护送玉玺特使（押传国宝使），皇家文学研究官（翰林学士）张策当副特使；命总监察官（御史大夫）薛贻矩当护送皇家御印特使（押金宝使），国务院左秘书长（尚书左丞）赵光逢当副特使；率全体文武百官，连同皇帝出门时专用的“法驾”（《唐六典》：“大驾”正车五辆：玉车、金车、象车、革车、木车；副车五辆，属车十二辆：指南车、记里鼓车、白鹭车、鸾旗车、辟恶车、皮轩车、耕根车、安车、四望车、羊车、黄钺车、豹尾车。“法驾”则没有副车，没有属车中的白鹭车、辟恶车、安车、四望车。参考前一八〇年九月注），一起前往大梁（河南省开封市）。

杨涉的儿子、国史馆助理编撰委员（直史馆）杨凝式，对老爹杨涉说：“你是唐王朝的宰相，国家到了今天这种地步，不能说没有一点责任。何况亲手捧着皇帝的玉玺，交给别人，虽然保住自己的荣华富贵，可是历史将怎么评论？你为什么不辞掉这个差事。”杨涉魂飞天外，说：“我们全家，都要死在你一人之手！”心惊肉跳，几天都不能平静。

张策，是敦煌（甘肃省敦煌市）人。赵光逢，是赵隐的儿子（赵隐曾当宰相，参考八七二年二月）。

10 卢龙战区（总部设幽州〔北京市〕）司令官（节度使）刘仁恭，骄傲奢侈，贪婪凶暴，一直忧虑幽州（北京市）城墙不够坚固，难以抵挡敌人的强烈攻击，于是在大安山（北京市西百花山）上兴筑别墅，说：“这座山四面全是悬崖绝壁，可以用少数克制多数。”别墅建筑得雄壮华丽，几乎可以跟皇宫相比（刘仁恭类似东汉王朝末期的军阀公孙瓒，参考一九五年十二月）。刘仁恭遴选很多美女，住到别墅里面，他则跟法术师日夜炼制仙丹，追求长生不死。把辖区里所有金钱，都收集起来，埋藏到山顶上，而命民间用黏土做钱。又禁止长江以南茶商入境，而自行采摘山中树叶草木，做成茶叶贩卖。

刘仁恭的儿子刘守光，跟刘仁恭最心爱的小老婆罗女士通奸。刘仁恭把刘守光用木棍痛打一顿，赶出家门，不承认他是儿子。就在这时候，宣武（总部汴州）将领李思安，率大军进入边境，所经过的地方，纵火焚烧，不留一草一木。

夏季，四月三日，李思安直到幽州（北京市）城下。刘仁恭仍在大安山（北京市西百花山）享乐，城里没有戒备，几乎失守。刘守光从外率军进城，登城抵抗，又出兵迎击李思安，李思安败退。刘守光遂自称卢龙战区（总部设幽州〔北京市〕）司令官（节度使），命部将李小喜、元行钦，率军进攻大安山（北京市西百花山）。刘仁恭派军队阻挡，被李小喜击败，生擒刘仁恭而回，囚禁在其他院落。刘仁恭的部将和左右亲信，凡刘守光平常讨厌的，一律诛杀。

银箭特别营司令（银胡簶都指挥使）王思同率部众三千人，山后八军（山后，即燕山南麓，有妫〔河北省怀来县〕、儒〔北京市延庆区〕、新〔河北省涿鹿县〕、武〔河北省张家口市宣化区〕四州）巡查官（巡检使）李承约率部众二千人，逃奔河东（总部太原府）。刘守光的老弟刘守奇，逃奔契丹部落（王庭设西楼城〔内蒙古巴林左旗〕），不久，也逃奔河东（总部太原府）。河东战区（总部设太原府〔山西省太原市〕）司令官（节度使）李克用，命李承约当匡霸指挥官（匡霸指挥使），王思同当飞腾指挥官（飞腾指挥使）。王思同的娘亲，是刘仁恭的女儿。

11 朱全忠（朱温）开始登金祥殿，接受文武百官向他三跪九叩、称臣朝见。朱全忠（朱温）的命令称"教令"，自称"寡人"。

四月五日，朱全忠（朱温）下令，所有表报簿册等文件，全部不用唐王朝的年号（本年是天祐四年），只写月日。

四月十日，张文蔚等抵达大梁（河南省开封市）。

12 温州（浙江省温州市）州长卢佶听到钱传瑛等就要到达的消息，率水军在青澳（浙江省玉环市）抵抗。钱传瓘说："卢佶的精锐部队都在这里，不必跟他硬拼。"于是，舰队一直南下，抵达安固（浙江省瑞安市），登上陆地，从小路进攻温州（浙江省温州市）。

四月十二日，温州（浙江省温州市）陷落，镇海兵团（总部杭州）生擒州长卢佶，斩首（卢佶攻陷温州，参考前年〔九〇五〕八月，前后三年而亡）。钱镠

（镇海〔总部杭州〕司令官）命总监军官（都监使）吴璋，当温州军政总监（制置使），命钱传璙等率军继续进攻卢佶的老哥、处州（浙江省丽水市）州长卢约。

13 四月十六日，朱全忠（朱温）改名朱晃（《旧五代史·梁书·太祖本纪》：朱全忠下令说："本名二字〔全忠〕，跟历代帝王单名有异，所以改称。"但尧帝伊祁放勋、舜帝姚重华，以及唐王朝二任帝李世民，都是双名，这件事显示朱全忠集团的知识水准。因"朱晃"只出现过这么一次，所以援"武曌"例，不跟着也改），朱全忠（朱温）的老哥朱全昱听说朱全忠（朱温）将要称帝，对朱全忠（朱温）说："朱三（朱全忠在兄弟中排行第三），你也配当天子！"

四月十八日，张文蔚、杨涉，乘坐皇家车辆，抵达汴州（河南省开封市），自上源驿（开封市城内）步行护送玉玺御印，以及各种表册，各单位都派出仪仗队、卫队、前后护卫，作为前导，文武百官则跟随在后面，走到金祥殿前，一一陈列。朱全忠（朱温）身穿衮龙黄袍，头戴珠玉冠帽，登上皇帝宝座。张文蔚、苏循捧着唐王朝亡国皇帝李柷（李祚）传位诏书，上殿宣读。杨涉、张策、薛贻矩、赵光逢，也依着顺序登殿，宣读各人进呈的诏书，完毕之后，退下，再率从首都洛阳（河南省洛阳市）来的唐政府文武百官，三跪九叩，向新皇帝祝贺。朱全忠（朱温）遂在玄德殿摆设筵席，宴请张文蔚等。朱全忠（朱温）举起酒杯说："我辅佐国政的时间，并不很久（朱全忠本无大志，是在进攻凤翔后，才兴起野心，参考九〇三年十二月），今天能够建立大业，都是各位拥护的功劳。"张文蔚等既惭愧又恐惧（惭愧的是自己出卖唐政府还不够努力，恐惧的是朱全忠嫌他们的谄媚还不够入骨），叩头在地，不敢回答，只苏循、薛贻矩及国务院司法部长（刑部尚书）张祎（音yī〔衣〕），极力歌颂朱全忠（朱温）的功业和恩德，乃上应天意，下顺民心。

朱全忠（朱温）接着招待朱姓同族和皇亲国戚，在皇宫饮酒赌博，大家都喝得酩酊大醉，朱全昱忽然把骰子猛的投到盆子里，骰子四散蹦跳，满地乱滚，斜眼瞪着朱全忠（朱温）说：“朱三，你本是砀山（安徽省砀山县）一个穷民，跟随黄巢当强盗，皇上命你当四战区司令官（参考九〇一年五月二十二日），富贵荣华，高到极点，为什么一夜之间，消灭唐王朝三百年帝国，自己当起皇上？你看着好了，我们朱家不久就要被屠杀净光，还赌什么博！”（十六年后，朱全昱的预言应验，参考九二三年十月。）朱全忠（朱温）大不高兴而散。

四月十九日，朱全忠（朱温）命有关单位祭告天地神灵及农神。

四月二十一日，朱全忠（朱温）派特使到各州、各战区，报告改朝换代。

四月二十二日，朱全忠（朱温。本年五十六岁）大赦，改年号开平（之前是天祐四年，之后是开平元年），国号梁（南北朝时代有个梁，史称南梁；现在这个梁，史学家只好称后梁），封唐王朝亡国皇帝（二十五任哀帝）李柷（李祚）当济阴王，一切都援照前代处置亡国之君的前例。唐王朝中央及地方所有的官员及爵位，仍然保持。把汴州（河南省开封市）升格为开封特别市（开封府），称东都；唐王朝东都洛阳（河南省洛阳市），改称西都；撤销唐王朝的西京（长安，陕西省西安市），把京兆特别市（京兆府）改称大安特别市（大安府），仍设佑国战区（总部设大安府〔陕西省西安市〕），把魏博战区（总部设魏州〔河北省大名县）改名为天雄战区（九〇四年闰四月已改，不知道为什么又提出）。把济阴王李柷（李祚）押送曹州（山东省菏泽市定陶区）软禁，用荆棘把他住的地方围绕起来，并派官兵全副武装，看守戒备。（辉煌的唐王朝终于灭亡，共有二十五任君王、二十二个皇帝〔李显、李旦、李晔三人都当过两任〕，立国二百七十六年〔六一八年至六九〇年 · 七〇五年至九〇七年〕，中国人一度称为唐人，世界各大都市华人聚集地方，也译称唐人街。九任帝李隆基把唐王朝带入战乱后，人民遂再没有宁日，这种政府拖得越久，人民的痛苦也越深。可是代之而起的新统治阶级更糟，中国人的颟顸和驯服，恰恰是专制魔王实行封建残暴统治的能源。后梁帝国建立后，七十年间，中原地区，前仆后继的建立了五个短命帝国，而在其他地区同时并存的又有十一国之多，有的表面上向中原五个短命帝国臣服，有的索性自己建独立政权，史称“五代十一国”，也称“小分裂”〔针对大分裂而言〕，时间只七十三年〔九〇七至九七九〕，到本〔十〕世纪七〇年代，宋王朝政府才重归统一。）

14 四月二十五日，后梁帝（一任太祖）朱全忠（朱温），封武安战区（总部设潭州〔湖南省长沙市〕）司令官（节度使）马殷（本年五十六岁）当楚王（一任武穆王。马殷建立的楚王国，史称南楚，以别于楚、西楚）。

15 朱全忠（朱温）命宣武（总部开封府）机要秘书（掌书记）、宫廷库藏部长（太府卿）敬翔当帝国政务署代理总监（知崇政院事），充当皇帝的顾问，参与中央军政大计，在宫中接受皇帝的旨意，转告宰相发布实施。除了金銮宝殿之上，宰相有什么奏章或请求，以及接到指示有不明白地方要作请示外，其他所有大小事务，都得撰写报告，送请帝国政务署（崇政院）转奏；等朱全忠（朱温）批示后，再转告宰相。敬翔心机很深，有急智和谋略，在朱全忠（朱温）幕府二十余年（敬翔最初当驿马车站巡察官，参考八八七年十一月），无论军事民政，朱全忠（朱温）全都交付给他。敬翔也任劳任怨，尽忠职守，几乎不上床睡觉，自称只有在马背上才能休息。朱全忠（朱温）性情凶暴乖戾，难以亲近，没有人猜测得出他下一步行动是什么，只有敬翔了解他的想法。有时候朱全忠（朱温）决定错误，敬翔从来不直率的指出，而只略微表示困惑，朱全忠（朱温）马上就能领悟，常常为此改变决定。篡夺唐王朝政权这件事，大多是由敬翔策划。

16 朱全忠（朱温）追尊他高祖父、高祖母以下直系血亲尊亲属，男人称“帝”，女人称“后”。（《五代会要·追谥皇帝》：追尊黄帝王朝七任帝〔舜帝〕姚重华的臣属朱虎当始祖，四十二代到朱黯，追尊朱黯当肃祖宣元皇帝，朱黯的妻子范女士称宣僖皇后；朱黯的儿子朱茂琳称敬祖光献皇帝，朱茂琳的妻子杨女士称光孝皇后；朱茂琳的儿子朱信称宪祖昭武皇帝，朱信的妻子刘女士称昭懿皇后；朱信的儿子朱诚，就是朱全忠〔朱温〕的老爹。）封老爹朱诚当烈祖文穆皇帝，娘亲王女士当文惠皇后。

17 最初，朱全忠（朱温）当四战区司令官（四镇节度使，参考九〇一年五月二十二日）时，对辖区里所有仓库及辎重，特别设置后勤总部（建昌院），由自己兼管。登极称帝之后，命义子、宣武战区（总部设开封府〔河南省开封市〕）副司令官（节度副使）朱友文当首都开封特别市长（开封尹），兼管后勤总部（判院事），负责全国金钱粮食事务。朱友文，本姓康（康勤）。

18 四月二十九日，朱全忠（朱温）下诏剥夺李克用的官职爵位。（朱全忠以全中国的领袖自居，但事实上他只不过把从前的对立，化成今日的分裂。）

这时候，只有河东战区（总部设太原府〔山西省太原市〕）、凤翔战区（总部设凤翔府〔陕西省宝鸡市凤翔区〕）、淮南战区（总部设扬州〔江苏省扬州市〕）仍用唐王朝的天祐年号（本年是天祐四年），西川战区（总部设成都府〔四川省成都市〕）仍用唐王朝的天复年号（本年是天复七年），其他各战区，都用后梁帝国的开平年号（“年号”固是时间的记载，同时也是政治标志，用谁的年号就表示对谁臣服，不用谁的年号，就表示对谁不买账），向朱全忠（朱温）称臣进贡。

蜀王（首都成都府〔四川省成都市〕）王建，跟弘农王（首都扬州〔江苏省扬州市〕）杨渥，向各战区道发出文告，声称打算联合岐王（首都凤翔

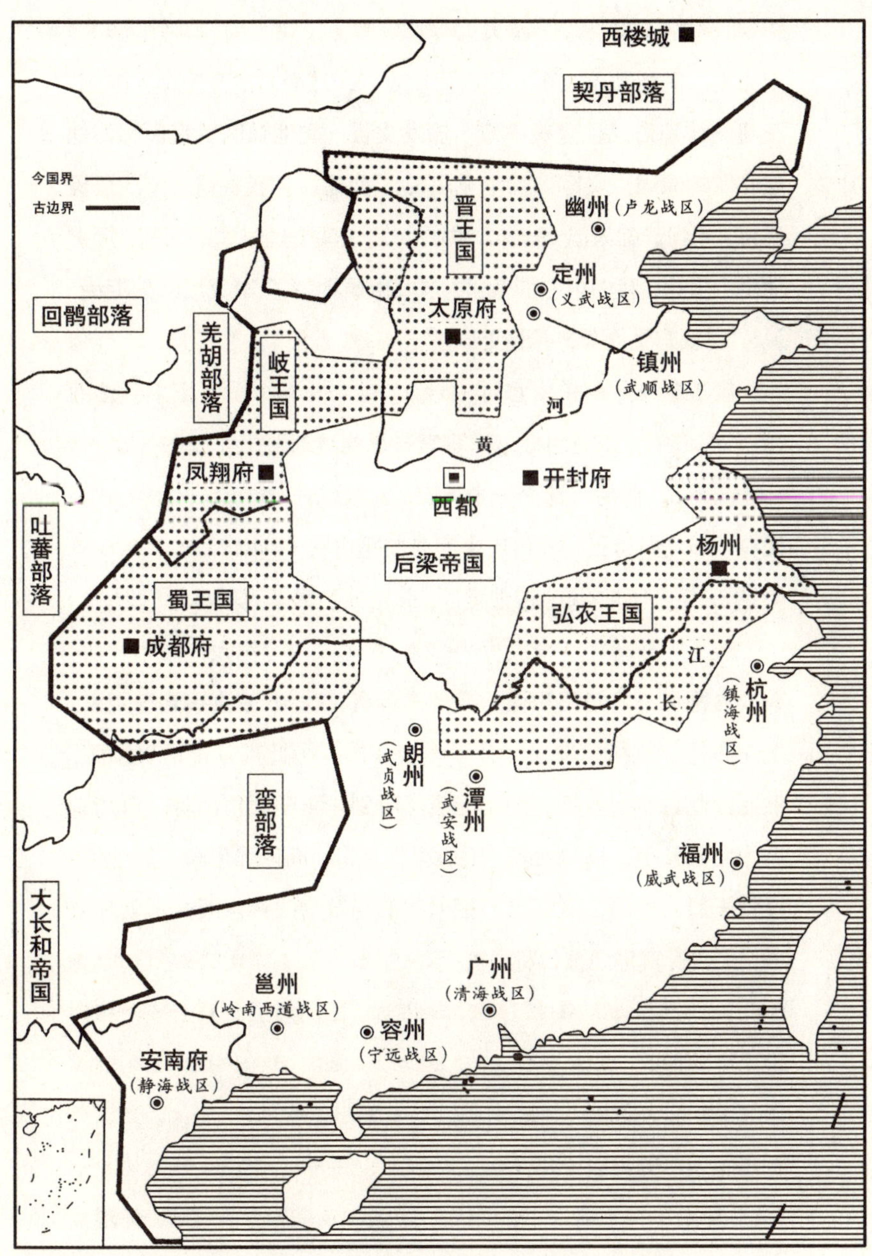

十世纪·九〇七年四月　朱全忠篡唐王朝，建后梁帝国，五代时代开始

府〔陕西省宝鸡市凤翔区〕）李茂贞（宋文通）、晋王（首都太原府〔山西省太原市〕）李克用，集结勤王大军，使唐王朝复兴，然而，没有一个人响应。王建遂计划自己也登极称帝，颁发文告，向他辖区里官民解释他这样做的原因，又写信给李克用说："我建议你我各霸一方，登极称帝，等到铲除朱温（朱全忠），再寻访唐王朝李姓皇家的后裔，拥护他坐上宝座，我们再取消帝号，退回臣属地位。"李克用回信拒绝，说："在我有生之年，不敢变节。"

唐王朝末年屠杀宦官时（参考九〇三年正月二十八日），诏书到达河东（总部太原府），李克用把监军宦官张承业藏到斛律寺（应为祭祀北齐帝国斛律家而建），而另行诛杀一个死囚，应付过去（参考九〇三年二月一日）。现在，李克用请张承业再出来充当监军宦官（三年前已复出，参考九〇四年八月，此处不知为何又提），待他更厚，张承业也为李克用尽心尽力。

岐王（一任忠敬王）李茂贞（宋文通）对军人十分宽大，温和亲切。有人告密说部将符昭阴谋叛变，李茂贞（宋文通）就直接到符昭家，把左右侍卫统统打发走，住了一夜才回。因此部众都由衷顺服，然而因此也军纪败坏，杂乱无章。听到唐王朝灭亡消息，自知割据的地方太小，兵力太弱，不敢登极称帝。而只强化岐王的地位，设置王府，任命文武百官，把所住的建筑物改称宫殿，正妻称皇后，文武百官呈递报告称"笺""表"（此时李茂贞的"岐王"封号，是唐王朝所赐；其他像晋王、蜀王、弘农王、燕王，与此相同）。出门时卫士开道戒严和挥鞭出声的仪式（唐王朝制度，皇帝早上登殿，一出寝宫，就响起挥鞭声，马车夫常在半空挥舞鞭梢，激起噼啪尖响，使马加速。宫中有此乡土动作，也是一奇），以及高举野鸡尾做成的障扇（皇帝早朝时，障扇合；早朝完毕后，障扇开。至于怎么合？怎么开？在何处合？何处开？古书说不清楚），跟各种发号施令的仪式，都跟皇帝一样。

镇海战区（总部设杭州〔浙江省杭州市〕）军事执行官（节度判官）罗隐（参考九〇二年八月），建议吴王钱镠出军讨伐朱全忠（朱温），说："即令不能成功，照样可以退保杭州（镇海战区）、越州（镇东战区），自称'东帝'（战国时代秦王嬴稷称西帝，齐王田地称东帝；参考前二八八年）。为什么自绑双手，事奉盗匪，留下千古骂名！"钱镠最初以为罗隐在唐王朝时，落魄失意，一定心怀怨恨，等听到这些话，虽然不能接受，但对他却十分敬重。（罗隐是余杭〔浙江省杭州市余杭区西南余杭街道〕人，诗名满天下，然而恃才傲物，常对不公平的事讥笑讽刺，权贵对他厌恶之至，连考六年"进士科"，都不被录取。罗隐其貌不扬，宰相郑畋有一位女儿，爱罗隐的诗爱得如醉如痴，郑畋遂邀罗隐到家，由女儿在幕帘后偷瞧，女儿遂从此不再读罗隐的诗。八八〇年，黄巢攻陷长安，罗隐回乡，民间传说罗隐"出语成谶"——每句玄秘莫测的话，事后都会一一应验，到处留下异迹。浙江、福建一带，事情只要有点怪诞的，都众口一词：这事罗秀才说过！）

19 五月一日，后梁政府（首都开封府）擢升总监察官（御史大夫）薛贻矩当副立法长（中书侍郎）、二级实质宰相（同平章事）。

20 后梁政府加授武顺战区（总部设镇州〔河北省正定县〕）司令官（节度使）赵王王镕，暂任太师（守太师，三师之一）；加授天雄战区（总部设魏州〔河北省大名县〕）司令官（节度使）邺王罗绍威，暂任太傅（守太傅，三师之二）；加授义武战区（总部设定州〔河北省定州市〕）司令官（节度使）王处直，兼最高监督长（兼侍中·使相）。

21 契丹部落（王庭西楼城〔内蒙古巴林左旗〕）官员袍笏梅老（"袍笏"是什么？不懂），前来后梁帝国（首都开封府）作友好访问，后梁帝朱全忠（朱温）派库藏部副部长（太府少卿）高颀（音qí〔其〕）报聘。

最初，契丹部落共有八个支派（旦利皆部、乙室活部、实活部、纳尾部、频没部、内会鸡部、集解部、奚嗢部），每个支派都有自己的酋长（大人），共八人，互相结盟，推选一人当契丹王，创立特别的旌旗和特别的鼓号，作为王的象征，用以发号施令，任期三年，依照顺序，轮流充当。九世纪七〇年代中叶，有位名叫习尔的当王，扩充领土、疆域才大。后来，有位叫钦德的当王，乘着唐王朝内部战乱不停，经常南下侵略边疆。最后，一位名叫阿保机的当王，尤其雄壮勇猛。“五姓奚”（奚部落的五个支派，住滦河上游）、“七姓室韦”（室韦部落的七个支派，住内蒙古东北部）以及达靼部落（阴山以北地带），都被征服。阿保机姓耶律，仗恃自己强大，当王期满，不肯移交。很久之后，耶律阿保机进攻黄头室韦（吉林省大安市西南），班师途中，其他七个支派在边境把他劫持，强迫他依照盟约，交出王位。耶律阿保机不得已，只好把旌旗鼓号传给下任，声明说：“我当王当了九年，集合很多汉人，请允许我率领我的这一部，定居古汉城（河北省滦平县南），跟汉人一同经营，再另外成立一部。”七个支派同意。古汉城，是北魏帝国时的滑盐县（河北省滦平县南），土地肥沃，适合种植五谷杂粮，还有盐池，生产食盐。后来，耶律阿保机逐渐用武力把七个支派消灭，合并成为一个国家。然后又向东北侵略室韦部落（内蒙古东北部）及女真部落（黑龙江下游），向西征服突厥汗国故地（瀚海沙漠群），进攻奚部落（滦河上游），把它消灭，封一个酋长当奚王，而派一个契丹将领当他们的总督，控制军队。东北各蛮夷部落，对这个新兴的部落，都很畏惧。 152

本年（九〇七），耶律阿保机率部众三十万人，进攻唐朝的云州（山西省大同市）。晋王（首都太原府）李克用跟他和解，在云州（山西省大同市）跟耶律阿保机见面，互相盟誓，结拜成兄弟。又把耶律阿保机请到自己军帐中，开怀大饮，握手欢笑，约定冬季来时，联军讨伐后梁帝国（首都开封府）。有人劝李克用说："抓握这个机会，把他生擒。"李克用说："仇敌没有消灭，反而使用诈术，失信于人，是自取灭亡。"耶律阿保机停留十几天才告辞，李克用赠送他金钱及绸缎数万（绸缎可能是数万匹，金钱则是数万什么），耶律阿保机也留下战马三千匹，其他家畜以万只为单位计算，作为回报。可是，耶律阿保机回去后，就背叛盟约，反而归附后梁；李克用深为痛恨。

22 五月三日，后梁帝朱全忠（朱温）封西都洛阳特别市长（河南尹）兼河阳战区（总部设孟州〔河南省孟州市〕）司令官（节度使）张全义当魏王；封镇海（总部杭州）、镇东（总部越州）两战区司令官（节度使）吴王钱镠（本年五十六岁），当吴越王（一任武肃王。之前，钱镠要求封吴越王不遂，参考九〇四年闰四月）。加授清海战区（总部设广州〔广东省广州市〕）司令官（节度使）刘隐，及威武战区（总部设福州〔福建省福州市〕）司令官（节度使）王审知，同时兼任最高监督长（兼侍中·使相）。封刘隐当大彭王。

五月七日，朱全忠（朱温）命荆南战区（总部设江陵府〔湖北省江陵县〕）暂代候补司令官（权知留后）高季昌，实任战区司令官（节度使）。荆南（总部江陵府）从前管辖八州（荆〔湖北省江陵县〕、归〔湖北省秭归县〕、硖〔湖北省宜昌市〕、夔〔重庆市奉节县〕、忠〔重庆市忠县〕、万〔重庆市万州区〕、澧〔湖南省澧县〕、朗〔湖南省常德市〕），八七四年以后（唐二十一任帝李儇在位），战乱不断，各州分别被邻近的战区道占领，只剩下江陵（湖北省江陵县）一座孤城。高季昌到差后，城池毁坏，街市残破，人口稀少。高季昌聚集逃亡难民，安置就业。

23 五月九日，后梁帝朱全忠（朱温）封老哥朱全昱当广王，

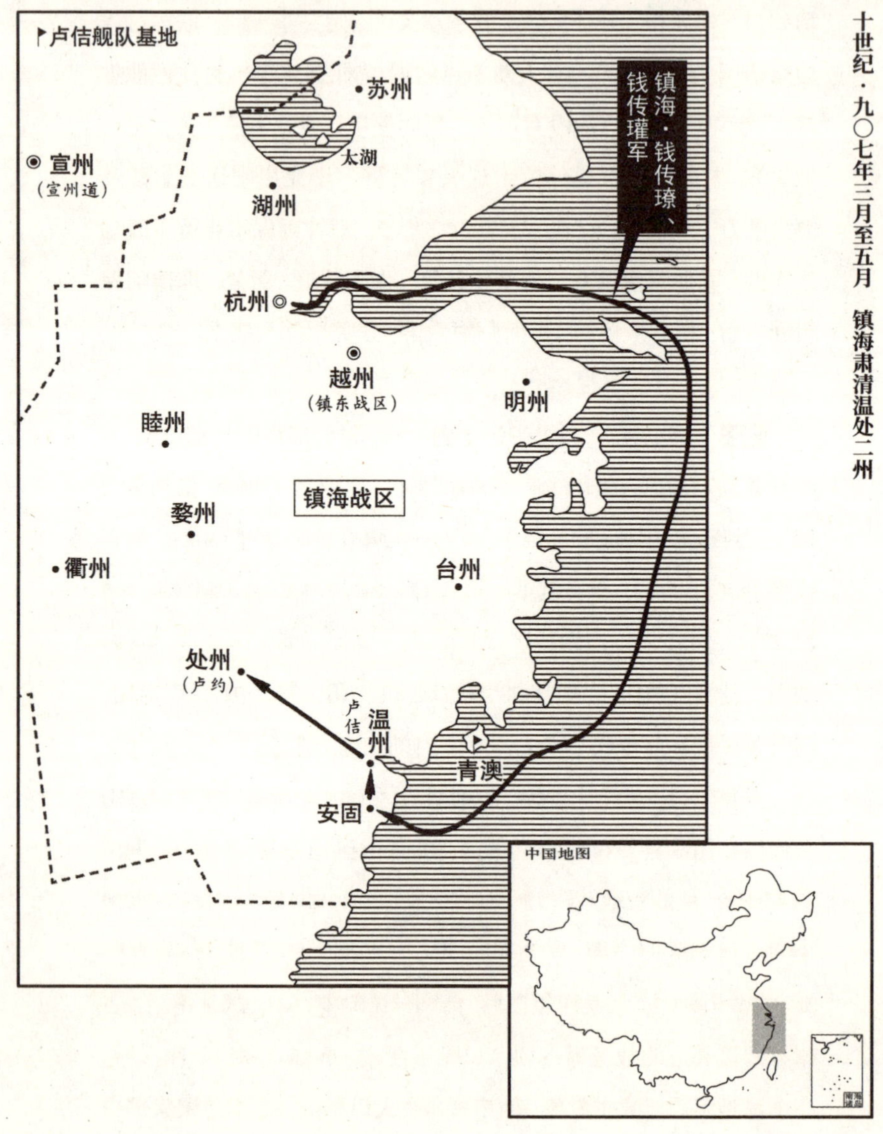

十世纪·九〇七年三月至五月　镇海肃清温处二州

封皇子朱友文（康勤）当博王、朱友珪当郢王、朱友璋当福王、朱友贞当均王、朱友雍当贺王、朱友徽当建王。

24 五月十五日，后梁帝朱全忠（朱温）把他当战区司令官（节度使）时的东都（首都开封府）旧宅，改称建昌宫；把主管后勤总部（判建昌院事）改称建昌宫总监（建昌宫使）。

25 五月十六日，后梁帝朱全忠（朱温）命保大战区（总部设鄜州〔陕西省富县〕）司令官（节度使）康怀贞，率军八万人，会合天雄兵团（总部魏州），进攻已被河东（总部太原府）占领的潞州（山西省长治市）。

26 五月十八日，后梁帝朱全忠（朱温）下诏废除宫廷机要室（枢密院），所有业务划归帝国政务署（崇政院），擢升帝国政务署代理总监（知院事）敬翔，实任帝国政务署总监（院使）。

27 后梁国务院教育部长（礼部尚书）苏循，跟他的儿子、皇家生活记录官（起居郎）苏楷，自认为对建国有功劳贡献，应该受到特别酬庸；苏循更天天盼望荣升宰相高位，可是朱全忠（朱温）却瞧不起他（《旧唐书·哀帝本纪》：苏楷上疏驳斥唐王朝二十四任帝李晔〔李敏〕的绰号〔参考前年〔九〇五〕十月〕，朱全忠一向猜忌，洞察人情，所以对苏循父子深为鄙视），敬翔跟宫廷总管（殿中监）李振，也唾弃他们父子。敬翔警告朱全忠（朱温）说："苏循，是唐王朝的鸱枭（鸱枭，参考三一五年八月注），出卖唐王朝皇帝，追求自己名利，不可以在新政府（后梁政府）里立脚。"

五月二十二日，朱全忠（朱温）下诏命苏循和国务院司法部长（刑部尚书）张祎等十五人，一同退休，苏楷则免职，放逐回乡。苏循父子遂前往河中（山西省永济市）投奔朱友谦（朱简，护国〔总部河中府〕司令官）。

28 卢约（处州〔浙江省丽水市〕州长）献出处州（浙江省丽水市），投降吴越（首都杭州〔浙江省杭州市〕。卢约攻陷处州，参考八八一年十一月，前后割据二十七年而败。至此，钱镠才完全肃清两浙地区〔浙江省〕）。

29 弘农王（首都扬州）杨渥命鄂岳道（首府设鄂州〔湖北省武汉市〕）行政长官（观察使）刘存，当西南方，面军总征剿司令（西南面都招讨使）；命岳州（湖南省岳阳市）州长陈知新，当岳州民兵司令（团练使）；命庐州道（首府设庐州〔安徽省合肥市〕）行政长官（观察使）刘威，当援军司令（应援使）；命别动部队将领（别将）许玄应当监军官（监军），率水军三万人，进攻南楚（首都潭州〔湖南省长沙市〕）。南楚王（一任武穆王）马殷大为恐惧。静江基地司令（军使）杨定真道贺说：“我们一定胜利！”马殷问他缘故，杨定真说：“面对战争，戒慎恐惧的一方一定胜利，骄傲松懈的一方一定失败。淮南（总部扬州）大军直扑我们首府，不但骄傲，而且轻敌。大王却在脸上露出畏惧的颜色，所以我知道我们必胜。”

马殷命城防总司令（在城都指挥使）秦彦晖，率水军三万人，顺长江东下，派水军副指挥官（水军副指挥使）黄璠，率战舰三百艘，进驻浏阳口（湖南省长沙市稍北，浏阳河注入湘江处）。

六月，刘存等遇到大雨，率军撤退到越堤（今地不详）之北，秦彦晖追击。刘存几次出战，都被击败，于是写信给马殷请求归附。秦彦晖派人警告马殷说：“这是诈降，不要接受！”刘存跟秦彦晖隔一条江面扎营，刘存向秦彦晖呼喊道：“杀投降的人是件凶事，你难道不想想子孙承受的灾祸？”秦彦晖说：“盗贼打到自己家里而不攻击他，马上就会死光，还谈什么子孙！”下令擂鼓进攻。刘存等败走，黄璠自浏阳口（长沙市稍北）出发，切断江面，跟秦彦晖南北夹击，大破弘农（首都扬州）舰队，生擒刘存、陈知新，格杀初级将领一百余人、士卒人数以万为单位计算，俘虏战舰八百艘。刘威率残兵败将逃回；秦彦晖遂克复岳州（湖南省岳阳市。陈知新攻取岳州事，参考去年〔九〇六〕三月）。马殷命解开刘存、陈知新二人身上的捆绑，安慰解释。二人诟骂说："大丈夫用一死报答领袖，怎么肯事奉盗贼！"马殷遂把二人斩首。

监军官许玄应，是弘农王杨渥的心腹亲信，时常干预政治，张颢、徐温用战败的理由，把他逮捕，斩首。

30 南楚王（首都潭州）马殷，派军会同吉州（江西省吉安市）州长彭玕（去年〔九〇六〕十二月归降南楚），进攻洪州（江西省南昌市），不能攻克。

31 康怀贞（后梁〔首都开封市〕将领）奉命进攻潞州（山西省长治市），抵达城下。晋国（首都太原府）昭义战区（总部设潞州〔山西省长治市〕）司令官（节度使）李嗣昭、副司令官（副使）李嗣弼，紧闭城门坚守。康怀贞日夜进攻，半月之久，不能攻克，于是围绕城池兴筑碉堡，挖掘"蚰蜒壕"（像蚰蜒一样的弯曲壕沟），团团困住，城里跟城外的交通和音讯，完全断绝。晋王李克用命华洋总指挥官（蕃汉都指挥使）周德威当特遣兵团总指挥官（行营都指挥使），率骑兵总指挥官（马军都指挥使）李嗣本、步骑兵总纠察官（马步都虞候）李存璋、先锋指挥官（先锋指挥使）史建瑭、铁林特别营指挥官（铁林都指挥使）安元信、横冲指挥官（横冲指挥使）李嗣源（邈佶烈）、骑兵将领安金全，救援潞州（山西省长治市）。李嗣弼，是李克修的儿子（李克修，是李克用的老弟，参考八九〇年三月）。李嗣本，本姓张。史建瑭，是史敬思的儿子（史敬思，汴州救李克用，参考八八四年五月十四日)。安金全，是代北(山西省代县以北)人。

32 晋国(首都太原府)军队进攻泽州(山西省晋城市)。后梁(首都开封府)派左神勇军基地司令(左神勇军使)范居实，率军增援。

33 六月九日，后梁帝(一任太祖)朱全忠(朱温)命平卢战区(总部设青州〔山东省青州市〕)司令官(节度使)韩建，暂任司徒(守司徒，三公之二)，遥兼二级宰相(同平章事·使相)。

34 武贞战区(总部设朗州〔湖南省常德市〕)司令官(节度使)雷彦恭，会合南楚军(首都潭州)，进攻江陵(湖北省江陵县)，荆南战区(总部设江陵府〔湖北省江陵县〕)司令官(节度使)高季昌率军进驻公安(湖北省公安县)，切断武贞(总部朗州)粮食供应，雷彦恭败退，南楚兵团(首都潭州)也撤走。

35 刘守光既把老爹刘仁恭生擒囚禁(参考本年〔九〇七〕四月三日)，遂自称卢龙战区(总部设幽州〔北京市〕)候补司令官(留后)，派使节前往后梁(首都开封府)，请求任命。

秋季，七月十九日，后梁政府(首都开封市)任命刘守光当卢龙战区(总部设幽州〔北京市〕)司令官(节度使)，遥兼二级宰相(同平章事·使相)。

36 静海战区(总部设安南府〔越南河内市〕)司令官(节度使)曲承裕逝世。

七月二十一日，后梁政府(首都开封府)命曲承裕的儿子、暂代候补司令官(权知留后)曲颢，实任司令官(节度使)。

37 雷彦恭（武贞〔总部朗州〕司令官）进攻岳州（湖南省岳阳市），不能攻克。（胡三省注："雷彦恭刚跟南楚〔首都潭州〕联合进攻荆南〔总部江陵府〕，转眼又进攻南楚所属的岳州，显出他反复无常。"）

38 八月一日，后梁帝朱全忠（朱温）命西都洛阳特别市长（河南尹）张全义，改名张宗奭（因张全义的"全"字，跟朱全忠的"全"字相同）。

39 八月六日，后梁政府（首都开封府）命吴越王（首都杭州）钱镠，兼淮南战区（总部设扬州〔江苏省扬州市〕）司令官（空头官衔。此时扬州属弘农〔首都扬州〕），命南楚王（首都潭州）马殷兼武昌战区（总部设鄂州〔湖北省武汉市〕）司令官（空头官衔。此时鄂州属弘农〔首都扬州〕），分别充当本战区征剿绥靖司令（招讨制置使）。

40 晋国（首都太原府）援军总指挥官（行营都指挥使）周德威，在高河（山西省长治市屯留区东南）扎营，后梁（首都开封府）大将康怀贞派亲卫骑兵作战司令（亲骑都头）秦武率军攻击，被晋军击败。

八月十二日，后梁帝朱全忠（朱温）派亳州（安徽省亳州市）州长李思安，接替康怀贞的潞州（山西省长治市）特遣兵团总指战官（行营都统）职务，贬康怀贞当特遣兵团大营总纠察官（行营都虞候）。李思安率黄河以北各战区野战军西上，抵达潞州（山西省长治市）城下，围绕潞州（山西省长治市）兴筑双重围墙，内防城里固守的晋军突围，外阻援军前进，称为"夹寨"。征调山东（崤山以东）各战区道搜刮民食，供作军粮，周德威每天派出轻装备骑兵剽掠粮运，李思安于是从东南山口，筑起一条通道，一直通到"夹寨"；周德威又跟各将领轮流率军攻击，每次都推倒刚筑起的护墙，填平刚挖好的壕沟，一天一

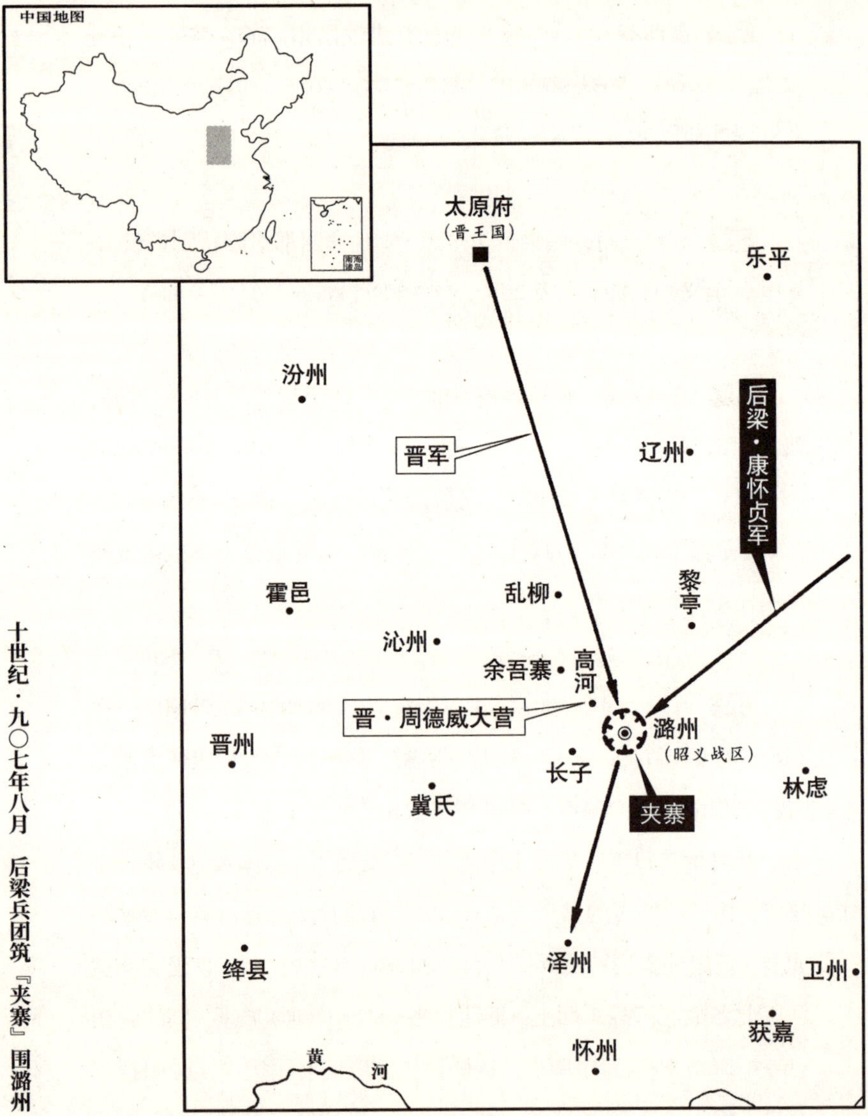

十世纪·九〇七年八月 后梁兵团筑『夹寨』围潞州

中国地图

太原府
（晋王国）
乐平
汾州
晋军
辽州
后梁·康怀贞军
霍邑
乱柳
黎亭
沁州
余吾寨
高河
晋·周德威大营
潞州
（昭义战区）
晋州
长子
林虑
冀氏
夹寨
绛县
泽州
卫州
获嘉
怀州
黄河

夜之间，出击数十次，后梁兵团不断应战，疲于奔命。而“夹寨”中派出砍柴牧马的士卒，周德威就把他们洗劫一空。后梁只好紧闭营门，不再出动。

41 九月，雷彦恭（武贞〔总部朗州〕司令官）进攻涔阳（湖北省公安县西南。涔，音cén〔岑〕）、公安（湖北省公安县），高季昌（荆南〔总部江陵府〕司令官）把他击败。雷彦恭的贪婪和凶暴，跟他的老爹雷满一样，专门从事奸杀烧掠，荆湖地区（湖北省中部东部及湖南省东北部）时常受到他的蹂躏。同时，他又归附弘农（首都扬州）。于是，后梁政府（首都开封府）决定采取行动。

九月二十二日，朱全忠（朱温）下诏，免除雷彦恭的官职和爵位，命高季昌（荆南〔总部江陵府〕司令官）、马殷（南楚王，武安〔总部潭州〕司令官）出军讨伐。

42 蜀王（首都成都府）王建，召集各将领及文职官员，讨论登极称帝事件。大家异口同声说：“大王虽然尽忠唐王朝，可是唐王朝已经灭亡，这正提醒你：‘上天交给你，你却拒绝，将触怒上天！’”只西川（总部成都府）军事执行官（节度判官）冯涓表示异议，建议王建用蜀王的身份，代表唐王朝皇帝行使职权（称制），说：“唐王朝如果复兴，你并没有失去臣属的本分；逆贼迄今仍然存在，更不应跟他们同当叛徒！”王建不接受，冯涓遂紧闭家门，不再出来。王建采用副安抚特使（安抚副使）、机要秘书（掌书记）韦庄的计划，率领文武百官和境内的全体人民，哭泣三天。

九月二十五日，王建（本年六十一岁）登上皇帝宝座（一任高祖），国号大蜀（史称前蜀，以别于西蜀、后蜀）。

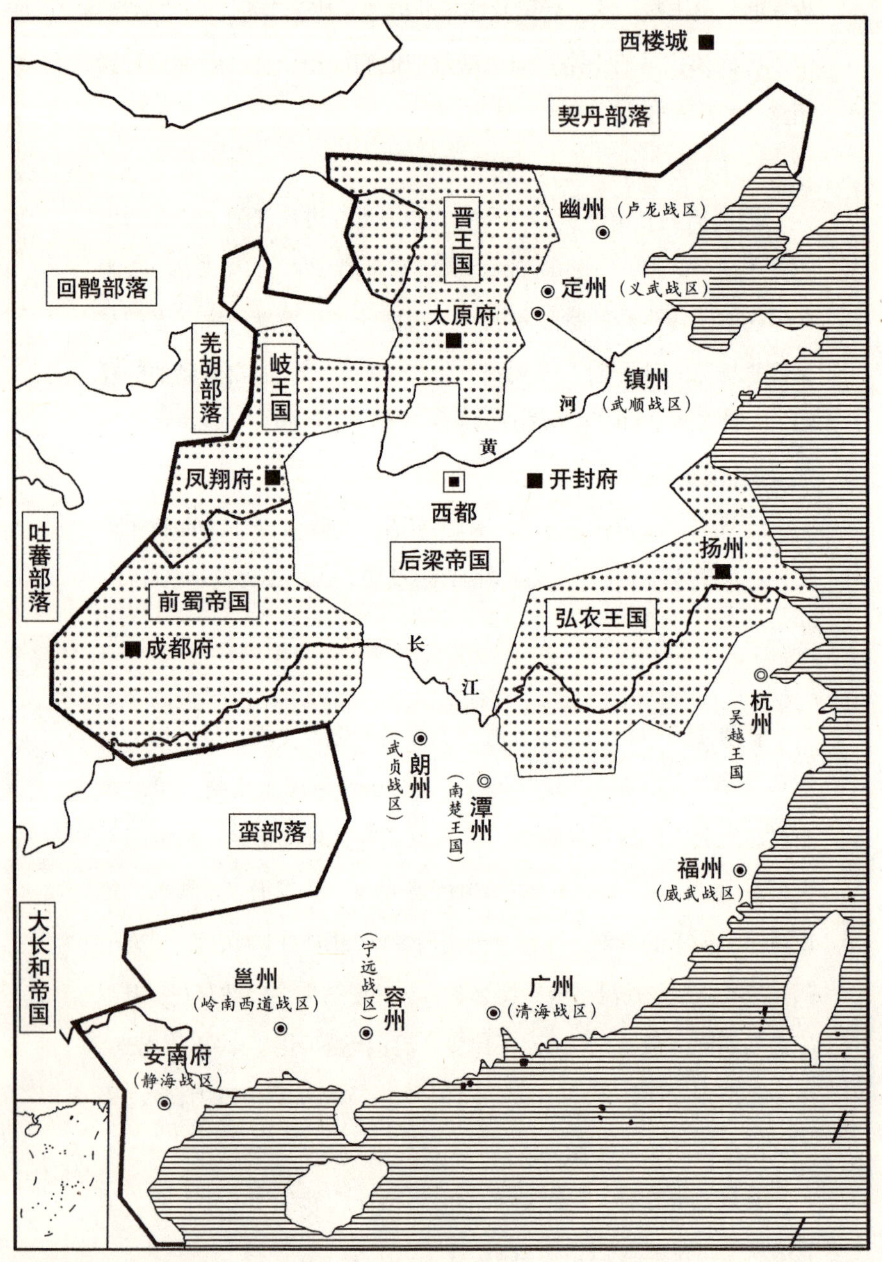

十世纪·九〇七年九月　王建建前蜀帝国，五国并立

十世纪·九〇七年九月　前蜀帝国疆域

中国地图
南海诸岛

延州（保塞战区）
泾州（彰义战区）
黄河
鄜州（保大战区）
秦州（天雄战区）（915.11）
邠州（静难战区）
吐蕃部落
凤翔府（岐王国）
大安府（佑国战区）
兴州（902.10）
扶州
成州
阶州
凤州
洋州（武定战区）（902.9）
文州
兴元府（山南西道战区）（902.8）
金州
利州（昭武战区）
龙州
集州
茂州
剑州
壁州
维州
巴州
彭州
汉州
绵州
阆州
通州
蓬州
开州
夔州
梓州（东川战区）
蜀州
果州
渠州
万州
成都府
简州
遂州（武作战区）
忠州（镇江战区）
施州
雅州
眉州
陵州
昌州
合州
普州
黎州
资州
涪州（武泰战区）
嘉州
荣州
渝州
黔州
泸州
戎州
长江
大长和帝国
蛮部落

前蜀建国时国界
前蜀覆亡时国界

九月二十七日，王建命前东川战区（总部设梓州〔四川省三台县〕）司令官（节度使）兼最高监督长（兼侍中·使相）王宗佶（甘宗佶）当最高立法长（中书令）；韦庄当监督院（门下省）最高顾问官（左散骑常侍）兼宰相联合办公厅执行官（判中书门下事）；命阆州（四川省阆中市）警备区司令（防御使）唐道袭当皇家机要总监（内枢密使）。韦庄，是韦见素的孙儿（韦见素，参考七五四年八月）。

王建虽然不认识字，但很喜欢跟知识分子交谈，也略微懂得治理国家的道理。这时候，唐王朝官宦世家的后裔，很多人逃难到巴蜀（四川省），王建都以礼相待，任命他们当官，使他们兴办学校，尽量维持传统的典章制度，所以全中国只有巴蜀（四川省）一地，仍有唐王朝的遗风。

王建的亲生长子、皇家图书院（秘书省）校勘官（校书郎，正九品上）王宗仁，小时候就有残疾，在家养病，所以王建封他的次子、皇家图书院副院长（秘书少监）王宗懿当遂王。

43 冬季，十月，高季昌（荆南〔总部江陵府〕司令官）派将领倪可福，会同南楚（首都潭州）将领秦彦晖，进攻朗州（湖南省常德市）。雷彦恭（武贞〔总部朗州〕司令官）派使节向弘农（首都扬州）投降，并请求紧急救援。弘农王（首都扬州）杨渥派部将泠业，率水军进驻平江（湖南省平江县），另一部将李饶率步骑兵进驻浏阳（湖南省浏阳市），作为援军。南楚王马殷派岳州（湖南省岳阳市）州长许德勋率军抵御。泠业进驻朗口（湖南省南县南，沅水注入洞庭湖处），许德勋派游泳好手五十人，用木枝树叶盖到头上，手拿长刀，顺水而下，于夜间袭击泠业大营，纵火燃烧，泠业军中骚动惊恐，许德勋主力部队随后进攻，大破弘农（首都扬州）援军，追到鹿角镇（湖南省岳阳市南），生擒泠业；又击破浏

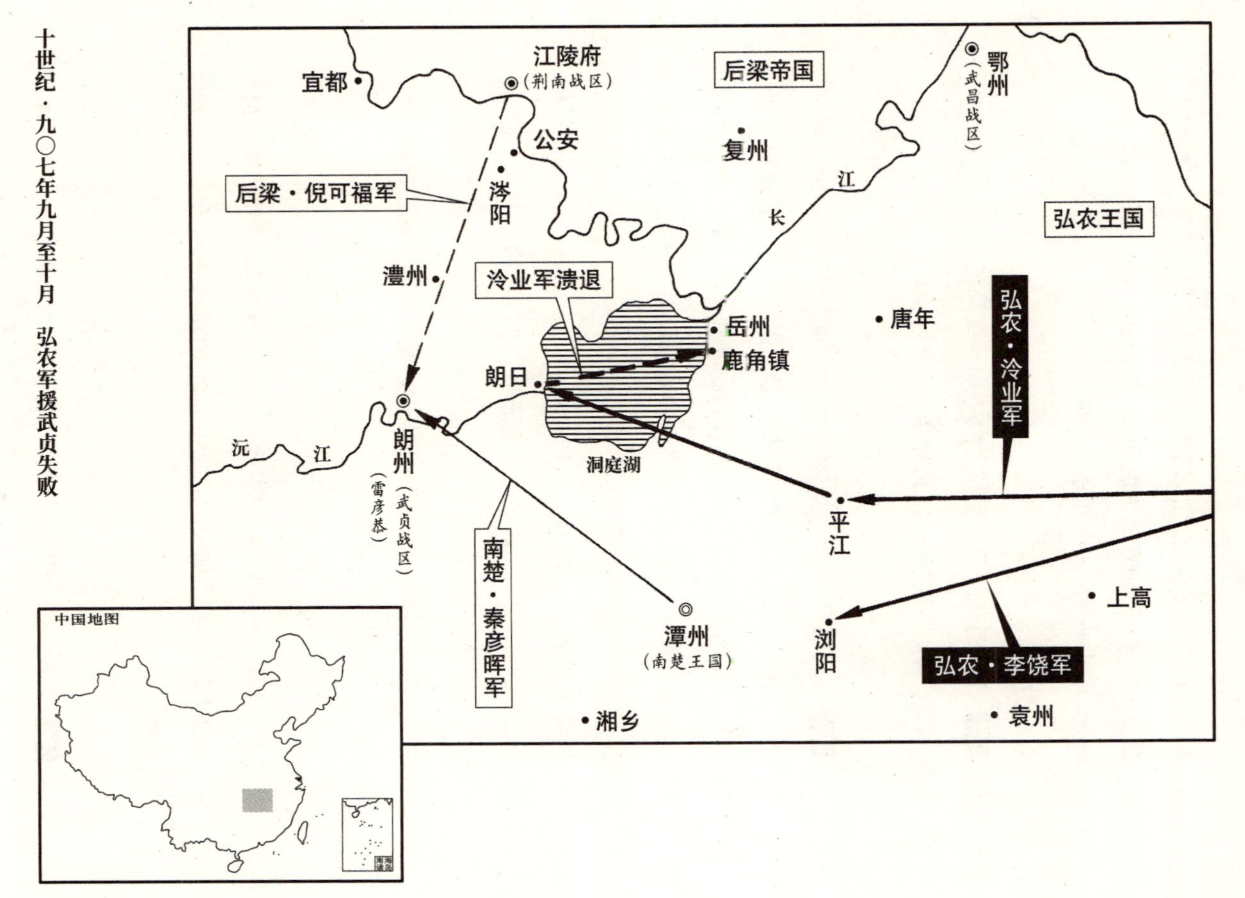

十世纪・九〇七年九月至十月　弘农军援武贞失败

阳（湖南省浏阳市）弘农军营，生擒李饶，然后大肆剽掠上高（江西省上高县）、唐年（湖北省崇阳县西南），大胜而回。把泠业、李饶绑赴长沙（首都潭州州政府所在县，湖南省长沙市）街市，斩首。

44 十一月十一日，后梁（首都开封府）夹马指挥官（夹马指挥使）尹皓，进攻晋国（首都太原府）江猪岭寨（山西省长子县西）。

45 义昌战区（总部设沧州〔河北省沧州市东南〕）司令官（节度使）刘守文，听到老弟刘守光把老爹刘仁恭囚禁起来的消息，召集将领及参谋人员，号啕大哭说："想不到我们家生出这种畜生，我生不如死，我们共立盟誓，出军讨伐！"于是率军攻击刘守光，双方互有胜负。

后梁天雄战区（总部设魏州〔河北省大名县〕）司令官（节度使）邺王罗绍威告诉他的部属说："刘守光走投无路，才归顺帝国（后梁），刘守文独守一城，孤立无援，我想用不着战事，就可以收服。"遂写信给刘守文，分析祸福利害。刘守文也怕后梁军队袭击他的背后，决定屈服。

十一月十五日，刘守文派使节向后梁请求投降，用他的儿子刘延祐当人质。后梁帝朱全忠（朱温）大喜，拍掌说："罗绍威一封信，胜过十万雄兵。"加授刘守文中央官衔：最高立法长（中书令·使相），接纳安抚。

46 最初，朱全忠（朱温）当唐王朝战区司令官（节度使）时，军法严厉残忍，将领如在战场阵亡，他所属的士卒，全部诛杀，谓之"拔队斩"，于是，一旦将领被杀，士卒多半四散逃亡，不敢回营。

朱全忠（朱温）遂命在士卒脸上刺出军队番号。有些官兵思念家乡逃走，关卡立刻就可分辨，逮捕送回原部队归案，全被处死，没有一人逃生，即令逃回乡里，乡里也不敢收容。因此，逃兵们只好逃到深山大泽，聚集起来打家劫舍，当起强盗，各州县政府无法应付。

十一月二十九日，朱全忠（朱温）下诏赦免这些人的罪，即令脸有刺青，也准许回乡定居。于是全国强盗减少十分之七八。

47 弘农（首都扬州）右翼大营总管理官（右都押牙）米志诚等，率军渡淮河北上，袭击后梁（首都开封府）颍州（安徽省阜阳市），攻克外城。州长张实坚守内城（子城）抵抗（张实原是庞勋部将，参考八六九年四月二十九日）。

48 晋王（首都太原府）李克用，命李存璋进攻晋州（山西省临汾市），用以纾解潞州（山西省长治市）所受的压力。

十二月十九日，后梁帝（一任太祖）朱全忠（朱温）下诏命护国（总部河中府）、保义（总部陕州）两战区出军增援。

49 十二月二十一日，朱全忠（朱温）下诏派步骑兵五千人增援颍州（安徽省阜阳市），米志诚等退走。

50 十二月二十四日，晋军（首都太原府）进攻洺州（河北省邯郸市永年区东南广府镇）。

51 弘农军（首都扬州）进攻信州（江西省上饶市），州长危仔倡向吴越（首都杭州）求救（危全讽命危仔倡占领信州，参考八八二年七月）。

小分裂

导读

《三国演义》这部伟大的历史小说第一句话是:“话说天下大势,分久必合,合久必分!”指出中国历史发展的循环性和呈现在外的规律性。实际上的运作情形是:政治黑暗、农村经济破产后,失去土地的农民及失去生活条件的商人及知识分子,结合在一起,用流血杀戮手段,消灭旧王朝,建立新王朝,直到另一波政治黑暗、农村经济破产出现。如此走马灯式的原地盘旋,政治理念(儒家的君圣臣贤)及经济结构(耕田种桑),也同样一直停在原地踏步,没有提升,也没有提升的冲动。我们祖先就在这种环境下过中国人的“盛世”或“乱世”、“统一”或“分裂”。

九世纪中叶以后,中国被军阀片片分割,中央不过一个橡皮图章,但直到十世纪九〇七年,朱全忠称帝,唐王朝消失,很多其他军阀不承认朱全忠所建的政权是新的中央,中国才正式出现分裂之局。比起纵跨四世纪〇〇年代到六世纪八〇年代漫长的大分裂,我们称这短短七十年的分裂为“小分裂”。小分裂不同于“五代”,中原五代被消除后,小分裂仍在,直到宋王朝再一次统一——那已超过了《资治通鉴》年限。

柏杨　一九九一·一二·一五

目录

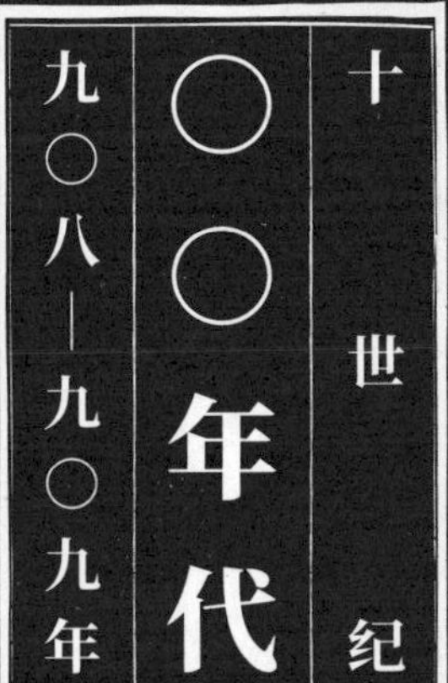

小分裂

- ◎ 后梁自大梁迁都洛阳。
- ◎ 诸国混战，惨不忍睹。

九〇八年 戊辰

后梁	开平	二年
晋	天祐	五年
岐	天祐	五年
弘农	天祐	五年
前蜀	天复	八年
	武成	元年
南楚	开平	二年
吴越	天宝	元年

1 春季，正月一日，前蜀帝国（首都成都府〔四川省成都市〕）皇帝（一任高祖）王建（本年六十二岁），登兴义楼。一位佛教和尚挖出一只眼珠呈献，作为祝福，王建大为感动，下令招待一万名和尚进餐回报。皇家文学研究官（翰林学士）张格说："小人物无缘无故伤害自己的身体，应该给他严重的处罚！现在赦免他、不处罚他，已经够他幸运的了，反而对他褒奖，就更伤风败俗。"王建才停止行动。

正月五日，王建命韦庄当副监督长（门下侍郎）、二级实质宰相（同平章事）。

正月九日，王建前往京师（首都成都府）南郊祭祀天神。

正月十日，王建下诏大赦，改年号武成（之前是天复八年，之后是武成元年）。

2 晋王（首都太原府〔山西省太原市〕）李克用头上生出毒疮，病势沉重。周德威（潞州援军总指挥官）等退军乱柳（山西省沁县东南。增援潞州事，参考去年〔九〇七〕六月）。李克用吩咐他的老弟、内外华洋总作战司令（内外蕃汉都知兵马使）、振武战区（总部设朔州〔山西省朔州市〕）司令官（节度使）李克宁，监军宦官（监军）张承业，大将李存璋、吴珙，机要秘书（掌书记）卢质，同心合力，辅佐他的儿子、晋州（山西省临汾市）州长（空头官衔。此时晋州属后梁〔首都开封府〕）李存勖继承王位。（司马光《考异》："《五代史阙文》说：'民间传说：李克用临死时，把三支箭交给李存勖，说："第一支箭讨伐刘仁恭，你如果不先攻克幽州，黄河以南不可能到手。第二支箭攻击契丹部落〔王庭西楼城〕，耶律阿保机跟我指天盟誓，结拜兄弟〔参考去年〔九〇七〕五月〕，誓死重建唐王朝，竟突然背盟，归附后梁〔首都开封府〕，你一定要击败他。第三支箭消灭朱温〔朱全忠〕，你能完成这三件事，我死而无恨。"李存勖把三支箭藏到李克用祭庙里。后来讨伐刘仁恭，命属官用少牢〔猪羊各一〕祭祀禀告后〔参考九一四年正月〕，取出一箭，装到锦绣箭袋之中，派近身将领背在身上，作为前锋。凯旋的那天，随着呈献俘虏的人头，把箭送回李克用的祭庙。讨伐契丹，消灭后梁，都用这个方法。'考察《旧五代史·契丹传》记载：'李存勖初继位时，曾派使节去契丹告哀，并贿赂黄金绸缎，请求派军解救潞州，契丹回答说：我跟前王〔李克用〕结拜成为兄弟，他的儿子就是我的儿子，哪有老爹不协助儿子的道理！允许派军。但不久潞州包围解除，才停止行动。'《广本》说：'刘守光被刘守文攻击，屡次向晋国求救，李存勖派军五千人增援。'据此，李存勖根本没有跟契丹和刘守光对立。所以有此传说，是后人在李存勖成功之后，杜撰李克用临终场景，夸耀李存勖少年英雄而已。"）李克用强调说："这孩子眼光远大，心胸宽阔，一定可以完成我的大事，你们要好好协助教导！"

正月十九日，李克用告诉李存勖说："嗣昭身陷孤城，危险万状（李嗣昭被困潞州，参考去年〔九〇七〕五月），我已来不及再见他一面，等到把我安葬完毕，你跟德威（周德威）们，要竭尽全力，急去援救！"又嘱咐李克宁等说："我把亚子托付给你们！"亚子，是李存勖的乳名。李克用说完，逝世（年五十三岁）。李克宁接管总部军政，无论内外，没有人敢乘机闹事。

李克宁长久以来，手握兵权，有兄终弟及、接替老哥官爵的可能性。当时，上党（潞州州政府所在县，山西省长治市）的包围，仍没有解除，官兵们认为李存勖年纪还轻（李存勖本年二十四岁），很多人交头接耳，私下议论，军心震荡不安。李存勖恐惧，把官爵让给叔父李克宁，李克宁说："你是嫡长子，理应继承，何况又有先王（李克用）的命令，谁敢违抗！"文武官员打算参见李存勖，李存勖正在灵柩前悲哀哭泣，不能马上出来，张承业到灵堂对李存勖说："最大的孝，是完成老爹的事业，光哭有什么用！"遂把李存勖扶出来，登上公堂，正式就任河东战区（总部设太原府〔山西省太原市〕）司令官（节度使）及晋王爵位。（胡三省注："张承业扶李存勖，好像张昭扶孙权〔参考二〇〇年二月〕。"）李克宁领先率各将领叩头祝贺，李存勖把总部的军政大事，全交给李克宁处理。

李存勖命李存璋当河东战区（总部设太原府〔山西省太原市〕）军城司令（河东军城使）、步骑兵总纠察官（马步都虞候）。李克用时代，信任胡人，放纵官兵战士，对他们欺压平民、掳掠街市，都尽量包容；李存璋接事之后，在蛮夷部落和军队战士中，找出最凶暴的人，全部诛杀，短短十天半月之间，城里的秩序，完全恢复正常。

3 吴越王（一任武肃王，首都杭州〔浙江省杭州市〕）钱镠（本年五十七岁。

镠，音liú〔流〕），派军进攻弘农（首都扬州）甘露镇（江苏省镇江市东北），用来纾解信州（江西省上饶市）所受的压力（弘农军队进攻信州，参考去年〔九〇七〕十二月）。

4 前蜀（首都成都府）最高立法长（中书令）王宗佶（甘宗佶），在所有义子里，年纪最大（《十国春秋·王宗佶传》：王建〔前蜀帝〕在忠武〔总部许州〕当兵时，掳掠到甘家小儿，遂收作义子，长大后建立不少功劳），仗恃他的功劳，专权蛮横，骄傲任性。唐道袭已升任帝国参谋总部指挥官（枢密使），王宗佶（甘宗佶）却仍呼唤他的名字，而不肯称他的官衔（唐王朝时，"枢密使"译作"宫廷机要室主任宦官"。五代十一国时代开始，很多官位名称依旧，职掌已改，性质也不相同，为了切合实际，改译新称。如"枢密使"一职，改由常人担任，专管军事，地位渐与宰相相等，有时甚至更高，参考九二三年四月），唐道袭深为痛恨，但表面上对王宗佶（甘宗佶）越发毕恭毕敬，小心谨慎。王宗佶（甘宗佶）交友广阔，聚朋结党，王建心里也十分厌恶。

二月三日，王建擢升王宗佶（甘宗佶）当太师（三师之一），剥夺他的军权。另命国务院财政部副部长（户部侍郎）张格当副立法长（中书侍郎）、二级实质宰相（同平章事）。张格当宰相后，处处逢迎王建的旨意，对于比自己有能力的人，一定千方百计把他排斥出去。

5 最初，晋王李克用收养很多军队中的勇士健儿，当作义子，对他们的宠爱和待遇，跟亲生儿子一样（李克用的义子，号称"义儿军"，参考八八四年五月）。现在，李存勖继承官爵，其他义子的年龄都比李存勖大，而且都手握军权，大家闷闷不乐，难以释怀，有的声称有病，在家疗养，有的看见新王也不行礼。李克宁手握大权，地位尊贵（他是李存勖的叔父），军心都盼望他能继承，义子李存颢（音hào〔浩〕）

暗中游说李克宁说："老哥逝世，老弟接替，自古以来就有这种情况。何况，叔父向侄儿叩头，在道理上怎么说得过去！上天交给你，你却拒绝，后悔时已来不及。"李克宁说："我们李家，世世代代以父慈子孝，闻名全国（李克用对老爹李国昌〔朱邪赤心〕至为孝顺）。先王（李克用）的功业只要能交给恰当的人继承，我还要求什么！你不要挑拨离间，看我砍下你的人头！"李克宁的妻子孟女士，性情刚愎强悍，各义子遂纷纷派妻子到李克宁家游说孟女士，孟女士同意，考虑到阴谋泄露，会招来大祸，所以不断压迫李克宁下手。李克宁性情软弱，被大家日夜包围煽动，不能不有点动心。而李克宁又跟张承业、李存璋的意见不合，屡次对二人讥诮斥责。不久，李克宁擅自诛杀总纠察官（都虞候）李存质。李克宁请求另行设立大同战区（大同战区于唐王朝末年撤销，并入河东战区〔总部太原府〕），由自己出任司令官（节度使），管辖蔚（河北省蔚县）、朔（山西省朔州市）、应（山西省应县）三州。李存勖都尊重他的决定。

李存颢等替李克宁设计：利用李存勖到他家的机会，发动政变，诛杀张承业、李存璋，拥护李克宁当战区司令官（节度使），献出河东战区（总部设太原府〔山西省太原市〕）的九个州府（太原府〔山西省太原市〕、辽〔山西省左权县〕、麟〔陕西省神木市〕、汾〔山西省汾阳市〕、石〔山西省吕梁市离石区〕、忻〔山西省忻州市〕、代〔山西省代县〕、岚〔山西省岚县〕、宪〔山西省娄烦县〕），投降后梁（首都开封府），生擒李存勖，连同太夫人（李克用妻）曹女士，解送大梁（后梁首都开封府所在城）。太原（山西省太原市）人史敬镕，从小追随李克用，在总部做事，很受宠爱信任。李克宁打算探知王府秘密，召见史敬镕，告诉他秘密计划。史敬镕表面上承诺合作，但一进王府，就报告曹女士，曹女士大惊失色，立刻召见张承业，指着李存勖对他说："先王（李克用）握着这孩子的手臂，交给你们，如果听到外面政变阴谋，想改变立场，只要把我们母子安置在一个地方就心满意足，不要送到大梁（后梁首都开封府所在城），其他不敢多求。”张承业惶恐说：“老奴即令一死，也执行先王（李克用）的命令，太夫人怎么说这种话？”李存勖把李克宁的阴谋告诉他，并且说：“骨肉至亲，不可以互相残杀，我如果辞职，大乱就可避免。”张承业说：“李克宁打算把大王母子投入虎口，如果不把他除掉，岂能安全。”于是召见李存璋、吴珙，及义子李存敬、总部常备军基地司令（长直军使）朱守殷，命他们暗中作反政变准备。

二月二十一日，李存勖在王府大庭摆设筵席，大宴各军将领，伏兵突起，就在座位上逮捕李克宁、李存颢。李存勖痛哭流涕数落李克宁说：“侄儿一开始就把官爵让给叔父，是叔父自己拒绝。而今，大事已定，为什么又用这种阴谋，忍心把我们母子交到仇人之手！”李克宁说：“这都是野心小人煽风点火，事到如此，我还能说什么。”当天（二月二十一日），斩李克宁及李存颢。

柏杨曰

政治上，一个人一旦成为抬轿夫锁定的目标，当作荣华富贵的资源，他想不被抬上轿，都不可能。古语云：“树欲静而风不息。”用以哀伤父母早逝，实际上被抬上轿的人，也有同感，“本无意于坐轿，而抬轿夫非抬不可”，结果他就只好上轿。抬轿夫暂时没有当老大的能力，所以希望别人当老大后，他当老二、老三。他们有四项法宝，一旦祭出，被抬的“金主”，就一定会乖乖上轿。这法宝其实也很简单，只要告诉老大：一、国家人民需要你；二、我们誓死效忠你；三、机不可失，上天眷顾你；最后一招是：如果你不识抬举，仍不肯上轿，莫怪俺弟兄们翻脸无情。

历史上也有过拒绝上轿的人，最激烈的是西蜀国王谯纵，他曾向一群抬轿夫下跪叩头，投水自杀（参考四〇五年二月），但在四箭齐发之下，仍不得不踉跄上轿。十世纪的李克宁和二十世纪的袁世凯亦然，折腾了一阵，仍在一群抬轿夫指挥棒下，轻移莲步，扭扭捏捏，坐上花轿。似乎只有一位英雄人物，拒绝成功，那就是曹操，他斥责劝他当皇帝的孙权说："这小子想教我坐到火炉上！"（参考二一九年十二月。）一个人如果把抬轿专家跟烧火炉专家看成一丘之貉，不要使欲望随便升级，不要太偏离正常的航道，不要一见轿屁股就先发痒，世界上自会减少很多丑剧、悲剧、闹剧。

6 二月二十二日，后梁帝（一任太祖）朱全忠（朱温，本年五十七岁）派人前往曹州（山东省菏泽市定陶区），用鸩酒毒死唐王朝末任帝（二十五任帝）李柷（李祚。年十七岁），追赠绰号：唐王朝哀皇帝。

7 二月二十三日，前蜀军（首都成都府）攻陷归州（湖北省秭归县），生擒州长张瑭。

8 二月三十日，后梁政府（首都开封府）命韩建当最高监督长（侍中），兼后勤总部总监（兼建昌宫使）。

9 后梁（首都开封府）特遣兵团总指战官（行营都统）李思安等，围攻潞州（山西省长治市）已久，不能攻克（自去年〔九〇七〕八月，为时七个月），士卒筋疲力尽，大量逃亡。晋国（首都太原府）援军仍驻扎余吾寨（山西省长治市屯留区西北）。朱全忠（朱温）怀疑李克用假装死亡，打算把围城大军召回，恐怕晋军（首都太原府）追击，考虑亲自前往泽州（山西省晋城市）接应班师，命匡国战区（总部设同州〔陕西省大荔县〕）司令官（节度使）刘知俊，率军直向泽州（山西省晋城市）。

三月一日，朱全忠（朱温）从大梁（首都开封府所在城）出发。

三月六日，朱全忠（朱温）抵达泽州（山西省晋城市）。

三月十日，刘知俊也抵达泽州（山西省晋城市）。

三月十一日，朱全忠（朱温）命刘知俊当潞州（山西省长治市）特遣兵团征剿司令（潞州行营招讨使）。

10 三月二十二日，后梁（首都开封府）副监督长（门下侍郎）、二级实质宰相（同平章事）张文蔚逝世。

11 后梁帝（一任太祖）朱全忠（朱温）因李思安一直没有功劳，将领却阵亡四十余人，士卒们阵亡也以万为单位计算。最后更紧闭营垒，改攻为守，朱全忠（朱温）派人召唤李思安到皇帝所在地（此时朱全忠在泽州）。

三月二十三日，朱全忠（朱温）下诏剥夺李思安所有官爵，押解返回原籍充当劳役；斩总监军官（监押）杨敏贞。

晋国（首都太原府）潞州（山西省长治市）守将李嗣昭，固守城池，已过一个年节，城里物资就要用完，李嗣昭曾在城楼宴请各将领，饮酒取乐，一支流箭射来，正射中李嗣昭的脚，李嗣昭不动声色，暗中把它拔下，在座的人都没有发现。朱全忠（朱温）好几次派使节携带诏书，送给李嗣昭，要他投降，李嗣昭都把诏书烧掉，把使节斩首。

朱全忠（朱温）在泽州（山西省晋城市）停留十余天，打算解除潞州（山西省长治市）包围班师；先派使节跟特遣兵团各将领商议，各将领认为：李克用已死，余吾寨（山西省长治市屯留区西北）晋国援军又要撤退，上党（潞州州政府所在县）一座孤城，内没有粮食，外没有救兵，势不能长久支持，建议再继续包围十天半月，观察变化。朱全忠（朱温）同意，命增加特遣兵团的粮草补给。刘知俊率精锐部队一万余人，向晋军发动攻击，杀戮及俘虏很多人，上疏朱全忠（朱温），请求留下来继续进攻上党（山西省长治市），建议朱全忠（朱温）先回京师（首都开封府）。朱全忠（朱温）考虑到关中（陕西省中部）空虚，恐怕岐国（首都凤翔府〔陕西省宝鸡市凤翔区〕）军队入侵同（陕西省大荔县）、华（陕西省渭南市华州区）二州，于是命刘知俊停止前进，先在长子（山西省长子县）休息十天，退驻晋州（山西省临汾市），等到五月，再返回本战区（匡国〔总部同州〕）。

12 前蜀（首都成都府）太师（三师之一）王宗佶（甘宗佶）自被免除宰相职务（参考本年〔九〇八〕二月三日），怨恨在心，暗中招募敢死队勇士，准备发动政变，上疏给前蜀帝（一任高祖）王建说："在公，我是帝国的高级官员；在私，我是陛下最年长的儿子；帝国祸福，跟我同步。现在，皇太子是谁，还没有决定，一定会成为动乱的根源。陛下如果认为宗懿（王建的次子）的才能，可以继承大业，最好早日册封，而由我担任元帅，统率全国所有武装部队。假如陛下认为世局仍动荡不安，恐怕宗懿年纪还小，难以承担，我怎么可以为了表示谦让，而拒绝负起更重大的责任！陛下既已面向南方，正式登极称帝，军队的事情，最好交给臣属。我建议由我设立元帅府，铸造六军印信，无论征讨调遣，都由我独断专行。皇太子在宫中早晚向陛下问安，我则在宫外统御大军，四周保护。万代的基业，就可以建立，请陛下裁定。"王建看了，勃然大怒，但仍忍了下来，没有发作；询问唐道袭的意见，唐道袭回答说："宗佶有很高威望，政

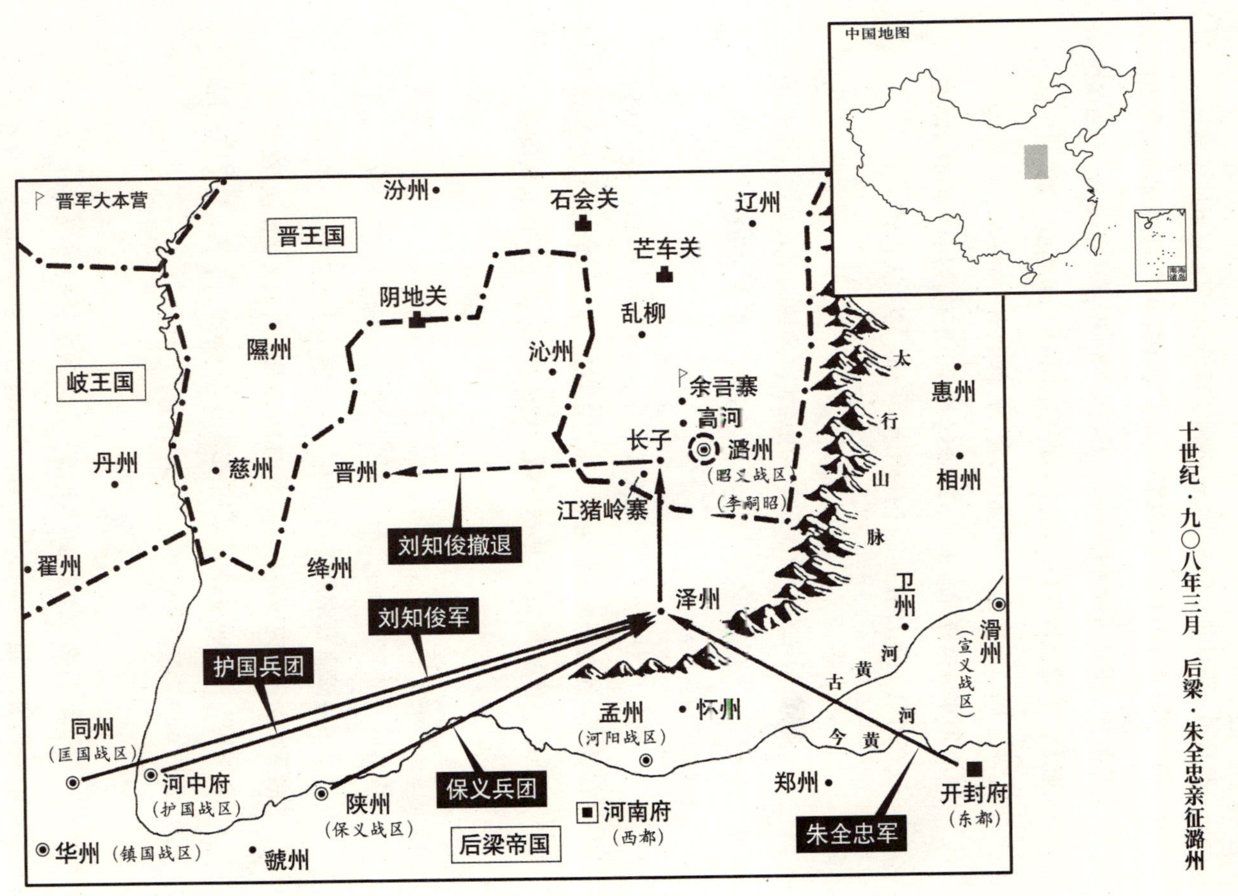

十世纪・九〇八年三月　后梁・朱全忠亲征潞州

府官员，都对他害怕，足可以统御所有将领。”王建更加怀疑。

三月二十八日，王宗佶（甘宗佶）入宫朝见，言辞和脸色，都凶暴傲慢，王建对他种种解释，王宗佶（甘宗佶）都听不进去，又拒绝退下，王建气得发抖，命卫士把王宗佶（甘宗佶）当庭扑杀。把他的党羽、副总监察官（御史中丞）郑骞，贬作维州（四川省理县）户籍官（司户），把军械供应部副部长（卫尉少卿）李钢，贬作汶川（四川省汶川县）县政府防卫员（尉）。在他们上任中途，王建下令二人自杀。

13 最初，前任晋王李克用逝世，周德威率大军在外地驻扎（退屯乱柳，参考本年〔九〇八〕正月），大家都猜疑不安。新晋王李存勖命周德威班师。

夏季，四月一日，周德威抵达晋阳（首都太原府所在县），把军队留在城外，独自一人步行进府，趴在李克用灵柩上痛哭，极为哀伤。退出后，晋见李存勖，毕恭毕敬，大家心里才放下一块石头落地。

14 四月三日，后梁（首都开封府）副监督长（门下侍郎）、二级实质宰相（同平章事）杨涉，被贬作国务院右最高执行长（右仆射）；中央另命国务院文官部副部长（吏部侍郎）于兢，当副立法长（中书侍郎）；命皇家文学研究院院长（翰林学士承旨）张策，当国务院司法部副部长（刑部侍郎）；二人同时兼二级实质宰相（同平章事）。于兢，是于琮的侄儿（于琮，曾任唐王朝宰相，参考八七二年二月）。

15 后梁（首都开封府）“夹寨”（后梁军大营，参考去年〔九〇七〕八月十二日）奏报说：“余吾寨（山西省长治市屯留区西北）晋军已经退走。”朱全忠（朱温）认为援军不可能再来，潞州（山西省长治市）一定可以攻克。

四月六日，朱全忠（朱温）从泽州（山西省晋城市）南还。

四月十二日，朱全忠（朱温）抵达大梁（首都开封府所在城）。后梁“夹寨”大军，认为胜利在即，也不再严密戒备。晋王（首都太原府）李存勖跟各将领商议说：“上党（潞州州政府所在县，山西省长治市），是河东（总部太原府）的屏障。没有上党（山西省长治市），就没有河东（总部太原府）。朱温（朱全忠）所畏惧的，只先王（李克用）一个人，听到我新近继位，准认为我不过一个少年，不懂带兵打仗，必然自傲自大。我们如果挑选一批精锐部队，强行军前进，作闪电进攻，出其不意，一定会把他们击破。传播声威，奠定霸业，就看这次，机会不可流失。”张承业也劝李存勖出动。于是李存勖派张承业及执行官（判官）王缄，向岐国（首都凤翔府〔陕西省宝鸡市凤翔区〕）请求发兵协助，又派使节馈送大批金银财宝给契丹部落（王庭西楼城〔内蒙古巴林左旗〕）酋长耶律阿保机，请求派骑兵支援。岐王（一任忠敬王）李茂贞（宋文通）年纪已老（本年五十三岁），军队衰弱，民穷财尽，无法呼应。李存勖扩大检阅所属官兵，命前昭义战区（总部设潞州〔山西省长治市〕）司令官（节度使）丁会（丁会归降，参考前年〔九〇六〕闰十二月）当总征剿司令（都招讨使）。

四月二十四日，丁会率周德威等从晋阳（首都太原府所在县）出发。

16 弘农（首都扬州〔江苏省扬州市〕）军队进攻后梁（首都开封府）所属的石首（湖北省石首市），后梁山南东道战区（总部设襄州〔湖北省襄阳市〕）派军迎战，在瀺港（石首市东北）把弘农军（首都扬州）击败。

弘农再派将领李厚（原孙儒部将，参考八九五年四月），率水军一万五千人，进攻后梁所属荆南战区（总部江陵府），高季昌（荆南〔总部江陵府〕司令官）迎战，在马头（湖北省荆州市长江南岸）把李厚击败。

17 四月二十九日，晋王（首都太原府）李存勖率大军南下，进抵黄碾（山西省长治市潞城区西北），距上党（山西省长治市）四十五华里。

五月一日，李存勖在三垂冈（潞城区西）下，设下埋伏。第二天（五月二日）凌晨，大雾弥漫，李存勖继续挺进，直到“夹寨”。“夹寨”根本没有斥候，将士们正蒙头大睡，还未起床，突然发现晋国军队涌到，全营立刻混乱。李存勖命周德威、李嗣源分兵两路，周德威攻“夹寨”西北角，李嗣源攻“夹寨”东北角，用土填平壕沟，纵火焚烧栅栏，战鼓雷鸣，呐喊声震动天地，士卒前仆后继，杀入“夹寨”；后梁军（首都开封府）霎时崩溃，向南逃命。征剿司令（招讨使）符道昭战马栽倒，被晋军格杀。后梁损失将校士卒以万为单位计算，抛弃的物资、粮食、武器，堆积如山。

周德威等直到潞州（山西省长治市）城下，招呼城楼上的守将李嗣昭说：“先王（李克用）已经逝世，今王（李存勖）亲自前来，攻破夹寨，盗匪（后梁军队）已经逃走，可以打开城门！”李嗣昭不相信（苦难太久的人，有权利不相信好消息），对左右说：“这个人一定被敌人俘虏，派他来骗我！”打算发箭射击，左右连忙劝住，李嗣昭说：“大王如果真的来了，能不能见面？”李存勖亲自到城下呼唤，李嗣昭看见李存勖身穿白盔白甲，知道李克用已死，悲恸哀号，几乎昏厥，满城痛哭，遂开城门。最初，周德威跟李嗣昭不睦，李克用临死时，对李存勖说：“进通忠孝双全，我爱他最深，可是到今天仍不能解围，难道德威忘不了旧怨，不肯竭力援救？你把我的意思告诉德威。潞州（山西省长治市）包围不解除，我死也不能闭眼。”进通，是李嗣昭的乳名。李存勖转告周德威，周德威感动流泪，“夹寨”之战，奋勇无匹。跟李嗣昭见面后，二人重新和好。

康怀贞（后梁〔首都开封府〕将领）自天井关（山西省晋城市南）率骑兵

一百余人逃回。朱全忠（朱温）听说“夹寨”失守，大为震惊，待了一会，叹息道：“生儿子当像李亚子（李存勖的乳名），李克用可以说还没有死；至于我的儿子，一群笨猪而已（这是曹操称赞孙权语，参考二一三年正月）。”下诏各地收容逃兵，妥行安顿。

周德威、李存璋乘胜直扑泽州（山西省晋城市），后梁任命的州长王班，一向被人痛恨，军民都不听从差遣。龙虎军（禁军第三、四军，原总部左、右常备队改）统军（正三品）牛存节，自西都（河南府，河南省洛阳市）率军北上接应“夹寨”残兵败将，到达天井关（山西省晋城市南），对部众说：“泽州（山西省晋城市）是险要之地，不可以丧失，虽然没有皇上命令，也应援救。”大家都不同意，说：“晋军（首都太原府）锐不可当，而且我们人数又少，寡不敌众！”牛存节说：“看见朋友危险而不救，违反正义。畏惧敌人强大而逃避，不是勇士。”扬起马鞭，率领大家北进。抵达泽州（山西省晋城市），城里居民已到处纵火，奔走喊叫，打算迎接晋国大军，王班紧闭内城（牙城）城门防守；牛存节到后，秩序才恢复。晋军不久抵达，沿着城墙挖掘地道进攻，牛存节日夜抵抗，凡十三天，刘知俊（后梁〔首都开封府〕将领）自晋州（山西省临汾市）率军增援，周德威烧掉攻城武器，退守高平（山西省高平市）。

晋王李存勖返回晋阳（首都太原府所在县，山西省太原市），让官兵休息，并论功行赏。命周德威当振武战区（总部设朔州〔山西省朔州市〕）司令官（节度使），遥兼二级宰相（同平章事·使相）。李存勖下令州政府推荐贤能人才，罢黜贪官污吏，减少赋税，安抚贫苦，伸冤救屈，禁止奸淫偷盗，全国秩序井井有条。只因河东（山西省）地方太小，军队也太少，于是加强官兵军事训练。李存勖下令：骑兵一律步行，不见敌人，不准骑马；任务分配决定后，应各自遵守，不可以超过界限，不可以交换工作，不可以随意逗留，不可以躲避危险；分兵数路前进时，会师时间不准耽误十五分钟以上，如有违犯，一律斩首，军令森严，所以不久就吞并山东（太行山以东），占领河南（黄河以南），都由于部队全属精锐的缘故（李存勖谨遵休养生息政策，参考九〇二年三月）。

当初，李克用诛杀王行瑜（参考八九五年十一月），唐王朝皇帝（二十二任昭宗）李晔（李敏）特别授权给他，准许他用皇帝名义任官封爵。当时，很多战区道都有这项特权，经常发布墨写诏书，李克用认为自己如果也跟大家一样，并不光荣，所以每次任命官吏，一定奏报中央。而到现在，李存勖才开始用皇帝名义委派州长。

李存勖对监军宦官张承业，感激至深，当作老哥一般敬爱，每次到张宅，都去后堂叩见张承业的娘亲，馈赠、赏赐，十分优厚。

潞州（山西省长治市）被包围一年有余，人民冻死、饿死大半，街市巷里，人迹稀少，一片萧条。李嗣昭（昭义〔总部潞州〕司令官）推动农耕，鼓励养蚕，减少租税，延缓缴纳日期，放宽刑罚，几年之后，终于恢复往日繁荣。

18 南楚（首都潭州〔湖南省长沙市〕）所属静江战区（总部设桂州〔广西桂林市〕）司令官（节度使）、遥兼二级宰相（同平章事 · 使相）李琼逝世（李琼守静江，参考九〇〇年十月）。南楚王（一任武穆王）马殷（本年五十七岁）派他的老弟、永州（湖南省永州市）州长马存，代理桂州（广西桂林市）州长。

19 五月二日，后梁（首都开封府）把忠武战区（总部许州〔河南省许昌市〕）改名匡国战区。把匡国战区（总部设同州〔陕西省大荔县〕）改名忠武战区（两战区名称对调，不知道为什么原因，多此一举）。把保义战区（总部设陕州〔河南省三门峡市〕）改名镇国战区。

20 五月五日，南楚（首都潭州）军队攻击弘农（首都扬州）所属的鄂州（湖北省武汉市），代理州长秦裴把他们击破。

21 弘农（首都扬州）淮南（总部扬州）总部警备队左翼指挥官（左牙指挥使）张颢、右翼指挥官（右牙指挥使）徐温，联合控制军政大权，弘农王（威王）杨渥愤愤不平，打算把二人排除，却又没有这个力量。二人也知道所面对的危机，心情不安，于是秘密商议处置杨渥，然后瓜分弘农（首都扬州），向后梁（首都开封府）称臣。

五月八日，张颢派他的部属纪祥等，冲进杨渥卧室，格杀杨渥（年二十三岁），二人向外宣布杨渥急病逝世。

五月九日，张颢在王府大厅集合文武百官，武装士卒夹道而立，弓上弦、刀出鞘，中庭及公堂全部戒备，命各将领把所有卫士侍从，都留在外面，然后进去。张颢声色俱厉，问道："大王（杨渥）已死，总部军政，应由谁主持？"连问三次，没有人回答，张颢怒不可遏。幕僚官严可求走上去，向张颢秘密报告说："总部军政的责任，十分重大，四面边疆又随时会受攻击，当然非你主持不可。可是现在就作决定，恐怕太过仓猝。"张颢说："为什么仓猝？"严可求说："刘威（庐州州长）、陶雅（歙州州长）、李遇（宣州州长）、李简（常州州长），镇守各地，跟先王（杨行密）都是平起平坐的朋友，你今天如果自立为王，他们肯不肯当你的部属？不如拥护一位幼年领袖，而由你当他的辅佐，将领们谁敢反对？"张颢沉默很久。严可求屏除左右侍从，振笔疾书，写了一张纸，放到袖子里，然后指挥同僚一起前去王府道贺，大家不知道他干什么。到了王府，严可求把那张纸拿出来，跪下来宣称，原来是杨渥娘亲史太夫人的命令，大意说：“先王（杨行密）创造大业，历经艰难；嗣王（杨渥）又不幸早逝，他的弟弟隆演（杨行密次子），依照顺序，应该继位，各位将领不要辜负杨家旧恩，请辅佐引导！”主题十分清楚，张颢面色苍白，心情沮丧，但因严可求义正词严，也不敢反对。于是一致拥护杨渥的老弟杨隆演（本年十二岁）当淮南战区（总部设扬州〔江苏省扬州市〕）候补司令官（留后）、东方军团总指战官（东面诸道行营都统）。典礼过后，副总指战官（副都统）朱瑾去严可求住的地方，说：“我十六七岁就骑马挥戈，面对大敌，冲锋陷阵，从来不知道什么是害怕。今天对着张颢，却汗流浃背。你当面顶撞冒犯，用道理使他折服，从容不迫，好像他根本不存在，这才知道，我只不过匹夫之勇，跟你相差太远！”遂把严可求当作兄长尊敬。

张颢命徐温当浙西道（首府设润州〔江苏省镇江市）行政长官（观察使），出镇润州（江苏省镇江市）。严可求警告徐温说：“你放弃总部警备队（牙兵）而去地方政府当官，张颢一定会把谋杀领袖的罪状扣到你头上！”徐温震惊说：“那怎么办？”严可求说：“张颢性情刚愎，不明事理，而又一意孤行。你如果接受我的意见，我当替你设法。”当时，副司令官（副使）李承嗣，也参与总部军政决策，严可求游说李承嗣，说：“张颢凶恶到如此地步，又把徐温外放，恐怕他心里不仅对付徐温一人而已，恐怕对你也没有好处。”李承嗣完全同意。严可求晋见张颢说：“你让徐温出去到外地任职，大家议论纷纷，都认为你打算夺取他的军权，把他杀掉，人言可畏，使人恐惧。”张颢说：“是徐温自己要求外放，根本不是我的意思。而且命令已经发表，有什么办法！”严可求说：“要想改变容易得很！”第二天，严可求邀请张颢、李承嗣，一同探望徐温，严可求瞪大眼睛，向徐温咆哮道：“古人连一顿饭的恩德，都不忘记，何况你是杨家的老将！现在，杨家幼主（杨隆演）刚刚登位，正是多事的日子，你却只为自己打算，逃到外地逍遥快乐，是不是过分？”徐温道歉说：“如果各位包容，我怎么敢只顾自己。”这才没有动身。

张颢不久就发现严可求暗中协助徐温，于是派杀手于夜晚行刺，当杀手突然在严可求面前出现时，严可求知道他无法逃生，请求准许他写信向杨隆演告辞，杀手答应，严可求在钢刀压颈下，毫不畏惧，提笔直书。杀手认识字句，看到措辞忠烈悲壮，说：“你是忠厚长者，我不忍心下手！”只把严可求的财宝掠夺复命，说：“找不到这个人！”张颢大怒说：“我要的是严可求的人头，财宝有什么用！”

徐温跟严可求阴谋铲除张颢，严可求说：“非钟泰章不可。”钟泰章，是合肥（安徽省合肥市）人，当时当左监门（卫军第十三军）将军。徐温命亲军将领翟虔告诉钟泰章，钟泰章接到命令，大为欣喜，秘密集结勇士三十人，夜晚，刺出鲜血滴到酒里，大家共饮血酒，作为盟誓。

五月十七日，早上，钟泰章一直冲进警备队右翼大营（牙堂），砍下张颢以及张颢亲近官员的人头。徐温遂宣布张颢谋杀领袖的罪状，逮捕凶手纪祥，用五马分尸酷刑在街市闹区处死。徐温率文武百官前往西宫晋见史太夫人（杨行密妻子），史太夫人恐惧，大哭说：“我儿（杨渥）年纪还小，竟遭到滔天大祸，只求让杨姓百口之家，平安返回庐州（杨行密故乡，安徽省合肥市），是你最大恩德。”徐温说：“张颢谋杀君王，不能不死，太夫人应该安心！”最初，徐温

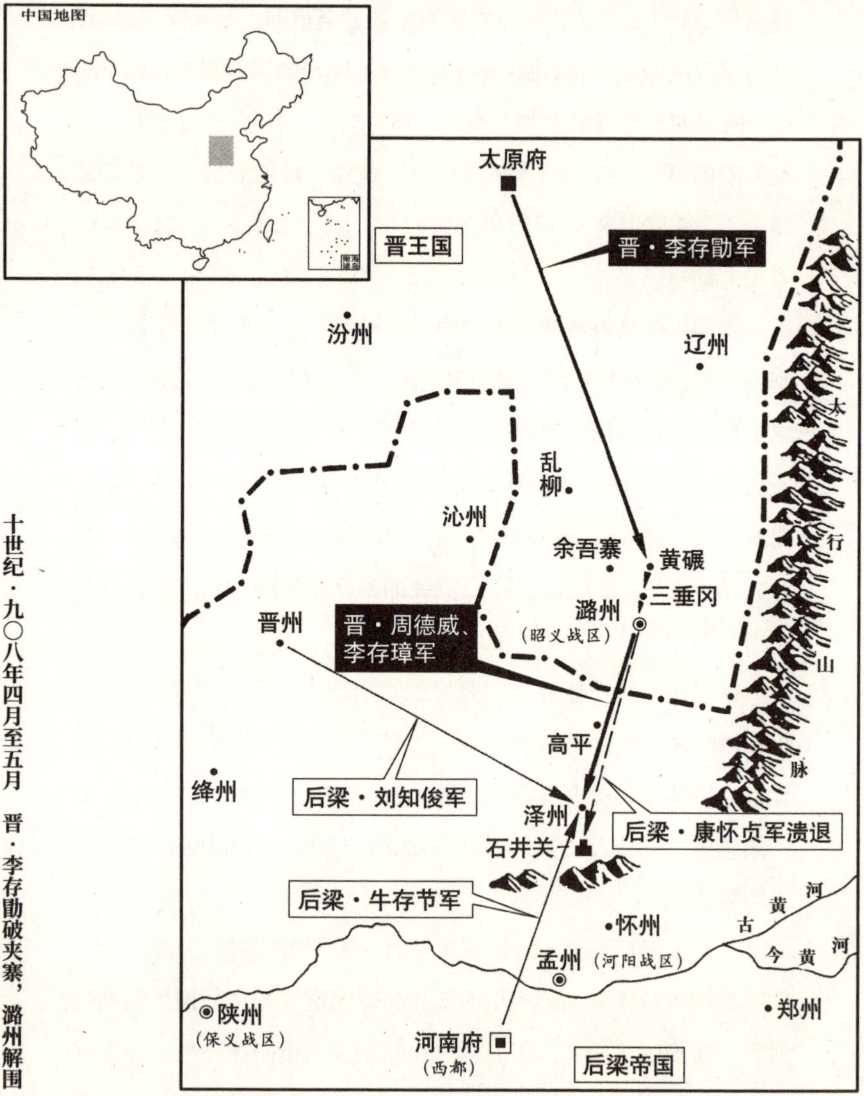

十世纪·九〇八年四月至五月　晋·李存勖破夹寨，潞州解围

中国地图

太原府
晋·李存勖军
晋王国
汾州
辽州
乱柳
沁州
余吾寨
黄碾
三垂冈
潞州
（昭义战区）
晋州
晋·周德威、李存璋军
太行山脉
高平
绛州
后梁·刘知俊军
泽州
后梁·康怀贞军溃退
石井关
后梁·牛存节军
怀州
古黄河
今黄河
孟州
（河阳战区）
陕州
（保义战区）
郑州
河南府
（西都）
后梁帝国

跟张颢一起计划诛杀杨渥，徐温说："警备队左右翼混合编组，行动起来，恐怕不能一条心，不如单用我的部队。"张颢反对，徐温说："那么，单用你的部队。"张颢同意。现在，彻查逆党，都是警备队左翼的士卒，因此人们都认为徐温实不知道张颢的阴谋。杨隆演遂命徐温当左右警备队总指挥官（左右牙都指挥使），总部军政大事，遂由徐温全权决定。又命严可求当扬州（江苏省扬州市）军务秘书长（扬州司马）。

徐温性情沉默刚毅，生活简单节俭，虽然不认识字，但命助理员把犯人口供读给他听，由他判决时，都合情合理。先前，张颢当权，刑罚残酷，又放纵士卒到街巷乡里剽掠抢夺。现在，徐温对严可求说："大事已经底定，我盼望跟各位共同推行仁政，使人民晚上都能脱下衣服，安心睡觉。"于是颁布法令，禁止掠夺，依照重点及预定计划，逐渐实施，军民生活日益安定。（大黑暗时代，徐温是少数善良的政治领袖之一。）徐温把军事交给严可求，把财政经济交给财务官（支计官）骆知祥，都能胜任愉快，弘农（首都扬州）人称之为"严骆"。

22 五月十九日，契丹部落（王庭西楼城〔内蒙古巴林古旗〕）酋长耶律阿保机派使节随着高颀（音qí〔其〕），前来后梁（首都开封府）进贡（高颀报聘契丹，参考去年〔九〇七〕五月），并请求册封王位。后梁帝（一任太祖）朱全忠（朱温）派农林部长（司农卿）浑特，携带朱全忠（朱温）亲笔书写的诏书，再往报聘，约定共同消灭沙陀（晋王〔首都太原府〕李克用、李存勖所属部族）之后，再行册封。

23 五月二十二日，后梁（首都开封府）"夹寨"溃败的高级将领，前往宫门请求处罚，朱全忠（朱温）下令全部赦免，另行赏赐牛存节保全泽州（山西省晋城市）的功劳，擢升他当六军步骑兵总指挥官（六军马步都指挥使）。

24 武贞战区（总部设朗州〔湖南省常德市〕）司令官（节度使）雷彦恭，环绕着朗州（湖南省常德市）城墙，挖掘河道，把沅江（洞庭湖支流，流经朗州城南）的水引进去，加强防守。秦彦晖（南楚〔首都潭州〕将领）紧闭营门，一个月有余，不出军攻击，雷彦恭的防范因此稍微懈怠，秦彦晖遂派初级将领（裨将）曹德昌，率勇士于夜晚自水洞进入城里，然后在城里放火，内外呼应，城里军民霎时混乱，秦彦晖军队大声呐喊，鼓声震天，攻破朗州（湖南省常德市）城门，杀进城里。雷彦恭乘轻快小艇，逃奔广陵（江苏省扬州市。八八一年十二月，雷满据朗州，传子雷彦威、雷彦恭，共三任，前后二十八年而亡）。秦彦晖生擒雷彦恭的老弟雷彦雄，押送大梁（后梁首都开封府所在城，河南省开封市）。弘农政府（首都扬州）任命雷彦恭当淮南（总部扬州）副司令官（副使）。先前，澧州（湖南省澧县。澧，音〔李〕）州长向瓌，跟雷彦恭互相帮助，现在，也投降南楚（八八一年十二月，向瓌据澧州，前后二十八年），南楚（首都潭州）开始据有朗（湖南省常德市）、澧（湖南省澧县）二州。

25 前蜀帝（一任高祖）王建，派将领率军会同岐国（首都凤翔府）军队五万人，进攻后梁（首都开封府）所属大安府（陕西省西安市），晋国（首都太原府）大将张承业率军在东方应援。

六月三日，后梁帝（一任太祖）朱全忠（朱温）命刘知俊当西方军团总征剿司令（西路行营都招讨使），率军阻截。

26 后梁（首都开封府）金吾（卫军第十一、十二军）上将军（从二品）王师范（前平卢〔总部青州〕司令官，降朱全忠，参考九〇三年九月二十一日），家住洛阳（西都河南府所在县，河南省洛阳市）。朱友宁的妻子向朱全忠（朱温）哭诉说："陛下化家为国，家人都蒙荣耀和恩宠。只有我丈夫最可怜不幸，因王师范叛变，死在战场（参考九〇三年六月七日），而今大仇还没有报，实在悲痛。"朱全忠（朱温）说："我几乎忘记这个蠡贼！"

六月十日，朱全忠（朱温）派使节前往洛阳（河南省洛阳市）诛杀王师范全家。使节先在王家住宅旁边，挖掘一个深坑，然后宣读朱全忠（朱温）的诏书。王师范摆设盛大酒席，跟家人排排就座，对使节说："死，没有一个人可以避免，何况有罪！我不愿尸首杂乱堆积，应该依照长幼次序！"开始饮酒之后，命先从儿童开始，从幼到老，逐一押到坑边斩首，共诛杀二百人（王师范年三十五岁）。

27 六月十七日，后梁（首都开封府）刘知俊及佑国战区（总部设大安府〔陕西省西安市〕）司令官（节度使）王重师，在幕谷（陕西省乾县北）大破岐国（首都凤翔府）军队。晋国（首都太原府）及前蜀（首都成都府）军队，各自撤退。

28 前蜀帝（一任高祖）王建封遂王王宗懿当太子。

29 后梁帝（一任太祖）朱全忠（朱温）打算亲自率军进攻潞州（山西省长治市）。

六月二十八日，朱全忠（朱温）下诏集结各战区道野战军。

30 南楚（首都潭州）执行官（判官）高郁，建议南楚王（一任武穆王）马殷，准许人民自由到北方（指后梁帝国）贩卖茶叶，政府从中征收捐税，用来供应军队；马殷接受。

秋季，七月，马殷上疏后梁帝（一任太祖）朱全忠（朱温），要求在汴（开封府，河南省开封市）、荆（江陵府，湖北省江陵县）、襄（湖北省襄阳市）、唐（河南省唐河县，此时应称泌州）、郢（湖北省钟祥市）、复（湖北省天门市）等州，设置贸易站（回图务），把茶叶运到黄河南北，卖掉后购买绸缎或马匹而回，并每年向后梁（首都开封府）进贡茶叶二十五万斤；朱全忠（朱温）下诏批准。南楚（首都潭州）因此富庶。

31 七月三日，弘农（首都扬州）各将领向李俨（张俨，唐王朝派驻淮南〔总部扬州〕宣抚特使，参考九〇二年十月）请示，由李俨（张俨）以唐王朝皇帝名义，任命杨隆演当淮南战区（总部设扬州〔江苏省扬州市〕）司令官（节度使）、东方军团总指战官（东面诸道行营都统），遥兼二级宰相（同平章事·使相），封弘农王。

钟泰章是诛杀张颢的主角，但所得到的赏赐却很少，不过钟泰章从来不说话。一年以后，喝醉了酒，跟其他将领发生争吵，提到这件事。于是，有人向左右警备队总指挥官（左右牙兵都指挥使）徐温告密，认为钟泰章抱怨不满，建议处死。徐温说："这是我的错！"擢升钟泰章当滁州（安徽省滁州市）州长。

32 八月，吴越王（一任武肃王）钱镠，派宁国战区（总部设宣州〔安徽省宣城市〕）司令官（空头官衔。此时宁国属弘农〔首都扬州〕）王景仁，携带奏章前往大梁（后梁首都开封府所在城），呈献进攻弘农（首都扬州）计划。王景仁本名王茂章（王茂章投奔杭州并改姓名，参考前年〔九〇六〕正月），因后梁帝（一任太祖）朱全忠（朱温）曾祖父名朱茂琳，避讳“茂”字，改名王景仁。

弘农（首都扬州）派步兵总指挥官（步军都指挥使）周本、南方联军司令（南面统军使）吕师造，进攻吴越（首都杭州）。

九月，弘农（首都扬州）军队包围苏州（江苏省苏州市）。吴越（首都杭州）将领张仁保反攻常州（江苏省常州市）的东洲（江苏省常州市东南），攻克，杀弘农士卒一万余人。弘农（首都扬州）命池州（安徽省池州市贵池区）民兵司令（团练使）陈璋，当水陆混合兵团总征剿司令（水陆行营都招讨使），率将领柴再用等，反攻东洲（江苏省常州市东南），在鱼荡（太湖湖畔）大破张仁保，收复东洲（江苏省常州市东南）。柴再用正作战的时候，所乘的舰身，突然解体，幸而有一根长矛浮在水面，柴再用抓住它，勉强爬到岸上。家人特地施舍一千位和尚的斋饭，作为回报，柴再用把菜饭都犒赏他的部众，说：“救我命的是我的战友，和尚有什么功劳？”

33 九月八日，前蜀帝（一任高祖）王建，封周女士当皇后。周皇后是许州（河南省许昌市）人。

34 晋国（首都太原府）将领周德威、李嗣昭，率军三万人，从阴地关（山西省灵石县西南南关镇）出发，进攻后梁（首都开封府）晋州（山西省临汾市），州长徐怀玉坚守城池。后梁帝（一任太祖）朱全忠（朱温）亲自率军增援。

九月九日，朱全忠（朱温）从大梁（首都开封府所在城）出发。

九月十七日，朱全忠（朱温）抵达陕州（河南省三门峡市）。

九月二十日，岐国（首都凤翔府〔陕西省宝鸡市凤翔区〕）所属保塞战区（总部设延州〔陕西省延安市〕）司令官（节度使）胡敬璋，进攻上平关（山西省石楼县西北四十五公里黄河东岸)，刘知俊(后梁〔首都开封府〕将领)把胡敬璋击破。周德威等听到朱全忠(朱温)大军就要到达消息，急行撤退。

九月二十七日，周德威等撤退到隰州(山西省隰县)。

35 后梁(首都开封府)所属荆南战区(总部设江陵府〔湖北省江陵县〕)司令官(节度使)高季昌，派军进驻汉口(汉水注入长江处，湖北省武汉市汉水北岸)，切断南楚(首都潭州)向后梁(首都开封府)朝贡的道路。南楚王(一任武穆王)马殷派他的将领许德勋率水军反击，抵达沙头(湖北省荆州市)，高季昌恐惧，请求和解。

马殷又派步兵总指挥官(步军都指挥使)吕师周，率军攻击岭南(南岭以南。吕师周原是弘农将领，参考去年〔九〇七〕正月)，跟清海战区(总部设广州〔广东省广州市〕)司令官(节度使)刘隐会战十余次，占领昭(广西平乐县)、贺(广西贺州市)、梧(广西梧州市)、蒙(广西蒙山县)、龚(广西平南县)、富(广西昭平县)等六州，南楚(首都潭州)疆土大为扩张，马殷决定使军队和平民都长期休养，南楚(首都潭州)遂得安定。

36 冬季，十月，前蜀帝(一任高祖)王建，封宫女张女士当贵妃，徐女士当贤妃，她妹妹小徐女士当德妃。张贵妃，是郪县(梓州州政府所在县，四川省三台县)人，太子王宗懿的娘亲。大小徐女士，是徐耕的女儿(徐耕守成都救活数千人，参考八九一年四月)。

37 后梁(首都开封府)华原(陕西省铜川市耀州区)变民首领温韬，在嵯峨山(位于陕西省泾阳、淳化、三原三县交界处)，聚众起兵，剽掠大安府(陕西省西安市)所属各县，凶暴残忍，境内唐王朝皇帝的坟墓，几乎都被挖掘。

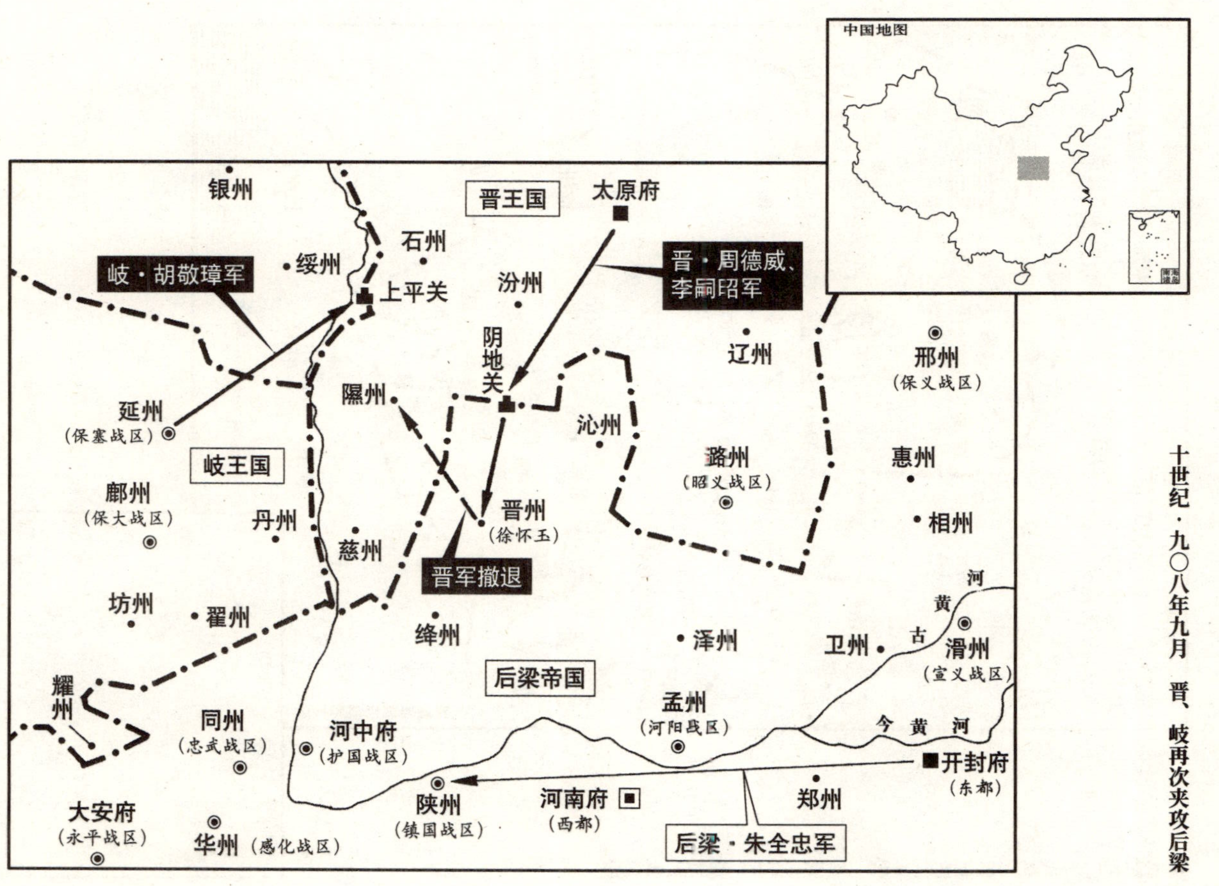

十世纪·九〇八年九月　晋、岐再次夹攻后梁

九世纪九〇年代至十世纪四〇年代　武安（南楚）疆域扩张总图

通州
万州
归州
郢州
渠州
长
江
峡州
复州
忠州
施州
江陵府
（荆南战区）
鄂州
（武昌战区）
渝州
涪州
澧州
黔州
（武泰战区）
朗州（武贞战区）
(908.5)
岳州
(907.6)
溪州
(940.1)
洞庭湖
辰州
(912.2)
潭州
〔长沙府〕（武安战区）
湘
沅
梅
山
水
夷州
播州
锦州
(940.1)
奖州
(940.1)
牂州
溆州
(912.2)
邵州
〔敏州〕
(896/897)
衡州
(898.5)
都云州
南宁州
羁縻地区
(943.12)
〔全州〕
永州
(898.5)
郴州
〔敦州〕
(899.11)
〔溥州〕
道州 (899.7)
温那州
融州
桂州
〔静江战区〕
(900.10)
连州
(899.11)
韶州
宜州
柳州
昭州
贺州
象州
岩州
〔恩化州〕
思唐州
蒙州
富州
(908.9)
芝州
梧州
广州
（清海战区）
龚州
西
江
邕州
（建武战区）
横州
容州
（宁远战区）
恩州
廉州
高州

〔〕内为南楚自设或改名之州

中国地图

38 十月十二日，前蜀帝（一任高祖）王建，在星宿山（成都市北十公里）举行盛大阅兵，参加的步骑兵总数高达三十万人。

39 十月十九日，后梁帝（一任太祖）朱全忠（朱温）回到大梁（首都开封府所在城）。

十月二十三日，朱全忠（朱温）任命刘隐当清海战区（总部设广州〔广东省广州市〕）兼静海战区（总部设安南府〔越南河内市〕）司令官（节度使。此时，静海为曲颢割据，参考去年〔九〇七〕七月）。派国务院教育部供品司司长（膳部郎中）赵光裔、初级立法官（右补阙）李殷衡，充当钦差大臣，送中央任命状到广州（广东省广州市），刘隐留下二人，不放回去。赵光裔，是赵光逢的老弟（赵光逢，参考去年〔九〇七〕三月）。李殷衡，是李德裕的孙儿（李德裕，唐王朝李党首领，参考八二一年三月）。

40 依政县（四川省邛崃市东南二十五公里羊安街道）进士梁震，于唐王朝末年，进士科考试及格（“登第”“及第”），现在返回蜀中（此时是前蜀帝国版图）；路过江陵（湖北省江陵县），高季昌（荆南〔总部江陵府〕司令官）赏识他的才干和见识，勉强他留下来，打算上疏任命他当执行官（判官），梁震认为当高季昌的部属是一种耻辱（高季昌是奴仆出身，参考九〇二年九月）；但又不敢强行离开，恐怕招来大祸，于是说：“我从来不想当官，如果你不认为我是一个愚人，一定要我参与政事讨论，我愿以平民身份参与，不必非有官衔不可。”高季昌同意。梁震终身都自称“前进士”（前唐王朝进士），不接受高季昌父子的官职。高季昌对他十分尊敬，当作首席智囊，称呼他“先辈”（唐王朝对进士称呼“先辈”）。

41 后梁帝（一任太祖）朱全忠（朱温）接受吴越王（一任武肃王）钱镠的请求，派亳州（安徽省亳州市）民兵司令（团练使）寇彦卿，当东南方面军总指挥官（东南面行营都指挥使），进攻弘农（首都扬州）。

十一月，寇彦卿率部众二千人进攻霍丘（安徽省霍邱县），被地方武装团队首领朱景击败。寇彦卿又进攻庐（安徽省合肥市）、寿（安徽省寿县）二州，都不能取胜。弘农（首都扬州）派滁州（安徽省滁州市）州长史俨迎战（史俨是河东〔总部太原府〕名将，参考八九七年二月），寇彦卿退走。

42 后梁（首都开封府）定难战区（总部设夏州〔陕西省靖边县北白城则村〕）司令官（节度使）李思谏（拓跋思谏）逝世（李思谏，参考八九五年八月）。

十一月六日，李思谏（拓跋思谏）的儿子李彝昌自称候补司令官（留后）。

43 刘守文（义昌〔总部沧州〕司令官）出动沧（河北省沧州市东南）、德（山东省德州市陵城区）二州所有军队，进攻幽州（北京市）。刘守光（卢龙〔总部幽州〕司令官）向晋国（首都太原府）求救，晋王李存勖派士卒五千人增援。

十一月十九日，刘守文军队推进到芦台军（天津市宁河区），被刘守光击败。刘守文又在玉田（河北省玉田县）会战，也被刘守光击败；刘守文撤退。

44 十一月二十五日，后梁（首都开封府）副立法长（中书侍郎）、二级实质宰相（同平章事）张策，以国务院司法部长（刑部尚书）名义退休。后梁帝朱全忠（朱温）命国务院左最高执行长（左仆射）杨涉，兼

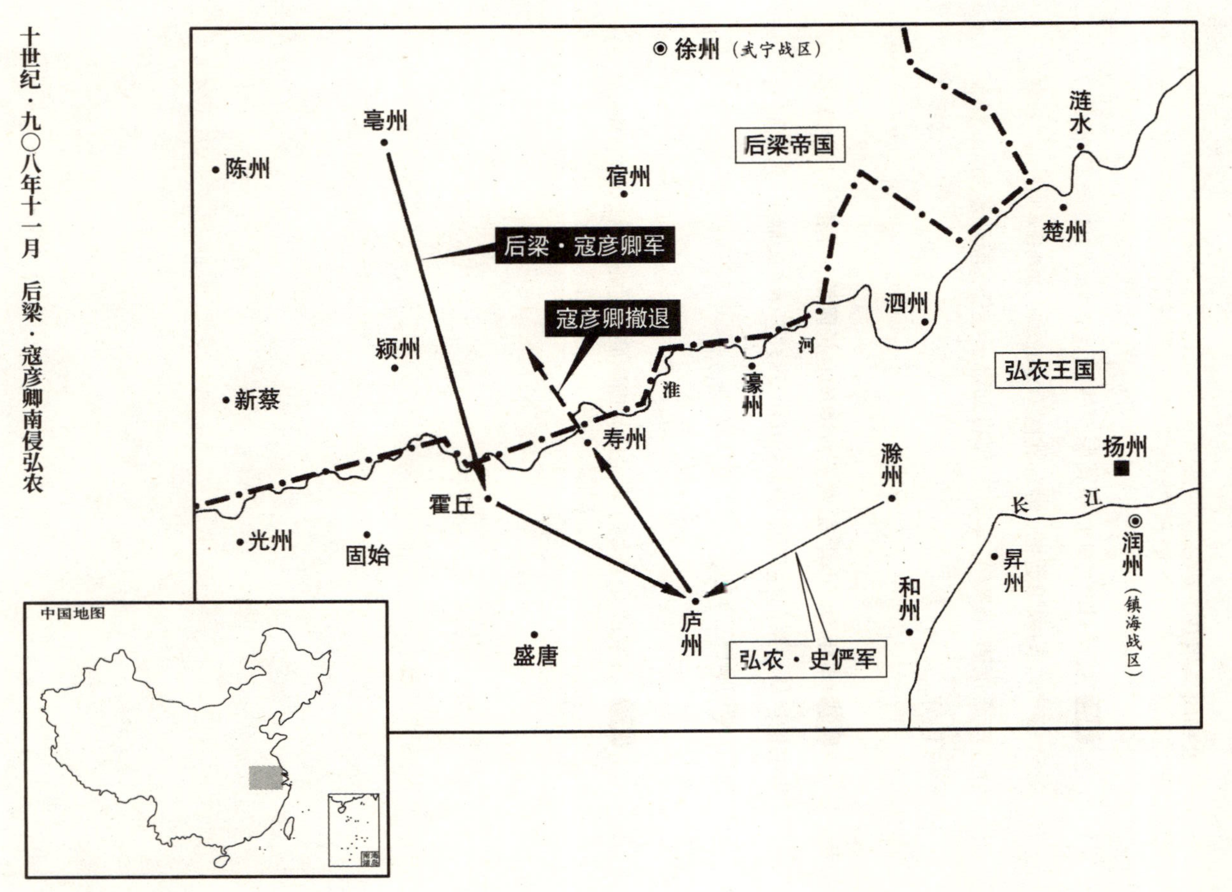

十世纪·九〇八年十一月　后梁·寇彦卿南侵弘农

二级实质宰相（同平章事）。

45 岐国（首都凤翔府）所属保塞战区（总部设延州〔陕西省延安市〕）司令官（节度使）胡敬璋逝世。静难战区（总部设邠州〔陕西省彬州市〕）司令官（节度使）李继徽（杨崇本），命他的部将刘万子继任，前往延州（陕西省延安市）镇守。

46 本年（九〇八），弘农王（首都扬州）杨隆演，派部将万全感携带书信，从小路前往晋国（首都太原府）及岐国（首都凤翔府），告知旧王逝世，新王登位消息。

47 后梁帝（一任太祖）朱全忠（朱温）准备迁都洛阳（西都河南府所在县，河南省洛阳市）。

九〇九年 己巳

后梁	开平	三年
晋	天祐	六年
岐	天祐	六年
弘农	天祐	六年
前蜀	武成	二年
南楚	开平	三年
吴越	天宝	二年

1 春季，正月二日，后梁帝国（首都开封府〔河南省开封市〕）皇帝（一任太祖）朱全忠（朱温，本年五十八岁），把皇家祖庙（太庙）的牌位，从开封（河南省开封市）迁到洛阳（西都河南府所在县，河南省洛阳市）。

正月五日，朱全忠（朱温）命博王朱友文（康勤）当东都（开封府）留守长官（留守）。

正月七日，朱全忠（朱温）从大梁（开封府所在城，河南省开封市）出发。

正月十二日，朱全忠（朱温）抵达洛阳（河南省洛阳市）。

正月二十三日，朱全忠（朱温）祭祀皇家祖庙（太庙）。

正月二十四日，朱全忠（朱温）前往洛阳南郊圆形祭坛，祭祀天神。下诏大赦天下。

正月二十九日，后梁政府财政稍微宽裕，开始恢复文武百官全薪。（黄巢民变，唐王朝各地方政府的进贡被拦阻或被抢夺，中央无以支付官员薪俸，参考八八三年二月。）

2 二月一日，日蚀。

3 岐国（首都凤翔府〔陕西省宝鸡市凤翔区〕）所属保塞战区（总部设延州〔陕西省延安市〕）司令官（节度使）刘万子，凶暴残忍，军民离心，而且跟后梁（首都河南府）暗中勾结。李继徽（杨崇本，静难〔总部邠州〕司令官）鼓动保塞（总部延州）营门官（牙将）李延实发动兵变。李延实遂利用刘万子送胡敬璋（前任战区司令官）下葬的机会，发动攻击，斩刘万子，遂控制延州（陕西省延安市）。骑兵总指挥官（马军都指挥使）河西（陕西省北部）人高万兴，跟老弟高万金得到消息，率部众数千人，晋见后梁（首都河南府）忠武（总部同州）司令官（节度使）刘知俊投降。

岐王（一任忠敬王）李茂贞（宋文通，本年五十四岁）曾在鄜城（陕西省洛川县东南二十五公里。鄜，音fū〔夫〕）设翟州（根据《新唐书 · 方镇表》，翟州设置于八八二年），翟州守将也投降后梁。

4 三月九日，后梁帝（一任太祖）朱全忠（朱温）从洛阳（首都河南府所在县，河南省洛阳市）出发。任命山南东道战区（总部设襄州〔湖北省襄阳市〕）司令官（节度使）杨师厚，兼潞州（山西省长治市）特遣兵团征剿司令（四面行营招讨使）。

三月十五日，朱全忠（朱温）抵达河中（山西省永济市），征调各战区步骑兵，会合高万兴部众，进攻丹（陕西省宜川县）、延（陕西省延安市）二州。

三月二十一日，朱全忠（朱温）封朔方战区（总部设灵州〔宁夏灵武市〕）司令官（节度使）兼最高立法长（兼中书令·使相）韩逊当颍川王。韩逊本是朔方（总部灵州）一个初级营门官（牙校），唐王朝末年，控制总部（参考九〇六年正月），后梁政府顺势颁发给他符节旌旗。

5 三月二十六日，岐国（首都凤翔府）所属丹州（陕西省宜川县）州长崔公实，献出城池，投降后梁。

6 弘农（首都扬州〔江苏省扬州市〕）左右警备队总指挥官（左右牙兵都指挥使）徐温，认为金陵（昇州州政府所在城，江苏省南京市）形势雄伟（金陵地形，参考二一二年九月），又是战舰集中的军港，自己遂以淮南战区（总部设扬州〔江苏省扬州市〕）作战副司令官（行军副使）身份，兼任昇州州长，但仍留在扬州（弘农首都，江苏省扬州市）控制中枢，而派义子、元从指挥官（元从指挥使）徐知诰（李知诰），当昇州（江苏省南京市）镇压司令（防遏使），兼长江舰队副司令（兼楼船副使），前往镇守。

7 夏季，四月一日，后梁（首都河南府）忠武（总部同州）司令官（节度使）刘知俊，率军进攻延州（陕西省延安市），守将李延实登城防御。刘知俊命白水镇（陕西省旬邑县）防守司令（镇使）刘儒，派军包围坊州（陕西省黄陵县）。

8 四月五日，后梁帝（一任太祖）朱全忠（朱温）下诏封王审知（威武〔总部福州〕司令官）当闽王，封大彭王刘隐（清海〔总部广州〕司令官）当南平王。

9 后梁（首都河南府）刘知俊攻克延州（陕西省延安市），李延实投降。 206

10 弘农（首都扬州）军队包围吴越（首都杭州〔浙江省杭州市〕）所属的苏州（江苏省苏州市），在“洞屋”掩护下（洞屋，一种攻城武器，牛皮蒙顶，可以抵挡乱箭飞石），对城垣发动猛烈攻击。吴越守城将领、临海（浙江省临海市）人孙琰，在长竿顶端装置滑轮，轮下装置巨钩，像钓鱼一样从城上垂下，立刻就钩起“洞屋”顶上的牛皮，悬空钓走，于是弘农士卒全部暴露在守城军的射击之下。弘农军（首都扬州）发射石弹，吴越军（首都杭州）则张开巨网，把石弹接住，弘农军无法攻克。吴越王（一任武肃王）钱镠（本年五十八岁。镠，音necessary〔流〕）派内营指挥官（牙内指挥使）钱镖、作战副司令官（行军副使）杜建徽等，率军增援。

苏州（江苏省苏州市）城里跟城外水道互通，弘农军在水中横挂罗网，上面绑着铜铃，即令是鱼鳖通过，岸上都会听到铃声。吴越游击总纠察官（游弈都虞候）司马福，打算暗中从水道进入城里，所以先用竹竿敲打渔网，弘农士卒听到铃声，拉起网来察看，司马福就利用这个机会，潜水通过，这样在水里停留三天，才算穿过重重罗网，进到城里。从此，城里守军的号令及调动，跟援军密切呼应，弘农军认为简直有神灵相助。

有一次，钱镠到王府花园游玩，看见花匠陆仁章所栽培的树木花卉，十分整齐茂盛，井井有条，遂记在心里。现在，苏州（江苏省苏州市）被围，钱镠派陆仁章把密函送到城里，陆仁章果然完成任务。钱镠把他当作孙儿一样相待，后来，累积功劳，陆仁章直升到两战区（镇海〔总部杭州〕及镇东〔总部越州〕）军粮总监（两府军粮都监使），终于获得重用。陆仁章，是睦州（浙江省建德市）人。

四月十六日，吴越（首都杭州）苏州（江苏省苏州市）城里守军及城外援军，前后夹击，大破弘农兵团（首都扬州），生擒将领何朗等三十余人，俘虏战舰二百艘。周本（弘农〔首都扬州〕攻城军统帅）乘夜撤退逃走，吴越军追击，追到皇天荡（苏州市西），再击破弘农残兵败将。弘农将领钟泰章率精锐士兵二百人，担任后卫，在沿水的茭白（水边植物，根部可用来做菜）丛里，大量插上军旗，吴越追兵不敢贸然前进，退回。

11 岐王（一任忠敬王）李茂贞（宋文通）任命的保大战区（总部设鄜州〔陕西省富县〕）司令官（节度使）李彦博、坊州（陕西省黄陵县）州长李彦昱，无法抵抗后梁兵团（首都河南府）的压力，放弃城池，逃回首都凤翔（陕西省宝鸡市凤翔区）。鄜州（陕西省富县）指挥官（都将）严弘倚，献出城池，投降后梁。

四月二十四日，后梁帝（一任太祖）朱全忠（朱温）命高万兴当保塞战区（总部设延州〔陕西省延安市〕）司令官（节度使），命绛州（山西省新绛县）州长牛存节当保大战区（总部设鄜州〔陕西省富县〕）司令官（节度使）。

12 弘农（首都扬州）开始举办科举考试，由骆知祥主持。

13 五月三日，后梁帝（一任太祖）朱全忠（朱温）命刘知俊（忠武〔总部同州〕司令官）乘胜夺取邠州（陕西省彬州市）。刘知俊感觉困难太大，不愿接受，于是声称粮食供应短缺；朱全忠（朱温）遂命他回军。

佑国战区（总部设大安府〔陕西省西安市〕）司令官（节度使）王重师，镇守长安（大安府所在县）已有数年（王重师自九〇六年六月镇守长安，迄今三年）。朱全忠（朱温）驻扎河中（山西省永济市），对他供应不够积极，十分愤怒。

五月五日，朱全忠（朱温）命王重师到中央觐见，另命左龙虎（禁军第三军）统军（正三品）刘捍，当佑国战区（总部设大安府〔陕西省西安市〕）候补司令官（留后）。

五月九日，朱全忠（朱温）从河中（山西省永济市）出发。

五月十五日，朱全忠（朱温）抵达洛阳（首都河南府所在县）。

刘捍到长安（陕西省西安市）上任，王重师对他态度冷淡，怠慢失礼，刘捍遂向朱全忠（朱温）打小报告，指控王重师跟岐国（首都凤翔府）暗中交往。

五月二十日，朱全忠（朱温）贬王重师当溪州（湖南省永顺县）州长；不久，又下诏命王重师自杀，屠灭全族。

14 刘守文（义昌〔总部沧州〕司令官）攻击刘守光（卢龙〔总部幽州〕司令官），一连几年，不能攻克（刘守光囚老爹，参考前年〔九〇七〕四月。刘守文讨伐，参考前年〔九〇七〕十一月），于是动员全部兵力，运送大量金银财宝给契丹（王庭西楼城〔内蒙古巴林左旗〕）和吐谷浑（山西省东北部）两部落，两部落派出武装部队四万人，进驻蓟州（天津市蓟州区）。刘守光推进到鸡苏（蓟州区西）迎战，被刘守文击败。刘守文单枪匹马，站在阵前，向他的军队流泪哭泣说：“不要杀我弟弟！”刘守光的部将元行钦认识他的面貌，纵马直奔而上，把他生擒，义昌兵团（总部沧州）遂大败。刘守光把刘守文囚禁在另一个房间，用层层荆棘围住，乘胜进攻沧州（河北省沧州市东南）。义昌（总部沧州）军事执行官（节度判官）吕兖、孙鹤，拥护刘守文的儿子刘延祚当主帅，登城固守。吕兖，是安次（河北省廊坊市）人。

15 后梁（首都河南府）忠武战区（总部设同州〔陕西省大荔县〕）司令官（节度使）兼最高监督长（兼侍中·使相）刘知俊，功高名大，威望与日俱增，而朱全忠（朱温）的猜忌和残忍，也一天比一天严重，不可测的愤怒，随时都会发生，刘知俊内心越发恐惧不安，后来王重师全族被杀，刘知俊更加惊恐。朱全忠（朱温）准备对晋国（首都太原府）再发动一次攻击，下诏命刘知俊紧急前来中央，打算任命他当河东地区（山西省）西方军团总指战官（西面行营都统）；并且因刘知俊有收复丹（陕西省宜川县）、延（陕西省延安市）二州的功劳，所以赏赐十分优厚。刘知俊的老弟、右保胜指挥官（右保胜指挥使）刘知浣，跟随朱全忠（朱温）驻扎洛阳（首都河南府所在县），秘密派人警告刘知俊说："你一来就死！"一面奏报朱全忠（朱温），请求率其他老弟及侄儿，前往迎接刘知俊，朱全忠（朱温）批准。

六月一日，刘知俊奏报说：他被军民挽留，不能前去中央；遂献出同州（陕西省大荔县），投降岐王（一任忠敬王）李茂贞（宋文通），逮捕监军宦官及不愿背叛的将领及文职人员，加上脚镣手铐，押送岐国（首都凤翔府）。派军袭击华州（陕西省渭南市华州区），驱逐州长蔡敬思，又派军把守潼关（陕西省潼关县）。暗中派人到长安（大安府所在县，陕西省西安市），用大量金银财宝收买将领，生擒新到任才一个月的刘捍（佑国〔总部大安府〕司令官），押送岐国（首都凤翔府），斩首。刘知俊派使节到凤翔（陕西省宝鸡市凤翔区），请求岐国大军东下讨伐朱全忠（朱温）。一面请晋国（首都太原府）攻击晋（山西省临汾市）、绛（山西省新绛县）二州；写信给晋王李存勖（本年二十五岁）说："顶多十天，就可夺取两京（唐王朝两京：上都长安、东都洛阳），恢复唐王朝版图。"

六月十三日，后梁朔方战区（总部设灵州〔宁夏灵武市〕）司令官（节度使）韩逊奏报朱全忠（朱温）说：他攻克盐州（陕西省定边县），斩岐国任命的州长李继直。

朱全忠（朱温）派亲信人员向刘知俊质问说："我待你如此优厚，

为什么忽然辜负我一片心意！”刘知俊回答说：“我绝不敢忘恩，只是害怕跟王重师一样，全族屠灭！”朱全忠（朱温）再派亲信对刘知俊说：“刘捍密报王重师暗中跟邠岐（岐国）勾结，我现在后悔已来不及，刘捍死有余辜。”刘知俊不再回答。

六月十六日，朱全忠（朱温）下诏免除刘知俊所有的官职和爵位，命山南东道战区（总部设襄州〔湖北省襄阳市〕）司令官（节度使）杨师厚，当西方军团征剿司令（西路行营招讨使），率侍卫军步骑兵总指挥官（侍卫马步军都指挥使）刘鄩等讨伐。

六月十七日，朱全忠（朱温）从洛阳（首都河南府所在县）出发。

刘鄩抵达潼关东郊，俘虏刘知俊埋伏的士卒蔺如海等三十人，把他们释放，充当向导。刘知浣西奔途中，迷失道路，延误好几天才抵达潼关，守关官员开关接纳，而蔺如海等随后赶到，守关官员不知道他们已被敌人俘虏，也开关接纳。刘鄩趁着开关，发动突击，遂占领潼关；追到刘知浣，生擒活捉。

六月十九日，朱全忠（朱温）抵达陕州（河南省三门峡市）。

16 后梁（首都河南府）所属丹州（陕西省宜川县）骑兵作战司令（马军都头）王行思等兵变，州长宋知诲逃回中央。

17 后梁帝（一任太祖）朱全忠（朱温）派刘知俊的侄儿刘嗣业，携带诏书，前往同州（陕西省大荔县）游说刘知俊，刘知俊打算只带一两个卫士，亲自前去京师（首都河南府）请求宽恕，但他的老弟刘知偃阻止。

杨师厚大军抵达华州（陕西省渭南市华州区），刘知俊所派守城将领聂赏，开门出来投降。刘知俊接到潼关失陷的报告，而后梁军又继续涌到，大为惊慌，不知道怎么应付。

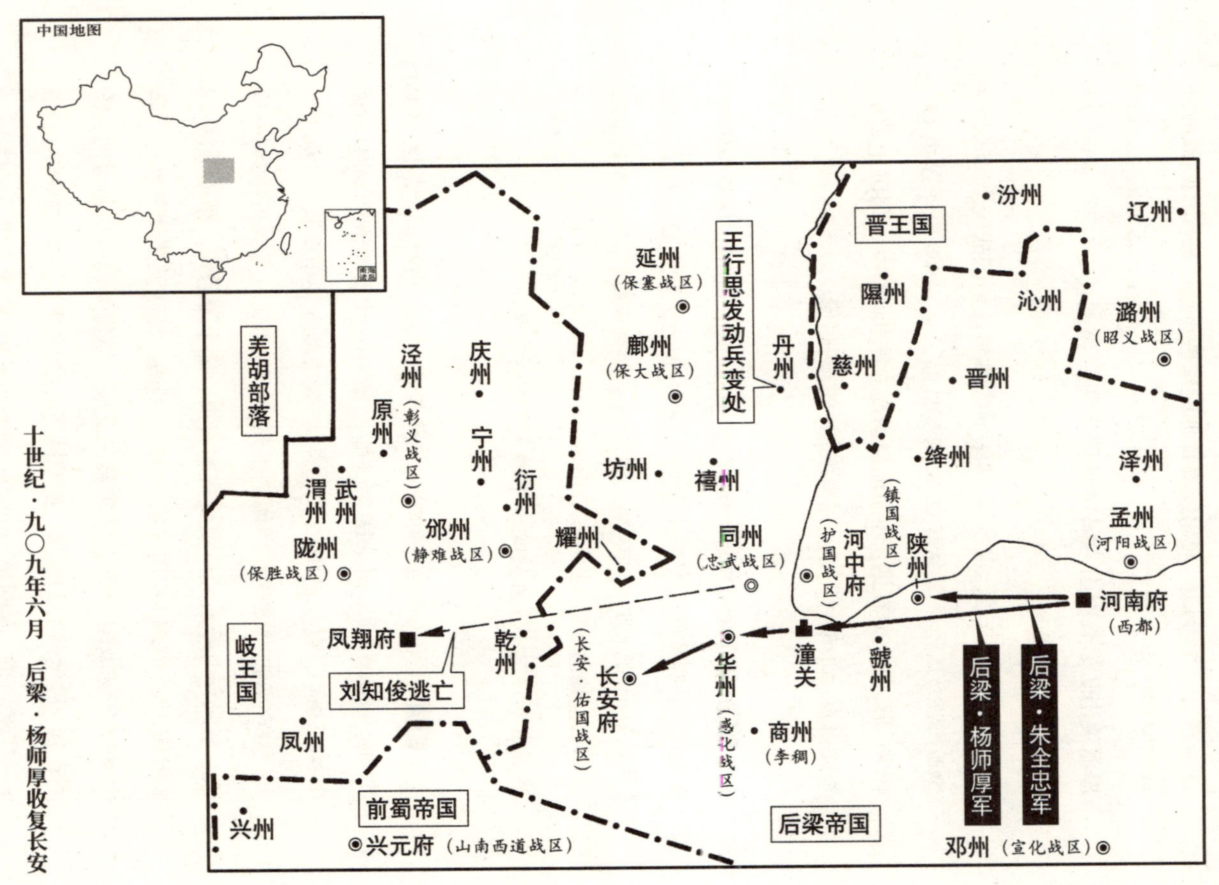

十世纪·九〇九年六月　后梁·杨师厚收复长安

六月二十一日，刘知俊率领他的家族，逃往岐国（首都凤翔府）。杨师厚到长安（大安府所在县，陕西省西安市）时，岐军已进城固守，杨师厚派突击队沿着南山（秦岭）急行军西进，绕到长安城西，从西门杀进长安，占领全城。

六月二十六日，朱全忠（朱温）命刘鄩暂任佑国战区（总部设大安府〔陕西省西安市〕）候补司令官（权佑国留后）。岐王（一任忠敬王）李茂贞（宋文通）对刘知俊十分礼遇，任命他当最高立法长（中书令）。但国土太小，不能设置一个战区容纳，只有发给优厚的薪俸。

18 刘守光（卢龙〔总部幽州〕司令官）派使节到洛阳（后梁首都河南府所在县），上奏章给后梁帝朱全忠（朱温），报告大捷消息，并且宣称："等收复沧（河北省沧州市东南）、德（山东省德州市陵城区）二州（即义昌战区）之后，当替陛下扫平并州（山西省）盗匪（指李存勖）。"但同时也写信给晋王李存勖，誓言共同出军消灭"伪后梁帝国"。

19 抚州（江西省抚州市临川区）州长危全讽，自称镇南战区（总部设洪州〔江西省南昌市〕）司令官（节度使），率领抚（江西省抚州市临川区）、信（江西省上饶市）、袁（江西省宜春市）、吉（江西省吉安市）等州军队，号称十万人，进攻弘农（首都扬州）所属的洪州（江西省南昌市）。弘农（首都扬州）守城士卒只有一千人，将领及文职官员，都十分恐惧。镇南战区（总部设洪州〔江西省南昌市〕）司令官（节度使）刘威，秘密派遣使节前往广陵（弘农首都扬州州政府所在城），请求紧急支援，但每天仍召集幕僚们，饮酒欢宴。危全讽听到消息，把军队驻扎象牙潭（江西省南昌市西南四十公里），不敢再进，向南楚（首都潭州〔湖南省长沙市〕）请求支援，南楚王（一任武穆王）马殷（本年五十八岁）派指挥官（指挥使）苑玫，会同袁州（江西省宜春市）州长彭彦章，包围弘农所属的高安（江西省高安市），加强危全讽的声势。苑玫，是蔡州（河南省汝南县）人。彭彦章，是彭玕的老哥（彭玕降南楚，参考九〇六年闰十二月）。

弘农（首都扬州）左右警备队总指挥官（左右牙兵指挥使）徐温，请求智囊严可求推荐统帅，严可求推荐周本，徐温遂命周本当西南方面军征剿及协防司令（西南面行营招讨应援使），率军七千人，增援高安（江西省高安市）。周本曾经攻过苏州（江苏省苏州市），不能攻克（参考本年〔九〇九〕四月），遂声称有病在身，拒绝接受新职。严可求一直走到他卧室，勉强他起来。周本说："苏州（江苏省苏州市）之战，敌人本来不能把我们打败，可是我们竟被打败，只因为统帅的权力太轻。这次如果定要用我，必须不再设置副统帅才行。"严可求允许。周本说："南楚（首都潭州）只是呼应危全讽，并不是真要夺取高安（江西省高安市），我打败危全讽，南楚军（首都潭州）自会撤走。"于是急行军直扑象牙潭（江西省南昌市西南四十公里）。中途经过洪州（江西省南昌市），刘威打算犒劳军队，周本不肯停留，有人警告说："危全讽兵力强大，你应该先察看一下形势，然后前进。"周本说："盗匪的人数，比我们多出十倍，我如果稍作停留，官兵一旦听说这项悬殊，心里一定恐惧，不如乘着士气正在高昂的时候，发动攻击。"

20 秋季，七月一日，后梁（首都河南府）封刘守光（卢龙〔总部幽州〕司令官）当燕王。

后梁军攻克丹州（陕西省宜川县），生擒王行思。

商州（陕西省商洛市商州区）州长李稠，裹挟住民西上，打算投奔岐国（首都凤翔府），留在商州的将领们追赶上去，斩李稠，推举大营总管理官（都押牙）李玟主持州政府。

十世纪·九〇九年六月至七月

弘农·周本俘危全讽，吞并江西五州

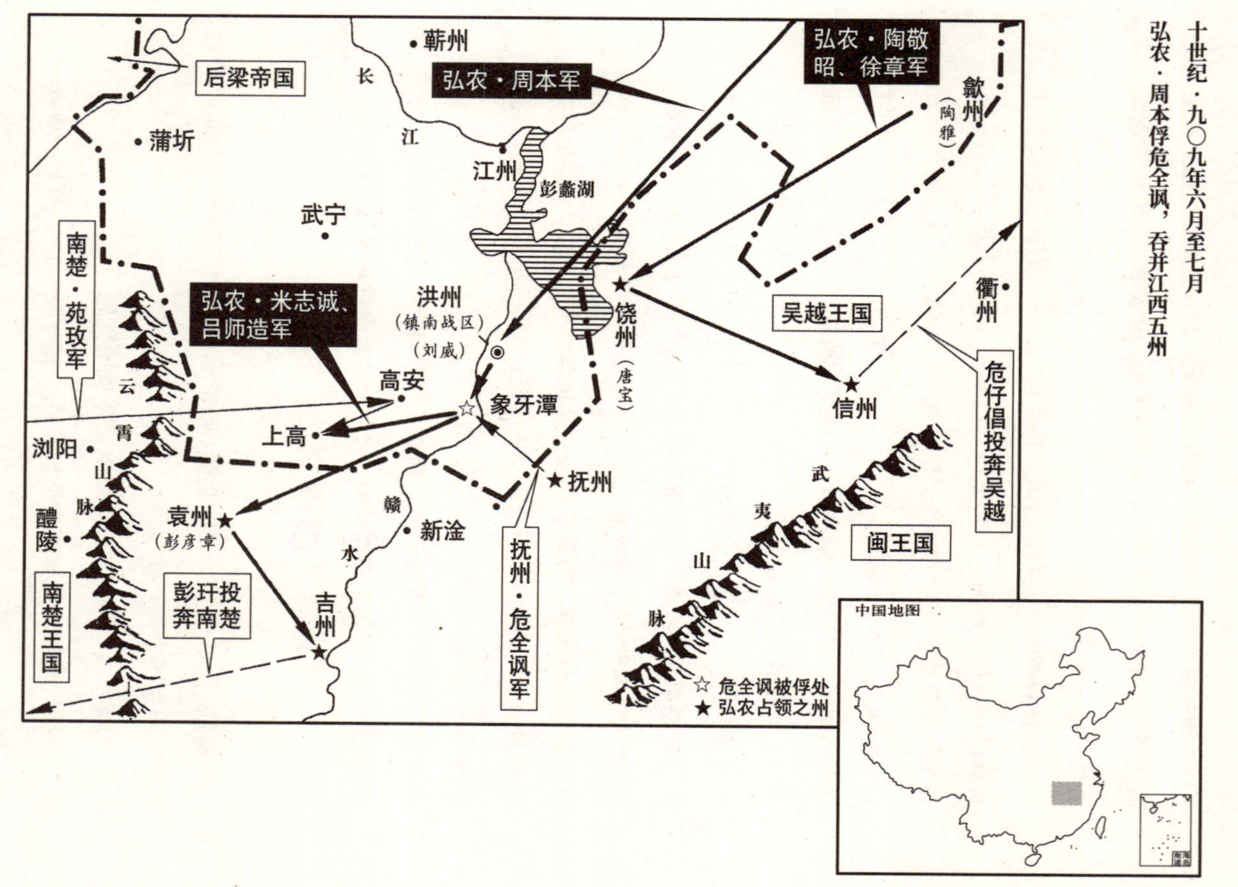

七月七日，后梁政府把佑国战区（总部设大安府〔陕西省西安市〕）改名永平战区。

21 晋国（首都太原府）军队进攻后梁（首都河南府）所属的晋州（山西省临汾市），在伊祁放勋祠（尧祠，临汾市南五公里）一带剽掠后撤退。

22 七月十日，后梁帝（一任太祖）朱全忠（朱温）从陕州（河南省三门峡市）出发。

七月十二日，朱全忠（朱温）返回洛阳（首都河南府所在县），患病。

23 最初，后梁（一任太祖）帝朱全忠（朱温）征调山南东道战区（总部设襄州〔湖北省襄阳市〕）司令官（节度使）杨师厚，打算命他统领各路人马进攻晋国（首都太原府）所属的潞州（山西省长治市），而命前泰宁战区（总部设兖州〔山东省济宁市兖州区〕）候补司令官（留后）王班，接替杨师厚任候补司令官（留后），镇守襄州（湖北省襄阳市）。杨师厚好几次警告王班说：警备队卫士（牙兵）王求等，凶悍横暴，要小心防备。王班仗恃保护自己左右的卫士，更勇猛强壮，所以毫不在意，甚至只要有机会，就在大庭广众之下，对王求等戏弄侮辱。

七月十五日，王班下令贬逐王求到战区西境驻防。当天晚上，兵变，王求诛杀王班，拥护总指挥官（都指挥使）、雍丘（河南省杞县）人刘玘当候补司令官（留后），刘玘假装接受。第二天（七月十六日）跟指挥官（指挥使）王延顺逃出襄州（湖北省襄阳市），投奔京师（首都河南府）。变军再拥护平淮指挥官（平淮指挥使）李洪当候补司令官（留后），向前蜀帝国（首都成都府〔四川省成都市〕）投降。

不久，房州（湖北省房县）州长杨虔，也背叛后梁（首都河南府），归

附前蜀（首都成都府）。 216

24 危全讽驻扎象牙潭（江西省南昌市西南四十公里），军营紧邻河川，营垒连绵数十华里。

七月十七日，周本（弘农〔首都扬州〕援军统帅）隔着溪水，在对岸布置阵地，先派老弱残兵作诱敌攻击，危全讽军队渡溪水追赶，周本乘他们渡到一半时，发动攻击，危全讽军队彻底崩溃，四散逃亡，自相践踏蹂躏，落水溺死的很多，周本派军分别切断他们的退路，生擒危全讽，以及他的将领五千人。乘胜追击，攻克袁州（江西省宜春市），生擒州长彭彦章；又进攻吉州（江西省吉安市）。

弘农（首都扬州）所属歙州（安徽省歙县）州长陶雅，派他的儿子陶敬昭，跟总指挥官（都指挥使）徐章，率军袭击饶（江西省鄱阳县）、信（江西省上饶市）二州，信州州长危仔倡投降（危家兄弟分别割据抚信二州，参考八八二年七月二十九日。前后二十八年而灭），饶州（江西省鄱阳县）州长唐宝，放弃城池逃走。弘农（首都扬州）特遣兵团总指挥官（行营都指挥使）米志诚，跟防卫官（都尉）吕师造等，在上高（江西省上高县）击败南楚（首都潭州）将领苑玫。吉州（江西省吉安市）州长彭玕率部众数千人，投奔南楚（首都潭州），南楚王（一任武穆王）马殷上疏后梁政府（首都河南府），任命彭玕当郴州（湖南省郴州市）州长，命儿子马希范娶彭玕的女儿为妻。弘农（首都扬州）政府命左先锋指挥官（左先锋指挥使）张景思代理信州（江西省上饶市）州长，派特遣兵团总纠察官（行营都虞候）骨言（骨，姓），率军五千人，护送张景思上任。危仔倡听说大军抵达，逃奔吴越（首都杭州），吴越王（一任武肃王）钱镠任命危仔倡当淮南战区（总部设扬州〔江苏省扬州市〕）副司令官（空头官衔。此时扬州属弘农〔首都扬州〕），命他改姓元（钱镠对“危”敏感）。危全讽被送到广陵（弘农首都扬州州政府所在城），弘农王杨隆演因危全讽曾对老爹杨行密（杨行愍）有援助之情（杨行密攻赵锽时，危全讽供应军粮，参考八八八年八月及八八九年六月），特别释放，送给他很多礼物。

八月，虔州（江西省赣州市）州长卢光稠献出城池，归附弘农（首都扬州），于是原江西道辖区（江西省），全属弘农（首都扬州）。可是卢光稠同时也派使节到后梁（首都河南府）表示归附。

25 八月二十一日，后梁帝（一任太祖）朱全忠（朱温）病情稍好，开始出席早朝，处理公务。

朱全忠（朱温）命镇国战区（总部设陕州〔河南省三门峡市〕）司令官（节度使）康怀贞，当西方军团副征剿司令（西路行营副招讨使）。

26 前蜀帝国（首都成都府〔四川省成都市〕）皇帝（一任高祖）王建（本年六十三岁）命太子王宗懿主持禁卫六军，设置永和府（太子宫），在中央文武百官中用心挑选杰出人士，作为幕僚。

27 八月二十八日，后梁（首都河南府）所属的均州（湖北省丹江口市西北）州长张敬方奏报后梁帝（一任太祖）朱全忠（朱温）说：已攻克房州（湖北省房县）。

28 岐王（一任忠敬王）李茂贞（宋文通）派刘知俊率军攻击后梁（首都河南府）所属朔方战区（总部灵州）的灵州（宁夏灵武市）、定难战区（总部夏州）的夏州（陕西省靖边县北白城则村）二州；并通知晋王李存勖，请同时出军进攻晋（山西省临汾市）、绛（山西省新绛县）二州。李存勖率军南下，先派周德威等率军从阴地关（山西省灵石县西南南关镇）出发，攻击晋州（山西省临汾市），后梁任命的州长边继威竭力守城。晋军（首都太原府）挖掘地道，城墙崩塌二十余步，后梁军（首都河南府）血战抵抗，一夜之间，把缺口堵住。后梁帝（一任太祖）朱全忠（朱温）命杨师厚（山南东道〔总部襄州〕司令官）率军增援，周德威派骑兵扼住蒙坑（山西省曲沃县西北）的险要，杨师厚把这支骑兵击破，进抵晋州（山西省临汾市），晋军解围退走。

29 后梁（首都河南府）所属襄州（湖北省襄阳市）变军首领李洪，进攻荆南战区（总部设江陵府〔湖北省江陵县〕），战区司令官（节度使）高季昌派他的将领倪可福，把李洪军击败。后梁帝（一任太祖）朱全忠（朱温）下诏命步骑兵总指挥官（马步都指挥使）陈晖，率军会合荆南兵团（总部江陵府），讨伐李洪。

30 前蜀帝（一任高祖）王建擢升副总监察官（御史中丞）王锴，当副立法长（中书侍郎）、二级实质宰相（同平章事）。

31 后梁（首都河南府）将领陈晖率军抵达襄州（湖北省襄阳市），李洪迎战，大败，王求阵亡。

九月五日，陈晖攻克襄州城（湖北省襄阳市），格杀变军一千人，生擒李洪、杨虔等，押送洛阳（首都河南府所在县）斩首。

32 九月十五日，后梁政府（首都河南府）命镇国战区（总部设陕州〔河南省三门峡市〕）司令官（节度使）王檀，当潞州（山西省长治市）东方军团征剿司令（东面行营招讨使）。

燕王（首府幽州）刘守光上疏说，已派他的儿子、中军作战司令

（中军兵马使）刘继威，安抚沧州（河北省沧州市东南）居民。

九月十六日，后梁政府（首都河南府）任命刘继威当义昌战区（总部设沧州〔河北省沧州市东南〕）候补司令官（留后）。

九月十九日，后梁政府（首都河南府）免除最高监督长（侍中）韩建的暂任太保（守太保，三师之三）官衔；又免除国务院左最高执行长（左仆射）、二级实质宰相（同平章事）杨涉的宰相职务，只任本职。任命祭祀部长（太常卿）赵光逢当副立法长（中书侍郎），任命皇家文学研究院院长（翰林奉旨）、国务院工程部副部长（工部侍郎）杜晓当国务院财政部副部长（户部侍郎）；二人都兼二级实质宰相（同平章事）。杜晓，是杜让能的儿子（杜让能曾当宰相，受李晔连累而死。参考八九二年七月）。

33 弘农政府（首都扬州）派遣使节张知远，前往闽国（首都福州〔福建省福州市〕）聘问，增加友好关系，张知远却倨骄傲慢，盛气凌人，闽王王审知把他斩首，将他携带的书信，呈报后梁政府（首都河南府），遂跟弘农政府（首都扬州）完全断绝关系（王审知老哥王潮在世时，福建〔福建省〕与相邻所有势力和睦共处，参考八九四年十二月；如今立场开始偏离）。

王审知性情节制勤俭，平常都穿麻编的鞋子，王府总部的房舍，都很简陋，从没有整修重建过。刑罚宽大，捐税轻微，无论政府与民间都很富裕，辖境之内，国泰民安。每年都派船队经由东海，在登（山东省烟台市蓬莱区）、莱（山东省莱州市）二州登陆，向后梁（首都河南府）进贡，风险浪恶，护送官兵民伕，中途落海溺死的有十分之四五。

34 冬季，十月二日，前蜀（首都成都府）天文台长（司天监）胡秀林（参考九〇〇年十一月），呈献他所制定的《永昌历》，颁布实施（取代唐王朝的《景福崇玄历》〔参考八九二年十一月〕；至于其他政权，仍用旧历）。

35 吴越（首都杭州）所属湖州（浙江省湖州市）州长高澧（音〖李〗），凶悍残忍，曾经召集州政府官员讨论说："我打算把人民杀光，可不可以？"官员们回答说："如果杀光，谁向你缴粮纳税？只能挑选可以杀的才杀！"当时高澧正征集平民当兵，有人发出怨声，高澧命亲信部队在开元寺（唐王朝九任帝李隆基在位时，全国各大城纷纷建立寺庙，一律称"开元寺"）集合，宣称发放犒赏，于是，进一个杀一个，进两个杀一双。只要进去，没有人可以幸免，先到先杀，已杀一大半，才被外面的人发觉，于是纵火反击。高澧下令关闭城门，大肆搜捕，共杀三千人。吴越王（一任武肃王）钱镠打算诛杀高澧。

十月六日，高澧脱离吴越（首都杭州），归附弘农（首都扬州），聚众起兵，焚烧义和（浙江省杭州市余杭区西南余杭街道）临平镇（杭州市临平区）。钱镠派指挥官（指挥使）钱镖讨伐。

36 十一月二日，后梁帝（一任太祖）朱全忠（朱温）前往南郊圆形祭坛，祭告天神，感谢使自己坐上皇帝宝座。

十一月六日，朱全忠（朱温）下诏大赦。

邺王、天雄战区（总部设魏州〔河北省大名县〕）司令官（节度使）罗绍威，身患风疾麻痹，瘫痪在床，上疏朱全忠（朱温）说："天雄（总部魏州）是一个重要战区，四境强敌环绕，建议陛下派有功大臣，前来镇守，我愿退休回家疗养。"朱全忠（朱温）听到，用手猛的在桌上一拍，喜形于色。（魏州自八世纪五〇年代就被军阀割据，除田弘正回归中央外〔参考八一二年十月〕，世代相传，至此一百五十余年，忽然把人事任命权交还中央，是一件大事。）

十一月七日，后梁政府命罗绍威的儿子罗周翰当天雄战区（总部设魏州〔河北省大名县〕）副司令官（节度副使），主持总部军政事务。朱全忠（朱温）召见使节说："赶紧回去禀告你家大王，为了我的缘故，勉强多吃一口饭。如果真有三长两短，当使他的子孙，世世代代荣华富贵，作为回报。现在命罗周翰管理总部，就是希望他早日痊愈。”

37 岐王（一任忠敬王）李茂贞（宋文通）打算夺取后梁（首都河南府）朔方战区（总部设灵州〔宁夏灵武市〕），来安置刘知俊，同时也用作牧马草原，于是命刘知俊率自己的军队，前往进攻。朔方战区（总部灵州）司令官（节度使）韩逊向后梁帝（一任太祖）朱全忠（朱温）请求紧急援助。朱全忠（朱温）命镇国战区（总部设陕州〔河南省三门峡市〕）司令官（节度使）康怀贞、感化战区（总部设华州〔陕西省渭南市华州区〕）司令官（节度使）寇彦卿，率军进攻邠（陕西省彬州市）、宁（甘肃省宁县）二州，援救朔方（总部灵州）。康怀贞等顺利推进，所向无敌，一连攻克宁（甘肃省宁县）、衍（甘肃省宁县南三十公里）二州，及庆州（甘肃省庆阳市）南城，州长李彦广出降。后梁（首都河南府）斥候及游击部队侵入泾州（甘肃省泾川县）州境劫掠。刘知俊得到消息，立即班师。

十二月二十八日，刘知俊解除灵州（宁夏灵武市）包围，率军撤退。朱全忠（朱温）一面命康怀贞等紧急回军，一面令支援部队前进到三原（陕西省三原县东北）青谷（陕西省三原县北）接应。康怀贞等走到三水（陕西省旬邑县），刘知俊部队已占领险要，伏兵堵截；康怀贞的部队、左龙骧军基地司令（左龙骧军使）寿张（山东省梁山县西北寿张集镇）人王彦章竭力奋战，杀开一条血路，康怀贞才勉强通过。康怀贞跟初级将领（裨将）李德遇、许从实、王审权，分路东撤，没有一个人跟接应部队相遇。好不容易退到昇平（陕西省黄陵县西二十五公里），刘知俊早在山口设下埋伏，于是康怀贞大败，仅逃出一命，而李德遇等将领都全军覆没。岐王（一任忠敬王）李茂贞（宋文通）命刘知俊当彰义战区（总部设泾州〔甘肃省泾川县〕）司令官（节度使），镇守泾州（甘肃省泾川县）。

王彦章骁勇绝伦，每次出战，都用两支铁枪，每支重一百斤，一支放在马鞍上，一支拿在手里，挥舞刺杀，所向无敌，时人给他一个绰号：王铁枪。

38 前蜀（首都成都府）蜀州（四川省崇州市）州长王宗弁（鹿弁）声称有病，辞职回成都（四川省成都市），闭门不出。前蜀帝（一任高祖）王建疑心他仗恃自己有功，不满被投闲置散，于是加授他摄理太保（检校太保，三师之三），王宗弁（鹿弁）坚决辞让，不肯接受，对人说："清廉的人心怀满足，从不忧虑，贪婪的人心怀忧虑，从不满足。我是一个小人物，做到这样高官，已经满足，怎么可以一直追求，追求个没完！"王建对他的看法十分高兴，同意他辞让，赏赐很多。

39 后梁（首都河南府）所封的燕王（首府幽州）刘守光，围攻沧州（河北省沧州市东南），很久不能攻克（围沧州，参考本年〔九〇九〕五月），把刘守文押到城下让守城军观看，守军仍拒绝投降。城里粮食吃完，人民用堇菜和泥，做成饼的模样吞食，军队士卒格杀平民吞食，驴马互相啃吃对方的鬃毛、尾毛。军事执行官（节度判官）吕兖挑选身体瘦弱的平民男女，喂他们曲面，然后投进锅里煮熟，充作军粮，供应官兵下肚，称"屠宰场"（宰杀务）。

中国人，你的名字是苦难！

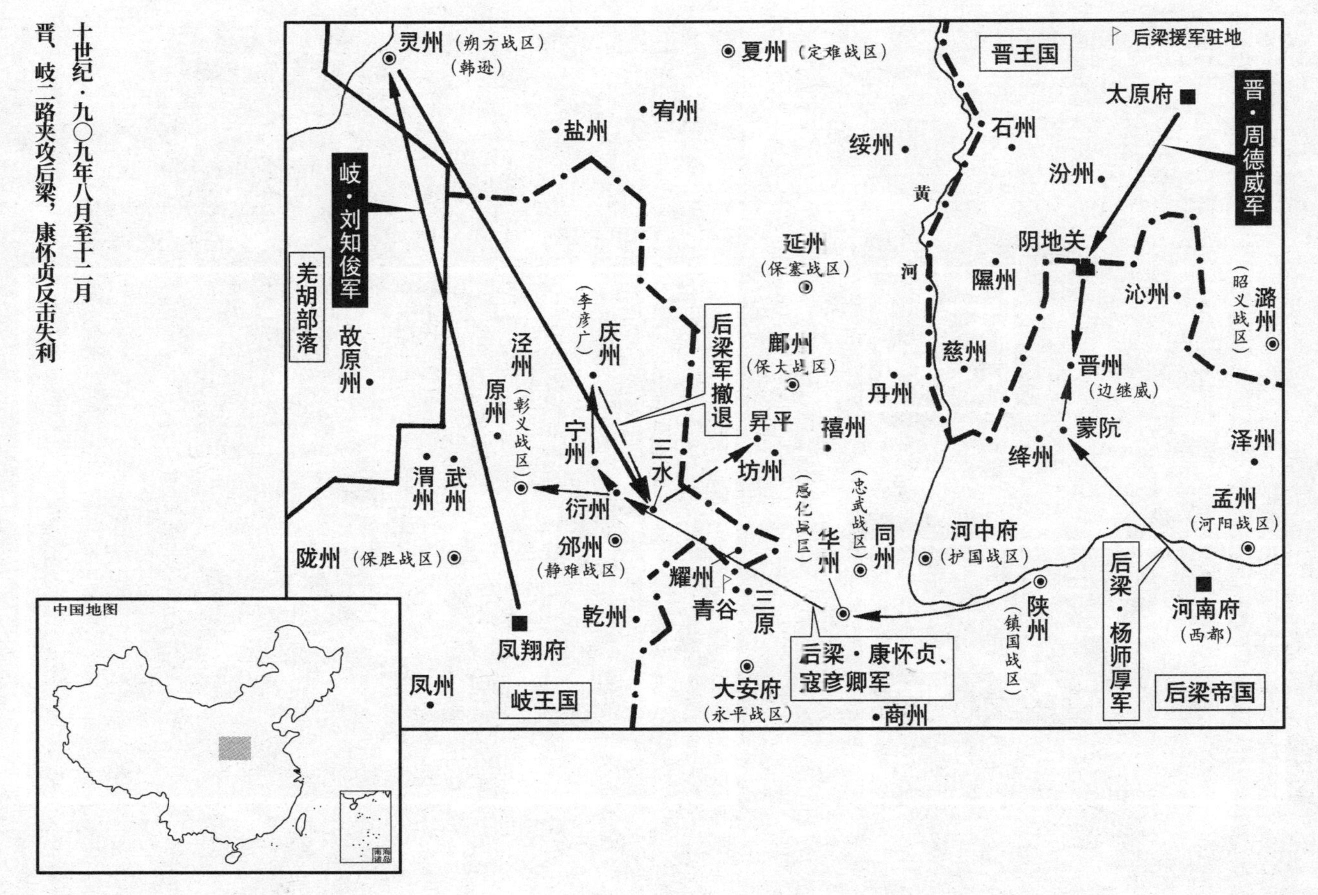

十世纪·九〇九年八月至十二月
晋、岐二路夹攻后梁，康怀贞反击失利

小分裂

- 后梁与晋柏乡会战，后梁大败。
- 刘守光称燕帝，父子均被晋王李存勖生擒，斩首。
- 后梁帝朱全忠被子朱友珪刺死，朱友珪又被弟朱友贞诛杀。
- 魏州叛后梁，元城会战。
- 契丹酋长耶律阿保机称帝。

- 英国剑桥大学创立。

九一〇年 庚午

后梁	开平	四年
晋	天祐	七年
岐	天祐	七年
南吴	天祐	七年
前蜀	武成	三年
南楚	开平	四年
吴越	天宝	三年

1 春季，正月四日，沧州（河北省沧州市东南）守将刘延祚力量枯竭，出城投降（被围事，参考去年〔九〇九〕五月）。燕王（首府幽州〔北京市〕）刘守光派大将张万进、周知裕，护送并辅佐年纪还小的儿子刘继威，镇守沧州。押解刘延祚跟他的将领回幽州（北京市）。刘守光下令屠灭刘延祚的智囊吕兖全族，只释放孙鹤。

吕兖的儿子吕琦，才十五岁，宾客赵玉向监刑官说：“他是我的老弟，不要错杀人！”监刑官相信他的话，赵玉遂携带吕琦逃亡。吕琦脚痛，不能行走，赵玉就背着他，改名换姓，沿路乞讨为生，总算逃出一命。吕琦痛心家门覆灭，努力读书学习，发愤自强。晋王（首都太原府〔山西省太原市〕）李存勖（本年二十六岁）听到他的名声，命他当代州（山西省代县）执行官（判官）。

2 正月十日，后梁帝国（首都河南府〔河南省洛阳市〕）皇帝（一任太祖）朱全忠（朱温，本年五十九岁），命虔州（江西省赣州市）州长卢光稠（参考去年〔九〇九〕八月），当镇南战区（总部设洪州〔江西省南昌市〕）候补司令官（空头官衔。此时洪州属弘农〔首都扬州〕）。

3 后梁（首都河南府）燕王（首府幽州）刘守光替囚禁中的老爹刘仁恭，上疏后梁帝（一任太祖）朱全忠（朱温），请求退休。

正月十五日，朱全忠（朱温）擢升刘仁恭当太师（三师之一），批准退休。刘守光不久就派人暗杀老哥刘守文，然后逮捕凶手，斩首。

4 二月，弘农王（首都扬州〔江苏省扬州市〕）杨隆演（本年十四岁）派往岐国（首都凤翔府〔陕西省宝鸡市凤翔区〕）的使节万全感（参考前年〔九〇八〕十二月），返回广陵（首都扬州州政府所在城），岐王（一任忠敬王）李茂贞（宋文通，本年五十五岁）代表唐王朝皇帝，加授杨隆演兼最高立法长（兼中书令·使相），并继承老爹杨行密（杨行愍）的吴王王位（九〇二年三月，唐王朝二十四任帝李晔封杨行密当吴王。史称南吴，以别于吴、东吴）。杨隆演下令大赦。

5 湖州（浙江省湖州市）州长高澧（被吴越〔首都杭州〕围攻，参考去年〔九〇九〕十月），向南吴（首都扬州）求救，南吴常州（江苏省常州市）州长李简等率军南下增援。可是湖州（浙江省湖州市）守将盛师友、沈行思紧闭城门，拒绝南吴军队进城。高澧发现大势已去，遂率领亲信部众五千人，逃奔南吴（首都扬州）。

三月三日，吴越王（一任武肃王，首都杭州〔浙江省杭州市〕）钱镠（本年五十九岁）到湖州（浙江省湖州市）视察，命钱镖当州长。

6 前蜀帝国（首都成都府〔四川省成都市〕）太子王宗懿，骄傲凶暴，特别喜欢凌辱老爹王建的旧日臣属。皇家机要总监（内枢密使）唐道袭，是前蜀帝（一任高祖）王建（本年六十四岁）最信任宠爱的老部下，王宗懿却不断在大庭广众中对他戏谑嘲弄，使他难堪，二人遂生出裂痕，在王建面前互相指控；王建恐怕二人互不相容，命唐道袭遥兼二级宰相（同平章事·使相），充当山南西道战区（总部设兴元府〔陕西省汉中市〕）司令官（节度使）。唐道袭推荐宫廷事务北院总监（宣徽北院使）郑项当皇家机要总监（内枢密使）。郑项接到任官令的当天，就打算调查审问唐道袭兄弟盗用御库房金银绸缎案件，唐道袭大为惊骇，奏报王建说，郑项器量狭小，性情暴躁，没有能力担当重大责任。

三月十六日，王建外放郑项当果州（四川省南充市）州长，用宫廷事务南院总监（宣徽南院使）潘炕当皇家机要总监（内枢密使）。

7 后梁（首都河南府）夏州（陕西省靖边县北白城则村）总指挥官（都指挥使）高宗益领导兵变，格杀定难（总部夏州）司令官（节度使）李彝昌。将领们又联合起来诛杀高宗益，拥护李彝昌的父叔辈、华洋总指挥官（蕃汉都指挥使）李仁福当统帅。

三月二十三日，李仁福奏报后梁政府（首都河南府）。

夏季，四月五日，后梁政府命李仁福当定难战区（总部设夏州〔陕西省靖边县北白城则村〕）司令官（节度使）。

8 四月八日，后梁（首都河南府）宣武战区（总部设宋州〔河南省商丘市〕。后梁建都开封府后，便把宣武战区撤销，去年〔九〇九〕又在宋州恢复战区。宋州是宣武创立时第一个总部，参考七八一年二月）司令官（节度使）衡王朱友谅，呈献祥瑞——一个麦茎上有三个麦穗。后梁帝（一任太祖）朱全忠（朱温）说：“风调雨顺，农作物丰收，才是上等祥瑞（祥瑞等级的厘定，参考六二八年九月注）。而今，宋州（河南省商丘市）大水成灾，这种麦穗有什么用！”下诏免除该县（呈献一麦三穗那一县）县长职务，派使节查问斥责朱友谅，命泰宁战区（总部设兖州〔山东省济宁市兖州区〕）候补司令官（留后）惠王朱友能，代理宣武战区（总部宋州）候补司令官（留后）。朱友谅、朱友能，都是朱全昱的儿子（朱全昱，是朱全忠的老哥，参考九〇七年四月十六日）。

朱全忠（朱温）因晋州（山西省临汾市）州长、下邑（河南省夏邑县）人华温琪，抵抗晋国（首都太原府）进攻，建立功劳，打算对他赏赐，正巧护国战区（总部设河中府〔山西省永济市〕）司令官（节度使）冀王朱友谦（朱简）上疏说：“晋（山西省临汾市）、绛（山西省新绛县）二州，紧邻河东（晋国），地处要冲，请另行建立战区。”

四月十三日，朱全忠（朱温）划出晋（山西省临汾市）、绛（山西省新绛县）、沁（山西省沁源县）三州，另行设立定昌战区（总部晋州），命华温琪当司令官（节度使。晋绛二州自护国〔总部河中府〕划出，沁州则在唐王朝末期夺自河东〔总部太原府〕）。

左金吾（卫军第十一军）大将军寇彦卿到中央朝见，经过洛阳（首都河南府所在县）天津桥（洛阳城洛水桥）时，有一个平民（名梁现）没有躲避，寇彦卿命卫士把他抓住，投到桥下，跌溺而死。然后寇彦卿向朱全忠（朱温）报告，朱全忠（朱温）因寇彦卿有才干又有功劳，而且长期在左右当差，不愿责备，教他用自己的财产送给死者家属，私下和解。监察官（御史司宪）崔沂上疏弹劾寇彦卿，说："寇彦卿在皇上宫门之前随意杀人，应受法律制裁。"朱全忠（朱温）命寇彦卿答辩，寇彦卿答辩说："我只命侍从卫士把那个平民举到栏杆外面，吓他一吓，想不到他一味挣扎，导致死亡。"朱全忠（朱温）打算用"过失罪"判决，崔沂奏报说："依照法律，发号施令的人是主犯，执行号令的人是从犯，不可以把罪推给侍从卫士。不是因为互相殴打，而是单方面出手伤人，应依照普通伤害，加重一等论罪，不能算是过失。"

四月二十二日，朱全忠（朱温）把寇彦卿贬作游击将军、左卫司令（左卫中郎将）。寇彦卿放出狠话说："有人提着崔沂人头来见的，赏钱一万串。"崔沂奏报朱全忠（朱温），朱全忠（朱温）派人警告寇彦卿说："只要伤了崔沂一根毛发，我屠杀你一族！"当时，功臣骄傲蛮横，因这件事而稍稍有点克制。崔沂，是崔沆的老弟（崔沆，唐王朝时曾任宰相，死于黄巢，参考八八〇年十二月二十日）。

9 五月，南吴（首都扬州）警备队左右翼总指挥官（左右牙都指挥使）徐温的娘亲周女士逝世，文武官员上香致祭，特地雕刻一座木偶，高有数尺，穿着绫罗绸缎。徐温说："这些东西都来自民间，为什么跟木头一起烧毁，应该解下来送给穷人。"不久，南吴王杨隆演命徐温缩短为娘亲守丧的时间，出任全国步骑兵混合兵团基地司令（内外马步军都军使），兼润州（江苏省镇江市）行政长官（观察使）。

10 岐王（一任忠敬王，首都凤翔府〔陕西省宝鸡市凤翔区〕）李茂贞（宋文通），屡次向前蜀（首都成都府）要求馈赠。前蜀帝（一任高祖）王建都如数给付（参考九〇四年七月），最后，李茂贞（宋文通）要求割让巴（四川省巴中市）、剑（四川省剑阁县）二州，王建说："我支援李茂贞（宋文通），仁至义尽，如果再给他土地，是遗弃我的人民，我宁愿多给他金银财宝。"改送生丝、茶叶、棉布、绸缎七万（不知道七万什么）。

11 五月十一日，后梁帝（一任太祖）朱全忠（朱温）命刘继威当义昌战区（总部设沧州〔河北省沧州市东南〕）司令官（节度使）。

五月二十五日，天雄战区（总部设魏州〔河北省大名县〕）司令官（节度使）兼最高立法长（兼中书令·使相）邺王（贞庄王）罗绍威逝世（年三十四岁）。朱全忠（朱温）下诏命罗绍威的儿子罗周翰，当候补司令官（留后）。

匡国战区（总部设许州〔河南省许昌市〕）司令官（节度使）长乐王（忠敬王）冯行袭病重，上疏请求中央派人接替。总部警备队官兵（牙兵）二千人，都是秦宗权的部属（秦宗权称帝失败被杀，参考八八九年二月），剽悍好战，朱全忠（朱温）十分忧虑。

六月庚戌日（六月己未朔，没有庚戌），朱全忠（朱温）命帝国政务总监署（崇政院）常务文学官（直学士）李珽，飞速赶往许州（河南省许昌市）探病（李珽就是劝阻成汭的那位；参考九〇三年四月。成汭溃败后，李珽投奔忠义〔总部襄州〕赵匡凝，赵匡凝溃败后，李珽投降朱全忠），吩咐说："你要体会我的意思，不要让别人扰乱距我最近的重镇。"李珽抵达后，对将领士卒们说："天子（朱全忠）手握百万雄兵，离你这里，只有几'舍'（一舍三十华里。洛阳、许昌航空距离一百三十公里，道路平坦）。冯大帅（冯行袭）忠心耿耿、大公无私，不要使皇上生出疑心，你们只要尽忠报国，还怕没有荣华富贵！"因此，没有一个人敢表示异议。冯行袭打算派人接受诏书，李珽说："头朝东方，身穿官服，这是古礼规定。"（《论语》："疾，君视之，东首，加朝服，拖绅。"）于是到冯行袭的卧室，宣读诏书。对冯行袭说："请你好好养病，不要再管公事，连你的子孙都会有福！"冯行袭哭泣谢恩，遂把两颗印信（一是战区司令官〔节度使〕印信，一是道政府行政长官〔观察使〕印信），交给李珽，请代替他主持军政事务。朱全忠（朱温）接到报告，说："我早就知道李珽能够办事，冯家也不至于灭亡！"

六月二十二日，冯行袭逝世。

六月二十六日，朱全忠（朱温）命李珽暂代匡国战区（总部设许州〔河南省许昌市〕）候补司令官（权知匡国留后）。把冯行袭的部属，逐渐分散，配备给其他单位，凡改姓冯的义子，都教他们回归本姓（彻底消灭冯行袭的残留势力）。

12 南楚王（一任武穆王，首都潭州〔湖南省长沙市〕）马殷（本年五十九岁），请求当"天策上将"，后梁帝（一任太祖）朱全忠（朱温）遂加授他"天策上将军"。马殷乃设"天策府"，命老弟马賨（音cóng〔从〕）当左宰相（左相），马存当右宰相（右相。天策府始于李世民，参考六二一年十月）。

马殷派军攻击后梁（首都河南府）所属的荆南战区（总部设江陵府〔湖北省江陵县〕），驻军油口（油江注入长江处，湖北省公安县北），高季昌（荆南〔总部江陵府〕司令官）把他击破，格杀五千人，追击到白田（湖南省岳阳市北）才回。

13 南吴（首都扬州）水军指挥官（水军指挥使）敖骈（敖，姓）把吉州（江西省吉安市）州长彭玕的老弟彭瑊包围在赤石（就是赤石洞，位江西省吉安市西南，是彭家故里，参考九〇六年闰十二月）。南楚（首都潭州）军队增援赤石（吉安市赤石洞），俘虏敖骈，班师。

14 秋季，七月一日，前蜀（首都成都府）副监督长（门下侍郎）兼国务院文官部长（兼吏部尚书）、二级实质宰相（同平章事）韦庄逝世。

15 吴越王（一任武肃王）钱镠上疏给后梁帝（一任太祖）朱全忠（朱温）说："宦官周延诰等二十五人，于唐王朝末年宦官大屠杀时（参考九〇三年正月二十八日），逃到这里，并不是刘季述、韩全诲的党羽，请求赦免。"朱全忠（朱温）说："这些人，我也知道他们没有罪，但现在刚开始改革唐王朝的弊政，不应该把他们安置皇宫，可以暂时留在你那里，把我的意思告诉他们了解。"

16 岐王（一任忠敬王）李茂贞（宋文通），跟静难战区（总部设邠州〔陕西省彬州市〕）司令官（节度使）李继徽（杨崇本）、彰义战区（总部设泾州〔甘肃省泾川县〕）司令官（节度使）刘知俊，分别派使节通知晋王（首都太原府）李存勖，请同时出军进攻后梁（首都河南府）定难战区（总部设夏州〔陕西省靖边县北白城则村〕）司令官（节度使）李仁福。李存勖派所属振武战区（总部设朔州〔山西省朔州市〕）司令官（节度使）周德威，率军会师，共集结五万人包围夏州（陕西省靖边县北白城则村），李仁福登城抵抗。

17 八月，后梁政府（首都河南府）命燕王（首府幽州）刘守光（卢龙〔总部幽州〕司令官）兼义昌战区（总部设沧州〔河北省沧州市东南〕）司令官（节度使）。

18 后梁（首都河南府）武顺战区（前身成德战区。总部设镇州〔河北省正定县〕）司令官（节度使）赵王（首府镇州）王镕、义武战区（总部设定州〔河北省定州市〕）司令官（节度使）王处直，自从后梁帝国建立、朱全忠（朱温）

登极称帝以来，虽然仍跟过去一样，继续拒缴田租捐税，但却一次又一次不断进贡。就在这时候，赵王王镕的娘亲何女士逝世。

八月三日，朱全忠（朱温）派使节前往镇州（河北省正定县）祭悼，又下诏征召王镕放弃守丧，恢复官职。当时，相邻的战区道都派有祭悼使节，住在宾馆。后梁使节在丧礼上忽然看到晋国（首都太原府）的使节，吃了一惊，回京（首都河南府）之后，奏报朱全忠（朱温）说："王镕暗中跟李存勖勾结，武顺（总部镇州）、义武（总部定州）势力本来已够强大，三个战区如果结合在一起，将来恐怕更难制伏。"朱全忠（朱温）完全同意。

19 八月五日，李仁福（后梁定难〔总部夏州〕司令官）向后梁政府（首都河南府）紧急求救。

八月七日，后梁政府（首都河南府）命首都洛阳特别市长（河南尹）兼最高立法长（兼中书令）张全义，当西京（首都河南府）留守长官。后梁帝（一任太祖）朱全忠（朱温）恐怕晋军（首都太原府）袭击西京（首都河南府），命宣化战区（总部设邓州〔河南省邓州市〕）候补司令官（留后）李思安，当东北方面军总指挥官（东北面行营都指挥使），率军一万人，进驻河阳（总部孟州）。

八月九日，朱全忠（朱温）从洛阳（首都河南所在县）出发。

八月十二日，朱全忠（朱温）抵达陕州（河南省三门峡市）。

八月十四日，朱全忠（朱温）命镇国战区（总部设陕州〔河南省三门峡市〕）司令官（节度使）杨师厚，当西方军团征剿司令（西路行营招讨使），会同感化战区（总部设华州〔陕西省渭南市华州区〕）司令官（节度使）康怀贞，率军三万人，进驻三原（陕西省三原县东北）。朱全忠（朱温）对晋军（首都太原府）有可能出兵泽州（山西省晋城市），攻击怀州（河南省沁阳市），十分

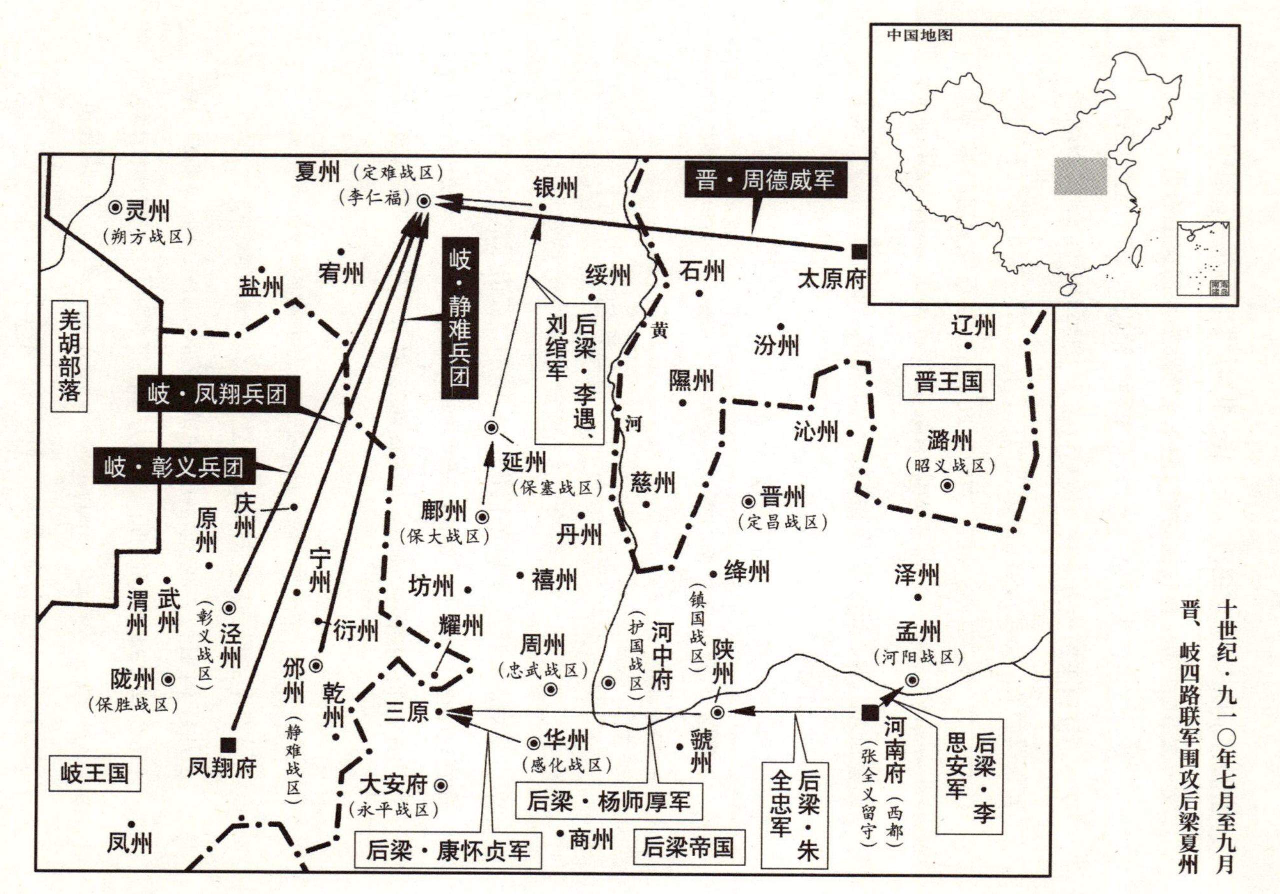

十世纪·九一〇年七月至九月

晋、岐四路联军围攻后梁夏州

忧虑。但不久得到报告：晋军西上，正在绥（陕西省绥德县）、银（陕西省榆林市东南鱼河镇）荒漠地区移动，才松口气，说："已不用担心！"

八月二十七日，朱全忠（朱温）派夹马指挥官（夹马指挥使）李遇、刘绾，从鄜（陕西省富县）、延（陕西省延安市）分别出军，直向银（陕西省榆林市东南鱼河镇）、夏（陕西省靖边县北白城则村），截断晋军的归路。

20 吴越王（一任武肃王）钱镠，修筑浙江（钱塘江）石头堤防，扩大杭州（浙江省杭州市）城池，大肆兴建亭台楼阁。

从此，钱唐（首都杭州州政府所在县）成为东南最富庶地区。

21 九月三日，后梁帝（一任太祖）朱全忠（朱温）自陕州（河南省三门峡市）出发。

九月八日，朱全忠（朱温）抵达洛阳（首都河南府所在县），旧病复发。

22 后梁（首都河南府）将领李遇等前进到夏州（陕西省靖边县北白城则村）。岐（首都凤翔府）、晋（首都太原府）两国军队解除包围，退走。

23 冬季，十月，后梁（首都河南府）派镇国战区（总部设陕州〔河南省三门峡市〕）司令官（节度使）杨师厚、相州（河南省安阳市）州长李思安，率军进驻泽州（山西省晋城市），准备夺取上党（潞州州政府所在县，山西省长治市）。

24 吴越王（一任武肃王）钱镠巡视湖州（浙江省湖州市）的时候，命沈行思留下来当巡察官（巡检使），而命盛师友跟自己一起返回杭州（沈行思、盛师友事，参考本年〔九一〇〕三月）。沈行思问他的同事陈瓌说："大王如果用盛师友当州长，那把我放到哪里？"当时陈瓌已接到钱镠的密令，要他想办法遣送沈行思也往杭州（吴越首都，浙江省杭州市）。于是告诉他说："你为什么不亲自晋见大王，当面说明？"沈行思接受这项建议，可是等他到了杭州（浙江省杭州市），只有几天，陈瓌却把他的家人送来，沈行思认为陈瓌出卖朋友，怀恨在心。不久，钱镠从衣锦军返回杭州。（衣锦军，钱镠故乡，浙江省杭州市临安区东南。《十国春秋 · 吴越武肃王世家》记载：八九九年二月，唐王朝政府改钱镠所居石镜乡为广义乡，所居临水里为勋贵里，所居安众营为衣锦营；九〇四年五月，衣锦营升为衣锦城，石镜山为衣锦山，大官山为功臣山；九〇七年三月，于衣锦城置安国衣锦军。钱镠每次回去向父老夸耀富贵时，都用锦绣绸缎，覆满山林，命名他小时游戏的大树为"衣锦将军"，作歌说："三节还乡兮挂锦衣／碧天朗朗兮爱日晖／功成道上兮列旌旗／父老远来兮相追随。家山乡眷兮会时稀／今朝设宴兮觥散飞／斗牛无孛兮民无欺／吴越一王兮驷马归。"）文武官员迎接，沈行思取出炼铁用的铁钟，攻击陈瓌，把他击杀；遂晋见钱镠，跟盛师友争论排除高澧的功劳，沈行思抢夺钱镠左右卫士的长矛，打算刺杀盛师友，警卫部队把他逮捕。钱镠命斩沈行思（《吴越备史 · 沈行思传》：钱镠对沈行思说："因为你强悍横暴，我始终不敢交给你大权，念及你关闭城门的功劳，打算派你主持别的一州。今天你却做出这种事，怎能原谅！"押解龙邱山下斩首）。命盛师友当婺州（浙江省金华市）州长。

25 十一月三日，后梁（首都河南府）任命宁国战区（总部设宣州〔安徽省宣城市〕）司令官（空头官衔。此时宣州属南吴〔首都扬州〕）、二级实质宰相（同平章事）王景仁（王茂章），充当北方军团总指挥征剿司令（北面行营都指挥招讨使），命潞州（山西省长治市）副征剿司令（副招讨使）韩勍当他的副手，命李思安当先锋官，直向上党（潞州州政府所在县）。不久，朱全忠（朱温）又派王景仁（王茂章）等进驻魏州（河北省大名县），命杨师厚返回陕州（河南省三门峡市）。

26 前蜀帝（一任高祖）王建，改皇太子王宗懿名王元坦。

十一月二十四日，王建封义子王宗裕当通王，王宗范当夔王，王宗鐬当昌王，王宗寿当嘉王，王宗翰当集王。封亲子王宗仁当普王，王宗辂当雅王，王宗纪当褒王，王宗智当荣王，王宗泽当兴王，王宗鼎当彭王，王宗杰当信王，王宗衍当郑王。

最初，唐王朝末年，宦官掌握军权时，纷纷收养部队中的勇士当作义子，用以增加自己的实力（宦官收养武将当义子，当以杨复恭为最，参考八九一年八月）；帝国正规部队的将领们，遂跟着效法。王建收养的义子最多；只有上面列举的王宗懿、王宗仁等九人，以及王宗特、王宗平，共十一人，才是亲生。王宗裕、王宗鐬、王宗寿，都是王姓家族的子弟。王宗翰姓孟，是王建姐姐的儿子。王宗范姓张，他的娘亲周女士，是王建的小老婆。其他义子共一百二十人，都建立功勋，虽然都改姓王，而又用同一个字作排行（都用“宗”字），但不禁止互相通婚。

27 后梁帝（一任太祖）朱全忠（朱温）病势稍稍痊愈。

十一月二十五日，朱全忠（朱温）到伊水（洛水支流）、洛水间打猎。

朱全忠（朱温）疑心赵王（首府镇州）王镕（武顺〔总部镇州〕司令官）可能背叛自己，归附晋国（首都太原府），而且也打算利用邺王罗绍威逝世的契机，调动武顺（总部镇州）、义武（总部定州）两地首长。正巧，燕王（首府幽州）刘守光（卢龙〔总部幽州〕、义昌〔总部沧州〕司令官）出军进驻涞水（河北省涞水县），打算南下侵犯义武（总部定州）。朱全忠（朱温）遂派贴身宦官（供奉官）杜廷隐、丁延徽，率天雄兵团（总部魏州）三千人，分别进驻武顺（总部镇州）所属的深（河北省深州市）、冀（河北省衡水市冀州区）二州，声称为了抵御刘守光的攻击，特来协助守军作战，同时也就近接受粮食供应。深州（河北省深州市）守将石公立警告王镕：定要拒绝。王镕大不高兴，下令大开城门欢迎，并把石公立调到城外驻扎，以免发生冲突。石公立走出深州（河北省深州市）城门，指着城池流泪说："朱全忠（朱温）覆灭唐王朝江山，连三岁小孩都知道他是什么样的人，我们大王竟然仗恃姻亲关系（王镕的儿子王昭祚娶朱全忠的女儿，参考九〇〇年九月），认为他是一个忠厚长者，这正是人们所说的：打开大门，恭恭敬敬请强盗进来抢劫。可惜，这座城池，今天落到敌人之手。"

后梁政府有官员逃奔真定（镇州州政府所在县，河北省正定县），把朱全忠（朱温）的阴谋告诉王镕，王镕大为恐惧，可是又不敢先发制人。只好立即派使节前往洛阳（首都河南府所在县）陈情说："刘守光已跟义武（总部定州）和解，恢复过去和睦，军队也已撤退。深（河北省深州市）、冀（河北省衡水市冀州区）人民看见天雄（总部魏州）军队突然进城，奔走号叫，惊恐不宁，敬请把他们召回。"朱全忠（朱温）派使节前去真定（河北省正定县），向王镕安慰沟通。可是，不久，杜廷隐等分别关闭城门，把武顺（总部镇州）守军，全部屠杀，登城拒守。王镕这才如梦初醒，下令石公立反攻，不能攻克。王镕乃派使节向刘守光（燕王）、李存勖（晋王），请求紧急援救。

王镕的使节抵达晋阳（晋国首都太原府所在县，山西省太原市），义武战区（总部设定州〔河北省定州市〕）司令官（节度使）王处直的使节，也随后抵达，打算共同推举晋王李存勖当盟主，集中力量攻击后梁（首都河南府）。李存勖召集军事会议，将领们异口同声说："王镕长久以来，臣属朱全忠（王镕屈膝事，参考九〇〇年九月，至此十一年），每年进贡大量金银财宝，而且又结成儿女亲家，交情深厚，这次定是一个骗局，应该慢慢观察。"李存勖说："他只是为自己的利益才这么做，王家在唐王朝时代，还有时服从、有时背叛，怎么可能对朱家（后梁）心甘情愿，终身为臣？朱温（朱全忠）的女儿，比寿安公主怎么样（王镕的曾祖父王元逵，娶唐王朝绛王李悟的女儿寿安公主）？现在他连救自己的命都来不及，还管什么亲家不亲家！我们如果猜疑不去援救，正掉到朱家（后梁）设计的陷阱里。最好是立刻出兵，晋（首都太原府）、赵（首府镇州）联合，同心协力，必定击破后梁（首都河南府）。”于是下令动员，命周德威当统帅，从井陉关（太行八陉之五，河北省石家庄市鹿泉区西）东下，进驻赵州（河北省赵县）。

王镕的使节抵达幽州（北京市），燕王（首府幽州）刘守光正在打猎，智囊孙鹤骑马飞奔到围场，报告喜讯，说：“赵王（王镕）前来请求救兵，这是上天要成就大王的功业！”刘守光说：“怎么会？”孙鹤回答说：“我们一直忧虑王镕跟朱温（朱全忠）勾结成一体，朱温（朱全忠）的志向很明显，非把河朔（河北平原）全部并吞，永不停止。现在他们从内部分裂，互相敌对，大王如果跟王镕合作，击破后梁（首都河南府），则义武（总部定州）、武顺（总部镇州），都会毕恭毕敬，向大王朝见进贡。大王如果不肯出兵，恐怕晋王（李存勖）会先抓住这个千年良机。”刘守光说：“王镕屡次说话不算话，现在让他跟后梁（首都河南府）斗个两败俱伤，我们就坐在这里等着捡便宜，为什么救他！”王镕派来求援的使节，在路上一个连一个，但刘守光始终拒绝。

自从战国时代以来，“卞庄刺虎（参考前二〇四年十二月注）”，“鹬蚌相争（参考五四七年十二月注）”“犬兔俱毙（参考二〇三年八月注）”，同一性质的寓言，流传很广，深入人心，假如不能了解面对的形势，洞察契机，这种寓言可害人不浅。

从此之后，义武（总部定州）、武顺（总部镇州）脱离后梁（首都河南府），恢复使用唐王朝天祐年号（本年为天祐七年）。取消武顺，恢复成德（因避梁王朱全忠老爹朱诚讳，把成德改作武顺，参考九〇五年十月二十八日）。

后梁（首都河南府）天文台长（司天）奏报说：“下月将有月蚀，大军不适宜驻扎在外。”朱全忠（朱温）遂命王景仁（王茂章）等返回洛阳（首都河南府所在县，河南省洛阳市）。

十二月三日，朱全忠（朱温）听说赵王（王镕）已跟晋王（李存勖）结合，晋军（首都太原府）已进驻赵州（河北省赵县），下令王景仁（王茂章）等进攻。

十二月四日，王景仁（王茂章）等在河阳（河南省孟州市）渡口，渡黄河北上，跟罗周翰（天雄〔总部魏州〕副司令官）军队会师，共四万人，进驻邢（河北省邢台市）、洺（河北省邯郸市永年区东南广府镇）二州。

28 虔州（江西省赣州市）州长卢光稠病重，打算把州长的位置让给谭全播（二人同时起兵，参考八八五年正月），谭全播拒绝。卢光稠不久逝世，他的儿子、韶州（广东省韶关市）州长卢延昌奔丧，谭全播拥护他继任州长，自己仍屈居部属。南吴（首都扬州）派使节任命卢延昌当虔州（江西省赣州市）州长，卢延昌接受，但同时也通过南楚王（一任武穆王）马殷，秘密上疏后梁帝（一任太祖）朱全忠（朱温），誓言：“我虽接受淮南（南吴政府）的命令，只是为了延缓他们的阴谋，我一定替中央夺取江西（镇南战区，江西省）土地。”（卢光稠在世时，同时臣属后梁及弘农〔南吴前身〕，参考九〇九年八月。）

十二月十日，后梁政府（首都河南府）任命卢延昌当镇南战区（总部设洪州〔江西省南昌市〕）候补司令官（空头官衔。此时洪州属南吴〔首都扬州〕）。卢延昌上疏任命他的部将廖爽当韶州（广东省韶关市）州长。廖爽，是虔州（江西省赣州市）人。

南吴（首都扬州）淮南（总部扬州）军事执行官（节度判官）严可求，建议在新淦县（江西省新干县，位虔州北航空距离二百二十公里）设置军政总监（制置使），派军驻守，密谋攻击虔州（江西省赣州市）。每次军队轮替调防，都暗中增加人数，虔州（江西省赣州市）一点都没有发觉。

29 十二月十四日，前蜀帝（一任高祖）王建，命副总监察官（御史中丞）周庠、国务院财政部副部长（户部侍郎）兼全国财政总监（判度支）庾传素，同时当副立法长（中书侍郎）、二级实质宰相（同平章事）。

30 后梁（首都河南府）祭祀部长（太常卿）李燕等，修订《后梁法律及判例全书》（《梁律令格式》）。

十二月十七日，后梁帝（一任太祖）朱全忠（朱温）下诏颁布实施。

31 十二月二十一日，后梁（首都河南府）北伐统帅王景仁（王茂章）等，向柏乡（河北省柏乡县）前进。

32 十二月二十五日，前蜀政府（首都成都府）大赦。改明年（九一一）年号为永平。

33 赵王（首府镇州）王镕（成德〔总部镇州〕司令官）再向晋王（首都太原府）李存勖紧急求救，李存勖命华洋混合兵团副总司令（蕃汉副总管）李存审（符存审），留守晋阳（首都太原府所在县，山西省太原市），而亲率大军，自赞皇（河北省赞皇县）东下。王处直（义武〔总部定州〕司令官）派将领率军五千人会师。

十二月二十五日，李存勖抵达赵州（河北省赵县），跟周德威的部队会师，同时捕获后梁出来砍柴割草的士卒二百人，询问他们军情说："从洛阳（后梁首都河南府所在县，河南省洛阳市）出发时，你们皇上有什么命令？"回答说："皇上告诫我们元帅（王景仁）说：'王镕反复无常，将来总要成为后世子孙的祸害。现在，我把帝国最精锐的部队全交给你，镇州（河北省正定县）城池即令是铁铸的，也要替我夺取。'"李存勖命把这些人押送给王镕。

十二月二十六日，李存勖向南推进，距柏乡（河北省柏乡县）三十华里，命周德威等率胡人骑兵向后梁军挑战，后梁军闭门不出。

十二月二十七日，李存勖再前进，距柏乡（河北省柏乡县）五华里，在野河北岸扎营，又派胡人骑兵紧逼后梁阵地，奔驰射击，大声诟骂。后梁将领韩勍（音qíng〔情〕）等率步骑兵三万人，分三路向他们追击。后梁士卒铠甲上都披着绸缎，并且有雕刻着图案花纹的金银装饰，光彩耀眼，晋军看到，十分沮丧。周德威对李存璋说："后梁军队不见得真想作战，只是想炫耀他们的兵力，不杀杀他们的锐气，军心无法振作。"于是向大家宣布说："他们是汴州（河南省开封市）的天武军（《五代会要·京城诸军》：后梁建国后，九〇七年四月，将总部左右常备队〔长直〕改名左右龙虎军，左右亲卫队〔内卫〕改名左右羽林军，左右突击队〔坚锐夹马突将〕，改名左右神武军，左右亲随骑兵队〔左右亲随军将马军〕改名左右龙骧军。九〇七年九月，增设左右天兴军、左右广胜军。九〇八年十月，又增设左右神捷军。九〇八年十二月，左右天武军改名左右龙虎军，左右龙虎军改名左右天武军，左右天威军改名左右羽林军，左右羽林军改名左右天威军，左右英武军改名左右神武军，左右神武军改名左右英武军），不过一群偷鸡摸狗的地痞流氓，看他们穿得花枝招展，却十不抵一。只要捉住一个，剥下身上零件，就足以使你们发个小财，这是上天赐下的活宝，不要让他溜走。"周德威亲率精锐骑兵一千余人，攻击后梁军的两翼，左冲右突，前杀后砍，出入好几次，俘虏一百多人，一面奋战、一面缓缓后撤，退到距野河尚有一段距离停止，后梁军也退走。

周德威报告李存勖说："后梁军队声势相当强大，我们最好是按兵不动，等到他们士气衰退。"李存勖说："我们一支孤军，从远方来此，就是要救人急难。三个战区组成的联军（三个战区：成德〔总部镇州〕、义武〔总部定州〕、河东〔总部太原府〕），事实上不过一群乌合之众，最利于速战速决，你却主张按兵不动，不敢冒一点险，为什么？"周德威说："义武（总部定州）、成德（总部镇州）的军队，擅长防守城池，不擅长野战。我们仗恃的是骑兵部队，在广大的平原旷野地区，才能发挥威力，现在却紧紧压着盗贼（后梁）的营门，连脚都迈不开。而且，后梁人数太多，我们人数太少，无法抵挡。一旦他们发现我们的弱点，事情就十分危急。"李存勖大不高兴，退回御帐躺下休息，将领们都不敢进言。周德威拜访监军宦官张承业说："大王（李存勖）自继位以来，突然打了一个胜仗（指夹寨之战，参考前年〔九〇八〕四月），对敌人心存轻视，不评估自己的力量，而只求迅速发动攻击。而今距离盗贼（后梁）只一尺之遥，唯一的阻隔，不过一条小河。他们如果建造桥梁，发动攻击，我们部众会立刻化成灰烬。我建议退驻高邑（河北省高邑县），引诱盗贼离开阵地。他们出战时我们就后退，他们后退时我们就出战，另外派出轻装备骑兵掠夺他们的粮食薪饷，顶多一个多月，一定可以把他们击破！"张承业进入御帐，掀起床帘，推推李存勖说："现在岂是大王抱头睡觉的时候！周德威是沙场老将，有丰富的战场经验，他说的话，不可以忽略！"李存勖一跳而起，说："我正在考虑！"当时，后梁军队紧闭营门，拒绝出战，有投降到晋军的士卒，在盘查时，他们说："王景仁（王茂章）

正赶工建造浮桥。”李存勖对周德威说：“果不出你所料！”当天（十二月二十七日），下令立即拔营，退守高邑（河北省高邑县）。

34 辰州蛮（湖南省沅陵县境内蛮夷）酋长宋邺、溆州蛮（溆州〔湖南省洪江市西北黔城镇〕境内蛮夷）酋长潘金盛，仗恃他们住在万山丛中，地势险恶，所以不断侵犯南楚（首都潭州）国境。现在，宋邺攻击湘乡（湖南省湘乡市），潘金盛攻击武冈（湖南省城步县）。南楚王（一任武穆王）马殷派昭州（广西平乐县）州长吕师周，率衡山（湖南省衡山县东北衡山故城）军队五千人讨伐。

35 宁远战区（总部设容州〔广西容县〕）司令官（节度使）庞巨昭、高州（广东省信宜市南）警备区司令（防御使）刘昌鲁，都是唐王朝时代任命的官职。当初，黄巢攻击岭南（总部广州）时，庞巨昭是容州道（首府容州）行政长官（观察使），刘昌鲁是高州（广东省信宜市南）州长，率领各蛮夷部部落，据守险要抵抗，黄巢部众不敢入境（黄巢占领广州〔广东省广州市〕，参考八七九年九月）。唐王朝政府奖励他们的功劳，遂在容州（广西容县）设置宁远战区，命庞巨昭当司令官（唐王朝设宁远战区，命盖寓遥兼司令官，参考八九七年六月，当时庞巨昭以“暂代候补”名义主持，后来才改实任，参考九〇六年正月）；命刘昌鲁当高州（广东省信宜市南）警备区司令（防御使）。后来，刘隐割据岭南（清海战区〔总部广州〕），二州拒绝服从，刘隐派他的老弟刘岩进攻高州（广东省信宜市南），刘昌鲁把刘岩打得大败而逃。刘岩再攻容州（广西容县），也不能攻克。但刘昌鲁了解自己地小人少，毕竟没有力量跟刘隐对抗，于是，就在本年（九一〇），写信给南楚王（一任武穆王）马殷，自愿归附，马殷大喜，派横州（广西横州市）州长姚彦章，率军迎接。姚彦章经过容州（广西容县）时，守军初级将领（裨将）莫彦昭游说庞巨昭说："湖南（南楚）军队长途跋涉，疲惫不堪，我们应该先运走所有粮食辎重，放弃城池，撤退到山谷里等待。他们一定进城，我们再发动攻击，他们内没有粮草，外没有救兵，就可把他们生擒活捉。"庞巨昭说："马家（南楚）的势力正在扩张，即令这一次战役把他们打败，以后怎么办？不如准备酒肉欢迎。"莫彦昭反对，庞巨昭遂斩莫彦昭，率领全州军民投降。

姚彦章抵达高州（广东省信宜市南），派武装部队护送庞巨昭、刘昌鲁家族跟士卒一千余人，回到长沙（南楚首都潭州州政府所在县）。马殷命姚彦章代理容州（广西容县）州长，命刘昌鲁当永顺战区（原名武贞，总部设朗州〔湖南省常德市〕）副司令官（节度副使）。刘昌鲁，是邺县（河北省临漳县西南邺城镇）人。

九一一年 辛未

后梁	开平	五年
	乾化	元年
晋	天祐	八年
岐	天祐	八年
南吴	天祐	八年
前蜀	永平	元年
南楚	乾化	元年
吴越	天宝	四年
桀燕	应天	元年

1 春季，正月一日，日蚀。

2 后梁帝国（首都河南府〔河南省洛阳市〕）跟晋国（首都太原府〔山西省太原市〕）大战，在柏乡（河北省柏乡县）爆发。

柏乡（河北省柏乡县）近年来不再储存粮食草料，所以后梁军侵占后，不得不经常派士卒到郊外砍柴割草，自给自足，晋军每天派巡逻部队攻击抄掠这些士卒，迫使后梁军闭门不敢外出。晋军统帅周德威派胡人骑兵部队，环绕后梁大营奔驰射箭，破口诟骂，后梁军怀疑设有埋伏，越发不敢出来，只好拆除屋顶茅草或床上座席来喂战马，很多战马死亡。

正月二日，周德威跟别动部队将领史建瑭、李嗣源（邈佶烈），率精锐骑兵三千人，紧压后梁营门，百般侮辱。后梁军统帅王景仁（王茂章）、韩勍大怒，出动所有部队，向晋军攻击。周德威等一面战斗，一面向北后退，直退到高邑（河北省高邑县）稍南，晋军将领李存璋率步兵据守野河北岸阵地，后梁军黑压压一片，东西横亘有数华里，争先恐后争夺浮桥，义武（总部定州）、成德（总部镇州）步兵部队，竭力阻挡，但阻挡不住，无法支持。晋王李存勖（本年二十七岁）对匡卫总指挥官（匡卫都指挥使）李建及说：“盗贼一旦过桥，就再难控制。”李建及挑选勇士二百人，手提长枪，大声呐喊，杀进敌军，誓死奋战，终于把后梁军击退。李建及，是许州（河南省许昌市）人，本姓王，是李罕之的义子（李罕之派他的儿子李颀当人质事，参考八八八年四月，李建及是随从之一）。李存勖登上小山眺望，说：“后梁军争先恐后，心浮气躁，我们的部队整齐安静，一定可以战胜。”可是自上午十时血战到中午十二时，胜负还看不出分晓，李存勖对周德威说：“两军已成胶着，无法分开，我们是兴是亡，全看这次，我为你率先冲锋陷阵，你在我后面继续进发。”周德威拦住马头劝阻说：“观察后梁军的情势，我们应以逸待劳，才能把它克制。如果硬碰硬迎头痛击，恐怕不容易取胜。他们一路追击，远离大营三十余华里，虽然携有干粮，却没有时间去吃，太阳偏西之后，饥渴交迫，必然不能支持，而钢刀利箭，又如倾盆大雨，士卒们疲劳困倦，却巴不得马上脱离战场。到那时候，我们出动精锐骑兵攻击，一定可以大捷。目前情况，时机还没有成熟。”李存勖才停止。

当时，后梁（首都河南府）所属天雄（总部魏州）及宣义（总部滑州）特遣兵团担任东翼，宣武（总部宋州）特遣兵团担任西翼。果然，太阳过午，后梁士卒还没有吃饭，开始丧失斗志。统帅王景仁（王茂章）等率军稍稍往后移动，周德威大喊道："后梁军逃走！"晋军欢声雷动，争先恐后，呼叫前进。天雄（总部魏州）、宣义（总部滑州）特遣兵团首先后退，李嗣源（邈佶烈）率部众在西方阵地，对宣武（总部宋州）特遣兵团高呼道："东翼的军队已经逃走，你们还留在这里干什么！"宣武（总部宋州）特遣兵团你看我、我看你，惊骇恐怖，魂飞魄散，霎时间，四散逃生，全线崩溃。李存璋率步兵追杀，大声呼唤说："后梁人也是晋国人，只要放下武器，决不格杀。"后梁（首都河南府）战士纷纷解下铠甲，连同刀枪弓箭，全部抛弃，吵闹喧哗的声音震动天地。但成德（总部镇州）官兵对深（河北省深州市）、冀（河北省衡水市冀州区）二州闭门屠杀的事（参考去年〔九一〇〕十一月），十分伤痛，所以，对后梁军抛弃的东西，毫不贪图，而继续追杀，后梁（首都河南府）龙骧、神捷精锐部队，几乎全被杀光，从野河到柏乡（河北省柏乡县），尸体盖满地面。王景仁（王茂章）、韩勍、李思安，在数十名骑兵保护下逃走。晋军（首都太原府）于夜晚抵达柏乡（河北省柏乡县），后梁军（首都河南府）早已撤退，抛下的粮食、草料、财物、武器，多到数都数不完，阵亡二万人。晋军（首都太原府）将领李嗣源（邈佶烈）等一直追击到邢州（河北省邢台市），河朔（河北平原）大为震动。后梁所属保义战区（总部设邢州〔河北省邢台市〕）司令官（节度使）王檀，在严密戒备下，打开城门，收容战场溃退下来的残兵败将，发给他们钱粮，命他们返回各自战区。晋王李存勖集结部队，进驻赵州（河北省赵县）。

后梁（首都河南府）贴身宦官（供奉官）杜廷隐等，听到大军战败，放弃深（河北省深州市）、冀（河北省衡水市冀州区）二州（夺取二州事，参考去年

〔九一〇〕十一月），裹挟二州青年男女充当奴婢，而把老人儿童全数坑杀。二州遂成空城，只剩下碎瓦断墙，一片凄凉。

正月八日，后梁帝（一任太祖）朱全忠（朱温，本年六十岁）命杨师厚（镇国〔总部陕州〕司令官）再度出任北方军团总征剿司令（北面都招讨使），率军进驻河阳（孟州州政府所在县，河南省孟州市），收容散兵游勇，十余天后，集结一万人。

正月十四日，晋王李存勖派周德威、史建瑭，率骑兵三千人前往澶（河南省内黄县东南）、魏（河北省大名县）二州。张承业、李存璋率步兵进攻邢州（河北省邢台市），李存勖亲率主力部队，随后前进。发布文告，向河北（黄河以北）各州县，说明军事行动的目的，分析讨伐叛逆的是非利害。后梁帝朱全忠（朱温）派别动部队将领徐仁溥，率军一千人，沿着西山（太行山）山麓秘密北上，于深夜暗中进入邢州（河北省邢台市），协助王檀守城。

正月二十四日，朱全忠（朱温）免除王景仁（王茂章）征剿司令（招讨使）及二级实质宰相（同平章事）职务。

3 前蜀帝国（首都成都府〔四川省成都市〕）皇帝（一任高祖）王建（本年六十五岁）的女儿普慈公主，嫁给岐王（一任忠敬王）李茂贞（宋文通，本年五十六岁）的侄儿、天雄战区（总部设秦州〔甘肃省秦安县西北〕）司令官（节度使）李继崇。普慈公主派宦官宋光嗣携带写在绢上的亲笔信回国，呈递老爹，指出李继崇骄傲狂妄，又喜爱喝酒，难以共同生活，请求返回成都（四川省成都市）；王建召唤普慈公主归宁。

正月二十六日，普慈公主回到成都（四川省成都市），王建把她留下，命宋光嗣当皇宫南城管理官（阁门南院使）。李茂贞（宋文通）大怒，遂跟前蜀（首都成都府）决裂。宋光嗣，是福州（福建省福州市）人。

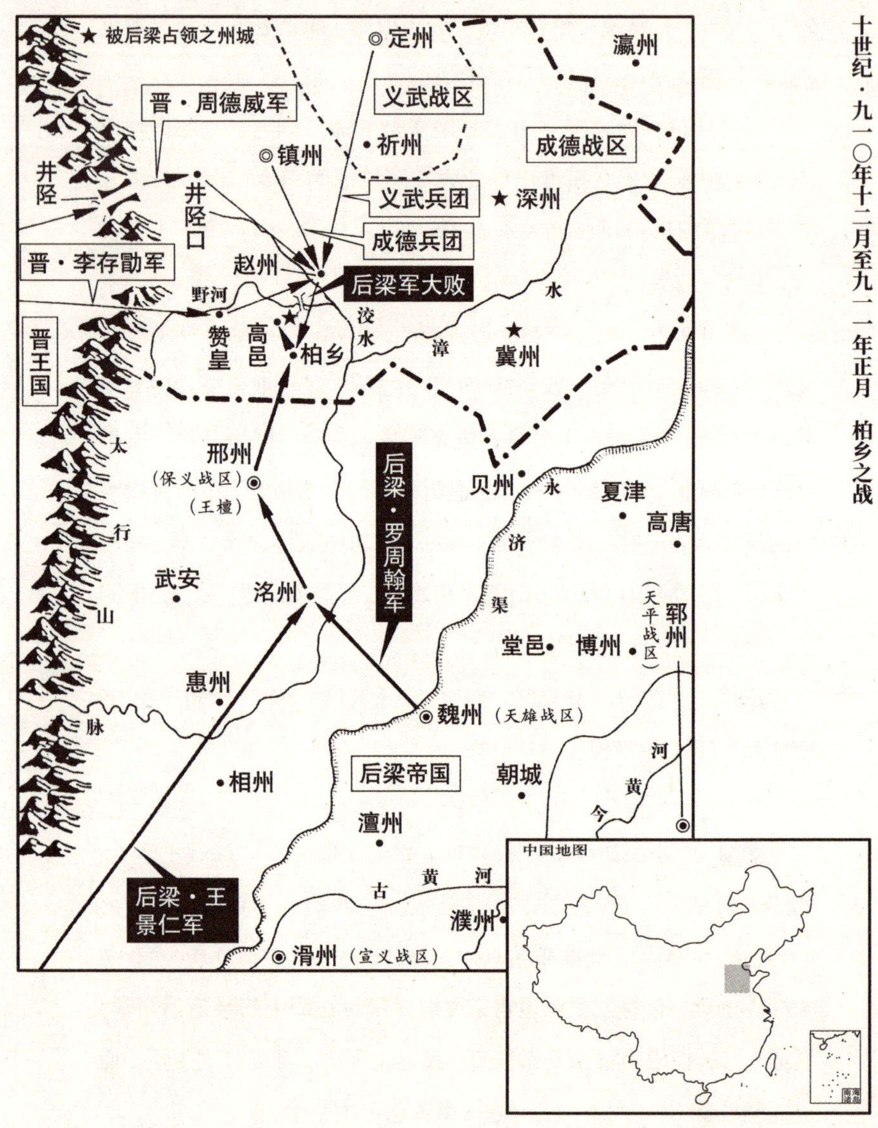

十世纪・九一〇年十二月至九一一年正月　柏乡之战

4 南楚（首都潭州〔湖南省长沙市〕）将领吕师周（讨伐溆州蛮，参考去年〔九一〇〕十二月），翻山越岭，攀藤牵枝，深入飞山洞（湖南省靖州县北七公里），发动奇袭，生擒溆州蛮（湖南省洪江市西北黔城镇境内蛮夷）酋长潘金盛，押解到武冈（湖南省城步县），斩首。继续进攻辰州蛮（湖南省沅陵县境内蛮夷）酋长宋邺。

5 二月四日，晋王李存勖抵达魏州（河北省大名县），进攻，不能攻克。后梁帝（一任太祖）朱全忠（朱温）因罗周翰（天雄〔总部魏州〕候补司令官）还是一个少年，而且对罗绍威（前天雄〔总部魏州〕司令官）的旧日将领，也不放心。

二月五日，朱全忠（朱温）命国务院财政部长（户部尚书）李振，当天雄（总部魏州）副司令官（节度副使），派杜廷隐率军一千人保护，他们从杨刘（山东省东阿县东北杨柳村，古黄河南岸渡口）渡黄河北上，抄小路于夜晚进入魏州（河北省大名县），协助罗周翰共同守城。

二月八日，李存勖率军抵达黎阳（河南省浚县），亲自视察黄河形势。后梁军一万余人，正渡黄河，听到李存勖要到消息，惊慌过度，从船上跳出来，一哄而散。

6 后梁帝（一任太祖）朱全忠（朱温）召唤蔡州（河南省汝南县）州长张慎思前来洛阳（首都河南府所在县），很久没有派人接替。蔡州右翼指挥官（右厢指挥使）刘行琮兵变，放纵士卒烧杀掳掠，打算投奔南吴（首都扬州）。顺化指挥官（顺化指挥使）王存俨起兵诛杀刘行琮，安抚他的部众，收编作自己部属，自行兼任州长，声称出于军心民意，上疏奏报。当时，东京（开封府，河南省开封市）留守长官博王朱友文（康勤），并没有先行请示，立刻出军讨伐，挺进到鄢陵（河南省鄢陵县），朱全忠（朱温）说：“王存俨正恐惧不安，大军一旦压境，他非飞走不可。”派出十万火急使节，命朱友文（康勤）班师。

二月九日，朱全忠（朱温）命王存俨暂代蔡州（河南省汝南县）州长（权知蔡州事）。

7 二月十日，晋国（首都太原府）将领周德威自临清（河北省临西县）进攻贝州（河北省清河县），攻陷夏津（山东省夏津县）、高唐（山东省高唐县），进击博州（山东省聊城市），占领东武（山东省阳谷县）、朝城（山东省莘县西南朝城镇）；继续前进，进攻澶州（河南省内黄县东南），州长张可臻放弃城池逃走。朱全忠（朱温）斩张可臻。周德威进攻黎阳（河南省浚县），占领临河（河南省濮阳市西）、淇门（河南省淇县东南淇门渡），逼近卫州（河南省卫辉市），剽掠新乡（河南省新乡市）、共城（河南省辉县市）。

二月十五日，朱全忠（朱温）亲率大军进驻白司马阪（河南省洛阳市北），严密防备。

8 后梁（首都河南府）所属卢龙（总部幽州）暨义昌（总部沧州）两战区司令官（节度使）、兼最高立法长（兼中书令·使相）、燕王刘守光，夺取沧州（河北省沧州市东南）之后（参考去年〔九一〇〕正月），自认为得到上天的帮助，荒淫和凶虐，更节节升高。审问被告时，就把那人塞在铁笼子里，用火烤红逼供；又特别制造一种铁刷，用来刷人的脸。后梁柏乡（河北省柏乡县）兵败的消息传来，刘守光派使节对王镕（成德〔总部镇州〕司令官）及王处直（义武〔总部定州〕司令官）说：“听说你们跟河东（晋国）联军击破后梁兵团，南下追击。我也有精锐骑兵三万人，打算亲自率领，给各位大帅开道。然而，四个战区联军，势必有一个最高领袖。我如果到你们那里，将担任什么角色！”王镕忧虑，派人报告李存勖，李存勖失笑道：“成德（总部镇州）火急请求救援时，刘守光不肯出一兵一卒协助，等到我冒险犯难，大功告成，他却想靠他的军队，挑拨离间，真是蠢到了底。”将领们说：“云（山西省大同市）、代（山西省代县）二州跟幽州（北京市）边境相接，他如果骚扰我们的城镇，恐怕人心动摇。大军千里远征，恐怕一时难以救援，也可以说是心腹之患，不如先消灭刘守光，才可以专心南下讨伐。”李存勖说：“好极！”就在这时候，杨师厚从磁（河北省磁县）、相（河南省安阳市）二州率军北上，增援邢（河北省邢台市）、魏（河北省大名县）二州。

二月十七日，晋军解除对魏州（河北省大名县）的包围，向北撤退，杨师厚追击，越过漳水才回，邢州（河北省邢台市）的包围也跟着解除。杨师厚遂驻扎魏州（河北省大名县）。

赵王（首府镇州）王镕亲自前去赵州（河北省赵县）晋见晋王李存勖，盛大的犒赏将士，并且派他的义子王德明，率三十七特别营，前往太原（山西省太原市），以后就经常追随李存勖东征西讨。王德明，本来姓名张文礼，是幽州（北京市）人。

二月二十七日，李存勖从赵州（河北省赵县）出发，返回晋阳（首都太原府所在县），命周德威等率三千人，驻防赵州（河北省赵县）。

9 三月一日，后梁（首都河南府）擢升天雄战区（总部设魏州〔河北省大名县〕）候补司令官（留后）罗周翰，实任司令官（节度使）。

10 后梁（首都河南府）清海（总部广州）、静海（总部安南府）战区司令官（节度使），兼最高立法长（兼中书令·使相）、南平王（襄王）刘隐，病势沉重，上疏后梁帝（一任太祖）朱全忠（朱温），任命他的老弟、副司令官（节度副使）刘岩（本年二十三岁），暂代候补司令官（权知留后）。

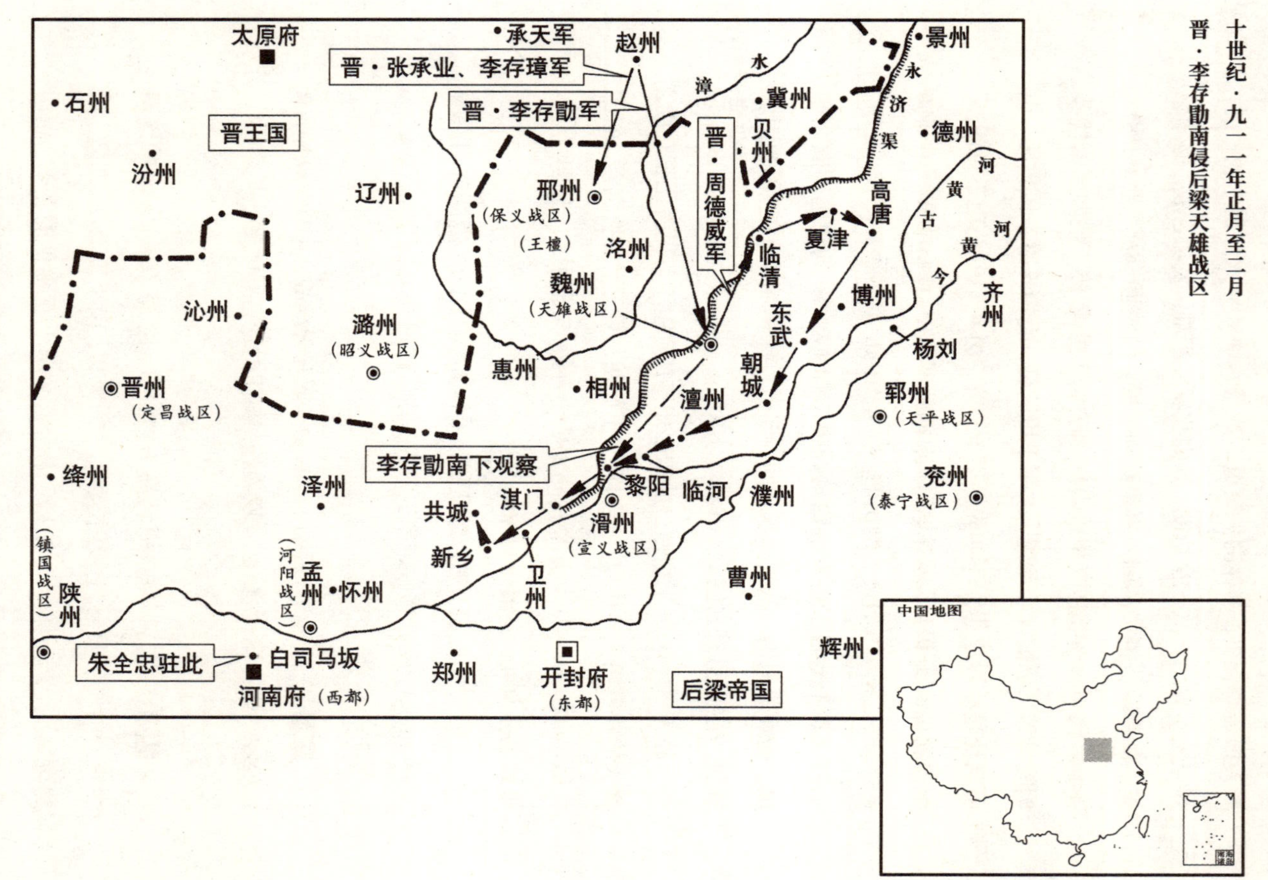

十世纪·九一一年正月至二月
晋·李存勖南侵后梁天雄战区

三月三日，刘隐逝世（年三十八岁），刘岩继位。

11 岐王（一任忠敬王）李茂贞（宋文通，本年五十六岁）在前蜀（首都成都府）东北部边境集结大军。前蜀帝（一任高祖）王建对文武百官说：“李茂贞（宋文通）自从被朱温（朱全忠）围困的那天起（参考九〇二年六月），我就经常帮助他，屡次解救他的困难，今天竟然忘恩负义，反而向我们进攻，谁替我给他一个迎头痛击！”兼最高立法长（兼中书令）王宗侃（田师侃）自告奋勇，王建命他当北方军团总指战官（北路行营都统）。天文台副台长（司天少监）赵温珪劝阻说：“李茂贞（宋文通）对我们边境并没有侵犯行动，将领们如果贪图军功，深入敌国国土，粮食运输困难，道路又远，恐怕不符合帝国的利益。”王建不接受，命兼最高监督长（兼侍中）王宗祐、太子少师（太子三少之一）王宗贺、山南西道战区（总部设兴元府〔陕西省汉中市〕）司令官（节度使）唐道袭，都当征剿司令（招讨使），分兵三路挺进，又命左金吾（卫军第十一军）大将军王宗绍，当副征剿司令，率步骑兵混合兵团十二万人，进攻岐国（首都凤翔府）。

三月八日，王宗侃（田师侃）等自成都（四川省成都市）出发，旌旗招展，绵延几百华里。

岐王（一任忠敬王）李茂贞（宋文通）招安华原（陕西省铜川市耀州区）变民首领温韬，当作义子，把华原升格为耀州，美原（陕西省富平县东北美原镇）升格为鼎州。并在两州设置义胜战区（根据《新唐书方 · 方镇表》，耀鼎二州，以及义胜战区，都于九〇六年时设置），命温韬当司令官（节度使），会同静难（总部邠州）、凤翔（总部凤翔府）军队，进攻长安（后梁大安府所在县，陕西省西安市）。后梁帝（一任太祖）朱全忠（朱温）下诏命感化战区（总部设华州〔陕西省渭南市华州区〕）司令官（节度使）康怀贞、忠武战区（总部设同州〔陕西省大荔县〕）司令官（节度使）牛存节，率华州（陕西省渭南市华州区）、同州（陕西省大荔县）、河中（山西省永济市）军队迎战。

三月二十五日，康怀贞等奏报说：在车度（陕西省大荔县西南）把温韬赶走。

夏季，四月一日，岐军（首都凤翔府）攻击前蜀（首都成都府）所属的兴元（陕西省汉中市），唐道袭（前蜀山南西道〔总部光元府〕司令官）把岐军击退。

12 后梁帝（一任太祖）朱全忠（朱温）因患病长久不能痊愈。

五月一日，后梁政府大赦天下。

13 五月二十一日，后梁帝（一任太祖）朱全忠（朱温）擢升清海战区（总部设广州〔广东省广州市〕）候补司令官（留后）刘岩，实任司令官（节度使）。

刘岩多方延揽中原知识分子，作他的幕僚，派他们出任州长；所以州长没有武官。

14 前蜀帝（一任高祖）王建前往利州（四川省广元市），命皇太子王元坦（王宗懿）监督国政。

六月一日，王建抵达利州（四川省广元市）。

15 燕王（首府幽州）刘守光，曾经身穿暗红色长袍（唐王朝皇帝穿暗红色龙袍），环顾将领们说：“而今，天下大乱，英雄豪杰，互相竞争，我疆土辽阔，地势险要，兵强马壮，也想当当皇帝，你们看怎么样？”智囊孙鹤说：“我们内部的问题，才获得解决（应指平定老哥刘守文，参考前年〔九〇九〕五月），政府和人民的力量，已经枯竭，太原（指李存勖）在西方蠢蠢欲动，契丹（王庭西楼城）在北面待机而发。这种情形下，仓猝登极称帝，看不出有什么前途。大王最好是专心培养干部，使人民获得充分休息，加强部队军事训练，积蓄粮食草料。德政深入民间之后，四方自然归服。”刘守光大不高兴。派人游说成德（总部镇州）、义武（总部定州），请两战区尊崇自己当“尚父”。赵王（首府镇州）王镕告诉晋王（首都太原府）李存勖，李存勖气冲牛斗，打算出兵讨伐，但将领们却另有见解，说：“刘守光的罪恶飞快增加，马上就有灭族大祸，不如表面上对他十分推崇，使他更趾高气扬，罪恶就会更快满盈。”李存勖遂跟成德（总部镇州）王镕、义武（总部定州）王处直、昭义（总部潞州）李嗣昭、振武（总部朔州）周德威、天德（总部天德城〔内蒙古乌拉特前旗东北〕）宋瑶等六司令官（节度使及防御使），联名推荐刘守光当国务院总理（尚书令）、尚父（不知道哪个国家的国务院总理和哪个皇帝的尚父）。

刘守光不了解这是闹剧，反而认为六司令官都对他畏惧，越发骄傲不可一世，于是上疏给后梁帝（一任太祖）朱全忠（朱温），把联名推荐的文件一并送呈，说：“晋王（李存勖）等坚决支持我当国务院总理（尚书令）、尚父，可是我承受陛下的优厚恩德，不敢接受。我想最恰当的办法，不如陛下任命我当河北（黄河以北）总指战官（都统），则河东（总部太原府）、武顺（即成德，总部镇州），用不着动手就可以平定。”朱全忠（朱温）也知道刘守光既愚昧又疯狂，但仍任命他当河北道巡察特使（采访使。七三二年，唐王朝设十道采访使，安史兵变后撤销，参考七五八年五月十日），派宫门管理官（阁门使）王瞳、承办官（受旨）史彦群前往隆重布达。刘守光命属官撰写尚父及巡察特使（采访使）登位礼仪。

六月三日，属官找出唐王朝任命太尉（三公之一）礼仪呈阅，刘守光看了后，问为什么没有南郊祭祀天神（郊天）跟更改年号。属官回答说：“尚父虽然尊贵，仍是天子的臣属，怎么会有祭祀天神和更改年号的事？”刘守光大怒，把礼仪单掷到地上，说：“我的土地方圆有两千华里，武装部队有三十万人，简直可以当河北（黄河以北）皇帝，谁管得住？尚父算什么东西！”命立刻呈报登极称帝的仪式，逮捕王瞳、史彦群以及各战区道派来观礼的使节，戴上脚镣手铐，投进监狱。但不久，仍把他们释放。

16 后梁帝（一任太祖）朱全忠（朱温）命杨师厚率军三万人，进驻邢州（河北省邢台市）。

17 前蜀军（首都成都府）攻击岐国（首都凤翔府），屡战屡胜。

秋季，七月，前蜀帝（一任高祖）王建回京（首都成都府），命皇军大营总监（御营使）昌王王宗鐬驻军利州（四川省广元市）。

18 七月二十日，后梁帝（一任太祖）朱全忠（朱温）在首都洛阳特别市长（河南尹）张宗奭（张全义）家（洛阳城会节坊）避暑，把张家妇女几乎全都奸淫。张宗奭（张全义）的儿子张继祚无法忍受这种耻辱，打算诛杀朱全忠（朱温）。张宗奭（张全义）阻止他说：“我们家当初在河阳（河南省孟州市）的时候，被李罕之包围（参考八八八年四月），只靠吃树枝叶、碎木屑，勉强支撑不死，幸亏他来援救，才有今天，这份恩情，不可忘记。”张继祚才停止。

七月二十三日，朱全忠（朱温）回宫。

19 赵王（首府镇州）王镕因杨师厚大军进驻邢州（河北省邢台市），

恐惧不安（镇邢二州航空距离一百四十公里）；跟晋王（首都太原府）李存勖在承天军（山西省平定县东北娘子关镇）举行高阶层会议。李存勖因王镕是老爹李克用的旧友，对他十分恭敬（李王交好，始于八九三年七月）。王镕表示他对后梁（首都河南府）的压力，深感忧虑，李存勖说："朱温（朱全忠）的罪恶，已到巅峰，上天对他就要动手诛杀，就算杨师厚们，也救不了他。假定发生情况，我自会一身承担，率军迎战，叔父不要担心！"王镕举起酒杯道谢，称呼李存勖为"四十六舅"（李存勖排行第四十六，可能包括李克用的义子）。王镕最幼的儿子王昭诲跟随老爹一块前来，李存勖截断衣襟，对天起誓，承诺把女儿嫁给王昭诲。晋国（首都太原府）与赵国（首府镇州）的交情，越发稳固。

20 八月九日，前蜀帝（一任高祖）王建返抵首都成都（四川省成都市）。

21 燕王（首府幽州）刘守光将要登皇帝宝座，将领们私下议论纷纷，都不赞成，刘守光乃在庭院里摆出利斧和切肉用的砧板，宣布说："反对的，斩！"智囊孙鹤说："当初，沧州（河北省沧州市东南）城破的时候，我本应处死，幸蒙大王恩典，留下一命（参考去年〔九一〇〕正月），直到今天，岂敢爱惜残生，辜负大恩。我的意思是：今天当皇帝，绝对不会成功。"刘守光大怒若狂，把孙鹤强行按到砧板上，命士卒用刀把他身上的肉，割下吞吃，直到剐死。孙鹤临死呼喊说："不出一百天，大军就会来到。"刘守光命士卒用泥土塞住他的嘴，把他寸寸砍断。

八月十三日，刘守光（年龄不详）登极称帝，国号大燕（史称桀燕，以别于燕、前燕、后燕、西燕、南燕、北燕），改年号应天。刘守光命后梁（首都河

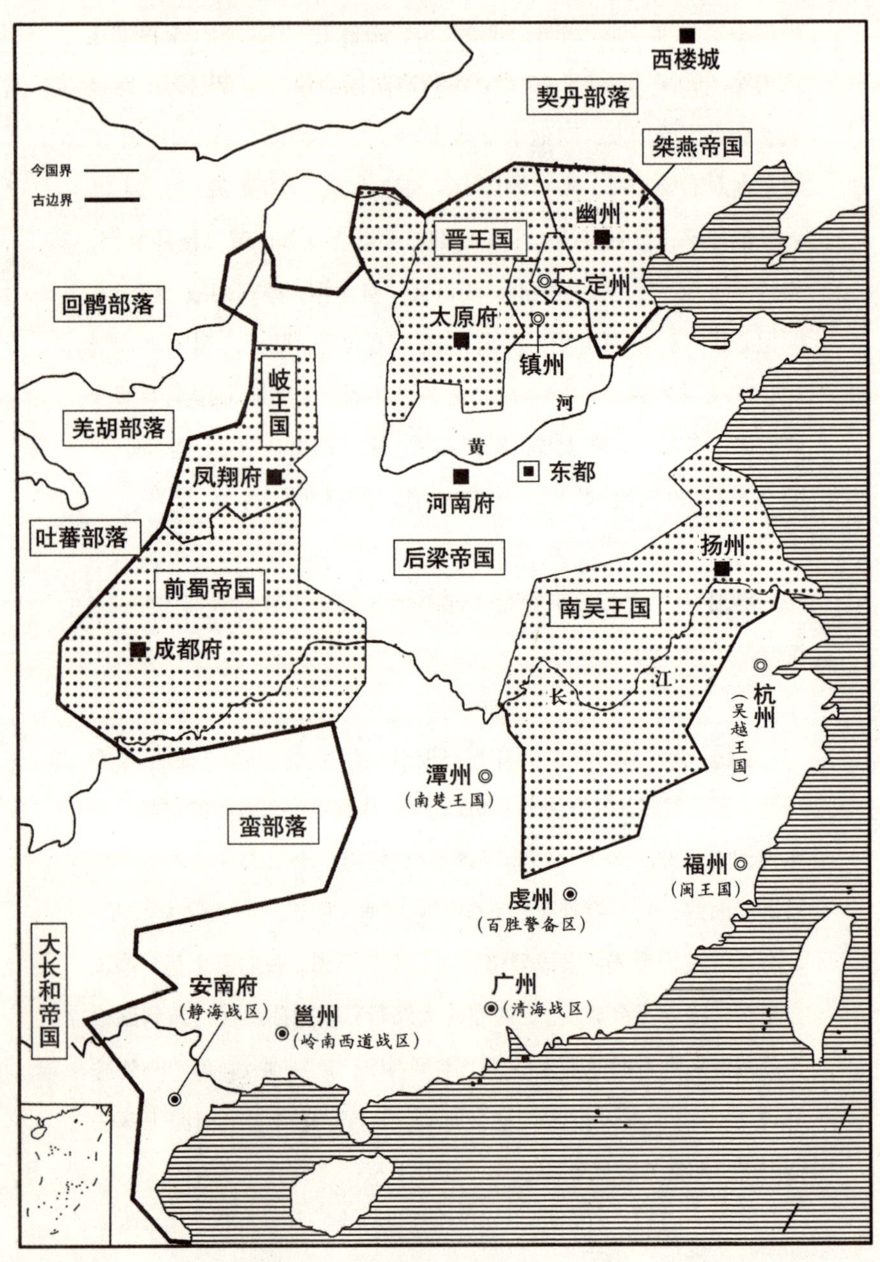

十世纪·九一一年八月　桀燕建国·六国并立

南府）使节王瞳当左宰相（左相），卢龙（总部幽州）执行官（判官）齐涉当右宰相（右相），后梁另一使节史彦群当总监察官（御史大夫）。登极接受拥戴书的那天（八月十三日），契丹部落（王庭西楼城〔内蒙古巴林左旗〕）攻陷平州（河北省卢龙县），新建立的桀燕帝国人民，大为惊恐。

22 岐王（一任忠敬王）李茂贞（宋文通）派刘知俊、李继崇，率军攻击前蜀（首都成都府）。

八月二十四日，前蜀将领王宗侃（田师侃）、王宗贺、唐道袭、王宗绍等在青泥岭（陕西省略阳县西北）迎战，大败，步骑兵司令（马步使）王宗浩逃往兴州（陕西省略阳县），跌落嘉陵江淹死。唐道袭逃往兴元（陕西省汉中市）。先前，步兵总指挥官（步军都指挥使）王宗绾（李绾）在西县（陕西省勉县）兴筑城池，称安远军。王宗侃（田师侃）、王宗贺等收容散兵游勇，进入安远军（陕西省勉县）固守。刘知俊、李继崇乘胜追击，把城池围住。大家商议放弃兴元（陕西省汉中市），唐道袭反对，说："没有兴元（陕西省汉中市），就没有安远（陕西省勉县）；没有安远（陕西省勉县），利州（四川省广元市）就成为敌人的领土（因大巴山脉天险已破），我誓死守兴元（陕西省汉中市）。"前蜀帝（一任高祖）王建命昌王王宗鐬当援军征剿司令（应援招讨使），定戎民兵司令（团练使）王宗播（许存）当四征剿司令部步骑兵总指挥官（四招讨马步都指挥使。四征剿司令：王宗祐、王宗贺、唐道袭、王宗鐬），率军增援安远军（陕西省勉县），在廉让二水之间扎营（廉让二水流经陕西省汉中市东南），跟唐道袭联合，进攻岐军（首都凤翔府），在明珠曲（陕西省勉县西）会战，大破岐军。第二天，又在凫口（也在勉县西。凫，音fú〔浮〕）会战，斩岐国（首都凤翔府）成州（甘肃省成县）州长李彦琛。

23 九月，后梁帝（一任太祖）朱全忠（朱温）的病稍稍痊愈，得到晋（首都太原府）、赵（首府镇州）两国阴谋入侵的消息，决定亲自率军迎战。

九月十八日，朱全忠（朱温）命张宗奭（张全义）当西都（首都河南府）留守长官。

九月二十日，朱全忠（朱温）从洛阳（首都河南府所在县）出发。

九月二十四日，朱全忠（朱温）抵达卫州（河南省卫辉市），正在吃饭，军事情报说，晋军（首都太原府）已从井陉（太行八陉之五，河北省石家庄市鹿泉区西）东出。朱全忠（朱温）立即乘坐皇家小轿，向北直奔邢（河北省邢台市）、洺（河北省邯郸市永年区东南广府镇）二州，日夜不停，加倍速度飞驰。

九月二十六日，朱全忠（朱温）抵达相州（河南省安阳市）。听说晋军（首都太原府）并没有行动，才停止前进。相州（河南省安阳市）州长李思安想不到朱全忠（朱温）突然到达，应该供应的东西，完全没有准备，朱全忠（朱温）大发雷霆，免除李思安所有官职爵位。

24 吴越（首都杭州〔浙江省杭州市〕）湖州（浙江省湖州市）州长钱镖酗酒，在大醉中杀人，恐怕老哥、吴越王（一任武肃王）钱镠（本年六十岁）治他的罪。

冬季，十月一日，钱镖诛杀总监军官（都监）潘长、司法官（推官）钟安德，投奔南吴（首都扬州）。

25 晋王李存勖听到桀燕帝（一任）刘守光登极消息，忍不住失笑，说：“等他暖热了板凳，我再踢开他的屁股！”监军宦官张承业为了促使刘守光更加发疯，建议派人前去道贺。李存勖派首都太原特别市副市长（太原少尹）李承勋，担任钦差大臣。李承勋抵达幽州（北京市），使用邻国交往的礼节，桀燕（首都幽州）礼宾官（典客）说："我家大王，已成了皇帝，你应该在金銮宝殿上，自己称臣，叩头晋见。"李承勋说："我接受唐王朝政府的任命，当太原特别市副市长（太原少尹），燕王（刘守光）在他的境内，自可教人称臣，怎么可以教别国使节也跟着称臣！"刘守光大怒，囚禁他好几天，然后放出来问说："你向我称不称臣？"李承勋说："如果燕王（刘守光）能教我家大王（李存勖）称臣，我也称臣。不然的话，不过一死而已。"刘守光竟束手无策。

26 前蜀帝（一任高祖）王建前往利州（四川省广元市），命皇太子王元坦（王宗懿）监督国政。决云特别营纠察官（决云军虞候）王琮，击败岐国（首都凤翔府）军队，生擒将领李彦太，俘虏及格杀三千五百人。

十月五日，搜捕官（捉生将）彭君集一连攻破岐军（首都凤翔府）两个营寨，俘虏及格杀三千人。王宗侃（田师侃）派初级将领林思谔从中巴（四川省东北部）抄小路抵达泥溪（四川省广元市西南昭化镇），晋见王建，奏报紧急军情，王建派开路总指挥官（开道都指挥使）王宗弼（魏弘夫）率军增援安远军城（陕西省勉县），在斜谷（陕西省太白县境）跟刘知俊会战，击破刘知俊军。

27 十月四日，夜晚，后梁帝（一任太祖）朱全忠（朱温）从相州（河南省安阳市）出发。

十月五日，朱全忠（朱温）抵达洹水（河北省魏县西南）。当天（十月五日）夜晚，边界官员奏报说：晋（首都太原府）、赵（首都镇州）联军南下，朱全忠（朱温）立即前进迎击。

十月六日，朱全忠（朱温）抵达魏县（河北省魏县），军中忽然传出

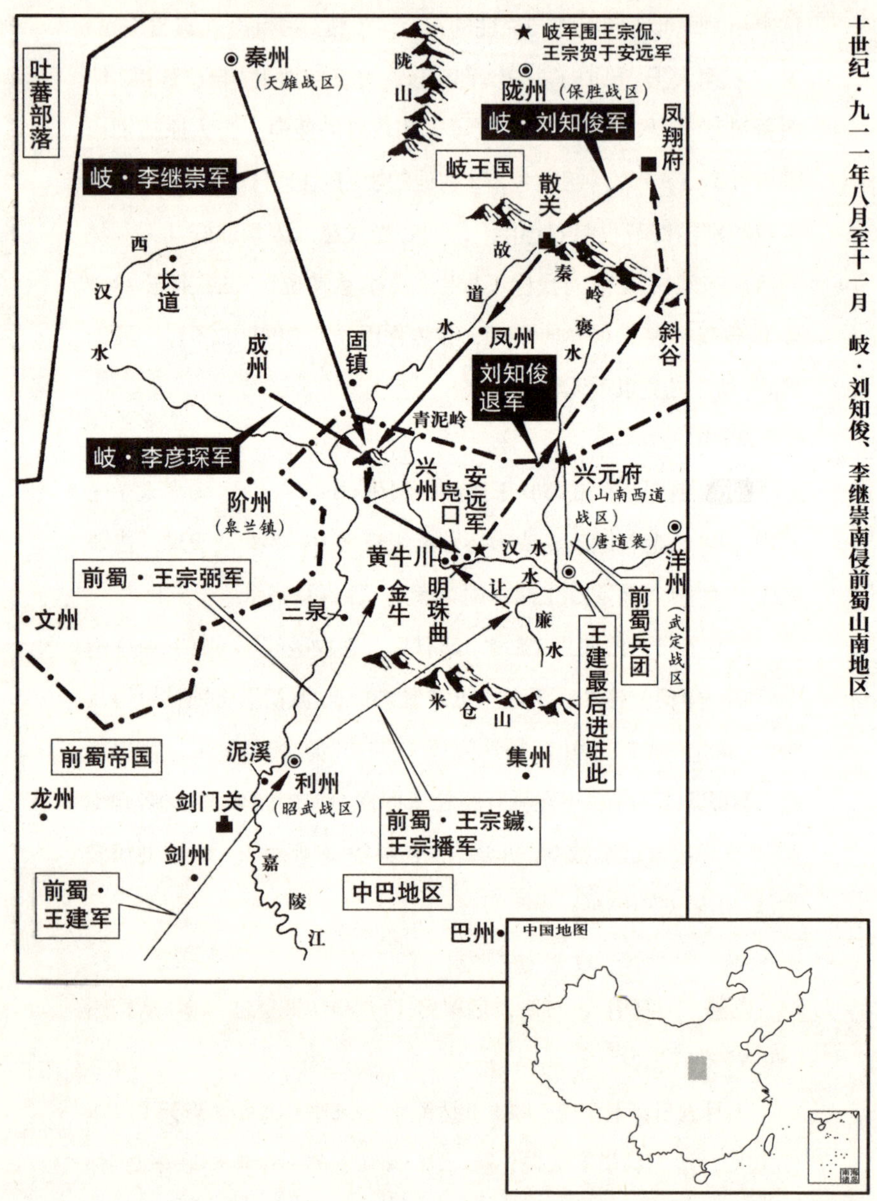

十世纪·九一二年八月至十一月 岐·刘知俊、李继崇南侵前蜀山南地区

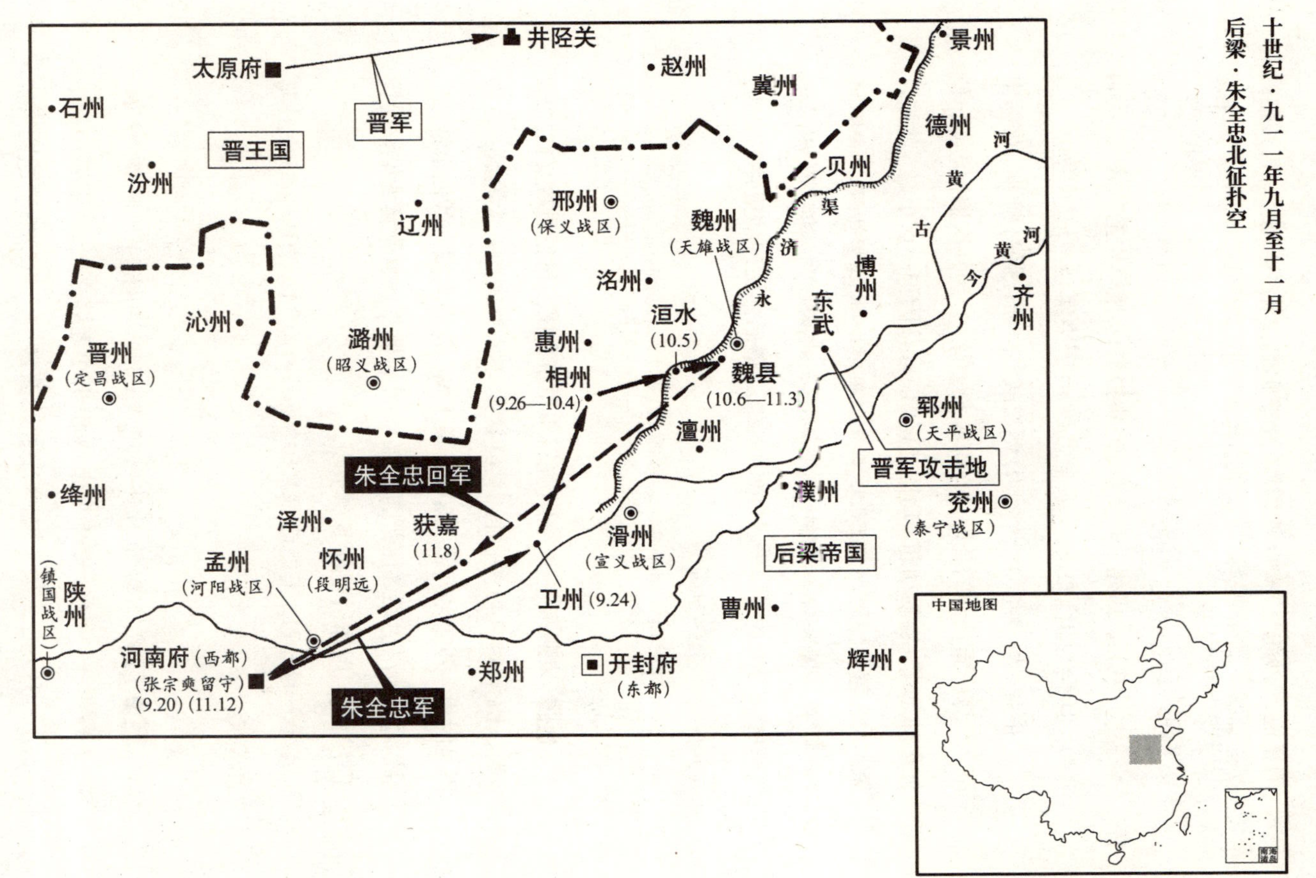

十世纪·九一一年九月至十一月
后梁·朱全忠北征扑空

消息说:“沙陀兵(晋军)杀到!”士卒惊恐,很多人逃亡,再残酷的刑罚都无法阻止。不久又传出消息说,沙陀兵并没有来,军心才恢复平静。

十月八日,贝州(河北省清河县)奏报说:“晋军攻击东武(山东省阳谷县),但不久即行撤退。”朱全忠(朱温)因夹寨(参考九〇八年四月二十九日)、柏乡(参考本年〔九一一〕正月)两次战败,所以强打精神,带病出征,打算一雪从前的耻辱,心情本来烦闷,一连几次狼狈虚惊,使他更加急躁,容易动怒,功臣老将们,往往因犯一点小错,就被诛杀,人心越发惊恐。(《旧五代史·梁书·太祖本纪》:朱全忠到相州时,左龙骧总教练官邓季筠、天雄骑兵总指挥官何令稠、右翼骑兵总指挥官陈令勋,因部下的马瘦,在营门同时腰斩。到魏县时,又斩先锋指挥官黄文靖。)最后,发现情报并不确实,晋赵联军根本没有出动。

十一月二日,朱全忠(朱温)南返。

28 桀燕帝(一任)刘守光召集军事会议,讨论进攻义武(总部定州),幽州(北京市)参谋官(参军)景城(河北省沧州市西)人冯道,认为不是时机,刘守光大怒,逮捕冯道下狱,幸有人竭力代他求情,才得以释放。冯道遂逃往晋国(首都太原府),监军宦官张承业推荐给晋王李存勖,用作机要秘书(掌书记)。

十一月七日,王处直(义武〔总部定州〕司令官)向晋国(首都太原府)紧急求救。

29 后梁(首都河南府)怀州(河南省沁阳市)州长、开封(河南省开封市)人段明远的妹妹,是朱全忠(朱温)的小老婆之一。

十一月八日,朱全忠(朱温)抵达获嘉(河南省获嘉县),段明远呈献供应，丰富完美（一顿丰富完美的饭，足使千百人丧身破家，可悲），朱全忠（朱温）大为高兴。

30 十一月十日，后梁（首都河南府）保塞战区（总部设延州〔陕西省延安市〕）司令官（节度使）高万兴奏报说：派总指挥官（都指挥使）高万金率军进攻盐州（陕西省定边县），州长高行存投降（后梁朔方〔总部灵州〕司令官韩逊从岐国〔首都凤翔府〕手中夺取盐州，参考前年〔九〇九〕六月十三日，或在之后又被岐国夺回）。

31 十一月十二日，后梁帝（一任太祖）朱全忠（朱温）返抵洛阳（首都河南府所在县），旧病复发。

32 前蜀（首都成都府）大将王宗弼（魏弘夫）在金牛（陕西省宁强县北）击败岐国（首都凤翔府）军队，一连攻陷十六个营寨，俘虏格杀六千余人，生擒岐军（首都凤翔府）将领郭存等。

十一月十六日，王宗鐬、王宗播又在黄牛川（陕西省勉县西）击败岐军（首都凤翔府），生擒他们的将领苏厚等。

十一月十七日，前蜀帝（一任高祖）王建自利州（四川省广元市）北上，抵达兴元（陕西省汉中市）。援军集结完成，安远（陕西省勉县西）守军看见皇家旌旗，跳跃欢呼，王宗侃（田师侃）等擂起战鼓，大声呐喊，从城里杀出，跟援军内外夹攻，大破岐军（首都凤翔府），连陷二十一个营寨，斩岐军将领李廷志等。

十一月十九日，岐军解除安远（陕西省勉县西）包围，逃走。前蜀将领唐道袭早先就在斜谷（陕西省太白县境）设下埋伏，突出拦击，再次给岐军重创。

十一月二十日，王建返回成都（四川省成都市）。

岐王（一任忠敬王）李茂贞（宋文通）左右亲信石简颙，暗中谗言陷害刘知俊，李茂贞（宋文通）遂夺去刘知俊的兵权。李继崇（天雄〔总部秦州〕司令官）提醒李茂贞（宋文通）说："刘知俊是一位勇士，走投无路，归附我们，不应该因有人打小报告，就把他废弃。"李茂贞（宋文通）遂诛杀石简颙，以使刘知俊安心。李继崇邀请刘知俊全族移往秦州（甘肃省秦安县西北）。

33 十一月二十八日，桀燕帝（一任）刘守光率军二万人，南下进入义武（总部定州）边境，攻击容城（河北省容城县）。王处直（义武〔总部定州〕司令官）再向晋国（首都太原府）紧急求救。

34 十二月五日，后梁政府（首都河南府）擢升永顺战区（总部设朗州〔湖南省常德市〕）候补司令官（留后）马賨（音cóng〔从〕），实任司令官（节度使），遥兼二级宰相（同平章事·使相）。

35 后梁（首都河南府）镇南战区（总部设虔州〔江西省赣州市〕）候补司令官（留后）卢延昌（参考去年〔九一〇〕十二月），游荡打猎，丝毫没有节制，百胜军指挥官（百胜军指挥使）黎球把他诛杀，自己继位，还打算诛杀谭全播，谭全播声称有病，辞职退休回家，才免一死。

十二月六日，后梁政府（首都河南府）命黎球当虔州（江西省赣州市）警备区司令（防御使）。不久，黎球逝世，营门官（牙将）李彦图代理州长，谭全播声称病势加重。清海战区（总部设广州〔广东省广州市〕）司令官（节度使）刘岩听到谭全播病重消息，出军进攻韶州（广东省韶关市），攻破，州长廖爽逃奔南楚（首都潭州），南楚王（一任武穆王）马殷（本年六十岁）上疏后梁政府，任命廖爽当永州（湖南省永州市）州长。

36 十二月七日，前蜀帝（一任高祖）王建返回成都（自兴元府还）。

37 十二月八日，后梁政府（首都河南府）擢升静海战区（总部设安南府〔越南河内市〕）候补司令官（留后）曲美（曲承美），实任司令官（节度使）。

38 十二月十三日，后梁政府（首都河南府）命静江战区（总部设桂州〔广西桂林市〕）作战参谋长（行军司马）姚彦章当宁远战区（总部设容州〔广西容县〕）副司令官（节度副使），暂时代理容州（广西容县）州长；以上都出于南楚王（首都潭州）马殷的要求。

刘岩（清海〔总部广州〕司令官）派军进攻容州（广西容县），马殷派总指挥官（都指挥使）许德勋，率静江（总部桂州）野战军增援，但姚彦章已不能支持，于是把容州（广西容县）居民跟仓库所有积蓄，全部迁到长沙（南楚首都潭州所在县）。刘岩遂占领容州（广西容县）及高州（广东省信宜市南。南楚取得容高二州，参考去年〔九一〇〕十二月，历时一年失去）。

39 十二月十四日，晋王（首都太原府）李存勖，派华洋步骑兵总司令（蕃汉马步总管）周德威，率军三万人，进攻桀燕（首都幽州），声援义武（总部定州）。

40 本年（九一一），前蜀帝（一任高祖）王建，命皇家机要总监（内枢密使）潘炕，当武泰战区（总部设黔州〔重庆市彭水县〕）司令官（节度使）。命潘炕的堂弟、宫廷事务南院总监（宣徽南院使）潘峭，当皇家机要总监（内枢密使）。

九二二年 壬申

后梁	乾化	二年
晋	天祐	九年
岐	天祐	九年
南吴	天祐	九年
前蜀	永平	二年
南楚	乾化	二年
吴越	天宝	五年
桀燕	应天	二年

1 春季，正月，晋国（首都太原府〔山西省太原市〕）华洋步骑兵总司令（蕃汉马步总管）周德威，率军北上，穿过飞狐口（河北省涞源县），跟成德（总部镇州）将领王德明（张文礼）、义武（总部定州）将领程岩，在易水（流经河北省易县南）会师。

正月七日，三方面联军进攻桀燕帝国（首都幽州〔北京市〕）边境祁沟关（河北省涿州市西南），攻克。

正月九日，三方面联军包围涿州（河北省涿州市），州长刘知温登城抵抗。刘守奇（刘仁恭的儿子，逃奔晋国，参考九〇七年四月）的宾客刘去非，在城下大声喊话，对刘知温说：“河东（总部太原府）小刘郎（刘守奇）来替老爹讨伐叛贼，干你什么事，却打算坚守？”刘守奇也抵达城下，脱下头盔，向他慰劳勉励，刘知温在城楼上叩头，遂开城投降。周德威忌妒刘守奇轻易的建立这项大功，暗中向晋王李存勖（本年二十八岁）陷害刘守奇。李存勖召见刘守奇，刘守奇恐怕回去会被定罪，就跟刘去非以及进士赵凤，逃奔后梁帝国（首都河南府），后梁帝（一任太祖）朱全忠（朱温，本年六十一岁）命刘守奇当博州（山东省聊城市）州长。刘去非、赵凤，都是幽州（北京市）人。先前，刘守光裹挟境内所有青年，一律在脸上刺青，强迫当兵，即令是知识分子，也不能避免（这是老爹刘仁恭时代的做法，参考九〇六年九月）。赵凤装扮成佛教和尚，逃奔晋国（首都太原府），刘守奇延揽作为宾客。

正月十八日，周德威抵达幽州（北京市）城下，桀燕帝（一任）刘守光向后梁（首都河南府）求救。

二月，后梁帝（一任太祖）朱全忠（朱温）病势稍微好转，考虑御驾亲征成德（总部镇州）、义武（总部定州），救援刘守光。

2 后梁帝（一任太祖）朱全忠（朱温）听见岐国（首都凤翔府〔陕西省宝鸡市凤翔区〕）跟前蜀帝国（首都成都府〔四川省成都市〕）互相攻击，认为可从中取利。

二月十二日，朱全忠（朱温）派宫廷膳食部长（光禄卿）卢玭等出使前蜀（首都成都府），写信给王建，称呼王建为“老哥”（二人交好，参考九〇三年四月；后来朱全忠篡夺唐王朝政权，遂变成敌对至今）。

3 二月十五日，后梁帝（一任太祖）朱全忠（朱温）从洛阳（首都

十世纪·九一二年正月至五月

晋将周德威率三镇联军围幽州，后梁帝朱全忠趁虚北伐失败

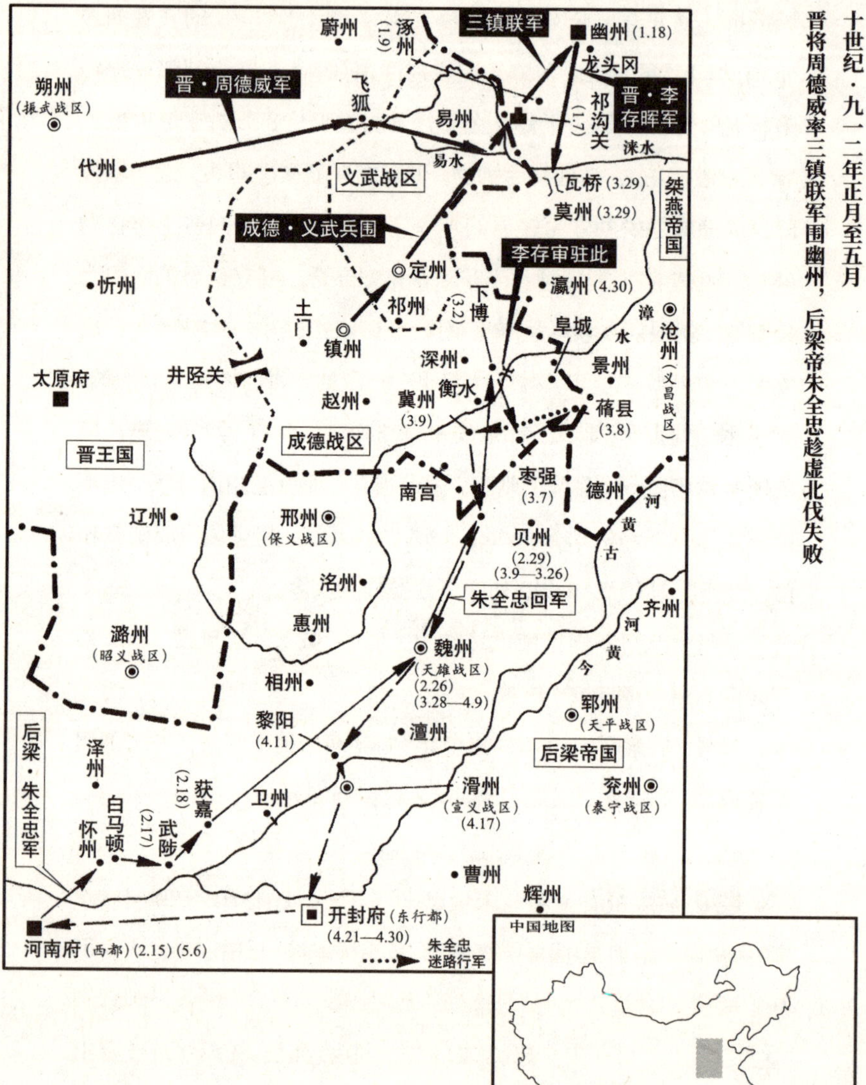

三镇联军
幽州 (1.18)
蔚州
涿州 (1.9)
龙头冈
晋·李存晖军
祁沟关 (1.7)
朔州 (振武战区)
晋·周德威军
飞狐
易州
易水
涞水
代州
义武战区
瓦桥 (3.29)
莫州 (3.29)
桀燕帝国
成德·义武兵围
李存审驻此
定州
瀛州 (4.30)
忻州
下博 (3.2)
祁州
土门
阜城
漳水
沧州 (义昌战区)
镇州
深州
景州
井陉关
太原府
衡水
赵州
冀州 (3.9)
蓨县 (3.8)
成德战区
晋王国
南宫
枣强 (3.7)
德州
河
黄
古
辽州
邢州 (保义战区)
贝州 (2.29) (3.9—3.26)
洛州
朱全忠回军
齐州
惠州
河
黄
今
潞州 (昭义战区)
魏州 (天雄战区) (2.26) (3.28—4.9)
相州
郓州 (天平战区)
黎阳 (4.11)
澶州
后梁帝国
后梁·朱全忠军
泽州
获嘉 (2.18)
白马顿 (2.17)
卫州
滑州 (宣义战区) (4.17)
兖州 (泰宁战区)
怀州
武陟
曹州
辉州
开封府 (东行都) (4.21—4.30)
河南府 (西都) (2.15) (5.6)
朱全忠迷路行军
中国地图
南海诸岛

河南府所在县）出发。扈从官员因他喜怒无常，随意诛杀，大家都很恐惧，不愿随驾出征。朱全忠（朱温）得到报告，更是大怒。当天（二月十五日），到达白马顿（河南省沁阳市东北）休息，赏赐随从人员饮食，很多人还没有赶到，朱全忠（朱温）派骑兵催促。监督院最高顾问官（左散骑常侍）孙骘（音zhì〔至〕）、立法院高级顾问官（右谏议大夫）张衍、国务院国防部军政司长（兵部郎中）张儁，最后才赶到，朱全忠（朱温）下令把三人扑杀。张衍，是张宗奭（张全义，西都〔首都河南府〕留守长官）的侄儿。

二月十七日，朱全忠（朱温）到达武陟（河南省武陟县），怀州（河南省沁阳市）州长段明远的供应，比上次更加丰富（参考去年〔九一一〕十一月）。

二月十八日，朱全忠（朱温）抵达获嘉（河南省获嘉县），睹景思情，忽然想起去年（九一一）前相州（河南省安阳市）州长李思安供应不周，下令把已被罢黜为平民的李思安，贬作柳州（广西柳州市）户籍官（司户），诏书上特别褒奖段明远的才干，说："观察段明远这么尽忠勤快，就可发现李思安如何的悖谬怠慢。"不久，又下诏李思安无限期流放崖州（海南省海口市琼山区），命他自杀。段明远后来改名段凝。

二月二十六日，朱全忠（朱温）到达魏州（河北省大名县），命总征剿司令（都招讨使）宣义战区（总部设滑州〔河南省滑县〕）司令官（节度使）杨师厚、副征剿司令（副使）前河阳战区（总部设孟州〔河南省孟州市〕）司令官（节度使）李周彝（李茂勋）包围枣强（河北省枣强县）。命征剿后勤司令（招讨应接使）平卢战区（总部设青州〔山东省青州市〕）司令官（节度使）贺德伦、副征剿后勤司令（副使）天平战区（总部设郓州〔山东省东平县〕）候补司令官（留后）袁象先，包围蓨县（河北省景县）。贺德伦，是河西（陕西省北部）胡人；袁象先，是下邑（河南省夏邑县）人（二人事，同参考八九九年三月）。

二月二十九日，朱全忠（朱温）抵达贝州（河北省清河县）。

4 辰州蛮（湖南省沅陵县境内蛮夷）酋长宋邺（参考前年〔九一〇〕十二月）、昌师益，各率他们的部众，向南楚（首都潭州〔湖南省长沙市〕）投降，南楚王（一任武穆王）马殷（本年六十一岁），命宋邺当辰州（湖南省沅陵县）州长，昌师益当溆州（湖南省洪江市西北黔城镇）州长。

5 后梁帝（一任太祖）朱全忠（朱温）日夜不停急行军前进。

三月二日，后梁大军抵达下博（河北省深州市东南下博镇）稍南，登上观津冢（河北省武邑县东南。《太平寰宇记·冀州·信都县》引《隋图经》：西汉王朝五任帝刘恒的妻子窦皇后〔参考前一七九年三月〕，她的老爹窦少翁，是古观津县人，秦王朝末年，天下大乱，窦少翁躲在县城东南三华里青冢，在一次钓鱼时，从悬崖坠下身死。后来窦皇后的儿子六任帝刘启登极，窦皇后派人把水潭填平，作为老爹坟墓，并在观津城东南堆起大坟，县民称“窦氏青山”，称窦冢，也就是观津冢）。成德战区（总部设镇州〔河北省正定县〕）将领符习，率数百名游骑兵巡逻，不知道山丘上一群人中有后梁（首都河南府）皇帝，挥军进逼。就在这时候，有人警告朱全忠（朱温）说：“晋军（首都太原府）霎时就到。”朱全忠（朱温）大为紧张，抛下行营御帐，急率军奔枣强（河北省枣强县），跟杨师厚兵团会合。符习，是赵州（河北省赵县）人。

枣强城池虽小，却十分坚固，成德战区（总部设镇州〔河北省正定县〕）集结精锐部队数千人守卫。杨师厚发动猛烈攻击，一连几天，不能攻克，城墙损坏，立刻修补复原，后梁军死伤人数，以万为单位计算。而城中守军的箭和石头，也将用完，大家商量投降。一位战士自告奋勇说：“盗匪（后梁）自从柏乡（河北省柏乡县）溃败（参考去年〔九一一〕正月），看见我们镇州（河北省正定县）人，恨得眼眶都会爆裂，如今向他们投降，真是自己把人头塞进虎狼的血盆大口。已经走投无路，留这个身子，还有什么用处？我自愿出城碰碰运气！”

夜晚，从城上用绳缒下，前往后梁大营，声称投降，李周彝（李茂勋）召见他，询问城里守卫情形，回答说：“城不容易攻下，恐怕要十天半月。”乘势请求说：“我已归顺，希望给我一把佩剑，让我冲上城墙，砍下守城将领的人头。”李周彝（李茂勋）不准，只教他担着担子跟随部队前进。稍后，抓住一个机会，战士举起扁担，猛击李周彝（李茂勋）的头部，李周彝（李茂勋）跌倒在地，大声呼叫，左右奔上来救他，才逃出一命（战士的下场可想而知，可惜没有留下姓名，我们向这位勇士致敬）。朱全忠（朱温）得到消息，更为愤怒，命杨师厚日夜不停猛攻。

三月七日，枣强（河北省枣强县）陷落，后梁军大肆屠杀，不分男女老幼，一人不留，全部杀光，血流满城。

最初，朱全忠（朱温）率大军渡黄河北上，对外宣称五十万人。晋国（首都太原府）忻州（山西省忻州市）州长李存审（符存审），驻军赵州（河北省赵县），忧虑部队太少，初级将领（裨将）赵行实建议退到土门（河北省石家庄市鹿泉区西南）躲避，李存审（符存审）拒绝（一入土门，进入太行山，再出就难）。后来，后梁（首都河南府）将领贺德伦攻击蓨县（河北省景县），李存审（符存审）告诉别动部队将领（别将）史建瑭、李嗣肱说：“我们大王（李存勖）正在幽州（北京市）作战，不可能派军前来增援，南方的事，全部交给我们处理。现在，蓨县（河北省景县）正在危急，我们怎么能心平气和的坐在一旁观看。盗匪如果夺取蓨县（河北省景县），一定向西攻击深（河北省深州市）、冀（河北省衡水市冀州区），祸患就更严重，我们必须用奇计把他们击破。”李存审（符存审）遂率军封锁下博桥（河北省深州市下博村东漳河桥），派史建瑭、李嗣肱分别出去捉拿俘虏。史建瑭把他的部众分作五队，每队一百人：一队向衡水（河北省衡水市），一队向南宫（河北省南宫市），一队向信都（冀州州政府所在县，河北省衡水市冀州区），一队向阜城（河北省阜城县），而自己亲率一队，深入敌境，跟李嗣肱联合出击，只要发现后梁（首都河南府）军队派出砍柴割草的士卒，全部生擒，共俘虏数百人。第二天，各队在下博桥（河北省深州市下博村东漳河桥）集合，把所俘的后梁军士卒，全体诛杀，只留下几个人，砍断一只臂膀，放他们回去，吩咐说："替我传话给朱温（朱全忠），晋王（李存勖）大军已到。"当时，后梁军仍包围蓨县（河北省景县），不能攻克。朱全忠（朱温）率杨师厚兵团五万人，跟贺德伦会师，集中兵力加强总攻。

三月八日，朱全忠（朱温）刚抵达蓨县（河北省景县）城西，还没有扎营，史建瑭、李嗣肱各率骑兵三百人，改穿后梁（首都河南府）军服，高举后梁军旗，跟后梁砍柴割草回营的士卒，混杂一起，天色快黄昏时，到达贺德伦大军营门，格杀守卫营门的卫士，到处纵火焚烧，高声号叫，乱箭四射，左冲右突，霎时间天色漆黑，晋军（首都太原府）大肆杀戮，劫持俘虏，撤退而去。后梁（首都河南府）军营乱成一团，不知道应该做什么才好。而被砍断臂膀的人，正巧这个时候逃命而回，警告说："晋军（首都太原府）大量涌到！"朱全忠（朱温）心胆俱裂，焚烧军营，乘夜正深沉，逃走，中途又迷失道路，弯弯曲曲多走了一百五十华里。

三月九日，凌晨，朱全忠（朱温）才到冀州（河北省衡水市冀州区），蓨县（河北省景县）田野间的农夫都拿起锄头、木棍，向撤退中的后梁残兵败将，殴打驱逐。后梁抛弃的军用物资，以及武器，不计其数。稍后，朱全忠（朱温）再派骑兵斥候前去侦察，回来奏报说："晋军（首都太原府）根本没有南下，只不过是先锋官史建瑭的游骑兵。"朱全忠（朱温）羞愤交集，病势遂更加重，四人抬的小轿都不能坐。留在贝州（河北省清河县）十数天，各路残兵败将，才陆续集合。

6 桀燕（首都幽州）义昌战区（总部设沧州〔河北省沧州市东南〕）司令官（节度使）刘继威，年纪还轻，但他的荒淫和暴虐程度，不亚于他的老爹、桀燕帝（一任）刘守光，甚至在总指挥官（都指挥使）张万进家里奸淫张家妇女，张万进大怒，诛杀刘继威（张万进、周知裕辅佐刘继威，参考前年〔九一〇〕正月）。第二天早上，召见大将周知裕，告诉他事情经过。张万进遂自称候补司令官（留后），命周知裕当左翼大营总管理官（左都押牙）。

三月二十一日，张万进派使节向后梁（首都河南府）呈递奏章投降，同时也派使节向晋国（首都太原府）投降，晋王李存勖命大将周德威慰问安抚。周知裕心里一直忐忑不安，遂逃奔后梁（首都河南府），后梁帝（一任太祖）朱全忠（朱温）为他成立归化军，命周知裕当指挥官（指挥使），凡是从河朔（河北平原）逃来的官兵，都由他统御。

三月二十二日，朱全忠（朱温）命张万进当义昌战区（总部设沧州〔河北省沧州市东南〕）候补司令官（留后）。

三月二十五日，朱全忠（朱温）把义昌战区改称顺化战区，命张万进当司令官（节度使）。

三月二十六日，朱全忠（朱温）从贝州（河北省清河县）出发。

三月二十八日，朱全忠（朱温）抵达魏州（河北省大名县）。

7 三月二十九日，晋国（首都太原府）大将周德威，派初级将领（裨将）李存晖，等进攻桀燕（首都幽州）所属的瓦桥关（河北省雄县），守将以及莫州（河北省任丘市北鄚州镇）州长李严，都先后投降。李严，是幽州（北京市）人，读过很多儒家学派经书。晋王李存勖命李严教导他的儿子李继岌，李严坚决拒绝。李存勖大怒，就要把他斩首。训练司令（教练使）孟知祥得到消息，从座席上跳起来，连鞋子都来不及穿，光着双脚，紧急进宫晋见李存勖，劝阻说："强大的敌人还没有消灭，大王怎能因一时气愤，就杀归降的知识分子！"李严才免除死刑。孟知祥，是孟迁的侄儿（孟迁献邢州降李克用，参考八九〇年正月，献潞州降朱全忠，参考九〇一年三月），李克让的女婿（李克让死于秦岭，参考八八二年十二月）。

8 南吴（首都扬州〔江苏省扬州市〕）镇南战区（总部设洪州〔江西省南昌市〕）司令官（节度使）刘威、歙州（安徽省歙县）行政长官（观察使）陶雅、宣州（安徽省宣城市）行政长官（观察使）李遇、常州（江苏省常州市）州长李简，都是老王杨行密（杨行愍）的旧日将领，并且都立过大功。而徐温不过总部警备队（牙兵）出身，竟掌握中央军政大权（参考九〇七年正月），心里有点不大服气，李遇的态度尤其强烈，常常说："徐温是什么东西？我从没有听说过这个角色，怎么平地一声雷，政府由他当家做主！"驿马宾馆管理官（馆驿使）徐玠，出使吴越（首都杭州〔浙江省杭州市〕），路过宣州（安徽省宣州市），徐温命徐玠游说李遇晋见新继位的南吴王杨隆演（本年十六岁）。李遇最初答应，可是徐玠多说了一句警告："你不这样做，人们会说你反！"李遇大怒说："你说我反？那么，杀最高监督长（侍中）的，算不算反？"最高监督长（侍中），是已故弘农王杨渥的唐王朝官衔。徐温得到报告，大怒，命淮南（总部扬州）副司令官（节度副使）王檀，当宣州（安徽省宣州市）军政总监（制置使），由南吴王杨隆演下令，公布李遇不肯到中央觐见的罪状，派总指挥官（都指挥使）柴再用，率昇（江苏省南京市）、润（江苏省镇江市）、池（安徽省池州市贵池区）、歙（安徽省歙县）四州军队，护送王檀前往宣州（安徽省宣州市）到差；长江舰队副司令（楼船副使）徐知诰（李知诰）当柴再用的副手。李遇拒绝交出职务，柴再用遂向宣州（安徽省宣城市）发动攻击，一个月有余，不能攻克。

9 夏季，四月五日，后梁政府（首都河南府）命南楚王（一任武穆王）马殷，当武安（总部潭州）、武昌（总部鄂州）、静江（总部桂州）、宁远（总部容州）四战区司令官（节度使。武昌、宁远都是空头官衔），兼洪（江西省南昌市）鄂（湖北省武汉市）地区特遣兵团总指旨战官（洪鄂四面行营都统）。

10 四月七日，后梁（首都河南府）博王朱友文（康勤，东都〔开封府〕留守长官）前往魏州（河北省大名县）行宫，晋见后梁帝（一任太祖）朱全忠（朱温），请朱全忠（朱温）先回东都（开封府，河南省开封市）。

四月九日，朱全忠（朱温）由魏州（河北省大名县）出发。

四月十一日，朱全忠（朱温）抵达黎阳（河南省浚县），因病稍作逗留。

四月十七日，朱全忠（朱温）抵达滑州（河南省滑县）。

11 前蜀（首都成都府）维州（四川省理县）羌民族部落变民首领胡董琢，聚众起兵，前蜀帝（一任高祖）王建（本年六十六岁）派保銮军基地司令（保銮军使）赵绰，把胡董琢平定。

12 四月二十一日，后梁帝（一任太祖）朱全忠（朱温）抵达大梁（东都开封府所在城）。

13 后梁帝（一任太祖）朱全忠（朱温）听到清海（总部广州）跟武安（总部潭州）互相攻击消息。

四月二十六日，派立法院最高顾问官（右散骑常侍）韦戬（音jiǎn

〔剪〕）等，充当潭（湖南省长沙市）、广（广东省广州市）调解特使（潭广和协使），前往沟通和好。

四月三十日，朱全忠（朱温）从大梁（东都开封府所在城，河南省开封市）出发。

14 晋国（首都太原府）三方面联军统帅周德威报告晋王李存勖说：兵力太少，无法攻城（幽州城〔北京市〕）。李存勖派李存审（符存审）率吐谷浑（山西省东北部）和契苾（南迁的铁勒九姓部落之一，山西省北部）人组成的骑兵部队，前往增援。

李嗣源（邈佶烈）进攻瀛州（河北省河间市），州长赵敬投降。

15 五月六日，后梁帝（一任太祖）朱全忠（朱温）抵达洛阳（首都河南府所在县），病势沉重。

司空（三公之三）、副监督长（门下侍郎）、二级实质宰相（同平章事）薛贻矩逝世。

16 桀燕帝（一任）刘守光派他的大将单廷珪率精锐部队一万人出城挑战，在龙头冈（北京市东南四十五公里）跟三方面联军统帅周德威遭遇。单廷珪大喜说："今天一定活捉周杨五，献给皇上（刘守光）。"杨五，是周德威的乳名。接触一开始，单廷珪在战场上就看到周德威，立刻手提长枪，匹马奔驰，直扑而上，枪尖紧逼周德威的后背，周德威一侧身子，躲过枪尖，顺势挥出铁锤反击，单廷珪翻身落马。周德威把他生擒，押解到军营大门示众。桀燕军迅速撤退，周德威率骑兵冲杀，桀燕军大败，死三千余人。单廷珪，是桀燕（首都幽州）的骁将，被俘之后，桀燕士气崩溃。

17 五月十一日，前蜀政府（首都成都府）大赦天下。

18 南吴（首都扬州）宣州（安徽省宣城市）行政长官（观察使）李遇最小的儿子，当淮南（总部扬州）营门官（牙将），李遇最是宠爱。左右警备队总指挥官（左右牙兵都指挥使）徐温把他逮捕，押解到宣州（安徽省宣城市）城下，让李遇观看，小儿子哭啼哀号，求老爹救他一命，李遇犹豫不忍出战。徐温派礼宾官（典客）何荛进城，用南吴王杨隆演的名义劝他投降，最后，何荛说："如果你本来的意思就是要谋反，请把我杀掉，昭告全军。如果你根本没有谋反的意思，那么，随我回归中央。"李遇乃开城投降。徐温命柴再用斩李遇，屠灭他的全族。这时候，其他将领对徐温才感到畏惧，不敢再违背他的命令。

徐知诰（李知诰）因功升昇州（江苏省南京市）州长。徐知诰（李知诰）事奉徐温，十分谨慎，任劳任怨，从没有说过一句牢骚不满的话，有时彻夜工作，连衣服都不脱，因此徐温对他特别喜爱，常向其他儿子们说："你们对我，能不能像知诰对我？"当时，各州州长都是武夫，只知道军事，根本不关心人民生活。徐知诰（李知浩）当昇州（江苏省南京市）州长，却遴选清廉官吏，革新政治，推广教育，延聘各地知识分子，花光家里所有的钱，都在所不惜。洪州（江西省南昌市）进士宋齐丘，喜爱权术谋略，晋见徐知诰（李知浩），徐知诰（李知浩）相见恨晚，请他担任司法官（推官）；连同执行官（判官）王令谋、参谋官（参军）王翃（音hóng〔洪〕），组成他的智囊团；而用帐前初级官（牙吏）马仁裕、周宗、曹悰，作为心腹。马仁裕，是彭城（江苏省徐州市）人。周宗，是涟水（江苏省涟水县）人。

19 闰五月十五日，后梁帝（一任太祖）朱全忠（朱温）病势更重，对亲近侍从说：“我经营天下，长达三十年（朱全忠任宣武司令官开创新局，参考八八三年七月，迄今恰恰三十年），想不到李克用的余孽，猖獗到如此地步，我看他们的志向不小，而上天又夺去我的寿限。我死，我的儿子们恐怕不是他们的对手，我连埋葬的地方都难以找到！”流泪哭泣，昏厥在床，再悠悠转醒。

荆南战区（总部设江陵府〔湖北省江陵县〕）司令官（节度使）高季昌，眼看天下仍然大乱，有割据称雄的计划。于是奏报后梁政府（首都河南府），兴筑江陵（湖北省江陵县）外城，扩大城池面积。

20 闰五月十九日，前蜀（首都成都府）副监督长（门下侍郎）、二级实质宰相（同平章事）王锴免职，贬作国务院国防部长（兵部尚书）。

21 后梁帝（一任太祖）朱全忠（朱温）的长子郴王朱友裕，很早逝世（参考八九三年二月），次子是义子博王朱友文（康勤），朱全忠（朱温）对他特别宠爱，长期担任东都（开封府，河南省开封市）留守长官，兼后勤总部总监（兼建昌宫使）。三子郢王朱友珪，娘亲是亳州（安徽省亳州市）随营军妓（《旧五代史·朱友珪传》：九世纪八〇年代，朱全忠进军亳州，召妓女陪伴，一个月后，将要离去，她告诉说她已怀身孕。朱全忠把她留在亳州。后来，她生下男孩，差人报信，朱全忠大喜，遂名遥喜。这个遥喜，就是朱友珪），当左右控鹤总指挥官（左右控鹤都指挥使）。四子均王朱友贞，当东都（开封府）步骑兵总指挥官（马步都指挥使），朱全忠（朱温）对他并不喜欢。

最初，朱全忠（朱温）的妻子张女士（元贞皇后），端庄严肃，既有智慧，又有谋略，朱全忠（朱温）对她尊敬畏惧。后来，张女士逝世（死于九〇四年），朱全忠（朱温）再没有拘束，遂开始大肆荒淫，毫无顾忌，儿子们虽都住在外地，但朱全忠（朱温）却经常召唤他们的妻子进宫侍候，往往教她们上床奸宿。朱友文（康勤）的妻子王女士，最为美丽，朱全忠（朱温）对她尤其宠爱，虽然并不因此就封朱友文（康勤）当太子，但却觉得他是最适当的继承帝位的人选。朱友珪心里一直愤愤不平。朱友珪有一次犯错，朱全忠（朱温）给他一顿鞭打，朱友珪越发恐惧。朱全忠（朱温）病势更重，命王女士前往东都（开封府）召唤她的丈夫朱友文（康勤）前来洛阳（首都河南府所在县），打算跟他诀别，而且托付他身后之事。朱友珪的妻子张女士，日夜在朱全忠（朱温）身边服侍，听到这个消息，秘密告诉朱友珪说："皇上把传国玉玺交给王女士，带去东都（开封府），我们不知道能活到哪一天！"夫妻相对哭泣，左右亲信有人建议说："情急智出，死中求生，为什么不另想办法，时机不可丧失！"

六月一日，朱全忠（朱温）命帝国政务署总监（崇政院使）敬翔，外放朱友珪当莱州（山东省莱州市）州长，并立刻到差。已经传话下去，只诏书没有发布。当时，凡是外放的官员，很多人上路之后，第二道命令就会追上来诛杀，朱友珪更是惊骇，决定采取行动。

六月二日，朱友珪改穿平民衣服，暗中溜进左龙虎军（禁军第三军），会见统军（正三品）韩勍（音qíng〔情〕），把计划告诉他。韩勍亲眼看到功臣老将，都因小小过失，受到诛杀，不知道大祸哪天临到自己头上，也心怀恐惧，所以二人一拍即合，联合一致。韩勍派警卫部队官兵五百人，跟朱友珪的控鹤部队，混合编组，一起进入皇宫埋伏。深夜，砍开寝宫大门，直奔寝殿——皇帝卧室，侍候医药的人，四散逃走。朱全忠（朱温）大吃一惊，从床上跳起来，喝问："哪一个造反？"朱友珪说："不是外人。"朱全忠（朱温）说："我就疑心是你这个贼子，恨不得早把你杀掉。你凶暴叛逆到这种地步，天地怎么会容你！"朱友珪诟骂道："老贼，你早该碎尸万段！"朱友珪的仆夫冯廷谔把刀笔直刺进朱全忠（朱温）的肚子，用力过猛，刀尖从朱全忠（朱温）的后背穿出（年六十一岁）。朱友珪亲自用一条破毛毡裹住尸体，就在寝殿挖坑，暂时掩埋，封锁消息，不对外发布。一面派贴身宦官（供奉官）丁昭溥（音pǔ〔普〕）飞马前往东都（开封府），命均王朱友贞斩朱友文（康勤）。

六月三日，朱友珪假传朱全忠（朱温）诏书，说："博王友文企图叛乱，派军突入皇宫，幸亏郢王友珪，忠孝双全，率军赶到，把他们诛杀，保全我的性命，然而病中受此刺激，惊慌震动，病势更重，现在命友珪暂时主持帝国军政大事。"韩勍替朱友珪设计，动用国库大量金银绸缎，赏赐给各军官兵以及文武百官，希望他们喜悦。

六月五日，丁昭溥从东都（开封府）返洛阳（首都河南府所在县），报告说朱友文（康勤）已被处死。朱友珪才发布丧事新闻，宣布朱全忠（朱温）诏书，朱友珪（本年二十九岁）继承帝位（二任）。

此时，宫廷发生流血政变，无论中央及地方，人心惶恐不安。匡国战区（总部设许州〔河南省许昌市〕）士卒互相传播动乱消息，战区司令官（节度使）韩建，却丝毫都不在意，也不戒备。

六月二十日，步骑兵总指挥官（马步都指挥使）张厚兵变，诛杀韩建（年五十八岁），朱友珪不敢追究。

六月二十八日，朱友珪命张厚当陈州（河南省周口市淮阳区）州长。

秋季，七月二日，朱友珪下诏大赦天下。

天雄战区（总部设魏州〔河北省大名县〕）司令官（节度使）罗周翰，年纪还小，力量薄弱，总部军政大事，都由警备本部总指挥官（牙内都指挥使）潘晏决定。北方军团总征剿司令（北面都招讨使）、宣义战区（总部设滑州〔河南省滑县〕）司令官（节度使）杨师厚，正率军驻扎魏州（河北省大名县)，长期以来，一直想夺取天雄战区，只是畏惧朱全忠（朱温）严厉，不敢动手。现在，杨师厚正住铜台驿（河北省大名县城内），潘晏前来晋见，杨师厚把他逮捕，斩首，率军进入内城（牙城），占据总部，登上战区司令官（节度使）公堂座位办公。

七月七日，朱友珪下诏命杨师厚当天雄战区（总部设魏州〔河北省大名县〕）司令官（节度使）；调罗周翰当宣义战区（总部设滑州〔河南省滑县〕）司令官。（罗弘信夺取魏博〔天雄前身〕，参考八八八年二月，传子罗绍威、孙罗周翰，历时三代，前后二十五年而亡。）

朱友珪命禁卫各军基地司令（侍卫诸军使）韩勍，遥兼匡国战区（总部设许州〔河南省许昌市〕）司令官（酬庸他参与政变）。

七月九日，朱友珪加授吴越王（一任武肃王）钱镠（本年六十一岁）官衔“尚父”。

七月十九日，朱友珪命均王朱友贞当开封特别市长（开封尹）、东都（开封府）留守长官。

22 前蜀（首都成都府）皇太子王元坦（王宗懿），再改名王元膺。

23 七月二十一日，后梁帝（二任）朱友珪，撤销后勤总部总监（建昌宫使），命首都洛阳特别市长（河南尹）张宗奭（张全义）当帝国钱粮总监（国计使），天下所有金钱粮秣，从前隶属后勤总部（建昌宫）的，全部接收。

八月，驻防怀州（河南省沁阳市）的龙骧军三千人，突然哗变溃散，向东逃奔，所经过的地方，烧杀剽掠。

八月十三日，朱友珪派东京（开封府）步骑兵总指挥官（马步军都指挥使）霍彦威、左翼耀武指挥官（左耀武指挥使）杜晏球讨伐。

八月十五日，霍彦威等击破变军，在鄢陵（河南省鄢陵县）生擒变军大将刘重遇。

八月十九日，斩刘重遇。

24 后梁帝（二任）朱友珪登上皇帝宝座后，很多老将领愤愤不平，朱友珪对他们虽然委曲求全，尽量礼遇，又颁发大量赏赐，可是他们心里始终不能平衡。中央告哀特使抵达河中（山西省永济市），护国战区（总部设河中府〔山西省永济市〕）司令官（节度使）冀王朱友谦（朱简）哭泣说："先帝（朱全忠）奋战数十年，开创帝国大业，前些时宫廷发生变乱，外面的传说，难以入耳。我身为国家的屏藩，感到羞愧。"朱友珪加授朱友谦（朱简）中央官衔：最高监督长及最高立法长（侍中、中书令·使相），下诏为自己辩护，并征召朱友谦（朱简）前来京师（首都河南府）。朱友谦（朱简）对中央使节说："现在当皇帝的是谁？先帝（朱全忠）死于非命，我就要前去洛阳（首都河南府所在县）讨伐罪犯，还征什么召？"

八月二十三日，朱友珪命禁卫各军基地司令（侍卫诸军使）韩勍当西方军团征剿司令（西面行营招讨使），率领各路人马讨伐朱友谦（朱简）。朱友谦（朱简）遂献出河中（山西省永济市），向晋国（首都太原府）投降求救。

九月三日，朱友珪命感化战区（总部设华州〔陕西省渭南市华州区〕）司令官（节度使）康怀贞，当河中地区总征剿司令（河中都招讨使），命韩勍作为副手。

朱友珪因国务院国防部长（兵部尚书）、帝国政务署代理总监（知崇政院事）敬翔，是老爹朱全忠（朱温）的心腹亲信，恐怕对自己不利，打算解除他在皇宫里的职务（帝国政务署设宫内），但又怕人民失望。

九月二十六日，朱友珪任命敬翔当副立法长（中书侍郎）、二级实质宰相（同平章事）。

九月二十八日，朱友珪命国务院财政部长（户部尚书）李振，当帝国政务署总监（崇政院使）。敬翔遂声称有病，不过问政事。

25 后梁（首都河南府）康怀贞等，会同忠武战区（总部设同州〔陕西省大荔县〕）司令官（节度使）牛存节，集结大军五万人，进驻河中（山西省永济市）城西，发动猛烈攻击。晋王（首都太原府）李存勖派他的将领李存审（符存审）、李嗣肱、李嗣恩，率军增援，在胡壁（山西省万荣县西南）击败后梁（首都河南府）部队。李嗣恩，是骆家的儿子。

26 当初，南吴（首都扬州）老王杨行密（杨行愍）病重时，周隐曾建议征召刘威（参考九〇五年九月），自此之后，刘威一直受中央猜忌。有人向左右警备队总指挥官（左右牙兵都指挥使）徐温进谗言诬陷，徐温打算派军讨伐。刘威的幕僚黄讷建议刘威说："你所受的陷害，固然很深，可是根本没有证据，你如果乘一叶小舟，前去扬州（江苏省扬州市）晋见，嫌疑自可一扫而光。"刘威接受。陶雅（歙州行政长官）听到李遇失败，也开始恐惧，遂跟刘威一同前往广陵（首都扬州州政府所在城，江苏省扬州市），徐温对二人毕恭毕敬，好像对杨行密（杨行愍）一样，又特别优待，加官晋爵，陶雅等心悦诚服，大家对徐温也十分敬重。黄讷，是苏州（江苏省苏州市）人。徐温跟刘威、陶雅，率文武官员，晋见唐王朝的钦差大臣李俨（张俨），李俨（张俨）遂代表唐王朝皇帝，加授杨隆演中央官衔：太师（三师之一），封吴王（岐王李茂贞已代表唐王朝皇帝命令杨隆演嗣吴王，参考九一〇年二月，今日不过依惯例行事。李俨，参考九〇二年三月）。命徐温当镇海战区（总部设润州〔江苏省镇江市〕）司令官（节

十世纪·九一二年九月至十月

后梁·康怀贞围攻叛将朱友谦

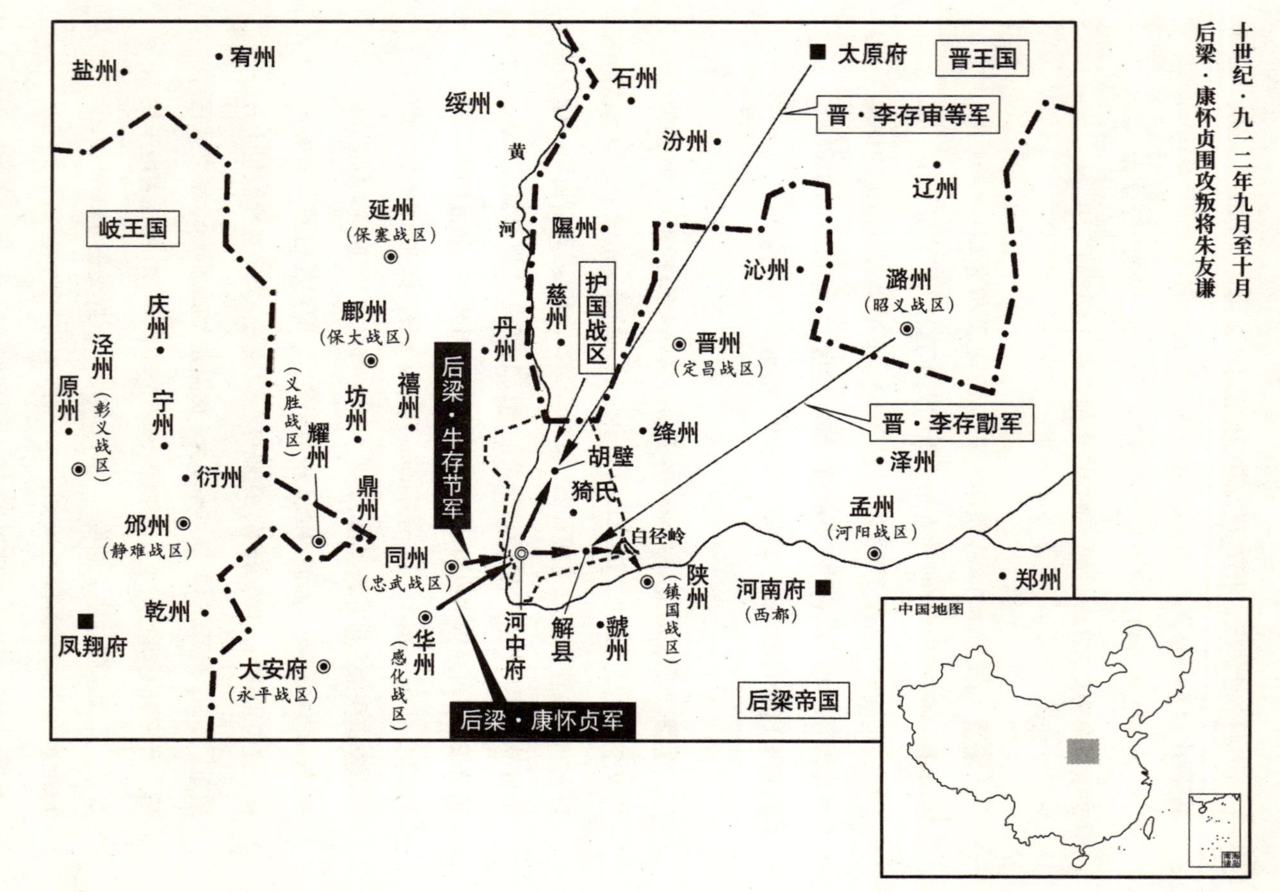

度使），遥兼二级宰相（同平章事·使相），而仍保留淮南战区（总部设扬州〔江苏省扬州市〕）作战参谋长（行军司马）职务。

徐温遣送刘威、陶雅各回原驻地。（胡三省注："地位高贵而不忘故旧，人们能假扮得出来，但送刘威、陶雅回任，不但其他人心服，二人也心服。"）

27 九月辛巳日（九月乙巳朔，没有辛巳），前蜀政府（首都成都府）把东川战区（总部设梓州〔四川省三台县〕）改称武德战区。

28 后梁（首都河南府）叛将朱友谦（朱简）再向晋王（首都太原府）李存勖紧急求救。

冬季，十月，李存勖亲自率军，从昭义战区（总部设潞州〔山西省长治市〕）西上，在解县（山西省运城市西南解州镇）跟后梁康怀贞军遭遇，大破康怀贞军，杀一千人，追击到白径岭（山西省运城市东）才回。后梁军队遂解除河中（山西省永济市）包围，退保陕州（河南省三门峡市）。朱友谦（朱简）亲自到猗氏（山西省临猗县）向李存勖致谢，随从侍卫数十人，不带武器，进李存勖御帐，认李存勖当自己的舅父，叩头晋见。李存勖夜晚设筵，由乐队陪伴招待，朱友谦（朱简）酩酊大醉。李存勖留他住在御帐之中，朱友谦（朱简）倒头就睡，鼾声大作。第二天，再设宴招待，才结束这次访问。

29 后梁（首都河南府）杨师厚得到天雄（总部魏州）全部军队，又兼总征剿司令（兼都招讨使），皇家禁卫军及精锐部队，都在他的指挥之下，各战区的军队，他都有权调发，声望高而权势又重，对现任帝（二任）朱友珪根本瞧不到眼里，遇到事情，往往独断独行，不管中央命令。朱友珪十分忧虑，下诏召见，说："北方军情，打算跟你当面商议。”杨师厚将要动身，心腹干部劝阻说：“千万不要去，去就祸福难测。”杨师厚说：“我知道他这个人，我去，他敢对我怎么样？”乃率精锐部队一万余人，浩浩荡荡，南渡黄河，直奔洛阳（首都河南府所在县）。朱友珪得到情报，大为紧张。

十月十三日，杨师厚抵达京师（首都河南府）城门，把军队留在城外，只率十余名侍卫，进城朝见。朱友珪十分高兴，向杨师厚说了很多谦逊讨好的话，使他喜悦，赏赐万万钱巨款。

十月十九日，朱友珪命杨师厚返回本战区。

30 十一月，赵王（首府镇州）王镕的部将王德明（张文礼）率军三万人，剽掠武城（山东省武城县西南老城镇），抵达临清（河北省临西县），进攻宗城（河北省威县东），攻克。

十一月九日，杨师厚在唐店（河北省广宗县南）设下伏兵，出击，大破王德明（张文礼）军，杀五千余人。

31 十一月十日，后梁帝（二任）朱友珪，把老爹朱全忠（朱温）埋葬宣陵（洛阳城南），绰号神武元圣孝皇帝，庙号太祖。

32 南吴（首都扬州）淮南战区（总部设扬州〔江苏省扬州市〕）副司令官（节度副使）陈璋等，率长江舰队，袭击南楚（首都潭州）岳州（湖南省岳阳市），生擒州长苑玫。南楚王（一任武穆王）马殷派舰队总指挥官（水军都指挥使）杨定真增援岳州（湖南省岳阳市）。

陈璋等逆长江而上，进攻后梁（首都河南府）所属的荆南（总部江陵府），荆南（总部江陵府）司令官（节度使）高季昌派他的部将倪可福抵御。南吴政府（首都扬州）为了预防南楚（首都潭州）增援荆南（总部江陵府），

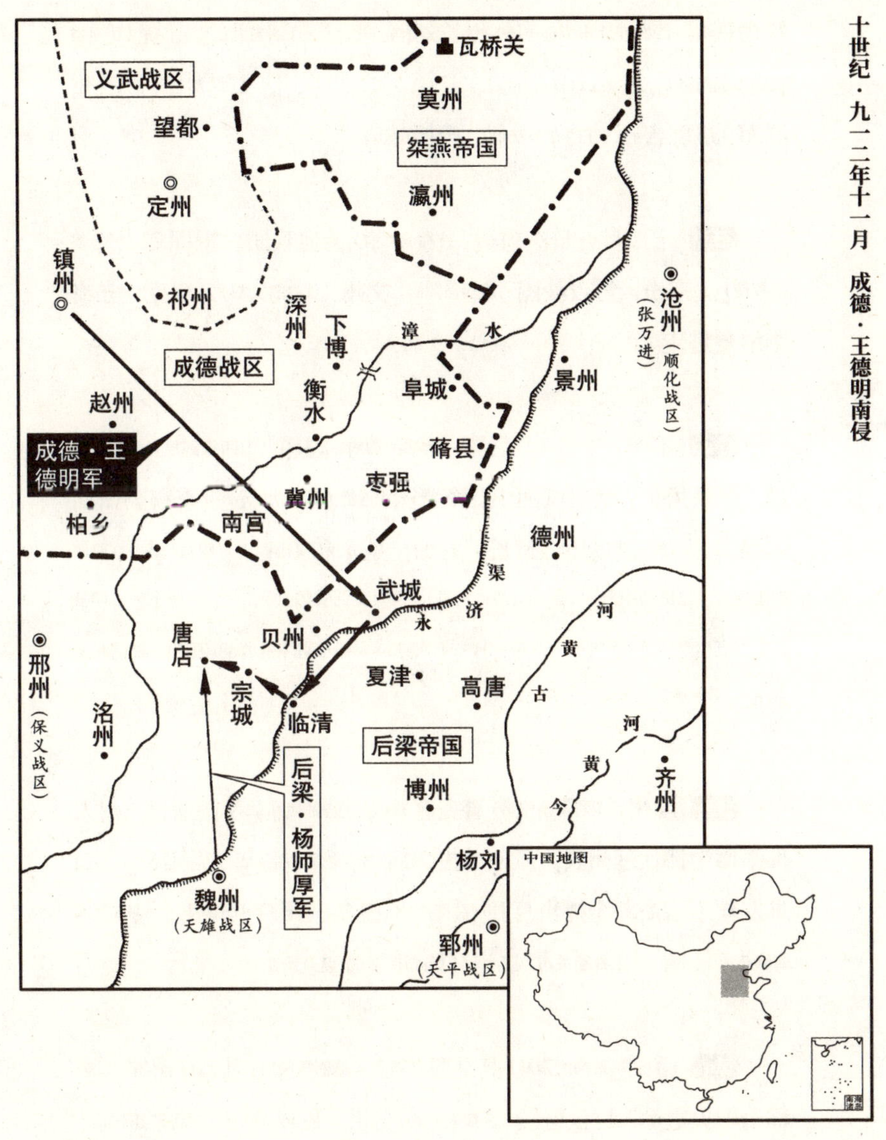

十世纪·九一二年十一月 成德·王德明南侵

特命抚州（江西省抚州市临川区）州长刘信，率江（江西省九江市）、抚（江西省抚州市临川区）、袁（江西省宜春市）、吉（江西省吉安市）、信（江西省上饶市）五州联军，进驻吉州（江西省吉安市），声援陈璋。

33 十二月五日，前蜀（首都成都府）特遣兵团总指挥官（行营都指挥使）王宗汾，进攻岐国（首都凤翔府）文州（甘肃省文县），攻克；守将李继夔逃走。

34 本年（九一二），后梁（首都河南府）隰州（山西省隰县）大将刘训，格杀州长，献出城池，投降晋国（首都太原府）；晋王李存勖命刘训当瀛州（河北省河间市）州长。刘训，是永和（山西省永和县）人。（原属护国战区〔总部河中府〕的慈〔山西省吉县〕、隰〔山西省隰县〕二州，自唐王朝末期被晋王李克用夺取后〔参考九〇二年三月二十六日〕，后梁一直不能收回。隰州不知何时又易手。）

35 虔州（江西省赣州市）警备区司令（防御使）李彦图逝世，州人推举谭全播代理州长，派使节投降后梁（首都河南府）。后梁帝（二任）朱友珪下诏命谭全播当百胜（总部虔州）警备区司令（防御使）、虔（江西省赣州市）、韶（广东省韶关市）二州开路司令（节度开通使）。

36 后梁（首都河南府）高季昌（荆南〔总部江陵府〕司令官）出军，声称奉中央之命，讨伐晋国（首都太原府），北上进攻襄州（湖北省襄阳市），山南东道战区（总部设襄州〔湖北省襄阳市〕）司令官（节度使）孔勍把他击败。自此，高季昌不再向中央进贡。孔勍，是兖州（山东省济宁市兖州区）人（参考九〇二年七月）。

九一三年 癸酉

后梁	乾化	三年
	凤历	元年
晋	天祐	十年
岐	天祐	十年
南吴	天祐	十年
前蜀	永平	三年
南楚	乾化	三年
吴越	天宝	六年
桀燕	应天	三年

1 春季，正月十四日，晋国（首都太原府〔山西省太原市〕）三方面联军统帅周德威攻陷桀燕帝国（首都幽州〔北京市〕）顺州（北京市顺义区）。

2 正月二十日，后梁帝国（首都河南府〔河南省洛阳市〕）皇帝（二任）朱友珪（本年三十岁），前往皇家祖庙（太庙）祭祀。

正月二十一日，朱友珪再往南郊圆形祭坛，祭祀天神；下诏大赦天下。改年号凤历（之前是乾化三年，之后是凤历元年）。

3 南吴（首都扬州〔江苏省扬州市〕）大将陈璋进攻后梁（首都河南府）所属荆南（总部江陵府），不能攻克，只好撤退（参考去年〔九一二〕十一月）。荆南（总部江陵府）跟南楚（首都潭州〔湖南省长沙市〕）在江口（洞庭湖注入长江处，湖南省岳阳市北）会师，准备联合拦击。陈璋得到消息，把二百艘船舰编组为一列纵队，利用夜色掩护，迅速通过，联军发觉后立即出动追赶，已来不及。

4 晋国（首都太原府）三方面联军统帅周德威攻克桀燕（首都幽州）安远军（天津市蓟州区西北）。蓟州（天津市蓟州区）将领成行言等出城投降。

5 二月九日，前蜀帝国（首都成都府〔四川省成都市〕）大赦。

6 后梁帝（二任）朱友珪既大权在握，志满意足，更加荒淫无度，无论宫内宫外更加愤怒，朱友珪虽大量赏赐金银绸缎，人心仍不肯归服。驸马（公主之夫）赵岩，是赵犨（音chōu〔抽〕。赵犨守陈州拒黄巢，参考八八三年五月）的儿子、一任帝朱全忠（朱温）的女婿（娶长乐公主），左龙虎（禁军第三军）统军（正三品）、侍卫亲军总指挥官（侍卫亲军都指挥使）袁象先，是朱全忠（朱温）的外甥（袁象先的老爹袁敬初，娶朱全忠的妹妹万安公主）。赵岩奉命前往大梁（东都开封府所在城，河南省开封市），均王朱友贞（东都〔开封府〕留守长官）跟他密谋诛杀朱友珪。赵岩说："这件事的成败，只看征剿司令（招讨）杨师厚，他只要向禁卫军说一句话，我们的事就马上成功。"朱友贞乃派心腹马慎交前往魏州（河北省大名县）

游说杨师厚（天雄〔总部魏州〕司令官）说："朱友珪杀父篡位，天下人的盼望集中大梁（朱友贞），大帅如果顺水推舟，使它成功，当是一次杰出的大功。"并且承诺，成功那一天，将拨出钱五十万串，犒赏全军。杨师厚跟将领们讨论，说："当郢王（朱友珪）杀父篡位时，我不能立即起兵讨伐，而今君臣的名分已经确定，无缘无故改变主意，是不是可以？"有人警告说："郢王（朱友珪）杀父弑君，一个逆贼而已。均王（朱友贞）起兵复仇，是正义行动。服从正义，讨伐逆贼，哪里来的君臣？均王（朱友贞）一旦成功，大帅将怎么解释自己的立场！"杨师厚说："我差一点铸下大错。"于是派他的将领王舜贤前往洛阳（首都河南府所在县），暗中跟袁象先谋划行动，又派征剿司令部步骑兵总纠察官（招讨马步都虞候）、谯县（亳州州政府所在县，安徽省亳州市）人朱汉宾，率军进驻滑州（河南省滑县），作为外面接应。赵岩回洛阳（首都河南府所在县），也跟袁象先秘密定计。

朱友珪对龙骧军的溃乱（参考去年〔九一二〕八月），恨入骨髓，大肆搜索逮捕他们的余党，被擒到案的，都全族屠灭；过了一个新年，仍然没有结案。这时，龙骧军有部分人马驻扎大梁（东都开封府所在城），朱友珪征调他们回京（首都河南府），均王朱友贞遂派人挑拨说："皇上因怀州（河南省沁阳市）龙骧军叛变，打算等你们到了洛阳（首都河南府所在县）之后，全部坑杀。"官兵们被恐怖抓住，不知道怎么才好。

二月十三日，朱友贞奏报说，龙骧军心怀疑惧，不肯出发。

二月十五日，龙骧军中上级军官联合晋见朱友贞，哭请指示一条明路，朱友贞说："先帝（朱全忠）跟你们南征北战，三十余年，建立帝国基业。连先帝（朱全忠）都被杀害，你们怎么可能逃过这一劫？"遂拿出朱全忠（朱温）画像给大家观看，流泪说："你们能自动的一直杀到洛阳（首都河南府所在县，河南省洛阳市），报仇雪耻，一定可以转祸为福。”大家跳起来高喊万岁，请发给武器，朱友贞全部发给。

二月十七日，凌晨，洛阳（河南省洛阳市）兵变，袁象先等率禁军数千人，杀进皇宫。朱友珪得到报告，跟皇后张女士和冯廷谔，逃到北宫城楼下，打算翻墙逃走，可是发现大势已去，难以逃生，命冯廷谔先下手杀张皇后，再杀自己（朱友珪年三十岁）；然后，冯廷谔自刎而死。各军官兵十余万人，对这个帝国首都，开始大肆剽掠（此时龙骧军仍在中途），政府各部门官员四散逃命，副立法长（中书侍郎）、二级实质宰相（同平章事）杜晓，皇家文学助理研究官（侍讲学士）李珽（不知何时由许州调回中央，参考九一〇年六月），都被乱兵砍死。副监督长（门下侍郎）、二级实质宰相（同平章事）于兢，帝国事务总监署总监（宣政使）李振，都被杀伤，混乱情势一直持续到傍晚，才恢复秩序。

袁象先、赵岩，携带传国玉玺，前去大梁（河南省开封市）迎接朱友贞，朱友贞（本年二十六岁）说：“大梁（河南省开封市）是帝国创业的地方，首都不一定非洛阳（河南省洛阳市）不可。”遂在大梁（河南省开封市）登极称帝（三任），取消凤历年号，仍称乾化三年。贬二任帝朱友珪作平民，恢复博王朱友文（康勤）的官爵。

7 二月二十三日，晋国（首都太原府）三方面联军将领李存晖进攻桀燕（首都幽州）所属檀州（北京市密云区），州长陈确献出城池投降。

8 前蜀（首都成都府）唐道袭自被免除山南西道战区（总部兴元

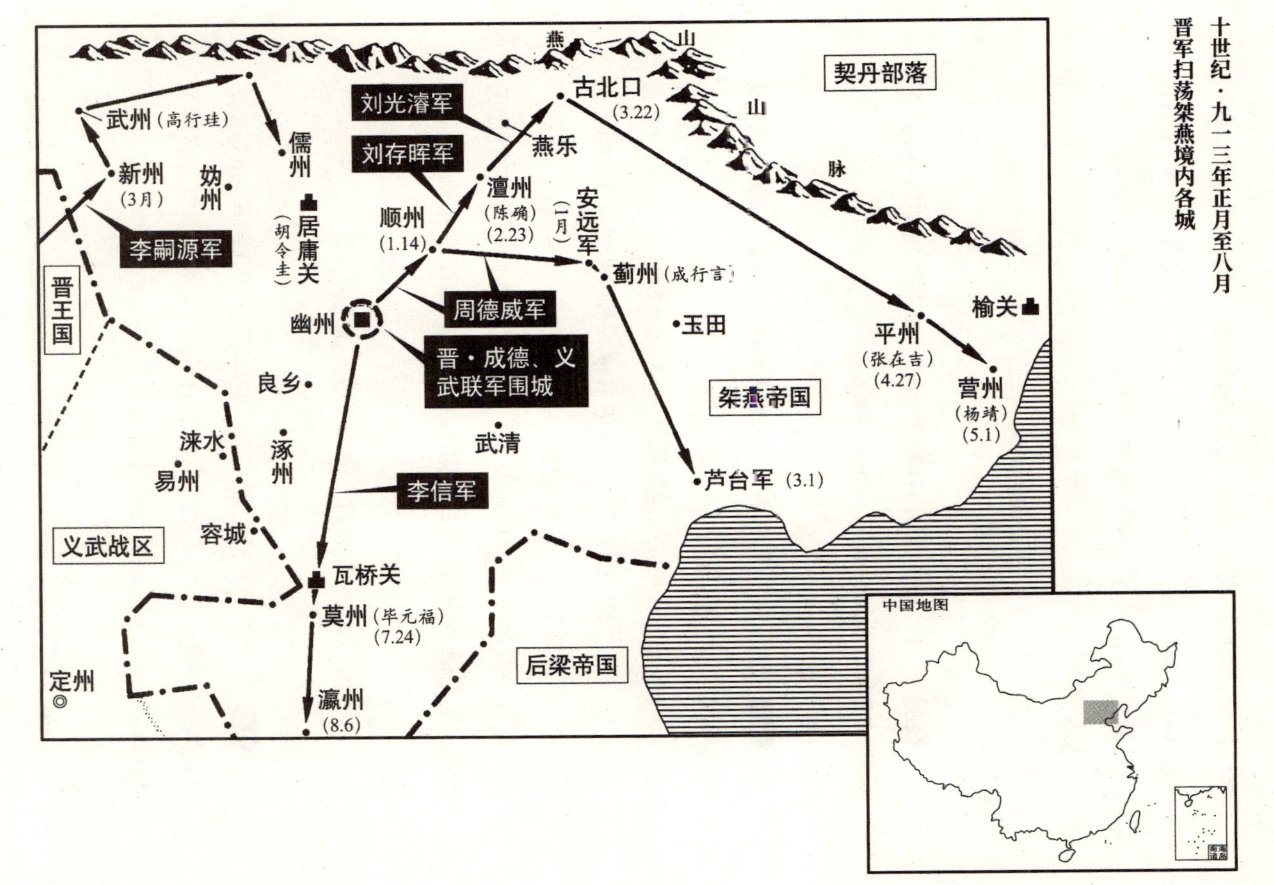

十世纪·九一三年正月至八月
晋军扫荡桀燕境内各城

府）司令官（节度使）职务，从兴元（陕西省汉中市）调回京师（首都成都府），再度出任帝国参谋总部指挥官（枢密使）。太子王元膺（王宗懿）上疏指责唐道袭罪恶，不应再负责机要，前蜀帝（一任高祖）王建（本年六十七岁）大不高兴。

二月二十七日，王建命唐道袭当太子太保（太子三师之三）。

9 三月一日，晋国（首都太原府）三方面联军统帅周德威攻陷桀燕（首都幽州）所属芦台军（天津市宁河区）。

10 三月四日，后梁帝（三任）朱友贞改名朱锽。很久之后，又改名朱瑱（音zhèn〔镇〕。我们仍称他朱友贞）。

三月七日，朱友贞加授杨师厚（天雄〔总部魏州〕司令官）兼最高立法长（兼中书令·使相），封邺王。下达诏书时不书写他的名字，中央大小事务，都先跟他磋商后才施行。

朱友贞又派使节晋见朱友谦（朱简，护国〔总部河中府〕叛将）慰劳安抚，朱友谦（朱简）遂回归后梁（首都开封府），接受后梁（首都开封府）年号。

三月十三日，朱友贞封皇弟朱友敬当康王。

11 三月二十二日，晋国（首都太原府）三方面联军将领刘光濬攻克桀燕（首都幽州）所属古北口（北京市密云区东北长城口）。桀燕居庸关（北京市昌平区西北）司令（使）胡令圭等投奔晋国（首都太原府）。

12 三月二十五日，后梁政府（首都开封府）擢升保义战区（总部设邢州〔河北省邢台市〕）候补司令官（留后）戴思远实任司令官（节度使），镇守邢州（河北省邢台市）。

13 桀燕帝（一任）刘守光命大将元行钦率骑兵七千人，在燕山以北放牧战马，并招募燕山以北青年入伍当兵，接应契丹部落（王庭西楼城〔内蒙古巴林左旗〕）南下的援军。又派骑兵将领高行珪当武州（河北省张家口市宣化区）州长，作外围据点。晋国（首都太原府）大将李嗣源（邈佶烈）派出分遣部队扫荡燕山以北八个军城，全部攻克。李存勖命老弟李存矩当新州（河北省涿鹿县）州长，总管新占领区域；并任用桀燕（首都幽州）纳降军基地司令（纳降军使）卢文进当初级将领（裨将）。李嗣源（邈佶烈）进攻武州（河北省张家口市宣化区），高行珪献出城池，投降。元行钦得到消息，率军攻击高行珪，高行珪派他的老弟高行周到晋军（首都太原府）当人质，请求救兵，李嗣源（邈佶烈）率军增援，元行钦解除包围，撤退。李嗣源（邈佶烈）会同高行周追击，追到广边军（河北省赤城县南），一连八次战斗，元行钦筋疲力尽，只好屈服投降。李嗣源（邈佶烈）喜爱他的骁勇，收作义子。接着进攻儒州（北京市延庆区），攻克，命高行珪当代州（山西省代县）州长。高行周遂留在军营，当李嗣源（邈佶烈）的侍从，自此以后，他常跟李嗣源（邈佶烈）的另一义子李从珂，分别率领警备部队（牙兵）追随左右。李从珂的娘亲魏女士，是镇州（河北省正定县）人，先前嫁给王姓丈夫，生子王从珂，李嗣源（邈佶烈）追随老王李克用转战黄河以北时，掳掠到魏女士，收作小老婆，王从珂遂作为义子，改姓为李从珂。李从珂（王从珂）长大之后，以勇敢善战知名于世，李嗣源（邈佶烈）对他十分喜爱。

14 南吴（首都扬州）进攻吴越（首都杭州），特遣兵团征剿司令（行营招讨使）李涛，率部众二万人，出千秋岭（安徽省宁国市东南），直向衣锦军（浙江省杭州市临安区）。吴越王（一任武肃王）钱镠（本年六十二岁。镠，音liú〔流〕）命他的儿子、湖州（浙江省湖州市）州长钱传瓘，当北方援军总指挥官（北面应援都指挥使），急行军增援；又命睦州（浙江省建德市）州长钱传璙当征剿及绥靖司令官（招讨收复都指挥使），率舰队进攻南吴（首都扬州）所属东洲（江苏省常州市东南太湖湖畔），牵制敌人的兵力。

15 夏季，四月二十日，后梁政府（首都开封府）命袁象先当镇南战区（总部设洪州〔江西省南昌市〕）司令官（空头官衔。此时洪州属南吴〔首都扬州〕）、二级实质宰相（同平章事）。

16 晋国（首都太原府）三方面联军统帅周德威紧逼桀燕首都幽州（北京市）南门。

四月十一日，桀燕帝（一任）刘守光派使节送信给周德威，请求和解，态度卑屈，哀乞宽恕。周德威说："大燕皇帝还没有到南郊祭祀天神，怎么竟像女人一样楚楚可怜！我奉命讨伐罪犯，至于缔结同盟、继续和好，那可不是我的事。"拒绝回信，刘守光大为恐惧，再派使节苦苦请求。周德威才转报晋王李存勖（本年二十九岁）。

17 吴越（首都杭州）千秋岭（安徽省宁国市东南）悬崖绝壁，十分险要，钱传瓘（湖州州长）派人砍伐树木，用以阻断南吴军（首都扬州）的后路，然后发动攻击，南吴军大败，统帅李涛及士卒三千余人，全被俘虏，押回杭州（浙江省杭州市）。

18 四月二十七日，晋国（首都太原府）三方面联军将领刘光濬攻陷桀燕（首都幽州）所属平州（河北省卢龙县），生擒州长张在吉。

五月，刘光濬攻击营州（辽宁省朝阳市），州长杨靖投降。

19 五月四日，前蜀帝（一任高祖）王建命国务院国防部长（兵部尚书）王锴，当副立法长（中书侍郎）、二级实质宰相（同平章事）。

20 后梁（首都开封府）大将杨师厚（天雄〔总部魏州〕司令官），及刘守奇（博州州长），率汴（开封府，河南省开封市）、滑（河南省滑县）、徐（江苏省徐州市）、兖（山东省济宁市兖州区）、魏（河北省大名县）、博（山东省聊城市）、邢（河北省邢台市）、洺（河北省邯郸市永年区东南广府镇）八府州野战军，共十万人，进入成德战区（总部设镇州〔河北省正定县〕），大肆抢劫。杨师厚穿过柏乡（河北省柏乡县），攻击土门（河北省石家庄市鹿泉区西南），直向赵州（河北省赵县）。刘守奇穿过贝州（河北省清河县），直向冀州（河北省衡水市冀州区），所经过的地方，奸淫烧杀，裹挟剽掠。

五月九日，杨师厚抵达镇州（河北省正定县），在城南门外扎营，纵火焚烧关城。

五月十一日，杨师厚从九门（河北省石家庄市藁城区西北）撤退到下博（河北省深州市东南下博村），刘守奇率军跟他会合，联合攻击下博（河北省深州市东南下博村），攻克。晋国（首都太原府）将领李存审（符存审）、史建瑭，驻军赵州（河北省赵县），兵力薄弱，赵王（首府镇州）王镕向周德威紧急求救。周德威派骑兵将领李绍衡，会合成德（总部镇州）将领王德明（张文礼），联合迎击后梁兵团。杨师厚、刘守奇，自弓高（河北省泊头市）渡御河（唐王朝时人们称永济渠为御河）东下，逼近沧州（河北省沧州市东南），张万进（顺化〔总部沧州〕司令官）恐惧，请求调到黄河以南；杨

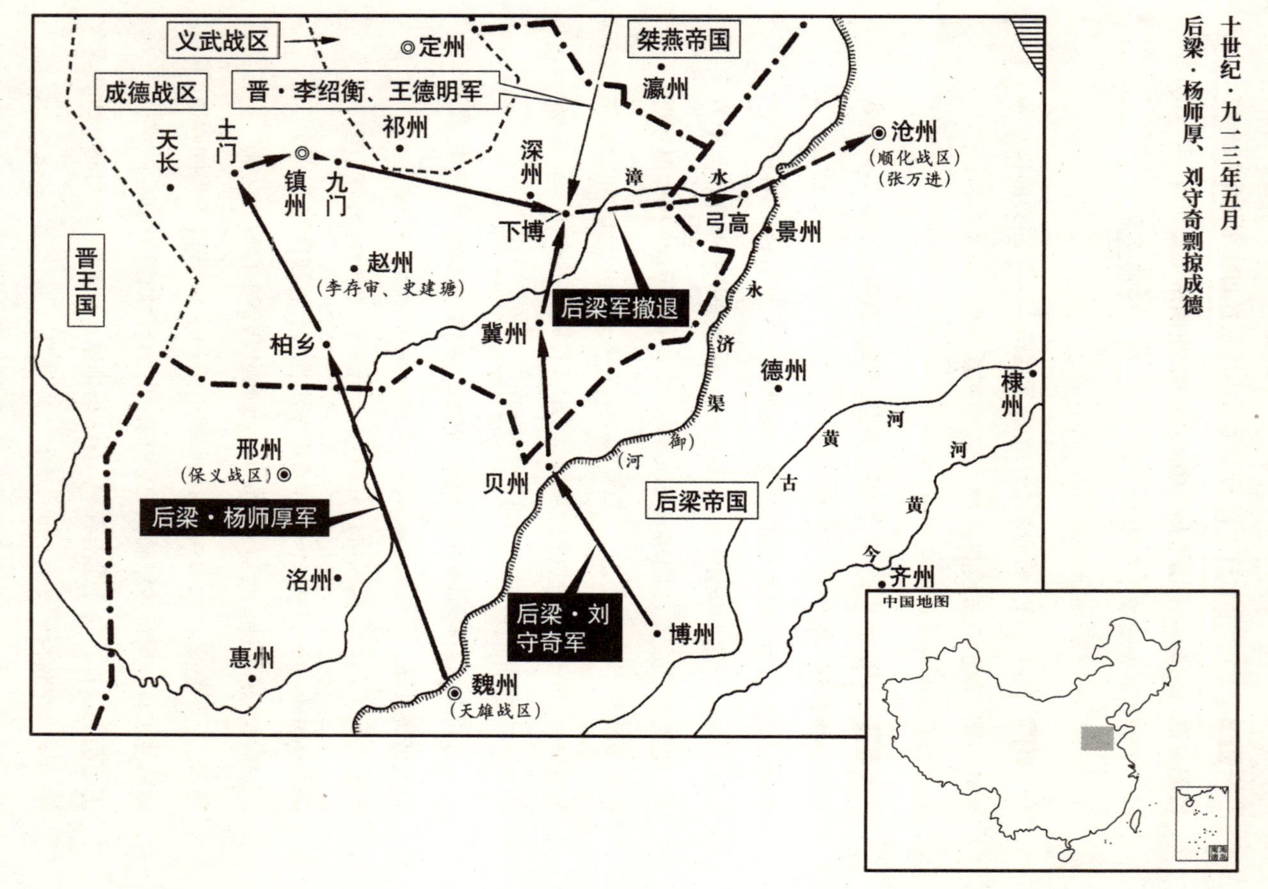

十世纪·九一三年五月
后梁·杨师厚、刘守奇剽掠成德

师厚上疏命张万进前往青州（山东省青州市）镇守，而命刘守奇当顺化战区（总部设沧州〔河北省沧州市东南〕）司令官（节度使）。

21 南吴（首都扬州）派宣州（安徽省宣城市）副指挥官（副指挥使）花虔（花，姓），率军会同广德（安徽省广德市）卫戍司令（镇遏使）涡信（涡，音wō〔窝〕，姓），进驻广德（安徽省广德市），打算再攻衣锦军（浙江省杭州市临安区）。吴越（首都杭州）将领钱传瓘，反向广德（安徽省广德市）攻击。

22 六月一日，晋王李存勖派监军宦官张承业，前往幽州（北京市）跟周德威商议军事行动。

23 六月五日，前蜀帝（一任高祖）王建命道教道士杜光庭，当金紫光禄大夫（散官，正三品）、监督院高级顾问官（左谏议大夫），封蔡国公爵，号广成先生。杜光庭学问广博，精于写作。王建对他十分敬重，常跟他讨论国家大事。

24 吴越（首都杭州）将领钱传瓘攻陷广德（安徽省广德市），俘虏花虔、涡信而去。

25 六月十七日，后梁（首都开封府）命张万进当平卢战区（总部设青州〔山东省青州市〕）司令官（节度使）。

26 六月二十日，桀燕帝（一任）刘守光派使节晋见张承业，愿献出城池（首都幽州城）投降，张承业因他向来言而无信，拒绝接受。

27 前蜀（首都成都府）太子王元膺（王宗懿），嘴长得像猪嘴，牙齿突出唇外，眼光飘忽不定，但机警敏捷，反应迅速。而且喜爱读书，学识丰富，精于骑马射箭，只是性情暴躁，猜疑嫉妒，凶狠恶毒。前蜀帝（一任高祖）王建命杜光庭挑选性情纯朴、道德高尚的饱学之士，派去东宫侍候，杜光庭就推荐儒家学派学者许寂、徐简夫。无奈王元膺（王宗懿）对他们连一句话都不说，却每天跟音乐师之类卑微人物，在一起游戏胡闹，丝毫没有节制，僚属们没有一个人敢对他规劝。

秋季，七月，王建打算七夕（七月七日）出宫游玩。

七月六日，王元膺（王宗懿）召集亲王及帝国高级官员饮酒欢宴，只有集王王宗翰（孟宗翰）、皇家机要总监（内枢密使）潘峭、皇家文学研究院院长（翰林学士承旨）高阳（河北省高阳县）人毛文锡等三人，独独缺席，王元膺（王宗懿）大怒说：“集王（王宗翰）不来，一定是潘峭跟毛文锡从中挑拨离间。”大昌军基地司令（大昌军使）徐瑶、常谦，是王元膺（王宗懿）的亲信，酒宴进行中，二人不断注视少保（三孤之三）唐道袭，唐道袭大为恐惧，离开座位逃走。

七月七日，早晨，王元膺（王宗懿）进宫奏报说：“潘峭、毛文锡挑拨离间我们兄弟间的感情。”王建大怒，下诏贬谪潘峭、毛文锡，命前武泰战区（总部设黔州〔重庆市彭水县〕）司令官（节度使）兼最高监督长（兼侍中·使相）潘炕当皇家机要总监（内枢密使）。

王元膺（王宗懿）出去，唐道袭进来，王建把这件事告诉他，唐道袭说：“太子阴谋政变，打算召集各将领和亲王，用军队把他们囚禁，然后发动！”王建开始对王元膺（王宗懿）怀疑，遂不出宫。唐道袭建议征调野战军进京（首都成都府）保护皇宫，王建同意。京师（首都成都府）内外戒严。

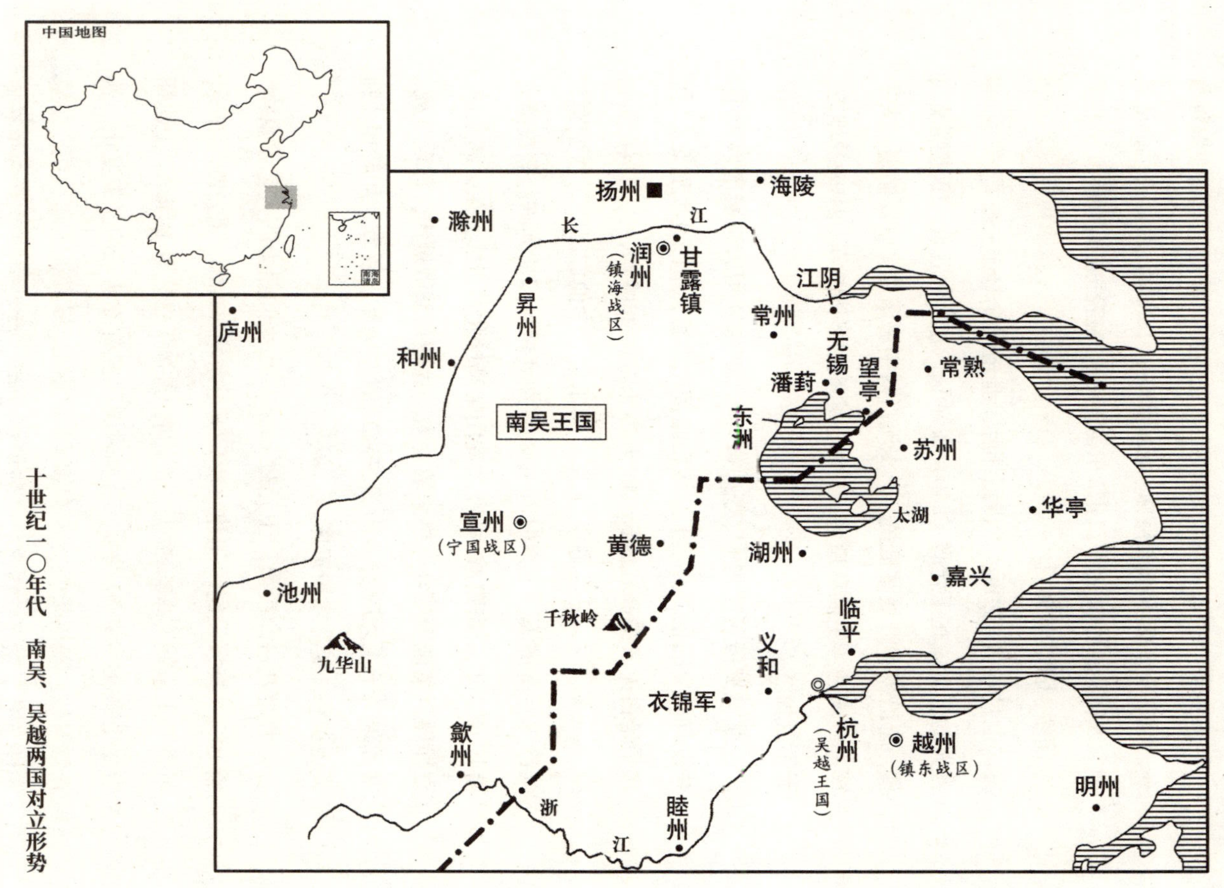

十世纪一〇年代 南吴、吴越两国对立形势

王元膺（王宗懿）事实上并没有准备政变，听到唐道袭征调野战军，也立即集结天武军自保，逮捕潘峭、毛文锡，亲自用刑，几乎把二人捶死，拷打之后，囚禁东宫。又逮捕首都成都特别市长（成都尹）潘峤，囚禁得贤门。

七月八日，徐瑶、常谦跟怀胜军基地司令（怀胜军使）严璘等，率各人的部队，在王元膺（王宗懿）领导下，进攻唐道袭，挺进到清风楼，唐道袭率野战军抵抗。一支流箭射中唐道袭，只好撤退，太子军进到城西，生擒唐道袭，斩首，杀戮很多野战军。中央及地方，无不震惊。

潘炕奏报王建说："太子（王元膺〔王宗懿〕）跟唐道袭争权罢了，并没有谋反的企图，陛下应该出面接见高官，帝国才能安定。"王建于是召见兼最高立法长（兼中书令）王宗侃（田师侃）、王宗贺、前利州（四川省广元市）民兵司令（团练使）王宗鲁，命他们出军讨伐变军首领徐瑶、常谦等。王宗侃（田师侃）等在西球场门前列阵；兼最高监督长（兼侍中）王宗黯（吉谏）在大安门架高梯爬城进去，在会同殿前，跟徐瑶、常谦等战斗，格杀数十人，其他人溃散逃走，徐瑶战死，常谦跟太子王元膺（王宗懿）奔往龙跃池（摩诃池），躲藏在船舱里，到天色黄昏，变乱才被镇压。

七月九日，凌晨，王元膺（王宗懿）出来向船上的人乞求食物，船上的人奏报王建，王建急命集王王宗翰（孟宗翰）前去慰问安抚。可是等王宗翰（孟宗翰）到时，王元膺（王宗懿）已被卫士诛杀。王建怀疑是王宗翰（孟宗翰）动手，悲恸大哭。左右侍从恐怕又生变化，就在这时候，宰相张格呈送《慰问军民诏书》草稿，王建读到"如果不诛杀乱臣贼子，势将给帝国带来灾难"，抹去眼泪说："我怎么能因私害公！"于是下诏把王元膺（王宗懿）废作平民。王宗翰（孟宗翰）

查出谋杀王元膺（王宗懿）的凶手，奏报后诛杀，王元膺（王宗懿）左右侍从因这件事处死的有数十人，贬窜的更多。

七月十日，王建追赠唐道袭官衔：太师（三师之一），绰号忠壮。命潘峭再当宫廷机要室主任（枢密使）。

28 七月二十四日，晋国（首都太原府）三方面联军五院军基地司令（五院军使）李信，攻陷莫州（河北省任丘市北鄚州镇），生擒桀燕（首都幽州）将领毕元福。

八月六日，李信又攻陷瀛州（河北省河间市）。

29 后梁（首都开封府）封高季昌（荆南〔总部江陵府〕司令官）当渤海王。

30 晋王（首都太原府）李存勖跟赵王（首府镇州）王镕，在天长（河北省井陉县西南天长镇）举行二巨头会议。

31 南楚（首都潭州）宁远战区（总部设容州〔广西容县〕）司令官（节度使）姚彦章，率水军进攻南吴（首都扬州）鄂州（湖北省武汉市）。南吴（首都扬州）命池州（安徽省池州市贵池区）民兵司令（团练使）吕师造当水陆援军司令（水陆行营应援使）。但吕师造还没有到，南楚军（首都潭州）已经退走。

32 九月五日，后梁政府（首都开封府）命总监察官（御史大夫）姚洎，当副立法长（中书侍郎）、二级实质宰相（同平章事）。

33 桀燕帝（一任）刘守光率军于夜晚出击，收复顺州（北京市顺义区。失顺州事，参考本年〔九一三〕正月）。

34 吴越王（一任武肃王）钱镠派他的儿子钱传瓘、钱传璙，会合大同战区（总部云州）司令官（空头官衔。此时云州属晋国〔首都太原府〕）钱传瑛，进攻南吴（首都扬州）常州（江苏省常州市），驻军潘葑（江苏省无锡市西北九公里）。徐温说："两浙（吴越）人轻浮，而又胆怯，不必在意。"率各将领强行军迎战，抵达无锡（江苏省无锡市），黑云特别营将领（黑云都将）陈祐建议徐温说："敌人一定认为我们长途跋涉，筋疲力尽，不能立即战斗，请准我率我的部队，乘他们没有戒备，发动攻击。"于是绕道到吴越军（首都杭州）大营背后，而徐温率主力正面推进，前后夹攻，吴越军大败，南吴军杀戮和俘虏士卒及物资很多。

35 后梁（首都开封府）渤海王高季昌（荆南〔总部江陵〕司令官）制造战舰五百艘，修筑城池，精制武器，加强攻击能力及守卫装备，招降纳叛，集合四面八方的亡命之徒，跟南吴（首都扬州）、前蜀（首都成都府）两国，互相来往，后梁中央政府对他逐渐失去控制。

36 冬季，十月一日，桀燕帝（一任）刘守光，率部众五千人，乘夜出城，打算进入被围的檀州（北京市密云区）。

十月二日，晋国（首都太原府）三方面联军统帅周德威，自涿州（河北省涿州市）率军拦截，大破刘守光军。刘守光率残余骑兵一百余人，逃回幽州（桀燕首都，北京市）。桀燕士卒投降晋军的，继续不断。

37 前蜀（首都成都府）皇家机要总监（内枢密使）潘炕，屡次请前蜀帝（一任高祖）王建，早日确定太子。王建认为雅王王宗辂很像自己，信王王宗杰才华敏捷，打算选择一位加封。郑王王宗衍年纪最小（本年十五岁），本来没有可能，可是他的娘亲徐贤妃深受王建宠爱，她渴望她的儿子能当太子，于是派飞龙御马管理官（飞龙使）唐文扆（音yǐ〔乙〕），煽动宰相张格，上疏请封王宗衍。张格于夜晚写好奏章后，宣称奉王建密诏，拿给功臣王宗侃（田师侃）等过目，大家当然没有异议，纷纷签名。王建也曾请相士给儿子们看相，相士迎合这项“密诏”，也肯定王宗衍的相貌最为尊贵。现在，王建看到文武百官联名拥护王宗衍的奏章，认为大家真的心悦诚服，万不得已，只好同意，但他仍充满困惑，说：“宗衍年纪还小，性情又很懦弱，真能担当大任？”

十月二十六日，王建下诏封王宗衍当太子。仪式完毕后，潘炕认为中央清闲无事，遂声称有病，请求退休，王建不准，潘炕哭泣流泪，坚持辞职，王建才同意。但帝国遇到疑难大事，王建总派专人到他家里，听取他的意见。

38 后梁（首都开封府）清海战区（总部设广州〔广东省广州市〕）司令官（节度使）南平王刘岩，向南楚（首都潭州）求婚，南楚王（一任武穆王）马殷（本年六十二岁）允许把女儿嫁他为妻。（南楚、清海自九〇八年九月争夺静江〔总部桂州〕、宁远〔总部容州〕两战区所属各州，一直争战不休。如今马刘结为姻亲，使双方得到长期的和平。）

39 桀燕（首都幽州）卢龙战区（总部设幽州〔北京市〕）所有城镇，都落到晋军（首都太原府）之手，桀燕帝（一任）刘守光一个人独自困守幽州（北京市）孤城，向契丹部落（王庭西楼城〔内蒙古巴林左旗〕）求救，契丹也因他从来言而无信，不肯支援。刘守光束手无策，不断向晋军（首都太原府）请求投降，晋军怀疑他耍什么花样，始终拒绝。直到现在，刘守光登上城楼，对三方面联军统帅周德威说：“等晋王（李存勖）驾到，我就开门下跪迎接。”周德威派使节报告李存勖。

十一月六日，李存勖命监军宦官张承业暂时代理主持总部军政大事（权知军府事），亲自前往幽州（北京市）。

十一月二十三日，李存勖单人匹马，抵达幽州（北京市）城下，对刘守光说：“朱温（朱全忠）篡位叛国，我本要跟你集结河朔（河北平原）五个战区的兵力，消灭贼子，复兴唐王朝（参考前年〔九一一〕六月），可是你不好好思量，反而也跟朱温（朱全忠）一样猖狂僭越。镇州（成德司令官王镕）、定州（义武司令官王处直）都在你面前低头，你也毫不珍惜，所以才有这次攻击行动（刘守光入侵，参考前年〔九一一〕十一月二十八日）。大丈夫有成功就有失败，拿得起、放得下，必须马上决定，你现在打算怎么办？”刘守光说：“我今天只是砧板上的鱼肉罢了，只听大王的决定。”李存勖看他穷途末路，十分可怜，跟他折断弓箭，作为见证，说：“只管出来见面，包管无事。”刘守光要求改日再说。

先前，刘守光最心爱的将领李小喜，是刘守光的帮凶，刘守光对他言听计从，权力震动全国。现在，刘守光将要出来投降，李小喜义愤填膺，坚决反对，愿誓死护驾。可是，就在当天（十一月二十三日）夜晚，李小喜翻城而出，奔到晋军大营投降，并且把城里窘困情形，全都泄露。

十一月二十四日，李存勖督促各路兵马，从四面八方向幽州（北京市）进攻，终于攻克，生擒刘仁恭（被子囚禁，参考九〇七年四月）跟他的妻子和小老婆。刘守光带着他的皇后和皇子逃走。

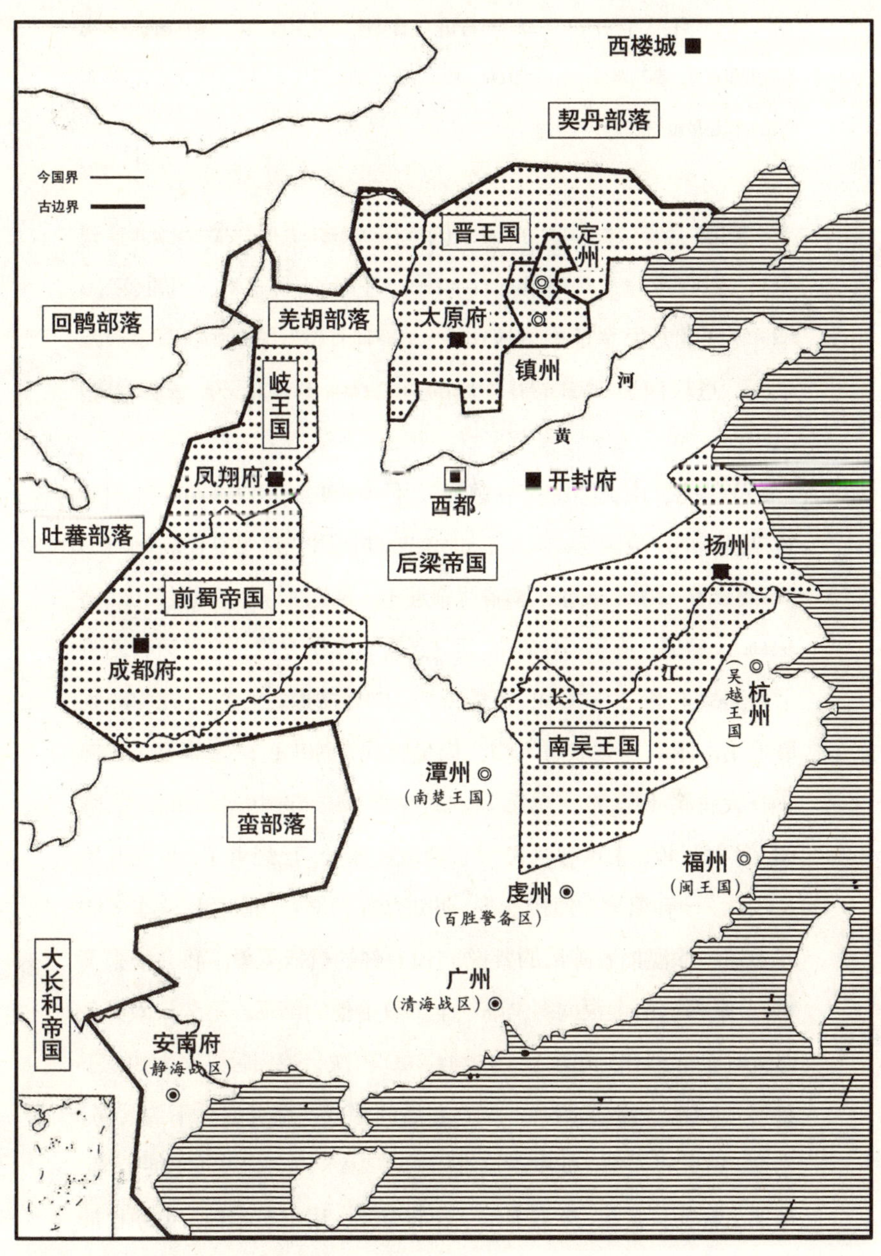

十世纪·九一三年十一月　晋灭桀燕·五国并立

十一月二十五日，李存勖进入幽州。（北京市，刘仁恭据幽州，参考八九五年正月，割据两代，前后十九年而败。桀燕帝国是五代十一国中第一个灭亡的国，立国时间也最短，仅只三年。） 312

40 后梁（首都开封府）命宁国战区（总部设宣州〔安徽省宣城市〕）司令官（空头官衔。此时宣州属南吴〔首都扬州〕）王景仁（王茂章），当淮南（总部扬州）西北方面军征剿供应司令（淮南西北行营招讨应接使），率军一万余人，进攻南吴（总部扬州）所属的庐（安徽省合肥市）、寿（安徽省寿县）二州。

十二月，南吴（首都扬州）镇海战区（总部设润州〔江苏省镇江市〕）司令官徐温、平卢战区（总部设青州〔山东省青州市〕）司令官（空头官衔。此时青州属后梁〔首都开封府〕）朱瑾，率各将领迎击，两国军队，在赵步（安徽省寿县东北）遭遇，南吴（首都扬州）兵马还没有集结完成，徐温只有四千余人迎战王景仁（王茂章），不能抵挡，向后撤退。王景仁（王茂章）乘胜追击，眼看追到峡谷入口，南吴官兵大惊失色，左骁卫（卫军第五军）大将军（正三品）、宛丘（陈州州政府所在县，河南省周口市淮阳区）人陈绍，挥舞长枪，大声呼号说："引诱敌人深入，已经够了，现在开始反攻！"一勒缰绳，掉转马头，冲进敌军，部众追随，后梁军才收军后退。徐温拍着陈绍的背说："没有你的机智英勇，我会狼狈不堪。"赏赐给他金银绸缎，陈绍全部分给他的部下。不久，南吴各路兵马全部到齐，在霍丘（安徽省霍邱县）再次会战，后梁军大败，王景仁（王茂章）率数名骑兵，亲自在后面警戒，南吴追兵不敢紧逼。当初，后梁军南下，徒步蹚过淮河（冬季是枯水季）时，对浅水徒步道，都插上标帜。霍丘（安徽省霍邱县）守将朱景，用很多木板，上面也插标帜，把它们放到深水地方。等到后梁败军奔回，依照标帜的指示，蹚水而过，因而几乎淹死一半。南吴遂把后梁官兵尸体，在霍丘（安徽省霍邱县）堆成一个高台。

41 十二月三日，晋王（首都太原府）李存勖，命三方面联军统帅周德威当卢龙战区（总部设幽州〔北京市〕）司令官（节度使），兼最高监督长（兼侍中·使相），命李嗣本（张嗣本）当振武战区（总部设朔州〔山西省朔州市〕）司令官（节度使）。

桀燕帝（一任）刘守光打算投奔沧州（河北省沧州市东南）刘守奇（刘守奇据沧州，参考本年〔九一三〕五月），因天气酷寒，双脚患上冻疮，红痛肿胀，又因太过恐惧惊恐，而迷失道路，好不容易逃到燕乐（北京市密云区东北），白天躲藏到土坑山谷里，黑夜行走，一连几天没有东西可吃，刘守光命祝皇后去民间乞讨残汤剩饭，走到乡下佬张师造家。张师造对这位跟一般平民完全不同的妇女，十分惊奇，盘问之下，知道刘守光躲藏地点，于是赶到那里，把刘守光以及刘守光的三位皇子，一起生擒活捉。

十二月六日，李存勖正在举行宴会，官员恰巧把刘守光押到，李存勖调侃他说："主人翁怎么一听客人来访，就逃得那么远？"遂连同刘仁恭，一起送到宾馆安置，并送给他们日常使用的器具和换洗的衣服，供应他们酒肉菜饭。李存勖命机要秘书（掌书记）王缄，发出昭告全国大捷的"露布"，王缄不知道"露布"是什么，顾名思义，把消灭桀燕帝国（首都幽州）、俘虏桀燕皇帝（刘守光）的消息，写在布匹上，派人在地上拖着走动（露布，初意是不封口的公文，表示人人可看，以后用来传递战场捷报或政治宣告，参考七八四年六月四日。北魏帝国时代，专门作军事告捷之用，写在绸缎或布匹上，用竹竿高高挑起，目的在使全国皆知战胜消息）。

李存勖打算从云（山西省大同市）、代（山西省代县）二州返回首都太原（山西省太原市），成德（总部镇州）司令官（节度使）王镕、义武（总部定州）司令官（节度使）王处直，一致请他南下取道中山（定州州政府所在城）、真定（镇州州政府所在县），从井陉（太行山八陉之五，河北省石家庄市鹿泉区西）西返，李存勖接受。

十二月十三日，李存勖离开幽州（北京市），刘仁恭、刘守光父子，都戴着脚镣手铐，站在“露布”之下（终于有人提醒王缄“露布”的用法），刘仁恭夫妇唾刘守光的脸，诟骂道：“逆贼，把我们家害得如此悲惨！”刘守光只有低头。

十二月十七日，李存勖抵达定州（河北省定州市），住在城里。

十二月十九日，李存勖跟王处直一同到北岳庙（河北省曲阳县西，当时北岳所在）进香。当天（十二月十九日）南下，抵达行唐（河北省行唐县），赵王（首府镇州）王镕亲到边境迎接。

九一四年 甲戌

后梁	乾化	四年
晋	天祐	十一年
岐	天祐	十一年
南吴	天祐	十一年
前蜀	永平	四年
南楚	乾化	四年
吴越	天宝	七年

1 春季，正月一日，赵王（首府镇州）王镕，前往晋王（首都太原府〔山西省太原市〕）李存勖（本年三十岁）御帐，送上酒席致敬祝福。王镕盼望能跟久仰大名的太师（三师之一）刘仁恭见上一面，李存勖命官员取下刘仁恭、刘守光父子身上的刑具，领他们入座，父子下跪叩头，王镕也叩头回拜，并且馈赠他们衣服和连鞍的马匹，以及酒食。

正月二日，李存勖跟王镕在行唐（河北省行唐县）以西打猎，王镕把李存勖送到西部边界告别。

2 正月九日，前蜀帝国（首都成都府〔四川省成都市〕）皇帝（一任高祖）王建（本年六十八岁），命太子王宗衍当六军执行官（判六军），特设“崇勋府”，任命僚属。后来，改称“天策府”。

3 正月十五日，晋王李存勖用铁链拴住刘仁恭父子，命刘仁恭父子走到军队前面。晋军高奏凯歌，回到晋阳（首都太原府所在县）。

正月十九日，李存勖把刘仁恭父子呈献皇家祖庙，亲自到刑场监斩刘守光。刘守光魂飞天外，大叫说：“我虽死不恨，可是，教我不投降的，是李小喜，他反而先投降（参考去年〔九一三〕十一月）。”李存勖唤来李小喜当面对质，李小喜目露凶光，斥责他过去誓死效忠的领袖说：“你对父母兄弟那种禽兽行为（指囚禁老爹刘仁恭，诛杀老哥刘守文），难道也是我教你？”李存勖看到李小喜这种悖逆态度，大怒，命先斩李小喜。刘守光乞求说：“我擅长骑马射箭，大王如果建立霸业，为什么不留我为你效力！”他的皇后妻子李女士和祝女士斥责他说：“帝王大业，已到今天这种地步，纵然活命，又有什么意义！”伸长脖子，接受利刀。刘守光却到死都哭号喊叫，哀求饶命。既斩刘守光，李存勖命战区副司令官（节度副使）卢汝弼等，押解身戴脚镣手铐的刘仁恭到代州（山西省代县），在李克用墓前，用刀刺刘仁恭心脏出血，然后斩首。

刘仁恭、刘守光父子，不过两个人渣。是人渣使社会堕落，还是社会堕落使人渣浮出台面，课题严肃。不过，至少，从刘仁恭父子身上，可以发现：时代的沸腾潮流，确实可以把人渣推到富贵的高位。刘仁恭背叛恩主李克用，刘守光背叛老爹刘仁恭，自有他们充足的理由，认为是一种壮士断腕的抉择。后来战无不胜、攻无不克，以致全国人民都在脸上刺字：

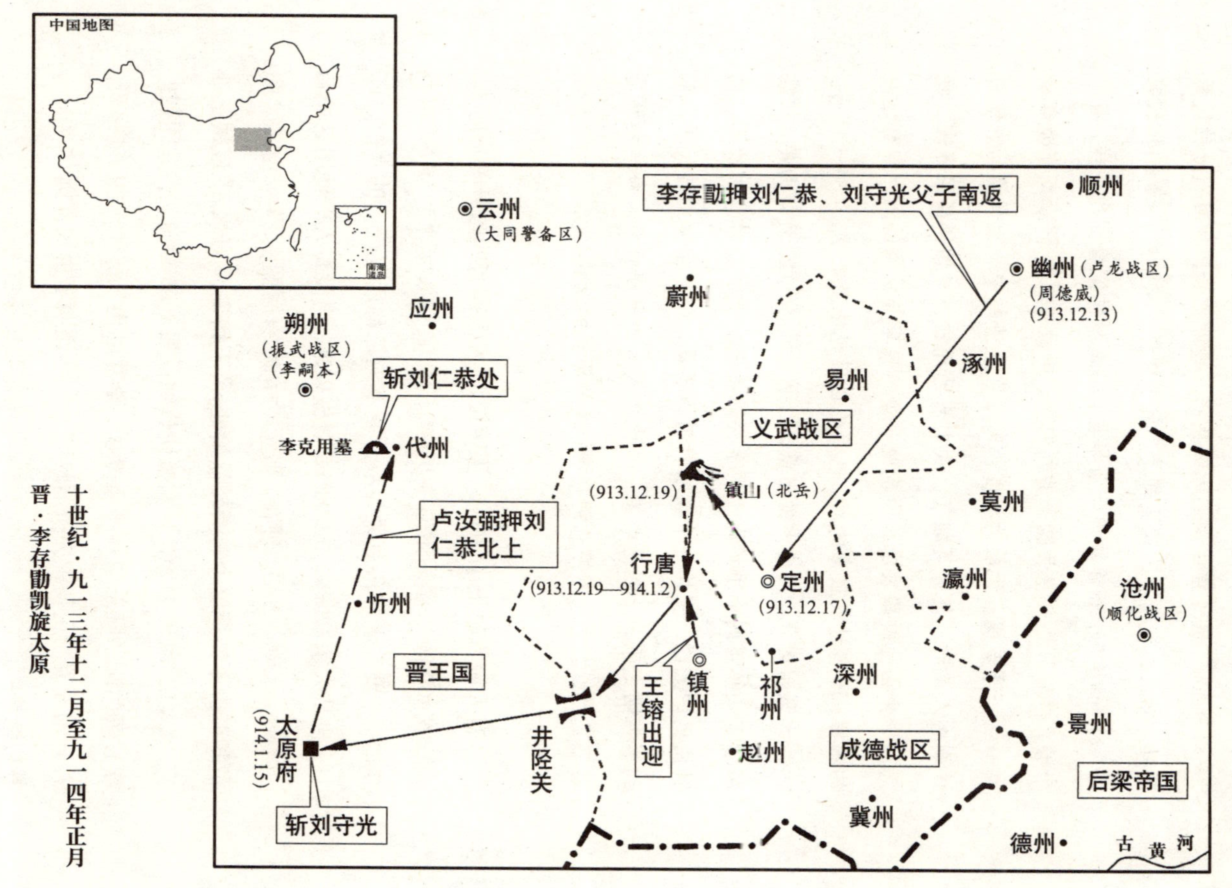

十世纪·九一三年十二月至九一四年正月
晋·李存勖凯旋太原

“一心事主。”更可宣传他们天纵英明，决策正确，拥有充分的民意基础。然而，最精彩的镜头却是，父子被俘，从幽州（北京市）押解晋阳（山西省太原市），长途跋涉千余华里，沿途村民像看猴戏一样，看了个够，把昨天还是皇帝陛下的刘守光，叫做“刘黑子”，刘守光却没有一丝一毫羞愧。无耻的程度，即令在人渣罐中，也属绝品。他用铁刷刷人脸时，何等英雄气，面对自己死亡，却怕得屎尿齐流，竟想对手会因他跳踉哀求，而饶他一命。自卑与怯懦的人，常有过人的狠毒；而有过人狠毒的人，也常是自卑与怯懦之辈，又得一证明。

大黑暗时代，人渣大批出笼，记不胜记。不过，奇妙的是，刘姓父子二人，落到谁手都比落到李存勖手好。上帝有时心血来潮，也会用他的大能，安排一个极端讽刺的场景，硬生生使刘姓父子，落到李存勖之手，给积恶之辈一个大快人心的淋漓报复。命运之磨是看不见的，但它永不停息的在磨，这是历史的功能。

有人警告赵王（首都镇州）王镕说：“大王拥有的国务院总理（尚书令·使相）官衔，是后梁（首都开封府）的任命（事在九〇九年，《资治通鉴》没有记载），现在既然跟后梁为敌，就不应仍称后梁任命的官衔。而且，自从太宗（唐王朝二任帝李世民）登极以来，再没有人敢使用这项名义（参考六二六年八月注）。现在，晋王（李存勖）身居盟主，功勋虽高，职位却低，不如把这个官衔转让给他。”王镕说：“好极。”遂跟王处直（义武〔总部定州〕司令官）分别派使节到晋阳（山西省太原市），共同拥护李存勖当国务院总理（尚书令·使相），李存勖再三辞让，然后才接受，并开始设置唐王朝中央特遣政府（行台），援照李世民前例（参考六一八年十二月二日）。

4 后梁帝国（首都开封府〔河南省开封市〕）荆南战区（总部设江陵府〔湖北省江陵县〕）司令官（节度使）高季昌，因前蜀（首都成都府）所属的夔（重庆市奉节县）、万（重庆市万州区）、忠（重庆市忠县）、涪（重庆市涪陵区）四州，原来都属荆南（总部江陵府。参考九〇三年十月）；决心派军收复失土，先用舰队进攻夔州（重庆市奉节县）。这时候，前蜀（首都成都府）镇江战区（总部设忠州〔重庆市忠县〕）司令官（节度使）兼最高监督长（兼侍中·使相）嘉王王宗寿，镇守忠州（重庆市忠县），夔州（重庆市奉节县）州长王成先，向战区总部请发铠甲（夔州属镇江战区），王宗寿却只发给他白色布袍。但王成先仍率军迎战，荆南（总部江陵府）舰队纵火焚烧前蜀军浮桥，前蜀副征剿司令（招讨副使）张武，下令拉起横江铁链，封锁峡口（应是巫峡，今重庆市巫山县东），荆南船舰不能前进。偏偏此时，大风忽然反转方向，荆南士卒遂被自己的火焰大量烧死，或掉到长江淹死。高季昌的座舰，本来蒙着牛皮，保护严密，不畏惧攻击，可是飞石如雨，把舰尾砸碎，高季昌跳到小艇上逃走，荆南远征军大败，阵亡和被俘五千人。

王成先派人秘密进京（首都成都府），奏报王宗寿拒绝发给铠甲情形。王宗寿在中途把使节生擒；召见王成先，斩首。

5 后梁帝（三任）朱友贞（本年二十七岁）因岐国（首都凤翔府〔陕西省宝鸡市凤翔区〕）不断东侵，采取反应。

二月七日，朱友贞调感化战区（总部设华州〔陕西省渭南市华州区〕）司令官（节度使）康怀英（康怀贞）当永平战区（总部设大安府〔陕西省西安市〕）司令官（节度使），镇守长安（大安府所在县）。康怀英，就是康怀贞，因避讳朱友贞的“贞”字，才改称怀英。

6 夏季，四月十日，前蜀帝（一任高祖）王建，把镇江战区总部迁到夔州（重庆市奉节县）。

7 四月十一日，后梁（首都开封府）司空（三公之三）兼副监督长（兼门下侍郎）、二级实质宰相（同平章事）于兢，被指控全凭一己之私，对将校军官随意升迁调补，被免除职务，贬作国务院工程部副部长（工部侍郎），不久，再贬作莱州（山东省莱州市）州政府军务秘书长（司马）。

8 南吴（首都扬州〔江苏省扬州市〕）袁州（江西省宜春市）州长刘崇景叛变，投降南楚（首都潭州〔湖南省长沙市〕）。刘崇景，是刘威的儿子（刘威是杨行密的老友，参考九〇五年九月）。南楚将领许贞率一万人增援。南吴总指挥官（都指挥使）柴再用、米志诚，率各将领讨伐。

9 南楚（首都潭州）岳州（湖南省岳阳市）州长许德勋，率长江舰队沿边巡防，半夜时分，突然刮起南风，总指挥官（都指挥使）王环，乘风破浪，直指南吴（首都扬州）所属的黄州（湖北省黄冈市黄州区），用绳梯攀登城墙，攻击州政府，生擒睡梦正酣的州长马邺，大肆劫掠而回。许德勋提醒王环说："鄂州（南吴武昌战区总部所在，湖北省武汉市）会对我们拦腰阻截，要加强戒备。"王环说："我们深入敌境，攻陷黄州（湖北省黄冈市黄州区），鄂州（湖北省武汉市）根本不知道我们穿过他的城下，现在正拼命补救都来不及，怎么还有胆量碰我们？"于是命各舰旌旗招展、锣鼓喧天，整队返国。鄂州（湖北省武汉市）军队果然不敢逼近。

10 五月，后梁（首都开封府）朔方战区（总部设灵州〔宁夏灵武市〕）司令官（节度使）兼最高立法长（兼中书令·使相）颍川王韩逊逝世，军队推举他的儿子韩洙当候补司令官（留后）。

五月十七日，后梁帝（三任）朱友贞下诏命韩洙当战区司令官（节度使）。

11 南吴（首都扬州）将领柴再用等进攻叛将刘崇景及南楚（首都潭州）将领许贞，在万胜冈（江西省宜春市东）会战，大破南楚军。刘崇景、许贞遂放弃袁州（江西省宜春市），逃走。

12 晋王（首都太原府）李存勖攻克幽州（北京市）后，北方全部肃清，没有后顾之忧，乃决心对后梁（首都开封府）采取大规模军事行动（连续不停的十年血战）。

秋季，七月，李存勖跟赵王、成德战区（总部设镇州〔河北省正定县〕）司令官（节度使）王镕、卢龙战区（总部设幽州〔北京市〕）司令官（节度使）周德威，在赵州（河北省赵县）举行高阶层军事会议，决定南下进攻后梁（首都开封府）的邢州（河北省邢台市）。晋国将领李嗣昭（昭义〔总部潞州〕司令官）率本战区野战军会师。后梁（首都开封府）天雄战区（总部设魏州〔河北省大名县〕）司令官（节度使）杨师厚，率军增援邢州（河北省邢台市），在漳水东岸扎营。晋军抵达张公桥（河北省邢台市西北），初级将领（裨将）曹进金背叛，投奔后梁（首都开封府）。晋军只好撤退，各路人马也分别返防。

八月，李存勖也回晋阳（首都太原府所在县）。

13 前蜀（首都成都府）武泰战区（总部设黔州〔重庆市彭水县〕）司令官（节度使）王宗训（王茂权），镇守黔州（重庆市彭水县），贪赃枉法，凶恶残暴，没有奉到命令，就擅自返回京师（首都成都府）。

八月十六日，王宗训（王茂权）晋见前蜀帝（一任高祖）王建，提出大量要求，说话狂妄悖谬，王建大怒，命卫士当场把他捶死。

八月二十四日，王建命皇家机要总监（内枢密使）潘峭，当武泰战区（总部设黔州〔重庆市彭水县〕）司令官（节度使），遥兼二级宰相（同平章事·使相）；命皇家文学研究院院长（翰林学士承旨）毛文锡当国务院教育部长（礼部尚书）、帝国参谋总部执行官（判枢密院）。

三峡建有拦江水坝，有人建议王建说：趁着夏秋之季，长江水涨，把水坝决开，使大水淹没江陵（后梁荆南战区总部所在，湖北省江陵县）。毛文锡劝阻说："高季昌（后梁荆南〔总部江陵府〕司令官）不过一个人不肯归附而已，他辖区里的平民，犯了什么罪！陛下正用恩德感动天下，怎么忍心使邻国平民，去喂鱼鳖！"王建才停止。

毛文锡先生，请接受我们小民一拜。

14 后梁帝（三任）朱友贞命福王朱友璋当武宁战区（总部设徐州〔江苏省徐州市〕）司令官（节度使）。前任战区司令官（节度使）王殷，是前任帝（二任）朱友珪任命，心里大为恐惧，拒绝交接，于是归降南吴（首都扬州）。

九月，朱友贞命淮南（总部扬州）西北方面军征剿援救司令（西北面招讨应接使）牛存节，以及首都开封特别市长（开封尹）刘鄩，率军讨伐。

冬季，十月，牛存节等在宿州（安徽省宿州市）集结。南吴（首都扬州）平卢战区（总部设青州〔山东省青州市〕）司令官（空头官衔。此时青州属后梁〔首都开封府〕）朱瑾等，率军增援徐州（江苏省徐州市）。牛存节等迎头痛击，南吴军（首都扬州）大败，撤退而回。

15 十一月十三日，长和帝国（前身南诏王国。首都大理城〔云南省大理市〕）派军进攻黎州（四川省汉源县）。前蜀帝（一任高祖）王建命夔王王宗范（张宗范）、兼最高立法长（兼中书令）王宗播（许存）、嘉王王宗寿，分别当征剿司令（招讨使）迎战。

十一月二十四日，前蜀军（首都成都府）在潘仓嶂（四川省汉源县北）击败长和军（首都大理城），斩他们的将领赵嵯政等。

十一月三十日，再在山口城（汉源县稍北）把长和军击败。

十二月十三日，前蜀军（首都成都府）攻陷长和军（首都大理城）武侯岭（汉源县城北）十三个营寨。

十二月十九日，前蜀军在大渡河，再击败长和军，俘虏及格杀数万人，长和军官兵争先恐后抢夺桥梁逃命，桥梁折断，落水淹死的又有数万人。王宗范（张宗范）等打算赶搭浮桥，过大渡河追击，王建命他们班师。

16 十二月二十一日，前蜀（首都成都府）兴州（陕西省略阳县）州长、兼北方军政总监及指挥官（兼北路制置指挥使）王宗铎，进攻岐国（首都凤翔府）所属的阶州（甘肃省康县）及固镇（甘肃省徽县），一连击破细砂（陕西省凤县境）等十一个营寨，杀四千人。

十二月二十二日，指挥官（指挥使）王宗俨，又攻陷岐国（首都凤翔府）长城关（凤县境）等四个营寨，杀二千人。

17 岐国（首都凤翔府）静难战区（总部设邠州〔陕西省彬州市〕）司令官（节度使）李继徽（杨崇本），被儿子李彦鲁毒死，李彦鲁自称候补司令官（留后）。

九一五年 乙亥

后梁	乾化	五年
	贞明	元年
晋	天祐	十二年
岐	天祐	十二年
南吴	天祐	十二年
前蜀	永平	五年
南楚	贞明	元年
吴越	天宝	八年

1 春季，正月八日，前蜀帝国（首都成都府〔四川省成都市〕）皇帝（一任高祖）王建（本年六十九岁）登上得贤门，接受夔王王宗范等呈献的长和帝国（首都大理城〔云南省大理市〕）俘虏。大赦天下。

最初，黎（四川省汉源县）、雅（四川省雅安市）二州境里的蛮夷酋长刘昌嗣、郝玄鉴、杨师泰，虽然臣服唐朝，接受唐政府的官职爵位，号称大金堡三王，但暗中却跟南方的南诏王国（长和帝国前身）来往，互通消息，并且充当南诏的耳目向导（该地区蛮夷大多如此。参考八六七年二月）。西川战区（总部设成都府〔四川省成都市〕）司令官（节度使）大多数是文职，虽然知道实情，都不敢追究。现在，王建指控他们泄露军事机密，押解到成都闹市，斩首；并摧毁大金堡（四川省泸定县南）。自此，长和（首都大理城）不敢再侵犯前蜀边界。

2 二月，后梁帝国（首都开封府〔河南省开封市〕）将领牛存节等，攻克彭城（徐州州政府所在县），州长王殷放火，全族自焚而死（王殷投降南吴，参考去年〔九一四〕八月）。

3 三月七日，后梁（首都开封府）免除国务院右最高执行长（右仆射）兼副监督长（兼门下侍郎）、二级实质宰相（同平章事）赵光逢所有职务，以太子太保（太子三师之三）名义退休。

4 后梁（首都开封府）天雄战区（总部设魏州〔河北省大名县〕）司令官（节度使）兼最高立法长（兼中书令·使相）、邺王杨师厚逝世。杨师厚到了晚年，仗恃他对帝国立有大功，又手握重兵，经常擅自截留应呈缴中央的赋税，并遴选军中勇士，组成银枪效节特别营（银枪效节都），有数千人之多，给他们优厚的待遇，打算恢复从前总部警备队（牙兵）的盛况（牙兵兴衰，参考九〇六年正月）。后梁帝（三任）朱友贞（本年二十八岁）虽然表面上对他加倍尊敬和礼遇，但内心却猜忌不安。听到他逝世的消息，在宫里暗中接受祝贺。全国物资调节总监（租庸使）赵岩、全国物资调节总监署执行官（判官）邵赞，向朱友贞建议说：“天雄（总部魏州）是唐王朝的心腹大患，二百年之久，不能铲除，原因是它地方太大、兵力太强。罗绍威、杨师厚盘踞那里，中央对他们根本无可奈何。陛下如果不抓住这个契机，作长久之计，那么，'烂肉如不割尽，将来一定复发'。谁知道下一个是不是杨师厚第二？应该把所管辖的六州，分作两个战区，削弱它们的力量（把魏博六州分割为两战区，使兵力分散，在唐王朝时便试用过此策，但最后仍是失败。参考八二九年六月及八月）。"朱友贞认为对极，遂调平卢战区（总部设青州〔山东省青州市〕）司令官（节度使）贺德伦，当天雄战区（总部设魏州〔河北省大名县〕）司令官（节度使），另在相州（河南省安阳市）设昭德战区，把澶（河南省内黄县东南）、卫（河南省卫辉市）二州划归管辖，命宫廷事务总监（宣徽使）张筠当昭德战区（总部设相州〔河南省安阳市〕）司令官（节度使）。分天雄（总部魏州）一半军队及一半积蓄给新建的昭德（总部相州）。张筠，是海州（江苏省连云港市）人。二人到差之后，中央唯恐天雄（总部魏州）官兵不服，又派首都开封特别市市长（开封尹）刘鄩率大军六万人，自白马（河南省滑县）北渡黄河，宣称讨伐镇州（河北省正定县，成德战区）、定州（河北省定州市，义武战区），实际上是对魏州（河北省大名县）施加压力。 326

天雄（总部魏州）军队官兵，都是父子兄弟互相继承，历时数百年之久（自七六三年闰正月，田承嗣当警备区司令〔防御使〕算起，迄今一百五十三年），而又互相通婚，亲戚加亲戚，盘根错节，成为一个向心力十分强烈的族群，不愿分离。而贺德伦却屡次强行催促分往昭德（总部相州）的部队，早日上道，应走的人悲叹怨愁，每个营寨里都传出哭声。

三月二十九日，刘鄩大军进驻昌乐（河南省南乐县），先派澶州（河南省内黄县东南）州长王彦章，率龙骧军骑兵五百人进入魏州（河北省大名县），驻扎金波亭（魏州城内）。天雄（总部魏州）官兵更加惊恐，互相警告说："中央痛恨我们战区强大，才用这种策略使我们残破，六州已成一体，历代都是如此，武装部队从来没有出过河门（河北省大名县城外河门堤），现在却要拆散骨肉，离乡背井，真是活不如死。”当天（三月二十九日）夜晚，兵变，纵火焚烧官府民舍，大肆劫掠，包围金波亭，王彦章砍开城门逃走。天亮之后，变兵进入内城（牙城），屠杀贺德伦的亲军士卒五百人，把贺德伦挟持到楼上软禁。银枪效节特别营中级军官（军校）张彦，率领他的部众，抽出佩刀，阻止抢劫。

夏季，四月，朱友贞派贴身宦官（供奉官）扈异前来沟通慰问，允许用张彦当州长。张彦请求天雄（总部魏州）仍恢复一个战区，不再分割，撤销昭德（总部相州），把相（河南省安阳市）、澶（河南省内黄县东南）、卫（河南省卫辉市）三州，仍归还天雄（总部魏州）。扈异回京（首都开封府），告诉中央说：张彦这个人容易对付，只要命刘鄩发动攻击，立刻就会送来他的人头。朱友贞因此不接受建议，而只用措辞温和的诏书，作为回答。钦差大臣再去魏州（河北省大名县），张彦把诏书撕个粉碎，摔到地上，双手叉腰，面向南方，诟骂中央，对贺德伦说：“天子（朱友贞）愚昧，不明事理，像老牛一样，由别人牵着鼻子，牵到哪里是哪里。我们虽然兵强将广，如果没有外援，仍不能独立支持，唯一的一条生路是向晋国（首都太原府）投诚归顺。”遂强迫贺德伦写信给晋王李存勖，请求援救。

5 岐国（首都凤翔府〔陕西省宝鸡市凤翔区〕）静难战区（总部设邠州〔陕西省彬州市〕）前任司令官（节度使）李继徽（杨崇本）的义子李保衡，诛杀李彦鲁（李彦鲁杀父，参考去年〔九一四〕十二月），自称候补司令官（留后），献出所辖邠（陕西省彬州市）、宁（甘肃省宁县）二州，归降后梁（首都开封府）。后梁帝（三任）朱友贞下诏命李保衡当感化战区（总部设华州〔陕西省渭南市华州区〕）司令官（节度使），调河阳战区（总部设孟州〔河南省孟州市〕）候补司令官（留后）霍彦威当静难（总部邠州）司令官（节度使）。

6 南吴（首都扬州〔江苏省扬州市〕）镇海战区（总部昇州）司令官（节度使）徐温，任命他的儿子、内营总指挥官（牙内都指挥使）徐知训，当淮南战区（总部扬州）作战副司令官（行军副使）、中外步骑兵各军副司令（内外马步诸军副使）。

7 晋王（首都太原府）李存勖（本年三十一岁）接到贺德伦的信，立刻命步骑兵副司令（马步副总管）李存审（符存审），自赵州（河北省赵县）率军向南推进，驻扎临清（河北省临西县）。

五月，李存审（符存审）抵达临清（河北省临西县），后梁（首都开封府）大将刘鄩向北推进，驻扎洹水（河北省魏县西南）。贺德伦再派使节向李存勖紧急求救。李存勖亲领大军，自黄泽岭（山西省左权县东南峻极关南）穿太行山东下，跟李存审（符存审）在临清（河北省临西县）会师，这时候他仍怀疑是魏州（河北省大名县）设下的圈套，不敢贸然行事，而只按兵不动，静待发展。贺德伦派执行官（判官）司空颋（司空，复姓），前往晋国大营犒赏军队，秘密向李存勖报告说："斩乱草，应当除根！"遂把张彦的凶恶和狡狯情形，一一陈述，建议李存勖先把他诛杀，其他都可不必担心。李存勖沉默不作回答。司空颋，是贝州（河北省清河县）人。

李存勖进驻永济（山东省冠县北），张彦遴选银枪效节特别营勇士五百人，全副武装，作为卫队，前往永济（山东省冠县北）晋见，李存勖登驿马车站眺望楼，斥责他说："你凌辱胁迫主帅，残暴虐待平民，几天来拦住马头，呼冤诉怨的有一百多人，我今天率军前来，主要

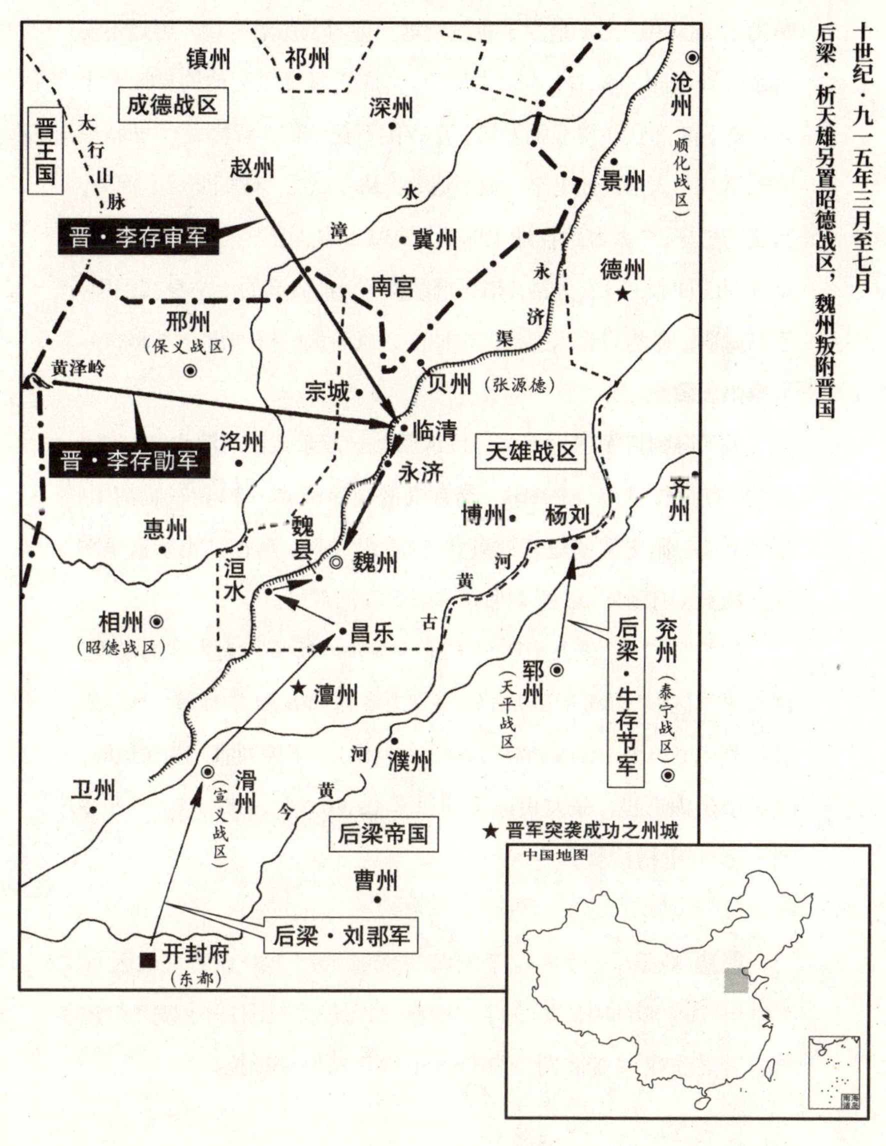

十世纪·九一五年三月至七月

后梁·析天雄另置昭德战区，魏州叛附晋国

是为了安抚平民，不是为了贪图土地。你对我虽然有功，可是不得不杀你替魏州（河北省大名县）人复仇。”遂斩张彦以及他的党徒七个人，剩下的部众吓得双腿发抖。李存勖召见他们，解释说：“罪状只限于这八个人，其他士卒，全不追究，从今以后，你们要尽心尽力，当我的爪牙。”大家跪在地上叩头，高喊万岁。第二天，李存勖穿着平民穿的便服，宽衣大袖，率军继续南下，命张彦的士卒身披铠甲、手拿武器，在两旁充当卫士，称他们为帐前银枪特别营（帐前银枪都），大家由衷敬服。

刘鄩得到晋军逼近情报，挑选精兵一万余人，从洹水（河北省魏县西南）直扑魏县（河北省魏县）。李存勖把李存审（符存审）留在临清（河北省临西县），派史建瑭进驻魏县（河北省魏县）协防，李存勖也亲自率军抵达魏县（河北省魏县），跟刘鄩大军隔着漳河对峙。

后梁帝（三任）朱友贞听说天雄（总部魏州）叛变，大为后悔恐惧，派天平战区（总部设郓州〔山东省东平县〕）司令官（节度使）牛存节，率军进驻杨刘（山东省东阿县东北杨柳村，古黄河南岸渡口），声援刘鄩。就在这时，牛存节生病逝世，朱友贞命匡国战区（总部设许州〔河南省许昌市〕）司令官（节度使）王檀接替。

8 岐王（一任忠敬王）李茂贞（宋文通，本年六十岁）派彰义战区（总部设泾州〔甘肃省泾川县〕）司令官（节度使）刘知俊，包围邠州（陕西省彬州市）。后梁静难（总部州）司令官（节度使）霍彦威坚守抵抗。

9 六月一日，贺德伦率文武官员晋见李存勖，请进城慰劳军民。李存勖进城后，贺德伦呈上印信符节，请李存勖兼任天雄战区（总部设魏州〔河北省大名县〕）司令官（节度使）。李存勖坚决辞让，说：

“听说汴州（河南省开封市）盗匪（后梁政府）侵犯贵地，所以亲率大军，远来相救，又听说城里刚经一场浩劫，所以暂时进城安抚慰问，大帅误会，而把印信符节交给我，实不是我的本意。”贺德伦叩头说：“现在敌军迫在面前，城里以及总部新近又有巨大变乱，人心仍不能安定，我的心腹将领跟得力助手，被张彦几乎全部杀光，力量孤单，怎么能够再统率部队！一旦发生情况，恐怕辜负大恩。”李存勖这才接受，贺德伦率文武官员叩头祝贺，李存勖代表唐王朝皇帝发布诏书，命贺德伦当大同战区（总部设云州〔山西省大同市〕）司令官（节度使），送他前往到差。贺德伦抵达晋阳（山西省太原市），监军宦官张承业把他留下，不准他离开。

这时，银枪效节特别营（银枪效节都）官兵，在魏州（河北省大名县）依旧骄傲蛮横，李存勖下令说：“自今以后，有人胆敢结党、造谣，或放火抢劫的，一律诛杀，决不赦免。”命沁州（山西省沁源县）州长（空头官衔。此时沁州属后梁〔首都开封府〕）李存进（孙重进）当天雄战区（总部设魏州〔河北省大名县〕）总巡察官（都巡按使）。凡是妖言惑众，或抢夺平民一文钱以上的，李存进都把他们斩首示众，再在街头闹市，剁碎尸体。不过十天，城里一派升平，社会秩序完全恢复，没有人敢再喧哗闹事。李存进，本姓孙，名重进，是振武战区（总部设朔州〔山西省朔州市〕）人（参考八八四年五月）。

李存勖长年在外东征西讨，天雄（总部魏州）军政大事，都交给执行官（判官）司空颋全权处理。司空颋仗恃他的才干能力，跟李存勖对他的宠信，于是对于连向他瞪一眼的怨恨，都要报复，贪赃枉法，无所不为，态度傲慢粗暴，生活豪华奢侈。他有一位侄儿留在黄河以南（后梁国境），司空颋暗中派人召唤他前来河北，总纠察官（都虞候）张裕捕获这位密使，报告李存勖，李存勖斥责司空颋说：

“我自从兼管这个战区，大小事情全都交给你来决定，你怎么用这种手段欺骗我？难道你不能先向我讲一声？”向他作揖行礼，送他回家。就在当天，把司空颋全族押到军营大门之前，全体斩首。命另一执行官（判官）王正言接替司空颋的职务。王正言，是郓州（山东省东平县）人。

两个强敌在战场上对峙，竟然派密使越境传递私人函件，判处死刑，还说得通，而竟屠杀全族，实在过分。

魏州（河北省大名县）州政府文书员（孔目吏）孔谦，勤快敏捷，擅长处理金钱财务，对财产账簿，有管理的特别才能，李存勖命他当财务管理官（支度务使）。孔谦精于谄媚拍马，能卑屈的侍候当权官员和要人，因此，他所受的宠爱更为坚固。魏州（河北省大名县）新近经过大乱，仓库全空，财力枯竭，民间更是筋疲力尽。李存勖集结三个战区（河东、成德、天雄）的野战军，在黄河两岸战斗，前后将近十年（九一五至九二三，前后九年），军事需要的金钱粮草，从来没有短缺过，都是孔谦的力量。然而他对人民强行征收，凶暴掠夺，使六州陷于水深火热，使人民对李存勖痛恨入骨，也是他所造成（李存勖覆亡，就是由魏州〔兴唐府〕兵变引起，参考九二六年正月及三月）。

张彦当初决定呈献天雄战区（总部魏州），归降晋国（首都太原府）时，贝州（河北省清河县）州长张源德不同意，于是北方结合沧（河北省沧州市东南）、德（山东省德州市陵城区）二州（二州归附后梁，参考前年〔九一三〕五月），南方联络刘鄩，抗拒晋军，不断切断魏州（河北省大名县）跟成德

（总部镇州）、义武（总部定州）粮食补给路线。有人向李存勖献计说："请先派兵一万人生擒张源德，然后再吞并沧（河北省沧州市东南）、景（河北省东光县），则直到大海（渤海湾），这片广大土地，就归我们所有。"李存勖说："未必见得，贝州（河北省清河县）城墙坚固，守军又多，不容易立刻攻破。德州（山东省德州市陵城区）归沧州（后梁顺代战区总部所在，河北省沧州市东南）管辖，而且没有戒备，如果能把它占领，派军驻扎，沧贝二州之间的联络就被切断，两座城池一旦陷于孤立，就可以各个击破。"于是派骑兵五百人，昼夜不停急行军前往，奇袭德州（山东省德州市陵城区）。州长想不到晋军突然出现，翻城逃走，晋军遂攻克城池，李存勖命辽州（山西省左权县）巡捕官（守捉将）马通，接任州长。

秋季，七月，晋军于夜晚袭击澶州（河南省内黄县东南），攻陷。州长王彦章身在刘鄩大营，他的妻子儿女留在城里，全被晋军俘虏，晋军待他们十分优厚，然后派人前往劝诱王彦章，王彦章把密使斩首，晋军遂把他的妻子儿女全部诛杀。李存勖命魏州（河北省大名县）将领李岩当澶州（河南省内黄县东南）州长。

李存勖前往魏县（河北省魏县）慰劳军队，顺便率一百余骑兵，沿着漳河西行，观察刘鄩大营形势。正巧天色阴暗，刘鄩在河床弯曲、树林丛生的地方，埋伏士卒五千人，大声呐喊、擂动战鼓，冲出来把李存勖团团围住，里外数层，李存勖在马背上一提缰绳，狂奔高呼，率骑兵左冲右突，所到之处，后梁（首都开封府）官兵人仰马翻。初级将领（裨将）夏鲁奇等手拿佩刀短剑，拼命迎击，从中午十二时苦战到下午四时，终于杀出一条血路逃出，只阵亡七名骑兵，夏鲁奇手斩一百余人，遍身都是创伤，幸而李存审（符存审）救兵赶来，才得以脱身。李存勖回头对他的侍从说："差一点出了洋相，被蛮子嘲笑。”左右侍从敬佩说：“也正好使敌人见识见识大王的英勇。”夏鲁奇，是青州（山东省青州市）人。李存勖对他越发宠爱，命他改姓名李绍奇。

刘鄩判断：晋国（首都太原府）主力大军，都在魏州（河北省大名县），根据地晋阳（太原府所在县）一定空虚，打算用奇计突袭夺取，于是秘密率军穿过黄泽（山西省左权县东南峻极关南）西上。晋军魏州（河北省大名县）大营开始奇怪后梁军为什么一连几天都不发动攻击，而且一片寂静，既没有听到声音，又没有看到人迹，派出斥候侦察，发现魏县（河北省魏县）城里没有炊烟，只有军旗不时的在城垛间出现。李存勖说：“我听说，刘鄩带兵打仗，走一步能想出一百条计，其中一定有诈。”再派人察看，原来是手拿军旗的稻草人，绑在驴背上，在城上走来走去。寻获城里老弱居民盘问，回答说：“军队已走了两天！”李存勖说：“刘鄩最擅长乘人不备，发动袭击，最不擅长沙场决战。预料他的行程，可能才到太行山下。”急命骑兵追击。正巧一连十数天，都大雨不停，黄泽（山西省左权县东南峻极关南）路况险恶，淤泥有一尺多深，寸步难行，后梁士卒抓住葛藤，辛苦前进，都肚泻脚肿，有的失足坠下万丈山谷，死亡十分之二三。晋军将领李嗣恩（骆嗣恩）从小路加倍速度迅速奔驰，抢先一步赶到晋阳（山西省太原市），城里遂得到消息，立刻备战。刘鄩好不容易抵达乐平（山西省昔阳县。西北距晋阳航空距离一百二十公里），携带的粮食将要吃完，同时又知道晋军已经识破他的诡计，有了戒备，而追兵又要赶到，后梁官兵大为恐惧，眼看就要崩溃，一哄而散，刘鄩向他们解释说：“而今，离家有千里之遥，深入敌人腹部，前后都有军队，随时会发动夹攻，四周山高谷深，我们好像掉到水井里一样，如果跑，往哪里跑？唯一的希望是杀开一条血路，才有可能保命，否则也只有一死来报君王父老！”大家痛哭流涕，才算停止。晋国卢龙战区（总部设幽州〔北京市〕）司令官（节度使）周德威，听到刘鄩西上奇袭消息，自幽州（北京市）率骑兵一千人，南下增援晋阳（山西省太原市），抵达土门（河北省石家庄市鹿泉区西南），刘鄩率军已穿太行山而出，自邢州（河北省邢台市）陈宋口（河北省邢台市西六十公里），渡漳水东下，驻扎宗城（河北省威县东）。刘鄩这次出击，一去一回，战马死亡将近一半。

这时，晋军缺少粮食，刘鄩知道临清（河北省临西县）囤有积蓄，打算夺取到手，断绝晋军的供应。周德威急于捕捉刘鄩，第二天，抵达南宫（河北省南宫市），派骑兵擒获刘鄩的斥候数十人，砍断手腕，放他们回去传话说：“周大帅已占领临清（河北省临西县）。”刘鄩军大为惊骇。第二天，周德威率军从刘鄩大营旁边擦身而过，进入临清（河北省临西县）。刘鄩率军直向贝州（河北省清河县）。这时，李存勖进驻博州（山东省聊城市），刘鄩也进驻堂邑（山东省聊城市西堂邑镇），周德威发动攻击，不能攻克。第二天，刘鄩进驻莘县（山东省莘县），晋军紧追而到，刘鄩整修莘县城墙及护城壕沟，全力固守，并从莘县（山东省莘县）到黄河渡口，兴筑一条夹墙甬道，运送粮饷（莘县东距古黄河十公里，渡河便是郓州），李存勖在莘县（山东省莘县）西三十华里驻扎，两国军营烟火可以互相看得见，一天之内，就有数次战斗。

李存勖喜爱元行钦骁勇强壮，向代州（山西省代县）州长李嗣源（邈佶烈）要他前来身边（元行钦，参考前年〔九一三〕三月），李嗣源不敢不同意，只好献出，李存勖命元行钦当编制外野战总司令（散员都部署），改姓名为李绍荣。李绍荣（元行钦）曾在深入敌阵奋战时，被剑刺中脸部，不能脱身，幸而高行周把他救出重围。李存勖又希望得到高行周，不好意思再次开口，只暗中派人用高官厚禄引诱高行周，高行周推辞说：“李州长（李嗣源）培养勇士，等于替大王培养勇士，我事奉李州长（李嗣源），也等于侍奉大王。李州长曾救我们兄弟免于一死（参考前年〔九一三〕三月），我不忍心忘恩负义。”事情才停止。

10 后梁（首都开封府）绛州（山西省新绛县）州长尹皓，进攻晋国（首都太原府）隰州（山西省隰县）。

八月，尹皓再攻慈州（山西省吉县），都不能攻克。

后梁（首都开封府）王檀跟宣义战区（总部设滑州〔河南省滑县〕）候补司令官（留后）贺瓌，联合进攻澶州（河南省内黄县东南），攻克，俘虏晋国（首都太原府）任命的州长李岩，解送东都（首都开封府）。后梁帝（三任）朱友贞命杨师厚旧部杨延直当澶州（河南省内黄县东南）州长，率军一万人，增援刘鄩，并号召魏州（河北省大名县）官兵起义来归。

11 晋王（首都太原府）李存勖派李存审（符存审）率军五千人进攻贝州（河北省清河县）。州长张源德有军队三千人，每天夜晚，都分成数个梯次，轮流出城剽掠，乡民苦不堪言，请求晋军用长壕深沟把它密密围起，乡间田地才能恢复耕耘。李存审（符存审）征调八县人民挖掘，贝州（河北省清河县）遂跟外界隔绝（贝州共辖八县：清河县〔州政府所在县，河北省清河县〕、清阳县〔与清河县同设州城中〕、漳南县〔山东省武城县西北〕、武城县〔山东省武城县西老城镇〕、临清县〔河北省临西县〕、夏津县〔山东省夏津县〕、历亭县〔山东省武城县〕、经城县〔河北省威县北经镇村〕）。

刘鄩在莘县（山东省莘县）驻扎的时间太久，粮饷供应逐渐难以为继。晋军很多次直逼他的营门挑战，刘鄩不作反应。晋军遂摧毁甬道夹墙，切断粮运，又用一千余巨斧猛砍营寨柱木，后梁士卒惊恐，冲出来逃命，晋军就把他们俘虏，然后撤退。

后梁帝（三任）朱友贞下诏责备刘鄩使大军陷于长期野战，耗费粮饷，造成大量死亡逃散，不知道速战速决。刘鄩回奏说：“我本来要用奇兵直捣敌人心脏，回军夺取镇（河北省正定县）、定（河北省定州市）二州，希望十天半月之内扫清河朔（河北平原）。无奈上天对战乱仍不厌弃，一连十天阴雨，粮食枯竭，官兵染病。又打算用临清（河北省临西县）作为基地，切断晋军（首都太原府）补给，想不到周德威疾如闪电，从千里之外，突然赶到。我现在退守莘县（山东省莘县），加强训练，并使士卒得到休息，等待可以出击的良机。我观察晋军人数众多，骑马射箭，来去如飞，诚是强敌，不可以把他们看轻，假如有出击的机会，我怎么敢苟且偷安，培养盗匪！”朱友贞再问刘鄩用什么办法才可以取胜？刘鄩回奏说：“我现在没有办法，只盼望每个士卒能有十斛粮食，保证可以破贼。”朱友贞大怒，责备刘鄩说：“你积蓄那么多粮食，是为了打仗？还是为了充饥？”派宦官前往督战。

刘鄩召集各将领问说：“皇上（朱友贞）住在深宫之中，不知道军旅实况，只跟一些年轻新进的人商量。两军对垒，全看临机应变，不可以预先决定步骤。现在敌人仍然强大，硬碰硬对决，我们一定失利，如何是好？”各将领众口一词说：“是胜是负，应该摊牌，一天复一天，等到什么时候！”刘鄩大不高兴，沉默不语。退回后，对亲信说：“领袖愚昧，干部谄媚，将领骄傲，士卒疲惫，我不知道死在哪里！”过了几天，刘鄩再一次把各将领召集到大营前，每人面前放一碗河水，命大家下肚，大家不知道什么用意，只好皱着眉头喝下去，刘鄩告诉大家说：“一碗水都难下咽，而黄河滔滔东流，怎么能够喝完？”大家面无人色。

几天后，刘鄩率一万余人进逼成德（总部镇州）、义武（总部定州）二战区阵地，二战区士卒惊恐。晋军（首都太原府）将领李存审（符存审）率骑兵二千人拦腰痛击，李建及更派银枪效节特别营一千人助战，刘鄩大败，奔回大营。晋军追击，直追到大营门口，格杀俘虏以千为单位计算。

12 后梁（首都开封府）清海战区（总部设广州〔广东省广州市〕）司令官（节度使）刘岩，派人前往南楚（首都潭州〔湖南省长沙市〕）迎亲（求婚事，参考前年〔九一三〕十月）。南楚王（一任武穆王）马殷（本年六十四岁），派永顺战区（总部设朗州〔湖南省常德市〕）司令官（节度使）马存送亲。

13 八月七日，前蜀（首都成都府）对岐国（首都凤翔府）发动攻击，前蜀帝（一任高祖）王建，命兼最高立法长（兼中书令）王宗绾（李绾）当北方军团军政最高总监（北路行营都制置使）；兼最高立法长（兼中书令）王宗播（许存）当征剿司令（招讨使），进攻秦州（甘肃省秦安县西北）。命兼最高立法长（兼中书令）王宗瑶（姜郅）当东北方面军征剿司令（东北面招讨使）；二级实质宰相（同平章事）王宗翰（孟宗翰）当副征剿司令（副使），进攻凤州（陕西省凤县）。

14 八月二十二日，南吴王（首都扬州）杨隆演（本年十九岁），命镇海战区（总部设润州〔江苏省镇江市〕）司令官（节度使）徐温，当辖区内水陆步骑各军总指挥官（管内水陆马步诸军都指挥使）、两浙（浙东、浙西）总征剿司令（两浙都招讨使），暂任最高监督长（守侍中 · 使相），封齐国公爵，镇守润州（江苏省镇江市），辖昇（江苏省南京市）、润（江苏省镇江市）、常（江苏省常州市）、宣（安徽省宣城市）、歙（安徽省歙县）、池（安徽省池州市贵池区）等六州；但对中央军政事务，仍继续参与决策。并留他的儿子徐知训在广陵（首都扬州州政府所在城）主持政府。

15 最初，后梁帝（三任）朱友贞娶河阳战区（总部设孟州〔河南省孟州市〕）司令官（节度使）张归霸的女儿为妻，登极之后，打算封作皇后。但张女士因朱友贞还没有到南郊祭祀天神，所以坚决辞让。

九月二十四日，张女士病重，朱友贞封她德妃。当天晚上，张德妃逝世。

康王朱友敬，眼睛里有两个瞳仁，自认为应当皇帝，阴谋政变。

冬季，十月二十四日，夜晚，张德妃将要出葬，朱友敬派他的心腹亲信几个人，进入朱友贞的寝殿埋伏；朱友贞发觉情形不对，来不及穿鞋，光着脚跳墙逃出，召唤禁军搜索，一一逮捕，朱友贞亲手把他们诛杀。

十月二十五日，逮捕朱友敬，斩首。

朱友贞因此对皇族开始疏远，而只信任赵岩及张德妃的兄弟张汉鼎、张汉杰，跟张德妃的堂兄弟张汉伦、张汉融，命他们担任跟皇帝接近的职位，参与帝国机密会议，每次出军，都指定他们中的一人，代表皇帝前往监护。赵张等五人帮遂仗恃靠山强大，作威作福，玩权弄势，出卖官职，包揽诉讼，挑拨离间旧日将领间的感情。敬翔、李振虽然担任宰相，但所作建议，朱友贞都不采用。李振遂经常声称有病，不再过问国事，用以躲避赵张等五人帮的党羽。帝国政府遂日陷混乱，直到灭亡（距灭亡还有八年）。

16 后梁（首都开封府）大将刘鄩派人向晋军（首都太原府）诈降，打算贿赂厨师毒死晋王李存勖，事情泄露，李存勖把他们连同他们的同党五人，一并诛杀。

17 十一月三日，夜晚，前蜀（首都成都府）皇宫失火。前蜀帝（一任高祖）王建自从夺取成都（四川省成都市）到手（参考八九一年八月，迄今二十五年），所积蓄的金银珍宝，都储存百尺楼，现在全成灰烬。各军总指挥官（诸军都指挥使）兼最高立法长（兼中书令）王宗侃（田师侃）等，率禁卫部队，打算进宫救火，王建下令紧闭宫门，不准进入。

十一月四日，凌晨，大火仍在燃烧，王建才在义兴门接见文武百官，命有关官员把皇家祖庙的祖先牌位收集在一起，并派人到全城各地巡查。吩咐已毕，转身回宫，仍紧闭宫门。将领宰相等分别呈献帐篷及酒菜。

帝王和独裁者最大而又永远无法克服的困难是：他不知道什么时候会变生肘腋。王建提供一个榜样，一场大火就使他现出原形，看他惊骇失措的反应，显示他内心的空虚，已没有可信赖的亲人。

凡认为杀人整人是一种快乐的人，同时也会有被杀被整的恐惧，这大概是文化有机体的一种平衡。

十一月六日，王建下诏大赦。

18 十一月九日，后梁（首都开封府）改年号贞明（之前是乾化五年，之后是贞明元年）。

19 十一月十三日，前蜀（首都成都府）将领王宗翰率（孟宗翰）军自青泥岭（陕西省略阳县西北）出发，攻克固镇（甘肃省徽县），在泥阳川（甘肃省成县境）跟岐国（首都凤翔府）任命的秦州（甘肃省秦安县西北）将领郭守谦会战，前蜀军失败，退守鹿台山（甘肃省成县东）。

十一月十五日，前蜀（首都成都府）将领王宗绾（李绾）等，在金沙谷（甘肃省成县东南）击败岐国秦州（甘肃省秦安县西北）军队，生擒他们将领李彦巢等，乘胜直扑秦州（甘肃省秦安县西北）。前蜀兴州（陕西省略阳县）州长王宗铎攻克岐国阶州（甘肃省康县），州长李彦安投降。

十一月十八日，王宗绾（李绾）攻克成州（甘肃省成县），生擒州长李彦德。前蜀军推进到上染坊（甘肃省天水市南二十公里），岐国天雄战区（总部设秦州〔甘肃省秦安县西北〕）司令官（节度使）李继崇，派他的儿子李彦秀携带印信符牌，出城迎降。王宗绾（李绾）遂进入秦州（甘肃省秦安县西北），上疏任命阵地督战官（排阵使）王宗俦当候补司令官（留后）。岐国大将刘知俊进攻后梁（首都开封府）霍彦威据守的邠州（陕西省彬州市），历时已经半年（参考本年〔九一五〕五月），不能攻克，突然听到秦州（甘肃省秦安县西北）陷落、妻子儿女已经被送往成都（四川省成都市）消息，遂解除包围，回军凤翔（陕西省宝鸡市凤翔区），可是，终于心头不安，恐怕大祸临头，而于夜晚率亲军七千人，砍开城门逃走。

十一月二十四日，刘知俊投奔前蜀（首都成都府）。王宗绾（李绾）自河池（甘肃省徽县）、两当（甘肃省两当县）出动，跟王宗瑶（姜郅）军会合，一起进攻凤州（陕西省凤县）。

十一月二十七日，前蜀军攻克凤州（陕西省凤县）。

20 岐国（首都凤翔府）义胜战区（总部设耀州〔陕西省铜川市耀州区〕）

十世纪·九一五年十一月　前蜀·王宗绾北伐岐国，吞并秦成凤阶四州

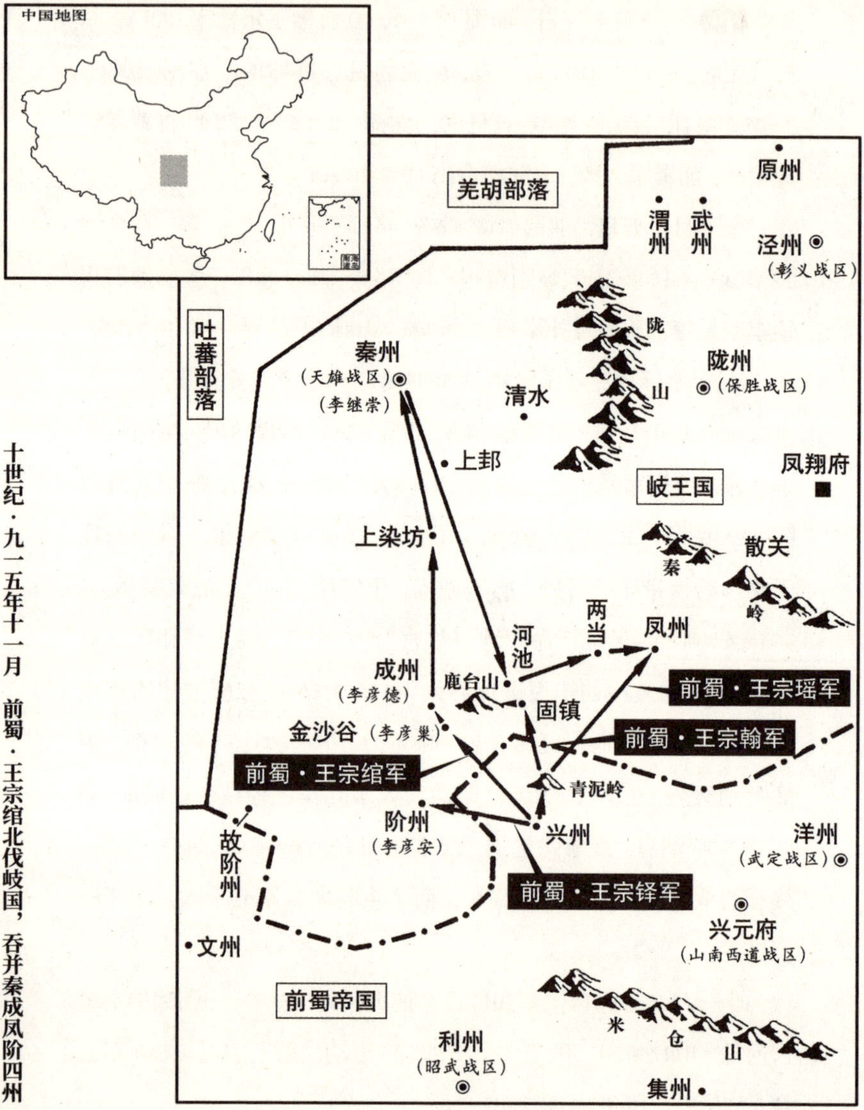

中国地图

羌胡部落

吐蕃部落

原州

渭州

武州

泾州（彰义战区）

陇山

秦州（天雄战区）（李继崇）

清水

陇州（保胜战区）

上邽

凤翔府

岐王国

上染坊

散关

秦岭

两当

河池

凤州

成州（李彦德）

鹿台山

固镇

前蜀·王宗瑶军

金沙谷（李彦巢）

前蜀·王宗翰军

前蜀·王宗绾军

青泥岭

阶州（李彦安）

兴州

故阶州

洋州（武定战区）

前蜀·王宗铎军

兴元府（山南西道战区）

文州

前蜀帝国

米仓山

利州（昭武战区）

集州

司令官（节度使）、遥兼二级宰相（同平章事·使相）李彦韬（温韬），发现岐王（一任忠敬王）李茂贞（宋文通）的大势已去，决定背叛。

十二月，李彦韬（温韬）率领耀（陕西省铜川市耀州区）、鼎（陕西省富平县东北美原镇）二州，投降后梁（首都开封府）。李彦韬，就是温韬（温韬绰号华原贼，参考九〇八年十月）。

十二月九日，后梁帝（三任）朱友贞下诏，把耀州改作崇州、鼎州改作裕州，义胜战区改作静胜战区，命李彦韬（温韬）恢复原姓，改名温昭图，官职依旧。

21 十二月二十一日，前蜀（首都成都府）再大赦。改明年（九一六）年号通正。在凤州（陕西省凤县）设武兴战区，管辖文（甘肃省文县）、兴（陕西省略阳县）二州。命前任利州（四川省广元市）民兵司令（团练使）王宗鲁当司令官（节度使）。

22 本年（九一五），后梁（首都开封府）清海战区（总部设广州〔广东省广州市〕）暨建武战区（岭南西道战区改称，总部设邕州〔广西南宁市〕）司令官（节度使）兼最高立法长（兼中书令·使相）刘岩，因吴越王（首都杭州）钱镠被封“国王”（吴越，国名），而自己却只封“郡王”（南平王。南平，郡名），上疏请晋封南越王，加授总指战官（都统）；后梁帝（三任）朱友贞不许。刘岩对他的僚属说：“中原乱成一团，到底谁是真命天子？谁也不知道。我怎么能翻山过海，去侍奉一个假货色！”对后梁（首都开封府）的进贡和使节，自此断绝。

九一六年 丙子

后梁	贞明	二年
晋	天祐	十三年
岐	天祐	十三年
南吴	天祐	十三年
前蜀	通正	元年
南楚	贞明	二年
吴越	天宝	九年
契丹	神册	元年

1 春季，正月，后梁帝国（首都开封府〔河南省开封市〕）宣武战区（总部设宋州〔河南省商丘市〕）司令官（节度使）、暂任最高立法长（守中书令·使相）、广王（德靖王）朱全昱（一任帝朱全忠的老哥）逝世。

2 后梁帝（三任）朱友贞（本年二十九岁）听说前西都（河南府，河南省洛阳市）参谋官（参军）李愚，学识品德，都使人尊敬，于是征召他到中央当见习监督官（左拾遗，从八品上），充任帝国政务总监署常务文学官（崇政院直学士）。衡王朱友谅地位尊贵，宰相李振等看见他，都要下跪叩头，李愚却只作长揖。朱友贞接到报告，责备他说："对我来说，衡王（朱友谅）是我的老哥，我还要向他叩头，你却只作长揖，是不是可以？"李愚回答说："陛下用家人的礼节，向衡王（朱友谅）叩头，当然应该。李振等是陛下的家仆，向衡王（朱友谅）叩头，也顺理成章。我跟衡王（朱友谅）过去从没有见过面，不敢随便屈膝。"久而久之，李愚终于因正直敢言，被免除职务，贬作宣化战区（总部设邓州〔河南省邓州市〕）行政执行官（观察判官）。

3 前蜀帝国（首都成都府〔四川省成都市〕）皇帝（一任高祖）王建（本年七十岁），命李继崇（原岐国天雄〔总部秦州〕司令官）当武泰战区（总部设黔州〔重庆市彭水县〕）司令官（节度使），兼最高立法长（兼中书令·使相），封陇西王。

4 二月十六日，夜晚，南吴（首都扬州〔江苏省扬州市〕）禁卫军将领马谦、李球，劫持南吴王杨隆演（本年二十岁）上楼，发动后勤警备队（库兵），讨伐徐知训（徐温把儿子留在中央，参考去年〔九一五〕八月）。徐知训打算逃走，智囊严可求说："首都兵变，你抛弃部众，先行离开，部众将靠谁领导！"徐知训才停止。可是大家仍疑虑恐惧，严可求就关窗闭户，呼呼大睡，鼻息声传到外面，王府总部才稍微安定。

二月十七日，马谦等在天兴门（扬州城南门）外列阵，全国各战区道副总指战官（诸道副都统）朱瑾，从润州（江苏省镇江市）赶到，观察情势，说："不必担心。"回头对着跟随他来的军队，举手大叫，变兵霎时一哄而散。朱瑾遂生擒马谦、李球，斩首。

5 后梁帝（三任）朱友贞不断催促大军统帅刘鄩进击，刘鄩却紧闭营门不出，晋王（首都太原府）李存勖（本年三十二岁）乃命副总司令（副总管）李存审（符存审）留守莘县（山东省莘县）城西大营，自己亲往贝州（河北省清河县）劳军，对外宣称要回晋阳（晋国首都太原府所在县，山西省太原市）。刘鄩得到情报，上疏朱友贞，请准他进攻魏州（河北省大名县），朱友贞回答说："我把全国所能调动的武装部队，都交给你指挥，帝国存亡，全看这次出击，将军努力！"刘鄩命澶州（河南省内黄县东南）州长杨延直，率军一万人，北上魏州（河北省大名县）会师。杨延直提前于夜半抵达魏州（河北省大名县）城南，城里晋军遴选敢死队五百人，暗中出城突击，杨延直没有戒备，军队崩溃，四散逃走。第二天一早，刘鄩从莘县（山东省莘县）率领大军抵达城东，恰赶上收容杨延直的残兵败将。这时候，晋军从四面八方进攻，李存审（符存审）率莘县城西大营部队紧随刘鄩之后，李嗣源（邈佶烈）则率城里守军，分别出动，李存勖也从贝州（河北省清河县）增援前来，会合李嗣源（邈佶烈），跟后梁军面面相对。刘鄩看见，大惊说："老天，真的是李存勖！"稍向后退，李存勖大军紧逼不放，前进到故元城（山东省莘县南）西，又跟李存审（符存审）军会合。此时，李存勖方阵在西北，李存审（符存审）方阵在东南。刘鄩圆阵在中间，四面劲敌，完成包围，然后发动夹击，鏖战很久，后梁军大败，刘鄩率骑兵数十人，突围逃走，留下后梁步兵七万之众，晋军环绕着他们，猛烈冲杀，后梁士卒无处逃生，纷纷攀登树顶，人数太多，树木纷纷折断，大家一窝蜂好不容易逃到河边（不知道什么河），不是被杀，就是跳河溺毙，几乎死光。刘鄩集结残兵败将，从黎阳（河南省浚县）渡黄河南下，退守滑州（河南省滑县）。

后梁匡国战区（总部设许州〔河南省许昌市〕）司令官（节度使）王檀（接

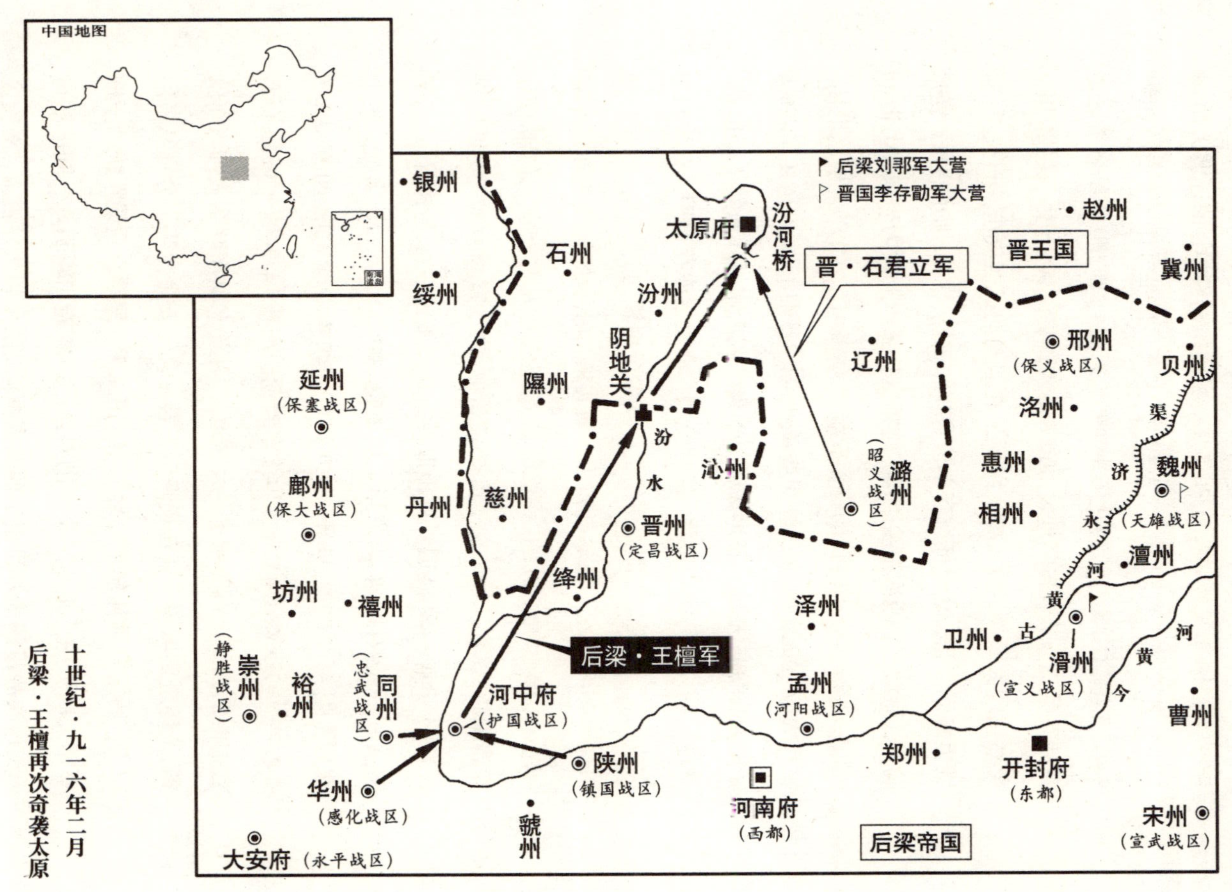

十世纪・九一六年二月
后梁・王檀再次奇袭太原

替牛存节驻军黄河，参考去年〔九一五〕五月），呈递机密奏章，请征调关西（潼关以西）各军袭击晋阳（山西省太原市），朱友贞批准，下令护国（总部河中府）、镇国（总部陕州）、感化（总部华州）、忠武（总部同州）集结各战区道野战军共三万人，自阴地关（山西省灵石县西南南关镇）出发，疾如闪电，突然出现太原（山西省太原市）城下，立即发动猛烈攻击，日夜不停。城里毫无准备，临时征调各单位青年和工匠，以及街市居民，登城防守，城池三、四次都要陷落，监军宦官张承业大为恐惧。代北（山西省代县以北）李克用时代的将领安金全（参考九〇七年六月），早已退休，家居太原（山西省太原市），晋见张承业说："晋阳（太原府所在县，山西省太原市）是国家的基地，基地失守，大事就成流水，我虽然年纪已老，身体又病，但仍忧心家国，愿尽全力，请发给库存盔甲，看我们为你攻击。"张承业立即交付给他。安金全率领他的子弟，以及其他退休将领的家属，集结数百人，乘夜晚冲出北门，攻击在羊马城（城外高仅及肩的短墙营寨）的后梁军队。后梁官兵大吃一惊，急向后退。而晋国昭义战区（总部设潞州〔山西省长治市〕）司令官（节度使）李嗣昭，接到晋阳（山西省太原市）遭受攻击报告，立即派营门官（牙将）石君立率骑兵五百人救援。石君立早上从上党（潞州州政府所在县）出发，晚上就到晋阳（上党晋阳航空距离一百九十公里，地面距离五百余华里，千山万水，轻装备骑兵奔驰赴难英姿，仍在眼前）。后梁军封锁汾河桥（太原市南汾水桥），石君立把他们击破，直冲城下，大喊道："昭义（总部潞州）李大帅大军就到。"遂进到城里。就在夜晚，石君立会同安金全等，分别从各门出击，后梁官兵死伤十分之二三。第二天，早晨，后梁军统帅王檀率军大肆剽掠，退走。李存勖对自己的才能和聪明，一向沾沾自喜，这次战役因为不是出于他的指挥策划，所以大不高兴，对安金全等的功劳，毫无奖赏。

十世纪·九一五年七月至九一六年二月

后梁·刘鄩奇袭太原失败，全军于魏州城外被歼

胡三省曰 《虞书》说："只要你对你的才能和聪明，不自我膨胀，天下就没有人比你更有才能和更聪明。只要你对你的才能和聪明不卖弄夸耀，天下就没有人能建立比你更大的功勋。"李存勖膨胀而又卖弄，对有功的干部，拒绝奖赏，这正是他可以夺取天下，却守不住天下的原因（参考九二六年四月）。

后梁军（首都开封府）包围太原（山西省太原市）时，晋国（首都太原府）大同战区（总部设云州〔山西省大同市〕）司令官（节度使）贺德伦（被张承业留住太原，参考去年〔九一五〕六月）部下官兵，很多逃奔后梁围城军，张承业恐怕发生内变，遂逮捕贺德伦，斩首。

后梁帝（三任）朱友贞先后得到刘鄩、王檀战败消息，叹息说："大势已去！"

6 三月一日，晋王（首都太原府）李存勖进攻后梁（首都开封府）所属的卫州（河南省卫辉市）。

三月八日，卫州（河南省卫辉市）州长米昭投降晋军。晋军接着进攻惠州（河北省磁县），州长靳绍逃走，晋军把他捕获，斩首，命惠州恢复原名磁州（九〇六年，因"磁州""慈州"，同音而改，但为时只十一年，史书仍以"磁州"记载。只因改名时值朱全忠当权之故，即令改得对，如今也要恢复原状）。李存勖返回魏州（河北省大名县）。

7 后梁帝（三任）朱友贞屡次征召刘鄩进京（首都开封府），刘鄩都委婉拒绝。

三月十五日，朱友贞命刘鄩当宣义战区（总部设滑州〔河南省滑县〕）司令官（刘鄩大军溃败，不敢、也无脸前往中央；中央也怕他背叛，只好给他一个官位），命他率军进驻黎阳（河南省浚县）。

8 夏季，四月，晋军攻陷洺州（河北省邯郸市永年区东南广府镇），命天雄（总部魏州）总巡察官（都巡检使）袁建丰当洺州州长。

9 后梁（首都开封府）刘鄩大军溃败后，河南（黄河以南）民心恐慌，而刘鄩又不接受征召命令，军心也跟着动摇。后梁帝（三任）朱友贞派搜捕特别营指挥官（捉生都指挥使）李霸率部众一千人，进驻杨刘（山东省东阿县东北杨柳村，古黄河南岸渡口）。

四月十九日，李霸从宋门（开封府东面南数第二门，往宋州〔河南省商丘市〕必出此门，迄二十世纪，民间仍称宋门）出发。当天（四月十九日）夜晚，兵变，全军从水门暗中再回城里，疯狂呼叫，纵火焚烧官舍民房，大肆剽掠，进攻皇城建国门（皇城正南门），后梁帝（三任）朱友贞急上城楼，亲自指挥作战，龙骧四军总指挥官（都指挥使）杜晏球（王晏球）跟他的部下骑兵五百人，驻扎皇家球场，担任警卫；变军这时正把油浇到布幕上，用长杆举起，打算焚烧城楼，形势危急。杜晏球（王晏球）从门缝向城外察看，发现变军根本没有盔甲，于是出动骑兵攻击，奋力死战，变军霎时间崩溃，四散逃命。朱友贞看见骑兵攻击，大声问说："你们岂不是我的龙骧战士，谁是变军首领？"杜晏球（王晏球）说："叛乱的只李霸一个特别营，其他军队都没有参加。陛下只要率控鹤军守住宫城，等到天亮，我一定击破叛徒。"不久，杜晏球（王晏球）攻击变军，把李霸特别营全部屠杀。杜晏球（王晏球）因救驾有功，升任辉州（山东省单县）州长。（李霸为什么兵变？必有原因，史书只字不提，却用大量篇幅叙述战斗细节，难以理解。）

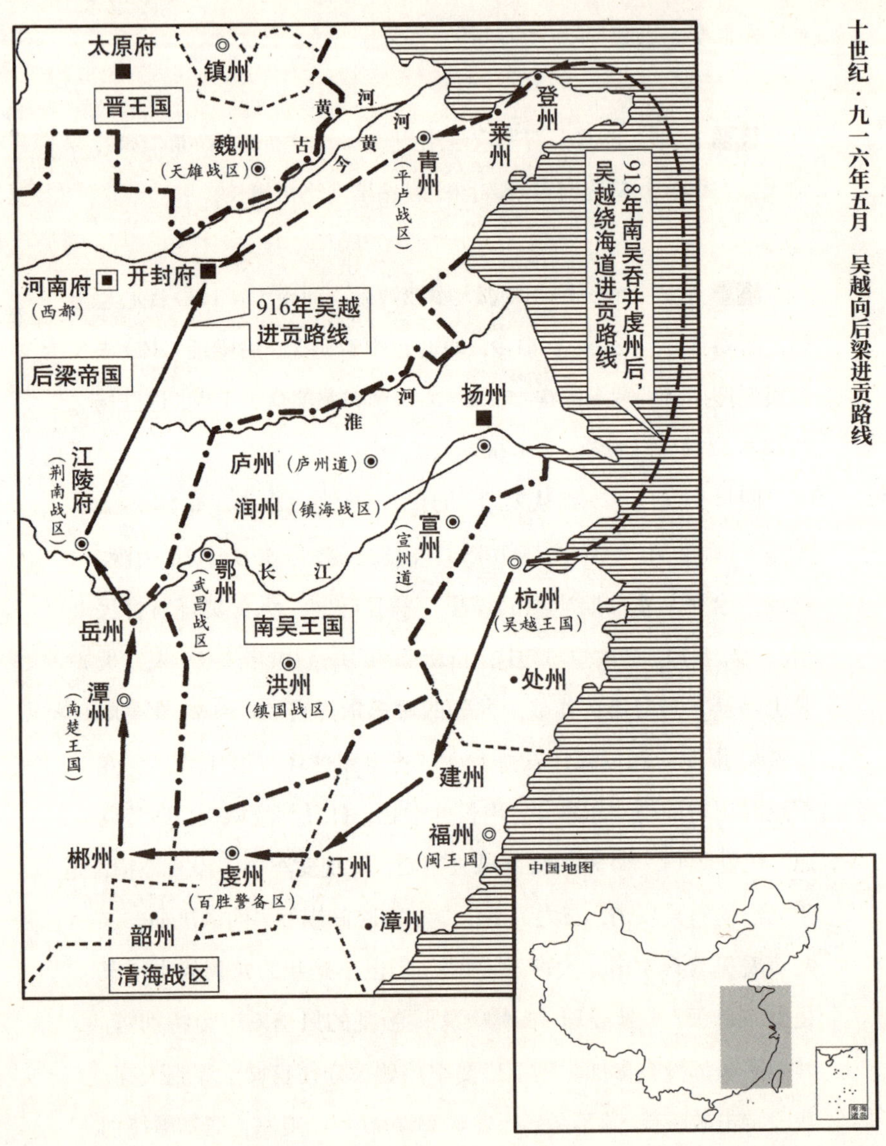

十世纪·九一六年五月 吴越向后梁进贡路线

10 五月，吴越王（一任武肃王，首都杭州〔浙江省杭州市〕）钱镠（本年六十五岁。镠，音liú〔流〕）派浙西（浙江省西部）安抚执行官（浙西安抚判官）皮光业，绕道南方，经过建（福建省建瓯市）、汀（福建省长汀县）、虔（江西省赣州市）、郴（湖南省郴州市）、潭（湖南省长沙市）、岳（湖南省岳阳市）等州，再逆长江西上，经过荆南（总部江陵府），前往后梁（首都开封府）进贡（进贡路线，完全避开南吴〔首都扬州〕领土）。皮光业，是皮日休的儿子（皮日休被传跟黄巢合作，参考八八〇年十二月十三日）。

11 六月，晋军（首都太原府）进攻邢州（河北省邢台市），后梁（首都开封府）保义战区（总部设邢州〔河北省邢台市〕）司令官（节度使）阎宝，登城抵抗。后梁帝（三任）朱友贞派搜捕特别营指挥官（捉生都指挥使）张温，率军五百人增援，张温却率领部众，归降晋军。

12 秋季，七月一日，晋王李存勖抵达魏州（河北省大名县）。

13 后梁帝（三任）朱友贞对吴越王（一任武肃王）钱镠派使节绕道万里前来进贡，十分感动，决定予以勉励。

七月九日，朱友贞加授钱镠官衔：全国各战区道兵马元帅（诸道兵马元帅）。政府官员都认为钱镠之所以进贡，不过是乘机做一批生意交易，不应该过分的给他名位。皇家文学研究官（翰林学士）窦梦征手拿诏书草稿，流泪呜咽，被贬作蓬莱（登州州政府所在县，山东省烟台市蓬莱区）防卫员（县尉）。窦梦征，是棣州（山东省惠民县）人。

14 七月十一日，南吴（首都扬州）镇海战区（总部设润州〔江苏省镇江市〕）营门官（牙将）周郊兵变，攻进总部，诛杀大将秦师权等。另一大将陈祐等起兵讨伐，斩周郊。（又是一个无头公案，不知道周郊为什么兵变。）

15 八月十五日，后梁政府（首都开封府）命太子少保（太子三少之三）退休的赵光逢，当司空（三公之三）、兼副监督长（兼门下侍郎）、二级实质宰相（同平章事）。

16 前蜀（首都成都府）向岐国（首都凤翔府〔陕西省宝鸡市凤翔区〕）再度发动大规模攻击。

八月二十四日，前蜀帝（一任高祖）王建命王宗绾（李绾）当东北方面军总征剿司令（东北面都招讨使），集王王宗翰（孟宗翰）、嘉王王宗寿，分别当第一、第二征剿司令（第一、第二招讨），率军十万人，从凤州（陕西省凤县）出发。命王宗播（许存）当西北方面军总征剿司令（西北面都招讨），武信战区（总部设遂州〔四川省遂宁市〕）司令官（节度使）刘知俊、天雄战区（总部设秦州〔甘肃省秦安县西北〕）司令官（节度使）王宗俦、匡国军基地司令（匡国军使）唐文裔，分别当第一、第二、第三征剿司令（第一、第二、第三招讨），率军十二万人，从秦州（甘肃省秦安县西北）出发，向岐国（首都凤翔府）攻击。

17 晋王（首都太原府）李存勖亲自率军进攻邢州（河北省邢台市），后梁（首都开封府）昭德战区（总部设相州〔河南省安阳市〕）司令官（节度使）张筠，放弃相州（河南省安阳市）逃走；李存勖命相州（河南省安阳市）仍归还天雄（总部魏州），命李嗣源（邈佶烈）当州长（相州分割另成战区，参考去年〔九一五〕三月）。李存勖派使节告诉阎宝（后梁保义〔总部邢州〕司令官）：相州（河南省安阳市）已经攻取。又命张温率降军到城下说明，阎宝遂献出邢州（河北省邢台市），投降。李存勖命阎宝当东南方面军征剿司令

（东南面招讨使），遥兼天平战区（总部设郓州〔山东省东平县〕）司令官（空头官衔。此时郓州属后梁〔首都开封府〕），并遥兼二级宰相（同平章事·使相）；命李存审（符存审）当安国战区（保义战区改，总部设邢州〔河北省邢台市〕）司令官（节度使），镇守邢州（河北省邢台市）。

18 契丹部落（王庭西楼城〔内蒙古巴林左旗〕）酋长耶律阿保机，集结各部落军共三十万人，对外号称一百万人，向晋国（首都太原府）发动攻击，穿过麟（陕西省神木市）、胜（内蒙古托克托县）二州，直扑朔州（山西省朔州市。原文“蔚州”误），攻克，俘虏振武战区（总部设朔州〔山西省朔州市〕）司令官（节度使）李嗣本（张嗣本）。派人携带木匣盛装的文书，向大同（云州，山西省大同市）警备区司令（防御使）李存璋，要求赎款，李存璋诛杀使节。契丹遂进攻云州（山西省大同市），李存璋全力抵抗。

19 九月，晋王李存勖返回晋阳（首都太原府所在县）。李存勖性情仁慈，对娘亲十分孝顺，所以虽然驰骋河北（黄河以北），有空仍奔回晋阳（山西省太原市）看望娘亲曹夫人，一年之中，总有好几次。

20 晋军（首都太原府）缩紧沧州（河北省沧州市东南）包围圈，后梁（首都开封府）顺化战区（总部设沧州〔河北省沧州市东南〕）司令官（节度使）戴思远，放弃城池，逃往东都（首都开封府）。沧州守将毛璋献出城池，投降晋军。晋王李存勖派李嗣源（邈佶烈）率军镇压安抚，李嗣源（邈佶烈）把毛璋送到晋阳（晋国首都太原府所在县）。李存勖命李存审（符存审）当横海战区（顺化战区原名义昌，参考九一二年三月；义昌战区原名横海，参考八三一年正月十八日）司令官（节度使），镇守沧州（河北省沧州市东南），命李嗣源（邈佶烈）当安国战区（总部设邢州〔河北省邢台市〕）司令官（节度使)。李嗣源(邈佶烈)用安重诲当参谋本部执行官(中门使),当作心腹,安重诲也为李嗣源(邈佶烈)竭尽心力。安重诲,是应州(山西省应县)胡人(安重诲、李嗣源二人同乡)。

21 晋王李存勖亲自率军增援云州(山西省大同市),前进到代州(山西省代县),契丹部落(王庭西楼城)得到消息,解围而去,李存勖也回首都太原(山西省太原市),擢升李存璋当大同战区(总部设云州〔山西省大同市〕)司令官(节度使)。

22 晋军(首都太原府)包围后梁(首都开封府)贝州(河北省清河县)已经超过一年(参考去年〔九一五〕八月),州长张源德发现黄河以北地区各州县都归入晋国(首都太原府)版图,打算投降,跟他的干部商议,大家认为筋疲力尽才投降,恐怕难逃一死,拒绝接受。可是张源德坚持,大家遂杀张源德,继续作战。到了后来,城里粮食吃光,吞吃活人充饥,只好向晋军将领要求说:“我们很想投降,但实在怕死,请准我们身穿铠甲、携带武器出来,等事定之后,再解除武装。”晋军将领同意。(回答说:“没有比这更好的办法了。”)守军仍有三千人,遂出城投降。可是等放下武器、脱下铠甲,晋军把他们包围起来,全部屠杀(可悲)。

李存勖命毛璋当贝州(河北省清河县)州长。黄河以北土地,全归入晋国(首都太原府)。只剩下黎阳(河南省浚县)一个孤城,仍在后梁军(首都开封府)控制之下。

李存勖前往魏州(河北省大名县)。

23 南吴(首都扬州)光州(河南省潢川县)将领王言,刺死州长戴肇。南吴王杨隆演派楚州(江苏省淮安市)民兵司令(团练使)李厚讨伐。

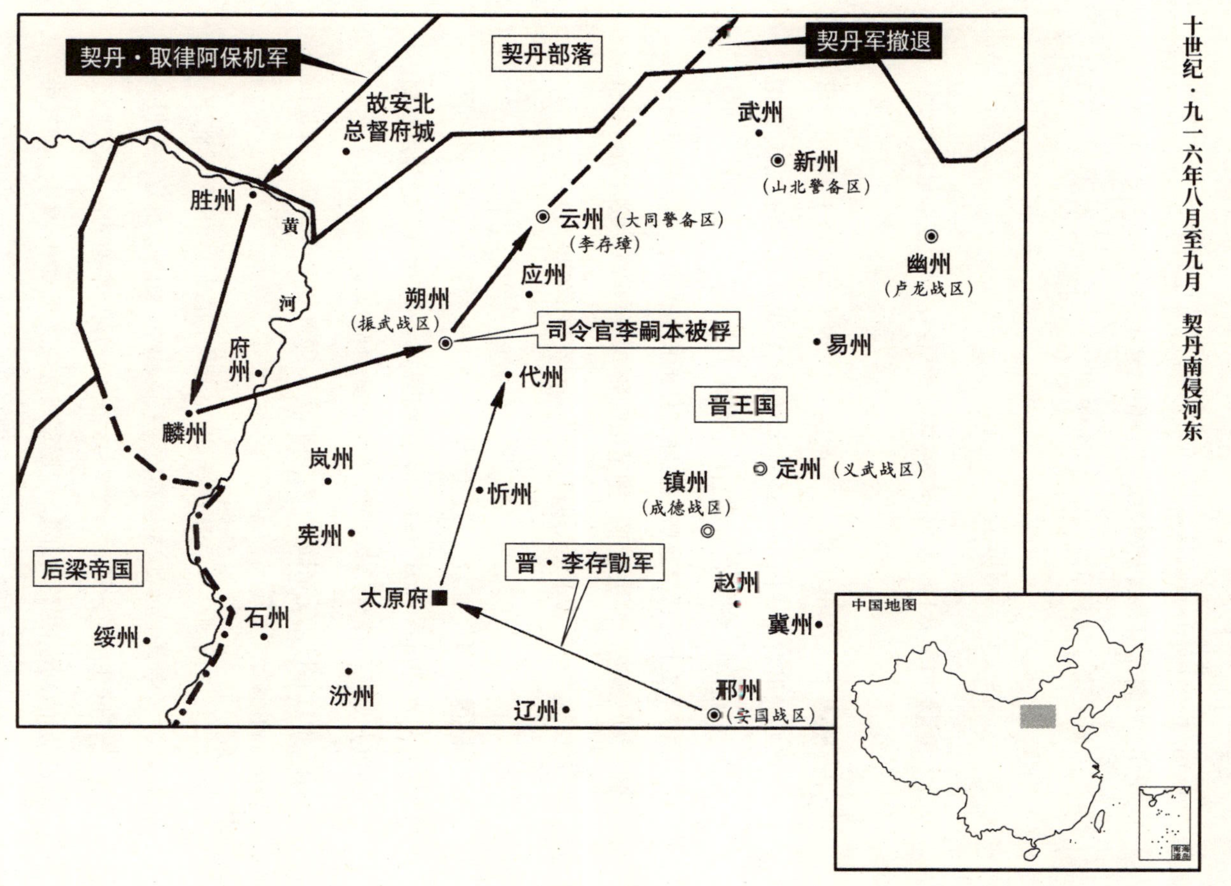

十世纪·九一六年八月至九月　契丹南侵河东

庐州（安徽省合肥市）行政长官（观察使）张崇，不等中央命令，立即率军出击，直向光州（河南省潢川县），王言出城逃走。

南吴政府命李厚暂代光州（河南省潢川县）州长。张崇，是慎县（安徽省肥东县）人。

24 九月八日，前蜀（首都成都府）新皇宫落成，在旧皇宫稍北。

25 后梁（首都开封府）天平战区（总部设郓州〔山东省东平县〕）司令官（节度使）兼最高立法长（兼中书令·使相）琅邪王（忠毅王）王檀，招募集结很多强盗匪徒，安置在左右当自己的护卫亲兵。

九月二十七日，这些由盗匪充任的护卫亲兵，乘王檀没有戒备，突然叛变，冲进总部，把王檀刺死（年五十八岁）。战区副司令官（节度副使）裴彦率警卫队把他们诛杀，总部才归安定。

26 冬季，十月二日，前蜀（首都成都府）将领王宗绾（李绾）等，北出大散关（陕西省宝鸡市西南），大破岐国（首都凤翔府）军队，俘虏及格杀以万为单位计算，遂占领宝鸡（陕西省宝鸡市）。

十月七日，王宗播（许存）等出故关（陕西省陇县西固关镇），抵达陇州（陕西省陇县）。

十月丙寅日（十月癸未朔，没有丙寅），岐国保胜战区（总部设陇州〔陕西省陇县〕）司令官（节度使）兼最高监督长（兼侍中·使相）李继岌，恐惧岐王（一任忠敬王）李茂贞（宋文通，本年六十一岁）猜疑，率他的部众二万人，放弃城池，向前蜀军投降。前蜀军遂进攻陇州（陕西省陇县），前蜀帝（一任高祖）王建命李继岌当西北方面军第四征剿司令（西北面行营第四招讨）。刘知俊会同王宗绾等包围凤翔（陕西省宝鸡市凤翔区），岐军紧闭城

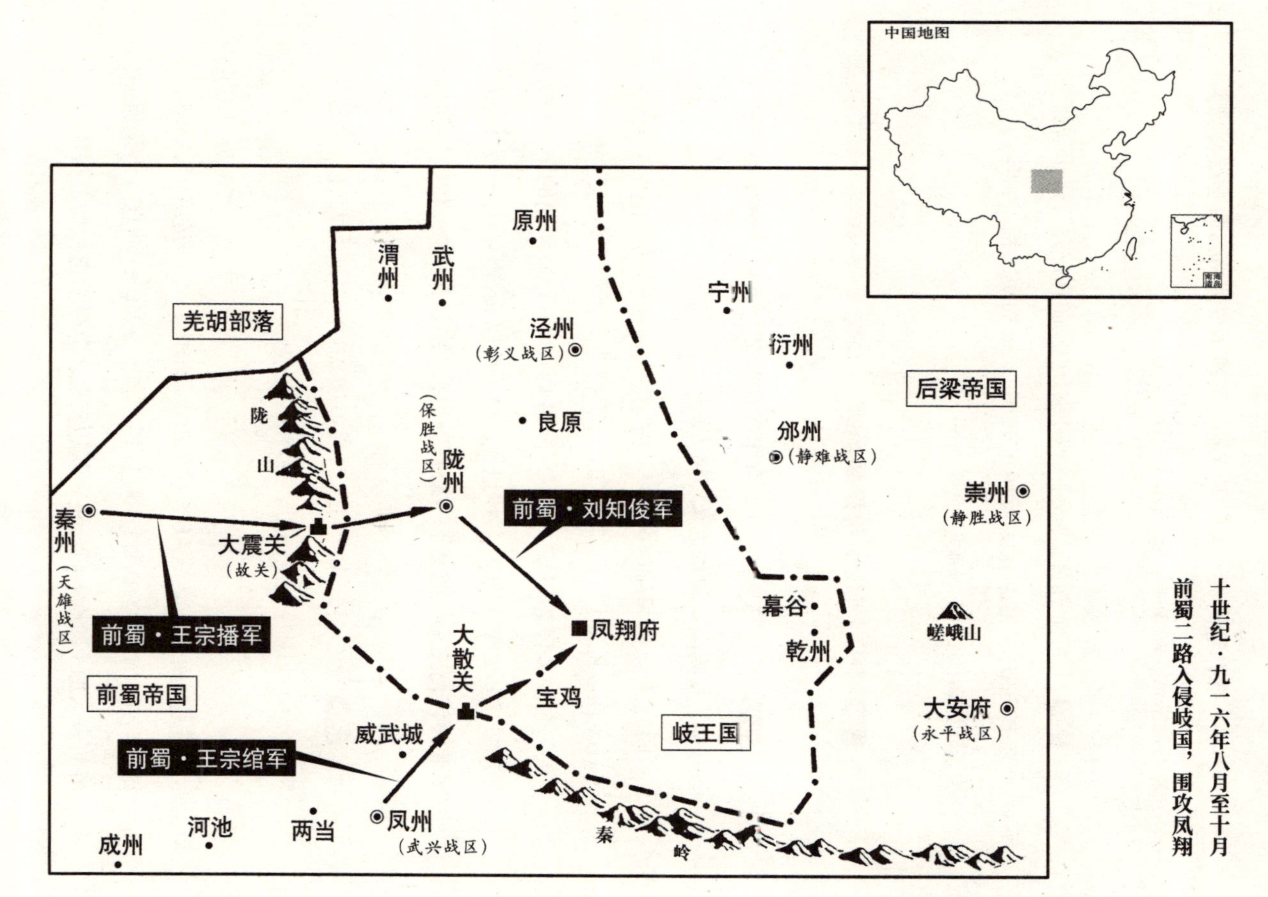

十世纪·九一六年八月至十月
前蜀二路入侵岐国，围攻凤翔

门不出，就在这时候，大风雪突起，王建下令班师。命李继岌恢复原名桑弘志。桑弘志，是黎阳（河南省浚县）人。

27 十月十五日，后梁（首都开封府）任命国务院教育部副部长（礼部侍郎）郑珏，当副立法长（中书侍郎）、二级实质宰相（同平章事）。郑珏，是郑綮的侄孙（郑綮曾当“歇后宰相”，参考八九四年二月）。

28 十月十七日，前蜀（首都成都府）大赦。

29 晋王（首都太原府）李存勖派使节前往南吴（首都扬州），请两国联盟，共同出军讨伐后梁（首都开封府）。

十一月，南吴命淮南战区（总部设扬州〔江苏省扬州市〕）作战副司令官（行军副使）徐知训，当淮北（淮河以北）特遣兵团总征剿司令（行营都招讨使），会同朱瑾等将领，率军直向后梁（首都开封府）所属的宋（河南省商丘市）、亳（安徽省亳州市）二州进发，跟黄河以北晋军，互相呼应。大军北渡淮河之后，把文告传播到各州县，遂包围颍州（安徽省阜阳市）。

30 十二月二十七日，前蜀（首都成都府）又下令大赦，并定明年（九一七）改国号大汉，改年号天汉。

31 南楚王（一任武穆王·首都潭州〔湖南省长沙市〕）马殷（本年六十五岁）得到晋王（首都太原府）李存勖已占领河北（黄河以北）消息，于是派使节前去太原（山西省太原市）建立双边友谊。李存勖也派使节报聘。

32 本年（九一六），后梁（首都开封府）庆州（甘肃省庆阳市）背叛，归附岐国（首都凤翔府。庆州本属岐国；李保衡降后梁，庆州才归后梁。参考去年〔九一五〕四月），岐国将领李继陟（音zhì〔至〕）进城镇守。后梁帝（三任）朱友贞下诏命左龙虎（禁军第三军）统军（正三品）贺瓌当西方军团步骑兵总指挥官（西面行营马步都指挥使），发动反攻，一连击破岐军，攻陷宁（甘肃省宁县）、衍（甘肃省宁县东南三十公里）二州。

33 晋国（首都太原府）河东（总部太原府）监军宦官张承业，地位尊贵，手握权柄，侄儿张瓘等五人，从同州（陕西省大荔县）前往投靠。晋王李存勖因张承业的缘故，任用他们全都担任官职。张承业治家严整，有一个侄儿竟当强盗，谋杀牛贩，张承业把他逮捕，立即斩首。李存勖急派人传令赦免，已来不及。李存勖命张瓘当麟州（陕西省神木市）州长。张承业对张瓘说："你本是车度（陕西省大荔县西南）一个草民，跟刘开道一起当土匪（刘知俊曾任后梁"开道指挥使"，参考九〇二年九月；镇守过同州，参考九〇八年二月），杀人放火，专干犯法勾当，以后如果不痛改前非，死期就在眼前。"因此张瓘所到之处，不敢凶暴贪污。

34 吴越（首都杭州）警备本部先锋总指挥官（牙内先锋都指挥使）钱传珦，前往闽国（首都福州〔福建省福州市〕）迎娶新娘。自此之后，吴越跟闽国，亲善和好，来往不绝。

35 闽国（首都福州）用铅铸钱，跟铜钱一起流通使用。

36 当初，桀燕帝国（首都幽州〔北京市〕）人民无法忍受桀燕帝（一任）刘守光的凶暴残酷，青年或士卒们纷纷逃奔契丹部落（王庭西楼城〔内蒙古巴林左旗〕）。后来，晋军（首都太原府）把刘守光围困在幽州（北京市），北方沿着边界的居民，又纷纷被契丹掳掠而去，契丹遂日渐强大。契丹酋长耶律阿保机（耶律，复姓），乃自称皇帝（一任太祖），本国人则称他为天皇王。耶律阿保机（本年四十五岁）封他的妻子述律女士当皇后，建立中央政府，设置文武百官。到了本年（九一六），定年号神册。

述律皇后勇敢决断，反应迅速，有智慧权谋，随机应变，耶律阿保机无论统御部众，或沙场作战，述律皇后都参与机密。耶律阿保机有一次曾渡过沙碛，进攻党项部落（黄河河套一带），命述律皇后留守，黄头室韦跟臭泊室韦二部落（内蒙古东北部），乘王庭（西楼城，内蒙古巴林左旗）空虚，联合发动突袭，希望大肆掳掠。述律皇后得到消息，集结武装部队，严阵以待，奋勇迎战，大破室韦联军，因此英名震动所有蛮夷。述律皇后上有娘亲，也有婆母（耶律阿保机的娘亲，皇太后），可是，述律皇后却大模大样坐在床榻上，接受娘亲和婆母下跪叩头，声明说："我只参拜天，不参拜人！"晋王（首都太原府）李存勖正夺取河北（黄河以北）土地，打算结交契丹，作为外援，所以把耶律阿保机当作叔父事奉，把述律皇后当作叔母事奉。

刘守光末年，力量衰退穷困，派参谋官（参军）韩延徽前往契丹（王庭西楼城）求救，韩延徽拒绝向耶律阿保机叩头，耶律阿保机大发雷霆，扣留不放，命他到原野牧马。韩延徽，是幽州（北京市）人，有智慧谋略，文学素养很高，写作能力也很强。述律皇后告诉耶律阿保机说："韩延徽能够坚持原则，不向强势屈服，应是现世界的贤能人才，怎么可以侮辱他去当马夫！应该对他礼遇，特别重用。"耶律阿保机召见韩延徽谈话，十分投缘，相见恨晚，遂把他当作智囊群首领，一举一动，都征求他的意见。韩延徽这才教导契丹建立政府，创设制度，修筑城郭，规划街道巷里，安置汉人居住，协助他们男婚女嫁，开荒垦田。因此汉人都能定下心来从事各行各业，逃亡的人就越来越少。契丹的声威之所以能使北方各国各部落慑服，韩延徽的功劳很大。

不久，韩延徽逃奔到晋阳（晋国首都太原府所在县），晋王李存勖打算延揽他当幕僚，可是机要秘书（掌书记）王缄却妒火中烧；韩延徽觉得不安，请求回幽州（北京市）探望娘亲，路过真定（镇州州政府所在县，河北省正定县），住在同乡王德明（赵王王镕的义子张文礼）家里，王德明（张文礼）问他往哪里去，韩延徽说："黄河以北都成了晋国（首都太原府）国土，我只好再投奔契丹（王庭西楼城）。"王德明（张文礼）说："你背叛逃亡，再自己送上门，还能不死！"韩延徽说："他们自从我逃走，好像丧失眼睛手脚，现在我再回去，他们的眼睛手脚恢复原状，怎么肯伤害我。"探望娘亲之后，再进入契丹。耶律阿保机听到他回来，好像天上降下好消息，大喜，拍着他的背说："这一阵子你往哪里去啦？"韩延徽说："我想念娘亲，本打算请假回去，又恐怕你不准，所以暗中溜掉。"耶律阿保机待他比从前更优厚。耶律阿保机登极称帝，就命韩延徽当宰相（政事令），一直升到最高立法长（中书令。契丹称他为"崇文相公"）。

李存勖派使节前往契丹帝国（首都西楼城〔内蒙古巴林左旗〕），韩延徽乘便写信给李存勖，解释他不告而去的原因，强调说："并不是我不留恋英明领袖，也不是我不思念故乡，所以不得不离开，只是怕王缄谗言陷害！"于是请求李存勖照顾他的娘亲，并且保证说："有我在这里，契丹不会南下。"果然，李存勖在位期间，契丹（对中原）没有过侵略，都是韩延徽的力量（明年〔九一七〕三月，契丹便攻幽州，几乎攻陷。传统史书往往身兼诗人，常作跟史迹恰恰相反的夸张，如："孔丘删诗书，而乱臣贼子惧。"事实上不但没有人惧，根本也没有人知道孔丘在哪里删诗书，孔丘删诗书后，乱臣贼子反而更多）。

千里白骨

导读

本册记载的九年之间（九一七年至九二五年），发生三件大事：一是李存勖的小老婆刘皇后不承认贫贱的父亲是她的父亲，把他拖到宫外鞭打。一是割据镇州（河北省正定县）长达一百年之久的王姓家族，被叛变的军队屠杀罄尽。一是后梁、前蜀两个短命帝国覆亡。

刘皇后棍打亲父，显示小分裂时代的伦理特质——接近禽兽之境，这是无穷无尽的动乱之源。王姓家族的灭绝和两个帝国的覆亡，意义一样，告诉我们在激烈变动的社会中，一个人或一个家族的堕落速度至快，回响也至快。稳定的情势下，很迟才有回响。在动乱时代，回响往往十分急剧，使人产生一种宗教情感：世界上还是善有善报、恶有恶报。

果报效应，不应验在每一个人身上，而应验在大多数人身上，也就是完全由社会甚至全民承当。当权派罪魁虽死，后遗症不死，中国人因之不得不长期承当他们的罪恶。

小分裂时代较短，但比大分裂时代更使人痛心的原因在此。

柏杨　一九九二·三·一五

目录

◎ 刘岩称越帝，又改称汉帝。

◎ 朝鲜半岛泰封国王弓裔暴虐被杀，部将王建建高骊王国（或称王氏王朝）。

◎ 萨克森公爵亨利一世被选为德意志国王。

九一七年 丁丑

后梁	贞明	三年
晋	天祐	十四年
岐	天祐	十四年
南吴	天祐	十四年
汉	天汉	元年
南楚	贞明	三年
吴越	天宝	十年
大越	乾亨	元年
契丹	神册	二年

1 春季，正月，后梁帝国（首都开封府〔河南省开封市〕）皇帝（三任）朱友贞（本年三十岁），下诏命宣武战区（总部设宋州〔河南省商丘市〕）司令官（节度使）袁象先，增援颍州（安徽省阜阳市。南吴围颍州，参考去年〔九一六〕十一月）。袁象先赶到，南吴（首都扬州）军队即行撤退。

2 二月五日，晋王（首都太原府〔山西省太原市〕）李存勖（本年三十三岁）进攻黎阳（河南省浚县）。后梁（首都开封府）将领刘鄩（宣义〔总部滑州〕司令官）抵抗，几天之后，李存勖不能攻克，退走。

3 晋王李存勖的老弟、威塞（总部设新州〔河北省涿鹿县〕）警备区司令（防御使）李存矩，镇守新州（河北省涿鹿县），骄傲懒惰，政治混乱，奴仆婢女，都掌握大权，干涉军政。李存勖命他招募山北（燕山以北）各蛮夷部落勇敢青年，以及刘守光旧日部众中的逃兵，用以补充南征军实力；又向民间征收战马，而马奇缺，有些人要卖十条牛才能换一匹马，而且说征就征，期限急迫，边疆人民悲苦怨恨。李存矩最后终于征到五百匹战马，亲自押送南下，命寿州（安徽省寿县）州长（空头官衔。此时寿州属南吴〔首都扬州〕）卢文进当初级将领（裨将），所有的人对这次南下，都很恐惧，而李存矩对他们却不知道体恤，恐惧遂转化成为反抗。

二月十五日，李存矩率军走到祁沟关（河北省涿州市西南），低级军官（小校）宫彦璋跟士卒们商量说："听说晋国（首都太原府）跟后梁（首都开封府）正沿黄河苦斗，骑兵死伤惨重。我们却抛弃父母，离开妻子儿女，替人异乡作战，跋涉千里，前去送死。而长官（李存矩）又没有一点同情心，怎么办？"大家说："杀掉长官，拥护卢将军回新州（河北省涿鹿县），据守城池，谁能对我们怎样？"遂挥动武器，大声呐喊，直奔驿站宾馆。第二天（二月十六日），李存矩还没有起身，变军就在床上把他砍死。卢文进失去控制，顿首捶胸，抱着李存矩的尸首哭说："这些奴才害死了郎君（称主人的儿子为"郎君"），教我有什么脸面再见大王（李存勖）！"遂在大家拥戴下，返回新州（河北省涿鹿县。另有一说，马令《南唐书·卢文进传》：卢文进有位女儿，美丽出众，李存矩要求收为小老婆，卢文进不敢拒绝，虽然给了他，一直衔恨在心，遂跟变军一致行动）。守将杨全章关闭城门抵抗。卢文进又攻击武州（河北省张家口市宣化区），雁门（代州州政府所在县，山西省代县）以北警备区作战司令（都知防御兵马使）李嗣肱，把卢文进击败。周德威（卢龙〔总部幽州〕司令官）也派军

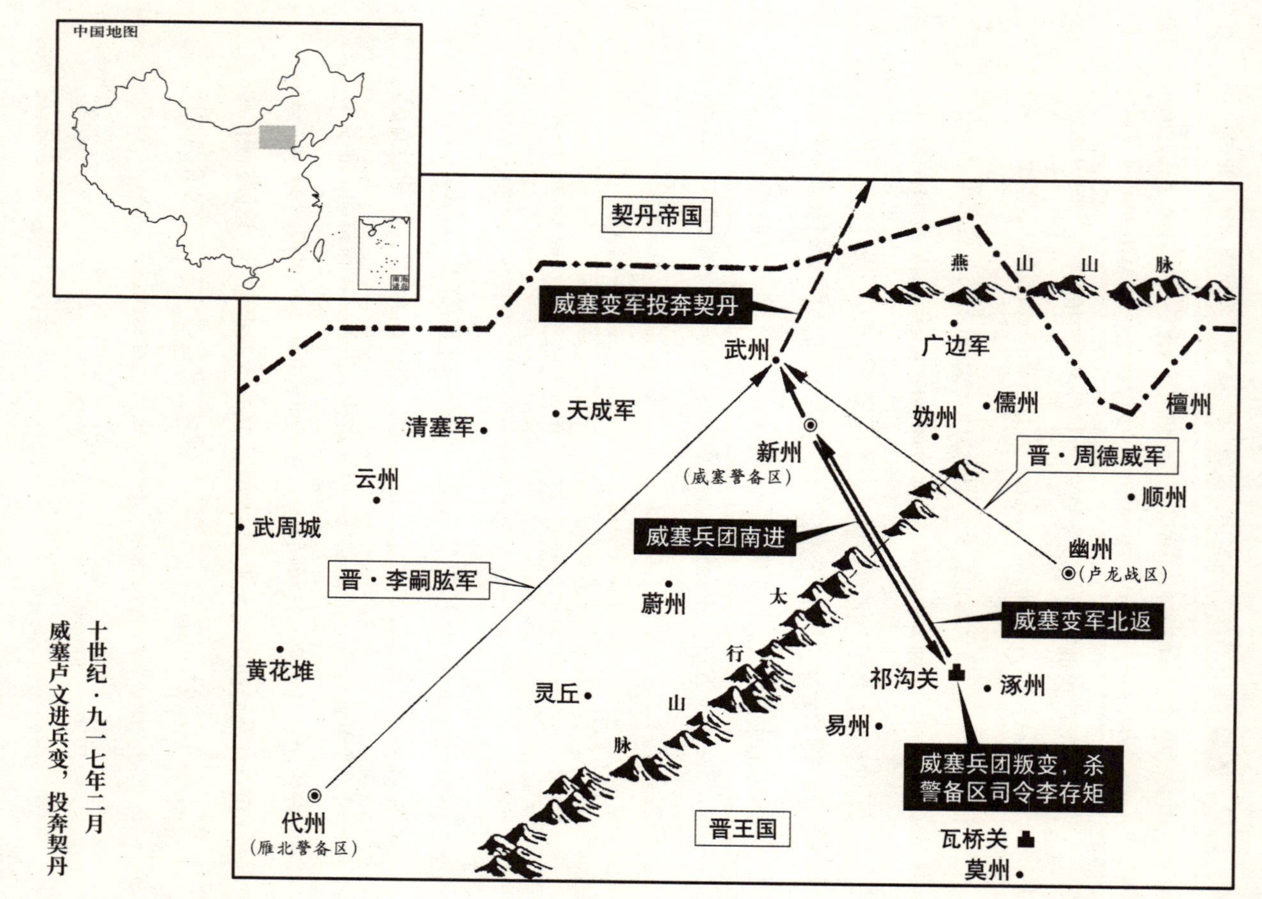

十世纪·九一七年二月
威塞卢文进兵变，投奔契丹

追击，卢文进无地容身，只好率部众投奔契丹帝国（首都西楼城〔内蒙古巴林左旗〕）。李存勖听到李存矩因凶暴残酷激起兵变，于是诛杀几个婢女和幕僚。

4 最初，幽州（北京市）以北（应是以东）七百华里，设有渝关（河北省秦皇岛市抚宁区东榆关镇。二地航空距离二百六十公里），关下有渝水（北戴河）流过，向东注入渤海湾。从关东北，沿着海岸北上，有一条小路，路面最窄的地方，只有数尺，旁边全是乱山，高峻险要，无法攀登。直到进牛口（河北省秦皇岛市抚宁区东北二十五公里），从前驻扎八个防卫营，招募当地居民充当士卒，当地的田赋租税，全部供应防卫营，不再上缴到蓟州（天津市蓟州区。榆关属平州〔河北省卢龙县〕），而卢龙战区总部（设幽州〔北京市〕）每年还要另外赏赐丝绸棉布，供战士缝制衣服。渝关（河北省秦皇岛市抚宁区东榆关镇）农民每年都会早早收割田野作物，加强堡垒防御工程，防备契丹（首都西楼城）军队抢劫。契丹军队来时，八个防卫营基地都紧闭营门，不出来作战，等到契丹撤退，然后遴选敢死队封锁狭道，拦腰攻击，契丹总是失利而逃。防卫营士卒为保护自己的家园而战，所以竭力奋斗，有功的人，上级都会升级赏赐，因此契丹不敢轻易剽掠。

可是，周德威接任卢龙战区（总部设幽州〔北京市〕）司令官（节度使）后，自认为骁勇无敌，对边界防务，并不重视，于是渝关（河北省秦皇岛市抚宁区东榆关镇）天险，全部丧失，契丹不时南下，在营（辽宁省朝阳市）、平（河北省卢龙县）二州之间，放牛牧马。而周德威气量狭小，对幽州（北京市）一些有声望的老将，往往找个借口把他们诛杀，民心军心，更不能安。

南吴王（首都扬州〔江苏省扬州市〕）杨隆演（本年二十一岁）派使节携带

“猛火油”送给契丹帝（一任太祖）耶律阿保机（本年四十六岁），说：“把这种油泼到城楼上纵火燃烧，敌人如果用水扑灭，反而使火势更大。”耶律阿保机大喜过望，立即遴选骑兵三万人，打算进攻幽州（北京市）。述律皇后失笑说：“怎么可以为了试验一种油，而去进攻一个国家？”遂指篷帐前的一棵树，问耶律阿保机说：“这棵树如果没有树皮，还能不能活？”耶律阿保机说：“当然不能活。”述律皇后说：“幽州（北京市）城池，跟这棵树一样，我们只要派三千名骑兵埋伏附近，掳掠四面原野，就好像剥了幽州（北京市）的皮，城里没有粮食可吃，用不了几年，他们自然陷入困境，何必这么轻举妄动，万一不能取胜，枉受汉人嘲弄，我们新建立的帝国，恐怕也会跟着解体。”耶律阿保机才停止（猛火油似是石油，宋王朝沈括所著《梦溪笔谈》，曾首次提及，说是用黑烟灰制墨，但述律之事，恐怕是摇尾系统为了宣传她的天纵英明，凭空编造。否则，五个月后，契丹即行围攻幽州，为什么不把“猛火油”拿出来一试）。

三月，卢文进引导契丹军向新州（河北省涿鹿县）发动猛烈攻击，州长安金全无法据守，放弃城池逃走。卢文进命他的部将刘殷接任州长，严密戒备。晋王（首都太原府）李存勖命周德威集结河东（总部太原府）、义武（总部定州）、成德（总部镇州）三战区野战军，加强对新州（河北省涿鹿县）反攻，十日不能攻克。契丹帝（一任太祖）耶律阿保机率大军三十万人来救，周德威人少，不敌人多，被契丹节节击败，逃回。

5 南楚王（一任武穆王，首都潭州〔湖南省长沙市〕）马殷（本年六十六岁）派他的老弟马存，进攻南吴（首都扬州）上高（江西省上高县），掳掠而回。

6 契丹（首都西楼城）乘胜追击周德威，包围幽州（北京市），对外宣称大军一百万人，为抵御北方酷寒而特别制造的毡车和篷帐，满山遍野。卢文进教导他们攻城战术，挖掘地道，日夜不停的从四面八方猛烈进攻，周德威在城里也挖掘壕沟，灌满油脂，用火燃烧阻止。契丹再堆土成山，紧逼城墙，城中守军熔化铜汁洒到土山上，每天格杀契丹士卒以千为单位计算，可是攻势仍不能阻止。周德威派使节向晋王李存勖紧急求救，李存勖正跟后梁（首都开封府）大军在黄河岸上对峙，要想分出军队去救，而能分出的军队实在太少；打算不救，又怕幽州（北京市）陷落；脸上掩饰不住忧虑，召开军事会议讨论，只李嗣源（邈佶烈）、李存审（符存审）、阎宝，建议李存勖应派军增援，李存勖大喜说："从前，太宗（唐王朝二任帝李世民）有一个李靖，还能生擒颉利可汗（参考六三〇年三月），现在我有三个猛将，还担心什么！"李存审（符存审）、阎宝认为契丹军队从不携带粮食，绝不可能长期作战，最好是等他们在原野掳掠不到东西，粮食吃完，力量衰竭，自然撤退，然后尾追攻击。李嗣源（邈佶烈）说："周德威是国家重臣，幽州（北京市）情势危急，早上难保夜晚，万一城里发生变化，哪里允许我们等到蛮虏衰竭？我愿充当先锋。"李存勖说："你说得对。"当天，下令集结。

夏季，四月，李存勖命李嗣源（邈佶烈）率军先行出发，驻扎涞水（河北省涞水县）。阎宝率义武（总部定州）、成德（总部镇州）二战区特遣兵团继进。

7 南吴（首都扬州）昇州（江苏省南京市）州长徐知诰（李知诰），修筑城池及政府机关房舍，十分壮观（徐知诰经营昇州，参考九一二年五月）。

五月，齐国公爵徐温（镇海〔总部润州〕司令官）视察辖境里州县，来到昇州（江苏省南京市），喜爱它的富庶繁华。润州（江苏省镇江市）军务秘书长（司马）陈彦谦因此建议徐温把总部迁到昇州，徐温同意，遂把徐知诰（李知诰）调作润州（江苏省镇江市）民兵司令（团练使。比州长官高一级）。徐知诰（李知诰）请调到宣州（宁国战区总部，安徽省宣城市），徐温不肯，徐知诰（李知诰）大不高兴，智囊宋齐丘秘密提醒徐知诰说："三郎（徐知训）骄傲放纵，随时都会出事，润州（江苏省镇江市）跟广陵（南吴首都扬州州政府所在城，江苏省扬州市），只隔一条长江，这是上天的恩典，你应该感谢才对（徐知训留守首都扬州，参考前年〔九一五〕八月）。"徐知诰（李知诰）大喜，立刻到差。三郎，指徐温的长子徐知训（长子应称"大郎"，不知什么原因称"三郎"）。徐温命陈彦谦当镇海战区（总部改设昇州〔江苏省南京市〕）军事执行官（节度判官），徐温只掌握重大事件，其他例行公文，都由陈彦谦全权处理。江淮（华东地区）遂被称为治安良好，政治清明。陈彦谦，是常州（江苏省常州市）人。

8 后梁（首都开封府）荆南战区（总部设江陵府〔湖北省江陵县〕）司令官（节度使）高季昌，跟山南东道战区（总部设襄州〔湖北省襄阳市〕）司令官（节度使）孔勍（音qíng〔情〕）和解，高季昌才恢复向中央进贡（二人冲突及停止进贡事，参考九一二年十二月）。

9 秋季，七月三日，大汉帝国（前蜀帝国改，首都成都府〔四川省成都市〕）皇帝（一任高祖）王建（本年七十一岁），命桑弘志（李继岌）当西北方面军第一征剿司令（西北面第一招讨）、王宗宏当东北方面军第二征剿司令（东北面第二招讨）。

七月十二日，王建又命兼最高立法长（兼中书令）王宗侃（田师侃）

当东北方面军总征剿司令（东北面都招讨），武信战区（总部设遂州〔四川省遂宁市〕）司令官（节度使）刘知俊当西北方面军总征剿司令（西北面都招讨），准备对岐国（首都凤翔府）采取军事行动。

10 晋王（首都太原府）李存勖认为李嗣源（邈佶烈）、阎宝的军队太少，恐怕难以对付契丹（首都西楼城），决定再度增援。

七月二十四日，李存勖命李存审（符存审）率军继进。

11 大汉（前蜀，首都成都府）皇家飞龙御马厩管理官（飞龙使）唐文扆（音yǐ〔以〕），在中央政府实际掌权，宰相张格是他座下的摇尾系统，跟司徒（三公之二）、帝国参谋总部执行官（判枢密院事）毛文锡争宠夺权。毛文锡将要把女儿嫁给国务院左最高执行长（左仆射）兼副立法长（兼中书侍郎）、二级实质宰相（同平章事）庾传素的儿子，在帝国参谋总部（枢密院）大宴亲友，演奏音乐，而事先没有奏报王建。王建听到音乐声音，十分奇怪；唐文扆立刻抓住机会，谗言陷害，王建遂大怒若狂。

八月十三日，王建贬毛文锡当茂州（四川省茂县）军务秘书长（司马）；把他的儿子、国务院文官部爵位司副司长（司封员外郎）毛询流放维州（四川省理县），全部家财没收，男人当奴、女人当婢；贬毛文锡的老弟、皇家文学研究官（翰林学士）毛文晏当荥经（四川省荥经县）县政府防卫员（县尉）。庾传素免职，改任国务院工程部长（工部尚书）；命皇家文学研究院院长（翰林学士承旨）庾凝绩暂任宫廷机要署执行官（权判内枢密院事）。庾凝绩，是庾传素的族弟。

12 清海（总部广州）、建武（总部邕州）两战区司令官（节度使）刘岩

(本年二十九岁)，在番禺(广州州政府所在县，广东省广州市)，登极称帝(一任高祖)，称大越帝国，下诏大赦，改年号乾亨。任命后梁(首都开封府)钦差大臣赵光裔当国务院国防部长(兵部尚书)、原战区副司令官(节度副使)杨洞潜当国务院国防部副部长(兵部侍郎)、原军事执行官(节度判官)李殷衡当国务院教育部副部长(礼部侍郎)，三人同时都兼二级实质宰相(同平章事)。刘岩兴建皇家祖庙三座，追尊祖父刘安仁绰号太祖文皇帝、老爹刘谦(参考八九四年十二月)绰号代祖圣武皇帝、老哥刘隐(参考九一一年三月)绰号烈宗襄皇帝，把广州升格为兴王特别市(兴王府)。

13 契丹(首都西楼城)大军包围幽州(北京市)二百余天，城中危险万状。李嗣源(邈佶烈)、阎宝、李存审(符存审)，共步骑兵七万人，在易州(河北省易县)集结，李存审(符存审)说："蛮夷的人数多，我们的人数少，蛮夷都是骑兵，我们都是步兵，如果在平原地带遭遇，蛮夷万骑齐发，蹂躏我们阵地，我们一个人也不能剩下。"李嗣源(邈佶烈)说："蛮夷从来不携带粮食，我们都携带粮食，一旦在平原地带接触，他们剽掠我们粮食，我们用不着作战，自己就先行崩溃，不如进入山路，秘密行军，直向幽州(北京市)，跟城里守军会合。如果中途遇到蛮夷，则就地据守险要抵抗。"

八月十七日，晋军自易州(河北省易县)北进。

八月二十三日，晋军翻过大房岭(北京市西南六十公里)，沿着山涧向东。李嗣源(邈佶烈)跟义子李从珂(王从珂)率三千名骑兵当前锋，距幽州(北京市)六十华里，跟契丹军突然遭遇，契丹军大吃一惊，向后撤退。晋军乘机包抄尾追，契丹军在山上，晋军在涧下，每到一个谷口，契丹军都要发动截击，李嗣源(邈佶烈)父子竭力奋战，

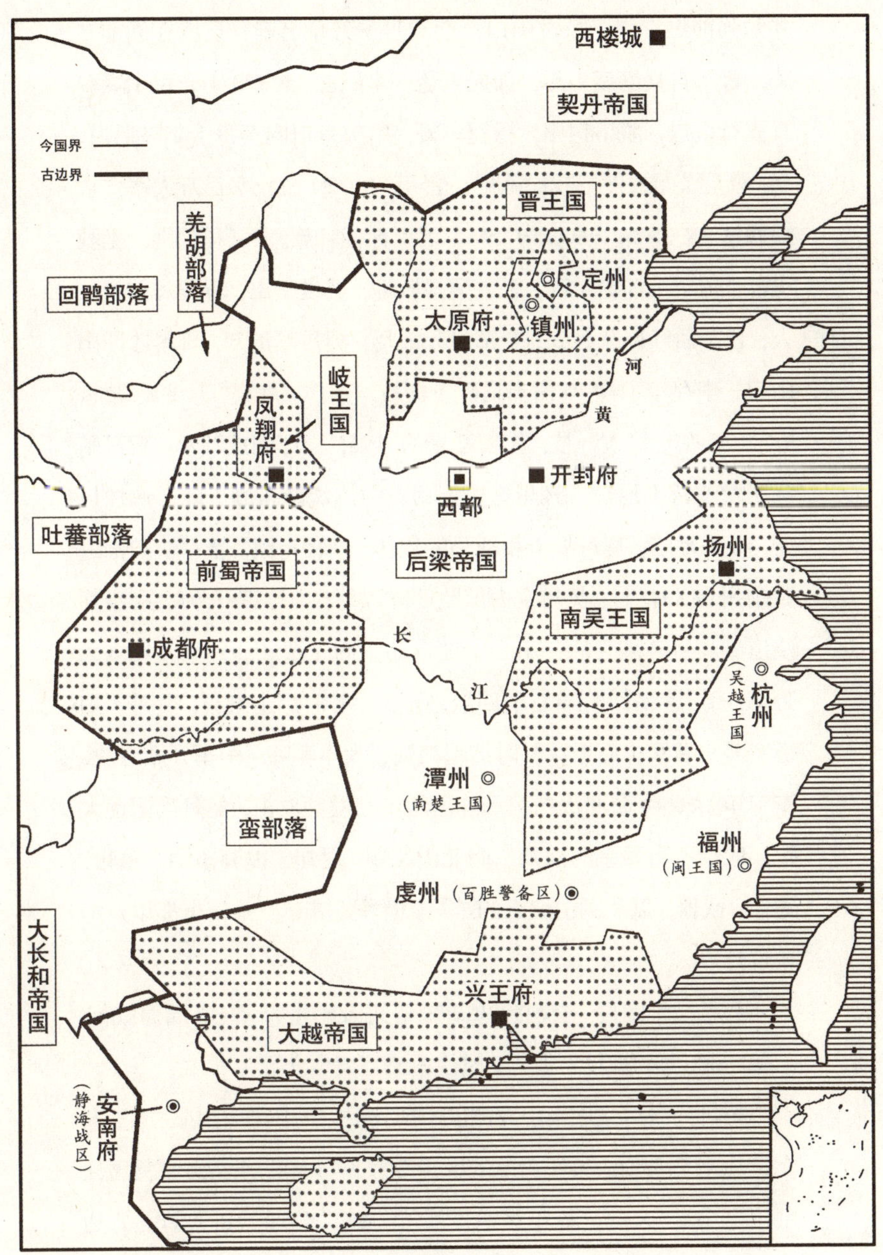

十世纪·九一七年八月　刘岩建大越帝国·六国并立

才勉强前进。终于抵达山口，而契丹一万余名骑兵已横在面前布阵，晋军官兵筋疲力尽，面无人色。李嗣源（邈佶烈）率一百余名骑兵先行挺进，脱下铠甲，扬起马鞭，用契丹语向契丹士卒喊话说："你们无缘无故侵犯我们疆界，晋王（李存勖）命我率百万大军，直捣西楼（契丹首都，内蒙古巴林左旗），屠灭你们种族。"一提缰绳，坐骑飞跃而起，手挥流星锤，杀入契丹阵地，三进三出，斩契丹酋长一人，晋军后续部队赶到，全部投入战场，契丹军退却，晋军才冲出山口。李存审（符存审）命步兵砍下树枝，当作"鹿寨"（一半埋在地下、削尖了的木桩），每人一枝，停留下来的时候，立即砌成营寨。契丹骑兵紧傍着营寨通过，寨里晋军万弓齐射，流箭布满天际，遮住日光，天昏地暗，契丹战士和战马的尸体，塞住道路。晋军快要推进到幽州（北京市）时，契丹主力部队严阵以待。李存审（符存审）命步兵绕道到契丹阵地之后，下令不要行动，而先派老弱残兵收集木柴野草，用火点燃，拖着它们四散逃走，一霎时烟尘蔽天，契丹不知道有多少晋军，而晋军及时擂起战鼓，大声嘶喊，两军开始对决，李存审（符存审）命埋伏在契丹阵后的步兵发动攻击，契丹兵团遂大败，收拾所有残余的部众，向北山（燕山）退却，抛弃车辆、篷帐、铠甲、武器，以及满山遍野的羊马。晋军追击，格杀俘虏都以万为单位计算。

八月二十四日，李嗣源（邈佶烈）等进入幽州（北京市），周德威（卢龙〔总部幽州〕司令官）见到他们，握住手流泪哭泣。

契丹任命卢文进当卢龙战区（总部设幽州〔北京市〕）候补司令官（留后），后来又命令他实任卢龙战区司令官（节度使）。卢文进平常居住平州（河北省卢龙县），每年都率奚部落（滦河上游）骑兵进入晋北方边疆，杀掠官民。晋军自瓦桥（河北省雄县）运粮食到蓟城（幽州州政府所在

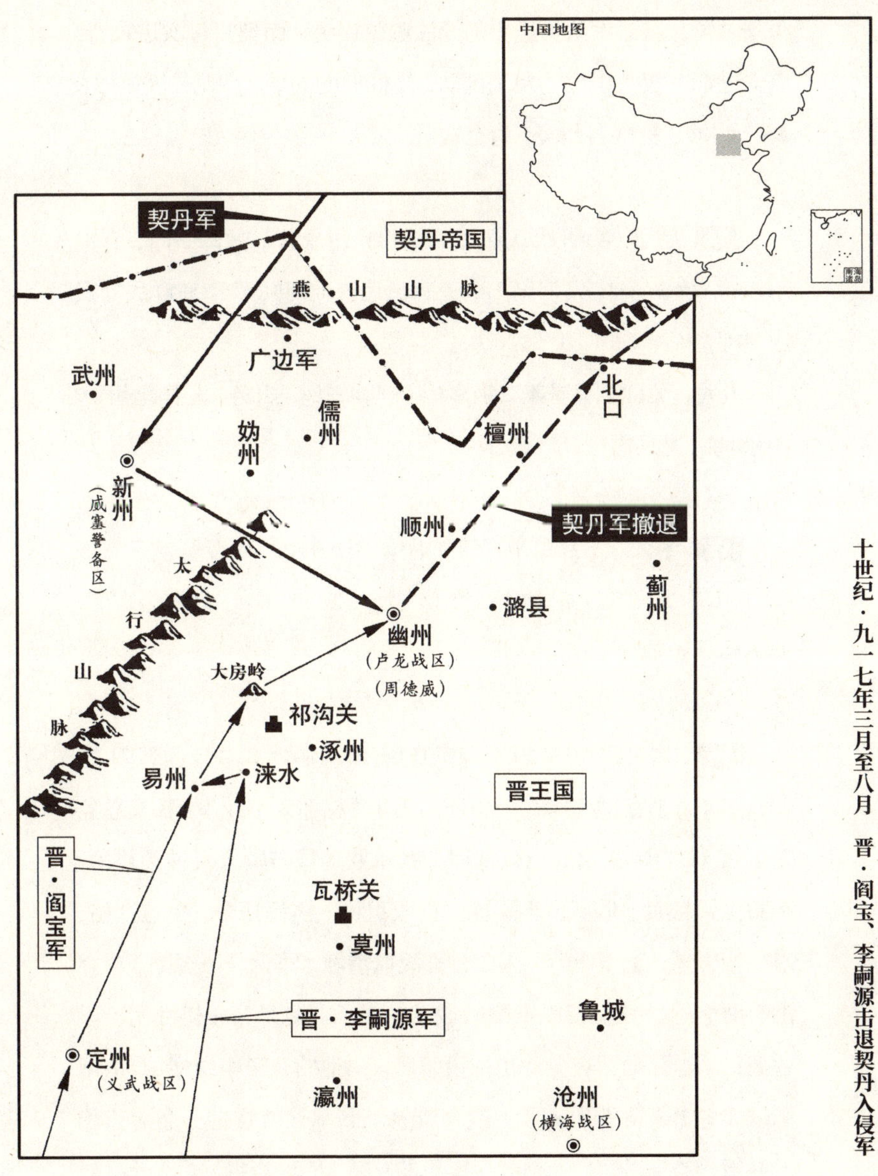

十世纪·九一七年三月至八月 晋·阎宝、李嗣源击退契丹入侵军

城，北京市），虽派军队护送，仍无法避免损失。而契丹每次进攻晋，卢文进都率汉人组成的特别部队，当他们的向导。卢龙战区（总部设幽州〔北京市〕）辖区各州县，为之残破。

14 后梁（首都开封府）宣义（总部滑州）司令官（节度使）刘鄩，自滑州（河南省滑县）到中央朝见，中央官员追查他河朔（河北平原）失守责任（魏州之败，参考去年〔九一六〕二月）。

九月，免除刘鄩遥兼二级宰相（平章事·使相）职务，贬作亳州（安徽省亳州市）民兵司令（团练使）。

15 冬季，十月二十三日，后梁（首都开封府）加授吴越王（一任武肃王，首都杭州〔浙江省杭州市〕）钱镠（本年六十六岁。镠，音ㄌ〔流〕）中央官衔：天下兵马元帅。

16 晋王（首都太原府）李存勖自魏州（河北省大名县）返回晋阳（山西省太原市）。李存勖连年在外出征，王府及总部大小政事，都交总监军宦官（监军使）张承业全权处理，张承业劝导鼓励人民种桑耕田，积蓄金钱粮食，收买武器马匹，征收租税，执行法令，十分严格，对皇亲国戚，毫不纵容，因此首都政风清廉，军饷从不短缺。李存勖有时候急需钱赌博或赏赐给戏子，张承业总是舍不得乱用，不肯拨付。李存勖就在金库里摆设筵席，命他的儿子李继岌（与前蜀将桑弘志旧名相同）特别为张承业跳一支舞，张承业就送他一条宝带和一匹骏马答谢。李存勖指着金库里的存钱，叫着李继岌的乳名，对张承业说："和哥（李继岌）缺钱的时候，七哥（张承业）不妨给他一柜，仅只宝带骏马，似乎还不够。"张承业说："送给郎君（李继岌）的礼物，都是用我自己薪俸买的。金库里的钱，是大王拿来养战士用的，我不敢用公家的东西，当作私人人情。”李存勖大不高兴，仗着几分酒意，训斥侮辱，张承业大怒说：“我不过是一个年纪老迈的钦差宦官（敕使），并不为子孙打算，只是珍惜这些库存，为的是辅佐大王成就霸业。不然的话，大王可以直接取去使用，又问我干什么？怕的是钱财耗尽，人心离散，大王一事无成。”李存勖大怒，回头向李绍荣（元行钦）索取佩剑，张承业站起来，拉住李存勖的衣裳，流泪说：“我接受先王（李克用）临终托孤的使命，发誓为国家铲除汴州（河南省开封市）蟊贼（朱全忠父子），如果因爱惜国家财产而死在大工之手，地下晋见先王（李克用），也可以问心无愧，现在就请大王动手。”阎宝在一旁要掰开张承业的手，命他退下，张承业跳起来挥拳把阎宝打倒在地，叫骂说：“阎宝，你本是朱温（朱全忠）的一党（阎宝降晋，参考去年〔九一六〕八月），受晋王（李存勖）大恩，不但不知道尽忠回报，反而打算靠拍马屁讨领袖欢心，是也不是！”李存勖的娘亲曹太夫人得到报告，急派人召唤李存勖，李存勖这时酒也醒了，向张承业叩头道歉说：“我喝了两杯酒，冒犯七哥（张承业），也连带冒犯太夫人！七哥，为我痛饮几杯，好帮我分担一点罪过！”李存勖一连饮了四盅，张承业拒绝。李存勖进入王宫，曹太夫人派人向张承业道歉说：“小儿冒犯特进（“特进”，唐王朝文散官第二级，正二品，张承业此时官称），刚才已打了他一顿！”第二天，曹太夫人跟李存勖二人亲自到张承业家道歉。不久，李存勖以唐王朝皇帝名义下诏，加授张承业：开府仪同三司（文散官第一级，从一品）、左卫（卫军第一军）上将军，封燕国公爵。张承业坚决辞让，不肯接受，终身只称唐王朝尚在时加给自己的官衔。

机要秘书（掌书记）卢质，喜爱饮酒，骄傲轻狂，曾经把李存勖的几位老弟叫作“猪”“狗”，李存勖怀恨在心。张承业恐怕终有一天，卢质会大祸临头，于是找一个机会对李存勖说：“卢质总是对大王无缘无故冒犯，让我替大王把他杀掉。”李存勖说：“我正向四面八方延揽贤能人才，来完成复国建国大业，七哥（张承业）怎么说这种话。”张承业站起来道贺说：“大王有这样的胸襟，还担忧什么天下不能平定！”卢质因此得以幸免。

李存勖的正妻卫国夫人韩女士、次妻燕国夫人伊女士、三妻魏国夫人刘女士，以刘女士最受宠爱。刘女士的老爹是成安（河北省成安县）人，以算卦医病维生（自称刘山人）。刘女士幼年时，晋军将领袁建丰（参考去年〔九一六〕四月）把她抢到手，送进王宫，她狡猾凶悍，淫荡嫉妒，陪伴李存勖住在魏州（河北省大名县）。老爹听到女儿已享荣华富贵，亲到魏州（河北省大名县）行宫求见。李存勖召唤袁建丰指认，袁建丰说：“当初得到夫人的时候，有位黄胡子老汉保护她，就是这个人。”李存勖遂告诉刘女士，刘女士正跟其他大小老婆争宠，互相夸耀自己的出身门第，老爹的出现暴露她的家世卑贱寒微，使她老羞成怒，大怒说：“我离开家乡时多少有点记忆（《北梦琐言》记载，刘女士被掳时，才五六岁），老爹惨遭不幸，死在乱兵之手，我守着尸首哭他，然后才离开，现在哪里冒出这个乡下糟老头，胆敢到这里胡说八道！”下令把刘山人拖到宫门外，一顿鞭打。

刘山人身上每一鞭都是一声哀号，声声呼女，使人心碎。当他扶伤回到破屋故居，重见那些知道他此行的亲友们的惊骇目光，恐怕已流不下眼泪，流下的将是心头鲜血。他最大的困惑应该是：他不明白，他日夜思念的被军人从怀中抢走的小女儿，为什么不认亲爹？

当忘恩负义的行为被视为稀松平常，甚至还受很多人赞扬鼓励时，这个社会就会受到天谴，而且是无情的天谴！

17 大越帝国（首都兴王府〔广东省广州市〕）皇帝（一任高祖）刘岩，派礼宾官（客省使）刘瑭前往南吴（首都扬州），通知他已登极称帝，并且劝告南吴王杨隆演也登极称帝。

18 闰十月二日，大汉帝（前蜀一任帝高祖）王建，擢升皇家机要署执行官（判内枢密院）庾凝绩，当国务院文官部长（吏部尚书）、皇家机要署总监（内枢密使）。

十一月一日，冬至，王建到南郊圆形祭坛，祭祀天神。

19 晋王（首都太原府）李存勖听到黄河结冰合拢消息（河水结冰，先从两岸结起，逐渐向中心线延伸，终于合拢，冰坚之后，河身变成一块巨冰，可通过军队和车辆。如寒度不够，冰不能合，中心仍保持一线流水，冰层脆弱，在此期间，狗马难渡），大喜说："一连几年作战，受这条河限制，无法过去，而今冰合，是天赐良机。"立即前往魏州（河北省大名县）。

20 大汉帝（前蜀一任帝高祖）王建命刘知俊当总征剿司令（都招讨使），可是所统御的将领都是王建的老部属、帝国的老功臣，都不太听他的命令，而且嫉妒他以一个降将却高高在上，所以不能在战场上取得胜利。唐文扆再在中间不断谗言，王建也畏惧刘知俊的才干，曾经对他的亲信说："我年纪已老，刘知俊不是听你们话的人。"

十二月六日，王建逮捕刘知俊，诬称他叛变，绑到市场斩首。

从王建畏惧刘知俊这件事观察，刘知俊诚是一位勇将，他之一叛朱全忠，再叛李茂贞，只不过为了保护家人性命，却想不到，终于不明不白，死于同是军阀的王建之手！

十二月八日，大汉（前蜀，首都成都府）大赦，改明年（九一八）年号为光天。

21 十二月十七日，后梁帝（三任）朱友贞命张宗奭（张全义，西都洛阳特别市长）当天下兵马副元帅。

朱友贞对平定庆州（甘肃省庆阳市）叛乱的军事行动（参考去年〔九一六〕十二月），论功行赏。

十二月二十二日，朱友贞命左龙虎（禁军第三军）统军（从二品）贺瓌，遥兼二级宰相（同平章事·使相），充当宣义战区（总部设滑州〔河南省滑县〕）司令官（节度使）。不久，再任命他当北方军团征剿司令（北面行营招讨使）。

22 十二月二十三日，晋王李存勖自魏州（河北省大名县）出发打猎，直到朝城（山东省莘县西南朝城镇。朝城位魏州东南航空距离五十公里，再十五公里就到古黄河）。当天（十二月二十三日）天气酷寒，李存勖发现黄河结冰，已经坚硬，于是率步骑兵混合部队，试探着横渡黄河。这时，后梁（首都开封府）战士三千人驻守杨刘城（山东省东阿县东北杨柳村·古黄河南岸渡口），沿河数十华里，营寨密密接连，李存勖闪电进攻，把它们全部夺取，最后进攻杨刘城，命步兵砍平他们的鹿角防御工事，用芦苇填平壕沟，四面八方同时猛烈攻击，当天即行攻陷，俘虏守将安彦之。

先前，后梁（首都开封府）物资调节总监（租庸使）、国务院财政部长（户部尚书）赵岩，奏报后梁帝（三任）朱友贞说："陛下登极以来，还没有到南郊祭祀天神，大家认为就跟一个普通王侯没有分别，受到各方轻视。最好是前往西都（河南府，河南省洛阳市）行此大礼，同时也顺道晋谒宣陵（一任帝朱全忠墓，洛阳市南）。"宰相敬翔劝阻说："自从刘鄩在魏州（河北省大名县）失利，人心惶恐不安，公私都陷困境。今天要在圆形祭坛祭天，必须颁发大量赏赐，为了追求虚名，却换回来实祸。而且强敌就在黄河北岸，陛下怎么可以轻率出动？应该等到北方平定之后，再举行不晚。"朱友贞听不进去。

十二月二十四日，朱友贞抵达洛阳（西都河南府所在县），检查车辆服装，整修宫殿门户，南郊祭祀的日子，也已确定，忽然听说杨刘城失守，而且传来谣言说：晋军已进入大梁（首都开封府所在城），封锁汜水（河南省荥阳市西北汜水镇）。随从朱友贞的文武百官，担忧自己家人安危，面面相觑、哭泣流泪，朱友贞惊恐震骇，不知道如何是好，急下诏取消南郊天神之祭，奔回大梁（首都开封府所在城）。

十二月二十九日，朱友贞擢升洛阳特别市市长（河南尹）张宗奭（张全义）当西都（河南府）留守长官。

23 本年（九一七），闽王（首都福州〔福建省福州市〕）王审知替他的儿子、警备本部总指挥官（牙内都指挥使）王延钧，娶越帝（一任高祖）刘岩的女儿。

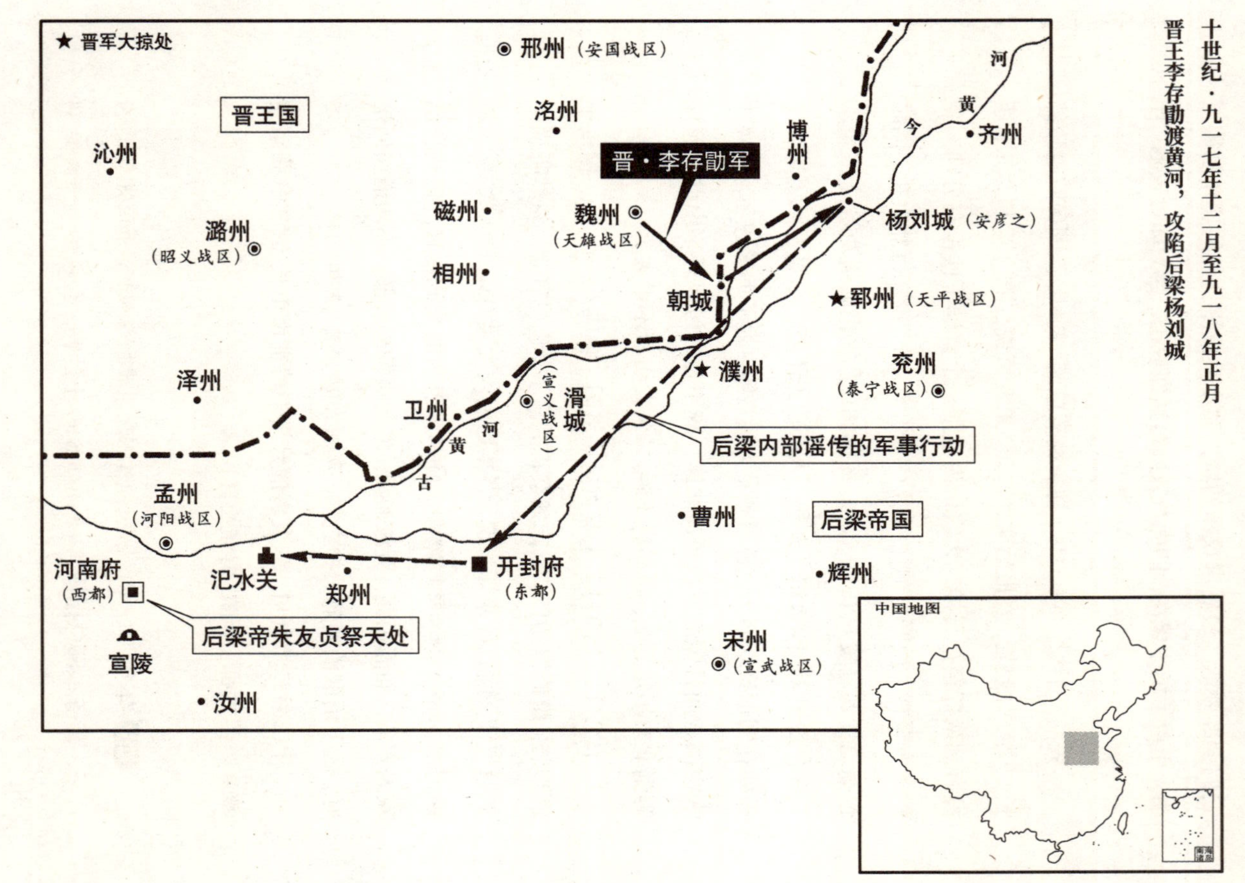

十世纪·九一七年十二月至九一八年正月

晋王李存勖渡黄河，攻陷后梁杨刘城

九一八年 戊寅

后梁	贞明	四年
晋	天祐	十五年
岐	天祐	十五年
南吴	天祐	十五年
前蜀	光天	元年
南楚	贞明	四年
吴越	天宝	十一年
南汉	乾亨	二年
契丹	神册	三年

1 春季，正月一日，大汉帝国（前蜀，首都成都府〔四川省成都市〕）大赦，恢复前蜀国号（王建忽然改国号大汉，参考前年〔九一六〕十二月）。

2 后梁帝国（首都开封府〔河南省开封市〕）皇帝（三任）朱友贞（本年三十一岁），由洛阳（西都河南府所在县，河南省洛阳市）仓猝返回大梁（首都开封府所在城），晋国（首都太原府〔山西省太原市〕）军队入侵到郓（山东省东平县）、濮（山东省鄄城县）二州州境，大肆劫掠而去。宰相敬翔上疏说："帝国连年以来，军队不断耗损，疆土也一天比一天缩小。陛下住在深宫之中，商讨大事的人，都是左右所熟悉的官员，怎么能评估两国的胜负成败？先帝（一任朱全忠）在世的时候，拥有河北（河北省）全部领土，亲自率领英雄豪杰，南征北讨，结果仍不能使人满意。而今，敌人已进入郓州（山东省东平县），陛下好像毫不忧虑（郓州在黄河以南）。听说李亚子（即李存勖）自从继承王位以来，历时十年，攻城略地，没有一次不亲自冒着飞石流箭。最近进攻杨刘（山东省东阿县东北杨柳村，古黄河南岸渡口），李存勖亲自背着鹿角、芦草，身先士卒，一鼓作气，把它攻克。陛下气质高雅，从容不迫，而只命贺瓌之流，竟希望把盗匪仇敌消灭（派贺瓌代替刘鄩当统帅，参考去年〔九一七〕十二月二十二日），实在不知道以后会发生什么变化。陛下最好广泛的听听老干部们的意见，另行寻求对策。不然的话，大难不过刚刚开始。我虽然愚鲁怯懦，但受过帝国重恩，陛下如果实在找不出人才，请派我到前线效力。"奏章呈上后，赵岩、张汉杰等五人帮，指摘敬翔满肚子都是怨恨牢骚，朱友贞遂不考虑他的建议。

3 南吴（首都扬州〔江苏省扬州市〕）命右翼大营总管理官（右都押牙）王祺，当虔州（江西省赣州市）特遣兵团总指挥官（行营都指挥使），集结洪（江西省南昌市）、抚（江西省抚州市临川区）、袁（江西省宜春市）、吉（江西省吉安市）四州军队，攻击据守虔州（江西省赣州市）的谭全播。智囊严可求用巨款招募赣石（赣江上游赣石滩，是赣江一险，参考五五一年六月二十八日）水工，所以南吴军突然抵达城下，虔州（江西省赣州市）守军才蓦然发现。

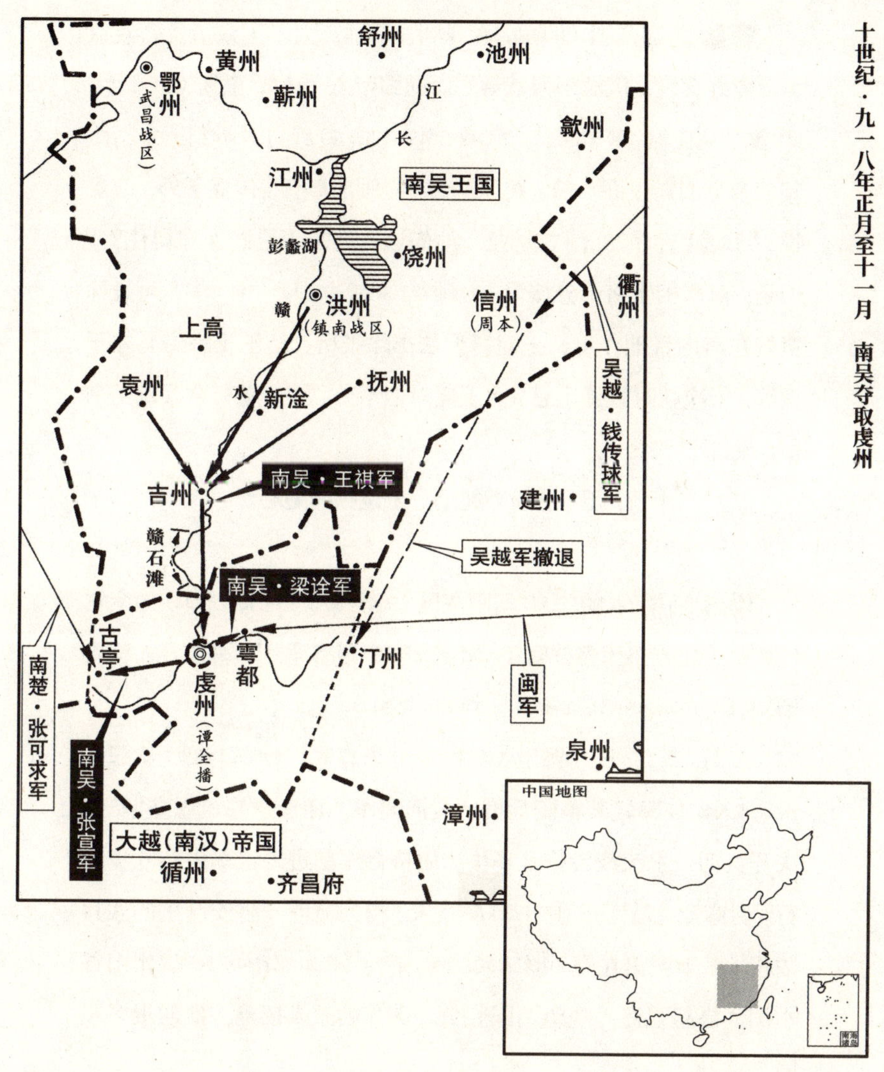
舒州
池州
黄州
鄂州
（武昌战区）
蕲州
江
长
歙州
江州
南吴王国
彭蠡湖
饶州
洪州
（镇南战区）
赣
信州
（周本）
衢州
上高
袁州
抚州
水
新淦
吴越·钱传球军
南吴·王祺军
吉州
建州
赣石滩
吴越军撤退
南吴·梁诠军
古亭
雩都
汀州
虔州
（谭全播）
闽军
南楚·张可求军
南吴·张宣军
泉州
中国地图
漳州
大越（南汉）帝国
循州
齐昌府

4 前蜀帝国（首都成都府〔四川省成都市〕）太子王宗衍，喜欢饮酒，爱好女色，沉湎于游戏寻乐。前蜀帝（一任高祖）王建（本年七十二岁）曾经从夹城（亲王住宅区，仿效唐王朝十六宅设置）经过，听到王宗衍跟其他亲王们在里面斗鸡、踢球，喧哗吵闹的声音，传播于外，叹息说："我身经百战，创立基业，他们这些人是不是能保守得住？"于是，对宰相张格十分痛恨（张格推荐王宗衍，参考九一三年十月），可是徐贤妃在宫内替他作主，王建竟无法排除张格。信王王宗杰有才干谋略，屡次就时政提出意见，王建对他十分欣赏，遂有意罢黜王宗衍，改封王宗杰。

二月二十日，王宗杰突然逝世，王建顿起疑心。

5 后梁（首都开封府）河阳战区（总部设孟州〔河南省孟州市〕）司令官（节度使）、北方军团督战官（北面行营排阵使）谢彦章，率军数万人反攻杨刘城（山东省东阿县东北杨柳村，古黄河南岸渡口）。

二月二十一日，晋王（首都太原府）李存勖（本年三十四岁）从魏州（河北省大名县）率轻装备骑兵抵达黄河北岸。谢彦章修筑堡垒坚守，决开黄河，水流淹没好几华里，阻挠晋军前进，晋军果然寸步难行。谢彦章，是许州（河南省许昌市）人。杨刘城前守将安彦之的残兵败将，多半聚集在兖（山东省济宁市兖州区）、郓（山东省东平县）二州山谷水涧，当起强盗，观望两国胜负。李存勖派人招募，他们很多归降李存勖。

6 二月己亥日（二月甲辰朔，没有己亥），前蜀帝（一任高祖）王建命东方军团征剿司令（东面招讨使）王宗侃（田师侃）当东西两路军总指战官（东西两路诸军都统）。

7 三月，吴越王（一任武肃王，首都杭州〔浙江省杭州市〕）钱镠（本年六十七岁），开始成立全国兵马元帅府，任命文武百官。

8 夏季，四月一日，前蜀帝（一任高祖）王建封皇子王宗平当忠王、王宗特当资王。

9 岐王（一任忠敬王，首都凤翔府〔陕西省宝鸡市凤翔区〕）李茂贞（宋文通，本年六十三岁）再派使节向前蜀（首都成都府）要求和解通好（两国断交七年，参考九一一年三月）。

10 四月七日，后梁（首都开封府）命国务院文官部副部长（吏部侍郎）萧顷，当副立法长（中书侍郎）、二级实质宰相（同平章事。萧顷是萧廪之子；萧廪，参考八八〇年十二月三日）。

保大战区（总部设鄜州〔陕西省富县〕）司令官（节度使）高万金逝世。

四月二十一日，后梁帝（三任）朱友贞命忠义战区（总部设延州〔陕西省延安市〕）司令官（节度使）高万兴，兼保大（总部鄜州）司令官，同时镇守鄜（陕西省富县）、延（陕西省延安市）二州（高万金、高万兴是兄弟，如今二战区事权集中为一）。

司空（三公之三）兼副监督长（兼门下侍郎）、二级实质宰相（同平章事）赵光逢，请求辞职。

四月二十七日，中央命赵光逢以司徒（三公之二）名义退休。

11 前蜀帝（一任高祖）王建自九一五年之后，身患重病，有时神志错乱，近年以来越发严重，因北方军团征剿司令（北面行营招讨使）兼最高立法长（兼中书令·使相）王宗弼（魏弘夫），沉默安静，充满智谋。

五月，王建命王宗弼（魏弘夫）班师，当步骑兵总指挥官（马步都指挥使）。

五月三日，王建命帝国重要高级官员进入卧室，对他们说："太子（王宗衍）仁慈懦弱，只因我当初不能违背各位的意思，才超越长幼次序，封他当太子，如果他没有能力承担大业，可以把他软禁一个宫院，但千万不要诛杀，只要是王家子弟，由各位挑选一位辅佐。徐贤妃的兄弟，给他们高官厚禄，就很够了，不要让他们掌握军权、干预政治，用以保全他们家族。"

皇家飞龙马厩管理官（内飞龙使）唐文扆（音yǐ〔乙〕），长期统御禁军，参与机密事务，打算趁着王建病势垂危的当儿，排除若干重要高官，于是派人封锁宫门。王宗弼（魏弘夫）等三十余人，每天到金銮宝殿问安，却不能进宫，大家强烈要求晋见，唐文扆总是以王建的命令来安抚搪塞，只等王建断气，即发动政变。唐文扆又派他的同党皇城管理官（内皇城使）宦官潘在迎侦察外面消息，而潘在迎却把阴谋告诉王宗弼（魏弘夫）等，王宗弼（魏弘夫）等遂撞破宫门，强行进宫，向王建揭发唐文扆。王建命天册府（即天策府，参考九一四年正月）机要秘书（掌书记）崔延昌，暂管六军（权判六军事。王建先剥夺唐文扆军权，才能行动）。召唤太子王宗衍进宫侍候老爹。

五月四日，王建下令把唐文扆贬作眉州（四川省眉山市）州长，皇家文学研究院院长（翰林学士承旨）王保晦，被认为是唐文扆的摇尾分子，剥夺所有官职爵位，流放泸州（四川省泸州市）。潘在迎，是潘炕的儿子（潘炕，参考九一〇年三月）。

五月二十四日，王建下诏："不论中央地方财税田赋、宰相联合办公厅（中书）人事任免事，以及司法审判跟监狱管理，都交给庾凝绩全权裁决；首都成都城及各野战军，凡军事政治有关事项，都交给宫廷事务南院总监（宣徽南院使）宋光嗣全权裁决。”

五月二十五日，王建再下诏：罢黜唐文扆官职爵位，流放雅州（四川省雅安市）。

五月二十九日，王建命宋光嗣当宫廷机要署总监（内枢密使），会同兼最高立法长（兼中书令）王宗弼（魏弘夫）、王宗瑶（姜郅）、王宗绾（李绾）、王宗夔，一起接受遗诏辅政。最初，王建遵循唐王朝制度，设立帝国参谋总部指挥官（枢密使），但用知识分子担任，不用宦官（参考九〇八年正月注）。可是等到唐文扆犯罪，王建因各将领都是许州（河南省许昌市）同患难老友，恐怕不接受幼主命令，所以用宋光嗣接替，从此宦官开始接触权柄。

六月一日，王建逝世（年七十二岁）。

六月二日，太子王宗衍（本年二十岁）登极称帝（二任），尊称娘亲徐贤妃为皇太后、姨妈徐淑妃当皇太妃。命宋光嗣主管六军（判六军诸卫事。禁卫军也落入宦官之手）。

六月十四日，王宗衍斩唐文扆、王保晦。命西方军团副征剿司令（西面招讨副使）王宗昱，诛杀驻守秦州（甘肃省秦安县西北）的天雄战区（总部设秦州〔甘肃省秦安县西北〕）司令官（节度使）唐文裔，免除左翼保胜军基地司令（左保胜军使）兼京师西城纠察司令（领右街使）唐道崇官职。

12 南吴（首都扬州）全国步骑混合兵团基地司令（内外马步都军使）、昌化战区（总部不详）司令官（节度使）、二级实质宰相（同平章事）徐知训，骄傲凶暴，荒淫无道。威武战区（总部设福州〔福建省福州市〕）司令官（空头官衔。此时福州属闽国〔首都福州〕）、代理抚州（江西省抚州市临川区）州长李德诚，家有歌女数十人，徐知训向李德诚索取，李德诚派人对徐知训道歉说：“我家现有的歌女，年龄都已很大，有的甚至生了儿子，没有资格侍奉贵人，容我为你物色更年轻貌美的女子。”徐知训大怒，告诉使节说：“看我哪一天诛杀李德诚，连他的元配妻子也弄过来上床。”

徐知训常戏弄南吴王杨隆演（本年二十二岁），一点君王臣属的礼节都没有。有一次，跟杨隆演一起演戏，徐知训扮主角参谋官（参军），杨隆演扮配角家奴，把头发扎到头顶，身穿破衣，手拿一顶烂帽，在后面跟随。又有一次，在浊河（今地不详）划船，杨隆演先上岸，徐知训立刻用弹弓照他背后发射。曾经到禅智寺（江苏省扬州市东）赏花，徐知训借酒装疯，态度恶劣，杨隆演十分恐惧，不禁哭泣流泪，在座的官员都浑身发抖；侍从们扶杨隆演上船，徐知训乘小艇在后追赶，但追赶不上，于是暴跳如雷，用铁锤当场打死杨隆演左右侍从，文武官员没有人敢说一句话。老爹徐温却一点也不知道。

徐知训跟他的老弟徐知询（徐温次子），从没有把徐知诰（李知诰）看在眼里，只有幼弟徐知谏（徐温第四子）把徐知诰（李知诰）当作兄长尊敬。徐知训曾经召集兄弟饮酒，徐知诰（李知诰）未能赴宴，徐知训发怒说：“这个叫化子，不想吃酒，难道想吃剑！”有一次，跟徐知诰（李知诰）一起进餐，设下埋伏，打算席上把他诛杀，徐知谏照徐知诰（李知诰）脚上踩一下示警，徐知诰（李知诰）声称要去洗手间，遂悄悄逃走。徐知训把佩剑交给左右侍从刁彦能，命他追杀，刁彦能鞭马狂奔，在中途追上，但只举起佩剑向徐知诰（李知诰）示意，即行折回，报告徐知训说没有追上。

平卢战区（总部设青州〔山东省青州市〕）司令官（空头官衔。此时青州属后梁〔首都开封府〕）、二级实质宰相（同平章事）、全国各战区道副总指战官（诸道副都统）朱瑾，派婢女到徐知训家问安。徐知训打算对她强暴，朱瑾心里已不高兴。而徐知训对朱瑾的官位在自己之上，也不高兴，遂在泗州（江苏省盱眙县淮河北岸）设静淮战区，命朱瑾出任司令官（节度使）。朱瑾越发怀恨，但表面上，却对徐知训更加恭敬谨慎。朱瑾有匹心爱的骏马，冬天怕它冷，养在厚厚的帐幕里，夏天怕蚊子叮，养在薄薄的纱罩中。朱瑾又有一个歌舞女郎，艳丽盖世。朱瑾前往泗州（江苏省盱眙县淮河北岸）上任前夕，徐知训到朱瑾家送行，朱瑾摆设筵席，亲自给徐知训酌酒，唤出宠爱的女郎唱歌，又把心爱的马赠给徐知训，徐知训大喜。朱瑾遂把他请到内室，而在门里埋伏勇士，请妻子陶女士（歙州州长陶雅的女儿）出来，下跪叩头，徐知训也叩头回拜，朱瑾用笏版在后面猛击，把他打倒在地，呼唤埋伏的勇士出来，砍下徐知训的人头。朱瑾先前在廊下拴两匹悍马，将要动手的时候，密令解开缰绳，两匹悍马遂互相踢咬打斗，吵闹嘶叫，声音凄厉，所以内室动作，外面的人全听不到。朱瑾提着徐知训的人头出来，徐知训的卫士数百人看见，一哄而散。朱瑾奔驰到王府，把人头拿给杨隆演观看，说："我已替大王除去一个大害。"杨隆演魂飞天外，用衣服遮住脸，逃回卧房，说："舅父自己担当（杨行密元配妻子姓朱〔朱延寿的姐姐，参考九〇三年九月〕，所以称朱瑾舅父，官场友情，平时越浓越近越好），我什么都不知道。"朱瑾说："你这个婊子养的，不能成大事。"把徐知训的人头摔到柱子上，拔剑而出，内城警卫司令（子城使）翟虔等已率军关闭城门搜捕。朱瑾遂从后院翻墙而出，不料落地时脚踝摔伤，回头对追兵说："我替千万人铲除祸害，一身承当后果。"遂刎颈自杀（年五十二岁。徐知训的顽劣凶恶行径，简直用的是高澄同一剧本，参考五四九年八月）。

徐知诰（李知诰）在润州（江苏省镇江市）得到事变消息，采用宋齐丘的谋略，立即率军北渡长江（润扬二州，相距二十五公里），朱瑾已死，徐知诰（李知诰）开始稳定人心，恢复秩序。当时，齐国公爵徐温的其他儿子，都年幼力弱。徐温遂命徐知诰（李知诰）代替徐知训，接管南吴（首都扬州）国政。把朱瑾的尸首沉到雷塘池（江苏省扬州市西北七公里），全族屠灭。（朱瑾于八九七年二月奔扬州，重建新家，迄今二十二年，虽除一害，却竟无丝毫计划，一门被屠。）

朱瑾诛杀徐知训时，泰宁战区（总部设兖州〔山东省济宁市兖州区〕）司令官（空头官衔。此时兖州属后梁〔首都开封府〕）米志诚，率十余名骑兵追问朱瑾行踪，听到朱瑾已死的消息才回。唐王朝钦差大臣、宣慰特使（宣谕使）李俨（张俨），寄居海陵（江苏省泰州市），贫穷困苦，徐温疑心他们跟朱瑾共谋，于是把二人一起处死（李俨是张濬的儿子，派到扬州。淮南〔总部扬州〕各官，包括杨行密的吴王，和嗣王继承，都由李俨以唐王朝皇帝名义封爵任职，威高望重，参考九〇二年三月、九〇八年七月。想不到时去势转，十七年后，竟连生活都无人照顾，又惨死非命）。严可求恐怕米志诚抗命，于是宣称袁州（江西省宜春市）击败南楚（首都潭州）军队，文武百官都到王府道贺，严可求事先在王府大门里埋伏杀手，把他逮捕，连同他所有的儿子，全部斩首。

13 六月二十一日，晋王（首都太原府）李存勖自魏州（河北省大名县）前往杨刘（山东省东阿县东北杨柳村，古黄河南岸渡口）劳军，亲自驾小船探测河水深浅及流势，发现水深可以淹没长矛。李存勖对各将领说：“后梁（首都开封府）军队根本没有意思跟我们作战，只是想倚靠河水保护，希望把我们拖得筋疲力尽。我们不能听他摆布，当蹚水过去攻击。”

六月二十三日，李存勖率大军带头蹚水渡河，其他各军紧随于后，官兵一手拉起铠甲，一手举起刀枪，结成战斗序列前进。当天（六月二十三日），河水水位忽然下落，仅只有淹到膝盖。后梁（首都开封府）匡国战区（总部设许州〔河南省许昌市〕）司令官（节度使）、北方军团督战官（北面行营排阵使）谢彦章，率部队在黄河南岸迎战。晋军无法登陆，稍稍后撤，后梁军追击，直到中流。晋军战鼓凄厉，齐声呐喊，突然反攻，谢彦章不能支持，又退回南岸。晋军乘胜尾随登陆，后梁军大败，死伤惨重，无法计算，黄河变成血水，谢彦章仅逃出一命。当天（六月二十三日），晋军一连攻陷沿河后梁四个营寨。

所有传统史书，包括《资治通鉴》在内，从来只记死亡人数，不记受伤人数。死者已无知觉，善后工作不过埋葬，而伤者怎么抢救，怎么治疗，医生何在，药品是否有备，所有史册都没有这方面的记载。一场战役下来，死人一千，受伤当有一万（参考九四七年十月二十五日邺都之战），哀号声、求救声，遍布战场，可是对救护组织和行动，却找不到任何资料。

伤兵的命运使人忧心，史书只偶尔承认除了“亡”外，还有“伤”在，杨刘之役，属少数偶尔之一，但是像砍掉双腿、或刺盲双眼，将如何护理看顾，将领们会不会嫌他成为累赘，而下令遗弃，甚至诛杀？希望历史学家，有一天揭开这项悲惨的人权内幕。

14 前蜀（首都成都府）唐文扆死后，太傅（三师之二）、副监督长（门下侍郎）、二级实质宰相（同平章事）张格，感到不安。有人建议张格称病躲在家里，听候命令，可是国务院教育部长（礼部尚书）杨玢，恐怕靠山一倒，自己也会失势，安慰张格说：“你有拥戴皇上（二任王宗衍）当太子的大功（参考九一三年十月），用不着担心！”

六月二十九日，前蜀帝（二任）王宗衍贬张格当茂州（四川省茂县）

州长，贬杨玢当荥经（四川省荥经县）防卫员（县尉）；国务院文官部副部长（吏部侍郎）许寂、财政部副部长（户部侍郎）潘峤，都被指控是张格一党，贬官。不久，张格再被贬作维州（四川省理县）户籍官（司户）。宫廷机要总监（内枢密使）庾凝绩继续上疏抨击，于是把张格流放合水镇（四川省茂县西北），命茂州（四川省茂县）州长顾承郾暗中打张格的小报告，王宗侃（田师侃）的妻子跟张格同姓，为了保护他，对顾承郾的娘亲说："警告你的儿子，不要替别人报仇，有一天，会把罪状都推到你儿子头上！"顾承郾接受。庾凝绩大怒，公报私仇，找一个借口惩罚顾承郾。

秋季，七月一日，前蜀帝（二任）王宗衍封兼最高立法长（兼中书令）王宗弼（魏弘夫）当钜鹿王，王宗瑶（姜郅）当临淄王，王宗绾（李绾）当临洮王，王宗播（许存）当临颍王，王宗裔、王宗夔，以及兼最高监督长（兼侍中）王宗黯（吉谏），都当琅邪郡王。

七月三日，王宗衍封王宗侃（田师侃）当乐安王。

七月五日，王宗衍命国务院国防部长（兵部尚书）庾传素当太子少保（太子三少之三），兼副立法长（兼中书侍郎）、二级实质宰相（同平章事）。前蜀帝（二任）王宗衍，从不过问军国大事，无论中央地方的人事任免升降，都由钜鹿王王宗弼（魏弘夫）决定。而王宗弼（魏弘夫）乘机营私舞弊，全国上下，怨声载道。主管六军十二卫（判六军诸卫事）的宦官宋光嗣，生性敏捷，非常会迎合领袖意思，王宗衍对他十分宠爱信任，前蜀开始衰败（建国才十二年，便进入瓶颈）。

15 南吴（首都扬州）齐国公爵徐温自昇州（江苏省南京市）到广陵（首都扬州州政府所在县，江苏省扬州市）朝见南吴王杨隆演，怀疑所有将领都参与朱瑾的阴谋，打算大肆杀戮。徐知诰（李知诰）、严可求二人把徐知训的横暴罪过，以及招来大祸的原因，作具体报告，徐温的怒气稍稍化解，乃命用渔网把雷塘池（江苏省扬州市西北七公里）中的朱瑾尸体打捞出来，另行埋葬，责备徐知训部下的文武官员不能及时矫正拯救，全部惩罚；只刁彦能写了很多规劝的信，徐温特加奖赏。

七月二十七日，任命徐知诰（李知诰）当淮南战区（总部设扬州〔江苏省扬州市〕）作战副司令官（节度行军副使），兼中外步骑兵副指挥官（内外马步都军副使）、王府及总部联合执行官（通判府事），兼江州（江西省九江市）民兵司令（团练使）。任命徐知谏暂任润州（江苏省镇江市）民兵司令（权团练事。接替徐知诰）。徐温返回金陵（昇州州政府所在城，江苏省南京市），总揽南吴（首都扬州）大政；日常例行工作，则全由徐知诰（李知诰）处理。

徐知诰（李知诰）跟徐知训完全相反，对南吴王杨隆演毕恭毕敬，对知识分子态度谦卑，无论施政或刑罚，都很宽大，自己生活也很节约俭朴。用杨隆演的名义训令全国：免除九一六年以前所有的欠税，而九一七年以后的欠税，容许延长到庄稼丰收时补缴。徐知诰（李知诰）小心物色贤能人才，采纳部属们的劝告和建议，铲除奸诈邪恶的人，杜绝一切请托关说。军心民意对他都由衷拥护，即令是从前的老将和强悍的武夫，也没有人不心悦诚服，徐知诰（李知诰）用宋齐丘当他的首席智囊。先前，南吴赋税有“人头税”（丁口钱），又有“田地税”（亩输钱），币值升高，物资低廉，人民生活困苦（米贱则伤农，绸缎布匹贱也伤农）。宋齐丘建议徐知诰（李知诰）说：“钱并不是种田养蚕换来的，而是政府铸造的，而今却拒绝人民使用直接生产的粮食绸缎缴税，而要他用钱缴税，是迫使人民不去追求耕田养蚕，而去追求赚钱，舍弃根本，追求末梢。最好是免除‘人头税’（丁口钱），而其他各种赋税，人民都可以缴纳粮食布匹，价格一千钱一匹的绸缎，缴税时可抵现金三千钱。”有人警告说：“如此的话，政府收入，每年将损失亿万钱。”宋齐丘说：“政府虽然失财，但财藏在民间，哪有民间富、国家穷的道理！”（有关人民缴税的方式所带来的影响，在唐王朝时已有人提出，参考七九四年五月。）徐知诰（李知诰）接受。因此，江淮（华东地区）所有荒芜的土地，全辟成良田，遍地都是桑树、柘树（桑树的一种，叶也可以养蚕。柘，音zhè〔浙〕），国家开始富强。

徐知诰（李知诰）打算擢用宋齐丘，可是徐温却对他讨厌，只命他当金殿侍从军执行官（殿直军判官）。徐知诰（李知诰）每天晚上跟宋齐丘在四面都是水的湖心凉亭，屏退左右侍从，秘密商谈，一谈就谈到三更夜半。有时候登上高楼，把屋里屏风全部撤除（以防后面藏人），只在当中放一个大火炉，二人默默相对，不说一句话，只用拨火用的铁棒，在炭灰上写字，随手又把它们抹去。所以，他们到底谈些什么，没有一个人知道。

16 南吴（首都扬州）围攻虔州（江西省赣州市）很久，虔州（江西省赣州市）险要坚固，所以南吴军不能攻克，军中又忽然发生瘟疫，南吴军统帅王祺也染上疾病。南吴派镇南战区（总部设洪州〔江西省南昌市〕）司令官（节度使）刘信，当虔州特遣兵团征剿司令（虔州行营招讨使）。不久，王祺逝世。虔州（江西省赣州市）州长谭全播向吴越（首都杭州）、南楚（首都潭州）、闽国（首都福州），分别紧急求救。吴越王（一任武肃王）钱镠派统兵官（统军使）钱传球当西南方面军增援司令（西南面行营应援使），率军二万人进攻信州（江西省上饶市）；南楚王（一任武穆王）马殷（本年六十七岁）派将领张可求率军一万人，进驻古亭（江西省崇义县西南丰州乡）；闽王王审知派军进驻雩都（江西省于都县。雩，音yú〔鱼〕），联合救援。

据守信州（江西省上饶市）的南吴军，才几百人，迎战失利，吴越军遂包围城池；州长周本大开城门，在城里搭建很多空篷帐，在城楼上摆设筵席，宴请幕僚人员饮酒作乐，城外射来的箭像下雨一样，周本却安稳的坐在那里，毫不移动。吴越军队认为定有伏兵，不敢进击，而于夜半时候，解围退走。南吴（首都扬州）派前任舒州（安徽省潜山市）州长陈璋，当东南方面军支援征剿司令（东南面应援招讨使），率军进攻吴越（首都杭州）所属的苏（江苏省苏州市）、湖（浙江省湖州市）二州；吴越将领钱传球自信州（江西省上饶市）向南撤退，驻扎汀州（福建省长汀县）。

晋王李存勖派密使携带信件，绕小道抵达南吴（首都扬州），请求南吴派军北上会师（夹攻后梁）。南吴回告说：虔州（江西省赣州市）正有战事，不能出兵。

17 晋王李存勖计划对后梁（首都开封府）发动一次大规模攻击，于是，周德威（卢龙〔总部幽州〕司令官）率本战区步骑兵三万人、李存审（符存审，横海〔总部沧州〕司令官）率本战区步骑兵一万人、李嗣源（邈佶烈，安国〔总部邢州〕司令官）率本战区步骑兵一万人；义武战区（总部设定州〔河北省定州市〕）司令官（节度使）王处直派将领率本战区步骑兵一万人，以及麟（陕西省神木市）、胜（内蒙古托克托县）、云（大同总部，山西省大同市）、蔚（河北省蔚县）、新（威塞总部，河北省涿鹿县）、武（河北省张家口市宣化区）等州所有蛮夷：奚（滦河上游）、契丹（首都西楼城〔内蒙古巴林左旗〕）、室韦（内蒙古东北部）、吐谷浑（山西省东北部）等部落，都纷纷派出野战军跟李存勖会师。

八月，李存勖集结包括河东（总部太原府）、天雄（总部魏州）在内各战区道的特遣兵团，在魏州（河北省大名县）举行盛大阅兵。

18 前蜀（首都成都府）所有亲王，都手握军权（参考九一〇年十一月）。彭王王宗鼎对他的弟兄们说："亲王带兵，是招灾惹祸的根本原因。而今，领袖年幼，臣属强大，挑拨离间，互相仇视的事情，不久就会发生。这种情况下，修理武器，训练士卒，不是我们应该做的事。"因此坚决辞去军权，前蜀帝（二任）王宗衍允许。王宗鼎只修缮书房，种植松树、竹林，自己寻找人生乐趣。

19 后梁（首都开封府）泰宁战区（总部设兖州〔山东省济宁市兖州区〕）司令官（节度使）张万进，性情轻浮，喜好战斗。这时，中央一批受后梁帝（三任）朱友贞宠爱信任的小人物（赵张等五人帮），掌权执政，不断向张万进索取贿赂，张万进无法应付，听说晋军（首都太原府）的总攻击已经发动，决定起兵响应。

八月九日，张万进派使节向晋国（首都太原府）归降，并且请晋国救援。后梁政府（首都开封府）命亳州（安徽省亳州市）民兵司令（团练使）刘鄩，当兖州（山东省济宁市兖州区）安抚及军政总监（安抚制置使），率军讨伐。

20 八月二十四日，前蜀（首都成都府）前任帝（一任高祖）王建的正妻顺德皇后周女士逝世。

八月二十五日，前蜀帝（二任）王宗衍，任命宦官王廷绍、欧阳晃、李周辂、宋光葆、宋承蕴（音yùn〔运〕）、田鲁俦等，分别出任将军及基地司令（军使），而且每人都干预政府行政，骄傲放纵，贪污凶暴，成为前蜀帝国（首都成都府）的灾难。元老周庠恳切劝阻，王宗衍全听不进去（周庠跟王建当初一起当兵，参考八八七年三月）。欧阳晃不满意自己住宅太小，就在夜晚乘风纵火，一连焚毁军营西邻数百间市民

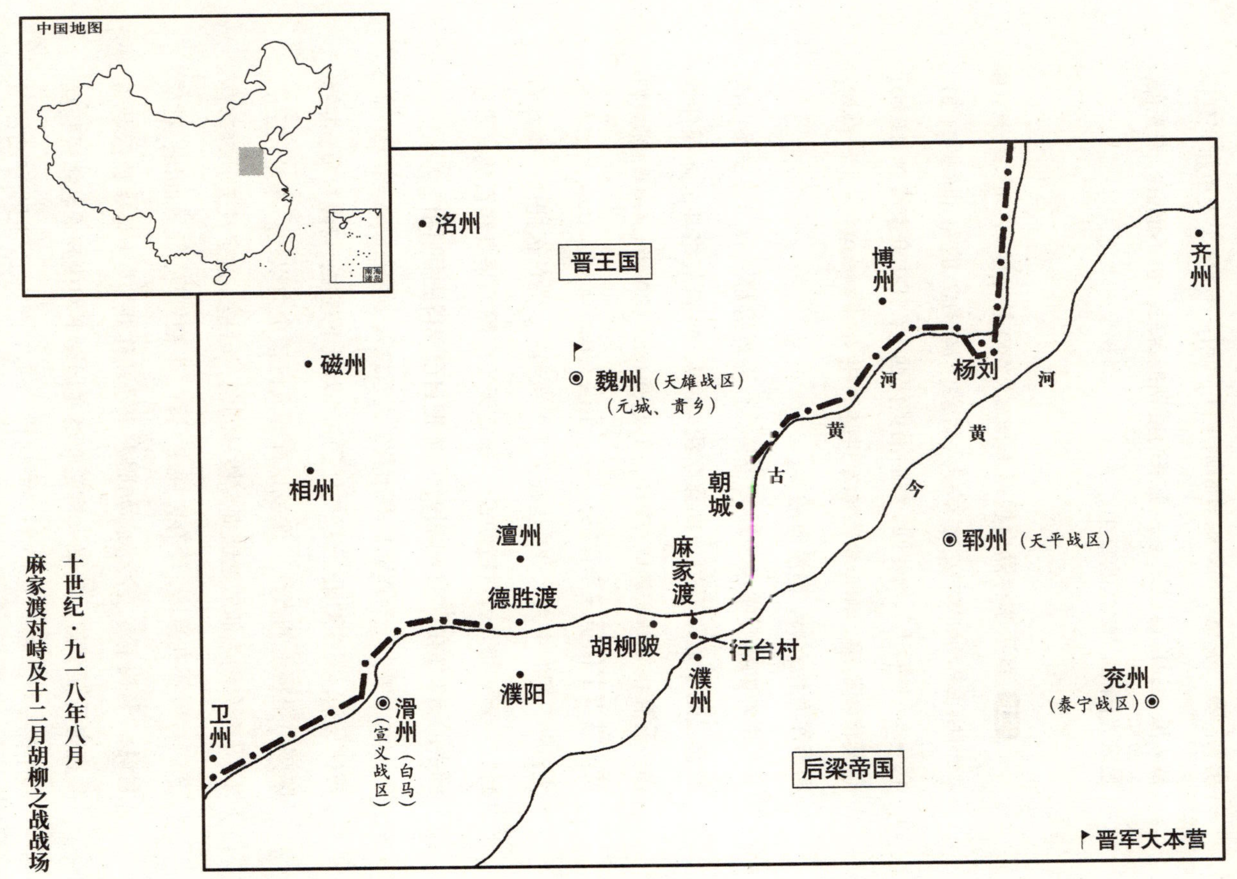

十世纪·九一八年八月
麻家渡对峙及十二月胡柳之战战场

房舍。第二天早上，欧阳晃吩咐工匠，就在一片焦土上重新兴建高楼大厦，当作自己家宅。王宗衍接到报告后，也不追究。宋光葆，是宋光嗣（当权宦官）的堂弟。

21 晋王李存勖自魏州（河北省大名县）前往杨刘（山东省东阿县东北杨柳村，古黄河南岸渡口），率军侵入后梁（首都开封府）的郓（山东省东平县）、濮（山东省鄄城县）二州才回。然后沿黄河西上，驻扎麻家渡（鄄城县西）。后梁将领贺瓌、谢彦章，率军进驻濮州（山东省鄄城县）之北行台村，跟晋军互相对峙，但没有战斗。

李存勖最爱率少数轻装备骑兵，逼近敌营挑战，曾三番四次使自己陷于危险窘境，都靠李绍荣（元行钦）奋战格斗，才保住性命。王镕（成德〔总部镇州〕司令官）、王处直（义武〔总部定州〕司令官）都派特使，携带书信呈递李存勖，说："全国人民的命运，在大王一人身上，唐王朝的中兴大业，也在大王一人身上，为什么把自己如此看轻！"李存勖笑着对特使说："平定天下，除非是身经百战，不能到手，一味住在深宅大院里，只能把自己养得肥肥胖胖！"

一天早上，李存勖打算出营，大营总管（都营使）李存审（符存审）拉住马头，哭泣劝阻，说："大王应当为天下苍生，自爱自重。冲锋陷阵，是将士的责任。像我这样的人应该全力以赴，不是大王的事。"李存勖为他放松缰绳，拨马回营。可是，过了几天，等李存审（符存审）不在身旁，李存勖跳上马背，举鞭打马，飞奔而出，对左右说："老头子专浇冷水，妨碍人家逢场作戏！"于是率数百名骑兵直奔后梁军营。后梁大将谢彦章在堤岸下埋伏五千名精锐骑兵战士，李存勖率十余名骑兵穿过时，伏兵突然攻击，把李存勖包围数十重，李存勖在重围中奋战，幸靠随后赶来的骑兵在外冲击，仅能杀出一条血路。这时，李存审（符存审）救兵也赶到，后梁军撤退，李存勖才认为李存审（符存审）说的话是句句忠言。

22 南吴（首都扬州）远征虔州（江西省赣州市）特遣兵团统帅刘信，派将领张宣等，于夜晚率军三千人，袭击驻扎古亭（江西省崇义县西南丰州乡）的南楚（首都潭州）将军张可求的军营，大破南楚军。

刘信又派梁诠等率军攻击吴越（首都杭州）、闽国（首都福州）大营，两国军队听到南楚军（首都潭州）失败消息，分别退回本国（援军全败，虔州绝望）。

23 南楚（首都潭州）梅山蛮（湖南省新化县西雪峰山蛮夷）进攻邵州（湖南省邵阳市）。南楚将领樊须把他们击退。

24 九月十二日，前蜀（首都成都府）宫廷机要总监（内枢密使）宦官宋光嗣，把主管六军职务（判六军）让给兼最高立法长（兼中书令）王宗弼（魏弘夫），前蜀帝（二任）王宗衍批准。

25 南吴（首都扬州）远征虔州（江西省赣州市）特遣兵团统帅刘信，昼夜不停的发动猛烈攻击，杀数千人，仍不能攻克。刘信派人游说谭全播，谭全播屈服，派出人质，呈献财物；南吴军遂班师。齐国公爵徐温得到报告，大为震怒，鞭打刘信的使节。刘信的儿子刘英彦正统率亲军，徐温交给刘英彦士卒三千人，说：“你老爹位居上游重地，手握比敌人多出十倍的大军，却连一个城都攻不下，显然存心谋反，你带这支军队去跟老爹一起反！”又派镇海（总部昇州）警备本部指挥官（牙内指挥使）朱景瑜跟刘英彦同行，说：“谭全播的守军，全是农民，被围超过一年，饥饿困苦，妻子儿女远在城外，包围解除后，互相庆贺，纷纷回乡，忽然听到大军又到，必定四散逃走，谭全播守的不过一座空城，你们一定攻克！”

26 冬季，十一月三日，前蜀（首都成都府）把一任帝王建埋葬永陵（四川省成都市西），缔号神武圣文孝德明惠皇帝，庙号高祖。

27 大越帝国（首都兴王府〔广东省广州市〕）皇帝（一任高祖）刘岩（本年三十岁），到南郊祭祀天神，大赦，把国号改作汉（史称南汉，以别于西汉、玄汉、东汉、蜀汉、成汉、后汉、陈汉）。

28 南吴（首都扬州）特遣兵团统帅刘信，听到齐国公爵徐温的严厉斥责，大为恐惧，率军重返虔州（江西省赣州市）。先锋刚到城下，虔州守军已经崩溃。谭全播逃奔雩都（江西省于都县），南吴军追赶，把他生擒（南康变民首领卢光稠、谭全播陷虔州，参考八八五年正月。前后割据三十四年而亡）。南吴政府任命谭全播当右威卫（卫军第十军）将军，遥兼百胜战区（总部设虔州〔江西省赣州市〕）司令官（节度使）。

之前，吴越王（一任武肃王）钱镠常自虔州（江西省赣州市）运送进贡物品前往后梁（参考前年〔九一六〕五月）。现在道路断绝，钱镠如今改经海路，北航登（山东省烟台市蓬莱区）、莱（山东省莱州市）二州，再前往大梁（后梁首都开封府所在城）。

29 最初，南吴（首都扬州）齐国公爵徐温，认为自己的权力虽重，但官位仍低（徐温迄今只是镇海战区〔总部昇州〕司令官〔节度使〕，境内海陆步骑兵混合兵团总指挥官〔管内水陆马步诸军都指挥使〕，两浙总征剿司令〔两浙都招讨使〕，暂任最高监督长〔守侍中〕，封齐国公爵。参考九一五年八月），因而游说南吴王杨隆演说："大王跟有些将领，名义上都是战区司令官（节度使），虽然有总指战官（都统）的名号，但并没有十足的权威（唐王朝政府加授杨行密东方军团总指战官，参考九〇二年三月。之后，杨渥、杨隆演嗣位，都由钦差大臣李俨用皇帝名义加授。而今，李俨既斩，杨隆演的继承人便没有法源），请大王正式开创独立帝国，登极称帝。"杨隆演不允许。

严可求警觉到徐知诰（李知诰）威望日增现象，屡次提醒徐温用次子徐知询（徐温亲子）代替徐知诰（李知诰）执政。徐知诰（李知诰）跟智囊骆知祥密谋，贬严可求出任楚州（江苏省淮安市）州长。严可求接到命令后，前往金陵城（昇州州政府所在城，江苏省南京市）晋见徐温，建议说："我们迄今仍在使用唐王朝年号（本年是天祐十五年），而以复兴唐王朝作为政治号召。可是天下大势，朱李正在争战，朱家（后梁）势力逐渐衰退，李家（晋国）势力正锐不可当。一旦李家得到政权，我们能不能面向北方，向他下跪称臣？不如先行建立帝国，维系民心。"徐温大喜，再把严可求留下来，参与决策，使他草拟各项建国礼仪。徐知诰（李知诰）发现他无法排除严可求，就把自己的女儿嫁给严可求的儿子严续（当你不能消灭你的敌人时，就跟他做朋友，徐知诰〔李知诰〕智高一筹）。

30 晋王李存勖打算直接进攻大梁（河南省开封市），可是后梁（首都开封府）野战军横阻前面，紧闭营垒，不接受挑战，已对峙一百余日。

十二月一日，李存勖率军向前推进，在距后梁大营十华里处扎营（自麻家渡进逼行台村）。

最初，后梁北方军团征剿司令（北面行营招讨使）贺瓌擅长指挥步兵，督战官（排阵使）谢彦章擅长指挥骑兵。贺瓌对谢彦章竟敢跟自己同享盛名，大不高兴。有一天，贺瓌跟谢彦章在野外演习，贺瓌指着一块高地说：“这个地方可以建立栅栏。”而现在，晋军恰恰在那块高地上建立栅栏，贺瓌遂怀疑谢彦章跟晋军私通。贺瓌屡次要发动攻击，对谢彦章说：“领袖把全国军队交付给我们二人，帝国存亡，在我们身上。强盗（晋军）紧压营门，我们却不应战，你说可不可以？”谢彦章说：“强盗（晋军）紧压营门，目的就是要速战速决，我们挖深壕沟，高筑营垒，扼守险要，他们怎敢深入？如果轻率的发动一场会战，万一有个差错，大势就一去不返。”贺瓌越发怀疑，暗中向后梁帝（三任）朱友贞打小报告。贺瓌跟北方军团步骑兵总纠察官（行营马步都虞候）、曹州（山东省菏泽市定陶区）州长朱珪，秘密定计，利用犒劳士卒的机会，设下埋伏，诛杀谢彦章跟濮州（山东省鄄城县）州长孟审澄、别动部队将领（别将）侯温裕；声称叛徒伏法，奏报朱友贞。孟审澄、侯温裕，都是优秀的骑兵将领。

十二月八日，后梁帝（三任）朱友贞擢升朱珪当匡国战区（总部设许州〔河南省许昌市〕）候补司令官（留后）。

十二月十四日，再命朱珪当平卢战区（总部设青州〔山东省青州市〕）司令官（节度使）兼北方军团步骑兵副指挥官（兼行营马步副指挥使），作为诛杀叛徒谢彦章等的酬庸。

李存勖听到谢彦章死亡消息，大喜说：“他们将帅间自相残杀，灭亡就在眼前。贺瓌暴虐，已失去军心，我如果率军径自攻击大梁（河南省开封市），大梁是国都所在，他们还怎么能安坐不动？如果能跟他们打一次仗，没有不胜之理。”打算亲自率一万名骑兵直捣大梁（河南省开封市），周德威说：“他们虽然害死自己的上将，但军队仍然完整，我们如果轻率行动，希望从中取利，看不到有什么好处！”李存勖不接受。

十二月十九日，李存勖命军中老弱全回晋阳（山西省太原市），准备向大梁（河南省开封市）进发。

十二月二十一日，李存勖下令摧毁大营，全军开拔，号称十万人。

31 十二月二十二日，前蜀政府（首都成都府）宣布：明年（九一九）年号改称乾德。

32 后梁（首都开封府）北方军团统帅贺瓌听到晋王李存勖西进消息（自行台村往大梁，微偏西南），也放弃大营，衔尾追赶。李存勖先已征调天雄战区（总部设魏州〔河北省大名县〕）徒手农民三万人，充当工兵，随军行动，专门负责修筑营寨，所以，晋军所到的地方，营寨都迅速建立。

十二月二十三日，晋军抵达胡柳陂（山东省鄄城县西北）。

十二月二十四日，凌晨，斥候报告说，后梁大军就要赶到。周德威说：“盗匪强行军追击，没有休息，而我们的营寨已十分坚固，戒备守卫，胜任有余。既已深入敌境，一举一动，必须万无一失，不可以轻易行动。这里距大梁（河南省开封市）已相当接近，后梁士卒都思念家乡，我们如果迎击，正激起他们的愤怒，如果不用谋略，恐怕难以达到目的。大王最好按兵不动，由我先率骑兵作骚扰性攻击，使他们无法安顿，天到傍晚，他们营垒仍无法建立，炉灶木柴仍不能具备，身心一定疲惫，抓住这个机会，只要一次攻击，就可把他们全部歼灭。”李存勖说：“前些时在河岸那里，只恨看不到盗匪，而今盗匪出现眼前，不马上进攻，还等待什么？你怎么这般胆小如鼠！”回头对李存审（符存审）说：“粮食先行动身，我当你的后卫，大家一起破贼！”率领亲军出发。周德威不得已，率卢龙兵团（总部幽州）随从，对他的儿子说：“我不知道死在哪里！”

贺瓌大军集结成坚强阵势，稳定前进，连营数十华里。晋军银枪特别营首先杀入后梁防线，横冲直撞，扫荡攻击，进出十余次。后梁左翼骑兵总指挥官（行营左厢马军都指挥使）、郑州（河南省郑州市）警备区司令（防御使）王彦章军不能支持，向西逃往濮阳（河南省濮阳市西南），而晋军粮秣这时恰巧囤在西方，望见后梁溃军的旗帜，误认为是对自己发动攻击，大为惊骇，竟一哄而散，像一群被猎人追赶的野狼，冲进卢龙兵团（总部幽州）阵地，卢龙兵团大乱，自相践踏，周德威不能控制，父子一起阵亡。天雄（总部魏州）战区副司令官（节度副使）王缄，负责押运辎重，也死在乱军之中。

晋军已不成队伍，后梁官兵从四面八方向中央集结，士气高昂。李存勖占据一块高地，招收残兵败将，到了中午，军势重新振作。沼泽地带中有一座土山，贺瓌率军占据，李存勖对将士们说：“今天，能夺到这座土山的，就能取胜，我跟你们去把它夺回来。”率骑兵先行仰攻，李从珂（王从珂）跟银枪特别营大将李建及（王建及）率步兵继续冲上，后梁士卒纷纷下山逃走，晋军遂夺到那座土山。

天色傍晚，后梁将领贺瓌在山的西边布阵，晋军远远看去，大为恐惧，各将领认为各路人马还没有完全集结，不如收兵回营，明天再战。天平战区（总部设郓州〔山东省东平县〕）司令官（空头官衔。此时郓州属后梁〔首都开封府〕）兼东南方面军征剿司令（东南面招讨使）阎宝说：“王彦章的骑兵此时已逃到濮阳（河南省濮阳市西南），山下贺瓌的部队，全是步兵，天色已晚，大家都急于回营休息，我们居高临下进攻，一定能把他们击破。大王深入敌人腹地，只因一军失利，即行撤退，势必引起他们乘机反攻。还没有集结的各路人马，听到后梁军队再一次传出胜利消息，用不着作战，就会自己瓦解。而且，决战时候，判断敌情，全靠观察情势，情势绝对有利时，就要下定决心，不再犹豫。大王成败，在此一战，如果不能全力取得胜利，即令收拾残兵败将，平安北归，河朔（河北平原）也不归我们所有。”昭义战区（总部设潞州〔山西省长治市〕）司令官（节度使）李嗣昭说：“盗匪没有营垒，天黑又渴望回到营垒，只要派出精锐骑兵，反复攻击，扰乱他们无法晚餐，等他们后退，再行追击，定可击破。我们如果收兵回营，他们回去整顿后再行出动，到那时胜负难料。”李建及披上铠甲，腰横长矛前进，说：“盗匪大将（指王彦章）已经逃走，大王的骑兵没有一点损失，对付那群疲惫不堪的部队，如同摧枯拉朽。大王只管在山上观战，看我们替大王击破盗匪！”李存勖恍然大悟说：“不是各位提醒，我几乎犯下大错。”李嗣昭、李建及，率领骑兵，大声呐喊，杀进敌阵，其他各军随后进击，后梁大败。晋国所属元城县长吴琼、贵乡县长胡装（犹如京兆府〔陕西省西安市〕所在城有二县：西城长安县，东城万年县。魏州〔河北省大名县〕所在城也有二县：西城贵乡县，东城元城县。同样情形还有扬州〔江苏省扬州市〕所在城也有二县：西城江都县，东城江阳县。一城分为二县，不知何故？叠床架屋，徒扰人视听。可能跟专制时代防人叛变有关，分为两县，事权不一，就难以聚众），各率没有武器的民夫一万人，在山下拉着树枝木条奔走，尘土飞扬，战鼓如雷，战士嘶喊呼叫，助长声势。后梁军队自相冲杀，抛弃的盔甲像山一样堆积在那里，阵亡的几达三万人。（受伤又有多少！）胡装，是胡证的曾孙（胡证，参考八一二年十一月）。当天（十二月二十四日），两国丧失士卒各有三分之二（一场可怕的屠杀），双方都受严重创伤，不能再战。

李存勖回营，听到周德威父子阵亡消息，大哭，十分哀痛，说：“损失良将，是我的罪过。”任命周德威的儿子、卢龙（总部幽州）中军作战司令（中军兵马使）周光辅当岚州（山西省岚县）州长。

李嗣源（邈佶烈）跟义子李从珂（王从珂）被乱军冲散，看到晋军挫败，又不知道李存勖人在哪里，有人说：“大王已北渡黄河！”李嗣源（邈佶烈）遂踏冰渡黄河北上，打算奔往相州（河南省安阳市）。当天（十二月二十四日），李从珂（王从珂）追随李存勖夺回土山，傍晚那场攻击战中，也建立功劳。

十二月二十五日，李存勖进攻濮阳（河南省濮阳市西南），攻克。李嗣源（邈佶烈）得到晋军告捷消息，即赶到濮阳（河南省濮阳市西南）晋见，李存勖大不高兴，说：“你以为我死了是不是？渡河要到哪里？”李嗣源（邈佶烈）叩头请求处罚。李存勖因李从珂（王从珂）刚立大功，就罚李嗣源（邈佶烈）喝一大杯酒，但并不能完全释怀，待李嗣源（邈佶烈）稍微疏薄。

33 最初，契丹帝（一任太祖）耶律阿保机的老弟耶律撒剌阿拨，号称北大王，打算发动政变，阴谋泄露，耶律阿保机数落他说：“我们兄弟，本是手足，而你竟生出这种念头，我如果把你杀掉，跟你有什么分别？”囚禁一年，才把他释放。耶律撒剌阿拨遂率领他的部众，投奔晋国（首都太原府），李存勖待他十分优厚，收作自己的义子，命他当州长。胡柳陂（山东省鄄城县西北）之役，耶律撒剌阿拨又带着他的妻子儿女，投奔后梁（首都开封府）。

晋军前进到德胜渡（河南省濮阳市，古黄河北岸渡口），后梁王彦章的残兵败将，有逃到大梁（首都开封府所在城，河南省开封市）的，说：“晋军战胜，就要打到这里！”一会工夫，一些失散的晋军士卒，摸索到大梁（河南省开封市），冒冒失失打听他们的大营所在。京师（首都开封府）大为恐慌。后梁帝（三任）朱友贞强行征调居民登上城墙固守；又想逃往洛阳（西都河南府所在县，河南省洛阳市），但因夜已深沉，才没有动身。残兵败将回到京师（首都开封府）的还不满一千人，受伤的官兵都逃回各人的乡里，一个多月之后，才勉强组成一支军队。

九一九年 己卯

后梁	贞明	五年
晋	天祐	十六年
岐	天祐	十六年
南吴	天祐	十六年
	武义	元年
前蜀	乾德	元年
南楚	贞明	五年
吴越	天宝	十二年
南汉	乾亨	三年
契丹	神册	四年

1 春季，正月十二日，前蜀帝国（首都成都府〔四川省成都市〕）皇帝（二任）王宗衍（本年二十一岁）在京师（首都成都府）南郊，祭祀天神，大赦。

2 晋国（首都太原府〔山西省太原市〕）大将李存审（符存审），在德胜（河南省濮阳市）建筑南北两城（德胜两城，横跨古黄河，北岸称德胜北城，南岸称德胜南城。古黄河南迁现址后，德胜北城成为今河南省濮阳市，德胜南城湮作废墟），派军驻守。晋王李存勖（本年三十五岁）命李存审（符存审）接替周德威的中外华洋步骑兵总司令官（内外蕃汉马步总管）。李存勖返回魏州（河北省大名县），派李嗣昭暂时主管卢龙（总部幽州）总部军政大事。

3 南汉帝国（首都兴王府〔广东省广州市〕）皇帝（一任高祖）刘岩（本年三十一岁），封正妻越国夫人马女士当皇后。马皇后，是南楚王（一任武穆王）马殷（本年六十八岁）的女儿（刘马结亲，参考九一五年八月）。

4 三月十八日，前蜀帝国（首都成都府〔四川省成都市〕）北方军团总征剿司令（北路行营都招讨）、武德战区（总部设梓州〔四川省三台县〕）司令官（节度使）王宗播（许存）等，从散关（陕西省宝鸡市西南）出军，向岐国（首都凤翔府〔陕西省宝鸡市凤翔区〕）发动攻击，渡过渭水，击败岐军大将孟铁山，不巧遇到倾盆大雨，只好班师；分出一部分兵力驻防兴元（陕西省汉中市）、凤州（陕西省凤县）及威武城（凤县东北）。

三月二十日，前蜀（首都成都府）天雄战区（总部设秦州〔甘肃省秦安县西北〕）司令官（节度使）、遥兼二级宰相（同平章事·使相）王宗昱，进攻陇州（陕西省陇县），不能攻克。

前蜀帝（二任）王宗衍奢侈放纵，荒唐淫乱，丝毫没有节制，每天陪娘亲徐太后、姨妈徐太妃，到一些高官贵爵家里游戏欢宴；有时候去京师（首都成都府）附近游山玩水，设筵饮酒，作诗写赋，其乐融融，开支也相对庞大，记不胜记。皇家歌舞团管理宦官（仗内教坊使）严旭，强行掠夺民家女儿，送进皇宫，民家必须呈献大量贿赂，才能幸免，因此严旭一直升迁到蓬州（四川省仪陇县南）州长。徐太后、徐太妃则分别开列价钱，拍卖州长、县长、总务官（录事）等官。每逢官员出缺，就有几个人出面抢购，谁出的钱多，政府就任命谁当官。

5 晋王（首都太原府）李存勖身兼卢龙战区（总部设幽州〔北京市〕）司令官（节度使），但命参谋本部执行官（中门使）李绍宏代替李嗣昭，全权主持总部军政。李绍宏，是一个宦官，本姓马，李存勖命他改姓李，并命他跟岚州（山西省岚县）代理州长孟知祥，都当本部参谋官（中门使）。孟知祥又推荐训练司令（教练使）、雁门（代州州政府所在县，山西省代县）人郭崇韬，有处理繁重工作的能力，李存勖命郭崇韬当本部副参谋官（中门副使）。郭崇韬有胆量担当，风流潇洒，智谋超过常人，遇到困难，能迅速决断，李存勖对他越来越宠爱。之前，本部参谋官（中门使）吴珪、张虔厚，先后都受到责罚，李绍宏（马绍宏）又调往卢龙（总部幽州），孟知祥恐怕独当一面，会大祸临头，声称有病，请求辞职，李存勖乃命孟知祥当河东（总部太原府）步骑兵总纠察官（马步都虞候），而郭崇韬从此一人专任机要。

6 后梁帝国（首都开封府〔河南省开封市〕）皇帝（三任）朱友贞（本年三十二岁），下诏命吴越王（一任武肃王，首都杭州〔浙江省杭州市〕）钱镠（本年六十八岁）出军讨伐南吴（首都扬州）。钱镠命镇海（总部杭州）副司令长官（节度副大使）钱传瓘，当各军总指挥官（都指挥使），率军舰五百艘，自东洲（江苏省常州市东南）向南吴（首都扬州）进发，南吴（首都扬州）派舒州（安徽省潜山市）州长彭彦章及初级将领（裨将）陈汾迎战。

7 南吴（首都扬州〔江苏省扬州市〕）齐国公爵徐温，率文武百官及各战区道首长，敦请南吴王杨隆演（本年二十三岁）登极称帝。杨隆演拒绝，只允称南吴国王。

夏季，四月一日，杨隆演登极称南吴王国国王。大赦，改年号武义（之前是天祐十六年，是唐王朝年号；之后是武义元年，是自己定的年号，表示脱离唐王朝、独立建国）。修建皇家祖庙，设置文武百官，宫殿、文物，都用皇帝的礼仪。肯定“金”是南吴王国的属性，代替唐王朝“土”的属性，决定于十二月举行腊月大祭（唐王朝受土神保护，参考六一八年五月二十日。腊祭，参考二五年十二月注）。杨行密（杨行愍）原来绰号武忠王，现改作孝武王（政治意义上，不能再提“忠”了，只好强调“孝”），庙号太祖。二任王杨渥原来绰号威王，改称景王。尊娘亲王女士当太妃，命徐温当一级实质宰相（大丞相）、全国武装部队总司令（都督中外诸军事）、各战区道总指战官（诸道都统），镇海（总部昇州）、宁国（总部宣州）两战区司令官（节度使）、暂任太尉（守太尉，三公之一），兼最高立法长（兼中书令），封东海郡王。命徐知诰（李知诰）当国务院左最高执行长（左仆射）、二级实质宰相（参政事），兼主持全国各军事务（兼知内外诸军事），仍遥兼江州（江西省九江市）民兵司令（团练使）。命扬州（江苏省扬州市）左作战参谋长（左司马）王令谋当皇家机要总监（内枢使），命副屯垦司令（营田副使）严可求当副监督长（门下侍郎），命全国盐铁专卖暨运输总监署执行官（盐铁判官）骆知祥当副立法长（中书侍郎），命前立法官（中书舍人）卢择当国务院文官部长（吏部尚书）兼祭祀部长（兼太常卿），命机要秘书（掌书记）殷文圭当皇家文学研究官（翰林学士），命驿马车站宾馆巡查官（馆驿巡官）游恭当皇家诏书撰写官（知制诰），命前国务院国防部畜牧司副司长（驾部员外郎）杨迢当御前监督官（给事中）。卢择是醴泉（陕西省礼泉县）人。杨迢是杨敬之的孙儿（杨敬之，是杨凭的侄儿；杨凭，参考八〇九年七月）。

8 吴越（首都杭州）钱传瓘舰队，跟南吴（首都扬州）彭彦章舰队，在长江遭遇。钱传瓘命每只船舰都携带草灰、豆子以及细沙。

四月八日，两国舰队在狼山（江苏省南通市南，当时尚是一沉积小岛）江面会战，南吴（首都扬州）舰队顺风疾驶，钱传瓘率舰躲避，等南吴舰队穿过后，吴越舰队在后尾追。南吴舰队回头应战，钱传瓘下令顺着风势扬起灰尘，南吴水兵不能张眼，等到两国舰队擦身而过，船舷甲板互相接近，钱传瓘命把沙子撒到自己舰上，而把豆子撒到南吴舰上，豆子一染鲜血，南吴水兵踏到上面，全都滑倒。钱传瓘乘势纵火烧船，南吴舰队大败。南吴大将彭彦章竭力死战，刀剑折断，则用木棍搏斗，身受数十处创伤，初级将领（裨将）陈汾却按兵不救。彭彦章知道没有希望，随即自杀。吴越（首都杭州）俘虏南吴（首都扬州）初级将领七十人，格杀士卒一千余人，焚毁战舰四百艘。南吴政府（首都扬州）诛杀陈汾，家产人口，全部没收，男当奴、女当婢，把家产的一半赏赐给彭彦章的遗属，薪俸继续给彭彦章的妻子儿女终生。

9 后梁（首都开封府）北方军团统帅贺瓌，猛攻德胜南城（德胜北城在古黄河北岸，即今河南省濮阳市，德胜南城则在古黄河南岸，今已湮没），百道齐发。用竹索把十余艘庞大战舰连在一起，蒙上牛皮，四周筑起城垛，架设栅栏，围成一排不沉的堡垒，横泊在黄河中流，用以阻断晋国（首都太原府）的救兵，不准自德胜北城南下。李存勖果然亲率大军增援，抵达德胜北城，却无法飞渡。于是派潜水高手马破龙，游过黄河，抵达德胜南城，晋见守将氏延赏，氏延赏告诉说："弓箭石块，就要用完，随时都会陷落！"李存勖在军营大门堆积金银绸缎，招募能够击破河上不沉堡垒的勇士，大家待在那里，不知道怎么才好，亲军将领李建及（王建及）说："贺瓌出动全部兵力来此，希望就在这次出击。我们如果不能渡河，他就成功。今天所面对的，无法用计谋解决，只有死拼一途，全交给我。"乃在银枪效节特别

十世纪·九一九年 四月狼山之战及七月无锡之战

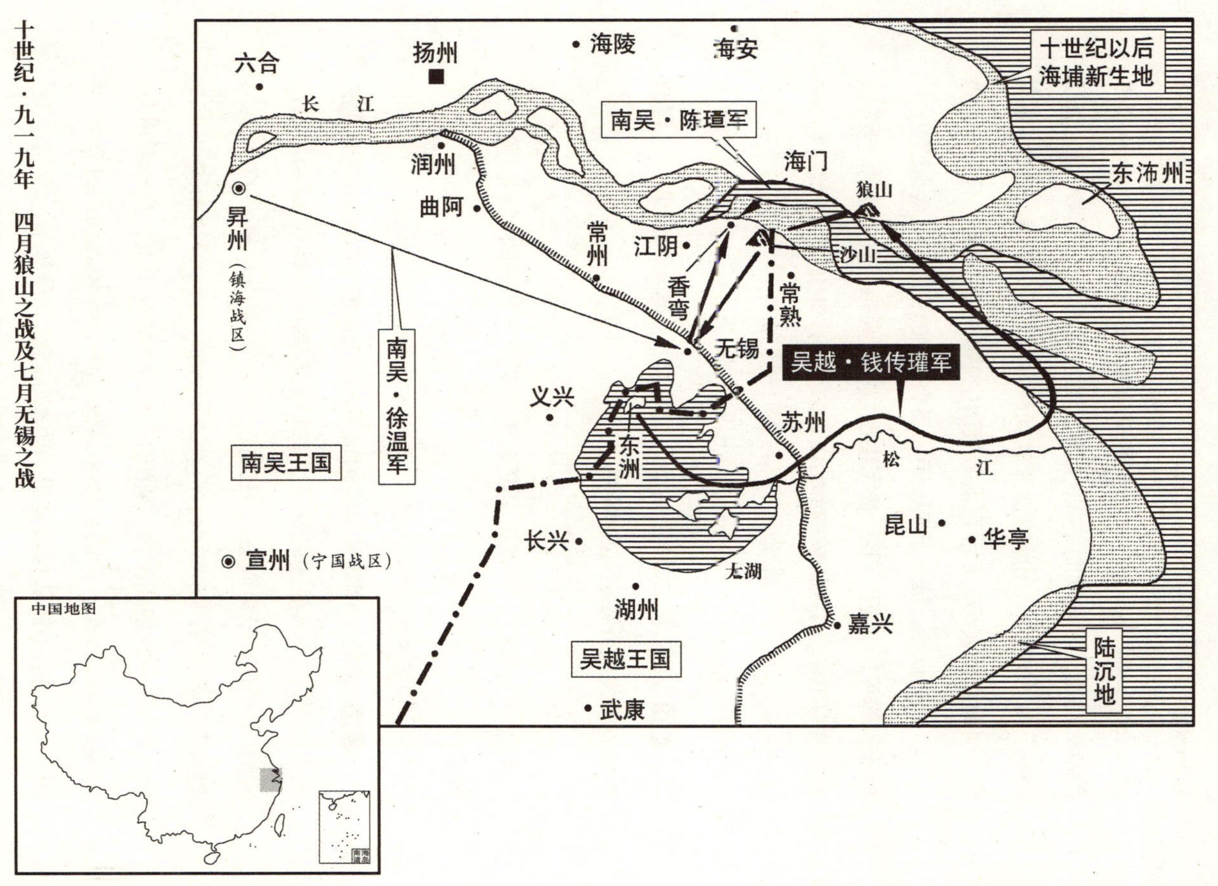

营挑选敢死队三百人，身披铠甲、手拿利斧，率领舰队前进，将要接近连锁巨舰时，飞箭落石像倾盆大雨，李建及（王建及）命拿利斧的敢死勇士，冲到舰船之间，砍断竹索。又用木桶装满木柴，用油浸透，点火燃烧，在黄河上流放到河中，然后用巨舰满载野战部队，尾随万桶火焰之后，在震天鼓声中呐喊前进。河上不沉堡垒的竹索，一旦砍断，庞大战舰分开，各自顺流飘浮而下，后梁军士卒烧死和淹死的将近一半，晋军遂得以渡过黄河。贺瓌解除包围撤退，晋军追击，追到濮州（山东省鄄城县）才回，贺瓌退守行台村（山东省鄄城县东北）。

10 前蜀帝（二任）王宗衍命天策府（帝国军事最高指挥部）各将领不可以随便离开所驻扎的城池。

五月一日，左翼散旗军基地司令（左散旗军使）王承谔、王承勋、王承会违反命令，王宗衍全都赦免。从此，政府的禁令再没有人理会。

11 南楚（首都潭州〔湖南省长沙市〕）攻击后梁（首都开封府）所属的荆南（总部江陵府），战区司令官（节度使）高季昌向南吴（首都扬州）求救。南吴（首都扬州）派镇南战区（总部设洪州〔江西省南昌市〕）司令官（节度使）刘信等，率洪（江西省南昌市）、吉（江西省吉安市）、抚（江西省抚州市临川区）、信（江西省上饶市）四州步兵，从浏阳（湖南省浏阳市）出发，直攻潭州（南楚首都，湖南省长沙市）；命武昌战区（总部设鄂州〔湖北省武汉市〕）司令官（节度使）李简等，率舰队直攻复州（湖北省天门市）。刘信等抵达潭州东境，南楚军立即从荆南（总部江陵府）撤退；李简等却攻入复州（湖北省天门市），生擒后梁（首都开封府）任命的代理州长鲍唐。

12 六月，南吴（首都扬州）在沙山（今地不详）击败吴越（首都杭州）军队。

13 秋季，七月，吴越王（一任武肃王）钱镠派钱传瓘率军三万人，进攻南吴（首都扬州）所属常州（江苏省常州市）。南吴东海郡王徐温率各将领迎战，右雄武军（禁军第六军）统军（正三品）陈璋，率舰队自海门（江苏省南通市海门区）攻击吴越军后背。

七月七日，两国大军在无锡（江苏省无锡市）会战，偏偏这时候，徐温生病发烧，不能处理事务。吴越（首都杭州）攻击中军，飞箭遮蔽大日。南吴（首都扬州）镇海战区（总部设昇州〔江苏省南京市〕）军事执行官（节度判官）陈彦谦，把中央大帐的旗帜和战鼓，搬到左翼大营，物色一个面貌跟徐温相似的人，穿上铠甲，坐在公堂上发号施令。徐温因此得到充分休息，不久，体温渐退，病势稍微好转，出面亲自指挥作战。当时，因长期干旱，草木枯黄，南吴军顺风纵火，吴越军大乱崩溃，将领何逢、吴建等被杀，阵亡一万人，钱传瓘逃走。南吴军追击到山南，再击败吴越军。陈璋在香弯（江苏省江阴市东十公里）也击败吴越军。

徐温悬赏一百万钱捉拿叛将陈绍；指挥官（指挥使）崔彦章把陈绍生擒。陈绍智勇双全，徐温命他继续带兵（霍丘之役，陈绍建立大功，参考九一三年十二月）。

最初，衣锦之役（参考九一三年三月、四月），南吴（首都扬州）骑兵指挥官（马军指挥使）曹筠叛变，投奔吴越（首都杭州）。徐温不但赦免了他的妻子儿女，而且还特别优待，派人辗转告诉曹筠说：“使你失意离开，是我的错误，不要挂念你的妻子儿女！”无锡之役，曹筠又逃回南吴（首都扬州）。徐温责备自己从前有三件事不用曹筠的建议，而不追究他逃去又逃回的罪行，发还他的田地家宅，恢复他的职务。曹筠羞愧难当而死。

徐知诰（李知诰）请求率步兵二千人，改穿吴越军服，携带吴越旗帜武器，紧随吴越残兵败将之后，袭击夺取苏州（江苏省苏州市）。徐温说：“你的办法固然很好，但我只希望休兵安民，不能接受你的建议。”各将领都认为：“吴越军队横行，全靠船舰，现在天下大旱，江河枯干，正是上天要他们灭亡，应该集中步骑兵力量，一举把他们歼灭！”徐温叹息说：“天下混乱的时间太久，人民困苦的程度太深，钱镠不是一个可以轻视的人物，如果陷于长期缠斗，那才是各位应该有的忧虑。现在正可以利用战胜余威，使他们恐惧，而我们适当的控制自己行动，使他们感谢。希望两国人民都能安居乐业，君王臣属都能依枕高卧，岂不快乐！多杀人有什么意义！”遂班师。

吴越王（一任武肃王）钱镠看到何逢的战马，悲痛得无法承当，所以将领士卒都对他心悦诚服。钱镠最宠爱的小老婆郑女士的老爹犯法，应该处死，左右侍从请求宽恕，钱镠说：“怎么可以为了一个女子，而破坏国法！”遂把郑女士驱逐出宫，把郑老爹斩首。钱镠从小当兵，夜晚很少睡觉，太疲倦时就枕一个圆木头，或者枕一个大铜铃，稍微沉睡，圆木或铜铃一转动，他就惊醒，因称作“警枕”。又在卧室里放一个粉盘，三更半夜，想起什么事，就写在粉盘上面，直到老年都乐此不疲。有时睡得正熟，外面有事报告，婢女只要弹一下窗纸，他就会惊醒。而不时的把铜球弹到楼墙之外，用以提醒巡夜值更的人。钱镠曾经穿平民衣服出行，回来时天已入夜，想从北门进城，守门官不肯开门，说：“即使是大王亲自驾到，也不能开。”钱镠只好从别的门进来。第二天，召见北门守门官，优厚赏赐（守门官类似东汉王朝的郅恽，参考三七年正月）。

14 七月二十一日，南吴王杨隆演封王弟杨濛为庐江公爵、杨溥为丹阳公爵、杨浔为新安公爵、杨澈为鄱阳公爵、王子杨继明当庐陵公爵。

15 晋王（首都太原府）李存勖返回晋阳（首都太原府所在县，山西省太原市），命巡察官（巡官）冯道当机要秘书（掌书记）。本部参谋官（中门使）郭崇韬因李存勖吃饭时，各将领作陪的人特别多，请削减数目。李存勖大怒说："我连为那些为我卖命的人，摆一桌菜饭，都不能当家！那就教军中另外推举河北（黄河以北）别的人当统帅，我自己返回太原（山西省太原市）。"立刻命冯道起草文告，通告全军。冯道提笔迟迟不敢书写，说："大王正要平定河南（黄河以南），夺取天下，郭崇韬的请求，不能算是重大过失，大王不接受就算了，何必惊动远近？一旦敌人听见，认为大王跟部属之间，并不和好，这并不能够提高大王的声望！"正巧郭崇韬进来道歉，李存勖才不再提及。

16 七世纪六〇年代时，唐王朝（首都长安〔陕西省西安市〕）征服高句骊王国（首都平壤〔朝鲜半岛平壤市〕。参考六六八年九月），到了本世纪（十）〇〇年代，高句骊石窟寺有位独眼和尚躬乂，聚众起兵，占领开州（朝鲜半岛开城市），自立为王，称大封国。今年（九一九），躬乂派辅佐官（佐良尉）金立奇，向南吴（首都扬州）进贡（朝鲜半岛政情，几度沧桑，唐朝于六六八年灭高句骊王国后，与新罗王国〔首都金城，朝鲜半岛庆州市〕分治半岛。十年后〔六七七年〕，唐朝所设的安东总督府，终于被迫迁到北方遥远的新城〔辽宁省抚顺市北〕，最后，新罗王国因衰老腐败，全国大乱。躬乂原是新罗的一位王子，曾经出家为僧，建后高骊王国，跟群雄之一甄萱建立的后百济王国〔首都全州，朝鲜半岛全州市〕，以及苟延残喘的新罗王国，共称朝鲜半岛的“后三国时代”。躬乂宣称为高句骊王国报仇。九〇二年，改国号为摩震王国，九〇七年再改国号为泰封王国〔大封〕。躬乂骄妄怪诞，九一八年，大将王建政变，躬乂逃走，被农民诛杀。《资治通鉴》记载，当是去年〔九一八〕王建政变前所派使节，本年（九一九）始到南吴。王建不久〔九二二〕就建高骊王国，庙号太祖）。

17 八月一日，后梁（首都开封府）宣义战区（总部设滑州〔河南省滑县〕）司令官（节度使）贺瓌逝世（年六十二岁）。后梁帝（三任）朱友贞命首都开封特别市长（开封尹）王瓒，当北方军团征剿司令（北面行营招讨使），接替贺瓌遗缺。王瓒率军五万人，自黎阳（河南省浚县）北渡黄河，奇袭澶（河南省内黄县东南）、魏（河北省大名县）二州，挺进到顿丘（河南省内黄县东南，澶州州政府所在县），遇到晋军，即行撤退。王瓒统率军队，十分严厉，命令要遵守时，官兵一定遵守，命令要禁止时，官兵绝对不敢违犯。进驻德胜（河南省濮阳市）上游十八华里的杨村（濮阳市西），夹河（古黄河）修筑堡垒，从洛阳（西都河南府所在县，河南省洛阳市）运来竹子，建造浮桥；从滑州（河南省滑县）运来粮食，储蓄军营，车船水陆两路，络绎不断。晋国（首都太原府）华洋步骑兵副总司令官（蕃汉马步副总管）、振武战区（总部设朔州〔山西省朔州市〕）司令官（节度使）李存进（孙重进），也在德胜南北城（河南省濮阳市）夹古黄河修筑浮桥。有人警告说：“浮桥必须使用竹索、铁锚、石柱，而我们却什么都没有，怎么能够完成？”李存进（孙重进）不理，改用芦苇结绳代替，把浮桥远拴在山顶大石头或大树木上，一个多月造成，人们佩服他的才智。

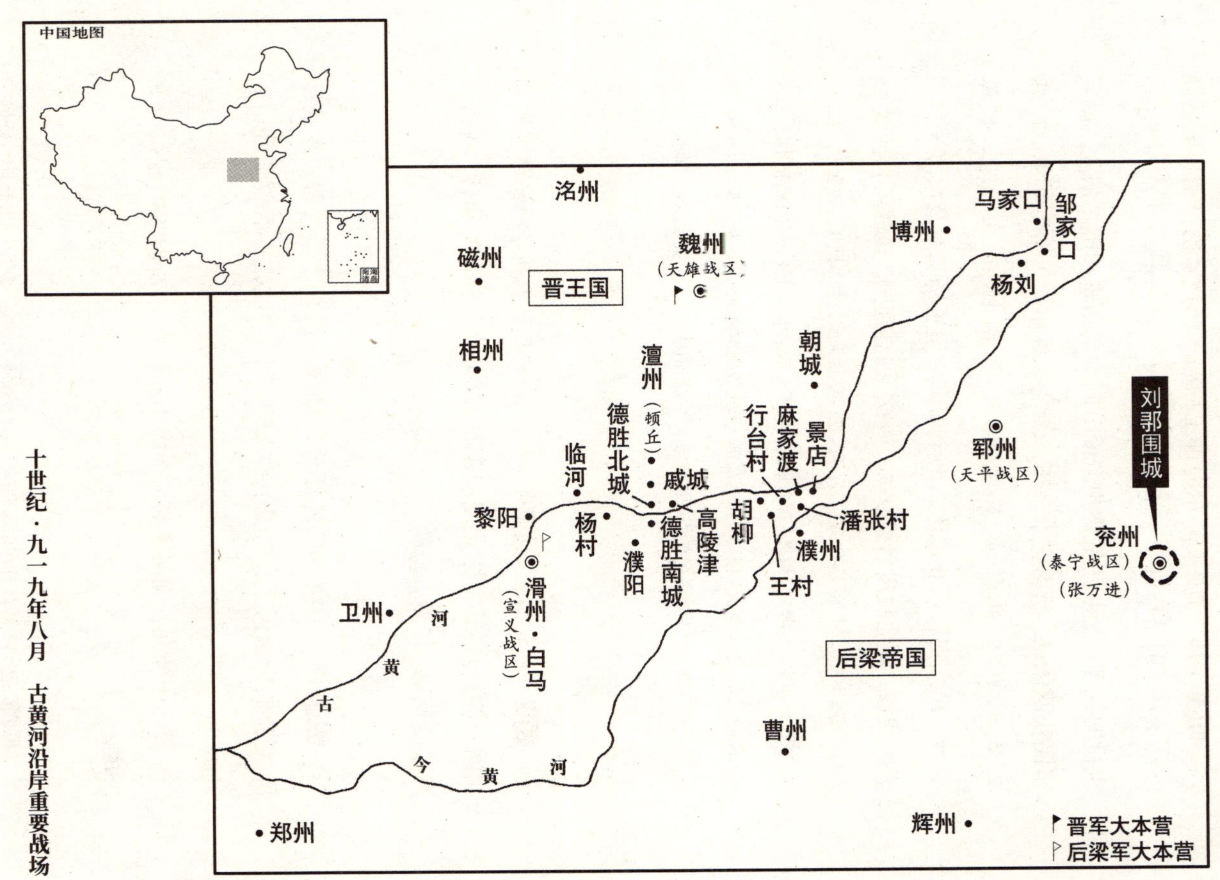

十世纪·九一九年八月　古黄河沿岸重要战场

18 南吴（首都扬州）东海郡王徐温，派使节携带南吴王杨隆演的书信，晋见吴越王（一任武肃王）钱镠，并送还无锡（江苏省无锡市）之役的战俘。吴越王钱镠也派使节向南吴请求和解。从此，南吴军民获得休息。所属三十余州（此时，南吴版图只二十八州：扬、和、滁、泗、濠、楚、海、庐、寿、舒、光、蕲、黄、昇、润、常、宣、歙、池、江、洪、信、饶、抚、袁、吉、虔、鄂），安居乐业长达二十余年。南吴王杨隆演及徐温一直写信给钱镠，要他脱离后梁（首都开封府），独立建国，钱镠不肯接受（事实上，吴越于唐亡后的第二年，九〇八年，便改年号天宝，九二四年又改宝大，九二六年，第三次改宝正。碑文、梁文，都可证明，参考九二三年二月注。只因被宋灭亡，钱家后人毁尸灭迹，拼命掩盖，他们又位居高官，无人敢据实直录，连司马光也只能确定“宝正”年号的存在，而不知道还有“天宝”“宝大”，《资治通鉴》上的钱镠遂成了乖宝宝，始终效忠中央）。

19 九月二日，后梁帝（三任）朱友贞下诏剥夺已经称帝的刘岩所有的封爵和任官，命吴越王（一任武肃王）钱镠出军讨伐。钱镠虽然接受诏书，却没有行动。

20 南吴（首都扬州）庐江公爵杨濛，很有才干气势，常叹息说：“我们杨家天下，却成了别人的，可不可以？”徐温听见，十分厌恶。

冬季，十月，南吴政府命杨濛出任楚州（江苏省淮安市）民兵司令（团练使）。

21 晋王李存勖前往魏州（河北省大名县），征调徒手民夫数万人，拓宽德胜北城（河南省濮阳市），日夜跟后梁军队争斗，大小百余战，互相有胜有败，左翼弓箭军基地司令（左射军使）石敬瑭，跟后梁军在河岸交战，后梁士卒攻击石敬瑭，砍断他马鞍的皮带，横冲作战司令（横冲兵马使）刘知远把自己的马交给石敬瑭，而自己骑上断带战马作为后卫，慢慢撤退。后梁军怀疑设有埋伏，不敢追击，二人都得以逃出性命，石敬瑭因此对刘知远十分亲爱。石敬瑭、刘知远，祖先都是沙陀人。石敬瑭，是李嗣源（邈佶烈）的女婿。

22 后梁（首都开封府）大将刘鄩，把张万进包围在兖州（山东省济宁市兖州区），长达一年有余（参考去年〔九一八〕八月），城里危急窘困。晋王（首都太原府）李存勖正跟后梁人军在黄河岸上酣战，没有力量救援。张万进派亲信将领刘处让再向李存勖请求，李存勖仍没有答应。刘处让在军营大门割下自己的耳朵，哀号说："大王如果不能发兵，我生不如死。"李存勖深受感动，打算为他派出援军。不料就在此时，刘鄩已攻下兖州（山东省济宁市兖州区），屠城，诛杀张万进全族，李存勖才停止行动，命刘处让当中央特遣政府（行台）左骁卫（卫军第五军）将军。刘处让，是沧州（河北省沧州市东南）人。

23 十一月，南吴（首都扬州）武宁战区（总部设庐州〔安徽省合肥市〕）司令官（节度使）张崇，进攻后梁（首都开封府）所属安州（湖北省安陆市）。

24 十一月十三日，后梁政府（首都开封府）任命刘鄩当泰宁战区（总部设兖州〔山东省济宁市兖州区〕）司令官（节度使）、遥兼二级宰相（同平章事·使相）。

25 十一月二十七日，后梁（首都开封府）北方军团统帅王瓒，率大军挺进到戚城（河南省濮阳市北），跟晋军（首都太原府）大将李嗣源（邈佶烈）会战，不利。

26 后梁（首都开封府）在潘张（河南省范县南）储存粮草，距杨村（德胜北城西，河南省濮阳市西）五十华里。

十二月，晋王（首都太原府）李存勖亲率骑兵自黄河南岸西上，攻击后梁运送粮饷的部队，俘虏很多人回来。后梁在李存勖必经的路上，埋下伏兵，于是晋军大败。李存勖在几名骑兵保护下逃走，后梁骑兵数百人把他团团围住。李绍荣（元行钦）望见王旗，单枪匹马杀入重围，李存勖仅逃出一命。

十二月五日，晋军跟后梁军又在黄河南岸会战。后梁军最初胜利，生擒晋军将领石君立等，然而不久就转胜为败。王瓒抢上一条快艇，渡黄河投奔杨村（德胜北城西，河南省濮阳市西），损失以万为单位计算。后梁帝（三任）朱友贞听说石君立是一员骁将，勇猛无比，打算收作自己部属，于是把他羁押监狱，却待遇优厚，派人引诱他投降。石君立说："我是晋国的败军之将，如果投降后梁，即令我竭诚尽力，以死回报，谁又相信！人，都有领袖，怎么能忍心被旧仇敌利用，反而把自己人当作新仇敌？"但朱友贞仍然珍惜他，把所俘虏的晋军将领全都诛杀，只留下石君立囚禁牢房。李存勖乘胜追击，攻克濮阳（河南省濮阳市西南。去年〔九一八〕十二月也记载攻克濮阳）。

后梁帝（三任）朱友贞召回王瓒，命天平战区（总部设郓州〔山东省东平县〕）司令官（节度使）戴思远接替北方军团征剿司令（北面招讨使），驻军黄河岸上，阻截晋军。

27 十二月十六日，前蜀（首都成都府）雄武战区（总部设金州〔陕西省安康市〕）司令官（节度使）兼最高立法长（兼中书令·使相）王宗朗（全师朗）犯罪。前蜀帝（二任）王宗衍下诏免除他所有的官爵，恢复本名全师朗（改名事，参考九〇五年九月）；命武定战区（总部设洋州〔陕西省洋县〕）司令官（节度使）兼最高立法长（兼中书令·使相）桑弘志（李继岌）讨伐。

28 南吴（首都扬州）禁止民间私藏武器，可是盗匪反而越来越多。总监察署秘书官（御史台主簿）京兆（陕西省西安市，此时称大安府）人卢枢上疏说：“而今，四方都有争战，应该对人民实施战斗训练。善良的人畏惧法令，奸邪的人玩弄刀枪，我们的目的虽然是希望抑制暴戾之气，事实上反而鼓励盗匪横行。应该加强民兵管理，使他们接受军事训练，保卫自己的家乡。”中央批准。

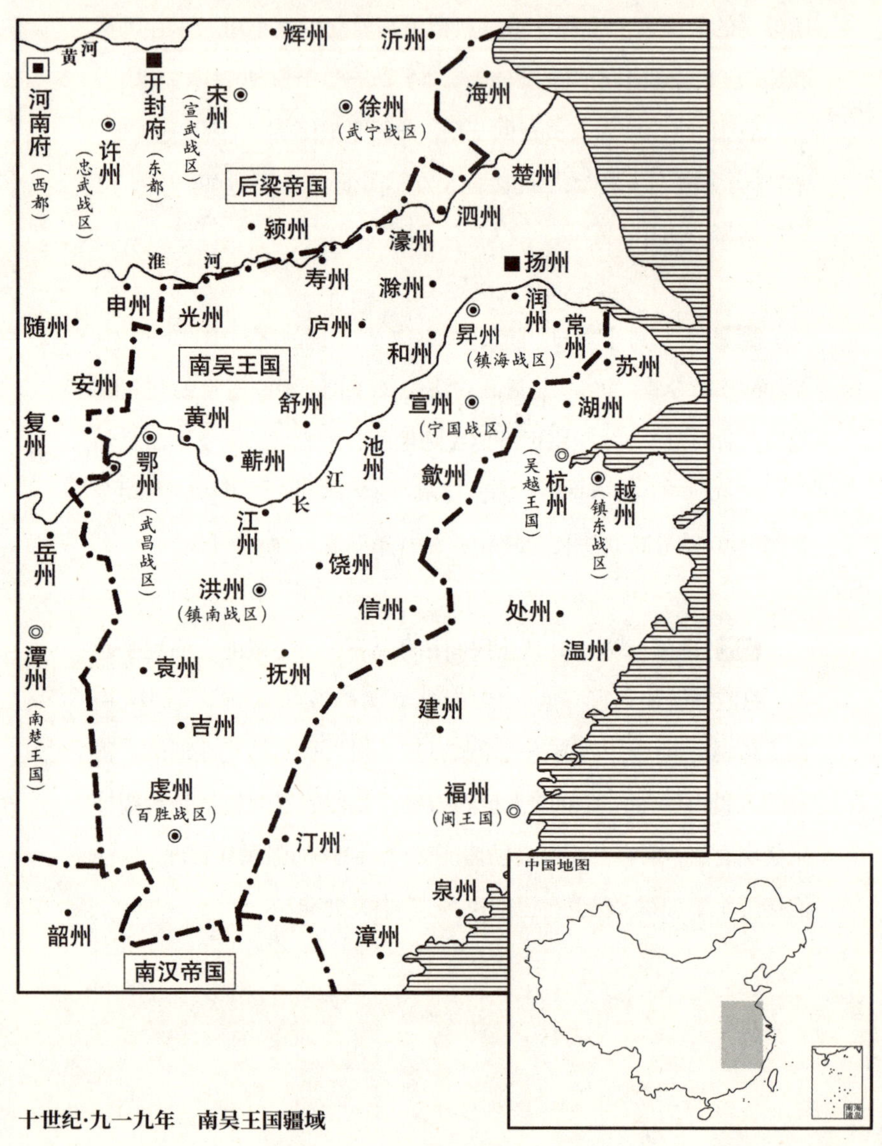

十世纪·九一九年　南吴王国疆域

小分裂

- 镇州兵变，杀赵王王镕，城陷，变军首领张处瑾被屠。
- 定州兵变，囚节度使王处直，城陷，变军首领王都自焚死。
- 李存勖称帝，建后唐，灭后梁。
- 岐国降后唐，国亡。
- 南平建国，高季兴称王。
- 后唐灭前蜀。

九二〇年 庚辰

后梁	贞明	六年
晋	天祐	十七年
岐	天祐	十七年
南吴	武义	二年
前蜀	乾德	二年
南楚	贞明	六年
吴越	天宝	十三年
南汉	乾亨	四年
契丹	神册	五年

1 春季，正月五日，前蜀帝国（首都成都府〔四川省成都市〕）北伐军统帅桑弘志（参考去年〔九一九〕十二月）攻克金州（陕西省安康市），生擒全师朗（王宗朗），呈献成都。前蜀帝（二任）王宗衍（本年二十二岁）把他释放。

2 南吴王国（首都扬州〔江苏省扬州市〕）武宁战区（总部设庐州〔安徽省合肥市〕）司令官（节度使）张崇，再次进攻后梁（首都开封府）安州（湖北省安陆市），不能攻克，回军。

张崇在庐州（安徽省合肥市），贪污凶暴，违法乱纪；庐江（安徽省庐江县）县民控告县长接受贿赂。三级实质宰相（参政事）徐知诰（李知诰）派主任监察官（侍御史知杂事）杨廷式，前往审判，打算乘机威胁张崇。杨廷式说："主任监察官（侍御史知杂事）亲往查案，表示十分慎重，不可以雷声大、雨点小。"徐知诰（李知诰）说："你预备怎么办？"杨廷式说："把张崇加上脚镣手铐，押进监狱；派人前往昇州（徐温根据地，江苏省南京市），根据犯人口供，诘问总指战官（徐温任各战区道总指战官）。"徐知诰（李知诰）说："不过审判一个县长罢了，何至这么天翻地覆！"杨廷式说："县长不过一个小官，张崇强迫他榨取人民血汗，转呈给总指战官（徐温）而已，怎么可以舍弃大的，而专拣小的？"徐知诰（李知诰）道歉说："我早就知道，小事不必麻烦你。"但也因此对杨廷式更加尊敬。杨廷式，是泉州（福建省泉州市）人（这位县长的贪污案到底办了没有，史书说不清楚。似乎只在介绍杨廷式那段话，史实反而全不重要）。

3 晋王（首都太原府〔山西省太原市〕）李存勖（本年三十六岁）自从得到魏州（参考九一五年六月一日），就命李建及（王建及）当天雄（总部魏州）总部内外警备队指挥官（内外牙都将），统率银枪效节特别营。李建及（王建及）忠心耿耿，体格强壮，所得到的赏赐，全都分给士卒，跟部属同甘共苦，深得大家的死力，所到之处，都能立功，同辈们对他十分嫉妒。宦官韦令图当李建及（王建及）的监军，暗中向李存勖打小报告说："李建及用他私人的财产发放给部属，志向不小，不可以使他率领警备部队。"李存勖果然起疑。李建及得到消息，认为自己一片赤心，仍然我行我素。

三月，李存勖解除李建及（王建及）的军职，派他当代州（山西省代县）州长（李建及怏怏而终）。

4 南汉帝国（首都兴王府〔广东省广州市〕）宰相杨洞潜，请建立学校，开设科举考试，遴选官员。南汉帝（一任高祖）刘岩（本年三十二岁）接受。

5 夏季，四月十三日（原文“乙亥”，据《旧五代史·梁书·末帝纪》改），后梁帝国（首都开封府〔河南省开封市〕）命国务院左秘书长（尚书左丞）李琪，当副立法长（中书侍郎）、二级实质宰相（同平章事）。李琪，是李珽的老弟（李珽死于诛杀二任帝朱友珪时乱军，参考九一三年二月），性情随和，不拘小节，仗恃当权亲信赵岩、张汉杰等的势力，有机会就收受红包。另一宰相萧顷，言语不多，城府很深，谨慎小心，暗中监视李琪的行动。长期以来，发现凡是求当“摄理”（摄）官的人，只要出钱贿赂，李琪一律改为“暂任”（守）。萧顷据实奏报，后梁帝（三任）朱友贞（本年三十三岁）大怒，打算把李琪流放远地，赵岩、张汉杰从中化解，仅只免职，转任太子少保（太子三少之三）。

6 后梁（首都开封府）护国战区（总部设河中府〔山西省永济市〕）司令官（节度使）冀王朱友谦（朱简），派军袭取同州（陕西省大荔县），驱逐忠武战区（总部设同州〔陕西省大荔县〕）司令官（节度使）程全晖，程全晖逃奔大梁（首都开封府所在城）。朱友谦（朱简）命他的儿子朱令德当忠武（总部同州）候补司令官（留后），上疏请求中央颁发印信符节，后梁帝（三任）朱友贞大怒，拒绝。但过了些时，朱友贞又恐怕朱友谦（朱简）怨恨，只好接受。

四月十七日，朱友贞命朱友谦（朱简）兼忠武（总部同州）司令官（节度使）。可是，诏书下来时，朱友谦（朱简）已向晋王李存勖投降，李存勖以唐王朝皇帝名义，用墨笔书写诏书（正式诏书则用朱笔书写），任命朱令德当忠武（总部同州）司令官（节度使）。

7 南吴王（宣王）杨隆演，忠厚稳重，恭敬谨慎。东海王徐温父子专权执政，他从来没有一点不高兴的言语和脸色，徐温因此也很安心。等到建立独立王国，并行使皇帝职权（承制），杨隆演反而不太快乐，日夜毫不节制的大量饮酒，很少吃东西，遂患病卧床。

五月，徐温从金陵（昇州州政府所在城，江苏省南京市）到中央（首都扬州）朝见，讨论王位继承人选。有人企图迎合徐温的心意，说："刘备（蜀汉帝国一任帝）对诸葛亮说：'继承人如果没有这种才干的话，你可以代替他接管政府。'（参考二二三年三月）"徐温严厉的说："我如果有意，当在诛杀张颢的时候（参考九〇八年五月十七日）夺取，怎么会等到今天！即令杨家没有儿子，就是女儿，我也要拥护她登极称王。胆敢胡说八道的，一律斩首。"遂以杨隆演的命令，迎接丹杨公爵杨溥（杨行密第四子）监督国政。调杨溥的老哥杨濛（杨行密第三子）当舒州（安徽省潜山市）民兵司令（团练使）。

五月二十八日，杨隆演逝世（年二十四岁）。

六月十八日，杨溥（本年二十一岁）登上南吴国王宝座，尊娘亲王女士称太妃。

8 六月二十七日，前蜀政府（首都成都府）命司徒（三公之二）兼副监督长（兼门下侍郎）、二级实质宰相（同平章事）周庠，遥兼二级宰相（同平章事·使相），充任永平战区（总部设雅州〔四川省雅安市〕）司令官（节度使）。

9 后梁帝（三任）朱友贞命泰宁战区（总部设兖州〔山东省济宁市兖州区〕）司令官（节度使）刘鄩，当河东地区（山西省）征剿司令（招讨使），率领感化战区（总部设华州〔陕西省渭南市华州区〕）司令官（节度使）尹皓、静胜战区（总部设崇州〔陕西省铜川市耀州区〕）司令官（节度使）温昭图（温韬降后梁，改耀州为崇州，改义胜战区为静胜战区，参考九一五年十二月），会同皇家庄园管理官（庄宅使）段凝（段明远），进攻同州（陕西省大荔县）。

10 闰六月一日，前蜀帝（二任）王宗衍在万里桥（四川省成都市东南。《太平寰宇记·益州·华阳县》：三国时代，费祎出使东吴帝国〔参考二三四年八月〕，诸葛亮送到桥头，费祎说："万里之路，从这里开始。"遂名万里桥）为老爹、一任帝王建兴筑第二座祭庙（原庙），率领皇后、妃子、文武百官，用王建生时喜爱食用的美味，在鼓乐声中献祭。华阳（首都成都府所在县，四川省成都市）县政府防卫员（尉）张士乔上疏规劝，认为违反礼法，王宗衍大怒，打算把张士乔斩首，徐太后不准，只免除他的官职，流放黎州（四川省汉源县），张士乔感慨自己忠心反而受害，愤怒奸邪当权，遂投河自杀。

11 后梁（首都开封府）大将刘鄩包围同州（陕西省大荔县），朱友谦（朱简，护国〔总部河中府〕司令官）向晋王李存勖请求救援。

秋季，七月，李存勖派李存审（符存审）、李嗣昭、李建及（王建及），以及慈州（山西省吉县）州长李存质，率军增援。

12 七月二十六日，前蜀帝（二任）王宗衍下诏，宣布将往北方边疆巡视，命国务院教育部长（礼部尚书）兼首都成都特别市长（兼成都尹）、长安（长安〔陕西省西安市〕西半城）人韩昭，当文思殿大学士（根据《资治通鉴》记载，"学士"最早出现于南齐帝国，参考四八六年五月，"大学士"则始于唐王朝，参考七〇八年四月。"某殿大学士"意思是"某殿高级文学侍从官"，"某殿学士"则低一级，意为"某殿文学侍从官"，但仍难尽其妙，所以不再翻译。明王朝取消宰相后，"大学士"成为实质宰相，又可再分为首席宰相〔华盖殿大学士〕，次席宰相〔谨身殿大学士〕，自属后话），位置在皇家文学研究院院长（翰林承旨）之上。可是韩

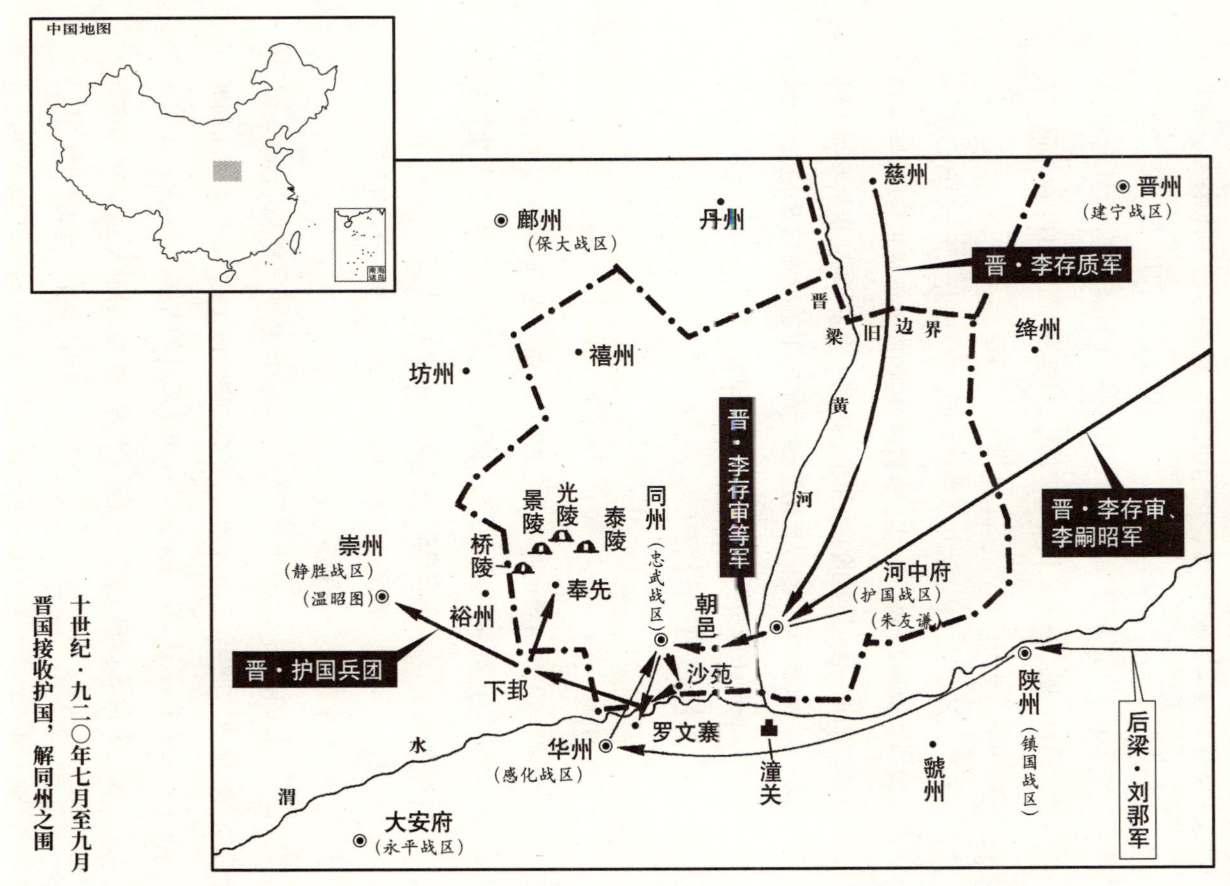

十世纪·九二〇年七月至九月
晋国接收护国，解同州之围

昭并没有文学素养，只因精于谄媚和专门拍马，所以深受王宗衍母子的宠爱，得以随意出入皇宫。他向王宗衍请求公开拍卖通（四川省达州市达川区）、渠（四川省渠县）、巴（四川省巴中市）、集（四川省南江县）等州州长，把出售的钱供他建筑住宅，王宗衍竟也允许。有见识的人都知道前蜀帝国势将灭亡，谁也无法拯救。

八月十日，王宗衍从成都（四川省成都市）出发，北上讨伐岐国（首都凤翔府〔陕西省宝鸡市凤翔区〕），身披黄金铠甲，头戴珠玉冠帽，手拿弓箭，旌旗招展，护驾的武装部队，连绵一百余华里。雒县（汉州州政府所在县，四川省广汉市）县长段融上疏说："陛下不应该远离京师（首都成都府），应该遴派将领出征。"王宗衍不理。

九月，王宗衍抵达安远城（陕西省汉中市西）。

13 晋国（首都太原府）大将李存审（符存审）等抵达河中（山西省永济市），当天即渡黄河西上。后梁军（首都开封府）一向瞧不起护国（总部河中府）士卒，每次会战，都穷追不舍。李存审（符存审）于是挑选精锐战士二百人，混合在护国（总部河中府）部队中，直逼刘鄩大营，刘鄩派一千名骑兵追逐，发现晋军已到，大吃一惊，自此不敢轻易出战，晋军在朝邑（陕西省大荔县东朝邑镇）扎营。

护国（总部河中府）隶属后梁（首都开封府）的时日已久（王珂投降朱全忠，参考九〇一年二月，已二十年），突然投降晋国（首都太原府），将士们都三心二意。这时候，各路兵马云集，粮秣的价格急剧上涨，人心不安，朱友谦（朱简）的儿子们游说老爹，要他再回归后梁，让晋军撤退。朱友谦（朱简）说："上次，晋王（李存勖）亲自率军前来解救我们的危难，以致晚上还挑灯夜战（参考九一二年十月），而今，晋军正跟后梁在黄河两岸对抗，可是他们仍分出兵力和粮草，日夜行军前来相救，怎么可以做出负心的事。”

晋军派一支部队进攻后梁华州（陕西省渭南市华州区），摧毁华州外城。李存审（符存审）等，一连数十天按兵不动，然后突然进逼刘鄩大营，刘鄩等动员全营所有兵力出击，但仍大败，收拾残余部队退到罗文寨（陕西省渭南市华州区境），对峙十余天，李存审（符存审）对李嗣昭说：“被困到绝境的野兽，一定拼死搏斗，不如让出一个缺口，然后痛击。”于是指派一部分骑兵前往沙苑（名战场，陕西省大荔县南）放牧，刘鄩等果然抓住机会，于夜晚撤退，晋军追击，追到渭水，再击败后梁军，杀戮俘虏很多。李存审（符存审）等向关中（陕西省中部）传播文告，进军夺取土地，直抵下邽（陕西省渭南市北下邽镇），晋谒唐王朝皇帝的陵墓（下邽北十余公里是当时奉先县〔陕西省蒲城县〕，城郊有许多唐王朝的皇帝陵墓：西南丰山葬五、八任帝李旦〔桥陵〕、东北金粟山葬九任帝李隆基〔泰陵〕、西北金炽山葬十四任帝李纯〔景陵〕、正北尧山还葬一个让帝李成器〔惠陵〕），哭泣祭奠，然后回军。

护国（总部河中府）军队进攻崇州（陕西省铜川市耀州区），后梁静胜（总部崇州）司令官（节度使）温昭图（温韬）大为恐惧。后梁帝（三任）朱友贞派贴身宦官（供奉官）窦维游说温昭图（温韬）说：“你的地盘不过华原（耀州〔崇州〕）、美原（鼎州〔裕州〕，陕西省富平县东北美原镇）两个县，名义上虽是战区司令官（节度使），实际上不过一个地方政府的防守司令（镇将），比起一等战区，提都不能提，你有没有意思高升？”温昭图（温韬）说：“当然有。”窦维说：“那么，我替你留意。”教导温昭图（温韬）上疏请求调差，朱友贞命汝州（河南省汝州市）警备区司令（防御使）华温琪，暂代静胜战区（总部设崇州〔陕西省铜川市耀州区〕）候补司令官（权知留后）。

14 冬季，十月三日，前蜀帝（二任）王宗衍抵达武定战区（总部设洋州〔陕西省洋县〕），停留几天，仍回安远军（陕西省汉中市西）。

十一月一日，王宗衍命兼最高监督长（兼侍中）王宗俦当山南西道战区（总部设兴元府〔陕西省汉中市〕）司令官（节度使）、西北方面军总征剿司令（西北面都招讨）、特遣兵团安抚特使（行营安抚使）；命天雄战区（总部设秦州〔甘肃省秦安县西北〕）司令官（节度使）遥兼二级宰相（同平章事·使相）王宗昱、永宁军基地司令（永宁军使）王宗晏、左神勇军基地司令（左神勇军使）王宗信，分别当三路征剿司令（招讨），作为副统帅，率军讨伐岐国（首都凤翔府），从故关（陕西省陇县西固关镇）出发，驻扎咸宜（陕西省陇县西北），前锋进入良原（甘肃省灵台县西梁原乡）。 440

十一月十日，王宗俦进攻岐国（首都凤翔府）所属陇州（陕西省陇县），岐王（一任忠敬王）李茂贞（宋文通）亲率一万五千人进驻汧阳（陕西省千阳县）。

十一月十六日，前蜀（首都成都府）将领陈彦威出散关（陕西省宝鸡市西南）北上，在箭筈岭（陕西省千阳县西南。筈，音kuò〔阔〕）把岐军击败。但不久前蜀军队粮食吃完，无法补充，撤退。仍留王宗昱驻扎秦州（甘肃省秦安县西北），王宗俦驻扎上邽（甘肃省天水市），王宗晏和王宗信驻扎威武城（陕西省凤县东北）。

十一月二十三日，王宗衍从安远城（陕西省汉中市西）启程回京（首都成都府）。

十二月三日，王宗衍抵达利州（四川省广元市），阆州（四川省阆中市）民兵司令（团练使）林思谔前来朝见，请王宗衍驾临阆州（四川省阆中市），王宗衍同意。

十二月六日，王宗衍皇家船队顺嘉陵江而下，龙舟凤舶，画舸彩艇，跟两岸的欢迎群众，互相辉映，华丽而又壮观；州县竭尽能力搜刮供应，人民开始愁苦怨恨。

十二月十五日，王宗衍抵达阆州（四川省阆中市），州民何康的女

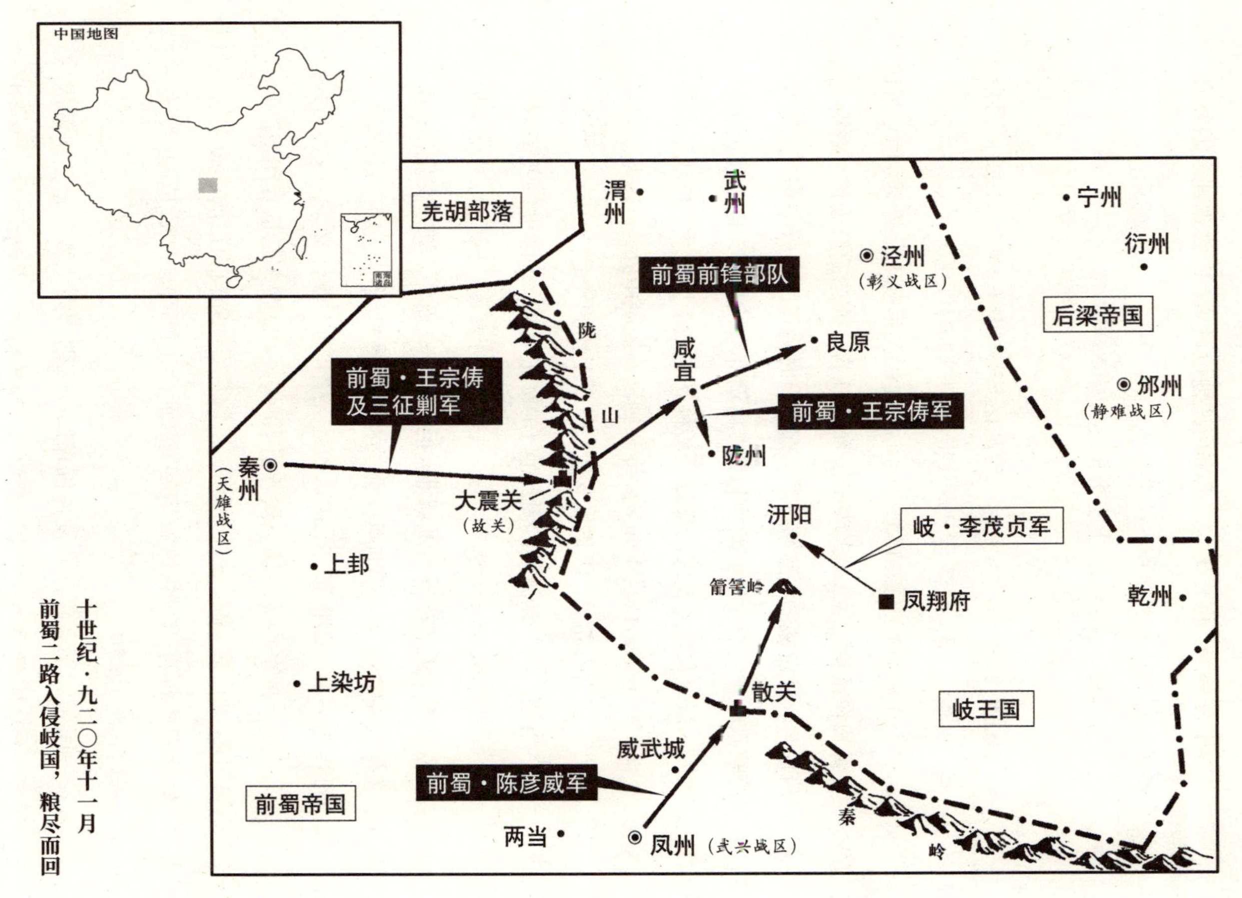

十世纪·九二〇年十一月

前蜀二路入侵岐国，粮尽而回

儿，十分美丽，将要出嫁，王宗衍把她抢过来，而赏赐她未婚夫家棉布一百匹，未婚夫悲哭而死。

十二月二十六日，王宗衍抵达梓州（四川省三台县）。

15 赵王（首府镇州）、成德战区（总部设镇州〔河北省正定县〕）司令官（节度使）王镕，仗恃自己几代世袭（王镕四世祖王庭凑，于八二一年夺取战区，迄今恰巧一百年），镇守镇州（河北省正定县），很受人民爱戴拥护，而且生长在富贵之家，仪容威严，举止从容，神态诚恳安详，修筑王府住宅、庭台楼阁、池塘舟船，都是当时少见的绝代豪华，沉湎在游戏欢乐里，不太过问政府行政，事情都交给幕僚，自己住在深宅大院，跟美女享乐，权柄遂逐渐转移到左右亲信之手。作战参谋长（行军司马）李蔼、宦官李弘规，专权独断，控制中外（王府中及王府外），而另一宦官石希蒙，因谄媚入骨，更受王镕的宠爱。

当初，刘仁恭派他的营门官（牙将）张文礼，追随他的儿子刘守文，镇守沧州（河北省沧州市东南），后来，刘守文偶尔回到幽州（北京市）探望老爹，张文礼遂占领城池，拒绝刘守文返任，刘守文反击，张文礼逃奔镇州（河北省正定县）。张文礼口若悬河，往往过度荒诞夸张，自称对军事了如指掌，王镕认为是一个奇才，收作义子，改姓名为王德明，把军事交给他负责。王德明（张文礼）曾率特遣兵团追随晋王李存勖作战（参考九一一年二月）。王镕希望他能当自己的心腹亲信，特派总指挥官（都指挥使）符习接替，而命王德明（张文礼）返回，充任城防司令（防城使）。

王镕到了老年，喜爱拜佛求仙，笃信佛道二教，一会讲解佛经，一会接受符咒，广设道教祭坛，烧炼仙丹，在西山（河北省平山县西北房山）兴建宾馆，布置豪华，王镕每次前去游玩，登山临水，几

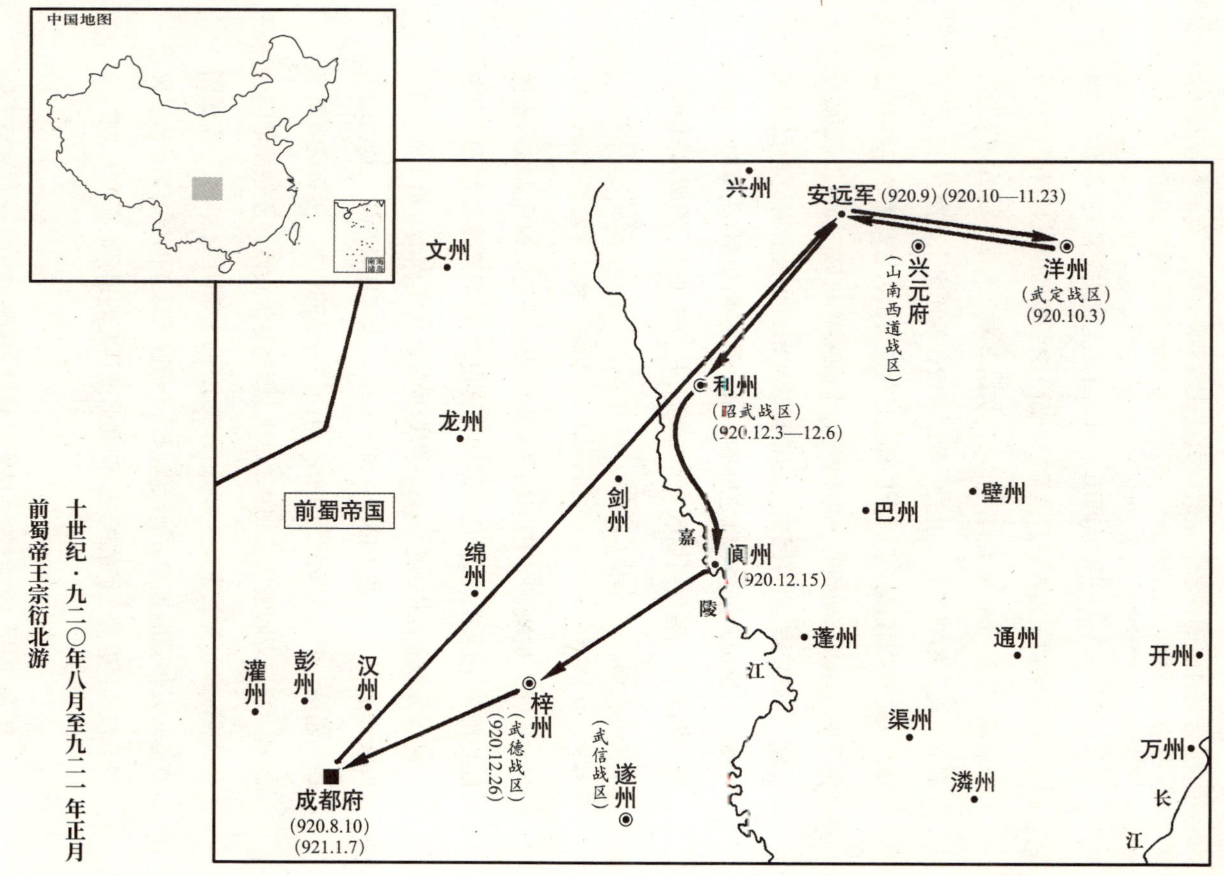

十世纪·九二〇年八月至九二一年正月

前蜀帝王宗衍北游

个月才回来，而伴游的文武官员及武装部队，经常不下一万人，来往供应，军人及民众，都苦不堪言。

本月（十二），王镕从西山（房山）回城，夜住鹘营庄（河北省平山县西），石希蒙劝王镕再往其他地方一游，李弘规劝阻说："晋王（李存勖）跟后梁（首都开封府）夹着黄河缠斗，吹风淋雨，亲冒弓箭石块，生死血战，大王却把专供军用的经费，浪费在游乐之上。而且，时局不稳，人心难以预测，王府及总部，长久空虚，大王却率侍从官兵远游，万一有人发动政变，关闭城门，拒绝我们进城，那将怎么办？"王镕认为有理，打算回去，石希蒙却秘密打小报告说："李弘规无中生有，挑拨大王跟军队之间的感情，用恶毒的话作为威胁，不过为了向外人夸耀他可以改变领袖的决定，增加自己的威权而已。"王镕大不高兴，又决定留下，住了两个夜晚，仍没有回去的迹象。李弘规遂命警备本部大将（内牙都将）苏汉衡，率领亲军，身披铠甲，拔刀出鞘，进帐晋见王镕说："士卒们留在旷野的时间太久，希望能追随大王回去。"李弘规顺势建议说："石希蒙鼓动大王四出游玩，没完没了，而且听说他还阴谋叛变，谋杀大王，请把他诛杀，向大众道歉。"王镕不接受，警备队官兵大声狂喊呼叫，竟自动手斩石希蒙，把人头呈献给王镕，再次控诉他的罪恶。王镕既震怒又恐惧，急行返回镇州（河北省正定县）。就在这天夜晚，王镕派他的长子、战区副司令长官（副大使）王昭祚，会同王德明（张文礼），率军包围李弘规及李蔼的家宅，屠戮满门，受牵连被诛杀的更有数十家。又杀苏汉衡，逮捕他们的同党，彻底追查兵变阴谋，亲军大为恐慌。

16 南吴（首都江都府）复建金陵城（江苏省南京市）工程完成，陈彦谦呈报经费账簿，东海王徐温说："我既然托付你办这件事，用不着看账！”把它一把火烧掉（根据已知的史料，如《十国春秋》《旧五代史》等，都记载南吴政府于本年〔九二〇〕七月，把昇州升格为金陵府；至于首都扬州，也升格为江都府，唯时间不详。江都既是首都，升格为“府”之日，即令不比昇州早，也应不会差太晚。特于本年〔九二〇〕开始，一并把扬州、昇州，改称江都府、金陵府）。

17 最初，闽王（首都福州〔福建省福州市〕）王审知，用唐王朝皇帝名义，加授他的侄儿、泉州（福建省泉州市）州长王延彬（王审知二哥王审邽的儿子）：遥兼平卢战区（总部设青州〔山东省青州市〕）司令官（空头官衔。此时青州属后梁〔首都开封府〕）。王延彬治理泉州（福建省泉州市）十七年，官民都安居乐业。后来，王延彬得到一只白鹿和一枝紫色灵芝，佛教和尚浩源认为那是帝王的预兆，王延彬遂开始骄傲放纵，并且派密使从海路向后梁政府（首都开封府）进贡，请求任命自己当泉州战区（总部设泉州〔福建省泉州市〕）司令官（节度使）。事情发觉，王审知诛杀浩源跟他的同党，免除王延彬所有官职，送回家宅。

一个小人物，竟会因一只白鹿和一枝紫灵芝，就神魂颠倒，大发其疯，使我们对那些虽拥有如雷掌声，手握大权，而仍能自我克制、敦厚谦卑的人，生出无比钦敬。

18 南汉帝国（首都兴王府〔广东省广州市〕）皇帝（一任高祖）刘岩，派使节前往前蜀帝国（首都成都府〔四川省成都市〕）敦睦邦交。

19 吴越王（一任武肃王）钱镠（本年六十九岁）派使节前往南楚（首都潭州〔湖南省长沙市〕），替他的儿子钱传琇向南楚王（一任武穆王）马殷（本年六十九岁）求婚，马殷应许。

九二一年 辛巳

后梁	贞明	七年
	龙德	元年
晋	天祐	十八年
岐	天祐	十八年
南吴	武义	三年
	顺义	元年
前蜀	乾德	三年
南楚	龙德	元年
吴越	天宝	十四年
南汉	乾亨	五年
契丹	神册	六年

1 春季，正月七日，前蜀帝国（首都成都府〔四川省成都市〕）皇帝（二任）王宗衍（本年二十三岁），返回成都（自去年〔九二〇〕七月出游，在外六个月）。

最初，王宗衍当太子的时候，老爹、一任帝王建为他娶国务院国防部长（兵部尚书）高知言的女儿当太子妃，但感情冷淡。等韦女士进宫之后，对高女士更是疏远，现在，王宗衍索性把她送回娘家。高知言惊骇过度，栽倒在地，不进饮食，饿死。韦妃，是徐耕的孙女（徐耕，是徐太后的老爹，参考九〇八年十月），艳丽照人，王宗衍到徐家去的时候，惊为天人。娘亲徐太后就把她接到皇宫。王宗衍不愿意别人议论他娶娘亲的侄女，遂对外宣称是韦昭度的孙女（韦昭度，曾当过王建的长官，参考八八八年十二月及八九一年四月），最初当倢伃（小老婆群第五级），后来逐渐升到元妃（小老婆群第一级）。

王宗衍经常用锦绣绸缎架起屏障，在里面打球，所以有时虽到很远的地方，而外面的人还不知他在哪里。最初，日夜不停的燃烧香料，可是久了之后，又觉得厌倦，另行燃烧皂荚（一种像巨大扁豆一样的果实，从前妇女用来代替肥皂洗衣服），来驱散香气。又用锦绣绸缎扎成假山，在假山上布置亭台楼阁，登到上面观看。有时被风雨摧毁，则拆下来另用新的代替，或者在这种绸缎假山上歌舞饮酒，十几天都不下来。又在山前挖掘小型运河，直通皇宫，有时坐船于夜晚回去，命宫女面向后方站着，手举一千余支蜡烛，在船队最前面带路，把水面照耀得如同白昼。有时，王宗衍在宫中饮酒，乐声喧腾，直到天亮才停，一年四季，经常如此。

2 正月十七日，后梁帝国（首都开封府〔河南省开封市〕）皇帝（三任）朱友贞（本年三十四岁）下诏调静胜战区（总部设崇州〔陕西省铜川市耀州区〕）司令官（节度使）温昭图（温韬），当匡国战区（总部设许州〔河南省许昌市〕）司令官（节度使），镇守许昌（许州州政府所在县）。温昭图（温韬）一向谄媚当权高官赵岩，所以能得到重要战区（这次调职，是朱友贞履行承诺，参考去年〔九二〇〕九月）。

3 前蜀帝（二任）王宗衍、南吴王杨溥（本年二十二岁），屡次写信给晋王李存勖（本年三十七岁），劝他早日登极称帝，李存勖把信件拿给左右官员传阅，说："从前，王太师（前蜀一任帝王建在唐王朝官衔）也曾经写信给我老爹（李克用），认为唐王朝已经灭亡，应该各自称帝（参考九〇七年四月二十九日），我老爹告诉我说：'从前，皇上（唐王朝二十四任帝李晔）逃到石门（陕西省蓝田县西南。参考八九五年七月九日），我率军诛杀奸贼，那个时候，声威震动天下，我如果挟持皇上，盘踞关中（陕西省中部），自己撰写"九锡禅让诏书"（九锡，参考四年），谁能管我？只因为我们世代忠孝，为皇家立功，宁可以死，也不愿做篡夺的事。你将来务必复兴唐王朝，竭尽全心全力，不要效法那些家伙！'声音还在耳际，这种议论，我不敢听！"忍不住哭泣流泪。

然而，文武官员跟各战区不停的劝进，李存勖开始动摇，乃命有关单位购买玉石，雕刻皇帝御玺印信。黄巢攻破长安（陕西省西安市）时（参考八八〇年十二月），魏州（河北省大名县）和尚传真的师傅，得到玉玺，收藏了四十年，直到现在，传真认为是一块普通宝玉，打算把它卖掉，有人却辨识出它的真正身价，警告说："这是传国宝物！"传真遂前往中央特遣政府（行台）呈献，文武官员都向李存勖敬酒祝贺。

监军宦官张承业在晋阳（首都太原府所在县）得到消息，赶到魏州（河北省大名县）劝阻说："大王世世代代，尽忠唐王朝李姓皇家，拯救他们的患难，所以我这个老奴，三十余年以来，为大王料理财务赋税，招兵买马，誓死扫灭叛徒逆贼，恢复唐王朝江山（张承业辅助李克用，参考八九五年七月；迄今二十七年）。而今，河北（黄河以北）粗略平定，可是朱家（后梁）仍然健在，大王却急于登极称帝，并不是我们南征北讨的本意，天下英雄豪杰，岂不瓦解！大王为什么不先灭朱家（后梁），为两位冤死的皇上（李晔、李柷）报仇雪恨，然后寻访李姓皇家后裔，拥护他继承宝座，南征南吴（首都江都府），西讨前蜀（首都成都府），扫清四海，统一中国。到那时候，即令高祖（一任帝李渊）、太宗（二任帝李世民）复活，谁又敢位在大王之上？辞让得越久，政权的基础越稳固。我这个老奴别无他志，只以身受先王（李克用）的大恩，打算替大王奠立万世的基业。”李存勖说：“我也不愿意这样，可是大家的意思如此，有什么办法！”张承业知道已无法阻止，放声大哭，说：“全国将领奋勇血战，追求的只有一个目标：唐王朝重建！而今大王自己夺取，是误了我老奴一片忠心。”遂回晋阳（首都太原府所在县），患病不能起床。

4 二月，南吴王国（首都江都府〔江苏省扬州市〕）改年号顺义（之前是武义三年，之后是顺义元年）。

5 赵王（首府镇州）王镕，诛杀李弘规、李蔼全族（参考去年〔九二〇〕十二月）之后，把大权交给儿子王昭祚。

独裁者的悲哀是，他终于发现：砍杀了一辈子，敌人仍潜伏在身边肘下，宝座仍没有想象中那么稳固，于是茫茫众生，他只敢信任两种人：一是自己可以绝对掌握的特务，一是自己的亲生儿子。最好不过的，当然是儿子兼特务，或特务兼儿子。

王昭祚性情刚愎骄傲，一旦手握大权，把属于李弘规的摇尾系统，连同他们的家族，全部屠戮。李弘规部下军队五百人，打算逃走，聚集在一起，一面哭，一面商议，不知道逃往哪里。就在这时候，总部发给各军赏赐，王镕痛恨亲军诛杀石希蒙，下令独不发给亲军，大家更加恐惧。王德明（张文礼）一向有心背叛，遂利用这种恐惧，刺激他们说："大王（王镕）命我把你们全部坑杀，可怜你们清白无罪，却一齐横死！我打算服从大王命令，却于心不忍；如果拒绝执行，又会被大王惩罚，不知道怎么办才好！"大家感激哭泣。

当天夜晚，住在潭城（镇州内城〔牙城〕西北有池塘，名北潭，是一风景区，因称内城为潭城）西门外的一些亲军，聚集在一起饮酒讨论，饮到半醉，几个骁勇战士说："我们了解王太保（王德明中央官衔）的意思，就在今晚，决定夺取荣华富贵！"于是翻墙进城。王镕正在烧香敬神，接受上仙符咒，两个变兵冲进去，砍下他的人头（年四十八岁），再翻墙而出，展开攻击，纵火焚烧王府及战区总部。中级军官（军校）张友顺率领大家到王德明（张文礼）家，请他出任战区候补司令官（留后）。王德明（张文礼）遂恢复原姓名张文礼（王德明），把王镕一族，全部屠杀，老少不留（八二一年，王庭凑杀田弘正〔田兴〕等家属三百余人，夺取镇州，参考该年〔八二一〕七月二十八日。王庭凑传子王元逵，王元逵传子王绍鼎，王绍鼎传弟王绍懿，王绍懿传子王景崇，王景崇传子王镕，共六任，前后一百零一年而灭，是中国历史上割据最久的军阀）。

张文礼（王德明）只没有杀王昭祚的妻子、后梁（首都开封府）普宁公主（朱全忠女儿嫁王昭祚，参考九〇〇年九月），希望作为投靠后梁的管道。

6 三月，南吴（首都江都府）把所俘虏的吴越王（一任武肃王）钱镠（本年七十岁）的堂弟、龙武（禁军第三、四军）统军（正三品）钱镒，送回钱唐（吴越首都杭州州政府所在县。钱镒被俘，参考九〇五年正月）。钱镠也把所俘虏的南吴（首都江都府）将领李涛送回广陵（首都江都府所在城。李涛被俘，参考九一三年四月）。南吴东海郡王徐温命李涛当右雄武（禁军第六军）统军（正三品），钱镠命钱镒当镇海战区（总部杭州）副司令官（节度副使）。

7 成德（总部镇州）变军首领张文礼（王德明）派使节，把兵变消息报告晋王李存勖，并且上书敦劝李存勖登极称帝，顺便请求任命。李存勖正在饮酒作乐，听到消息，扔掉酒杯，悲泣流泪，打算立刻讨伐。幕僚官员认为张文礼（王德明）固然罪大恶极，可是晋军正跟后梁（首都开封府）缠斗，不应在背后再树立一个敌人，最好是答应他的请求，使他安心。李存勖不得已，只好接受。

夏季，四月，李存勖派军事执行官（节度判官）卢质，携带用唐王朝皇帝名义发布的诏书，任命张文礼（工德明）当成德（总部镇州）候补司令官（留后）。

8 后梁（首都开封府）陈州（河南省周口市淮阳区）州长、惠王朱友能，背叛中央，率军进攻大梁（首都开封府所在城）。后梁帝（三任）朱友贞命镇国战区（总部设陕州〔河南省三门峡市〕）候补司令官（留后）霍彦威、宣义战区（总部设滑州〔河南省滑县〕）司令官（节度使）王彦章、控鹤指挥官（控鹤指挥使）张汉杰，率军讨伐。

朱友能前进到陈留（河南省开封市东南陈留镇。与开封航空距离二十五公里），兵败，退回陈州（河南省周口市淮阳区），中央各路兵马把他包围。

9 五月一日，后梁（首都开封府）改年号龙德（之前是贞明七年，之后是龙德元年）。

10 最初，后梁（首都开封府）刘鄩跟朱友谦（朱简）结为姻亲。刘鄩受命讨伐朱友谦（朱简）时（参考去年〔九二〇〕六月），率军抵达陕州（河南省三门峡市)，先派人送信给朱友谦(朱简)，分析利害祸福，要他反正回归；等待一个月有余，朱友谦(朱简)仍不接受，刘鄩才发动攻击。尹皓(感化〔总部华州〕司令官)、段凝(段明远。皇家庄园管理官〔庄宅使〕)一向嫉妒刘鄩，因此向朱友贞打小报告陷害说："刘鄩故意逗留不进，培养盗寇(朱友谦)壮大，等候晋军(首都太原府)增援！"朱友贞相信。刘鄩大败而回，声称有病，请求辞职，解除军权。朱友贞批准，命他到洛阳(西都河南府所在县，河南省洛阳市)诊疗，然后，密令西都(河南府)留守长官张宗奭(张全义)动手谋杀。

五月二日，刘鄩饮毒酒而死(年六十四岁)。

一个人一旦被公认为诡计多端，他就再也无法施展诡计，终于身陷险境。因为他的品格受到广泛质疑：谁晓得他的信誓旦旦，是真是假？天下事变化无穷，一个人的脑力激荡，有其极限，最后必然招架不住、照顾不周。大事业成功，要靠高度智慧和正确方向，"一步百计"不过一连串小聪明、小动作而已。使车辆开动的是汽油，机油当然重要，没有机油车辆便寸步难行，但确实有些人，相信仅仅靠机油，就可使车辆奔驰如飞。

刘鄩先生属于这类人物，看看兖州之役(参考九〇三年正月及十月)，他阁下一举手、一投足，都使人击掌赞叹，但在受到晋军几次硬碰硬重创之后，竟成了白痴，最后请求退休，尤其可惊，他难道不知道在那个军阀混战的时代，绝不可失去兵权？只不过是在众目睽睽，看他还有什么把戏可变的警觉戒备之下，智穷力竭。

11 六月一日，日蚀。

12 秋季，七月，后梁（首都开封府）陈州（河南省周口市淮阳区）州长、惠王朱友能投降。

七月十七日，后梁帝（三任）朱友贞下诏赦免朱友能一死，降级改封房陵侯。

13 晋王李存勖既然接受各战区道的劝进，于是寻访唐王朝时代留下的官员，打算建立中央政府。朱友谦（朱简，护国〔总部河中府〕司令官）派前任国务院教育部长（礼部尚书）苏循，前往中央特遣政府（苏循父子被朱全忠强迫退休，参考九〇七年五月）。

苏循到了魏州（河北省大名县），一进内城（牙城），看到李存勖所住的房舍，就下跪叩头，称为“拜殿”；看到李存勖本人，就三跪九叩，高呼万岁，感动得泪流满面，自己称“臣”。第二天，又呈献大笔三十支，称为“画日笔”（唐王朝诏书草稿，都由皇帝在上面写一“日”字才可颁发，称“画日”，表示亲自过目）。李存勖大喜，立即命苏循恢复他原来的官位（国务院教育部长），并当河东（总部太原府）副司令官（节度副使），张承业却对他十分厌恶。

14 张文礼（王德明）虽然接受晋王李存勖的任命，但心里不安。于是再派密使北上，透过卢文进（卢文进事，参考九一七年二月），向契丹帝国（首都西楼城〔内蒙古巴林左旗〕）求救。同时也派密使到大梁（后梁首都开封府所在城）奏报后梁帝（三任）朱友贞说：“王镕全族被乱兵屠杀罄尽，可是公主平安。而今，我已向北召唤契丹（首都西楼城）大军南下，请中央派一万名精锐部队协助，从德（山东省德州市陵城区）、棣（山东省惠民县）二州北渡黄河，则晋军连逃走都来不及。”朱友贞犹豫不敢决定，宰相敬翔说：“陛下不抓住敌人内乱这个天赐良机，收复河北（黄河以北），以后就再也打不败晋军，应该接受这项请求，不要丧失时机。”赵张五人帮异口同声说：“强大的盗匪（李存勖军）正在黄河岸上，我们动员全国的兵力抵抗，仍恐怕不能支持，哪有力量分出一万人军队去救张文礼（王德明）？而且张文礼脚踏两只船，只希望利用我们巩固他的既得利益，对我们有什么好处？”朱友贞终于打消赴援的念头。

晋国边防巡逻部队屡次在塞上及黄河渡口，查出张文礼（王德明）密使携带的蜡丸绢书（把写在绢上的密函装在蜡丸里，以防泄露），李存勖却把密使释放送回，张文礼（王德明）既惭愧又恐惧。张文礼（王德明）对成德（总部镇州）很多旧有将领，也深怀戒心，每每找个借口，把他们诛杀屠灭。总指挥官（都指挥使）符习率成德兵团（总部镇州）一万人，随从李存勖在德胜城（河南省濮阳市）作战，张文礼（王德明）请求李存勖准许把他们调回去，而另派其他将领率军接替，并且擢升符习的儿子符蒙到军区司令部（都督府。在八世纪五〇年代安史之乱前，“都督”仍是重要的地方军事建制〔当时，战区只在边疆设立，而且为数极少〕；大乱之后，连内地也设战区，“都督”遂名存实亡），出任参谋官（参军），派人携带金钱绸缎前来慰劳特遣兵团官兵，尽量讨大家欢心。符习晋见李存勖，哭泣流泪，请留下来，李存勖说：“我跟赵王（王镕）订立同盟，共同讨伐叛贼，情义上如同至亲骨肉（王镕称李存勖为舅，参考九一一年七月），想不到忽然内部发生灾祸，我十分悲痛，你假如不忘旧日领袖，能不能为他复仇？我愿帮助你兵马粮饷。”符习跟属下将领三十余人，跪下痛哭说：“王大帅（王镕）交给我们每人一把剑，教我们杀敌灭寇。自从得到兵变消息，怨恨愤怒，没有地方申诉，本来打算刎颈自杀，但想到对死者毫无益处。而今，大王念及王大帅（王镕）辅佐功劳，允许替他伸冤，符习不敢麻烦大王派军，愿意率领部众，一直杀上前去，生擒凶手，以报答王家累世大恩，死而无恨。”

八月七日，李存勖任命符习当成德（总部镇州）候补司令官（留后），又命天平战区（总部设郓州〔山东省东平县〕）司令官（空头官衔。此时郓州属后梁〔首都开封府〕）阎宝、相州（河南省安阳市）州长史建瑭，率军协助，经邢（河北省邢台市）、洺（河北省邯郸市永年区东南广府镇）二州，向北挺进。张文礼（王德明）原先腹部生疮，卧床治疗。

八月十一日，晋军攻陷赵州（河北省赵县），州长王铤投降，李存勖命他继续出任州长。张文礼（王德明）得到消息，过度震惊恐惧，霎时逝世。他的儿子张处瑾保守秘密，不对外发布，而跟他的同党韩正时讨论合力抵抗。

九月，晋军渡滹沱河，继续北进，包围镇州（河北省正定县。滹沱河距镇州城两公里），决开运粮河堤防，用水灌城，俘虏深州（河北省深州市）州长张友顺（变军主角之一）。

九月十日，晋军史建瑭被流箭射中，阵亡（年四十六岁）。

李存勖打算分出一部分兵力，由自己率领进攻镇州（河北省正定县），后梁（首都开封府）北方军团征剿司令（北面招讨使）戴思远得到报告，计划动员所有驻扎杨村（河南省濮阳市西九公里古黄河渡口）的后梁部队，袭击德胜北城（河南省濮阳市）。李存勖从投降的后梁官兵口中，得到全部情报。

冬季，十月七日，李存勖命李嗣源（邈佶烈）在戚城（河南省濮阳市北）设下埋伏，命李存审（符存审）进驻德胜（河南省濮阳市），先派出骑兵引诱，假装兵马既老，胆量又怯。后梁军争先恐后攻击，李存勖命中军严阵以待。后梁军冲到阵前，李存勖率铁甲骑兵三千人奋起攻击，后梁军大败，戴思远逃往杨村（河南省濮阳市西九公里古黄河渡

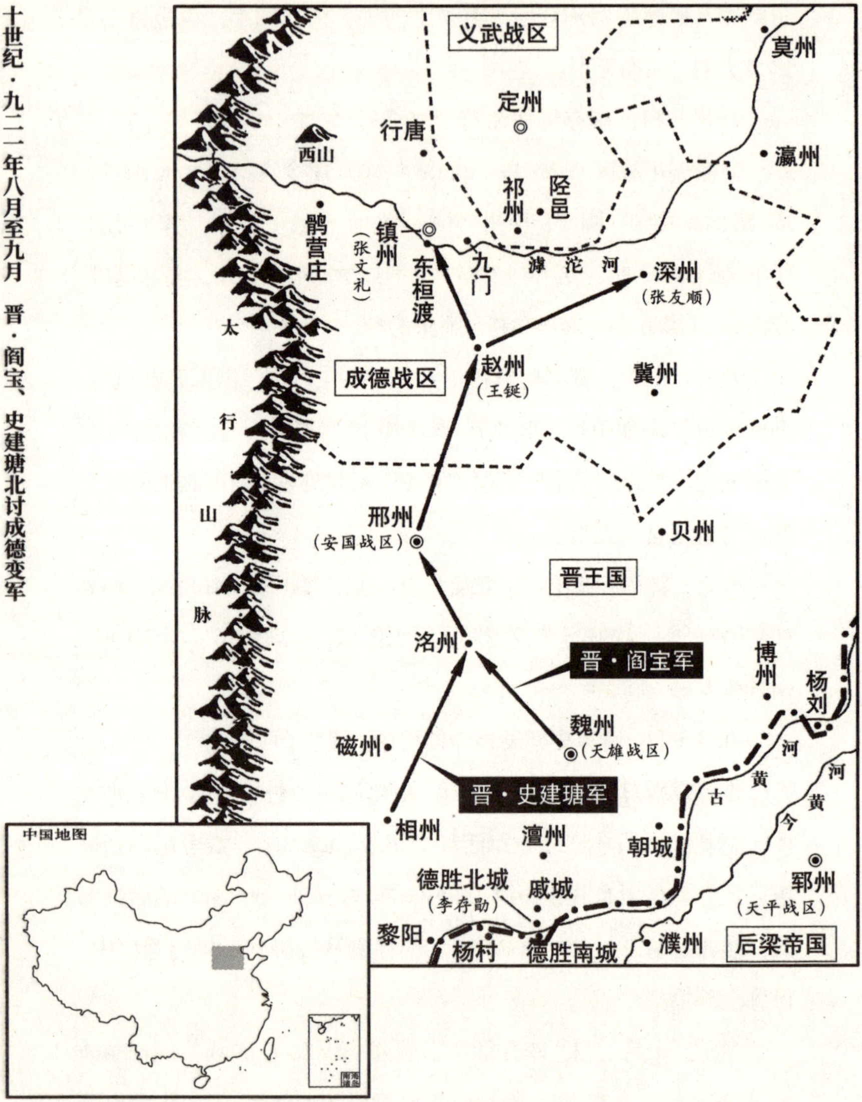

十世纪·九二一年八月至九月 晋·阎宝、史建瑭北讨成德变军

义武战区
莫州
定州
行唐
西山
瀛州
祁州
陉邑
鹘营庄
镇州
（张文礼）
东桓渡
九门
滹沱河
深州
（张友顺）
太行山脉
成德战区
赵州
（王铤）
冀州
邢州
（安国战区）
贝州
晋王国
洺州
晋·阎宝军
博州
杨刘
魏州
（天雄战区）
磁州
晋·史建瑭军
古黄河
今黄河
相州
澶州
朝城
德胜北城
（李存勖）
戚城
郓州
（天平战区）
黎阳
杨村
德胜南城
濮州
后梁帝国

中国地图

口），官兵被杀伤以及互相践踏而死、坠落黄河而死，跟失踪的，共有二万余人。

李存勖命李嗣源（邈佶烈）当华洋内外步骑兵副总司令官（蕃汉内外马步副总管），遥兼二级宰相（同平章事·使相）。

15 当初，义武战区（总部设定州〔河北省定州市〕）司令官（节度使）兼最高立法长（兼中书令·使相）王处直，没有儿子。巫法师李应之在陉邑（河北省定州市南邢邑镇）得到一个孩子刘云郎，送给王处直，说："这娃儿有富贵相！"让王处直收作义子，改姓名为王都。王都（刘云郎）长大后，口舌伶俐，百般谄媚，心怀奸诈。可是王处直却对他十分钟爱，特为他组成一支新军，由他率领。王处直小老婆生有一子王郁，老爹对他冷淡寡情，王郁遂逃往晋国（首都太原府），晋王李克用把女儿嫁给他，累积年资，升迁到新州（河北省涿鹿县）民兵司令（团练使）。王处直其他的儿子，年龄还都很小，就任命王都（刘云郎）当战区副司令长官（节度副大使），打算作为自己的继承人。

后来，李存勖讨伐张文礼（王德明），王处直认为，多少年来，义武（总部定州）、成德（总部镇州）像嘴唇跟牙齿一样，互相依存。成德（总部镇州）如果灭亡，义武（总部定州）就会陷于孤立，所以坚决反对，理由是正在跟后梁（首都开封府）血战，应该赦免张文礼（王德明）。李存勖答复说："张文礼（王德明）谋杀领袖，大义上不可以赦免。而又暗中引进后梁军队，恐怕对义武（总部定州）也有不利影响。"王处直十分忧虑，认为新州（河北省涿鹿县）跟契丹（首都西楼城）相邻，于是秘密派人告诉王郁，命王郁贿赂契丹，要契丹进犯北方边塞，以解救镇州（河北省正定县）的包围，将领和幕僚都竭力劝阻，王处直全不接受。王郁一向痛恨王都（刘云郎）冒充姓王，夺取嫡子位置，于是乘机要求当合法继承人，王处直允许。

总部文武官员都不愿招惹契丹（首都西楼城），王都（刘云郎）也忧虑王郁排斥自己，于是暗中跟文书员和昭训（和，姓）讨论劫持王处直。正巧，王处直跟张文礼（王德明）的使节在定州（河北省定州市）城东宴会，傍晚回来，王都（刘云郎）率领他的新军数百人，在官邸埋伏，大声鼓噪，绑架王处直，说："官兵们不愿意契丹（首都西楼城）进来，请大帅回家休息。"于是连同王处直的妻子、小老婆，一同送到官邸西院软禁（王处存于唐王朝末年被中央任命当义武司令官，参考八七九年十一月，传子传弟，共三任，前后四十三年而亡），然后把王处直所有在中山（定州是古代中山王国所在，两汉王朝又在此设中山郡及中山封国）的子孙，以及王处直所有心腹亲信，全部诛杀。王都（刘云郎）自称候补司令官（留后），把经过情形，具体呈报晋王李存勖，李存勖即命王都（刘云郎）代替王处直。

16 南吴（首都江都府）东海郡王徐温，建议南吴王杨溥到南郊祭祀天神，有人说："礼仪音乐，都没有准备。唐王朝皇帝南郊祭祀时，都要花费金钱万万，今天一时筹措不到。"徐温说："岂有帝王而不祭祀天神之理，我认为祭祀天神，只要一片诚心，浪费那么多钱干什么？唐王朝时，每次祭天，为了打开南门，仅只往门锁、门轴灌油脂，就要用一百斛（使门容易转动，而又不发出声音），这是末世奢侈的流弊，怎么可以效法？"

十月十二日，杨溥到南郊祭祀天神，用老爹杨行密（杨行愍）作为配祭。

十月十三日，杨溥下令大赦。擢升徐知诰（李知诰）当二级实质宰相（同平章事），遥兼江州（江西省九江市）行政长官（观察使）。不久，在江州设奉化战区，命徐知诰（李知诰）遥兼司令官（节度使）。

徐温听说寿州（安徽省寿县）民兵司令（团练使）崔太初施政苛刻，有失民心，打算调回中央。徐知诰（李知诰）说：“寿州（安徽省寿县）是边疆重镇，直接调回中央，恐怕发生变化，不如命他到中央朝见，乘势留他下来。”徐温大怒说：“一个崔太初都不能制伏，对别人又该怎么样？”遂下令调崔太初当右雄武（禁军第六军）大将军。

17 十一月，晋王李存勖派李存审（符存审）、李嗣源（邈佶烈）据守德胜（河南省濮阳市），而自己率军进攻镇州（河北省正定县）。镇州变军首领张处瑾派老弟张处琪、幕僚齐俭，晋见李存勖，承认自己有罪，请求准许投降。李存勖拒绝，出动所有精锐攻城，十余天不能攻克。张处瑾派韩正时率一千余骑兵突围而出，直奔定州（义武战区总部所在，河北省定州市），打算向王处直求救，晋军追到行唐（河北省行唐县），斩韩正时。

18 契丹帝（一任太祖）耶律阿保机（本年五十岁）已经应许卢文进进攻中国（晋国），王郁又煽动说：“镇州（河北省正定县）美女如云，黄金绸缎堆积如山，皇上如果早点启程，都成了你的东西，不然的话，全到李存勖口袋！”（一派汉奸口吻！）耶律阿保机同意，动员全国所有的武装部队南下。述律皇后劝阻说：“我们拥有西楼（契丹首都，内蒙古巴林左旗），满山遍野羊马的丰富财产，快乐无穷，为什么要劳师动众，千里出征，乘人之危，夺取一点小利？我听说李存勖作战，天下没有敌手，万一失败，后悔已来不及！”耶律阿保机不理。

十二月二十日，契丹军进攻幽州（北京市），守城宦官李绍宏（马绍宏）登城防御（李绍宏主管卢龙〔总部幽州〕军政，参考前年〔九一九〕三月）。契丹军采取跳蛙战术，舍弃幽州（北京市），长驱而南，围攻涿州（河北省涿州市），十天即行攻克，俘虏州长李嗣弼，遂再进攻定州（河北省定州市）。王都（刘云郎）向李存勖紧急求救，李存勖自镇州（河北省正定县）率亲军五千人北上增援，另派神武特别营指挥官（神武都指挥使）王思同，率军进驻狼山（河北省易县西南四十公里狼牙山）之南阻拦。

19 后梁（首都开封府）荆南战区（总部设江陵府〔湖北省江陵县〕）司令官（节度使）高季昌，派总指挥官（都指挥使）倪可福，率士卒一万人修筑江陵外城，高季昌巡查时，斥责工程进度太慢，下令处倪可福棍刑（高季昌扩建江陵城池，参考九一二年闰五月）。高季昌的女儿嫁倪可福的儿子倪知进，高季昌对女儿说："回家告诉你公公，我只是想树立威严，教大家认真办事。"馈赠倪可福白金数百两。

20 本年（九二一），南汉帝国（首都兴王府〔广东省广州市〕）命国务院左秘书长（尚书左丞）倪曙，兼二级实质宰相（同平章事）。

21 南楚（首都潭州）辰溆蛮（湖南省沅陵县及洪江市蛮夷）聚众起兵，侵犯南楚。南楚宁远战区（总部设容州〔广西容县〕）副司令官（空头官衔。此时容州属南汉〔首都兴王府〕）姚彦章率军讨伐，把战乱削平（姚彦章离开容州，参考九一一年十二月十三日）。

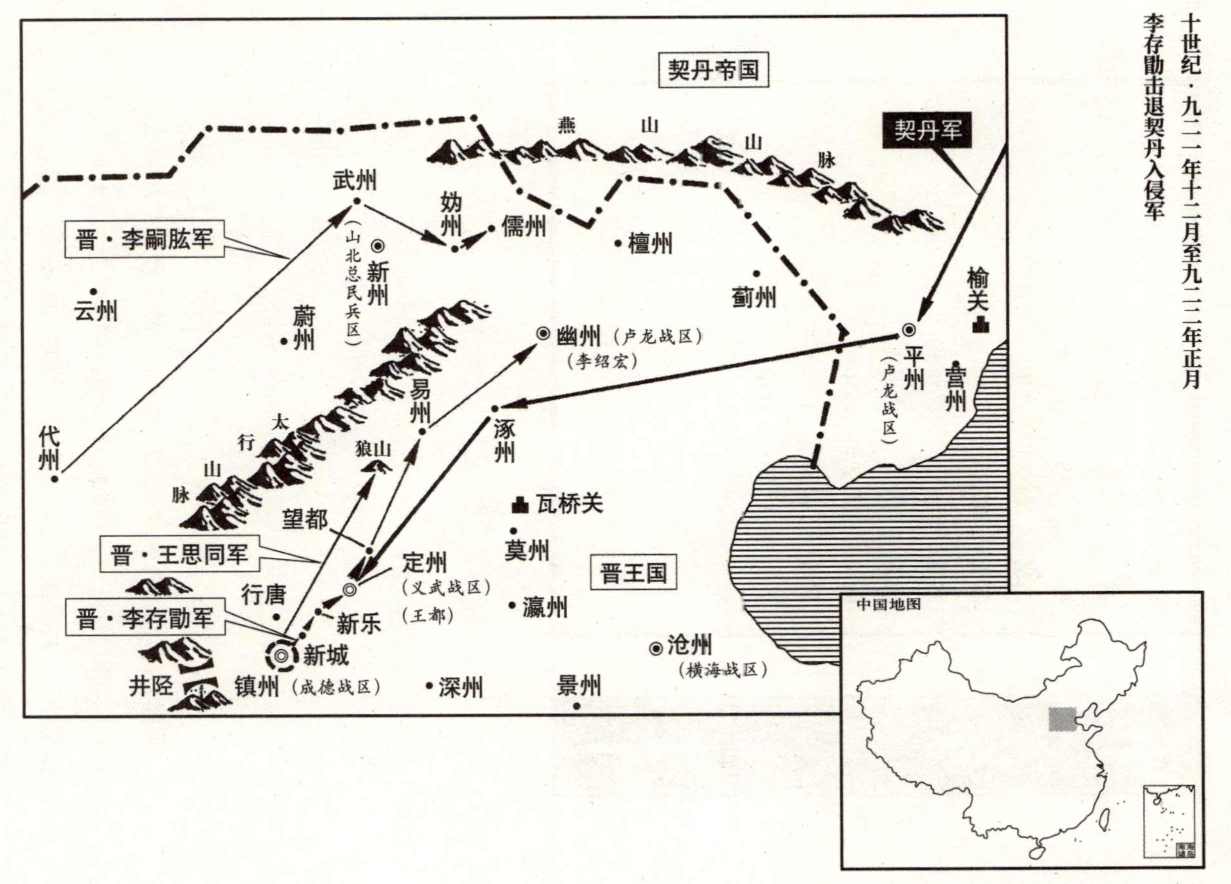

十世纪·九二一年十二月至九二二年正月
李存勖击退契丹入侵军

九二二年 壬午

后梁	龙德	二年
晋	天祐	十九年
岐	天祐	十九年
南吴	顺义	二年
前蜀	乾德	四年
南楚	龙德	二年
吴越	天宝	十五年
南汉	乾亨	六年
契丹	神册	七年
	天赞	元年

1 春季，正月一日，义武（总部定州）变军首领王都（刘云郎），前往官邸西院看望王处直（王都囚禁王处直，参考去年〔九二一〕十月），王处直愤怒若狂，挥拳殴打王都（刘云郎）的胸脯，哀号说："叛徒，我什么地方对不起你！"手边既没有武器，就要咬掉王都（刘云郎）的鼻子，王都（刘云郎）把袖子都挣断了，才逃过一劫。王处直忧愤交集，

不久逝世（年六十一岁）。

2 正月十三日，晋王（首都太原府〔山西省太原市〕）李存勖（本年三十八岁）抵达新城（河北省正定县东北新城铺镇）稍南，骑兵斥候报告说：契丹（首都西楼城）前锋已到新乐（河北省新乐市），正蹚沙河（大沙河，流经新乐市东北）南下。晋军大惊失色，有些士卒因恐惧过度，而脱队逃亡，各级军官用严刑诛杀，都不能阻止。将领们一致认为："蛮虏倾巢而出，人马众多，我们无法抵挡。听说后梁军（首都开封府）已侵入腹地，最好回军魏州（河北省大名县），拯救根本！"也有人请求解除镇州（河北省正定县）的包围，撤退到井陉（太行山八陉之五，河北省石家庄市鹿泉区西），暂时避开。李存勖犹豫不决。参谋本部执行官（中门使）郭崇韬说："契丹（首都西楼城）受王郁的引诱，这次南来，完全为了金银美女，并不是真要拯救镇州（河北省正定县）的灾难。大王新近不断击破后梁（九一九年胡柳之役破贺瓌，戚城之役破王瓒，去年〔九二一〕德胜城之役破戴思远），威震天下，契丹听说大王亲征，一定惊恐沮丧，只要能打败他们前锋，他们就非逃走不可。"李嗣昭从潞州（山西省长治市）来，也说："大敌当前，我们只有前进，不能后退，不可轻率行动，以免动摇军心。"李存勖说："帝王兴起，自有天命，如果上天注定，契丹又能把我怎样！我只用几万人就平定山东（太行山以东），今天遇到一小撮蛮夷，竟远远躲避，还有什么面目威临四海！"乃率铁甲骑兵五千人先进，抵达新城（河北省正定县东北新城铺镇）之北，部队才从桑林里走出一半，契丹一万余名骑兵看见，大为惊骇，立即撤退，李存勖下令分兵二路追击，奔驰数十华里，俘虏契丹帝（一任太祖）耶律阿保机（本年五十一岁）的儿子。沙河桥太窄，契丹官兵踏冰北渡，冰还没有冻得够厚，纷纷塌陷，坠水淹死的很多。当天（正月十三日）夜晚，李存勖住宿新乐（河北省新乐市）。耶律阿保机御帐就设在定州（河北省定州市）城下，败兵逃回，耶律阿保机急命全军撤退到望都（河北省望都县，位定州东北二十二公里）。

李存勖抵达定州（河北省定州市），王都（刘云郎）亲自到李存勖马前迎接，在官邸设筵欢宴，请求把自己的女儿嫁给李存勖的儿子李继岌。

正月十七日，李存勖率军进逼望都（河北省望都县），契丹兵团迎战，李存勖率一千名亲军骑兵领先攻击，跟奚部落（滦河上游）酋长秃馁（音něi）所率五千人骑兵遭遇，立刻陷入重围，李存勖奋勇冲刺，再三再四杀出杀进，自中午苦战到下午四时左右，仍不能突围。李嗣昭接到报告，率骑兵三百人从侧面发动攻击，奚部落军退走，李存勖才得以脱险。晋军乘胜发动全面攻击，契丹军大败，晋军一直向北追到易州（河北省易县）。正巧，下了将近十天大雪，平地积雪厚达数尺，大地白茫茫一片，契丹兵团人没有粮食、马没有草料，沿途一个接连一个死亡（契丹人作战时从不携带粮食，参考九一七年三月）。耶律阿保机举手指天，对卢文进说：“天不教我到这里。”下令北返。李存勖在后紧紧尾随不放，契丹兵团前进，晋军也前进，契丹兵团住宿，晋军也住宿，李存勖沿途观察契丹遗留下的营帐，发现铺在地上的稻草，圆的圆、方的方，整整齐齐，好像编织好放在那里，大军虽然退走，稻草却没有一根杂乱，不禁叹息说：“蛮虏军纪，竟能严厉到这种地步，我们赶不上！”李存勖抵达幽州（北京市），派骑兵二百人追踪，吩咐说：“蛮虏一出边境，你们就回来！”骑兵仗恃自己骁勇善战，出境追击，全被契丹俘虏，只有二人从其他道路逃回。

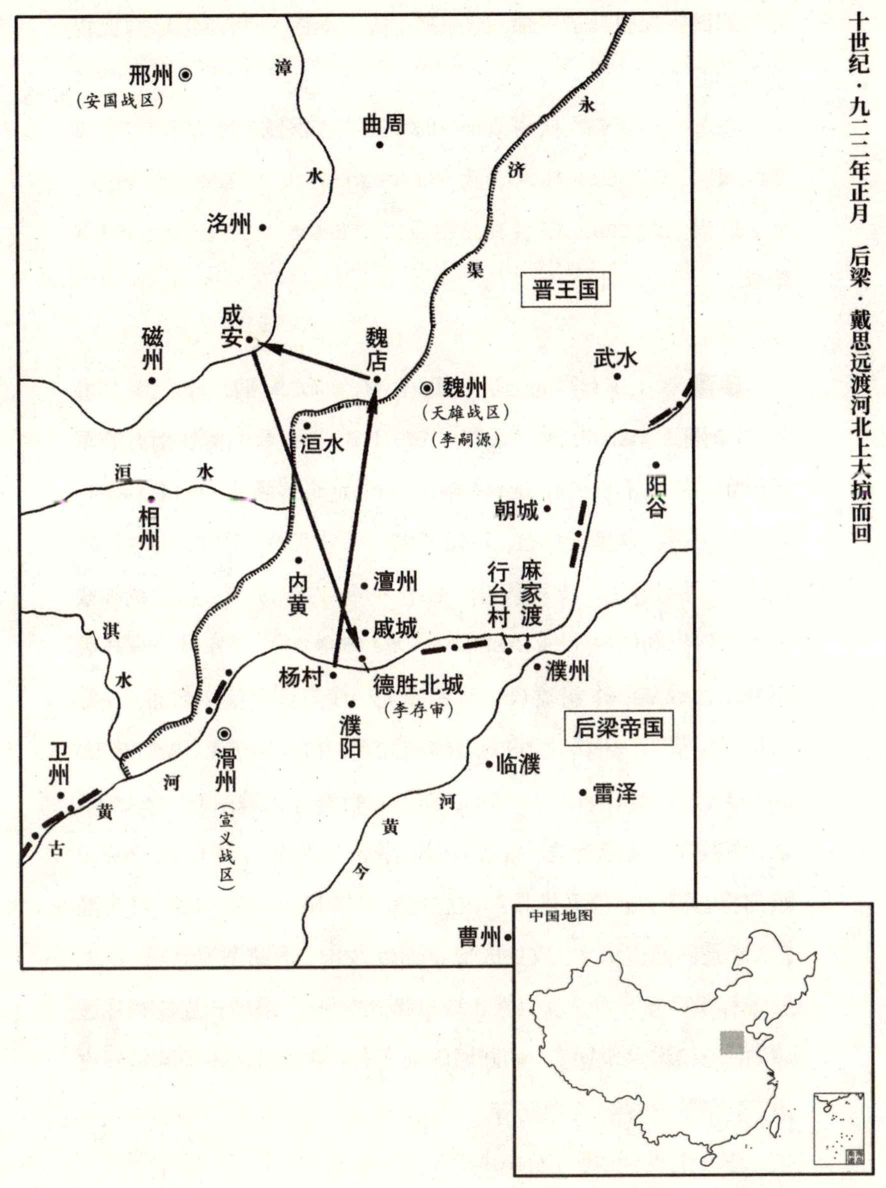

十世纪·九二三年正月　后梁·戴思远渡河北上大掠而回

耶律阿保机斥责王郁，给他戴上脚镣手铐，押解回国，自此再不听他的话。

晋国（首都太原府）代州（山西省代县）州长李嗣肱，率军收复妫（河北省怀来县）、儒（北京市延庆区）、武（河北省张家口市宣化区）等州。李存勖命李嗣肱当山北（燕山以北）民兵总司令官（都团练使。司令部设新州〔河北省涿鹿县〕）。

3 晋王李存勖北上进攻镇州（河北省正定县）时，李存审（符存审）对李嗣源（邈佶烈）说："后梁（首都开封府）听说我们留在南方的军队很少，如果不攻德胜（河南省濮阳市），一定奇袭魏州（河北省大名县），我们两个挤在这里干什么，不如各率一部分武力，分守二地，严阵以待。"并另分出一支军队进驻澶州（河南省内黄县东南）。后梁统帅戴思远果然出动杨村（河南省濮阳市西九公里古黄河渡口）全部军队，直扑魏州（河北省大名县），李嗣源（邈佶烈）率军先一步赶到后梁军前面，在狄公祠下扎营（唐王朝狄仁杰的生祠，参考七〇〇年九月。今祠乃后来的魏博战区〔总部魏州〕司令官田弘正〔田兴〕下令重建），派紧急特使先去魏州（河北省大名县）警告，教守军紧急备战。后梁军到达魏店（大名县西），李嗣源（邈佶烈）派部将石万全率骑兵挑战，戴思远发现魏州（河北省大名县）已有准备，于是向西渡漳水，攻克成安（河北省成安县），大肆剽掠而回。戴思远接着率军五万人，攻德胜北城（河南省濮阳市），绕城一连挖掘几道壕沟，沿壕沟兴筑堡垒，切断城内外所有联系，日夜不停的猛烈攻击，李存审（符存审）百般防守。

李存勖得到德胜（河南省濮阳市）危急消息。

二月，李存勖从幽州（北京市）南下增援，五天就到达魏州（河北省大名县）。戴思远得到报告，焚烧大营，撤回杨村（河南省濮阳市西九公里古黄河渡口）。

4 前蜀帝国（首都成都府〔四川省成都市〕）皇帝（二任）王宗衍（本年二十四岁）喜爱装扮成平民模样，出宫游荡，无论妓院、酒店，没有一处地方不到。不愿别人认出他的面貌，下令全国士民，一律戴宽边大帽（原来，巴蜀风俗都戴无边小帽，仅仅盖住头顶，一低头，帽就坠地，称为“危脑帽”，王宗衍认为不祥，下令禁止。而自喜戴宽边大帽，民间只要看到宽边大帽，就知王宗衍所在，于是下令全国都戴）。

5 晋国（首都太原府）天平战区（总部设郓州〔山东省东平县〕）司令官（空头官衔。此时郓州属后梁〔首都开封府〕）兼最高监督长（兼侍中·使相）阎宝，兴筑一连串碉堡，围困镇州（河北省正定县），并决开滹沱河堤岸，水淹城池，内外交通，完全断绝，城里粮食吃完。

三月二十六日，城里变军派五百余人出城寻找食物，阎宝放他们出来，打算引诱进入埋伏，一鼓消灭，想不到五百余人一越过壕沟，就立即攻击碉堡。阎宝仍没有把他们看到眼里，不做紧急防备，霎时间，城里变军数千人继续杀出，晋军还没有集结，变军已摧毁长墙，直攻阎宝大营，纵火焚烧，阎宝不能抵抗，撤退到赵州（河北省赵县。在镇州东南航空距离五十公里）。镇州变军把晋军营垒全部摧毁，取出粮食草料，搬运几天都搬不完。

李存勖得到报告，命昭义战区（总部设潞州〔山西省长治市〕）司令官（节度使）兼最高立法长（兼中书令·使相）李嗣昭，当北方军团征剿司令（北面招讨使），代替阎宝。

6 夏季，四月，前蜀（首都成都府）基地司令（军使）王承纲的女儿，将要出嫁，前蜀帝（二任）王宗衍把她强夺入宫。王承纲请求释放，王宗衍大怒，把王承纲贬窜茂州（四川省茂县）。女儿听到老爹被定罪，自杀。

7 四月二十四日，镇州（河北省正定县）变军首领张处瑾派士卒一千人到九门（河北省石家庄市藁城区西北）接运粮食，李嗣昭在阎宝从前驻扎过的废弃营垒中，设下埋伏，拦腰阻击，一千人几乎全被格杀及俘虏，只剩下五个人撑在断壁残柱之间，李嗣昭骑马环绕他们射击，五人忽然发出一箭，正中李嗣昭的头部，李嗣昭的箭已用尽，于是从头上拔下那支箭，一箭就把发箭那人射死。此时天已黄昏，遂即回营，伤口流血不止，当天晚上逝世。李存勖得到消息，好几天不饮酒吃肉。李嗣昭遗命：把昭义（总部潞州）所有武装部队，交给军事执行官（节度判官）任圜（音yuán〔元〕），命任圜率各路兵马进攻镇州（河北省正定县）。于是号令跟从前一样，镇州变军还不知道李嗣昭已死。任圜，是三原（陕西省三原县东北）人。

李存勖命天雄（总部魏州）步骑兵总指挥官（马步都指挥使）、振武（总部朔州）司令官（节度使）李存进（孙重进）继任北方军团征剿司令（北面招讨使）。命李嗣昭的儿子们护送老爹的灵柩，回晋阳（首都太原府所在县）安葬。儿子李继能拒绝接受，率老爹警备队士卒（牙兵）数千人，从前方护送灵柩直回潞州（山西省长治市。李嗣昭镇守潞州，参考九〇六年十二月，前后共十七年）。李存勖派亲弟李存渥飞骑追赶解释沟通，弟兄们非常愤怒，甚至要杀李存渥，李存渥逃回。李嗣昭有七个儿子：李继俦、李继韬、李继达、李继忠、李继能、李继袭、李继远。李继俦当泽州（山西省晋城市）州长，应该继承老爹的爵位，但他一向懦弱。李继韬凶暴狡猾，把老哥李继俦囚禁在一个房间里，发动官兵拥护自己当候补司令官（留后），李继韬假装辞让，但把这件事报告李存勖。李存勖因战事正在吃紧，万不得已，只好把昭义战区（总部设潞州〔山西省长治市〕）改称安义战区（避李嗣昭讳），命李继韬当候补司令官（留后）。

8 阎宝惭愤交集，背上生疮。

四月二十四日，阎宝逝世（年六十岁）。

9 南汉帝国（首都兴王府〔广东省广州市〕）皇帝（一任高祖）刘岩（本年三十四岁），相信巫法师的说辞，前往梅口镇（广东省梅州市东北）游逛，用以躲避灾难。梅口镇紧接闽国（首都福州〔福建省福州市〕）的西部边境。闽军将领王延美率军袭击刘岩（王延美，是闽王王审知二哥王审邽的次子），部队还在数十华里外，南汉斥候得到消息，奏报刘岩，刘岩立刻逃走，真的躲避了一场灾难。

10 五月六日，晋军统帅李存进（孙重进）抵达镇州（河北省正定县），在东垣渡扎营（镇州州政府所在县古名东垣，西汉王朝改名真定〔参考前一九六年〕，但县南滹沱河渡口，仍称东垣渡），夹滹沱水（滹沱河）筑垒。

11 晋国（首都太原府）卫州（河南省卫辉市）州长李存儒，本姓杨，名婆儿，因为演戏出色而受李存勖宠爱，身体健壮，双臂有相当大的力气，李存勖教他改换姓名，用作州长。李存儒（杨婆儿）专门贪赃敛财，城防军士卒，只要每月缴一定的献金，就可以回家。

八月，后梁（首都开封府）皇家庄园管理官（庄宅使）段凝（段明远）会

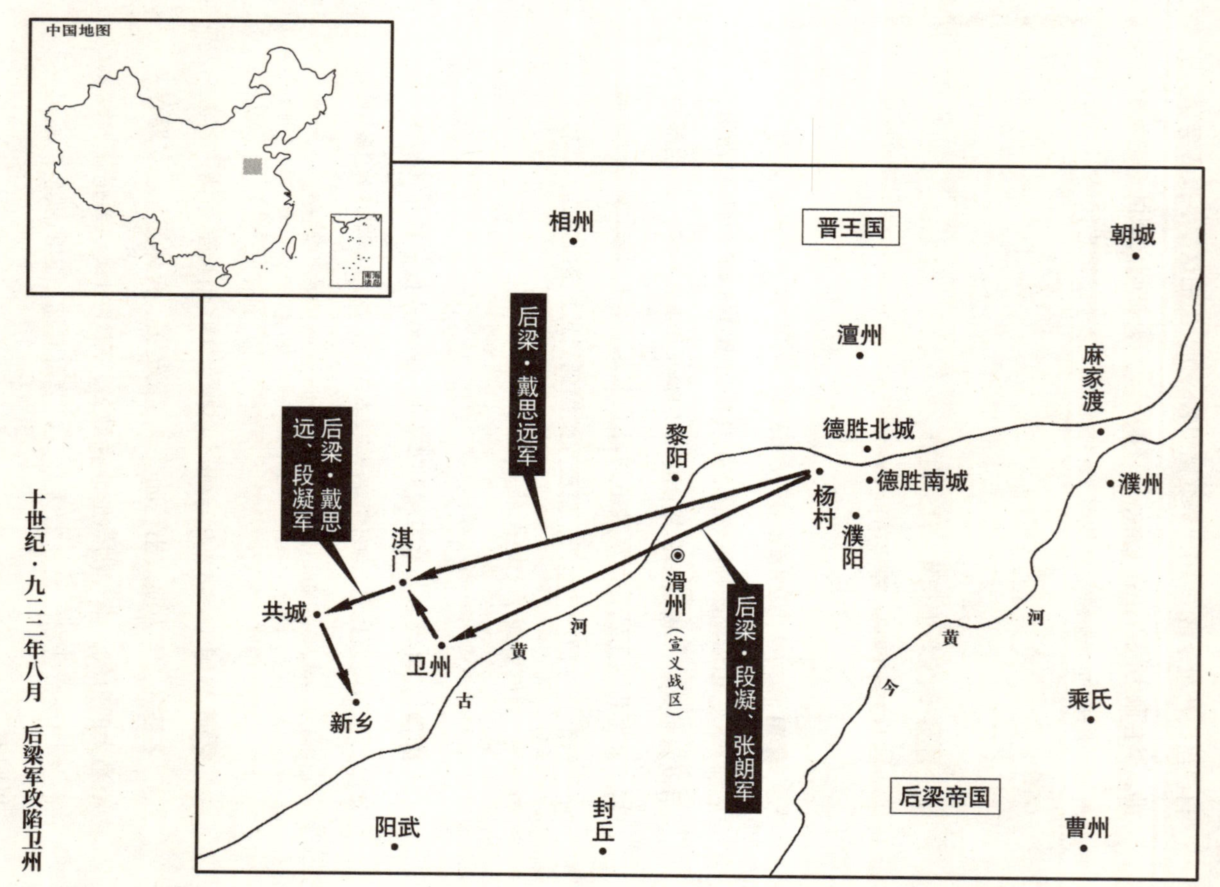

十世纪·九二三年八月　后梁军攻陷卫州

同步兵总指挥官（步军都指挥使）张朗，率军于夜晚北渡黄河，奇袭卫州（河南省卫辉市），于黎明攀登城墙，攻陷城池，生擒李存儒（杨婆儿）。后梁统帅戴思远又会同段凝（段明远），一连攻陷淇门（河南省淇县东南淇门渡）、共城（河南省辉县市）、新乡（河南省新乡市）。于是澶州（河南省内黄县东南）以西、相州（河南省安阳市）以南，都被后梁收回。晋军损失粮秣辎重三分之一，后梁军队声势再度振作。

后梁帝（三任）朱友贞（本年三十五岁）命张朗当卫州（河南省卫辉市）州长。张朗，是徐州（江苏省徐州市）人。

12 九月一日，镇州（河北省正定县）变军首领张处瑾派老弟张处球，乘晋军统帅李存进（孙重进）没有防备的时候，率七千人突袭东垣渡（镇州南滹沱河渡口）。这时，晋军骑兵部队正向镇州城前进，却两不相遇。镇州变军杀进李存进（孙重进）营门，李存进（孙重进）惊骇失措，仓猝间率十余人在桥上格斗，镇州变军被击后退，而晋军骑兵回击，前后夹攻，镇州变军几乎死光，但李存进（孙重进）也被杀（年六十六岁）。

柏杨曰

当时，河东战区（总部太原府）兵力最强，成德战区（总部镇州）军队，一向被视为懦弱胆怯，可是一场夺城之战下来，却连连格杀河东（总部太原府）名将，前有史建瑭、阎宝，后有李嗣昭、李存进。无他，哀兵必胜。镇州（河北省正定县）在王姓军阀割据下，所受迫害，长达百年之久，人民敢怒而不敢言，怨恨深入骨髓，一旦张文礼崛起，诛杀末代军阀王镕，正是人性恢复、全民振奋之时，而李存勖却强伸所谓“正义”，要杀“弑君之贼”。则王都也是弑君之贼，为什么不但不杀，反而结成儿女亲家？“正义”

到了哪里？

镇州（河北省正定县）亡于无粮，如果有粮，那支抗暴武力，将有更辉煌的战果。

李存勖命华洋步骑兵总司令官（蕃汉马步总管）李存审（符存审）当北方军团征剿司令（北面招讨使）。

镇州（河北省正定县）变军粮食吃完，力量枯竭，张处瑾派使节前往中央特遣政府（行台），请求投降，还没有得到回答，李存审（符存审）大军已到城下。

九月二十九日，夜晚，城里变军将领李再丰作为内应，秘密从城上垂下绳索，让晋军攀登而上，天亮后（十月一日），晋军已全部进城，生擒张处瑾兄弟、家人，以及他的同党高濛、李翥、齐俭，押送中央特遣政府，成德（总部镇州）官民都请求吃他们的肉（到底吃了没有，史书说不清楚），把张文礼（王德明）的尸体拖到市场，碎尸万段。赵王王镕从前的侍从在一堆灰烬里找到王镕的尸体，李存勖命祭悼安葬，并分别命成德（总部镇州）旧日将领符习当成德战区（总部设镇州〔河北省正定县〕）司令官（节度使）、乌震当赵州（河北省赵县）州长、赵仁贞当深州（河北省深州市）州长、李再丰当冀州（河北省衡水市冀州区）州长。乌震，是信都（冀州州政府所在县，河北省衡水市冀州区）人。

符习不敢接受成德（总部镇州），辞让说："老长官（王镕）没有后裔，棺木未曾入土，我当穿最重的'斩衰'丧服（参考五七四年附表），把他安葬，等安葬后，听候指示。"安葬之后，符习即往中央特遣政府（行台）报到。赵州（河北省赵县）文武官员及士绅请李存勖兼成德（总部镇州）司令官（节度使）：李存勖同意（如今李存勖是河东〔太原府〕、卢龙〔幽州〕、天雄〔魏州〕、成德〔镇州〕四战区司令官），另割相（河南省安阳市）、卫（河南省卫辉市）二州（此时卫州在后梁境内），设义宁战区（总部设相州〔河南省安阳市〕），命符习当司令官（节度使），符习辞让，说："天雄（总部魏州）兵多地广，势力强大，不可以分割（之前后梁已分割过一次，导致背叛，参考九一五年三月）。希望把黄河以南现属后梁（首都开封府）的战区，给我一个，由我自己夺取。"李存勖遂命符习当天平战区（总部设郓州〔山东省东平县〕）司令官（空头官衔。此时郓州属后梁〔首都开封府〕）、东南方面军征剿司令（东南面招讨使）。加授李存审（符存审）兼最高监督长（兼侍中·使相）。

13 十一月二日，晋国（首都太原府）特进（文散官第二级，正二品）、河东战区（总部设太原府〔山西省太原市〕）总监军宦官（监军使）张承业逝世（年七十七岁），李存勖的娘亲曹太夫人亲到他家祭悼，为他穿上丧服，如同女儿、侄女。李存勖得到报告，一连几天，不进饮食。命河东（总部太原府）留守长官署执行官（留守判官）何瓒，代替主持河东（总部太原府）军政大事。

张承业感激李克用的大恩（不杀之恩，参考九〇三年二月），辅佐他儿子李存勖建中兴大业，不但义，而且忠。

14 十二月，晋王李存勖命天雄（总部魏州）行政执行官（观察判官）、晋阳（太原府所在县，山西省太原市）人张宪，兼成德（总部镇州）行政执行官（观察判官），暂时主管总部军政大事。

魏州（河北省大名县）人民很多欠税（事实上是催税太过苛急，参考九一五年六月），李存勖责备总务官（司录）济阴（曹州州政府所在县，山东省菏泽市定陶区）人赵季良，赵季良说：“殿下，你什么时候才平定河南（黄河以南）？”李存勖咆哮说：“你的职务是督促税收，不把税收管好，怎么敢管我的军事？”赵季良回答说：“殿下正在争城夺地，却不爱惜你的人民，一旦民心离散，恐怕连河北（黄河以北）都不归殿下所有，何况河南（黄河以南）！”李存勖十分高兴，向他道歉。自此对他很是尊重，常让他参加决策讨论。

15 本年（九二二），契丹（首都西楼城）改年号天赞。

16 朝鲜半岛大封王国（首都开州〔朝鲜半岛开城市〕）国王躬乂（参考九一九年七月），性情残忍凶暴，海军总司令（海军统帅）王建发动兵变，诛杀躬乂，自立称王，复称高骊国王，以开州称东京、平壤（朝鲜半岛平壤市）称西京。王建俭省节约，待人宽大厚道，军民都安居乐业。

九二三年 癸未

后梁	龙德	三年
后唐	同光	元年
岐	天祐	二十年
南吴	顺义	三年
前蜀	乾德	五年
南楚	同光	元年
吴越	天宝	十六年
南汉	乾亨	七年
契丹	天赞	二年

1 春季，二月，晋王（首都太原府〔山西省太原市〕）李存勖（本年三十九岁）下令设置文武百官，于所属四个战区（河东〔总部太原府〕、天雄〔总部魏州〕、卢龙〔总部幽州〕、成德〔总部镇州〕）执行官（判官）中，遴选曾在唐王朝时代当过高官的，打算命他们担任宰相。河东（总部太原府）军事执行官（节度判官）卢质，声望最高，但他坚决辞让，推荐义武（总部定州）军事执行官（节度判官）豆卢革，跟河东（总部太原府）行政执行官（观察判官）卢程出任。李存勖遂即召见豆卢革、卢程，命他们

分别担任中央特遣政府（行台）左、右丞相，命卢质当国务院教育部长（礼部尚书）。

2 后梁帝国（首都开封府〔河南省开封市〕）皇帝（三任）朱友贞（本年三十六岁），派国务院国防部副部长（兵部侍郎）崔协等，晋封吴越王（一任武肃王）钱镠（本年七十二岁。镠，音liú〔流〕）当吴越国王。

二月二十二日，钱镠宣布建吴越王国，军警禁卫的名称，差不多跟皇帝的一样，把居住的地方称“宫殿”，战区总部改称“中央政府”，命令改称“诏书”“圣旨”，文武百官则自称“臣”。唯一特别的是，仍使用后梁帝国的年号，不单独制定年号。（《十国纪年》：“钱镠命他的功臣跟儿子们当地方政府首长，都是先行任用，再报中央。无论住宅及穿着，浪费奢侈，俱到极端，晚年更是严重。钱家割据两浙〔浙江省〕超过八十年，对中央按时进贡，十分厚重，对内则享乐无穷。地方小而人口稠密，苛征暴敛，连鸡蛋鱼卵、大蒜青葱，都强行征税。一斗一升的欠税，都鞭打脊背。鞭打逃税的小民时，由税务员拿着账簿，站立公堂，先宣布欠税多少，鞭打多少，鞭打后第二位税务员再宣布另外欠税多少，再鞭打多少，直到所有欠款都执行鞭打之后才停。最少的也要打数十鞭，多的甚至打到五百多鞭，直到死亡，人民痛苦不堪。”五代十一国帝王后裔，下场都很悲惨，只钱镠后裔于十世纪七十年代，首先向新崛起的宋王朝投降，并且在宋王朝政府当官，有的更身居要职。为了改变钱镠匪徒出身的形象，钱家子孙首先著书立说，如二任王钱传瓘的儿子钱信〔钱俨〕著《吴越备史》《备史遗事》《忠懿王勋业志》〔忠懿王，五任王钱弘俶〕《钱氏戊申英政录》〔戊申，九四八年〕，四任王钱弘倧的儿子钱易著《钱氏家话》，钱弘俶的儿子钱惟演著《钱氏庆系图谱》《家王故事》《秦国王贡奉录》。而钱镠在后梁帝国夺取唐王朝政权的翌年〔九〇八〕，就首先建立年号〔九〇八年称天宝、九二四年称宝大〕，后来形势逆转，钱家把带有上述年号的事物，全部销毁灭迹，但仍有残碑漏网，使历史真相大白。司马光于本年〔九二二〕还强调吴越不改年号，而于三年后的九二六年，才指出吴越改元宝正，只

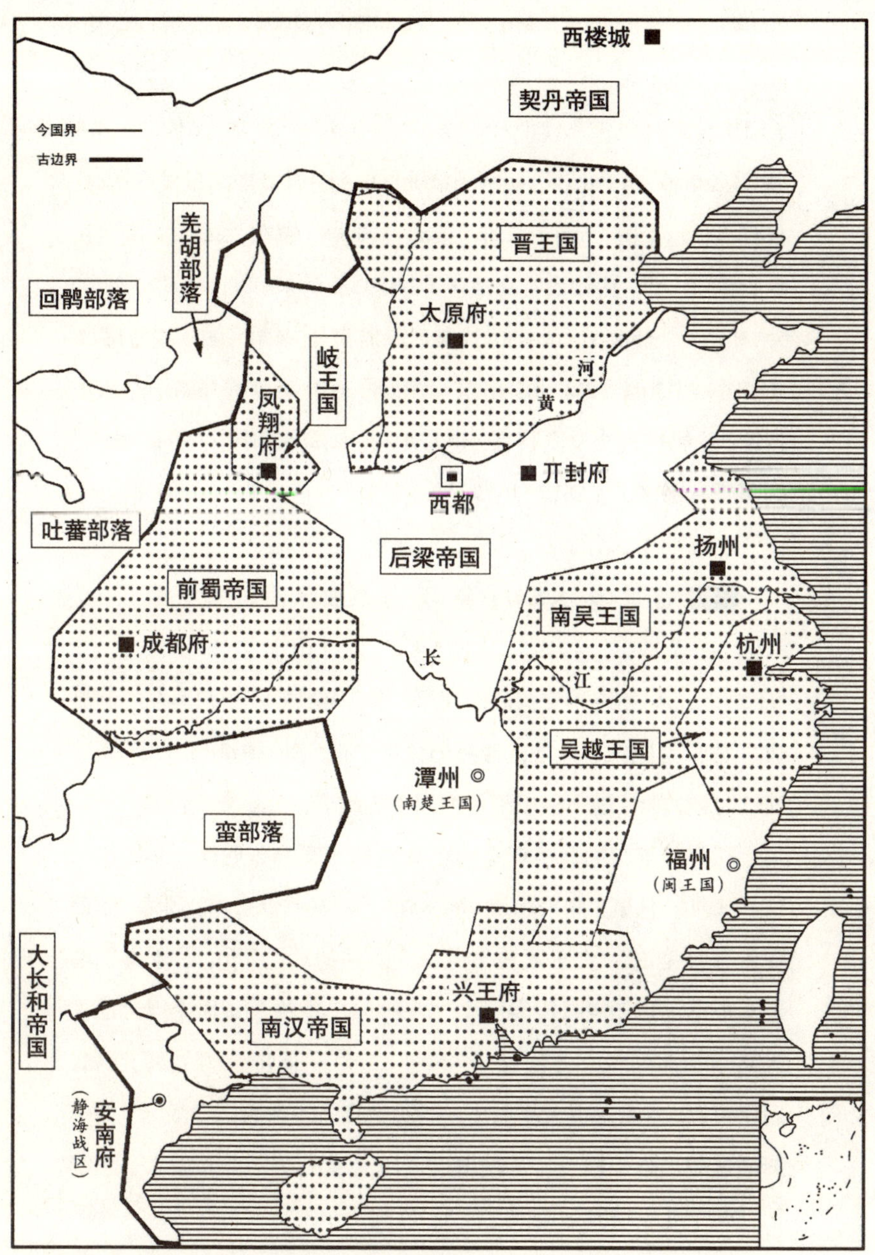

十世纪·九二三年二月　钱镠建吴越王国·七国并立

因司马光撰写《资治通鉴》时，刻有“天宝”“宝大”年号的文物尚未出土。清王朝人吴任臣的著作《十国春秋》，其中《吴越武肃王世家·论曰》一文便明确记载，有关文物，迟至十三世纪宋帝国末期，以及十四世纪元王朝末年，才分别在临安府〔浙江省杭州市〕、婺州〔浙江省金华市〕、海宁州〔浙江省海宁市〕等地出土。）向后梁帝国呈递奏章时，自称“吴越王国”，而不再称“镇海（总部杭州）镇东（总部越州）战区司令官（节度使）”。钱镠命清海战区（总部设广州〔广东省广州市〕）司令官（空头官衔。此时广州属南汉〔首都兴王府〕）兼最高监督长（兼侍中·使相）钱传瓘（钱镠的儿子）当镇海（总部杭州）、镇东（总部越州）候补司令官（留后），全权主持军政。另行设立文武百官，也有丞相、副首长（侍郎）、司长（郎中）、副司长（员外郎）、礼宾官（客省使）等主管官。

3 晋国（首都太原府）李继韬，虽然被晋王李存勖任命当安义战区（昭义战区改，总部设潞州〔山西省长治市〕）候补司令官（参考去年〔九二二〕四月），但心里始终不安，幕僚魏琢、营门官（牙将）申蒙再在中间挑拨，说：“晋国没有人才，最后仍免不了被后梁（首都开封府）并吞。”而这时候，李存勖正积极筹备组织中央政府，设立文武百官。

三月，李存勖召唤安义（总部潞州）监军宦官张居翰、军事执行官（节度判官）任圜，同来魏州（特遣政府所在地，河北省大名县）。魏琢、申蒙警告李继韬说：“大王紧急传见二人，情势危险可知。”李继韬的老弟李继远也劝老哥投靠后梁（首都开封府）。李继韬遂派李继远前往大梁（开封府所在城），献出潞州（山西省长治市），请求作为后梁的臣属。后梁帝（三任）朱友贞大喜过望，把安义战区改名为匡义战区，命李继韬遥兼二级宰相（同平章事·使相）、匡义战区司令官（节度使）。李继韬把两个儿子送到后梁，充当人质。

安义（总部潞州）旧日将领裴约，驻防泽州（山西省晋城市），向他的部众流泪宣告说：“我事奉前司令官（李嗣昭）二十余年，亲眼看到他均分金银财宝，犒赏官兵，立志消灭仇敌。不幸过世，现在，棺材还没有入土，郎君（李继韬）就背叛君王和亲父。我宁可以死，不能跟随。”遂占据州城防守。后梁帝（三任）朱友贞派勇将董璋当泽州（山西省晋城市）州长，率军进攻。

李继韬变卖家产，招兵买马，尧山（河北省隆尧县西）人郭威投身从军。郭威年少气盛，曾一怒之下杀人，被捕入狱，李继韬爱惜他的才干和骁勇，特把他放走。

4 契丹帝国（首都西楼城〔内蒙古巴林左旗〕）进攻晋国（首都太原府）卢龙战区（总部设幽州〔北京市〕），晋王李存勖要郭崇韬推荐司令官（节度使），郭崇韬推荐横海战区（总部设沧州〔河北省沧州市东南〕）司令官（节度使）李存审（符存审）。这时，李存审（符存审）卧病在床。

三月五日，李存勖调李存审（符存审）当卢龙战区（总部设幽州〔北京市〕）司令官（节度使），带病乘车上任。李存勖又命华洋步骑兵副总司令（蕃汉马步副总管）李嗣源（邈佶烈），遥兼横海战区（总部设沧州〔河北省沧州市东南〕）司令官（节度使）。

5 晋王李存勖在魏州（河北省大名县）内城（牙城）之南，兴建高台。

夏季，四月二十五日，李存勖登上高台，祭祀祷告上天，正式称帝，国号唐（李存勖以唐王朝李姓皇帝后裔自居，所以称“唐”，史学家称后唐，以别于唐、南唐），大赦，改年号（之前是天祐二十年，之后是同光元年）。尊娘亲晋国太夫人曹女士当皇太后、嫡母秦国夫人刘女士当皇太妃。命豆卢革当副监督长（门下侍郎）、卢程当副立法长（中书侍郎），二人同兼二级实质宰相（同平章事）。命郭崇韬、张居翰当帝国参谋总部指挥官（“枢密使”一职，过去译作“宫廷机要室主任宦官”，唐王朝末年，权位上升，跟左右神策军总指挥官宦官〔中尉〕，称为“四贵”〔枢密使向为二人〕，但仅限于宦官。李存勖改用政府官员充当，从此枢密使专任军事，宰相专任行政，权位相等，而且因战乱频仍，军事第一，枢密使反而更尊贵。所以自五代时代开始，改译作“帝国参谋总部指挥官”，希能切合实际）。命卢质、冯道当皇家文学研究官（翰林学士）、张宪当国务院工程部副部长（工部侍郎）兼全国物资调节总监（租庸使）。又命义武战区（总部设定州〔河北省定州市〕）机要秘书（掌书记）李德休当副总监察官（御史中丞）。李德休，是李绛的孙儿（李绛曾当宰相，参考八一二年三月）。

李存勖派卢程前往晋阳（太原府所在县）发布尊封皇太后曹女士及皇太妃刘女士诏书。当初，李克用元配刘女士没有儿子，性情贤慧，从不嫉妒。而曹女士却是李克用的小老婆，刘女士常劝李克用要好好待她，曹女士也很谦让克制，二人感情亲睦（二人事，参考九〇二年三月）。现在接到诏书，大老婆刘女士反而降为皇太妃，小老婆曹女士反而升为皇太后，大家无不惊骇。刘女士先到曹女士的太后宫道贺，脸上喜气洋洋，曹女士反而不好意思，忸怩不安。刘女士安慰她说：“只要咱们的儿子能长命百岁，我们将来葬在九泉之下，陵墓有人祭扫，就心满意足，其他的事何必计较！”相对感慨叹息（大老婆忽然成了小老婆，这种严重悖理悖情的羞辱，刘女士只好吞下）。

豆卢革、卢程，都是轻薄肤浅、平庸无能之辈，李存勖只因他们是历代当官的世家子弟、河东（总部太原府）总部的旧日幕僚，所以擢用（此时那个叩头“拜殿”，呈献“画日笔”的苏循〔参考九二一年七月〕已死，而唐王朝旧日高官，几全都丧亡，豆卢革、卢程不过充数）。

从前，卢龙（总部幽州）主持总部军政的宦官李绍宏（马绍宏），当参谋本部执行官（中门使）时，郭崇韬当参谋本部副执行官。现在，李存勖把李绍宏（马绍宏）调回中央，郭崇韬正雄心勃勃，不愿旧长官再在自己之上，这才推荐张居翰当帝国参谋总部指挥官（枢密使），而命李绍宏（马绍宏）当宫廷事务总监（宣徽使）；李绍宏（马绍宏）遂深恨郭崇韬（宣徽使只限宫中，权位远低于枢密使）。张居翰谦卑温和，胆小怕事，不肯有一点担当（正是一个典型的官场混混），于是帝国军事机要，全握在郭崇韬一人之手。战区财务管理官（支度务使）孔谦，自认为才干能力，以及工作效率，都超过常人，应该出任全国物资调节总监（租庸使），可是大家认为孔谦地位不高，出身寒微，不应该一下子就身负重责大任（孔谦原任天雄〔总部魏州〕文书员，参考九一五年六月），所以郭崇韬推荐张宪，而命孔谦当副总监，孔谦也不高兴。

李存勖把魏州（河北省大名县）升格为兴唐府（所在县元城称兴唐县、贵乡称广晋县），称东京，把太原府（山西省太原市）改为西京（唐王朝时代称北都，参考七二三年正月），把镇州（河北省正定县）升格为真定府，称北都（唐王朝时，恒冀〔总部恒州〕王武俊曾背叛中央，自封赵王，一度把总部恒州改称真定府，参考七八二年十一月一日，但为时甚短。如今再用此名）。命天雄（总部魏州）军事执行官（节度判官）王正言当国务院教育部长（礼部尚书），代理东京兴唐（河北省大名县）特别市市长（行兴唐尹）；命河东（总部太原府）步骑兵总纠察官（马步都虞候）孟知祥当太原特别市市长（太原尹）、西京（太原府）副留守长官（副留守）；命安义（总部潞州）行政执行官（观察判官）任圜当国务院工程部长（工部尚书），兼真定（河北省正定县）特别市长（兼真定尹），任北都（真定府）副留守长官（副留守）；而命皇子李继岌当北都（真定府）留守长官，兼兴圣宫总监（兴圣宫使），主管六军十二卫（判六军诸卫事）。这时候，后唐帝国版图，共十三个战区及五十个州（十三个战区：天雄〔总部兴唐府〕、成德〔总部真定府〕、义武〔总部定州〕、横海〔总部沧州〕、卢龙〔总部幽州〕、大同〔总部云州〕、振武〔总部朔州〕、雁门〔总部代州〕、河东〔总部太原府〕、护国

〔总部河中府〕、威塞〔总部新州〕、安国〔总部邢州〕、忠武〔总部同州〕。五十州：魏〔兴唐府，河北省大名县〕、博〔山东省聊城市〕、贝〔河北省清河县〕、温〔河南省内黄县东南〕、相〔河南省安阳市〕、邢〔河北省邢台市〕、洺〔河北省邯郸市永年区东南广府镇〕、磁〔河北省磁县〕、镇〔真定府，河北省正定县〕、冀〔河北省衡水市冀州区〕、深〔河北省深州市〕、赵〔河北省赵县〕、易〔河北省易县〕、祁〔河北省无极县〕、定〔河北省定州市〕、沧〔河北省沧州市东南〕、景〔河北省东光县〕、德〔山东省德州市陵城区〕、瀛〔河北省河间市〕、莫〔河北省任丘市北鄚州镇〕、幽〔北京市〕、涿〔河北省涿州市〕、檀〔北京市密云区〕、蓟〔天津市蓟州区〕、顺〔北京市顺义区〕、蔚〔河北省蔚县〕、朔〔山西省朔州市〕、云〔山西省大同市〕、应〔山西省应县〕、新〔河北省涿鹿县〕、妫〔河北省怀来县〕、儒〔北京市延庆区〕、武〔河北省张家口市宣化区〕、忻〔山西省忻州市〕、代〔山西省代县〕、岚〔山西省岚县〕、石〔山西省吕梁市离石区〕、宪〔山西省娄烦县〕、麟〔陕西省神木市〕、府〔陕西省府谷县〕、胜〔内蒙古托克托县〕、并〔太原府，山西省太原市〕、汾〔山西省汾阳市〕、同〔陕西省大荔县〕、禧〔陕西省洛川县东南〕、慈〔山西省吉县〕、隰〔山西省隰县〕、蒲〔河中府，山西省永济市〕、辽〔山西省左权县〕、沁〔山西省沁源县〕）。

闰四月，李存勖追尊曾祖父朱邪执宜的祭庙称懿祖，绰号昭烈皇帝；祖父李国昌（朱邪赤心）的祭庙称献祖，绰号文皇帝；老爹李克用的祭庙称太祖，绰号武皇帝，在晋阳（山西省太原市）建皇家祖庙（太庙）。包括唐王朝一任帝（高祖）李渊、二任帝（太宗）李世民、二十任帝（懿宗）李漼、二十四任帝（昭宗）李晔，加上追封的朱邪执宜、李国昌（朱邪赤心）、李克用，共立七座。

6 闰四月二十日，契丹帝国（首都西楼城〔内蒙古巴林左旗〕）军队进攻后唐（首都兴唐府）幽州（北京市），前锋深入易（河北省易县）、定（河北省定州市）二州才回。

这时候，契丹屡次南下，剽掠各地运往幽州（北京市）的粮饷，

十世纪·九二三年四月
李存勖以十三战区、五十州，建后唐帝国

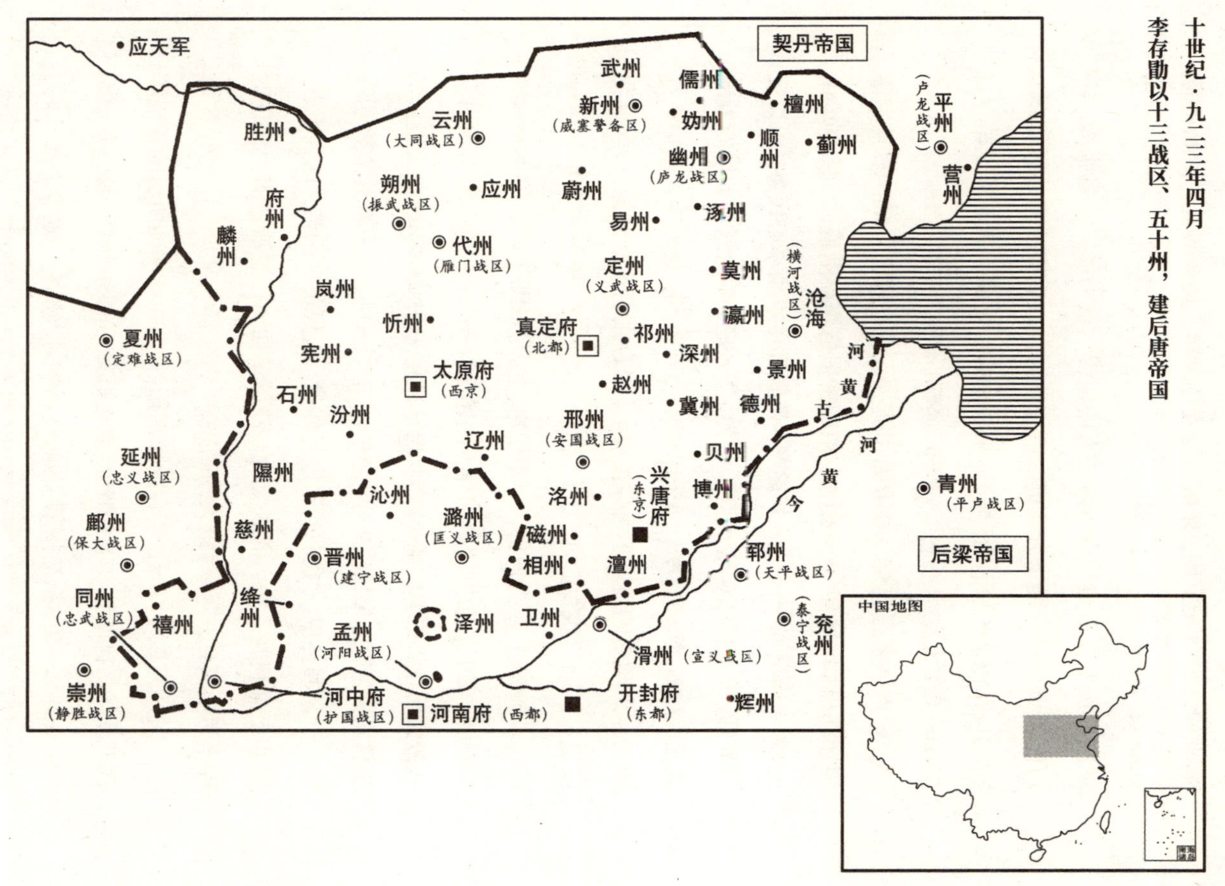

幽州（北京市）处境窘困，存粮不能支持半年。卫州（河南省卫辉市）也陷入后梁（首都开封府）之手（参考去年〔九二二〕八月），潞州（山西省长治市）更从内部叛变，新建的后唐帝国人心惶惶，认为后梁力量强大，不可能消灭，李存勖十分忧虑。就在这时候，后梁天平战区（总部设郓州〔山东省东平县〕）将领卢顺密，前来投降。本来，天平战区司令官（节度使）戴思远进驻杨村（河南省濮阳市西九公里古黄河渡口，参考九一九年十二月），留卢顺密跟巡察官（巡检使）刘遂严、总指挥官（都指挥使）燕颙等镇守郓州（山东省东平县）。现在，卢顺密报告李存勖说："郓州（山东省东平县）守军不满一千人，刘遂严、燕颙都得不到军心民意，可以突袭夺取。"但郭崇韬等反对，认为："一支孤军向遥远的地方发动袭击（兴唐府至郓州航空距离一百一十公里），万一失利，是无缘无故牺牲几千人，卢顺密的建议不可以接受。"李存勖召见李嗣源（邈佶烈）秘密进帐，询问他的意见，说："后梁（首都开封府）正企图吞并安义（即匡义，总部潞州），东方戒备，一定松懈，我们如果夺到东平（郓州州政府所在县），他们的心脏便被挖掉。问题是郓州（山东省东平县）有没有夺取到的可能？"李嗣源（邈佶烈）自从胡柳（山东省鄄城县西北）之役，发生渡黄河北上的误会（参考九一八年十二月二十五日），常打算建立奇功弥补，于是回答说："我们长年累月作战，人民贫穷困苦，达到极点，除非出奇制胜，怎么能成大功？我愿单独执行这次任务，保证对陛下有所交代。"李存勖大为高兴。

闰四月二十八日，李存勖派李嗣源（邈佶烈）率他所属的精锐骑兵五千人，自德胜（河南省濮阳市）直击郓州（山东省东平县。德胜与郓州航空距离一百二十公里），抵达杨刘（山东省东阿县东北杨柳村，古黄河南岸渡口）时，已经黄昏，天色变阴，开始落雨，将士们都不想前进，高行周说："这正是上天保佑，敌人一定没有戒备。"夜晚，渡黄河而南（由这

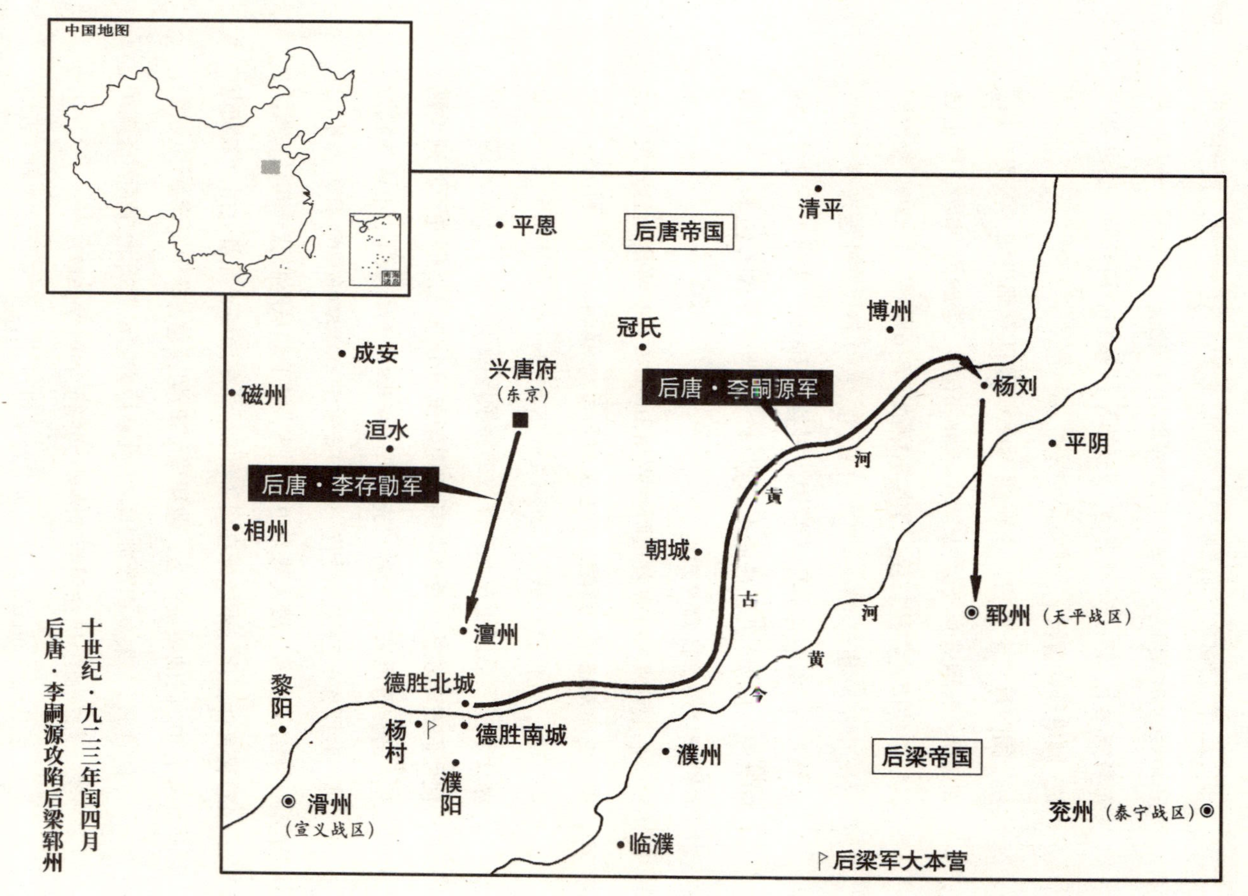

十世纪·九二三年闰四月
后唐·李嗣源攻陷后梁郓州

一段记载，可知李嗣源由德胜北城出发，或乘船，或沿古黄河北岸东进），直到郓州（山东省东平县）城下，守城的后梁军队还不知道，李从珂（王从珂）首先攀城而上，格杀守城士卒，大开城门，接纳后唐部队，遂进攻内城，城里一片混乱。

闰四月二十九日，李嗣源（邈佶烈）部队全都进城，攻克内城，刘遂严、燕颙逃奔大梁（后梁首都开封府所在城）。李嗣源（邈佶烈）禁止官兵烧杀劫掠，安抚官民，生擒后梁战区副司令官（节度副使）兼代理州长（知州事）崔筜（音dāng〔当〕）、执行官（判官）赵凤，押送兴唐（后唐首都，河北省大名县）。李存勖大喜说："李嗣源（邈佶烈）真是天下奇才，我的事没有问题！"即任命李嗣源（邈佶烈）当天平战区（总部设郓州〔山东省东平县〕）司令官（节度使）。

后梁帝（三任）朱友贞听到郓州（山东省东平县）陷落消息，大为恐惧。逮捕刘遂严、燕颙，绑赴街市斩首。免除戴思远征剿司令（招讨使）官职，贬作宣化战区（总部设邓州〔河南省邓州市〕）候补司令官（留后）。派使节斥责诘问正在北方作战的将领段凝（段明远）、王彦章等，催促他们发动攻击。宰相敬翔知道帝国万分危险，把绳子放到长靴里，进宫晋见朱友贞说："先帝（一任帝朱全忠）夺取天下，不认为我无能，我所作的建议，没有一件不被采纳（朱全忠对敬翔推心置腹，参考九〇七年四月）。而今，敌人势力更为强大，陛下却从不听我一句话，我活着又有什么用，不如死在陛下面前。"拿出绳子准备上吊，朱友贞阻止他，问他要说什么，敬翔说："局势紧急，非用王彦章当大将，不能挽救。"朱友贞批准，命王彦章接替戴思远当北方军团征剿司令（北面招讨使），仍命段凝（段明远）当副征剿司令（副使）。

后唐帝（一任庄宗）李存勖得到消息，亲自率军进驻澶州（河南省内黄县东南），命华洋步骑兵总纠察官（蕃汉马步都虞候）朱守殷驻守德胜

（河南省濮阳市），警告他说："王铁枪（王彦章）勇敢决断，满腔愤怒，一定攻击你这里，千万严密戒备。"朱守殷，是李存勖小时候的家奴（朱守殷，乳名会儿，李存勖到学校读书，会儿就在左右当差服侍）。

李存勖又写信给南吴王国（首都江都府〔江苏省扬州市〕）国王杨溥（本年二十四岁），告诉他已经攻克郓州（山东省东平县），邀请出兵向后梁（首都开封府）南北夹攻。

五月，后唐使节抵达南吴，宰相徐温打算派舰队北上，遥遥观望，看哪方胜，就帮助哪一方。智囊严可求说："如果后梁邀请我们登陆援救，用什么理由拒绝？"徐温才停止行动。

7 后梁帝（三任）朱友贞召见王彦章，问他击破敌人的日期，王彦章回答说："三天！"朱友贞左右侍从忍不住笑出声音（听惯坏消息的耳朵，有不相信好消息的权利）。王彦章告辞后，第二天，飞骑奔到滑州（河南省滑县。开封府至滑州，航空距离八十五公里）。

五月十八日，王彦章举办盛大宴会，暗中派人在杨村（河南省濮阳市西九公里古黄河渡口）集结舰艇。夜晚，命武装战士六百人，手拿巨斧，连同铁匠，带着煽风的皮鼓和石炭，登上舰艇，黄河滔滔，顺流而下（杨村距德胜，水程九公里），宴会还没有散，王彦章离座，假装去洗手间，却率精锐部队数千人，沿着黄河南岸，直击德胜南城（河南省濮阳市南）。天微降小雨，后唐（首都兴唐府）守将朱守殷没有戒备，后梁（首都开封府）舰艇突击队把河上的铁链烧断，用巨斧砍坏浮桥，誓死鏖战，王彦章率军猛烈攻击德胜南城（河南省濮阳市南）。浮桥从中间塌陷，德胜南城遂被攻克，杀数千人。此时距王彦章接受任命那天，恰恰三日。身在北城的守将朱守殷急派小船载军队渡河增援，已来不及。王彦章接着进攻潘张、麻家口、景店（都是后唐在古黄河南岸

十世纪·九二三年五月

后梁·王彦章夺取德胜，进逼杨刘

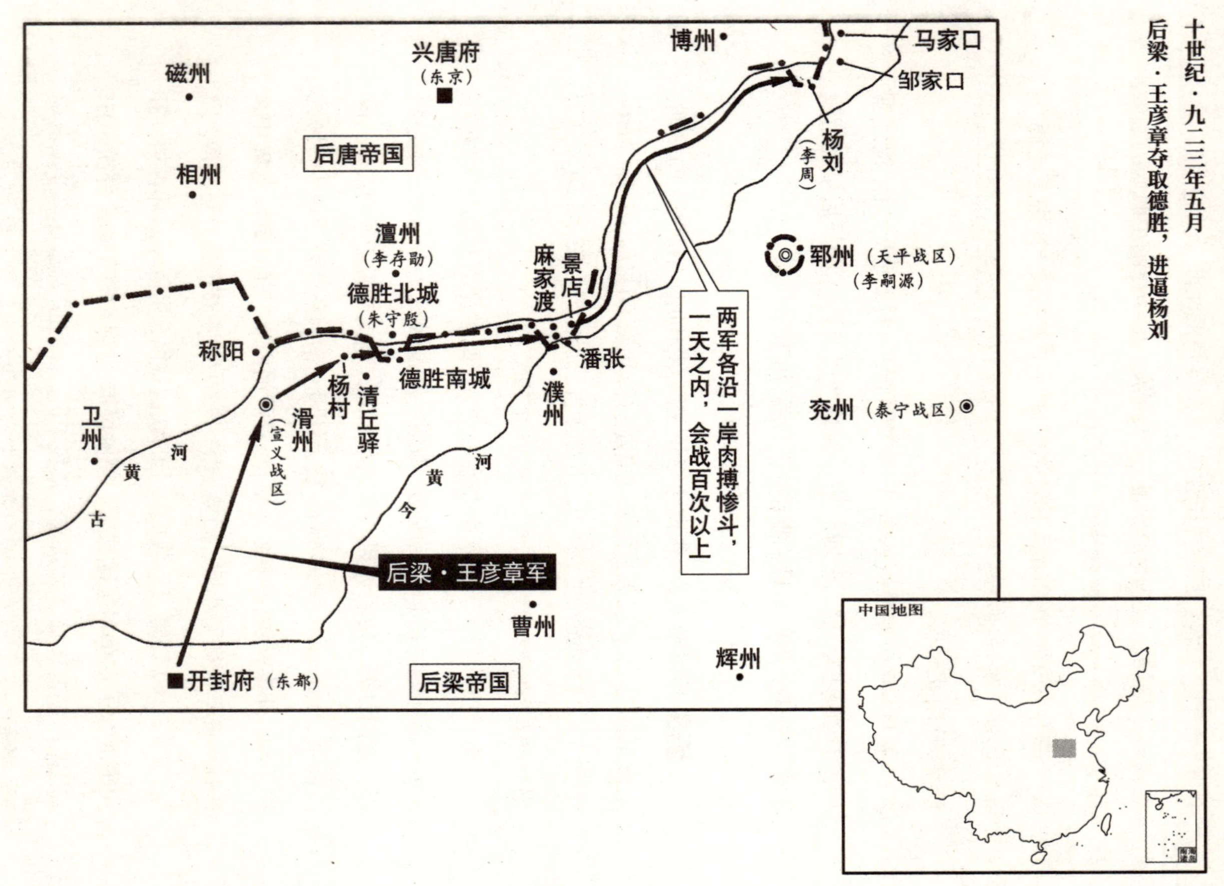

建立的营寨)，全都攻克，声势大振。

后唐帝（一任庄宗）李存勖派宦官焦彦宾急往杨刘（山东省东阿县东北杨柳村），协助防守司令（镇使）李周坚守，命朱守殷放弃德胜北城（河南省濮阳市），把房舍撤除，改建木筏，装载军队武器，顺流东下，增加杨刘（山东省东阿县东北杨柳村）守卫，而把粮食、辎重、给养，运到澶州（河南省内黄县东南），损失几乎一半。王彦章得到消息，也撤除德胜南城（濮阳市南）房舍，改作木筏，同样顺黄河东下，两军各靠一岸，遇到河道弯曲，船舰在中流遭遇，短兵相接，肉搏惨斗，流箭飞石，像倾盆大雨，有时猛烈撞击，船舰沉没，全船官兵落水。一天之内，会战百次以上，互相有胜有败。等抵达杨刘（山东省东阿县东北杨柳村），士卒几乎死亡一半。

五月二十六日，王彦章跟段凝（段明远）率十万人大军进攻杨刘（山东省东阿县东北杨柳村），从四面八方，用人海战术，前仆后继，日夜不停。连锁九艘巨舰，横泊黄河中流，阻止后唐援军。杨刘几次都要陷落，幸而李周全力抵抗，跟士卒同甘共苦，王彦章力量枯竭，只好放弃，退驻城南，兴筑连营，把杨刘（山东省东阿县东北杨柳村）团团围住，严密监视。

杨刘（山东省东阿县东北杨柳村）向李存勖紧急求救，请急行军，每天以一百华里的速度东来。李存勖率军增援，说：“李周在城里，用不着担心！”每天只行军六十华里，沿途仍不忘打猎。

六月二日，李存勖抵达杨刘（山东省东阿县东北杨柳村），后梁（首都开封府）军队挖掘重重壕沟，修建层层碉堡，封锁严密，插翅难飞，李存勖忧虑，询问郭崇韬的意见，郭崇韬回答说：“王彦章控制渡口，自认为坐在那里，就可以收回郓州（山东省东平县）。我们大军如果不能南下，则东平（郓州州政府所在县）一定失守。我建议在博州（山东省聊城市）黄河东岸（古黄河经杨刘即向北流，到德州再东流，所以博州黄河有东岸），兴筑城垒，控制渡口，既可以接应郓州（山东省东平县），又可以分散敌人的兵力。但是只怕王彦章得到情报，向筑城部队发动攻击，城就无法完成。希望陛下招募敢死战士，每天向后梁挑战牵制，吸引他们注意，假如王彦章十天不来，城就筑成。”这时，李嗣源（邈佶烈）镇守郓州（山东省东平县），跟黄河北岸后唐大营，信息不通，人心逐渐疏离，朝不保夕。而就在这时候，后梁右翼先锋指挥官（右先锋指挥使）康延孝，秘密向李嗣源请求投降。康延孝，是太原（山西省太原市）胡人，因为犯罪，逃奔后梁（首都开封府），隶属段凝（段明远）部下。于是，李嗣源（邈佶烈）派大营管理官（押牙）临漳（河北省临漳县南）人范延光，把康延孝的蜡丸密件，送呈李存勖，范延光乘机报告李存勖说：“杨刘（山东省东阿县东北杨柳村）城垒十分坚固，后梁军队绝不可能把它攻陷。最好是在马家口（即博州黄河东岸渡口）兴筑城垒，打通郓州（山东省东平县）道路。”李存勖同意。派郭崇韬率一万人，于夜晚出发，加倍速度行军，直向博州（山东省聊城市）前进，在马家口渡过黄河，日夜不停筑城。李存勖在杨刘（山东省东阿县东北杨柳村），跟后梁军日夜苦战。郭崇韬筑成新城，只用六天，王彦章得到消息，亲率数万人杀奔前来。

六月十五日，王彦章对马家口新城猛攻，并连接十余艘巨舰，横放黄河中流，断绝援军道路。当时，马家口新城只完成初期工程，高度不够，泥土沙石也不太牢固，还没有城楼墙垛，缺少防御力量。郭崇韬慰劳鼓励，身先士卒，四面八方抵抗，急派使节从小路向李存勖请求紧急支援。李存勖自杨刘（山东省东阿县东北杨柳村）率大军增援，在马家口新城黄河西岸布阵，城里守军看见，士气大增，在城上对围城的后梁军队呼叫鼓噪，大声辱骂。王彦章命割断绳缆，撤回封锁巨舰。李存勖船队向东岸进发，王彦章解除包围，退守邹家口（沿黄河东岸另一渡口）。郓州（山东省东平县）的对外交通才恢复联结。

李嗣源（邈佶烈）秘密上疏李存勖，请求军法审判朱守殷，追究他战败失土的责任。李存勖不准。

8 秋季，七月五日，后唐帝（一任庄宗）李存勖率军沿着黄河南下，王彦章等放弃邹家口（古黄河渡口之一），再回向杨刘（山东省东阿县东北杨柳村）。

七月十二日，后唐游击官（游弈将）李绍兴在清丘驿（德胜南城稍西）南，击败后梁侦察部队。段凝（段明远）认为后唐军队已从上游渡过黄河，大惊失色，当面责备王彦章不应该深入敌人势力范围。

9 七月十三日，前蜀帝国（首都成都府〔四川省成都市〕）最高监督长（侍中）、魏王王宗侃（田师侃）逝世。

10 七月十六日，后唐帝（一任庄宗）李存勖派骑兵将领李绍荣（元行钦）直逼后梁大营，生擒他们的斥候，又用火焚烧他们的连体舰队，后梁官兵更为恐惧。后梁军统帅王彦章等听到李存勖率军已到邹家口（古黄河渡口之一），吃了一惊。

七月十七日，王彦章解除杨刘（山东省东阿县东北杨柳村）包围，退守杨村（河南省濮阳市西九公里），后唐军队追击，乘胜收复德胜（河南省濮阳市）。后梁大军先后猛烈反攻德胜（河南省濮阳市）以及其他渡口各城，官兵受流箭飞石而死、落水而死、中暑而死，损失达到一万人。所抛弃的辎重、粮食、盔甲武器、炊事用具，跟野营篷帐，动辄以千为单位计算。杨刘（山东省东阿县东北杨柳村）坚守到解围之时，城里粮食已经吃完，军民已三天没有进过饮食。

11 后梁（首都开封府）王彦章痛恨赵张等五人帮扰乱国政，被任命当征剿司令（招讨使）后，对他的亲信说："等我凯旋班师，当诛杀所有奸邪，向全国人民赎罪。"赵张五人帮听到耳朵里，暗中互相警告说："我们宁可死在沙陀（李存勖所属部落）刀下，也不要落到王彦章手里。"同心合力陷害王彦章。段凝（段明远）一向嫉妒王彦章的军事才能，又谄媚依附赵岩、张汉杰，在军中跟王彦章动不动就起冲突，千方百计破坏阻挠，唯恐王彦章成功，侦查王彦章言行，暗中奏报后梁帝（三任）朱友贞。每次捷报传来，赵岩、张汉杰就把功劳全部归给段凝（段明远），因此王彦章始终不能成功。王彦章退守杨村（河南省濮阳市西九公里）后，朱友贞听信赵岩、张汉杰的谗言，而朱友贞也恐怕王彦章万一成功，难以控制，于是把他调回大梁（《新五代史》：王彦章入宫晋见朱友贞，用笏版在地上画出战场形势，陈述胜败之道。赵岩等命有关官员弹劾王彦章傲慢无礼，命他返回己宅），派他率军会合董璋，进攻泽州（山西省晋城市。参考本年〔九二三〕二月）。

七月二十二日，后唐帝（一任庄宗）李存勖前往杨刘（山东省东阿县东北杨柳村）慰劳守城将领李周说："如果不是你坚守，我的事就要败坏！"

12 后唐（首都兴唐府）副立法长（中书侍郎）、二级实质宰相（同平章事）卢程，因私人事情，请托首都兴唐（河北省大名县）特别市政府官员，官员无法满足卢程的要求，卢程大怒，鞭打该官员的脊背；宫廷膳食部长（光禄卿）兼首都兴唐（河北省大名县）特别市副市长（兼兴唐少尹）任团，是任圜的老弟（任圜，参考去年〔九二二〕四月），也是李存勖堂姐的女婿，拜访卢程理论，卢程诟骂说："你算是哪条毛虫？打算靠老婆的后台压我呀！"任团只好奏报李存勖，李存勖大怒说："我瞎了眼用你这个蠢蛋当宰相，竟敢侮辱我的部长。"打算命卢程自杀，另一宰相卢质竭力营救，仅贬卢程当太子宫事务署长（右庶子）。

13 后唐（首都兴唐府）泽州（山西省晋城市）守将裴约，派使节从小路向李存勖紧急求救，李存勖说："我家老哥（李嗣昭）不幸生下几个畜生（李继韬等），还不如裴约能知道是非忠奸！"回头对北京真定（河北省正定县）特别市警备本部步骑兵总指挥官（北京内牙马步军都指挥使）李绍斌（赵行实）说："泽州（山西省晋城市）不过是个弹丸之地，我不在乎得失，你只替我把裴约救出来。"

八月一日，李绍斌（赵行实）率武装部队五千人前往援救。还没有到达，泽州（山西省晋城市）陷落，裴约被杀，李存勖深深惋惜。

14 八月三日，后唐帝（一任庄宗）李存勖从杨刘（山东省东阿县东北杨柳村）返回兴唐（河北省大名县）。

15 后梁帝（三任）朱友贞命在滑州（河南省滑县）决开黄河，使河水向东灌到曹（山东省菏泽市定陶区）、濮（山东省鄄城县）、郓（山东省东平县）三州，阻止后唐军前进（决黄河水以阻止敌人，历史上屡见，最近的一次发生于一九三九年，国民党政府决黄河淹日本侵略军，结果中国人大量淹死，"黄泛区"积沙四十年不退，良田长期荒废，而日军损失很小）。

16 最初，后梁帝（三任）朱友贞曾派段凝（段明远）到黄河岸上

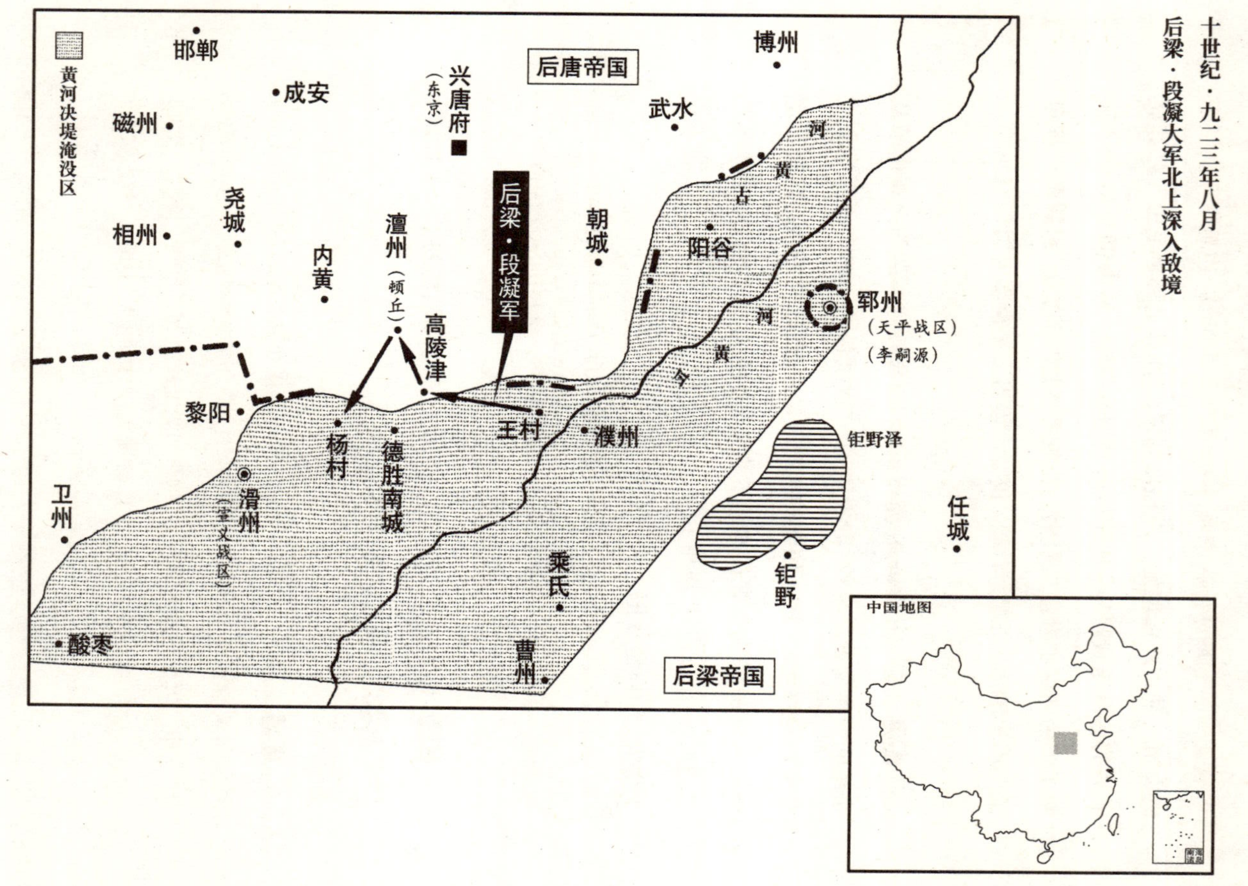

十世纪·九二三年八月
后梁·段凝大军北上深入敌境

监督大军，宰相敬翔跟李振屡次请求撤换，朱友贞说：“段凝（段明远）没有过错！”李振说：“等到他有过错，帝国就危险了。”现在，段凝用大量金银珍宝贿赂赵岩、张汉杰，请求当征剿司令（招讨使），敬翔、李振更竭力反对，但赵岩、张汉杰坚持，朱友贞接受赵岩、张汉杰的意见，竟下令命段凝（段明远）接替王彦章当北方军团征剿司令（北面招讨使），命令发布后，旧日将领们愤愤不平，更引起士卒反感。天下兵马副元帅张宗奭（张全义，西都〔河南府〕留守长官）奏报朱友贞说：“我身为帝国最高副统帅，虽然年老力衰，但仍有足够的能力，替陛下捍卫北疆。段凝（段明远）是一个晚辈，没有立过功劳、建讨大业，名望不能使人心服，大家议论纷纷，恐怕会带给国家重大忧患。”敬翔也说：“将帅关系国家的安危，而今，国势已经到了这种地步，陛下怎么还不特别留心！”朱友贞全听不进去。

八月十七日，段凝（段明远）率大军五万人，在王村（山东省鄄城县东北）扎营，而在高陵津（河南省范县古黄河渡口）渡黄河抵达北岸，进入澶州（河南省内黄县东南），大肆剽掠所属各县，直到顿丘（澶州州政府所在县）。

朱友贞命王彦章率保銮特别营骑兵，会合其他部队约一万人，驻扎兖（山东省济宁市兖州区）、郓（山东省东平县）二州边境，计划夺回郓州（山东省东平县），派五人帮张家班首领张汉杰，充当监军。

17 八月十九日，后唐帝（一任庄宗）李存勖率军进驻朝城（山东省莘县西南朝城镇）。

八月二十七日，后梁（首都开封府）左、右先锋指挥官（左右先锋指挥使）康延孝，率骑兵一百余名，投奔后唐（首都兴唐府），李存勖解下自己身上穿的锦袍和玉带，赏赐给他，命他当南方军团征剿及总指

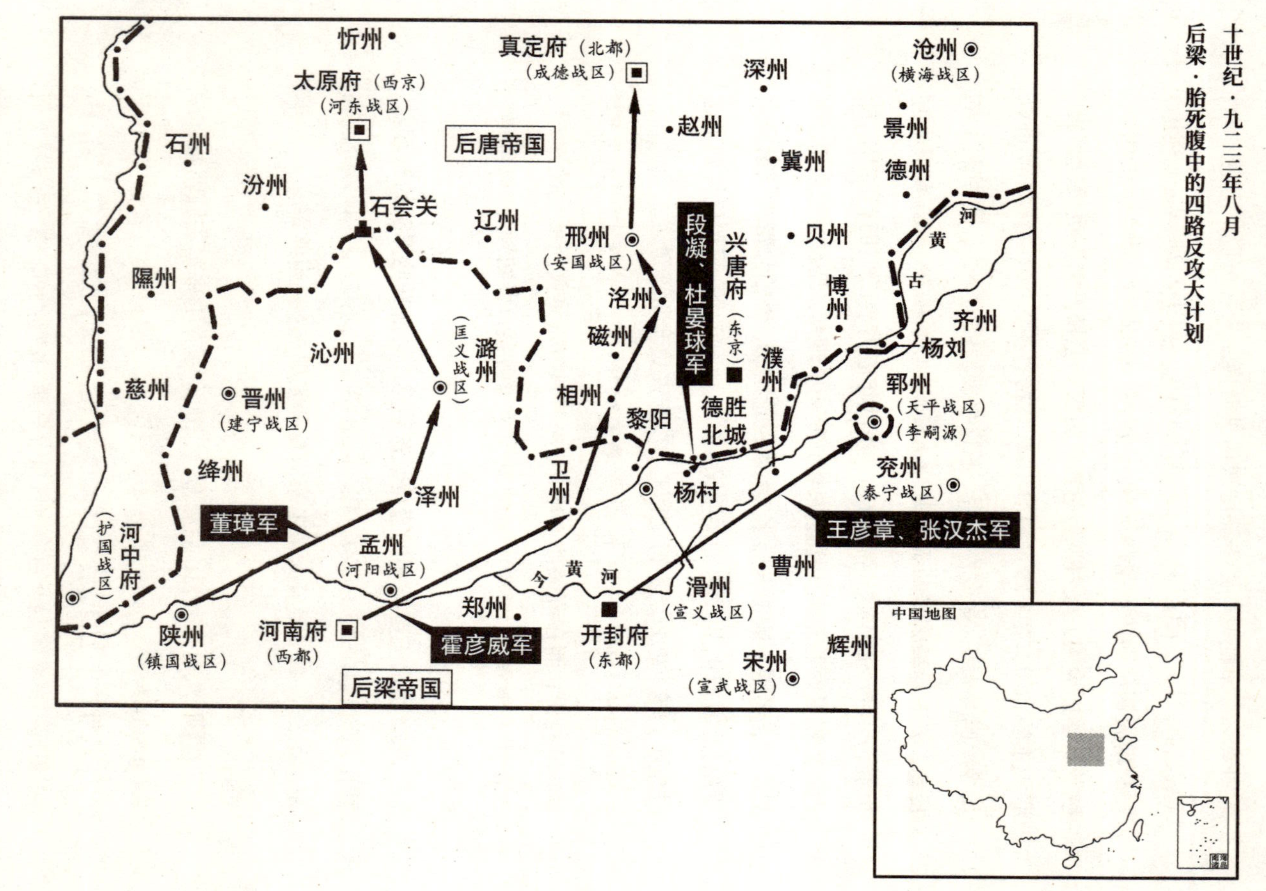

十世纪·九二三年八月
后梁·胎死腹中的四路反攻大计划

挥官（南面招讨都指挥使），兼博州（山东省聊城市）州长。李存勖屏退左右侍从官员，询问康延孝有关后梁的事情，康延孝回答说：“后梁的土地不算狭小，军队不算太少；可是观察他们政府的措施，肯定不久就会灭亡。为什么？领袖的智慧既平庸混沌，性情又昏暗懦弱，赵岩、张汉杰等五人帮，把持大权，对内结交宦官，对外贪赃枉法、收受贿赂，任命官员时，职位高低，全看贿赂多少（温昭图因贿赂调富庶之地，段凝因贿赂高升大将），不管有没有才干品德，也不问有没有功劳勋绩。段凝（段明远）既没有智能，又没有勇气，却忽然位居王彦章、霍彦威之上。而且，他自从当统帅以来，只知道克扣军饷，拿来事奉权贵。中央每派一支部队，都不敢交给统帅全权，全靠亲信或宦官严密监视，前进或后退、同意或批驳，大小举动，都受他们控制。最近听说，又要派出几路军队，命董璋率镇国（总部陕州）、安义（总部潞州）特遣兵团，自石会关（山西省榆社县西）北上进攻太原（山西省太原市）；霍彦威率汝洛（西都河南府）特遣兵团自相（河南省安阳市）、卫（河南省卫辉市）、邢（河北省邢台市）、洺（河北省邯郸市永年区东南广府镇），进攻真定（河北省正定县）；王彦章、张汉杰率禁军进攻郓州（山东省东平县），段凝（段明远）、杜晏球率主力对抗陛下，决定十月间发动大规模全面总攻。我暗中观察，后梁军队如果集结在一起，人数不少，但如果分别出击，人数也就不多。我建议陛下养精蓄锐，等待他们各路出动，然后只要有五千名精锐骑兵，从郓州（山东省东平县）一直杀向大梁（后梁首都开封府所在城），生擒他们的领袖，只要十天半月，天下就可底定。”李存勖大为兴奋。

18 前蜀（首都成都府）皇帝（二任）王宗衍（本年二十五岁），命文思殿大学士韩昭、皇城管理总监（内皇城使）宦官潘在迎、武勇军基地司令（武勇军使）顾在珣，当他的玩伴，专门陪着游戏饮酒，跟宫女混杂乱坐，挤在一起，有时互相唱和淫歌艳曲，有时互相嬉笑嘲弄，打情骂俏，粗野下流，荒淫放荡，什么事都做得出来，王宗衍乐此不疲。顾在珣，是顾彦朗的儿子（顾彦朗，曾任东川〔总部梓州〕司令官，参考八八七年正月）。

当时，帝国参谋总部指挥官（枢密使）宦官宋光嗣等，专权独断，任意纵性，作威作福，暴虐无道，一心一意迎合满足王宗衍的私欲，乘机窃取权力。宰相王锴、庾传素等，为了保持自己的荣华富贵，从不敢出面规劝。而潘在迎还不断鼓动王宗衍诛杀上疏批评的官员，不准他们继续诽谤神圣的政府。嘉州（四川省乐山市）军务秘书长（司马）刘赞，呈献陈叔宝（陈帝国五任帝）的《三阁图》（陈叔宝在光昭殿前，兴建临春、结绮、望仙三阁，穷极奢华，参考五八四年十一月），并且作了一首讽刺的歌；“贤良方正科”考生蒲禹卿在考试回答问题时，用语正直激烈。王宗衍虽然不责备他们，但也不能听从他们的劝告。

九月九日，王宗衍因逢重阳节的缘故，在宣华苑大宴左右亲近官员，饮到酒酣耳热的时候，嘉王王宗寿利用休息的机会，发言指出帝国将要陷于险境，谈到痛心之处，声泪俱下。可是韩昭、潘在迎劝解说：“嘉王（王宗寿）一喝酒就悲从中来！”大家在嬉笑声中散席。

19 后唐帝（一任庄宗）李存勖驻扎朝城（山东省莘县西南朝城镇），后梁（首都开封府）统帅段凝（段明远）推进到临河（河南省濮阳市西）稍南，于是对澶州（河南省内黄县东南）以西、相州（河南省安阳市）以南地区，每天大肆剽掠。后唐自德胜二城（河南省濮阳市）失守，丧失粮食数百万石，全国物资调节副总监（租庸副使）孔谦，不管人民死活，狂征暴敛，以供应军需，农夫大量逃亡，租税随之一天比一天减少，仓库存粮，支持不了半年。潞（山西省长治市）、泽（山西省晋城市）二州叛离，不能收复。卢文进（参考九一七年三月）、王郁（参考前年〔九二一〕十一月）又引导契丹军队（首都西楼城）屡次穿过瀛（河北省河间市）、涿（河北省涿州市）二州南下。谣言盛传说："等到大地草枯，河川冰封，契丹军队当更向南深入。"同时也得到后梁打算大规模分兵发动攻击的情报；李存勖深感忧虑，召集最高军事会议，宫廷事务总监（宣徽使）宦官李绍宏（马绍宏）等都认为："郓州（山东省东平县）城门以外，都是后梁土地，远远悬在敌人后方的一座孤城，难以据守，有它还不如没有它！"因此建议用来交换卫州（河南省卫辉市）及黎阳（河南省浚县）；两国正式谈判，和平共存，而以黄河作为疆界，使士卒和平民，都得以休息，等财力稍微充裕，再作打算。李存勖听了，大不高兴，说："这样的话，我真要死无葬身之地。"散会后，单独召见郭崇韬，询问他的意见。郭崇韬说："陛下不梳发不洗头、身不解甲，十五年有余（李存勖自继承晋王宝座，南下破夹寨，参考九〇八年五月，迄今十六年），目的只在为家国雪耻复仇。而今已经登极称帝，黄河以北军民，日夜都盼望天下太平，刚刚得到郓州（山东省东平县）几寸土地，却不能守，而把它放弃，怎么能够拥有整个中原？我恐怕军心动摇，部队瓦解。将来坐吃山空，粮食耗完，大家离散，即令后梁（首都开封府）同意以黄河作为界线，又教谁替陛下防守？我曾经详细的询问康延孝有关河南（黄河以南）的情势，衡量双方实力，日夜思考，我认为成败的关键，就在今年（九二三）。后梁现在把全国所有的精锐部队，都交给段凝（段明远），侵入我们的南疆，又决开河堤，保护大梁（河南省开封市），后梁认为我们不能渡过，因此不会有严密戒备（古黄河决水处，《资治通鉴》云：在滑州〔河南省滑县〕。胡三省注云：在酸枣〔河南省原阳县东北延州村〕，洪水东灌郓州〔山东省东平县〕，几乎跟古河道平行，人称“护驾水”，洪水滔滔，千万亩良田变成碛砂，千万人性命化作冤魂，史书却只寥寥数语）。他们所以派王彦章进攻郓州（山东省东平县），只是希望刺激奸邪在内部背叛。段凝（段明远）本不是一个大将材料，面对变化，一定束手无策，不必把这种人放在心上。投降过来的官兵，异口同声说大梁（后梁首都开封府所在城）没有什么军队，陛下如果留一部分兵力镇守兴唐（后唐首都，河北省大名县），确保杨刘（山东省东阿县东北杨柳村），而亲率精锐部队南下，跟郓州（山东省东平县）守军会合，长驱直入，猛扑汴州（后梁首都开封府），城里既然空虚，一有风吹草动，就会霎时崩溃。只要砍下他们领袖（朱友贞）的人头，其他将领自会投降。不然的话，今年（九二三）秋季庄稼歉收，军粮就要吃完，如果不是陛下决心，大功怎么告成！俗话说：‘盖房子却在马路边跟过路行人商量，三年都盖不成。’（刘炟、苻坚语，参考八六年九月及三八二年十月。）帝王应运而生，上天自有安排，只看陛下决断。”李存勖说：“这正是我的意思，大丈夫成功就是帝王，失败就是盗贼，我决定出击。”天文台长（司天）奏报说：“今年（九二三），天道不利于深入敌境，一定没有功劳。”李存勖不理。

后梁王彦章率军渡过汶水（流经郓州城南），打算进攻郓州（山东省东平县）。后唐守军将领李嗣源（邈佶烈），派义子李从珂（王从珂）率骑兵迎战，在递坊镇（东平县南）击败后梁军，俘虏将士三百人，杀二百人，王彦章失利，退守中都（山东省汶上县）。

九月二十七日，捷报传到朝城（山东省莘县西南朝城镇），李存勖大喜，对郭崇韬说：“郓州（山东省东平县）打胜一仗，足以提高我们士气。”

九月二十八日，李存勖决定孤注一掷，命文武百官把他们的家属全部送回首都兴唐（河北省大名县）。

20 冬季，十月一日，日蚀。

21 后唐帝（一任庄帝）李存勖把魏国夫人刘女士、皇子李继岌，送回兴唐（河北省大名县），跟他们道别说："大事是成是败，就在这次对决，如果不能成功，你们就把家人聚集到魏州（兴唐府）皇宫，放火自杀！"但仍命豆卢革、李绍宏（马绍宏）、张宪、王正言，同守东京（兴唐府）。

十月二日，李存勖率大军自杨刘（山东省东阿县东北杨柳村，古黄河南岸渡口），渡黄河而南。

十月三日，李存勖抵达郓州（山东省东平县），午夜，继续挺进，再南渡汶水（流经郓州城南），命李嗣源（邈佶烈）当前锋。

十月四日，凌晨，遭遇后梁部队，一举把后梁部队击败，追到中都（山东省汶上县），立即包围城池。后梁守军丝毫没有戒备，一会工夫，突围而出；后唐军追击，大破后梁军。后梁将领王彦章率数十名骑兵逃走，后唐龙武（禁军第三、四军）大将军李绍奇（夏鲁奇）单枪匹马，紧追不舍，听出他的声音，说："他是王铁枪！"（李绍奇跟王彦章，都是朱全忠的部将，二人感情亲密，所以听出他的声音。）拔出长矛探身一刺，王彦章身受重伤，战马又一头栽倒，后唐军遂俘虏王彦章，同时也生擒总监军官（都监）张汉杰、曹州（山东省菏泽市定陶区）州长李知节、初级将领（裨将）赵廷隐、刘嗣彬等二百余人，杀数千人。赵廷隐，是开封（河南省开封市）人。刘嗣彬，是刘知俊的堂侄（刘知俊死于前蜀帝王建之手，参考九一七年十二月）。

王彦章曾经对人说："李亚子不过一个喜欢斗鸡遛狗的小娃（亚

子，是李存勖乳名），有什么了不起！”现在，李存勖对王彦章说：“你常说我是小娃，今天服了没有？”又问说：“你是一员名将，为什么不守兖州（山东省济宁市兖州区）？中都（山东省汶上县）没有城墙，你用什么防御？”王彦章说：“天心已去，还能说什么！”李存勖爱惜王彦章的才能，希望他投降，特命御医给他诊治伤口，屡次派人诱导。王彦章说：“我本是一介平民，蒙后梁领袖恩德，擢升我到上将高位（王彦章原是一员基地司令，参考九〇九年十二月），跟你们血战十五年，而今兵败力竭，死是本分，即令怜惜不杀，我又有什么面目见天下的人？难道早上是后梁大将，晚上却成了后唐的臣属！这种事我绝不做。”李存勖又命李嗣源（邈佶烈）亲去劝解，王彦章躺在病床上，对李嗣源（邈佶烈）说：“你可是邈佶烈？”王彦章一向看不起李嗣源（邈佶烈），所以叫他的乳名。

文武百官向李存勖祝贺，李存勖向李嗣源（邈佶烈）举杯敬酒说：“今天的胜利，是你跟郭崇韬的功劳。如果听李绍宏（马绍宏）的话，大势就一去不返。”

李存勖又向各将领说：“前些时所担心的，只有王彦章一人，现今已经俘虏，是上天的意思，要灭后梁。段凝（段明远）仍在黄河北岸，我们现在应该采取什么行动？”各将领认为：“谣言虽然说大梁（河南省开封市）没有什么防备，但真正情况却难以确定。东方各战区野战军都在段凝（段明远）那里，只剩下大梁一座空城，以陛下的天威，发动攻击，一定可以攻下，不过总是有点冒险，如果能先行扩大我们所占领的土地，向东一直打到海边，然后养精蓄锐，待机而动，则可保证万无一失。”但康延孝坚决主张直接夺取大梁（河南省开封府），李嗣源（邈佶烈）支持，说：“军事行动，要当机立断，王彦章被我们生擒，段凝（段明远）未必知道，即令有人飞奔到他那里报告，半信半疑，犹豫不决，也要三天时间才能决定。纵然知道我们的动向，立刻发出救兵，直接南下会被黄河决口的洪水阻挡，势必绕到白马（滑州州政府所在县，河南省滑县）渡河，数万人的庞大部队，仅只船只，都难以一时集结。我们距大梁很近（中都至大梁航空距离二百三十公里），又没有山川阻挡，举目所及，一片平原，大兵团可以通行无阻，如果加倍速度，日夜不停挺进，只要三天，就能抵达。段凝（段明远）还没有离开黄河北岸，朱友贞已被我们活捉。康延孝的话是对的，请陛下率主力在后面缓缓移动，我愿率一千人骑兵当先锋。”李存勖接受，下达命令，全军欢腾跳跃，都愿立刻出征。当天（十月四日）夜晚，李嗣源（邈佶烈）就率前锋部队，加倍行军速度，直向大梁（河南省开封市）。

十月五日，李存勖从中都（山东省汶上县）出发，带着躺在担架上的王彦章同行，派宦官问王彦章说：“我这次出击，能不能大获全胜？”王彦章说：“段凝（段明远）有六万人精锐大军，虽然统帅无能，但也未必马上背叛，恐怕很难达到目的。”李存勖发现王彦章永不可能投降，于是下令把他斩首（年六十一岁。山东省汶上县王彦章墓，至十三世纪时仍在）。

十月七日，后唐军抵达曹州（山东省菏泽市定陶区），后梁守城将领投降。

王彦章部队的败兵有先逃到大梁（河南省开封市）的，奏报后梁帝（三任）朱友贞说：“王彦章已经被俘，后唐军长驱直入，马上就到。”朱友贞集合他的皇族家人，痛哭说：“大势已去！”召集文武百官，询问对策，大家都闭口无言。朱友贞对敬翔说：“我过去总是忽略你的话，才到这种地步。今天事情紧急，千万求你包容，你看应该怎么办？”敬翔流泪说：“我受先帝（一任朱全忠）的厚恩，迄今长达三十余年（参考八八七年十一月），名义上是帝国的宰相，事实上是朱家的老奴，事奉陛下，如同事奉郎君（部下以及奴仆，称主人的儿子为“郎君”）。我前后提出多少意见，没有一件不竭尽老奴一番忠心。陛下用段凝（段明远）时，我坚决反对。可是奸邪小人（指赵岩、张汉杰）异口同声认为他是最好人选，以至到了今天。现在后唐大军马上就到，段凝（段明远）被隔在黄河北岸，不能前来援救。我打算请陛下出京（首都开封府）暂时躲避蛮夷（后唐），陛下不可能接受我的建议。也打算请陛下御驾亲征，在沙场上作最后决战，陛下也不可能有这种决断胆识。这种情形下，纵使张良、陈平再世，谁都不能替陛下想出办法。我愿陛下先赐我一死，不忍心眼睁睁看着帝国沦亡！”遂跟朱友贞相对痛哭。

朱友贞派张汉伦快马加鞭，赶往前方大营，命段凝（段明远）立刻回军救驾。可是张汉伦到了滑州（河南省滑县），从马背掉下，脚部受伤：又受黄河河水阻隔，不能前进。

当时，京师（首都开封府）城里控鹤特别营还有数千人，朱珪请率领他们出战，朱友贞不准，只命首都开封特别市长（开封尹）王瓒，强迫市井平民登城戒备。

最初，后梁镇国战区（总部设陕州〔河南省三门峡市〕）司令官（节度使）邵王朱友诲，是朱全昱（朱全忠的老哥）的儿子，聪明敏捷，领悟力强，很多人对他敬佩。于是有人向朱友贞打小报告说他跟禁军勾结，企图发动政变。朱友贞把他调回中央，跟他的老哥朱友谅、朱友能，一起软禁在一座别墅里（朱友能兵变失败，参考前年〔九二一〕七月）。现在，后唐军就要抵达，朱友贞怀疑兄弟乘机夺权，于是，连同亲弟贺王朱友雍、建王朱友徽，一起诛杀。

朱友贞登建国楼（皇城南门），挑选他最亲信的人，厚厚赏赐，教他们改穿贫苦小民的衣服，携带密装诏书的蜡丸，前去催促段凝（段明远）立即班师。然而，这些最亲信的人告辞后，全都逃亡，躲藏起来，不再露面。有人建议朱友贞逃往洛阳（西都河南府所在县，河南省洛阳市），召集各地军队，继续作战，后唐即令夺到首都（开封府），势不能久留。有人建议投靠前线段凝（段明远）大营，控鹤特别营指挥官（控鹤都指挥使）皇甫麟说："段凝（段明远）本来不是大将材料，官职来自皇家对他的宠幸（段凝因他的妹妹受朱全忠疼爱，而他又供应精美食物，才获得擢升，参考九一一年十一月），当此危急存亡之际，希望他能随机应变、反败为胜，恐怕很难。而且，段凝（段明远）听到王彦章战败，心胆都裂，怎么知道他仍对陛下效忠？"赵岩说："事情到了今天这个地步，下了建国楼，谁敢保证谁还有忠心？"朱友贞才打消此意。再召见宰相们讨论，郑珏建议携带传国御玺，前往后唐军营诈降，以纾解灾难。朱友贞说："今天当然不敢珍惜传国御玺，只是如果这样做，能不能解决问题？"郑珏低头沉吟了半天，最后只好说："恐怕难以解决！"左右侍从都缩起脖子暗笑。朱友贞日夜哭泣，不知道做什么才好，把传国御玺放到卧房里，忽然遗失，原来已被亲信偷走，迎接后唐大军。

柏杨曰

什么样的帝王，用什么样的臣属；什么样的领袖，用什么样的干部；什么样的董事长、总经理，用什么样的主管；什么样的主管，用什么样的职员。

龙用龙、凤用凤，猪用猪、驴用驴，蛆用蛆、虫用虫，老鼠用耗子、耗子用老鼠，读《资治通鉴》每读到一个王朝或一个政权覆亡之际，猪驴共舞、蛆虫互挤的丑态时，都不禁捶胸叹息，叹息这种场面，为什么总是一演再演，三演四演，甚至百演千演，万篇一律，没有丝毫变化。

十月八日，有人报告说后唐军已越过曹州（山东省菏泽市定陶区），尘土飞扬，遮蔽天地，赵岩对他的侍从说："我对温昭图（温韬）恩重如山，他不会辜负老友。"遂投奔许州（赵岩推荐温昭图内迁许州，参考前年〔九二一〕正月）。

朱友贞对皇甫麟说："李家跟我们朱家是世仇，我不能低头投降（李朱结仇于汴州夜袭，参考八八四年五月），不可以等他们动手。我没有勇气自杀，要你砍下我的人头。"皇甫麟哭泣说："我替陛下挥刀杀敌，死在敌人阵前可以做到，但不敢接受这项命令。"朱友贞说："你是不是打算出卖我！"皇甫麟打算自刎，朱友贞拉他的手说："我跟你死在一起！"皇甫麟遂斩朱友贞（年三十六岁），然后自杀。朱友贞为人温和谦恭，节俭谨慎，没有什么荒淫过失，只不过宠信赵岩、张汉杰五人帮，使他们擅自作威作福，疏远敬翔、李振旧日臣属，不接受他们的意见，以至于灭亡（后梁帝国自九〇七年建立，历经三帝，前后十七年而灭）。

十月九日，凌晨，后唐前锋军李嗣源（邈佶烈）抵达大梁（河南省开封市），进攻封丘门（大梁北门有二：西为封丘门、东为酸枣门），后梁首都开封特别市长（开封尹）王瓒出城投降。李嗣源（邈佶烈）进城，安抚军民。当天（十月九日），李存勖从梁门（大梁西城最北门）进入，后梁文武百官在马前迎接，跪下叩头，请求恕罪，李存勖安抚慰劳，命他们各回自己工作岗位。李嗣源在马前迎接祝贺，李存勖高兴得无法克制，拉住李嗣源（邈佶烈）的衣服，用头碰他，说："我能夺得天下，是你们父子的功劳，当跟你们父子分享（父子，指李嗣源及义子李从珂）！"李存勖下令搜捕朱友贞，一会工夫，有人携带朱友贞的人头呈献。

李振对敬翔说：“听说新皇帝已颁下诏书，赦免我们的罪行，要不要一起去朝见？”敬翔说：“我们二人当后梁宰相，君王昏庸，我们不能规劝，帝国覆亡，我们不能拯救，新皇帝如果查问，我们怎么回答！”第二天（十月十日），天还没有亮，有人报告敬翔说：“李太保（李振官太保）已经入朝！”敬翔叹息说：“李振枉认为自己是一个大丈夫（李振性格傲慢，参考九〇五年六月），朱家跟新任皇帝是几世仇敌，而今帝国灭亡，旧君惨死，就算新皇帝不杀我们，我们还有什么面目再进建国门（皇宫南门）！”于是上吊自杀。

十月十日，后梁文武百官再一次进宫请求恕罪，李存勖命人宣读诏书，一律赦免。

赵岩抵达许州（河南省许昌市），匡国（总部许州）司令官（节度使）温昭图（温韬）出城迎接，安顿到私宅，然后砍下赵岩人头，呈献后唐政府，没收赵岩所携带的全部财产，温昭图恢复原名温韬（赵岩竟然把官场拍马当作忠贞，可看出他的智商不高）。

十月十一日，李存勖命王瓒收拾朱友贞的尸体，暂时停厝佛寺，把人头涂漆防腐，装到木匣里，送往皇家土神粮神祭庙（太社）收藏。

段凝（段明远）从滑州（河南省滑县）渡黄河南下，增援京师（首都开封府），命阵地督战官（诸军排阵使）杜晏球当前锋，前进到封丘（河南省封丘县），遇到后唐将领李从珂（王从珂），杜晏球即行投降。

十月十二日，段凝（段明远）率大军五万人抵达封丘（河南省封丘县），也缴出武器投降。段凝（段明远）率各高级将领先去中央（开封府）听候命令，李存勖一律加以慰劳赏赐，也安抚士卒，命他们复员。

段凝（段明远）在后唐政府官员中出入，洋洋得意，丝毫没有惭愧的表情，后梁旧有臣属看到他，都想咬他的脸、挖他的心。

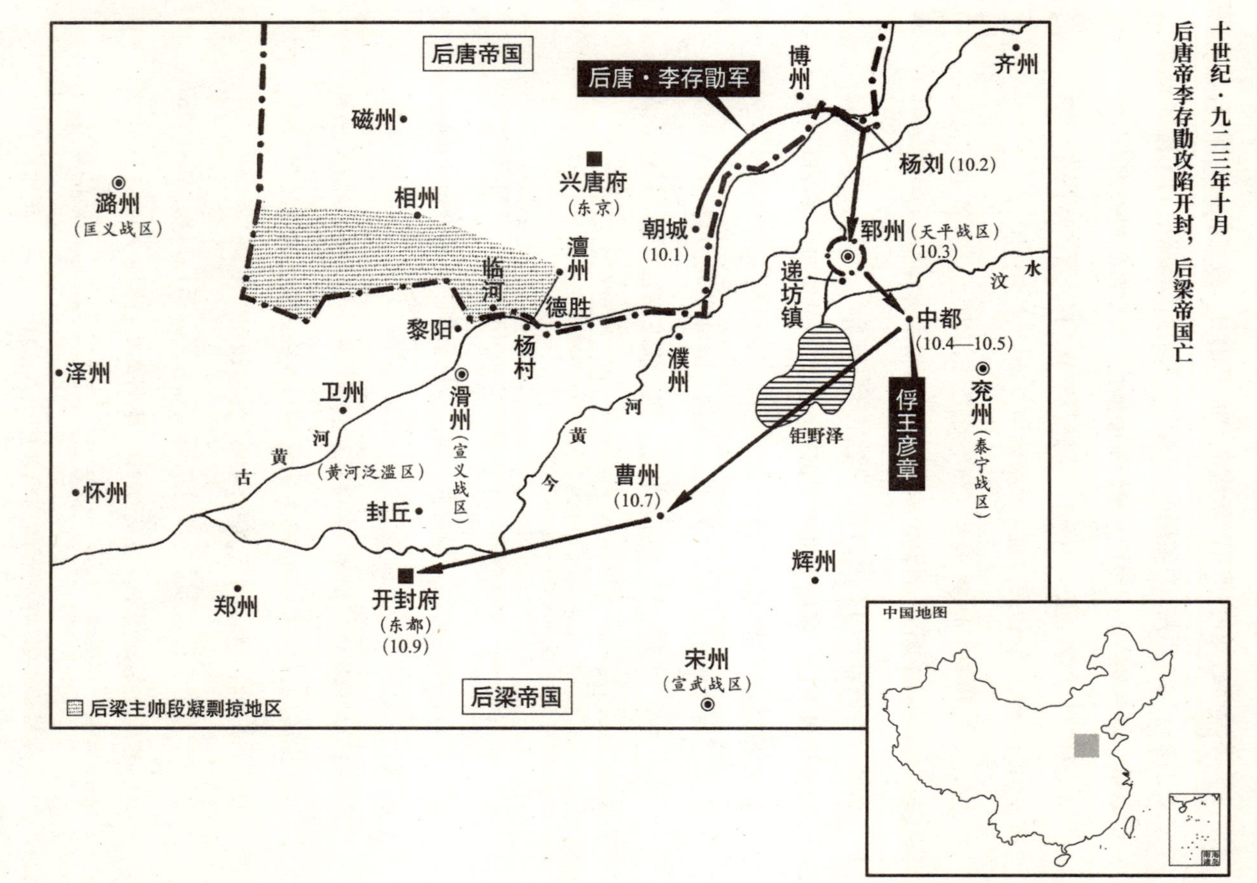

十世纪·九二三年十月

后唐帝李存勖攻陷开封，后梁帝国亡

十月十六日，李存勖下诏：后梁副立法长（中书侍郎）、二级实质宰相（同平章事）郑珏贬作莱州（山东省莱州市）户籍官（司户），萧顷贬作登州（山东省烟台市蓬莱区）户籍官（司户），皇家文学研究官（翰林学士）刘岳贬作均州（湖北省丹江口市西北）军务秘书长（司马），任赞贬作房州（湖北省房县）军务秘书长（司马），姚颢贬作复州（湖北省天门市）军务秘书长（司马），封翘贬作唐州（河南省唐河县）军务秘书长（司马），李怿贬作怀州（河南省沁阳市）军务秘书长（司马），窦梦征贬作沂州（山东省临沂市）军务秘书长（司马），帝国政务署文学官（崇政学士）刘光素贬作密州（山东省诸城市）户籍官（司户），陆崇贬作安州（湖北省安陆市）户籍官（司户），副总监察官（御史中丞）王权贬作随州（湖北省随州市）户籍官（司户）；因为他们都受唐王朝的恩德，世代当官，却又到后梁政府担任显要职务，所以严厉惩罚。刘岳，是刘崇龟的侄儿（刘崇龟，任河东〔总部太原府〕执行官，参考八八〇年三月）。姚颢，是万年（长安〔陕西省西安市〕东半城）人。封翘，是封敖的孙儿（封敖当过副监察官〔御史中丞〕，参考八四七年二月）。李怿，是京兆（陕西省西安市）人。王权，是王龟的孙儿（王龟，是王式的老哥；王式，参考八二八年闰三月）。

段凝（段明远）、杜晏球上疏指控二人过去所谄媚的老长官说：“后梁高级官员赵岩、赵鹄、张希逸、张汉伦、张汉杰、张汉融、朱珪等，暗中窃弄权力，作威作福，残害全国人民，不可不杀。”

李存勖下诏，说：“敬翔、李振，领头辅佐朱温（朱全忠），联手颠覆唐王朝政府；契丹（首都西楼城〔内蒙古巴林左旗〕）皇弟耶律撒剌阿拨，叛离老哥，离弃娘亲，辜负皇恩，背叛帝国（参考九一八年十二月），应跟赵岩等，连同他们的家族，全部押解街市闹区，一起斩首。其他文武百官，不再追究！”又下诏说：“朱温（朱全忠）、朱友贞全贬作平民，并摧毁后梁皇家祖庙（太庙）。”

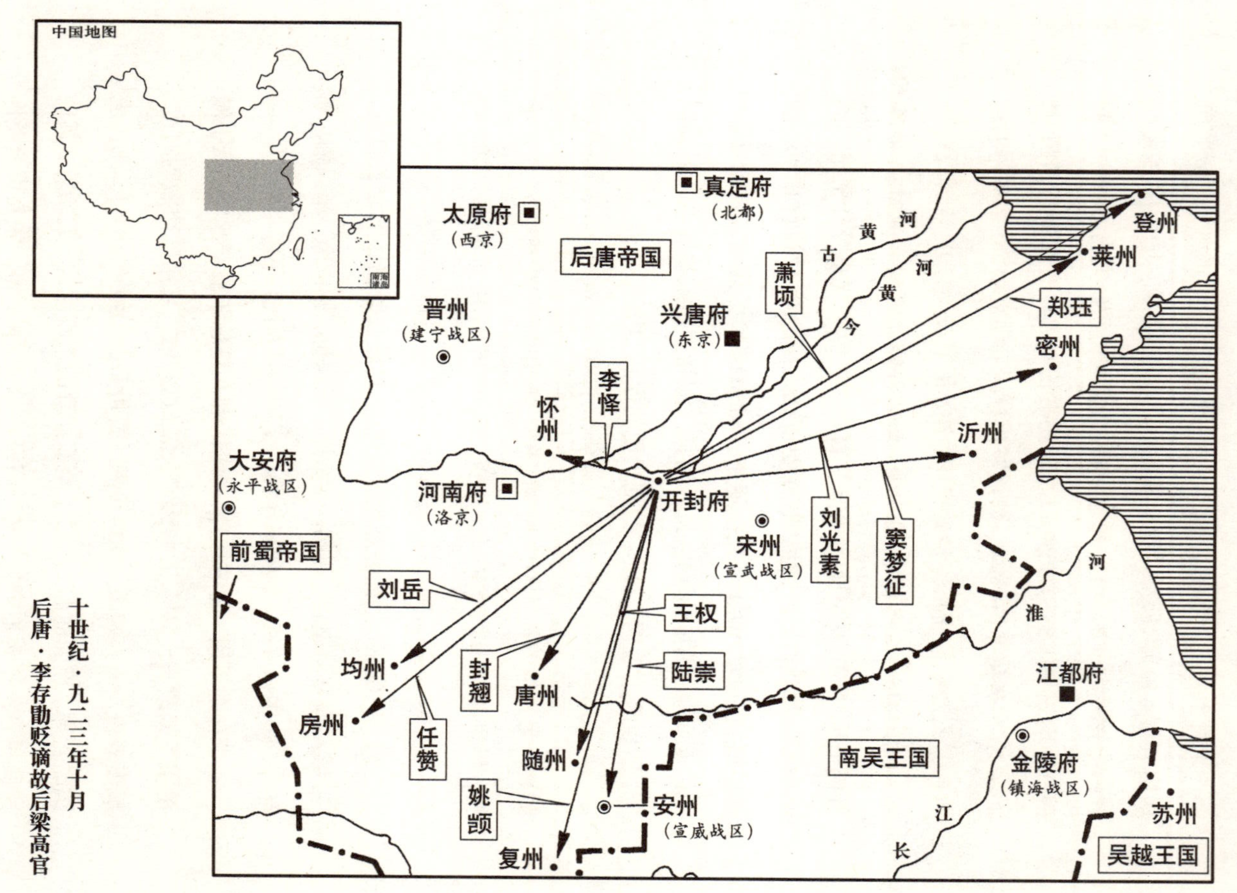

十世纪·九二三年十月
后唐·李存勖贬谪故后梁高官

李存勖跟后梁军队在黄河岸上僵持时，后梁左翼拱宸军总指挥官（拱宸左厢都指挥使）陆思铎，精于射击，常在箭上镂刻自己姓名，在一次对李存勖射击时，射中马鞍，李存勖把箭拔出收藏起来。现在，陆思铎跟着大家一起投降，李存勖把那支箭拿给他看，陆思铎叩头在地，请求宽恕，李存勖慰劳勉励，特别赦免，不久又任命他当右翼龙武军总指挥官（龙武右厢都指挥使）。

宰相豆卢革远在兴唐（河北省大名县），李存勖命帝国参谋总部指挥官（枢密使）郭崇韬，暂时主持宰相联合办公厅事务（权行中书事）。

后梁各战区司令官（节度使）开始前来中央朝见，有的则上疏归降，听候处理，李存勖一一安慰赦免。宣武战区（总部设宋州〔河南省商丘市〕）司令官（节度使）袁象先，首先抵达中央，镇国战区（总部设陕州〔河南省三门峡市〕）候补司令官（留后）霍彦威第二个入朝。袁象先用车辆满装金银珍宝数十万，（不知道是数十万件？还是数十万串？数十万钱？）大肆馈赠刘夫人及有势力的权贵、戏子、宦官；只十天工夫，宫内宫外，对袁象先一片赞美，李存勖也特别宠爱。

十月十九日，李存勖下诏说："后梁所有战区司令官（节度使）、道政府行政长官（观察使）、警备区司令（防御使）、民兵司令（团练使）、州长，以及各级军官，一律保持原状，不另外派人接替。早先逃奔后梁的文武官员，一律不作追究。"

十月二十日，宰相豆卢革自兴唐（河北省大名县）抵达大梁（河南省开封市）。

十月二十四日，李存勖擢升郭崇韬暂任最高监督长（守侍中），遥兼成德战区（总部设真定府〔河北省正定县〕）司令官（节度使）。郭崇韬身兼将相，掌握中央大小事务，设计筹划，竭尽忠心，直言无隐，也很推荐人才，豆卢革不过坐在那里签字而已，没有什么事可做。

十月二十六日，李存勖赐宣义战区（总部设滑州〔河南省滑县〕）候补司令官（留后）段凝（段明远）新姓名李绍钦，赐耀州（崇州，陕西省铜川市耀州区）州长杜晏球新姓名李绍虔。

十月二十七日，后梁西都（河南府）留守长官、兼洛阳特别市长（河南尹）张宗奭（张全义），到中央朝见（此“中央”并非首都兴唐府，而指李存勖所在的大梁），恢复原名张全义（改名事，参考九〇七年八月），张全义（张宗奭）呈献金币战马，数目以千为单位计算。李存勖大喜，命皇子李继岌、皇弟李存纪等，把张全义（张宗奭）当作老哥事奉。李存勖打算挖掘后梁一任帝朱全忠（朱温）的坟墓，劈开棺材、焚烧尸体。张全义（张宗奭）上疏劝阻说：“朱温（朱全忠）虽是帝国的仇人，可是，人已死亡，刑罚对他毫无意义，既屠杀他的全家，已够惩治，请不再剖棺焚尸，以表示陛下圣王恩德。”李存勖接受，仅只铲平地面、砍光树木。

十月二十八日，李存勖加授天平战区（总部设郓州〔山东省东平县〕）司令官（节度使）李嗣源（邈佶烈）兼最高立法长（兼中书令·使相）。调北京（真定府，河北省正定县）留守长官李继岌当东京（兴唐府，河北省大名县）留守长官，遥兼二级宰相（同平章事·使相）。

22 后唐帝（一任庄宗）李存勖派使节前往各战区道传达旨意，后梁帝国所任命的五十余名战区司令官（节度使），都上疏进贡。

南楚王（一任武穆王，首都潭州〔湖南省长沙市〕）马殷（本年七十二岁），派他的儿子、警备本部步骑兵总指挥官（牙内马步都指挥使）马希范，到中央朝见，呈缴洪（江西省南昌市）、鄂（湖北省武汉市）地区特遣兵团总指战官（洪鄂行营都统）印信，并呈报辖区里文武官员名簿。

荆南战区（总部设江陵府〔湖北省江陵县〕）司令官（节度使）高季昌，听

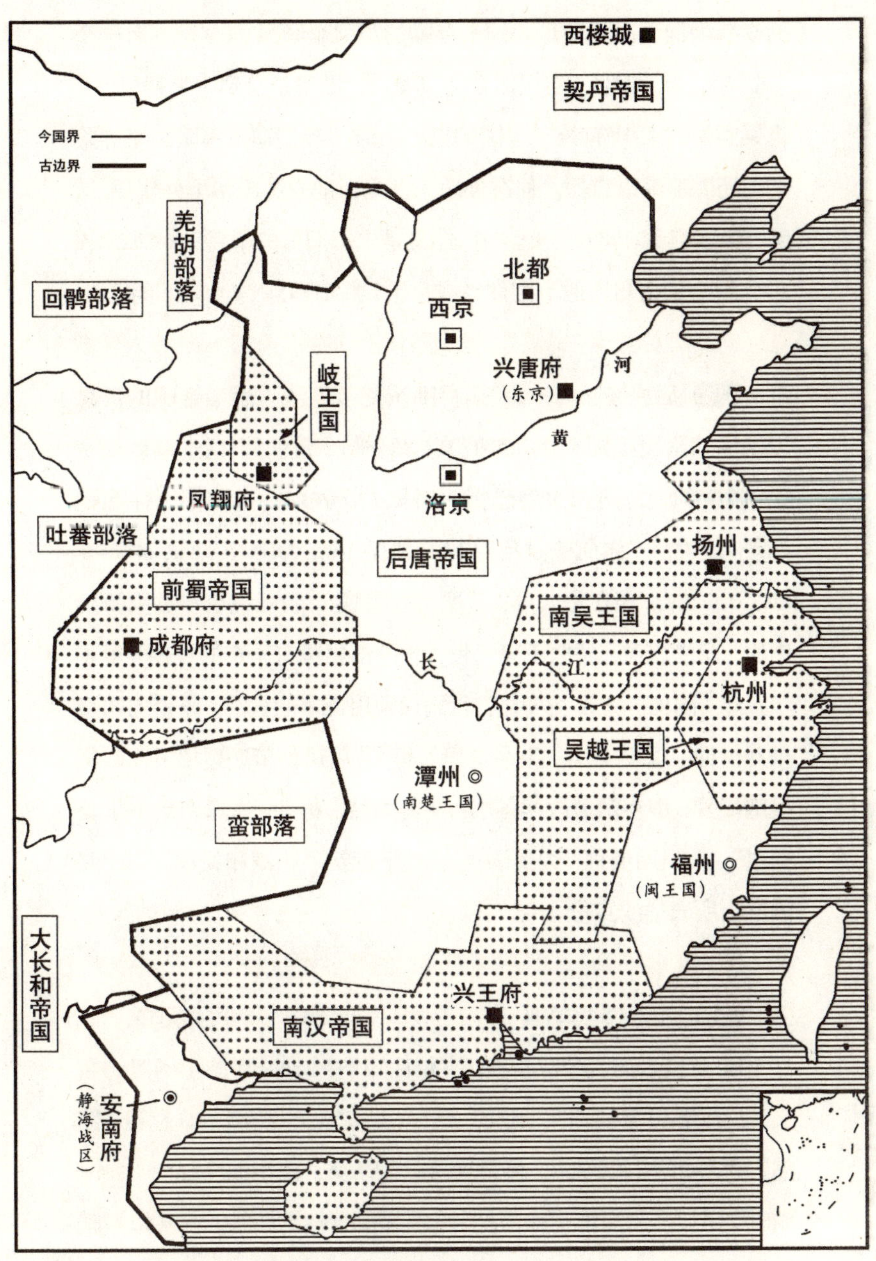

十世纪·九二三年十月　　后梁帝国亡·六国并立

到李存勖消灭后梁消息，因李存勖的祖父李国昌（朱邪赤心）有一个“昌”字，为了避讳，自己改名为高季兴，准备亲自到中央朝见。智囊梁震说：“后唐有统一全国的雄心大志，我们动员军队，坚守险要，还恐怕难以自保，何况你单人匹马，前去数千华里外晋见（大梁、江陵二地航空距离四百八十公里）！你又是朱家旧日的部将（参考九〇二年九月二日），怎么知道他不把你当成仇敌！”高季兴（高季昌）不同意。

23 后唐帝（一任庄宗）李存勖派使节把消灭后梁帝国的消息分别通知南吴王国（首都江都府〔江苏省扬州市〕）及前蜀帝国（首都成都府〔四川省成都市〕），两国大为恐惧。南吴（首都江都府）东海郡王徐温抱怨严可求说：“你前些时反对我的意见（徐温打算派舰队北上，参考本年〔九二三〕五月），现在怎么办？”严可求笑说：“我听说李存勖刚得到中原，意满志盈，骄傲不可一世，统御部属没有一定的规矩，用不了几年，内部一定发生变化，我们只须用谦卑的言辞、厚重的贿赂来对付他，保境安民，坐在这里等待。”后唐使节送达诏书，南吴拒绝接受。李存勖命改换国书，平等相待，称“大唐皇帝致书于吴国主”，南吴回信称“大吴国主上大唐皇帝”，措辞和礼仪，都比照国书上所表达的身份。

24 南吴（首都江都府）有人告发寿州（安徽省寿县）民兵司令（团练使）钟泰章侵占盗卖公家马匹，宰相徐知诰（李知诰）用国王杨溥的名义，派滁州（安徽省滁州市）州长王稔，前往霍丘（安徽省霍邱县）巡视，突然进入寿州（安徽省寿县），接替钟泰章的职务，而调他当饶州（江西省鄱阳县）州长。东海郡王徐温把钟泰章召唤到金陵（江苏省南京市），派陈彦谦再三查问，钟泰章都拒绝回答。有人说：“你为什么不替自己辩护？”钟泰章说：“我在扬州（江都府，江苏省扬州市）时，十万大军中，被称为勇士。寿州（安徽省寿县）距淮河只有几华里，手下的步骑兵不下五千人，我如果有贰心（指投降后唐〔首都兴唐府〕），单人匹马的王稔怎能接替！我不辜负国家，即令贬作县长都可以，何况仍当州长？为什么为了表明自己清白，而暴露中央的过失？”徐知诰（李知诰）打算用军法约束各将领，建议逮捕钟泰章审判定罪。徐温说：“我如果不是钟泰章，早死在张颢之手（参考九〇八年五月），今天我们富贵在身，怎么可以忘恩！”命徐知诰（李知诰）教儿子徐景通，娶钟泰章的女儿，化解他的怨恨。

25 彗星穿过舆鬼星座（舆鬼即鬼宿，二十八宿之一。《晋书·天文志》认为舆鬼星座对应今陕西省及甘肃省东部地区），光束长达一丈有余。前蜀（首都成都府）天文台长（司天监）警告说：“帝国将有大灾。”前蜀帝（二任）王宗衍下诏，命在玉局化设立超度亡魂的道场（玉局化，地名，在成都市城南杨柳堤。据说是道教大师张道陵成仙之处。一五五年，太上老君李耳跟张道陵到这里，忽有一张高大而四脚弯曲的玉床，从地面冉冉出现，李耳就坐上去讲解《南北斗经》。李耳离去后，玉床再缓缓降入地下，不见形迹。古文称“高脚弯曲”为“局”）。初级立法官（右补阙）张云上疏，警告说：“人民的怨气上冲霄汉，所以彗星才出现天际，这是亡国预兆，仅靠祭祀，不能挽救！”王宗衍大怒，把张云流放黎州（四川省汉源县），张云死在中途。

26 后唐郭崇韬上疏说：“黄河以南各战区司令官（节度使）、州长呈递的奏章，只自称姓名。如果不重新任命，恐怕引起他们的忧虑猜疑。”

十一月，李存勖开始发布新的任官令。

27 后唐宣义（总部滑州）候补司令官（留后）李绍钦（段凝），透过 516
戏子景进（景，姓）的关系，把大量金银珍宝献给皇宫，于是，李存勖命李绍钦（段凝）当泰宁战区（总部设兖州〔山东省济宁市兖州区〕）司令官（节度使）。

李存勖从小喜爱戏曲，所以戏子们都很受宠爱，时常侍候左右。李存勖有时戏瘾发作，也化装成剧中人物，跟其他戏子同台演出，以取悦同样是戏迷的刘夫人。李存勖艺名为“李天下”。有一次演出时，李存勖叫自己说：“李天下，李天下！”另一戏子敬新磨立刻走过去，照他脸上就是一耳光。李存勖自己都吓了一跳，所有戏子也都惊呆，敬新磨慢慢说：“治理天下的只有一个人，你还叫谁？”李存勖十分高兴，厚厚赏赐。李存勖曾经在中牟（河南省中牟县）打猎，践踏农田庄稼，中牟县长在马前劝阻说：“陛下是人民的父母，为什么摧毁人民的粮食，使他们饿死水沟？”李存勖暴怒，厉声咆哮，把他赶出，打算诛杀。敬新磨追上去把他再捉住，带回马前，呵责说：“天下人都知道我们领袖喜欢打猎，你当县长，怎么偏不知道？为什么放纵农民耕地种田，妨碍我们领袖骑马奔跑？你犯的罪真该死！”请李存勖下诏斩首，李存勖自己也觉得好笑，把县长释放。

戏子出入宫廷，对有声望的绅士，总是任意侮辱玩弄；文武百官，十分愤恨，但不敢出声，反而有些人转过来拍他们的马屁，希望得到好处，各地战区道更争相向他们贿赂财货，建立友谊。其中作恶最多、害人最多的，首推景进。景进喜欢探听街头巷尾一些鸡毛蒜皮的新闻，报告李存勖，李存勖也渴望知道民间的事，遂把景进当作自己的耳目。景进每次奏报事情，李存勖都屏退左右，单独召见；景进就利用机会，挑拨离间、谗言歪曲、干涉政治。无论宰相、大将，对他都感到畏惧，全国物资调节副总监（租庸副使）孔谦，更把景进当作老哥事奉。

28 十一月二日，岐王（一任忠敬王，首都凤翔府〔陕西省宝鸡市凤翔区〕）李茂贞（宋文通，本年六十八岁）派使节携带信件前来后唐，祝贺李存勖消灭后梁，信中以叔父自居（李茂贞跟李克用平辈），用词及礼仪，都十分倨傲。

29 十一月三日，后唐护国战区（总部设河中府〔山西省永济市〕）司令官（节度使）朱友谦（朱简），到中央朝见。李存勖设宴招待，赏赐之多，无法数清。

30 后唐张全义（张宗奭）建议李存勖迁都洛阳（洛京，河南府所在县），李存勖接受。

31 十一月五日，后唐帝（一任庄宗）李存勖赐朱友谦（朱简）新姓名为李继麟，命皇子李继岌把他当老哥一样的事奉。

李存勖命康延孝当郑州（河南省郑州市）警备区司令（防御使），改姓名为李绍琛。

撤销北都（真定府，河北省正定县），恢复成德战区（镇州升北都真定府事，参考本年〔九二三〕四月。与此同时，西京太原府改称北都，《资治通鉴》没有记载）。

李存勖命宣武战区（总部设宋州〔河南省商丘市〕）司令官（节度使）袁象先改姓名为李绍安。

匡国战区（总部设许州〔河南省许昌市〕）司令官（节度使）温韬（温昭图）到中央朝见，李存勖命他改姓名李绍冲。李绍冲（温韬）携带无数金银绸缎，贿赂刘夫人、权贵、大官、戏子、宦官，只十天时间，李存勖就命他回任。郭崇韬反对说："帝国替唐王朝雪耻复仇，可是温韬（李绍冲）却把唐王朝皇帝的坟墓，几乎挖遍（参考九〇八年十月），他的罪恶应该跟朱温（朱全忠）相等，怎么可以让他再主持战区，天下忠义之士，将对我们怎么批评？"李存勖说："进入汴州（后梁首都开封府）的时候，已经对他们赦免！"仍是命他回任。

32 十一月八日，后唐宰相联合办公厅（中书）奏报说："帝国财政困难，请精简中央编制，暂时留下三院（国务院〔尚书省〕、立法院〔中书省〕、监督院〔门下省〕）及皇家直属各部（寺）、总监（监）所属官员。至于其他所有官职，一律裁撤，如有空缺，等现有官员任期满二十五个月之后，依照次序递补。西班上将军以下武官（金銮宝殿朝会时，文官排列东边，武官排列西边），请命帝国参谋总部（枢密院）比照办理。"李存勖批准。大家怨声载道。

33 最初，后梁（首都开封府）三任帝朱友贞将要在洛阳（西都河南府所在县，河南省洛阳市）南郊祭祀天神，突然得到杨刘（山东省东阿县东北古黄河南岸渡口）陷落消息，惊恐之余，立刻返回首都大梁（参考九一七年十二月），但各种应用物品，仍然保存在那里。张全义（张宗奭）请李存勖迅速前往洛阳，晋见唐王朝皇家祖庙后，就去南郊祭祀天神；李存勖同意。

十一月十六日，李存勖命后梁东京开封府（河南省开封市）恢复旧名：汴州，恢复设置宣武战区。后梁曾把宣武战区迁往宋州（河南省商丘市，参考九一〇年四月注），现在改名归德战区。

李存勖命文武百官先往洛阳。

34 后唐有人提醒李存勖说，郭崇韬自功臣擢升到宰相高位，并不太了解政府运作情形，应该物色从前唐王朝时代著名官员，作为辅佐。于是有人推荐国务院教育部长（礼部尚书）薛廷珪、太子少保（太子三少之三）李琪，在李克用时代曾当过唐王朝的禅让特使（册礼使。参考九〇七年三月二十七日），年高德劭，又能写精彩文章，应可以担任宰相。但郭崇韬上疏指摘薛廷珪肤浅浮华、没有能力，李琪用心险恶、没有胸襟。只有国务院左秘书长（尚书左丞）赵光胤，清廉正直，在后梁还没有灭亡之前，北方人都敬佩他有宰相器度；同时，豆卢革也推荐国务院教育部副部长（礼部侍郎）韦说：对政府法规典故，十分熟悉。

十一月十七日，李存勖任命赵光胤当副立法长（中书侍郎），跟韦说同时兼二级实质宰相（同平章事）。赵光胤，是赵光逢的老弟（赵光逢，参考九〇七年三月）。韦说，是韦岫的儿子（韦岫，参考八七八年十二月）；薛廷珪，是薛逢的儿子（薛逢，唐王朝时任皇家图书院长〔秘书监〕）。赵光胤性情轻浮率直，喜爱表现。韦说谨慎持重，遵守常规办事。

赵光逢原任后梁宰相，退休后（参考九一五年三月）紧闭家门，不跟外界来往。赵光胤不时前往探望，讨论时局。有一天，赵光逢在房门写上：“请不谈政治！”

35 后唐全国物资调节副总监（租庸副使）孔谦，畏惧总监（租庸使）张宪执法公正，打算掌握全权，于是告诉郭崇韬说：“东京（兴唐府，河北省大名县）是帝国重镇，需要高级官员镇守，非张宪不行。”郭崇韬立刻奏请任命张宪当东京（兴唐府）副留守长官，代理留守长官事务。

十一月十八日，李存勖命豆卢革主管全国物资调节总监职务

（判租庸），又兼全国盐铁专卖暨运输总监（兼诸道盐铁转运使）；孔谦大失所望。

36 十一月十九日，后唐帝（一任庄宗）李存勖加授张全义（张宗奭）暂任国务院总理（守尚书令·使相）、高季兴（高季昌）暂任最高立法长（守中书令·使相）。

这时候，高季兴（高季昌）已来中央，李存勖待他十分优厚，曾无意中问说："我打算攻击南吴（首都江都府）、前蜀（首都成都府），你看应先对付哪一国？"高季兴（高季昌）因前蜀（首都成都府）道路险恶，难以征服，遂回答说："南吴（首都江都府）土地狭小，人民穷困，即令吞并，对帝国也没有什么裨益。不如先攻前蜀（首都成都府），那里物产丰富，首领荒淫，人民怨恨，一定可以攻克。消灭前蜀（首都成都府）之后，顺长江而下，夺取南吴（首都江都府），易如反掌。"李存勖说："好极！"

37 十一月二十一日，后唐帝（一任庄宗）李存勖命取消永平战区（总部大安府）及大安府（陕西省西安市），恢复原名：西京京兆府（后梁改西京京兆府为大安府，参考九〇七年四月二十二日；佑国战区改称永平战区，参考九〇九年七月）。

38 十一月二十四日，李存勖离开大梁（汴州州政府所在城，河南省开封市）。

十二月一日，李存勖抵达洛阳（首都河南府所在县，河南省洛阳市）。

39 吴越王（一任武肃王）钱镠（音刘〔流〕）命作战参谋长（行军司马）

杜建徽当左丞相。

40 十二月三日，李存勖下诏，把汴州（河南省开封市）宫殿改称行宫。

李存勖改耀州（陕西省铜川市耀州区）为顺义战区（后梁改耀州为崇州，改原义胜战区作静胜战区）；改延州（陕西省延安市）作彰武战区（原唐王朝保塞战区，岐国改作忠义战区）；改邓州（河南省邓州市）作威胜战区（后梁置宣化战区）；改晋州（山西省临汾市）作建雄战区（后梁置定昌战区，后改建宁战区）；改安州（湖北省安陆市）作安远战区（后梁置宣威战区）。其他战区，一律恢复唐王朝旧名（匡国〔总部许州〕改称忠武，宣义〔总部滑州〕改称义成，镇国〔总部陕州〕改称保义，感化〔总部华州〕改称镇国，忠武〔总部同州〕改称匡国）。

41 十二月十一日，后唐（首都河南府）总监察署（御史台）奏报说：“朱温（朱全忠）逆天篡位，删改本王朝的法令判例，并且把《法令判例全书》，全部焚烧（后唐帝国以唐王朝继承人自居，所以用“本”字表示。后梁改法，参考九一〇年十二月），现在本署和国务院司法部（刑部）、最高法院（大理寺）所用的法典，都是匪伪（后梁）的法令判例。听说定州（河北省定州市）档案中，仍藏有本朝《法令判例全书》，请命该州抄录进呈。”李存勖批准。

42 故后梁（首都开封府）匡义战区（总部设潞州〔山西省长治市〕）司令官（节度使）李继韬听到李存勖消灭后梁消息，忧愁恐惧（李继韬降后梁，参考本年〔九二三〕三月），不知道怎么才好，打算向北逃亡，投奔北方的契丹（首都西楼城）。而就在这时候，李存勖下诏征召他前往中央。在李继韬动身前往时，他的老弟李继远说：“老哥是一个叛徒，什么地方能够容你？去跟不去，结局完全相同，不如挖深壕沟，增高城墙，坐吃多少年来积蓄的粮食，还可以拖延岁月。去中央的话，立刻就死。”但有人对李继韬说：“你父亲（李嗣昭）为国立过大功。皇上（李存勖）是你的叔父，前往中央，保管平安（李嗣昭是李克用老弟李克柔的义子，所以跟李存勖以兄弟相称）。”李继韬的娘亲杨女士，对聚积钱财，十分精明，家产超过百万，遂母子同行，携带白银四十万两，其他珠宝跟这个数目相等，大行贿赂。于是戏子、宦官争着为他辩护，强调说：“李继韬当初并没有恶意（李继韬夺潞州事，参考去年〔九二二〕四月），只是受奸人的诱惑。他老爹李嗣昭，不但出身皇族，而且是一代贤能，不可以不给他留下后裔。”杨女士更进宫晋见李存勖，哭泣恳求饶她儿子一命，一再提及李嗣昭在世时所享受的宠爱。杨女士也哀求魏国夫人刘女士，刘女士也为李继韬求情。所以，等李继韬抵达中央，法官刚要裁定时，李存勖下令释放。李继韬在京师（首都河南府）停留一个月有余，屡次追随李存勖到郊外打猎，所受的宠爱，跟从前一样。可是皇弟、遥兼二级宰相（同平章事·使相）、义成战区（总部设滑州〔河南省滑县〕）司令官（节度使）李存渥，却不能忍受，常对李继韬呵责辱骂（李继韬兄弟要杀李存渥，参考去年〔九二二〕四月），李继韬内心不安，再大量贿赂李存勖左右，请求返回战区，这次李存勖没有答应。李继韬遂暗中派人送信给李继远，要他发动假兵变——命士卒放火，希望李存勖派自己回去安抚；事情泄露。

十二月十二日，李存勖把李继韬贬作登州（山东省烟台市蓬莱区）政务秘书长（长史），不久又把他逮捕，连同当初送往后梁当人质的两个儿子，押往天津桥（洛阳城洛水桥）南，斩首。又派使节前往上党（潞州州政府所在县）斩李继远；而命李继达当首府巡查官（军城巡检）。

李存勖命暂时主持总部军政（权知军州事）的李继俦，前来中央晋见；李继俦霸占李继韬的妻子，料理安顿家妓以及小老婆群、搜查登记家产，拖延时间，没有马上动身。李继达大怒说：“我们家兄弟父子，四个人同时斩首（李继韬跟两个儿子、李继远），大哥竟没有一点骨肉之情，贪狠荒淫到如此地步，我感到万分羞耻，没有面目见人，活着不如一死。”

十二月十五日，李继达身穿丧服，率他手下一百名骑兵，坐在辕门，大喊说：“谁跟我一起反叛？”遂进攻官邸（牙宅），斩李继俦。战区副司令官（节度副使）李继珂得到消息，立刻到街上招兵，集结一千余人，进攻内城（子城）。李继达知道大势已去，打开东门，回到自己家宅，把妻子儿女全部砍死，打算投奔契丹（首都西楼城），可是出城只奔驰几华里，随从的骑兵全都逃散，于是自刎而死。

李嗣昭精明干练，勤俭劳苦，辅佐建立帝国大业，最后更为皇家牺牲，诚是不二忠贞。然而，他的儿孙不能免除诛杀，原因何在？只为家产丰富，多到无穷。财物一旦多到无穷，必然衍生愚劣。假如把清白留给子孙，怎么会引起灭门惨祸！（《旧五代史》：娘亲杨女士以精于理财治家，闻名于世，积钱如山，后死于太原。二子李继能、李继袭奔丧。李继能拷打杨女士金库婢女，要她交出金银，竟把她打死，家人不平，指控李继能聚众起兵谋反，李继能、李继袭都被斩首。七子中唯李继忠一人留得残生。）

43 十二月十五日，南吴王国（首都江都府〔江苏省扬州市〕）国王杨溥，再派农林部长（司农卿）洛阳（河南省洛阳市）人卢苹出使后唐（首都河南府）。智囊严可求预测李存勖提出什么问题，一一教卢苹模拟应对。既到洛阳，果然不出严可求预料。卢苹回来，指出后唐帝李存勖荒怠政事，全力从事游荡打猎，却吝啬赏赐钱财，又拒绝规劝，中外一片怨愤。

44 后唐（首都河南府）荆南战区（总部设江陵府〔湖北省江陵县〕）司令官（节度使）高季兴（高季昌）在首都洛阳时，李存勖左右的戏子和宦官，向他一再索取贿赂，贪得无厌。高季兴（高季昌）十分愤怒。李存勖打算留下他不放，郭崇韬说："陛下刚刚建立帝国，各战区道首长顶多不过派子弟，或将领前来进贡，只高季兴（高季昌）亲自晋见，应该褒奖，作为对还没有来的人的一种鼓励。如果不放他回去，那就抛弃信誉，有亏道义，使四海失望，不是长久之计。"于是送他回任。高季兴（高季昌）加倍速度飞奔而去，到达许州（河南省许昌市），对左右说："这次犯了两个错误，我来朝见是一个错误，他放我走是一个错误。"经过襄州（湖北省襄阳市），战区司令官（节度使）孔勍设宴招待，半夜，高季兴（高季昌）砍开城门逃走。（《五代史补》：高季兴走已十数天，李存勖后悔，急命山南东道〔总部襄州〕司令官刘训阻止。高季兴已抵襄州，到宾馆而心动，遂放弃辎重行李，率卫士数百人南奔，到凤林关〔襄阳市南七华里〕，天已昏黑，于是斩关而出。当天三更，急诏果到，刘训料高季兴已经去远，才算停止。）

十二月二十八日，高季兴（高季昌）抵达江陵（湖北省江陵县），握住梁震的手说："不听你的话，几乎逃不出虎口。"又对将领及参谋人员说："新帝国经过百战，才取到河南（黄河以南），可是李存勖却居然对劳苦功高的将领们，举一个手势说：'我用十个手指取得天下！'沾沾自喜成这种模样，其他人的力量岂不一文不值，谁不离心？他又沉溺在打猎和美女群里，如何能够长久？我不再担心。"乃加强城池防御工程，贮存粮食，招收故后梁官兵，严密戒备。

九二四年 甲申

后唐	同光	二年
岐	天祐	二十一年
南吴	顺义	四年
前蜀	乾德	六年
南楚	同光	二年
吴越	宝大	元年
南汉	乾亨	八年
南平	同光	二年
契丹	天赞	三年

1 春季，正月五日，后唐帝国（首都河南府〔河南省洛阳市〕）卢龙战区（总部设幽州〔北京市〕）奏报说："契丹（首都西楼城〔内蒙古巴林左旗〕）军队入侵，直到瓦桥（河北省雄县）。"后唐帝（一任庄宗）李存勖（本年四十岁）命天平战区（总部设郓州〔山东省东平县〕）司令官（节度使）李嗣源（邈佶烈）当北方军团总征剿司令（北面行营都招讨使），命保义战区（总部设陕州〔河南省三门峡市〕）候补司令官（留后）霍彦威当副征剿司令，派宫廷事务总监（宣徽使）李绍宏（马绍宏）当监军宦官，率军增援卢龙（总部幽州）。

2 后唐（首都河南府）全国物资调节副总监（租庸副使）孔谦，再一次提醒帝国参谋总部指挥官（枢密使）郭崇韬说："首席宰相（豆卢革）日理万机，而且住家又远，捐税财赋的簿册公文，有很多积压延误，最好想个办法解决。"（豆卢革时兼全国物资调节总监〔租庸使〕，孔谦意在排除豆卢革，而由自己升任。）恰巧豆卢革曾手写便条，向国库借款数十万，孔谦把豆卢革手写的便条拿给郭崇韬过目，郭崇韬暗示豆卢革，豆卢革恐惧，上疏请郭崇韬全权负责物资调节业务，郭崇韬坚决辞让。后唐帝（一任庄宗）李存勖说："那么，谁可以接替？"郭崇韬说："孔谦虽然长期管理钱粮（李存勖进入魏州，孔谦就当财务管理官〔支度务使〕，参考九一五年六月，迄今十年），但如果立刻就交给他这么重大的任务，恐怕人心不服，不如再调回张宪！"李存勖立刻命郭崇韬把张宪召回（张宪时任东京〔兴唐府〕副留守长官），孔谦更加失望。

3 岐王（一任忠敬王，首都凤翔府〔陕西省宝鸡市凤翔区〕）李茂贞（宋文通，本年六十九岁），听到后唐帝（一任庄宗）李存勖迁都洛阳（河南府所在县）消息，大为惊慌（恐怕李存勖西征），立即派他的儿子、作战参谋长（行军司马）、彰义战区（总部设泾州〔甘肃省泾川县〕）司令官（节度使）兼最高监督长（兼侍中·使相）李继曮，前往京师（首都河南府）进贡，并呈递奏章，自己称"臣"。李存勖认为李茂贞（宋文通）是唐王朝元老，又是老爹李克用同辈，所以特别优待，每次颁发诏书，都只称岐王，不称李茂贞（宋文通）名字。

正月十一日，李存勖加授李继曮中央官衔：最高立法长（中书令·使相），送他返回。

4 后唐帝（一任庄宗）李存勖下诏说："宦官不应该住在皇宫外面，凡唐王朝的宦官，或各战区道的监军宦官，以及民间私人使用的宦官，不论贵贱，都送到皇宫（朱全忠屠杀宦官时，仍有漏网者，参考九一〇年七月）。"当时，李存勖左右的宦官已有五百人，诏书颁布后，几乎增加到一千人，李存勖都给他们优厚的薪俸，负责重要职务，把他们当作心腹。宫内各单位主管，自从九〇四年以来（九〇三年正月对宦官大屠杀），都用常人担任（迄今已二十二年），现在，又全部改用宦官，而且逐渐干涉政治。不久，李存勖更开始大量派出宦官到各战区充当监军，战区司令官（节度使）率军作战时，或到中央晋见稍作逗留，总部军政就交由监军宦官决定，这些宦官忽视甚至欺凌侮辱统帅，仗着皇帝支持，争权夺利。因此，各战区官员对宦官无不咬牙切齿（唐王朝监军宦官制度之流弊，参考八二二年二月）。

5 契丹帝国（首都西楼城〔内蒙古巴林左旗〕）的入侵军队，出塞返国。后唐政府（首都河南府）命李嗣源（邈佶烈）班师；派泰宁战区（总部设兖州〔山东省济宁市兖州区〕）司令官（节度使）李绍钦（段凝）、泽州（山西省晋城市）州长董璋，驻防瓦桥（河北省雄县）。

6 岐国（首都凤翔府）李继曮，亲眼看到后唐（首都河南府）武装力量的强大，从洛阳（河南府所在县）回到凤翔（陕西省宝鸡市凤翔区）之后，报告老爹李茂贞（宋文通），李茂贞（宋文通）越发恐惧。

正月十四日，李茂贞（宋文通）上疏李存勖，请求恢复臣属应有的礼节，李存勖用措辞婉转温和的诏书，不许（李茂贞对李存勖倨傲，参考去年〔九二三〕十一月二日）。

7 后唐（首都河南府）孔谦厌恶张宪再回来复位，对宰相豆卢革说："金钱粮草这种小事，一个普通官员足可以应付。兴唐（河北省大名县）是帝国的根本基地，难道那么不重要？兴唐特别市市长（兴唐尹）王正言，品格操守，都是一流人才，可是智慧能力，却相差太远。万不得已，让他回到中央，在很多人辅佐之下工作，也比他在兴唐（河北省大名县）独当一面要好得多。"豆卢革转告郭崇韬，郭崇韬奏报李存勖，命张宪仍留东京（兴唐府）原职。

正月十五日，李存勖命王正言当物资调节总监（租庸使）。王正言昏庸懦弱，孔谦就是为了他昏庸懦弱，容易控制摆布，才竭力推荐。

8 后唐（首都河南府）卢龙战区（总部设幽州〔北京市〕）司令官（节度使）李存审（符存审）奏报说：契丹（首都西楼城）军队退出塞外，已收复新州（河北省涿鹿县）。

9 正月十九日，后唐帝（一任庄宗）李存勖下诏，命全国盐铁专卖暨运输总监（盐铁）、全国财政总监（度支）、国务院财政部（户部）三单位，全部隶属物资调节总监（租庸使）。

李存勖派皇弟李存渥、皇子李继岌，前去晋阳（山西省太原市）迎接太后曹女士及太妃刘女士。刘太妃拒绝，说："先帝的坟墓祭庙，都在这里（李存勖的老爹李克用、祖父李国昌〔朱邪赤心〕、曾祖父朱邪执宜坟墓都在代州〔山西省代县〕，祭庙则在太原府），大家如果一齐走掉，过年过节，什么人祭奉洒扫！"遂留下来（刘太妃从嫡母大老婆变成庶母小老婆，已经难堪，前去洛阳，将更羞辱，如今义正词严留下，正是解脱）。曹太后就一人南下。

正月二十一日，李存勖亲自到河阳（河南省孟州市）迎接。

正月二十二日，李存勖陪同娘亲，进入洛阳（首都河南府所在县，河南省洛阳市）。

二月一日，李存勖前往南郊祭祀天神，大赦。

孔谦狂征暴敛，用来谄媚李存勖，凡李存勖下诏所免的租税，孔谦照样征收。自此之后，李存勖的承诺和应许，官民完全不信，天下悲愁怨恨。

郭崇韬最初抵达汴州（河南省开封市）、洛阳（河南省洛阳市）时，各战区贿赂他很多金银财宝，郭崇韬全部收下，有的亲信劝阻他，郭崇韬说："我地居高位，身兼宰相大将，薪俸高达万万钱之多，根本不靠外财。可是，后梁时代，贿赂成为风气，黄河以南各战区司令官，都是后梁旧日的臣属、领袖（李存勖）旧日的仇敌，我如果拒绝，他们心里岂不恐惧？我只是为了帝国安全，暂时私自收藏！"等到李存勖准备南郊祭祀天神时，郭崇韬领先呈献劳军钱十万串。先前，宦官建议李存勖把全国捐税财赋，分别存入"国库"（外府）或"宫库"（内府），州县政府呈缴的钱粮，送到国库，作为政府经费，战区进贡的金银珠宝，送到宫库，充作皇帝游玩饮酒及赏赐左右的经费。于是国库一直空虚、财源枯竭，而宫库钱财堆积如山。有关单位已无力承办祭祀用品，更没有足够的钱劳军。郭崇韬奏报说："我已拿出所有的财产，协助祭天大典。但愿陛下也能动用宫库，使有关单位能够办事。"李存勖呆了很久，说："我在晋阳（山西省太原市）另有积蓄，可教物资调节总监署（租庸）挪来使用。"于是把没收李继韬家的金银绸缎数十万（数十万什么，钱？串？匹？两？）用来补助（李继韬是李嗣昭的儿子，被诛，参考去年〔九二三〕十二月）。士卒们大失所望，从此更加怨恨，有叛离的心。

护国战区（总部设河中府〔山西省永济市〕）司令官（节度使）李继麟（朱友

谦），请征收安邑（山西省运城市东北安邑街道）、解县（山西省运城市西南解州镇）两地盐税，每一季（三个月）呈缴一次。

二月十一日，李存勖命李继麟（朱友谦）当两池（解池）盐税务总监（制置两池榷盐使）。

10 二月十三日，后唐帝（一任庄宗）李存勖把岐王（一任忠敬王）李茂贞（宋文通）改封秦王，仍不直呼李茂贞（宋文通）姓名，只称秦王，并命李茂贞（宋文通）不必下跪叩头（岐王李茂贞改封秦王，唐王朝末年建立的岐国，便自动并入后唐帝国版图。岐国自九〇七年四月唐亡后脱离中原政权〔后梁〕，迄今〔九二四〕立国十八年。是五代十一国第二个灭亡的短命王国）。

11 后唐（首都河南府）帝国参谋总部指挥官（枢密使）郭崇韬也知道宦官李绍宏（马绍宏）心里不高兴（参考去年〔九二三〕四月），于是特别设立宫廷财务总监（内句使），负责查核中央三财务单位业务，命李绍宏（马绍宏）担任，希望能够化解，但李绍宏（马绍宏）仍然不高兴，徒然增加州县政府表报业务。

郭崇韬位兼将相，又兼战区统帅（郭崇韬此时任：帝国参谋总部指挥官〔枢密使〕、最高监督长〔侍中〕、成德战区〔总部镇州，河北省正定县〕司令官〔节度使〕），认为治理国家是自己的责任；权力之大，几乎可以上比皇帝（李存勖），所以宾客车马，日夜挤满门庭。郭崇韬性情刚烈急躁，遇到刺激，立刻爆发。李存勖亲信宠爱的戏子、宦官，有不合理的请求时，郭崇韬往往强行压制，戏子、宦官都对他痛恨，日夜不停的在李存勖面前说他的坏话，郭崇韬非常气愤，但是却也无可奈何。宰相豆卢革、韦说曾经在一个普通场合问他说："唐王朝汾阳王郭子仪，本是太原（山西省太原市）人，后来迁到华阴（陕西省华阴市。《资治通鉴》

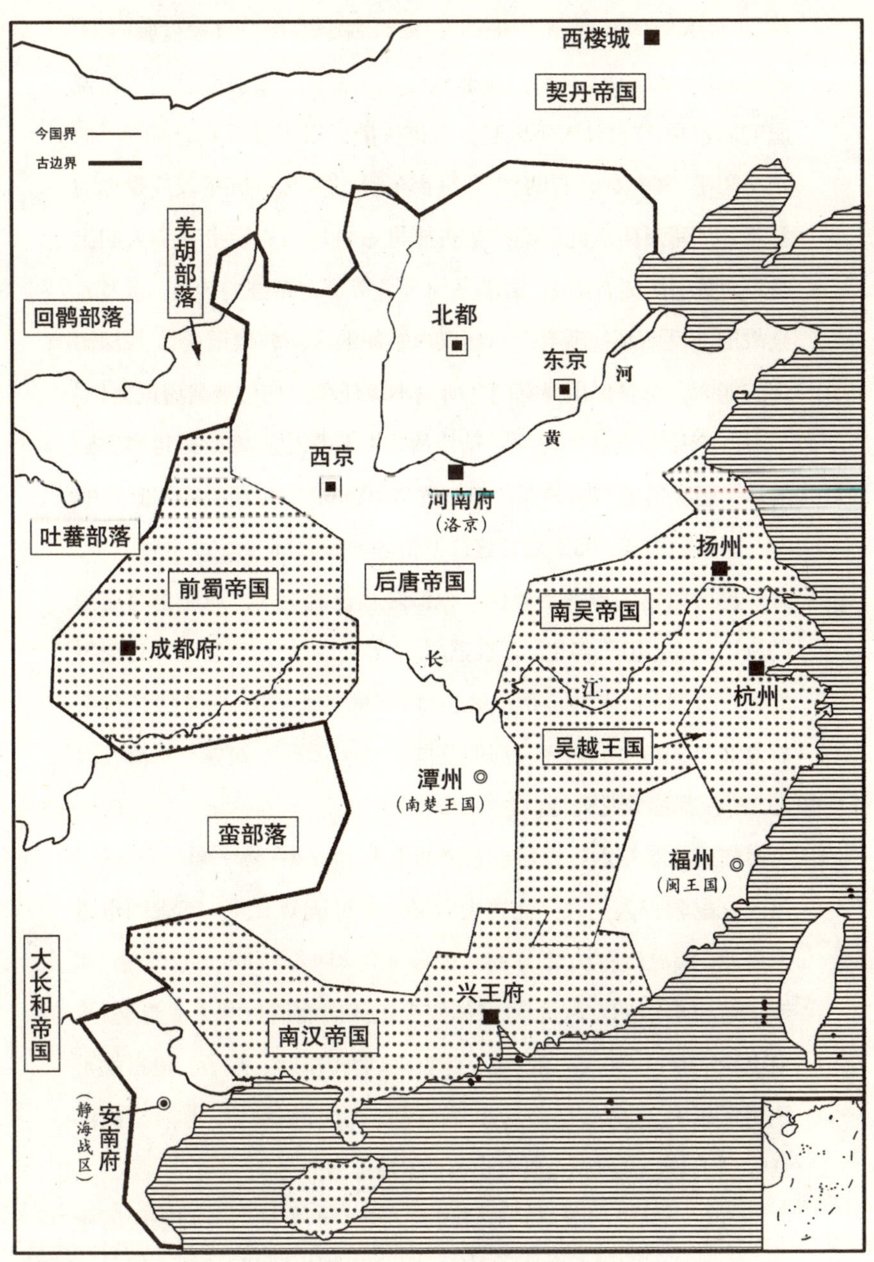

十世纪·九二四年二月　岐王李茂贞改封秦王，岐王国亡·五国并立

的记载则是郑县〔陕西省渭南市华州区〕人，参考七四九年三月），你家住雁门（代州州政府所在县，山西省代县），莫非是他的后裔？”郭崇韬恐怕不被说服的回答说：“自从天下大乱，家谱失散，只不过听我老爹说，他距汾阳王（郭子仪）共有四世。”豆卢革说：“那么，郭子仪应是你的堂祖！”郭崇韬从此以高门第贵族世家自居，喜爱批评别人的出身，大量引用徒有虚名、却毫无才干之辈，对帝国的功臣，以及元勋故旧，反而鄙视唾弃，遇到谋求官职的人，郭崇韬说：“我深知你的能力，可是你出身寒门，所以不敢任用，唯恐被名流讥笑！”于是，宠臣亲信在内怨恨，功臣故人在外怨恨。郭崇韬也察觉到危险，屡次请把帝国参谋总部指挥官（枢密使）职位让给李绍宏（马绍宏），李存勖不准。郭崇韬又建议把帝国参谋总部（枢密使）主管的事，分一部分给宫内宦官各单位，以减轻自己的责任，可是宦官对他的攻击陷害，仍不停止。郭崇韬烦恼苦闷，跟他的亲信朋友讨论要辞去中央职务，前往成德战区（总部设镇州〔河北省正定县〕）到差，用来躲避戏子、宦官的陷害，那朋友说：“千万不行，蛟龙一旦离开大海，蚂蚁都能致它死地。”

先前，李存勖打算封小老婆刘夫人（就是鞭打老爹的那位）当皇后，可是元配韩夫人仍在，而曹太后又一向讨厌刘夫人，郭崇韬也屡次规劝，因此没有结果（李存勖三位夫人排名，参考九一七年十月）。现在，郭崇韬这位亲信朋友教他说：“你如果正式出面请封刘夫人当皇后，皇上（李存勖）一定大为欢喜。宫内有皇后的帮助，戏子、宦官就无法再下毒手。”郭崇韬接受这项建议。于是联络宰相，率领文武百官共同上疏，请刘夫人早日正位，主持正宫。

二月十五日，李存勖封魏国夫人刘女士当皇后。刘皇后出身贫贱，自从当了李存勖的小老婆，就一心积蓄财富，在魏州（河北省大名县）时，连木柴、蔬菜、水果等，都拿出去贩卖，等当了皇后，更变本加厉，全国各地向中央的进贡，都分为两份，一份呈献皇帝，一份呈献皇后。因此，刘皇后的金银珠宝堆积得像山一样高，她唯一的开支是抄写佛经、施舍给尼姑女巫。

这时候，中央有三人发号施令：一是曹太后的“诰令”，一是刘皇后的“教令”，一是李存勖的“诏令”，效力相同，都直接下达给各战区，各战区一律遵令行事。

12 后唐帝（一任庄宗）李存勖命蔡州（河南省汝南县）州长朱勍，挖掘疏浚索水（五代时索水从河南省荥阳市东注入黄河，经不断改道，即今淮河支流涡河上游一条小河），打通粮食水运通道。

13 三月一日，前蜀帝国（首都成都府〔四川省成都市〕）皇帝（二任）王宗衍（本年二十六岁），在皇宫怡神亭设筵宴请亲近的臣属，喝到半醉时候，王宗衍以及僚属、宫女，都脱下帽子，露出头发小辫，毫无顾忌的喧哗吵闹。诏书撰写官（知制诰）京兆（陕西省西安市）人李龟祯规劝说：“君臣都沉迷在醇酒美女之中，一点也不忧虑帝国前途，我恐怕会引起北方敌人（后唐）计算我们的阴谋。”王宗衍听不进去。

14 三月七日，后唐（首都河南府〔河南省洛阳市〕）成德战区（总部设镇州〔河北省正定县〕）奏报说：“契丹（首都西楼城）将要进犯边塞。”后唐帝（一任庄宗）李存勖命横海战区（总部设沧州〔河北省沧州市东南〕）司令官（节度使）李绍斌、北京（太原府，山西省太原市）左翼骑兵指挥官（左厢马军指挥使）李从珂（王从珂），分别率骑兵戒备。又命天平战区（总部设郓州

〔山东省东平县〕）司令官（节度使）李嗣源（邈佶烈）进驻邢州（河北省邢台市）。李绍斌，本名赵行实，是幽州（北京市）人（参考九一二年三月）。

三月八日，李存勖加授高季兴（高季昌，荆南〔总部江陵府〕司令官）中央官衔：兼国务院总理（兼尚书令·使相），封南平王（原后梁政府的封号为渤海王，参考九一三年八月）。

李存审（符存审，卢龙〔总部幽州〕司令官）认为自己是帝国最资深的将领，可是在攻克后梁首都开封（河南省开封市）之役中，只自己没有立功，十分懊恼，病势更加沉重，屡次上疏要到京师（首都河南府）晋见，郭崇韬都压制不准。后来，李存审（符存审）病危，上疏乞求在他死之前，再看一次李存勖的龙颜，李存勖这才允许。

最初，李存勖曾跟右武卫（卫军第四军）上将军（从二品）李存贤（王贤）进行摔跤比赛，李存贤（王贤）故意不用全力，李存勖说："没有关系，你能胜过我，我赏你一个战区司令官。"李存贤（王贤）这才不再谦让，在比赛中把李存勖压制，但也仅使他的身体微微倾斜，即行停止。而今，李存勖批准李存审（符存审）晋见，就任命李存贤（王贤）当卢龙战区（总部设幽州〔北京市〕）作战参谋长（行军司马），十天后，擢升为战区司令官（节度使）。李存勖说："比赛摔跤的约定，我说话算话。"

15 三月十二日，后唐（首都河南府）卢龙战区（总部设幽州〔北京市〕）奏报说："契丹（首都西楼城）攻击新城（河北省高碑店市东南新城镇）。"

16 后唐（首都河南府）开国功臣们畏惧戏子和宦官的陷害，内心都惶惶不安。华洋内外步骑兵副总司令官（蕃汉内外马步副总管）李嗣源（邈佶烈）请求解除军权，后唐帝（一任庄宗）李存勖不准。

17 自唐王朝末年，天下大乱，官宦世家，凋零破落，有的过于穷困，往往把任官令（告身）卖给亲属，辈分遂陷于混乱，发生叔父向侄儿下跪叩头、舅父向甥儿下跪叩头等奇怪现象，等候任命的官员中，冒名顶替的更多。郭崇韬打算革除这项弊端，命主管铨叙的单位（国务院文官部〔吏部〕、国防部〔兵部〕）严加考核，当时参加李存勖南郊祭祀天神大典的官员多达一千两百人，而审核通过，获得任官资格留任的，才数十人，任官令（告身）被注销的有十分之九（告身，参考六六九年十二月），这些候补官员，有的绝望的在道路上悲哭哀号，有的则躺在旅店里活活饿死。

柏杨曰

中国知识分子所以惜官如命，原因在此，悲哀也在此。因为他除了当官，其他什么事都不会，为了活命和活命后的荣华富贵，任何侮辱都必须逆来顺受，没有了官，不但没有了荣华富贵，甚至也没有了命，这种卑屈是一种破坏正常社会生态的病毒，暴君恶棍从其中得到充分营养，千百年来，当官的人格，遂一泻千里，受不到尊重。

18 唐王朝皇帝的陵墓，很多被温韬（李绍冲）挖掘（参考九〇八年十月）。

三月二十二日，后唐政府（首都河南府）命国务院工程部工程司司长（工部郎中）李途，当长安（唐王朝故都，陕西省西安市）皇家陵墓调查修护特使（按视诸陵使）。

19 后唐帝（一任庄宗）李存勖命皇子李继岌，接替张全义（张宗奭）主管六军十二卫（判六军诸卫事）。

20 夏季，四月一日，后唐（首都河南府）文武百官呈献后唐帝（一任庄宗）李存勖尊贵绰号：昭文睿武至德光孝皇帝。

21 后唐帝（一任庄宗）李存勖派礼宾官（客省使）李严，出使前蜀（首都成都府）。李严极力夸耀李存勖的强大军事力量和对人民的恩德，以及统一全国的意愿。并且指出：朱全忠（朱温）杀君篡国时，各地方首长从没有人出兵勤王（朱全忠〔朱温〕篡夺唐王朝后，当时的蜀王王建计划自己称帝，也劝晋王李克用〔李存勖老爹〕称帝，遭李克用拒绝。参考九〇七年四月二十九日）。前蜀兼最高立法长（兼中书令）王宗俦认为李严语带讽刺，请前蜀帝（二任）王宗衍斩李严，王宗衍不接受。宫廷事务北院总监（宣徽北院使）宦官宋光葆上疏说："李存勖有欺凌我国的野心，我们应该遴选将领，加强士卒军事训练，沿边驻军，加强防御，积蓄粮食草料，整修战舰，严阵以待。"王宗衍乃命宋光葆当梓州（四川省三台县）行政长官（观察使），兼武德战区（总部设梓州〔四川省三台县〕）候补司令官（节度留后）。

22 四月七日，后唐帝（一任庄宗）李存勖，加授南楚王（一任武穆王，首都潭州〔湖南省长沙市〕）马殷（本年七十三岁）中央官衔：兼国务院总理（兼尚书令·使相）。

四月十二日，李存勖命前保义战区（总部设陕州〔河南省三门峡市〕）候补司令官（留后）霍彦威，改名李绍真。

秦王（忠敬王）李茂贞（宋文通）逝世（年六十九岁），遗疏请求李存勖命他的儿子李继曮，暂时主持凤翔（总部凤翔府）总部军政大事。

23 最初，安义战区（总部设潞州〔山西省长治市〕）营门官（牙将）杨立，深受李继韬的宠爱信任。李继韬被杀（参考去年〔九二三〕十二月）之后，杨立闷闷不乐，希望制造乱局。就在这时，中央征调安义（总部潞州）军队三千人，驻防涿州（河北省涿州市），杨立煽动他的部众说："从前，潞州（山西省长治市）军队从来没有驻防过边塞，而今，中央把我们投到绝域蛮荒之地，只是不愿我们留在家园罢了，与其把白骨暴露到万里外沙场，不如守住城池自保，事情成功，大家共享荣华富贵，事情失败，大不了落草为寇！"遂在大家呐喊声中，攻击中城（子城）东门，对街市店铺住宅，放火劫掠。副司令官（节度副使）李继珂、监军宦官张弘祚，放弃城池逃走。杨立遂自称候补司令官（留后），派将士向李存勖呈递奏章，请求中央任命。

李存勖下诏命天平战区（总部设郓州〔山东省东平县〕）司令官（节度使）李嗣源（邈佶烈）当征剿司令（招讨使），命武宁战区（总部设徐州〔江苏省徐州市〕）司令官（节度使）李绍荣（元行钦）当野战司令（部署），命帐前总指挥官（帐前都指挥使）张廷蕴当步骑兵总指挥官（马步都指挥使），讨伐杨立。

24 后唐（首都河南府）全国物资调节副总监（租庸副使）孔谦，借钱给民间，然后教农人用最低的价格，折换成生丝偿还，不断命各州县政府强制执行。皇家文学研究院院长（翰林学士承旨）、暂代主持宣武战区（总部设汴州〔河南省开封市〕）军政大事（权知汴州）的卢质，上疏警告说："后梁时代，赵岩当物资调节总监（租庸使），利用放款，强行剥夺钱财，激起人民怨恨。陛下革除旧弊，创造新局，为人民服务，消灭祸害。可是有关政府单位，却跟过去一样狂征暴敛，是赵岩的阴魂，复活重生！今年春季，天降寒霜，庄稼桑叶，都受严重伤害，生丝的收成更差，仅只缴纳正规捐税，恐怕还会发生大批难民逃亡，何况又向他们放高利贷款，人民怎么承当！我只能服从皇上命令，不能服从物资调节总监（孔谦）命令。现在，皇上的圣旨还没有颁发，物资调节总监署（租庸）的公文早已一再督促，请陛下早作明确的指示。”李存勖不理。

25 南汉帝国（首都兴王府〔广东省广州市〕）皇帝（一任高祖）刘岩（本年三十六岁），率军攻击闽国（首都福州〔福建省福州市〕），进驻汀（福建省长汀县）、漳（福建省漳州市）二州边境。闽军反攻，刘岩战败，逃回（之前，闽军突袭刘岩，参考前年〔九二二〕四月）。

26 最初，胡柳（山东省鄄城县西北）之役（参考九一八年十二月），当时尚是晋王李存勖的御前戏子周匝（音zā〔扎〕），被后梁俘虏，李存勖对他常常思念；攻克汴州（后梁首都开封府，河南省开封市）的时候，周匝到马前晋见，李存勖十分欢喜。周匝流泪说：“我之所以能够生还，都是后梁皇家歌舞团总监（教坊使）陈俊、内宫花园管理官（内园栽接使）储德源的力量，特地向陛下乞求两个州长的位置，作为回报。”李存勖答应。郭崇韬劝阻说：“跟陛下一起同生共死、夺取天下的，都是勇敢忠烈的英雄豪杰。今天大功告成，他们连一个人都没有封爵升官，却先用戏子当州长，恐怕失尽人心。”因此中止。可是，过了一个新年，戏子们不断催促，李存勖吩咐郭崇韬说：“我已经允许周匝，害得我没脸看到他们三个，你说的虽然有道理，但不妨变通一下，想办法解决。”

五月五日，郭崇韬终于任命陈俊当景州（河北省东光县）州长，储德源当宪州（山西省娄烦县）州长。当时，禁卫亲军中有人曾经追随李存勖历经百战，却当不上一个州长的，听到消息，没有人不叹息愤懑。

五月八日，立法院高级顾问官（右谏议大夫）薛昭文上疏说：“全国各地，割据称王的军阀，仍然很多（此时，四国并立，与后唐并肩的有前蜀帝国〔首都成都府〕、南吴王国〔首都江都府〕、南汉帝国〔首都兴王府〕；至于吴越〔首都杭州〕、闽国〔首都福州〕、南楚〔首都潭州〕，名义上仍是后唐的藩属），大军征讨的计划及准备，不可中止。”又说：“官兵们长久以来，追随陛下南征北战，可是他们所得到的赏赐，并不丰富，多数仍陷贫苦，应该把各地进贡的钱财，跟南郊祭祀天神节剩余下来的经费，再作一次赏赐。”又说：“黄河以南各地军队，都是后梁的精锐，为了防止伪政权（其他独立政治实体）用大量钱财引诱，应该特别安抚。”又说：“各地户口流失的很多，应该减少或免除税赋差役，使人民能乐于留在乡土。”又说：“兴建亭台楼阁等不是紧急的工程，应该裁撤减少。”又说：“请指定牧场，不要让战马践踏京畿（首都河南府）附近农田。”李存勖全不接受。

27 五月十一日，前蜀帝（二任）王宗衍送后唐（首都河南府）使节李严回国。

当初，后唐帝（一任庄宗）李存勖派李严出使时，要他顺便用马匹交换宫中需要的珠宝，可是前蜀国法禁止绸缎珍宝运往中原，准许运往中原的，品质都很粗糙恶劣，称之为“入草物”。李严回国后，奏报李存勖，李存勖大怒说：“王宗衍敢保证他不当‘入草人’！”李严乘势向李存勖分析说：“王宗衍不过一个不懂事的年轻小伙，堕落放纵，不处理国事，疏远元老，亲近小人。他信任的当权官员像王宗弼（魏弘夫）、宋光嗣（宦官）等，只知道谄媚拍马，作威作福，贪赃枉法，永无止境，贤人和愚人的官职，恰巧上下颠倒，刑罚和奖赏的对象，更一片混乱。君王和臣属上下一体，专心奢侈放纵，比赛荒淫。依我的观察，大军一到，他们一定立刻土崩瓦解，可以跷一只脚坐在那里等待。”李存勖深有同感。（我如果是李存勖，我会跳起来就给李严一个嘴巴：“你不是在说王宗衍，你是在说我呀！”）

28 因安义（总部潞州）杨立叛变的缘故，五月十三日，后唐帝（一任庄宗）李存勖下诏命全国各州各战区，不准再修筑城池，并把所有城防装备及工程，全部摧毁。

五月十五日，新任宣武战区（总部设汴州〔河南省开封市〕）司令官（节度使）、兼最高立法长（兼中书令·使相）、华洋步骑兵总司令（蕃汉马步总管）李存审（符存审），在幽州（北京市）逝世（年六十三岁）。李存审（符存审）出身贫穷之家，常告诫他的儿子们说：“你们老爹，在小的时候，手提一把佩剑，离乡背井（李存审是陈州宛丘〔河南省周口市淮阳区〕人），四十年间，升到将相，这其间万死一生的危险，不知道有过多少次，凿开骨骼，挖出的箭头，也有一百余个。”于是把破骨取出的箭头交给他们收藏，说：“你们生长在富贵环境里，应该知道你们老爹是这样起家！”

29 后唐（首都河南府〔河南省洛阳市〕）卢龙战区（总部设幽州〔北京市〕）奏报说：“契丹（首都西楼城）将发动攻击。”

五月十七日，后唐帝（一任庄宗）李存勖命横海战区（总部设沧州〔河北省沧州市东南〕）司令官（节度使）李绍斌（赵行实），充任东北方面军征剿司令（东北面行营招讨使），率大军渡河（不知道什么河）北上。契丹军队在幽州（北京市）东南城门外扎营筑阵，骑兵满山遍野，后唐军队的粮食供应，很多被他们掠夺。

五月二十五日，李存勖命李继曮当凤翔战区（总部设凤翔府〔陕西省宝鸡市凤翔区〕）司令官（节度使）。

五月二十八日，李存勖命归义战区（总部设沙州〔甘肃省敦煌市〕）暂代候补司令官（权知留后）曹义金，实任战区司令官（节度使）。当时，瓜（甘肃省瓜州县）、沙（甘肃省敦煌市）二州的汉人，跟吐蕃人（西藏人）混合居住，曹义金派使节从小路到洛阳（后唐首都河南府所在县），向后唐政府进贡，所以有这项任命（八六七年二月，张义潮返回当时唐朝首都长安，把官职交给侄儿张惟深。八七二年八月，张惟深逝世，由曹义金暂代候补司令官，如果曹义金当年二十岁，今年已七十三岁）。

30 后唐（首都河南府）李嗣源（邈佶烈）大军前锋抵达潞州（山西省长治市），天已黄昏，刚刚扎营，前锋部队初级将领张廷蕴，率部属勇士一百余人，翻过壕沟，在城墙上砍出梯坎，攀爬而上，城上守军抵抗不住，张廷蕴等遂砍开城门，迎接大军进城。等到天亮，李嗣源（邈佶烈）及李绍荣（元行钦）主力抵达，城已完全攻克，李嗣源（邈佶烈）等大不高兴。

五月二十九日，李嗣源（邈佶烈）奏报说：“潞州（山西省长治市）叛乱，已经平定。”

六月九日，在洛阳（首都河南府所在县）镇国桥，把杨立跟他的同党，分尸处死。因潞州（山西省长治市）城高壕深，李存勖下令把它铲平。

31 六月十九日，后唐帝（一任庄宗）李存勖命武宁战区（总部设徐州〔江苏省徐州市〕）司令官（节度使）李绍荣（元行钦）当归德战区（总部设宋州〔河南省商丘市〕）司令官（节度使），遥兼二级宰相（同平章事·使相），但留在中央（首都河南府）充当禁卫将领，宠爱和待遇，十分优厚。李存勖有时甚至跟曹太后和刘皇后，一同到他家作客。

李存勖有一位最宠爱的小老婆，美艳照人，而且生了一个儿子，刘皇后十分嫉妒。恰巧李绍荣（元行钦）的妻子逝世，有一天，李绍荣（元行钦）在宫中侍候，李存勖问他："你又娶了没有？看上哪家姑娘，我替你求婚！"刘皇后就指着那位受宠的小老婆说："皇上既这么怜惜绍荣（元行钦），为什么不把她赏赐给他！"李存勖难以马上拒绝，支吾其词，稍微点下头，刘皇后催促李绍荣（元行钦）道谢，等到叩头起身，回头再看那位得宠的小老婆时，已经被双人小轿抬出皇宫。李存勖为这件事声称有病，一连几天不进饮食。

六月二十五日，李存勖命天平战区（总部设郓州〔山东省东平县〕）司令官（节度使）李嗣源（邈佶烈），当宣武战区（总部设汴州〔河南省开封市〕）司令官（节度使），并接替李存审（符存审）的职务，继任华洋内外步骑兵总司令（蕃汉内外马步总管）。

32 秋季，七月五日，前蜀政府（首都成都府）命国务院教育部长（礼部尚书）许寂，当副立法长（中书侍郎）、二级实质宰相（同平章事）。

33 后唐（首都河南府）全国物资调节副总监（租庸副使）孔谦，又在郭崇韬面前抨击总监（租庸使）王正言，同时向戏子、宦官送重礼贿赂，希望把自己升作总监（租庸使），但无论如何经营，都达不到目的，十分负气。

七月六日，孔谦上疏辞职，李存勖认为他逃避责任，大怒，打算把他斩首。戏子景进向李存勖求情，才算救出一命。

34 后梁所决黄河洪流（决黄河淹晋军，参考九一八年二月），使曹（山东省菏泽市定陶区）、濮（山东省鄄城县）二州，受到严重灾害（迄今七年之久）。

七月七日，后唐帝（一任庄宗）李存勖派右监门（卫军第十四军）上将军娄继英，征调宣武（总部汴州）及义成（总部滑州）两战区军队，把决口堵住。可是，不久河堤又行决开。

35 七月二十三日，后唐政府（首都河南府）在新州（河北省涿鹿县）设威塞战区（原本是警备区，参考九一七年二月）。

36 契丹帝国（首都西楼城〔内蒙古巴林左旗〕）仗恃自己强大，派使节向后唐帝（一任庄宗）李存勖要求割让幽州（北京市），以便安置卢文进（卢文进投奔契丹，参考九一七年二月）。当时，东北塞外各蛮夷部落，都臣属契丹，只渤海王国（首都龙泉府〔黑龙江省宁安市西南东京城镇〕）没有屈服。契丹帝（一任太祖）耶律阿保机（本年五十三岁）打算攻击后唐，怕渤海抄他的后路，于是先行攻击渤海所属的辽东地区（辽宁省），派他的将领秃馁（奚部落酋长）及卢文进，进驻后唐的营（辽宁省朝阳市）、平（河北省卢龙县）等州，牵制后唐的兵力。

37 八月二日，前蜀帝（二任）王宗衍命右翼定远军基地司令（右定远军使）王宗锷当步骑兵征剿司令（招讨马步使），率二十一个军的庞大兵团，前往洋州（陕西省洋县）驻防。

八月九日，王宗衍又任命常备骑兵基地司令（长直马军使）林思锷，当昭武战区（总部设利州〔四川省广元市〕）司令官（节度使），驻守利州（四川省广元市），加强戒备，严防后唐（首都河南府）。

38 后唐（首都河南府）物资调节总监（租庸使）王正言突然脑充血中风，精神恍惚，不能处理日常事务，戏子景进向后唐帝（一任庄宗）李存勖不断提醒他所推荐的新任人选。

八月七日，李存勖擢升物资调节副总监（副使）、军械供应部长（卫尉卿）孔谦升任总监（租庸使）；命右威卫（卫军第十军）大将军孔循当副总监（副使）。孔循，就是赵殷衡，后梁帝国灭亡，才恢复本名孔循（孔循是朱全忠家奶娘的养子，参考九〇五年十一月十三日）。孔谦从此心满意足，得以施展他的才能，重重加税，急急征收，来满足李存勖挥霍的欲望，人民悲惨，难以维生。

八月十七日，李存勖赐给孔谦美号："丰财赡国功臣。"

39 后唐帝（一任庄宗）李存勖，再派官员李彦稠，出使前蜀（首都成都府）。

九月三日，李彦稠抵达成都（前蜀首都，四川省成都市）。

40 九月七日，后唐帝（一任庄宗）李存勖在洛阳（首都河南府所在县）近郊打猎。当时，李存勖屡次郊游打猎，随从的官员及护驾骑兵，在农田奔跑驰骋，践踏庄稼，洛阳县长何泽躲在草丛里，等李存勖到达，拦住马头规劝说："陛下征收捐税田赋，十分急迫，而今，庄稼就要成熟收割，却把它们摧毁，官员怎么面对农民？农民又靠什么维生？请皇上先赐我一死。"李存勖加以安慰，打发他回去。何泽，是广州（广东省广州市）人。

41 契丹（首都西楼城）攻击渤海（首都龙泉府），失败而回。

42 前蜀（首都成都府）前山南西道战区（总部设兴元府〔陕西省汉中市〕）司令官（节度使）兼最高立法长（兼中书令·使相）王宗俦，眼看前蜀帝（二任）王宗衍腐败堕落，跟王宗弼（魏弘夫）阴谋罢黜王宗衍，另行拥戴新君，王宗弼（魏弘夫）犹豫不能决定。

九月十四日，王宗俦忧愁悲愤过度，逝世。王宗弼（魏弘夫）告诉帝国参谋总部指挥官（枢密使）宋光嗣、景润澄等说：“王宗俦教我把你们杀掉，以后你们就没有事了。”宋光嗣等身伏地面，流泪叩谢。王宗弼（魏弘夫）的儿子王承班听到消息，对别人说：“我们家难逃大祸！”

九月十九日，王宗衍命前镇江战区（总部设夔州〔重庆市奉节县〕）司令官（节度使）张武，当峡路（长江三峡）援军征剿司令（应援招讨使）。

43 九月二十一日，后唐（首都河南府）卢龙战区（总部设幽州〔北京市〕）奏报说：“契丹（首都西楼城）向边境发动攻击。”

44 冬季，十月六日，后唐（首都河南府）天平战区（总部设郓州〔山东省东平县〕）司令官（节度使）李存霸、平卢战区（总部设青州〔山东省青州市〕）司令官（节度使）符习，上疏说：“本战区所属各州，多数都直接接到物资调节总监（租庸使）的公文，指示办理税收事宜，而战区总部，却毫不知情，破坏法令规章！”但物资调节总监（租庸使）孔谦反驳说：“过去惯例，都是直接下达各州，现在不过依照惯例办理。”后唐帝（一任庄宗）李存勖下诏说：“依照政府组织，中央命令不直接下达各州，各州报告也不直接上奏中央。两战区的奏报，是根据本王朝（唐王朝）的法令，物资调节总监（租庸使）的陈述，是由于伪王朝（后梁帝国）的近事。从今以后，各州除了进贡以外，一切奏章，都要透过战区总部，物资调节总监（租庸使）征收催缴，命令只能下达到行政长官（观察使）。”但是，虽然有这个诏书，却没有人执行。

45 后唐（首都河南府）义武战区（总部设定州〔河北省定州市〕）奏报说：“契丹（首都西楼城）入侵。”

46 前蜀（首都成都府）宫廷事务北院总监（宣徽北院使）王承休，请求在全国各武装部队中挑选骁勇战士一万二千人，成立御前左右龙武步骑兵四十个军（每军三百人），武器铠甲，比其他部队都要优良，前蜀帝（二任）王宗衍遂命王承休当左右龙武军步骑兵总指挥官（龙武军马步都指挥使），命初级将领（裨将）安重霸当副总指挥官；旧有的将领羞愤交集。安重霸，是云州（山西省大同市）人，用他的狡狯、谄媚和贿赂，事奉王承休，王承休对他十分宠爱信任。

47 吴越王国（首都杭州〔浙江省杭州市〕）国王（一任武肃王）钱镠（本年七十三岁。镠，音刘〔流〕），恢复对后唐政府（首都河南府）的朝贡。

十月十七日，后唐帝（一任庄宗）李存勖把后梁赐给钱镠的官爵，重新任命加封（此指后梁所封的吴越国王等官爵，参考去年〔九二三〕二月）。钱镠的贡品十分丰富，又贿赂当权的重要官员，要求发给金印、玉册，下诏时不称姓名，而只称国王。有关单位批驳说：“依照惯例，只皇帝登极时所使用的文告，才用宝玉装册，王爵公爵就职，只用竹子编册。除了化外蛮夷，没有人能封国王。”但李存勖仍接受钱镠的请求。

48 南吴王国（首都江都府〔江苏省扬州市〕）国王杨溥（本年二十五岁），前去白沙（江苏省仪征市）观赏楼船，把白沙改称为迎銮镇。东海王徐温自金陵（江苏省南京市）前来朝见。

先前，徐温派亲信翟虔当宫门（阁门）、宫城（宫城）、武器（武备）等管理官（使），命他侦察杨溥行动，翟虔防范控制，做得十分严密（鼓动钟泰章杀张颢〔参考九〇八年五月〕，关闭内城攻击朱瑾〔参考九一八年六月〕，都是翟虔）。现在，杨溥在徐温面前，故意把"雨"念成"水"，徐温请问什么缘故，杨溥说："翟虔的老爹名翟雨，长久以来，我都避讳，不敢冒犯。"乘势向徐温请求："你的忠诚，我所深知，然而翟虔凶暴无礼，我和家人所提的要求，他很多都不准许。"徐温叩头请求恕罪，请求把翟虔斩首。杨溥说："斩首太重了，调往远一点的地方就可以了。"于是把翟虔流放抚州（江西省抚州市临川区）。

49 十一月，前蜀帝（二任）王宗衍派皇家文学研究官（翰林学士）欧阳彬，前往后唐（首都河南府）报聘。欧阳彬，是衡山（湖南省衡山县东北）人，同时送后唐使节李彦稠东还。

50 十一月九日，后唐帝（一任庄宗）李存勖率亲军到伊阙县（河南省伊川县）打猎，途中经过后梁一任帝朱全忠（朱温）坟墓（宣陵），李存勖命随从官员前往向朱全忠（朱温）叩头致祭。皇家狩猎队伍，翻山越岭，历尽艰险，一连几天没有休息，有时已经深夜，还要调兵遣将，包抄合围，追捕猎物，官兵从悬崖掉下摔死的，以及骨头折断、身受重伤的很多。

十一月十二日，李存勖才回宫。

51 前蜀政府（首都成都府）因为跟后唐政府（首都河南府）和解，于是撤回威武城（陕西省凤县东北）边防军，命关宏业等二十四个军班师回京（首都成都府）。

十一月十四日，又撤回武定（总部洋州）、武兴（总部凤州）两战区征剿司令（招讨使）刘潜等三十七个军。

52 十一月二十三日，后唐帝（一任庄宗）李存勖，颁给护国战区（总部设河中府〔山西省永济市〕）司令官（节度使）李继麟（朱友谦）免死铁券，任命他的儿子李令德、李令锡都当战区司令官（节度使）；其他儿子，只要能穿衣服的，都被任命当官，所受的宠爱荣耀，超过其他所有的地方首长。

十一月二十六日，蔚州（河北省蔚县）奏报说："契丹（首都西楼城）入侵。"

53 十一月二十七日，前蜀帝（二任）王宗衍，撤销天雄（总部秦州）征剿司令，命王承骞等二十九个军，班师回京（首都成都府）。

十二月一日，王宗衍擢升国务院右最高执行长（右仆射）张格当副立法长（中书侍郎）、二级实质宰相（同平章事）。

最初，张格受到谴责（参考九一八年六月二十九日），宰相联合办公厅（中书）小职员王鲁柔，乘张格身陷危境，对他落井下石，羞辱陷害；现在，张格再当宰相，把王鲁柔乱棍打死。另一宰相许寂对人说："张格才能高强，但见识不够深远，诛杀一个王鲁柔，其他的人谁敢保证自己安全，这是自取灾祸的开始。”

王宗衍下令撤回金州（陕西省安康市）边防军，命王承勋等七个军班师回京（首都成都府）。

54 十二月五日，后唐帝（一任庄宗）李存勖命宣武战区（总部设汴州〔河南省开封市〕）司令官（节度使）李嗣源（邈佶烈），率禁卫部队三万七千人，前去汴州（河南省开封市）到差，并转往幽州（北京市）防御契丹（首都西楼城）。

55 十二月六日，后唐帝（一任庄宗）李存勖跟刘皇后前往首都洛阳特别市长（河南尹）张全义（张宗奭）家作客，张全义（张宗奭）呈献大量珠宝。酒过三巡、菜过五味，刘皇后对李存勖说：“我从小失去爹娘，遇到老年人，就心不由主的思念，请准我尊奉张全义当我家义父。”李存勖同意。张全义（张宗奭）大为惶恐，坚决推辞，再三再四勉强，终于接受刘皇后的叩头，张全义（张宗奭）呈献更多的珠宝，以感谢皇家恩典。第二天（十二月七日），刘皇后命皇家文学研究官（翰林学士）赵凤代写家书，向义父张全义（张宗奭）道谢。赵凤秘密奏报李存勖说：“自古以来，没有听说皇后认臣属当义父的。”李存勖嘉奖他的正直，但仍然这么做，从此之后，刘皇后跟张全义（张宗奭），每天都有使节来往，互相问候，馈赠不断。

56 最初，九世纪七〇到九〇年代，唐王朝二十一任帝李俨，及二十二任帝李晔在位期间，宦官虽然手握大权，但还没有人出任战区司令官（节度使）。前蜀（首都成都府）安重霸怂恿宦官王承休谋取天雄战区（总部设秦州〔甘肃省秦安县西北〕）司令官（节度使）职位。

王承休告诉前蜀帝（二任）王宗衍说："秦州（甘肃省秦安县西北）出产美女，请派我去那里替陛下挑选，送进皇宫。"王宗衍允许。

十二月六日，王宗衍任命宦官王承休当天雄战区（总部设秦州〔甘肃省秦安县西北〕）司令官（节度使），封鲁国公爵，把左右龙武步骑兵四十个军，全数拨给王承休，作为他的总部警备队（牙兵）。

十二月十一日，王宗衍命前武德战区（总部设梓州〔四川省三台县〕）司令官（节度使）兼最高立法长（兼中书令·使相）徐延琼当京师（首都成都府）内外步骑兵总指挥官（内外马步都指挥使）。徐延琼是王宗衍娘亲徐太后的家族成员，竟代替王宗弼（魏弘夫）高居旧日将领之上，大家都愤愤不平（一任帝王建遗言不准徐家兄弟带兵，参考九一八年五月）。

57 十二月十八日，后唐（首都河南府）北京（太原府，山西省太原市）奏报说："契丹（首都西楼城）攻击岚州（山西省岚县）。"

58 十二月二十七日，前蜀帝（二任）王宗衍下令明年（九二五）年号改作咸康。

59 后唐（首都河南府）卢龙战区（总部设幽州〔北京市〕）司令官（节度使）李存贤（王贤）逝世（年六十五岁）。

60 本年（九二四），前蜀帝（二任）王宗衍下令：普王王宗仁改封卫王、雅王王宗辂改封豳王、褒王王宗纪改封赵王、荣王王宗智改封韩王、兴王王宗泽改封宋王、彭王王宗鼎改封鲁王、忠王王宗平改封薛王、资王王宗特改封莒王。王宗辂、王宗智、王宗平，都解除军权（前蜀亲王都兼基地司令〔军使〕，参考九一八年八月）。

九二五年 乙酉

后唐	同光	三年
南吴	顺义	五年
前蜀	咸康	元年
南楚	同光	三年
吴越	宝大	二年
南汉	乾亨	九年
	白龙	元年
南平	同光	三年
契丹	天赞	四年

1 春季，正月一日，前蜀帝国（首都成都府〔四川省成都市〕）皇帝（二任）王宗衍（本年二十七岁），下诏大赦。

2 正月三日，后唐帝国（首都河南府〔河南省洛阳市〕）皇帝（一任庄宗）李存勖（本年四十一岁），命有关单位改葬唐王朝二十四任帝李晔，及二十五任帝李柷。但因中央拨不出经费，终于作罢。

契丹帝国（首都西楼城〔内蒙古巴林左旗〕）攻击幽州（北京市）。

正月七日，李存勖从洛阳（首都河南府所在县）出发。

正月十七日，李存勖抵达兴唐（原魏州，河北省大名县）。

李存勖命平卢战区（总部设青州〔山东省青州市〕）司令官（节度使）符习，在酸枣（河南省原阳县东北延州村）以下修建土墙（遥堤），以约束黄河决水（遥堤，平地掘土筑成的墙。十世纪时，酸枣在古黄河南约二十公里，后梁决黄河淹晋军，参考九一八年二月。去年〔九二四〕七月堵决口失败，今再改用遥堤）。

最初，李存勖派宣武（总部汴州）李嗣源（邈佶烈）北上抵御契丹（参考去年〔九二四〕十二月五日），经过兴唐（河北省大名县）时，东京（兴唐府）军械库存有供应皇家御用的精致铠甲，李嗣源（邈佶烈）用正式公函要求副留守长官张宪，提领五百套，张宪因军事行动已经开始，来不及奏报，就先行直接拨付。李存勖大发雷霆，说："张宪没有接到我的命令，竟擅自把我的铠甲交给李嗣源（邈佶烈），是什么居心？"罚张宪一个月的薪俸，命他自己到李嗣源（邈佶烈）大营，把铠甲取回。

李存勖因义武战区（总部设定州〔河北省定州市〕）司令官（节度使）王都（刘云郎），将要到中央朝见，打算在兴唐（河北省大名县）兴建一个球场欢迎。张宪说："本来想把行宫大门广场辟作球场，可是前年（九二三）陛下在那里登极称帝（参考前年〔九二三〕四月二十五日），高台不可以损毁。我建议在行宫西面空地，另行修建。"几天之后，还没有完成，李存勖下令拆除登极高台，张宪对郭崇韬说："这座高台，是领袖（李存勖）敬拜上天，开始接受天命的圣坛，怎么能够拆除？"郭崇韬在一个和谐的气氛中转告李存勖，李存勖立刻派左、右纠察官（两虞候）率军动手摧毁。张宪私下告诉郭崇韬说："忘记神灵降恩，背弃基础根本，没有一种恶兆比这个更可怕。"

二月十一日，李存勖命横海战区（总部设沧州〔河北省沧州市东南〕）司令官（节度使）李绍斌（赵行实）当卢龙战区（总部设幽州〔北京市〕）司令官（节度使）。

二月十三日，李嗣源（邈佶烈）奏报说："在涿州（河北省涿州市）击败契丹（首都西楼城）军队。"

李存勖对契丹的不断南下侵略，十分忧愁，跟帝国参谋总部指挥官（枢密使）郭崇韬商量如何处理。李存勖因为所有威重望高的将领，几乎凋零一空，李绍斌（赵行实）虽然是一员猛将，但地位和知名度，仍然很低，所以打算调李嗣源（邈佶烈）主持成德战区（总部设镇州〔河北省正定县〕），支援李绍斌（赵行实），郭崇韬十分赞成。当时，郭崇韬兼成德战区（总部镇州。参考前年〔九二三〕十月二十四日）司令官，李存勖打算调郭崇韬镇守宣武（总部汴州。与李嗣源对调），郭崇韬辞让说："我在宫廷负责参谋总部（枢密院），在政府主持帝国大计，富贵已到极点，何必再兼一个战区？文武百官追随陛下这么多年，身经百战，所得到的赏赐，最高不过当一个州长。而我并没有汗马功劳，只因时常侍奉陛下左右，偶尔参与陛下神圣方略，以致被擢升到如此高位，时常惭愧不安。今天另行委派贤才元勋，使我得以解下符节印信，实在是我最大的愿望。而且，汴州（河南省开封市）是关东（潼关以东）重镇，土地富庶，人口众多，我既不能亲自前去处理公务，只有委托别人代理，这样的话，汴州（河南省开封市）跟一座空城有什么差别，不是巩固国家基础的好办法。"李存勖说："我深知你忠心耿耿，然而，你当初替我策划，教我袭击夺取汶阳（汶河地区，山东省宁阳县以北），确保黄河渡口；接着抓住这个机会，直扑大梁（后梁首都开封府所在城），完成我建立帝国的大业（参考九二三年九月九日）。他们身经百战的功劳，怎么能跟你这项大谋略相比？我今天贵为天子，怎么可以使你没有尺寸土地？"郭崇韬仍再三再四坚决辞让，李存勖才答应。

二月十七日，李存勖调李嗣源（邈佶烈）当成德战区（总部设镇州〔河北省正定县〕）司令官（节度使）。

3 南汉帝国（首都兴王府〔广东省广州市〕）皇帝（一任高祖）刘岩（本年三十七岁），听到后唐帝（一任庄宗）李存勖消灭后梁消息，大为恐惧，派御花园管理官（宫苑使）何词，到中原进贡，并观察后唐的实力强弱（早在后梁帝国时，刘岩便已停止进贡，参考九一五年十二月）。

二月二十一日，何词抵达兴唐（当时李存勖所在，河北省大名县）。回国之后，向刘岩指出：李存勖骄傲荒淫，没有治国能力，不必对他畏惧。刘岩大为欢欣，从此不再跟中原来往。

4 后唐帝（一任庄宗）李存勖刚强好胜，从不肯把权力交给臣属，奠都洛阳（河南府所在县，河南省洛阳市）之后，听信戏子、宦官的谗言，对从前为他浴血作战的旧日将领，心存猜忌，日益疏远。李嗣源（邈佶烈）因家在太原（山西省太原市）之故，希望有人看顾。

三月五日，李嗣源（邈佶烈）上疏，请求把他的义子、卫州（河南省卫辉市）州长李从珂（王从珂）调任北京（太原府）警备本部步骑兵总指挥官（北京内牙马步都指挥使），以便就近照应家属。李存勖发怒说：“李嗣源（邈佶烈）手握军权，身居重镇，难道不知道军政大事，由我决定？居然敢替他的儿子奏请。”把李从珂（王从珂）贬作突击骑兵队指挥官（突骑指挥使），率数百人驻防石门镇（河北省遵化市西南石门镇）。李嗣源（邈佶烈）忧愁恐惧，一再上疏陈情表白，过了很久，李存勖的怒气才稍微消退。

三月九日，李嗣源（邈佶烈）请求到东京（兴唐府，河北省大名县）朝见，李存勖不准。郭崇韬因李嗣源（邈佶烈）功劳太大，官位太高，也心怀猜忌，私下对亲信说："李大帅（李嗣源）不是长久当下属的人，我看皇家子弟都难以跟他相比。"秘密建议李存勖把李嗣源（邈佶烈）调回京师（首都河南府），解除他的军权，最后，更劝李存勖把李嗣源（邈佶烈）处死，李存勖都不接受。

三月十七日，李存勖自兴唐（河北省大名县）出发，从德胜（河南省濮阳市）渡黄河（古黄河），经杨村（河南省濮阳市西南九公里古黄河南岸渡口）、戚城（河南省濮阳市北），观赏从前战场，指点给随驾的文武官员，十分得意（多少春闺梦里人为李存勖肝脑涂地的地方，李存勖没有哀悼，只有笑语）。

5 后唐首都洛阳皇宫，面积宽广，殿堂众多，宦官们希望后唐帝（一任庄宗）李存勖大量增加小老婆，于是宣称："晚上在空屋里，往往见到鬼怪！"李存勖打算请巫法师用符咒驱逐，宦官说："从前，我们事奉咸通（唐王朝二十任帝李漼年号）、乾符（二十一任帝李儇年号）两位皇上，那时候（九世纪六〇至八〇年代），皇宫嫔妃宫女，不管贵贱，至少也有一万人，现在皇宫里面多半都是空屋，所以鬼怪才敢出来游荡！"李存勖遂命宦官王允平、戏子景进，远到太原（山西省太原市）、幽州（北京市）、镇州（河北省正定县）挑选民间美女，用来充实皇宫，将近三千人，而不问她们是怎么选来的。李存勖自兴唐（河北省大名县）返京（首都河南府），用牛车把她们载走，挤满道路。张宪（东京〔兴唐府〕副留守长官）奏报说："皇家官兵妻女们失踪一千余名，恐怕是随驾禁卫车把她们挟持而去。"其实都被强押进宫。

三月二十八日（原文"庚辰"，据《新五代史》改），李存勖抵达洛阳（首都河南府所在县）。

三月二十九日，李存勖下诏命洛阳（首都河南府所在县）复称东都

（后唐消灭后梁后，撤销了洛阳的西都称号，只称洛京，如今正式称东都），东京兴唐府（河北省大名县）改称邺都。

6 夏季，四月一日，日蚀。

7 最初，五台山（位于山西省五台县）和尚诚惠，妖言迷惑众人，自称可以降伏天龙，呼风唤雨，后唐帝（一任庄宗）李存勖相信，亲自率刘皇后跟小老婆群，以及皇弟、皇子们向他叩头，诚惠大模大样坐在那里接受，不起身谦让回避，文武百官不敢不跟着叩头。当时，天下大旱成灾，李存勖从邺都（兴唐府，河北省大名县）把诚惠迎接到洛阳（首都河南府所在县），请他向上天祈雨，官民早晚盼望，一直祈了几十天还是祈不下来，有人警告他说："皇上认为你胡说八道，要把你烧死。"诚惠逃走，惭愧恐惧交加，逝世。

四月二十八日，副立法长（中书侍郎）、二级实质宰相（同平章事）赵光胤逝世。

曹太后自从跟刘太妃分别（参考去年〔九二四〕正月），一直闷闷不乐，虽然赏心悦目的娱乐节目和稀世珍宝充满眼前，却从没有开颜欢笑。刘太妃自从曹太后走后，也心情积郁，卧病在床。曹太后得到消息，派宦官御医前往太原（山西省太原市）探望，道路上前后相连，听说病情稍重，就吃不下饭，曾对李存勖说："我跟太妃之间，恩情如同姐妹，打算回去亲自看护。"李存勖因天气已热，道路又远，苦苦劝阻，曹太后才打消此意，改派皇弟李存渥等前去太原（山西省太原市）侍奉。

五月六日，北都（太原府）奏报说："刘太妃逝世。"曹太后悲哀过度，一连几天不进饮食，李存勖不离左右，百般劝解。曹太后自此生病，又打算亲自前去安排刘太妃的葬礼，李存勖也竭力规劝，曹太后才停止。

8 闽王（首都福州〔福建省福州市〕）王审知病重，命他的儿子、威武战区（总部福州）副司令官（节度副使）王延翰，暂时主管总部军政（权知军府事）。

9 后唐（首都河南府）自春季起，即行大旱。

六月十一日，才第一次落雨。

后唐帝（一任庄宗）李存勖对天气炎热，苦恼难耐，想在皇宫中找一所凉爽的高处避暑，但每个地方李存勖都不满意。宦官遂建议说："我们亲眼看到长安（陕西省西安市）全盛时期（指唐王朝时代），大明、兴庆两宫，亭台楼阁之多，以百为单位计算。而今皇上连个避暑的地方都没有，宫殿的规模，还比不上当时的公卿私宅。"李存勖命御花园管理官（宫苑使）王允平另行兴建一座高楼。宦官警告说："郭崇韬一直愁眉苦脸，孔谦总说经费不足，财政困难；陛下虽然有决心兴建，恐怕仍然办不到。"李存勖说："我用我自己宫库（内府）的钱，跟政府没有关系。"可是仍然担心郭崇韬规劝，派宦官向郭崇韬解释说："今年特别酷热，我从前在黄河两岸跟后梁军队作战，篷帐所在，地势低凹，而又潮湿，身披铠甲，腿跨战马，亲自抵挡流箭飞石，都不觉得像今天这样，如同火烧，现在住在深宫之中，却热得连一天都难以度过，怎么办？"郭崇韬说："陛下从前在黄河两岸时，强敌就在眼前，一心一意复仇雪耻，虽然天气炎热，陛下并不在意。现在外患（后梁）已经铲除，四海之内，全都归顺臣服，所以，虽然有华丽的亭台，舒适的楼阁，仍然觉得烦闷，陛下如果能够不忘当年的艰难，暑气自会消失。”李存勖听到回奏，不说一句话。宦官说：“郭崇韬家的房子，比皇宫豪华得多，难怪他不知道皇上热得难受的程度。”李存勖最后仍是命王允平兴筑高楼。每天有一万名工人服役，费用达万万钱。郭崇韬规劝说：“黄河南北，都有水灾旱灾，军队粮食并不够用。最好暂时停止，等到庄稼丰收！”李存勖不理。

李存勖准备进攻前蜀帝国（首都成都府〔四川省成都市〕）。

六月三十日，李存勖下诏大批收购战马。

10 南吴王国（首都江都府〔江苏省扬州市〕）镇海战区（总部设金陵府〔江苏省南京市〕）军事执行官（节度判官）、兼楚州（江苏省淮安市）民兵司令（团练使）陈彦谦有病，宰相徐知诰（李知诰）恐怕他在遗书中向老爹、东海郡王徐温建议继承人问题，所以用温情攻势，派到陈家的医生，以及送药、送金银绸缎的使节，路上前后相连。但陈彦谦仍然秘密留下遗书，叮咛徐温要指定亲生儿子当继承人。

11 后唐（首都河南府）曹太后病情沉重。

秋季，七月三日，成德战区（总部设镇州〔河北省正定县〕）司令官（节度使）李嗣源（邈佶烈），因边境战事稍微平静，上疏请求进京（首都河南府）晋见曹太后，后唐帝（一任庄宗）李存勖不准。

七月十一日，曹太后逝世。李存勖哀伤过度，五天之后才恢复进食。

12 八月二十三日，后唐帝（一任庄宗）李存勖乱棍打死河南（首都河南府所在县）县长罗贯。

最初，罗贯当国务院教育部教育司副司长（礼部员外郎），性情刚强正直，深受郭崇韬的赏识，命他当河南（首都河南府所在县）县长。罗贯推动政事，执行法令，从不向权贵低头，戏子、宦官的请托函件，堆得满桌满案，罗贯连一封都不理，都拿去给郭崇韬看，郭崇韬奏报李存勖，戏子、宦官遂对罗贯咬牙切齿。首都洛阳特别市长（河南尹）张全义（张宗奭）也因罗贯一直采取高姿态，对罗贯十分厌恶，派婢女告诉义女刘皇后，刘皇后也加入戏子、宦官行列，共同诋毁罗贯，李存勖怒不可遏，暂时忍耐在心，没有发作。但大祸终于临头，有一天，李存勖亲自前往寿安（河南省宜阳县）视察娘亲曹太后的坟墓——坤陵的修建工程，沿途道路，泥泞不堪，桥梁也有很多损坏。李存勖问主管单位是哪个，宦官回答说是河南县（首都河南府所在县），李存勖大怒若狂，逮捕罗贯下狱，监狱官吏对他苦刑拷打，遍身血肉模糊，肌肤没有一块完整。第二天，戏子、宦官传达李存勖命令，诛杀罗贯。郭崇韬规劝说："罗贯被指控道路桥梁没有整修，依照国家法令，不犯死罪。"李存勖咆哮说："皇太后的灵柩就要启运，皇帝整天在这条路上来往，道路桥梁却都损毁，你竟然说他没有罪，明明结党包庇。"（郭崇韬只是说罗贯罪不至死，并没有说他没有罪，李存勖像小流氓一样故意耍蛮，只为了堵郭崇韬的嘴。）郭崇韬说："陛下以最高领袖的尊贵地位，对一个县长发怒，使全国人民议论陛下用法不公平，是我的罪过。"李存勖说："既然是你心爱的人，由你看着办吧！"一拂衣袖，站起来就回皇宫，郭崇韬紧跟在后，苦苦解释。李存勖亲自把殿门关上，郭崇韬不能进去，罗贯遂被斩首，并且把尸首拖到县政府大门示众，远近人民都为他呼冤悲叹。

13 八月二十七日，后唐政府（首都河南府）派国务院文官部副部长（吏部侍郎）李德休等，送给吴越王（一任武肃王）钱镠玉册、金印，以及红袍御衣（去年〔九二四〕十月所赐）。

14 九月，前蜀帝（二任）王宗衍跟娘亲徐太后、姨母徐太妃，前去青城山（四川省都江堰市西南）游玩，又游丈人观（都江堰市北十公里）、上清宫（岷山天池庙院），遂到彭州（四川省彭州市）阳平化（彭州市北二十公里。道教在成都平原的胜迹称“化”，共有二十四化。“化”，参考前年〔九二三〕十月注）、汉州（四川省广汉市）三学山（四川省金堂县东），然后才回成都（四川省成都市）。

15 九月五日，后唐帝（一任庄宗）李存勖封皇子李继岌当魏王。

九月七日，李存勖召集各宰相举行御前会议，讨论对前蜀帝国（首都成都府）采取军事行动。威胜战区（总部设邓州〔河南省邓州市〕）司令官（节度使）李绍钦（段凝），对宫廷事务总监（宣徽使）宦官李绍宏（马绍宏）百般谄媚，李绍宏（马绍宏）遂推荐李绍钦（段凝）是：“盖世奇才，就是孙武、吴起，都比不上他，可以担当大任。”郭崇韬说：“段凝（李绍钦）是亡国将领，奸诈拍马，已到无耻之境，绝不可以信赖。”大家推荐李嗣源（邈佶烈），郭崇韬说：“契丹（首都西楼城）人的气焰正盛，李大帅（李嗣源）不可以离开河朔（河北平原）。魏王（李继岌）是帝国储君，从来没有立过功劳，依照传统，不妨命他当远征军总指战官（都统），成就他的威望（所谓传统，是指唐王朝时制度。但当时皇储所领头衔多是“元帅”或“兵马元帅”，而且并不实际履行任务，另由副元帅或其他副手带兵出战。可参考六九八年九月二十一日）。”李存勖说：“娃儿年纪还小，怎么可以独自前去，应该替他找一个副手。”接着对郭崇韬说：“没有人比你更合适。”

九月十日，李存勖命魏王李继岌当西川地区（四川省）远征军总指战官（西川四面行营都统）、郭崇韬当东北方面军总征剿司令及军政总监（东北面行营都招讨制置等使），军事行动，全交给郭崇韬负责。李存勖又命荆南战区（总部设江陵府〔湖北省江陵县〕）司令官（节度使）高季兴（高季昌）当东南方面军总征剿司令（东南面行营都招讨使）、凤翔战区（总部设凤翔府〔陕西省宝鸡市凤翔区〕）司令官（节度使）李继曮当总后勤司令等官（都供军转运应接等使）、匡国战区（总部设同州〔陕西省大荔县〕）司令官（节度使）李令德（李继麟〔朱友谦〕的儿子）当远征军副征剿司令（行营副招讨使）、保义战区（总部设陕州〔河南省三门峡市〕）司令官（节度使）李绍琛（康延孝）当华洋步骑兵总督战官暨步骑兵总指挥官（蕃汉马步军都排阵斩斫使兼马步军都指挥使）、西京（京兆府，陕西省西安市）留守长官张筠当西川（四川省）境内安抚增援司令（西川管内安抚应接使）、镇国战区（总部设华州〔陕西省渭南市华州区〕）司令官（节度使）毛璋当左翼步骑兵总纠察官（左厢马步都虞候）、静难战区（总部设邠州〔陕西省彬州市〕）司令官（节度使）董璋当右翼步骑兵总纠察官（右厢马步都虞候）、礼宾官（客省使）李严当西川地区（四川省）招抚特使（西川管内招抚使）；率主力六万人，向前蜀（首都成都府）进发。李存勖特别命高季兴（高季昌）率自己直属军队沿长江西上，夺取夔（重庆市奉节县）、忠（重庆市忠县）、万（重庆市万州区）三州，并入自己辖区（高季兴〔高季昌〕一直想夺回三州，参考九一四年正月）。

总指战官（都统）设置中军，命贴身宦官（供奉官）李从袭当中军步骑兵总指挥高级监军宦官（中军马步都指挥监押）、高级宦官（高品）李廷安、吕知柔，当魏王府礼宾宦官（通谒）。

九月十一日，李存勖命国务院工程部长（工部尚书）任圜、皇家文学研究官（翰林学士）李愚，一起参与总指战部军事机要。

自六月十一日落雨，一直不停，浓云密布，很少看到日月星

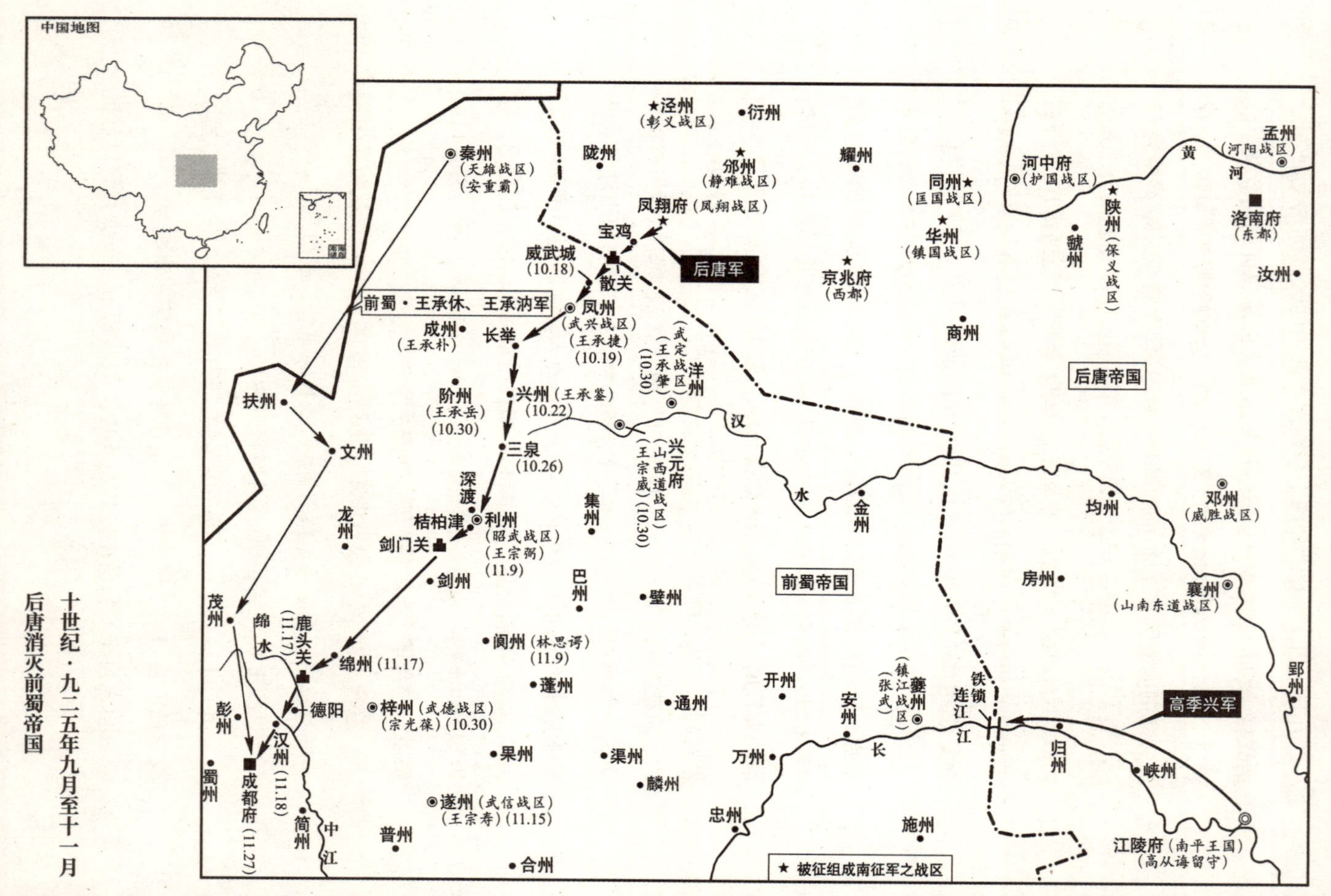

十世纪·九二五年九月至十一月
后唐消灭前蜀帝国

辰，长江、黄河，全国所有湖川，全都满盈，一连阴雨七十五日，才算放晴。

郭崇韬因北都（太原府，山西省太原市）留守长官孟知祥，对自己有推荐引进的恩情（参考九一九年三月），大军将要出发时，奏报李存勖说："孟知祥忠信厚道，又有谋略，如果攻克西川（前蜀），选择战区（西川战区〔总部成都府〕）司令官（节度使），没有人比他更合适！"又推荐邺都（兴唐府，河北省大名县）副留守长官张宪，谨慎厚重，又有胆识，可以担任宰相。

九月十八日，后唐远征军出发西上。

16 前蜀（首都成都府）天雄战区（总部设秦州〔甘肃省秦安县西北〕）副司令官（节度副使）安重霸，一直鼓动身为宦官的司令官（节度使）王承休，奏请前蜀帝（二任）王宗衍驾临秦州（甘肃省秦安县西北）游玩。王承休到差后，立刻拆除战区总部，重新建筑行宫，大肆征调民夫，强行掠夺民间美女，教她们唱歌跳舞，命画师画下她们的容貌，送给首都成都（四川省成都市）特别市长（成都尹）韩昭，请他报告王宗衍；同时也呈献《花草树木图》，夸耀秦州（甘肃省秦安县西北）山川风土的美妙。王宗衍心花怒放，决定前去，文武百官纷纷劝阻，王宗衍全不接受。王宗弼（魏弘夫）上疏反对，王宗衍把他的奏章摔到地下，连娘亲徐太后都觉得过于荒唐（成都、秦州间航空距离五百公里，中隔万重高山），哭泣流泪，不进饮食，企图阻止，也没有用。前任天雄战区（总部设秦州〔甘肃省秦安县西北〕）军事执行官（节度判官）蒲禹卿，上疏将近二千字，陈述说："先帝（一任王建）创立帝国，历尽困苦艰难，原希望传国千年万世。陛下生下来就享荣华富贵，沉迷醇酒美女之中。秦州（甘肃省秦安县西北）住民，除了汉人之外，还有羌人、胡人，地恶山险，又多瘴气瘟疫，千万民众奔驰驱使，全都力疲财尽，而沿途州县政府为了供应皇家开支，也势必无法负担。岐国（首都凤翔府）跟我们是世仇，一定利用机会，采取行动。后唐（首都河南府）虽然跟我们刚建立友好关系（参考去年〔九二四〕十一月），但因我们大军北上，恐怕也可能引起他们疑心（此时还不知道后唐远征军已经出动）。先帝（一任王建）从来就没有无缘无故出过京师（首都成都府）游玩，陛下却兴之所至，不断离开宫廷。嬴政（秦王朝一任帝）东方打猎，御驾不再西返（参考前二一〇年七月）。杨广（隋王朝二任帝）南方巡视，龙船也不能北回（参考六一八年三月）。我们帝国虽然力量强大，足以雄视万邦，边境又一向平安无事，可是内部却有隐忧，农民失去土地，商人失去资金，变民盗贼，公然横行。从前，刘禅（蜀汉帝国二任帝）向邓艾投降（参考二六三年十一月）、李势（成汉帝国五任帝）向桓温屈膝（参考三四七年三月），每一件事都说明：山河的险要，不可仗恃。”韩昭对蒲禹卿说：“我收下你的报告，等领袖视察完毕回来，自会派监狱官一个字一个字审问你！”王承休的妻子严女士（宦官怎么有妻子），十分美丽，王宗衍跟她私通，所以一心一意要去秦州（甘肃省秦安县西北）和她相会。

17 冬季，十月，后唐（首都河南府）阵地督战官（排阵斩斫使）李绍琛（康延孝）跟李严，率骁勇骑兵三千人、步兵一万人当先锋。征剿司令部执行官（招讨判官）陈乂，走到宝鸡（陕西省宝鸡市），声称有病，请求留下来疗养。参与军事机要的皇家文学研究官（翰林学士）李愚大声斥责说：“陈乂看到有利可图就往前挤，看到危险就畏缩。大军就要进入敌国，人心容易动摇，应该斩首示众，杀一儆百！”从此官兵没有人敢畏缩观望。陈乂，是蓟州（天津市蓟州区）人（陈乂是否被杀，没有说清楚。处处都是这种叙述方法）。

18 十月四日，前蜀帝（二任）王宗衍从首都成都（四川省成都市）出发，护驾武装部队数万人，阵容盛大。

十月五日，王宗衍抵达汉州（四川省广汉市）。武兴战区（总部设凤州〔陕西省凤县〕）司令官（节度使）王承捷急奏报告说：后唐远征军西上。王宗衍认为是他的属官联合起来，共同阻挠他这次出游，所以并不相信，微微一笑说："我正要展示帝国的威力！"遂继续北上。沿途跟官员们饮酒赋诗，毫不在意。

19 十月十八日，后唐（首都河南府）远征军前锋李绍琛（康延孝）进攻前蜀威武城（陕西省凤县东北），守军指挥官（指挥使）唐景思率军出降，城防司令（城使）周彦禋等知道无法抵抗，献出城池投降。唐景思，是秦州（甘肃省秦安县西北）人。后唐军俘获城里储存的军粮二十万斛，李绍琛（康延孝）释放被俘虏的前蜀官兵一万余人，让他们逃走，而自己率军紧随于后，加倍速度前进，直向凤州（陕西省凤县），李严派人飞快送信给王承捷，劝他投降。李继曮竭尽凤翔（总部凤翔府）贮藏的物资粮秣，供应大军，仍不够用，军心忧愁恐惧。郭崇韬进入散关（陕西省宝鸡市西南），指着万重高山（秦岭）说："我们大军前进，如果不能成功，也就不能再回到这里，应该决一死战，而今粮食就要吃完，应该先夺取凤州（陕西省凤县），吃他们的粮食。"各将领都认为巴蜀（四川省）山多地险，不可能长驱直入，应该步步为营，谨慎推进，等待机会。郭崇韬问李愚的意见，李愚说："巴蜀（前蜀）人民受够了他们领袖的昏庸荒淫，再不会听从命令。应该利用他们人心思叛的机会，像狂风急电般发动攻击，他们的胆都吓破了，纵然重重天险，谁来把守？我们必须急进，不可怠慢。"当天（十月十八日），李绍琛（康延孝）大捷的报告送到，郭崇韬大喜，对李愚说："你对敌人有这么准确的了解，我还担心什么？"于是加倍行程前进。

十月十九日，王承捷携带他所管辖的凤（陕西省凤县）、兴（陕西省略阳县）、文（甘肃省文县）、扶（四川省九寨沟县南坪镇）四州印信，以及武兴战区（总部设凤州〔陕西省凤县〕）印信，迎接后唐远征军入城。后唐远征军俘虏士卒八千人，俘获粮食四十万斛。郭崇韬说："消灭前蜀（首都成都府），一定成功！"遂即用远征军总指战官（都统，李继岌）正式公文，任命王承捷摄理后唐武兴战区（总部设凤州〔陕西省凤县〕）司令官（摄节度使）。

十月二十日，前蜀帝（二任）王宗衍抵达利州（四川省广元市），威武（总部凤州）败兵逃回，王宗衍才终于相信后唐远征军真的南下。王宗弼（魏弘夫）、宋光嗣奏报说："东川（四川省东部）、山南（陕西省南部）土地还完整无缺，陛下只要率大军据守利州（四川省广元市），后唐人马怎么敢孤军深入！"王宗衍接受。

十月二十一日，王宗衍命随驾开路指挥官（随驾清道指挥使）王宗勋、王宗俨，兼最高监督长（兼侍中·使相）王宗昱，同时出任征剿司令（"三招讨"），率军三万人迎战后唐远征军。护驾武装部队自首都成都（四川省成都市）出发，经过汉（四川省广汉市）、绵（四川省绵阳市）二州，抵达深渡（大小漫天，四川省广元市北明月峡），千里之遥，络绎不绝，大家满腔怨愤说："龙武军（参考去年〔九二四〕十月）的粮饷赏赐，都比其他部队高出一倍，其他部队怎能抵抗敌人！"

后唐（首都河南府）李绍琛（康延寿）等继续南下，经过长举（甘肃省徽县东南），兴州（陕西省略阳县）守军总指挥官（都指挥使）程奉琏，率直属部队五百人，向李绍琛（康延孝）投降，并愿先行修补桥梁、栈道，迎接后唐主力，从此后唐远征军不再感到山路崎岖险阻。

十月二十二日，前蜀兴州（陕西省略阳县）州长王承鉴放弃城池逃走。后唐李绍琛（康延孝）等遂占领兴州（陕西省略阳县），郭崇韬命唐景思摄理兴州（陕西省略阳县）州长。

十月二十六日，前蜀成州（甘肃省成县）州长王承朴放弃城池逃走。后唐李绍琛（康延孝）等跟前蜀“三征剿”（王宗勋、王宗俨、王宗昱）在三泉（陕西省宁强县西北阳平关镇）会战，把“三征剿”击败，杀五千人，剩下的残兵败将狼狈逃走。后唐远征军在三泉俘获粮食十五万斛，军粮足足有余。

20 十月二十九日，后唐帝（一任庄宗）李存勖把娘亲、绰号贞简太后的曹女士，安葬坤陵（河南省宜阳县境）。

21 前蜀帝（二任）王宗衍（时在利州〔四川省广元市〕）接到“三征剿”王宗勋等战败消息，大为惊恐，自利州（四川省广元市）加倍速度南下，破坏桔柏津（四川省广元市西南昭化镇）桥梁。派最高立法长（中书令）、兼主管六军十二卫（判六军诸卫事）的王宗弼（魏弘夫），率大军驻防利州（四川省广元市）；并命王宗弼（魏弘夫）斩“三征剿”。

后唐远征军前锋李绍琛（康延孝）日夜不停行军前进，直扑利州（四川省广元市）。前蜀武德战区（总部设梓州〔四川省三台县〕）候补司令官（留后）宋光葆写信给郭崇韬，说：“请远征军不要入境，我当率辖区州县投降。如果不能如此，只有背城一战，以报国恩。”郭崇韬回信安慰接纳。

十月三十日，后唐远征军统帅、魏王李继岌到达兴州（陕西省略阳县），宋光葆献出所属梓（四川省三台县）、绵（四川省绵阳市）、剑（四川省剑阁县）、龙（四川省平武县东南）、普（四川省安岳县）五州；武定战区（总部设洋州〔陕西省洋县〕）司令官（节度使）王承肇，献出洋（陕西省洋县）、蓬（四川省仪陇县南）、壁（四川省通江县）三州；山南西道战区（总部设兴元府〔陕西省汉中市〕）司令官（节度使）王宗威，献出梁（兴元府，陕西省汉中市）、开（重庆市开州区）、通（四川省达州市达川区）、渠（四川省渠县）、潾（四川省大竹县）五州；阶州（甘肃省康县）州长王承岳献出阶州；先后全都投降。王承肇，是王宗侃（田师侃）的儿子（王宗侃，参考八八七年闰十一月）。其他州县望风归附。

前蜀天雄战区（总部设秦州〔甘肃省秦安县西北〕）司令官（节度使）王承休，跟副司令官（副使）安重霸，讨论向后唐远征军发动突袭，安重霸说："如果突击失败，大势就付诸流水。帝国精锐部队，有十万之多，山川之险，天下第一，后唐军队虽然勇敢，怎么可能大踏脚步走到剑门（四川省剑阁县北剑门关镇）！然而，大帅受皇家厚恩，听到困难发生，不能不率军增援，我愿随大帅南下。"王承休一向信任安重霸，言听计从，自然完全同意。安重霸建议贿赂羌民族部落，向他们购买通过扶（四川省九寨沟县南坪镇）、文（甘肃省文县）二州的道路，通过蛮荒，南返成都（四川省成都市）；王承休接受，命安重霸率龙武军，跟他所招募的野战部队一万二千人，随从在后。开拔启程的时候，秦州（甘肃省秦安县西北）地方士绅在城外大摆筵席送别，王承休动身，安重霸在马前向王承休下跪叩头说："帝国竭尽所有力量，才得到秦陇（甘肃省南部。参考九一五年十一月），我如果跟随大帅返回中央，谁来守卫国土？大帅不妨先走，我愿留下来替大帅守卫国土！"王承休既已动身，对安重霸无可奈何，遂跟副征剿司令（招讨副使）王宗汭，穿过扶（四川省九寨沟县南坪镇）、文（甘肃省文县）南下，沿途满布羌民族部落，穷山恶谷，寸草不生，羌人不断阻击剽掠，王承休军一面作战，一面撤退，山地气候酷冷，又没有粮食，饥寒交加，士卒大批冻死饿死，好不容易走到茂州（四川省茂县），只剩下二千人而已。安重霸遂献出秦陇（甘肃省南部），投降后唐。

后唐高季兴（高季昌，荆南〔总部江陵府〕司令官）一直想夺回原属荆南（总部江陵府）辖区的三峡，但畏惧前蜀峡路（长江三峡地区）征剿司令（招讨使）张武的声威，不敢行动（张武镇守，参考去年〔九二四〕九月十九日）。现在，配合后唐远征军北方的攻势，派他的儿子、作战参谋长（行军司马）高从诲暂时主管总部军政大事（权军府事），而亲自率荆南舰队，逆长江而上，进攻施州（湖北省恩施市）。张武用铁链连接长江两岸，阻断航道。高季兴（高季昌）派勇士乘小艇打算用巨斧砍断，忽然刮起大风，小艇被铁链钩住，既不能进，又不能退，而前蜀江防军的飞箭乱石，像雨一样交集而下，高季兴（高季昌）战舰损坏，换乘轻便小船逃走（张武"锁峡"，参考九〇四年五月）。但张武不久就听到北方溃败消息，遂献出夔（重庆市奉节县）、忠（重庆市忠县）、万（重庆市万州区）三州，派使节北上晋见后唐远征军统帅、魏王李继岌投降。

郭崇韬写信给前蜀利州（四川省广元市）守将、最高立法长（中书令）王宗弼（魏弘夫），为他分析利害；李绍琛（康延孝）还没有到利州，王宗弼（魏弘夫）已抛弃城池南下。王宗勋等"三征剿"（三招讨），追到白苕（四川省金堂县南。苕，音tiáo〔条〕），才追到王宗弼（魏弘夫），王宗弼（魏弘夫）从怀里掏出诏书，说："宋光嗣教我杀掉你们。"四人互相拥抱，痛哭流涕，于是密谋投降。

22 十一月七日，前蜀帝（二任）王宗衍抵达成都，文武百官跟皇宫嫔妃宫女，都到七里亭（成都市东北三公里）迎接，王宗衍走到小老婆群中，命她们排成回鹘队形回宫（不知道回鹘队形是什么样式）。

十一月八日，王宗衍登文明殿，哭泣流泪，洒满衣襟，跟文武百官面面相对，竟没有人说一句拯救国家危机的话。

十一月九日，后唐远征军前锋李绍琛（康延寿）抵达利州（四川省广元市），修复桔柏浮桥（桔柏津，四川省广元市西南昭化镇）。前蜀昭武战区（总部设利州〔四川省广元市〕）司令官（节度使）林思谔，早就逃奔阆州（四川省阆中市），现在派使节迎降。

十一月十五日，后唐远征军总指战官（都统）、魏王李继岌，抵达剑州（四川省剑阁县），前蜀武信战区（总部设遂州〔四川省遂宁市〕）司令官（节度使）兼最高立法长（兼中书令·使相）王宗寿，献出遂（四川省遂宁市）、合（重庆市合川区）、渝（重庆市）、泸（四川省泸州市）、昌（重庆市大足区）五州投降。

前蜀王宗弼（魏弘夫）返抵成都（四川省成都市），在军队严密警戒保护下，登上大玄门。王宗衍跟娘亲徐太后亲自到大玄门跟他会面慰劳，王宗弼（魏弘夫）态度完全改变，对王宗衍跟徐太后十分傲慢，不再遵守臣属应有的礼节。

十一月十六日，王宗弼（魏弘夫）劫持王宗衍、徐太后，以及全体皇子，强行押解到西宫，把所有的皇家印信，一律搜去保管，派亲信去义兴门，把宫库里的金银绸缎，全数运回自己家宅。王宗弼（魏弘夫）的儿子王承涓更手提佩剑进宫，挑选了王宗衍最宠爱的几位小老婆回去。

十一月十七日，王宗弼（魏弘夫）自称西川战区（总部设成都府〔四川省成都市〕）暂任候补作战司令官（权西川兵马留后）。

李绍琛（康延孝）前进到绵州（四川省绵阳市），仓库跟民舍都被前蜀军队焚烧，前蜀军又摧毁绵江浮桥（绵江，今绵远河，流经古绵竹〔四川省德阳市北黄许镇〕城东），绵江既深且急，没有船敢横渡，李绍琛（康延孝）对李严说：“我们一支孤军，深入敌人心脏，必须速战速决，乘他们心惊胆战的时候，只要一百个骑兵冲过鹿头关（四川省德阳市北黄许镇），他们忙着投降都来不及。我们如果坐在这里等修好浮桥，大军一定要逗留几天。就可能有人教导王宗衍把附近的关卡全部封锁，挫败我们的攻势，万一拖延十天半月，谁胜谁败，就很难预料！”乃跟李严上马，凫水渡江，随后浮到南岸的骑兵只有一千多人，淹死绵江的也有一千多人，李绍琛（康延孝）遂占领鹿头关（四川省德阳市北黄许镇）。

十一月十八日，李绍琛（康延孝）攻克汉州（四川省广汉市），休息三天，主力大军才赶到。

王宗弼（魏弘夫）派人携带金银、马匹、牛肉、醇酒，慰劳后唐远征军，并且用王宗衍的名义给李严一信，说：“你来，我就投降。”有人向李严警告说：“你是第一个提出讨伐前蜀策略的人，前蜀统治阶级，恨你深入骨髓，不要前去。”李严不接受，高高兴兴骑马进入成都，安抚慰劳官民，告诉他们大军就要抵达，前蜀帝王宗衍、文武百官，跟皇宫小老婆群以及宫女，都放声痛哭。王宗衍引导李严晋见徐太后，把娘亲及妻子，托付给李严。王宗弼（魏弘夫）仍打算坚守城池，李严命他撤除所有戒备。

十一月二十日，后唐魏王李继岌抵达绵州（四川省绵阳市），前蜀帝（二任）王宗衍命皇家文学研究官（翰林学士）李昊，起草投降奏章（降表），又命副立法长（中书侍郎）、二级实质宰相（同平章事）王锴，起草投降信函（投降奏章呈李存勖，投降信函送李继岌），派国务院国防部副部长（兵部侍郎）欧阳彬，前往迎接李继岌跟郭崇韬。

王宗弼（魏弘夫）声称：他们君臣早想投降，只因宫廷机要署总监（内枢密使）宦官宋光嗣、景润澄、宫廷事务总监（宣徽使）宦官李周辂、欧阳晃，迷惑前蜀帝（二任）王宗衍的心意，以致招来讨伐。于

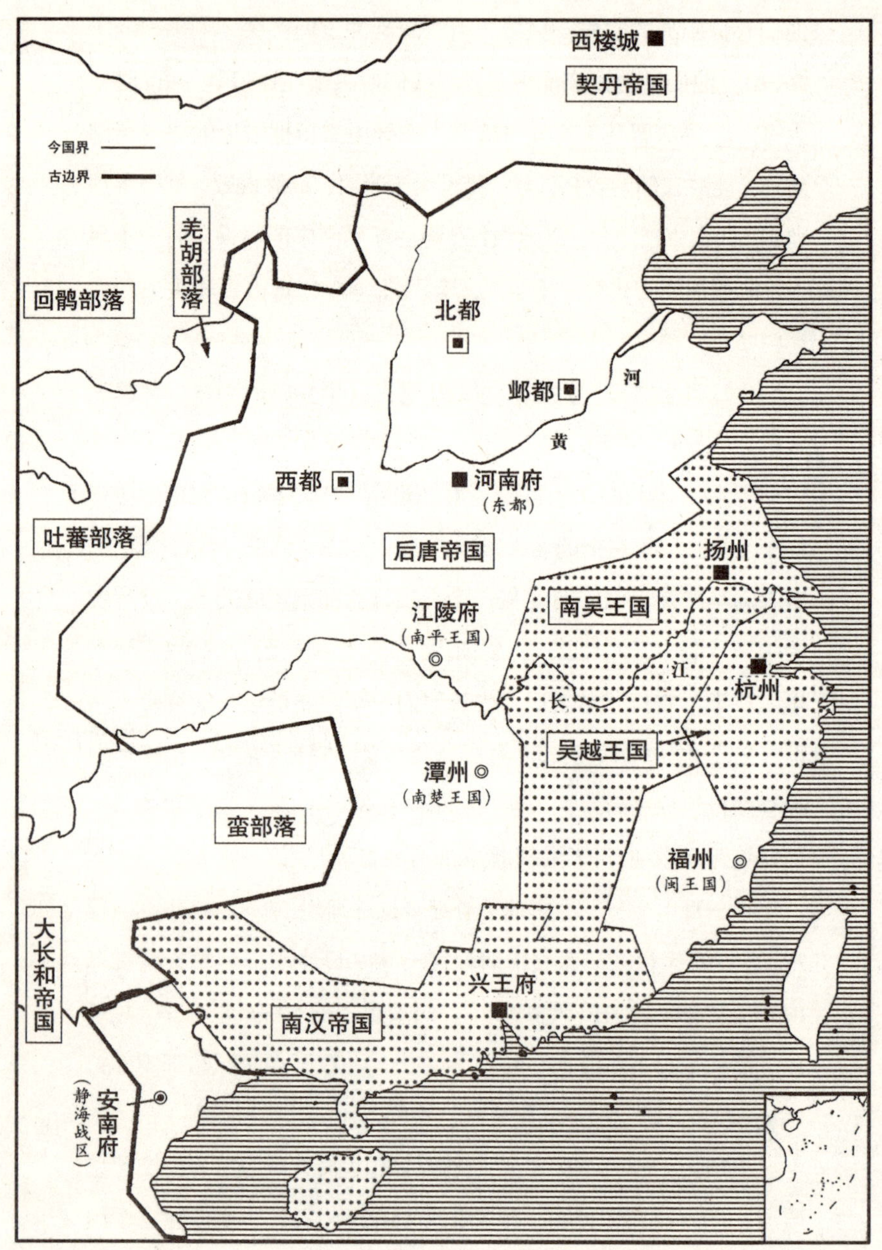

十世纪·九二五年十一月　前蜀帝国亡·四国并立

是把他们全部斩首，人头装到木匣里，呈送魏王李继岌。又斥责文思殿大学士、国务院教育部长（礼部尚书）、首都成都特别市长（成都尹）韩昭："谄媚过度！"绑到金马坊（位成都闹市）门口，砍下人头，悬挂示众（竟来不及一个字一个字审问蒲禹卿，参考本年〔九二五〕九月）。内外步骑兵总指挥官（内外马步都指挥使）兼最高立法长（兼中书令）徐延琼、果州（四川省南充市）民兵司令（团练使）潘在迎、嘉州（四川省乐山市）州长顾在珣，以及其他皇亲国戚，大为惶恐，都拿出所有的金银绸缎美女，贿赂王宗弼（魏弘夫），倾家荡产，仅免一死。王宗弼（魏弘夫）对于平常不喜欢的人，一律诛杀。

十一月二十二日，李继岌抵达德阳（四川省德阳市），王宗弼（魏弘夫）派使节携带报告前往呈递，声称："已把前蜀帝王宗衍迁移到西院（此时不便称"西宫"），安抚全城居民，等候王师。"又派他的儿子王承班把王宗衍的小老婆、宫女，以及各种珍宝，分别呈献李继岌跟郭崇韬，要求任命自己当西川战区（总部设成都府）司令官（节度使）。李继岌说："这些都是我家的东西，还用得着你送！"留下东西，打发王承班回去。

李绍琛（康延孝）驻军汉州（四川省广汉市）八天，等待总指战官（都统）李继岌。

十一月二十五日，李继岌抵达汉州（四川省广汉市），王宗弼（魏弘夫）前来晋见。

十一月二十六日，李继岌抵达成都北郊。

十一月二十七日，李严率前蜀帝（二任）王宗衍跟文武百官，以及皇家卫队，出城到升迁桥（成都市西北八公里）投降。王宗衍身穿白衣，口衔璧玉，手里牵着绵羊，脖子上拴着草绳，文武百官都穿着麻布缝制的丧服，光着双脚，身后有人抬着空棺，哭涕号叫，等候战胜国统帅处置。李继岌接受璧玉，郭崇韬解开王宗衍脖子上的绳索，命把空棺烧掉，以后唐帝（一任庄宗）李存勖的名义，赦免他们的罪行。前蜀君臣向东北方李存勖所在的洛阳（首都河南府所在县，河南省洛阳市），叩头谢恩，前蜀帝国亡（自九〇七年建国，前后十九年。自王建八九一年取成都，前后三十五年。这是五代十一国第三个灭亡的短命王国）。

十一月二十八日，后唐远征军进入成都（四川省成都市）。郭崇韬严厉禁止军队抢夺劫掠，街上商店照常营业。远征军自出发到克复成都，共七十天。吞并十个战区、六十四个州、二百四十九县，接收武装部队三万人，铠甲、钱粮、金银、绸缎，都以千万作单位计算。

高季兴（高季昌，荆南〔总部江陵府〕司令官）听到前蜀覆亡消息，正在吃饭，蓦地一惊，筷子都滑到地下，说："是我这老汉的罪过！"（高季兴劝李存勖攻击前蜀，参考前年〔九二三〕十一月十九日）。智囊梁震说："用不着担心！李存勖得到巴蜀（四川省），将更骄傲不可一世，毁灭的日子，就在眼前，怎么知道不是我们的福气！"

南楚王（一任武穆王）马殷（本年七十四岁）听到前蜀覆亡消息，心神不宁，上疏李存勖表示辞职退休，说："我已在衡山（南岳，湖南省衡山县西）脚下，准备妥当告老隐居的地方，请准我呈缴印信符节，得以平安度过风烛残年。"李存勖下诏恳切慰留。

23 后唐远征军征服前蜀，李绍琛（康延孝，远征军步骑兵总指挥官）的功劳最多，而官位又在董璋（远征军右翼总纠察官）之上。可是董璋一向跟郭崇韬关系密切，郭崇韬屡次召见董璋参与军事决策。李绍琛（康延孝）心里已经愤愤不平，有一次对董璋咆哮说："我有消灭前蜀的大功，你这个小跟班的，却天天在郭公（郭崇韬）面前，谗言陷害！我身为大将，难道不能用军法斩你？”董璋恐惧，告诉郭崇韬。

十二月，郭崇韬上疏任命董璋当东川战区（总部设梓州〔四川省三台县〕）司令官（节度使），并解除董璋的军职（免得李绍琛用军法对付董璋）。李绍琛越发愤怒，说：“我身冒钢刀利刃，翻山越岭，平定两川（东川、西川），董璋却坐在那里，享受成果。”于是晋见郭崇韬说：“东川（总部梓州）地位重要，任圜（国务院工程部长）文武全才，最好上疏推荐。”郭崇韬大怒说：“你要造反是不是？怎么敢违犯我的命令！”李绍琛（康延孝）悚然退出。

最初，李继岌率远征军西上，李存勖派宦官李从袭等在李继岌左右服侍。李继岌虽是总指战官（都统），但军中号令全由郭崇韬作主，郭崇韬从早到晚处理公事，文武官员跟各路宾客，钻营奔走，军营大门人马拥挤不堪，而总指战官司令部，除了高级将领早上参见之外，辕门冷冷清清，李从袭等不能过瘾，认为是一件奇耻大辱。等到前蜀覆亡，前蜀的皇亲国戚，以及高官大将，都争着用金银财宝、美女绸缎，贿赂郭崇韬跟他的儿子郭廷诲，而李继岌所得到的，不过一些马匹、绸缎、痰盂、拂尘（一种用来赶苍蝇蚊子、类似马尾的东西）。李从袭等宦官群，越发气愤。

王宗弼（魏弘夫）自称西川战区（总部设成都府〔四川省成都市〕）候补作战司令（兵马留后）之后，就贿赂郭崇韬，请由他实任，郭崇韬表面上答应他，但很久没有消息。于是，王宗弼（魏弘夫）乃率领前蜀时代文武高级官员联名晋见李继岌，请求命郭崇韬留下来镇守。李从袭等遂警告李继岌说：“郭大帅父子，一向专权蛮横，而今又要巴蜀（四川省）本土官员出面请求任命他当统帅，野心勃勃，难以预料，大王不可以不加强戒备。”李继岌对郭崇韬说：“领袖

（李存勖）对你的依靠，如同依靠大山，绝不会让你离开中央！而且，又岂能把元老遗弃到夷狄蛮荒之地！这项重大决定，我不敢作主，请他们去首都直接向皇上乞求。”因此，李继岌跟郭崇韬互相猜疑。

正在这时候，前蜀宋光葆（武德〔总部梓州〕候补司令官）从梓州（四川省三台县）回成都（四川省成都市），向郭崇韬控告王宗弼（魏弘夫）诬害宋光嗣等。稍早，郭崇韬向王宗弼（魏弘夫）征收犒军钱数万串，王宗弼（魏弘夫）心怀珍惜，不愿继续呈献，远征军官兵因此得不到赏赐，怨恨愤怒交集，遂于夜晚暴动，放火、鼓噪、呐喊，形势紧张，人心不安；郭崇韬打算诛杀王宗弼（魏弘夫）来表明自己的清白。

十二月十日，郭崇韬报告李继岌批准后，立刻逮捕王宗弼（魏弘夫）及王宗勋、王宗渥，宣布他们不忠罪状，全族屠灭，家产没收，前蜀官员争着割吃王宗弼（魏弘夫）的肉。

24 十二月十二日，闽王（忠懿王）王审知逝世（年六十四岁），他的儿子王延翰自称威武战区（总部设福州〔福建省福州市〕）候补司令官（留后）。

汀州（福建省长汀县）变民首领陈本，聚集变民三万人，包围汀州（福建省长汀县）。王延翰派右翼总监军（右军都监）柳邕等率军二万人讨伐。

25 十二月十四日，前前蜀天雄战区（总部设秦州〔甘肃省秦安县西北〕）司令官（节度使）王承休、副征剿司令（招讨副使）王宗汭等，抵达成都（四川省成都市），后唐魏王李继岌责问说：“你镇守全国最重要的军事重镇，手握强大的武装部队，为什么不抵抗侵入国境的敌人？”王承休说：“畏惧大王的神威！”李继岌问：“那么，为什么不早早投降？”王承休说：“王师并没有进入辖区。”李继岌又问：“你率领多少人通过羌人地区？”王承休说：“一万二千人！”李继岌又问：“平安回来的有多少人？”王承休说：“二千人。”李继岌说：“那么，你偿还一万条人命的时候到了。”把王承休、王宗汭二人跟他们的儿子，全部斩首。

26 十二月十七日，后唐帝（一任庄宗）李存勖命北都（太原府，山西省太原市）代理留守长官（知北都留守事）孟知祥，遥兼二级宰相（同平章事·使相），充任西川战区（总部设成都府〔四川省成都市〕）司令官（节度使），催促他急赴洛阳（郭崇韬推荐孟知祥，参考本年〔九二五〕九月十一日）。李存勖考虑北都（太原府）留守长官人选，帝国参谋总部执行官（枢密承旨）段徊等，厌恶邺都（兴唐府，河北省大名县）留守长官张宪，不希望他留在中央，于是一致说：“北都（太原府）非张宪不可，他虽有宰相器度（郭崇韬推荐张宪用语），可是帝国新近才平定中原，宰相就在皇上跟前，即令有什么事处理不当，皇上还可以随时改正，这跟北都（太原府）留守长官要独当一面，关系一方安危，比较起来，宰相显得就没有那么重要了。”

李存勖遂调张宪当太原特别市长（太原尹）、代理北都留守长官（知北都留守事）；命国务院财政部长（户部尚书）王正言当兴唐（河北省大名县）特别市长（兴唐尹）、代理邺都（兴唐府）留守长官（知邺都留守事）。王正言年纪老迈，而又昏庸，李存勖命宫廷杂务官（武德使）史彦琼当邺都（兴唐府）监军。史彦琼，本是一个戏子，很得李存勖的宠爱，直属于邺都（兴唐府）留守长官部的六个州的军政钱粮，都由史彦琼作主，他作威作福，自我膨胀，对文武官员，不是轻视，就是凌辱，从王正言起，都对他谄媚奉承。

当初，李存勖进入魏州（兴唐府前身，河北省大名县），接收后梁银枪效节特别营（银枪效节都）将近八千人，当作自己的亲军（参考九一五年五月），他们慓悍好斗，所向无敌，黄河两岸之战，全靠他们冲锋陷阵，建立奇功。李存勖承诺消灭后梁之日，大加赏赐。不久，河南（黄河以南）平定，李存勖虽然不只一次的赏赐，但士卒们仗恃立过大功，骄傲任性，贪得无厌，愿望不能获得满足，遂转化成为怨恨愤怒。本年（九二五），中原发生最大饥荒，农人纷纷流失逃亡，应缴的税捐田租，无法全部征收，加上连绵大雨，落个不停，道路泥泞，寸步难行，无论船运车运，都十分困难，东都（首都河南府）仓库全部空空荡荡，无法供应军需。全国物资调节总监（租庸使）孔谦，每天都到上东门（河南府城东），眺望各州的粮船，船一到立刻开舱发放，可是仍然不够。官兵没有食物，有的甚至把妻子押给别人，把儿女卖掉；年纪大的军人眷属，几十几百的，成群结队，涌到郊外挖掘野草蔬菜，往往就饿死在那里。部队中传播各种流言，到处都是怨恨悲叹。可是李存勖打猎出游，却不停息。

十二月二十日，李存勖到白沙（洛阳市东）打猎。刘皇后、所有皇子以及后宫美女，全体扈从，阵容盛大。

十二月二十一日，李存勖夜住伊阙（洛阳市南）。

十二月二十二日，李存勖住潭泊（洛阳市南）。

十二月二十三日，李存勖住龛涧（洛阳市南）。

十二月二十四日，李存勖才回皇宫。这时天降大雪，低级官员跟士卒们，有的冻死在道路之上。伊、汝二水流域，饥荒尤其严重，人民没有食物可吃，而皇家狩猎部队经过时，却要求人民供应粮食，发现人民确实穷无一物，反而更加愤怒，捣毁家具、拆毁房屋，当作木柴取暖，政府军的暴行，比强盗匪徒还要残酷，县政府低级官员都逃到深山峻谷躲避。

27 南汉帝国（首都兴王府〔广东省广州市〕）皇宫，出现一条白龙，南汉帝（一任高祖）刘岩改年号为白龙（之前是乾亨九年，之后是白龙元年）；而且改名刘龑（我们仍称他刘岩）。

长和帝国（首都大理城〔云南省大理市〕）皇帝（二任）郑旻，派国防军元帅（布燮）郑昭淳，向南汉请求缔结姻亲，刘岩把增城公主（刘岩老哥刘隐的女儿）嫁给他。长和，就是唐王朝时代的南诏（八八三年七月时，仍称鹤拓帝国、大封人帝国，九一四年十一月，已改称长和帝国）。

28 后唐成德战区（总部设镇州〔河北省正定县〕）司令官（节度使）李嗣源（邈佶烈）到中央朝见。

闰十二月一日，孟知祥抵达洛阳（首都河南府所在县）。后唐帝李存勖待他非常优厚。

李存勖因军粮不足，召集文武百官讨论，宰相豆卢革以下，都不知道怎么办才好。国务院文官部长（吏部尚书）李琪上疏，指出："古人的做法是：依照收入，决定支出，调查有多少农产品，才征调多少军队。所以即令有水灾旱灾，粮饷也不致欠缺。近代依靠农人上缴的捐税田租，来供养军队，从来没有农家富足而军人贫穷、农家贫穷而军人富足的现象。现在，即令不能减免农夫的税租，但如果能够废除'折纳''纽配'两项特别条例（"折纳"，当物价贵时，政府收实物，当物价贱时，政府收钱。"纽配"，不懂。二者应都是当时暴政），农民也可以稍稍休息。"李存勖命有关单位依照李琪建议去做，然而没有人执行。

29 闰十二月九日，后唐帝（一任庄宗）李存勖下诏说：前蜀四品以上文武官员，分别各降一级，重新任命。五品以下如果没有才能或没有高贵门第背景的，一律贬逐回家。领先投降及有功的，命郭崇韬依照实际情况，或奖励、或擢升。又下诏给王宗衍说：“我自会划出土地，封你官爵，绝不会落井下石，利用人的危险灾难。日、月、星作证，我没有一句话骗你。”

闰十二月十二日，后唐彰武（总部延州）、保大（总部鄜州）司令官（节度使）兼最高立法长（兼中书令·使相）高万兴逝世，李存勖命他儿子、保大（总部鄜州）候补司令官（留后）高允韬当彰武（总部延州）候补司令官（留后）。

30 后唐帝（一任庄宗）李存勖因军事用品及粮食储备不够充实，打算前往汴州（河南省开封市），谏官警告说：“与其搬家，不如省吃俭用！自古以来没有到处讨饭的皇帝（事实上有，隋王朝一任帝杨坚就是。参考五九四年八月）。南吴（首都江都府）杨家还没有消灭，不应该暴露我们的弱点。”李存勖才停止。

闰十二月二十三日，李存勖封皇弟李存美当邕王、李存霸当永王、李存礼当薛王、李存渥当申王、李存乂当睦王、李存确当通王、李存纪当雅王。

郭崇韬一向敌视宦官，曾经秘密对魏王李继岌说：“大王有一天登极称帝，连阉割过的马都不可以骑，何况是宦官，最好把他们统统除去，专用普通人。”总指战官司令部礼宾官（都统通谒）吕知柔暗中偷听，因此宦官对郭崇韬恨入骨髓（宦官痛恨郭崇韬，早不可解，郭崇韬跟陷于宦官包围中的年轻皇子李继岌，并不亲密，岂能说出这种肺腑之言？吕知柔只是捏造一个无法求证的事实，刺激其他宦官蠢血沸腾）。

当时，成都（前蜀故都，四川省成都市）虽然攻克，但蜀中（四川省中部）各地民变蜂起，遍布高山深林，郭崇韬恐怕远征军撤退后，后患难以收拾，于是派任圜、张筠分路征剿，因此没有马上班师。李存勖派宦官向延嗣前来催促，郭崇韬不到郊外迎接，等到见面，郭崇韬的态度又很倨傲，向延嗣大怒。李从袭警告向延嗣说："魏王（李继岌）是皇太子，领袖身体仍很健康，而郭崇韬专权独断，已到这种程度。他儿子郭廷诲率领大批卫士，进进出出，每天跟军队里的勇将、当地的豪门士绅，饮酒欢乐，指天画地。近来听说他请求老爹上疏任命他当西川（总部成都府）司令官（节度使），又提醒老爹说：'巴蜀（四川省）土地肥沃，人民富饶，大人应该妥善筹划。'所有将领都是郭家一党，大王暂时居住虎狼之口，一旦发生变化，我们的骨头都不知道埋到什么地方！"遂相对流泪。向延嗣回京（首都河南府），详细报告刘皇后，刘皇后向李存勖哭诉，请早一天救她儿子李继岌一命。

先前，李存勖听说巴蜀（四川省）将领要求留下郭崇韬当统帅，心里已大不高兴，现在又听到向延嗣的小报告，不能不心中起疑；曾经查阅前蜀国库宫库账簿，说："人们都说巴蜀（四川省）金银珠宝数都数不完，为什么却只有这么一点点？"向延嗣说："我听说，攻破前蜀时，所有宝物，都落到郭崇韬父子的手里，郭崇韬就有黄金一万两、白银四十万两、钱一百万串、名马一千匹，其他东西的数目，跟这相差无几。郭廷诲所霸占的，还没有计算在内，所以皇上得到的就不多了。"李存勖脸色大变。孟知祥辞行时，李存勖授权给他，说："听说郭崇韬生出贰心，你到达时，替我把他诛杀。"孟知祥说："郭崇韬是帝国的元老功臣，不应该有这种情况。等我到巴蜀（四川省）调查，假使并没有什么，就送他回来。"李存勖同意。

闰十二月二十四日，孟知祥从洛阳（首都河南府所在县）出发。李存勖不久又派服装库管理官（衣甲库使）宦官马彦珪，飞马前往成都（四川省成都市），调查郭崇韬行动，吩咐说：“郭崇韬如果接受诏书班师则罢，如果仍拖延跋扈，则跟魏王（李继岌）共同把他解决。”马彦珪晋见刘皇后，说：“我在向延嗣那里听到巴蜀（四川省）情况危急，早晚都会发生事变，皇上却当断不断，不马上就下决心。成功和失败的关键，紧密相连，中间容不下一根头发。一旦发生情况，怎么来得及向三千华里外的京师（首都河南府）请示！”（成都洛阳间陆路三千三百华里，航空距离九百公里。）刘皇后再向李存勖要求，李存勖说：“道听途说的传言，不知道真假，怎么可以仓猝就下判断。”刘皇后得不到支持，告退后，自己用皇后教令，命李继岌诛杀郭崇韬。孟知祥走到石壕（河南省三门峡市东石壕村。杜甫诗《石壕吏》，就是这里），马彦珪随后赶上，于夜晚敲门，传达刘皇后这项指示，催促孟知祥迅速到差，孟知祥暗中叹息说：“大乱就要爆发！”于是日夜不停前进。

31 最初，南楚王（一任武穆王）马殷，自占领湖南（湖南省）之后，采取自由贸易政策，对商品旅客，不征收捐税，于是四面八方商旅都向这里集中。湖南（湖南省）出产铅铁，马殷接受军事总执行官（军都判官）高郁的建议，用铅铁铸钱，这种钱出境后便没有用处，商旅们只好全部购买本地其他货物而去，所以湖南（湖南省）不久就成为全中国贸易中心，用境内剩余物资，换取天下所有货物，人民从此富饶，湖南（湖南省）农民从来不种桑养蚕，高郁命农民缴租时，都用绸缎代替钱，于是民间纺织业大为盛行。

32 吴越王国（首都杭州〔浙江省杭州市〕）国王（ 任武肃工）钱镠（本年七十四岁。镠，音刘〔流〕），派使节沈瑫，携带信件，前往南吴王国（首都江都府〔江苏省扬州市〕），就接受后唐（首都河南府）颁发的玉册，及封吴越国王这件事，提出简报。南吴政府因吴越的国名跟本国的国名重叠（钱镠辖区只限于古越王国〔浙江省北部〕，却有古吴王国〔江苏省南部〕的国号），拒绝接受书信，送沈瑫回去，并训令边防部队，不准再传达吴越信件，也不准吴越使节跟商旅入境。

半截英雄

导读

李存勖血战二十年，无论哪方面表现，都是一个出类拔萃的英明首领，简直跟李世民一模一样，包括身经百战，没有一根毫发受伤。然而他的勋业太短，只不过保持了两年六个月，就国破身死。攻陷开封（参考九二三年十月）应该是一个转折点，把他转折成一个“半截英雄”。

没有权力制衡的宝座，像一个长满毒牙的巨大蛇口，任何人坐下去，毒牙都会插进他的屁股，射出剧毒。李存勖不过一条粗汉，在一个有约束（包括娘亲的约束）的环境中，他可以成为英雄，但一旦约束解除，便完全忘了他自己是谁，以致出现“以十指取天下”的轻佻镜头，迅速成为戏子宦官手中的电动玩偶；好像二十年血战，只是为了几个戏子宦官的利益。戏子宦官把李存勖紧握在手，四下挥舞，为自己报仇雪恨。李存勖的严重食言，造成历史上少见的激烈回应，没有人再听他过去其效如神的那一套温声软语，像指派汴州军队前往汴州小动作，反而成为笑柄。

限制首领人物的权力，固是为了人民，同时也是为了首领。李存勖在位时，如果有一种力量能够排除戏子宦官干政，他的皇帝宝座恐不想坐都不可能，而小民也不致受那么多痛苦。

柏杨　一九九二·七·一五

目录

十世纪二〇年代

九二六—九二九年

小分裂

◎ 刘皇后诬杀郭崇韬，李存勖败死，李嗣源称帝。

◎ 芦台兵变，失败，全军被屠。

◎ 东罗马帝国五帝并立。

九二六年 丙戌

后唐	同光	四年
	天成	元年
南吴	顺义	六年
南楚	天成	元年
吴越	宝正	元年
南汉	白龙	二年
南平	天成	元年
契丹	天赞	五年

1 春季，正月三日，后唐帝国（首都河南府〔河南省洛阳市〕）远征军统帅魏王李继岌，派李继曮（凤翔〔总部凤翔府〕司令官）、李严（礼宾官），率领他们本部人马押送前蜀帝国（首都成都府〔四川省成都市〕）亡国之君（二任）王宗衍跟他的家属，以及文武百官数千人，前往洛阳（后唐首都河南府所在县）。

2 后唐（首都河南府）护国战区（总部设河中府〔山西省永济市〕）司令官（节度使）、兼国务院总理（尚书令·使相）李继麟（朱友谦），仗恃自己跟后唐帝（一任庄宗）李存勖（本年四十二岁）是患难老友，而且对帝国立过大功（朱友谦归附晋王李存勖的意志，坚定不移，参考九二〇年九月），而李存勖待李继麟（朱友谦），也特别优厚；可是戏子、宦官对李继麟（朱友谦）百般需求、贪得无厌，使他无法应付，最后索性拒绝再给。戏子、宦官决定诬以谋反，杀一儆百。远征军进攻前蜀（首都成都府）时，李继麟（朱友谦）检阅军队，派他的儿子李令德率领随大军出征（参考去年〔九二五〕九月十日）。戏子景进跟宦官遂向李存勖暗中打小报告说："李继麟（朱友谦）听说中央大军西上，认为目标是他，惊恐交加，所以才集结部队自卫！"又警告李存勖说："郭崇韬所以在巴蜀（四川省）敢横行霸道，就是跟河中（李继麟）结有阴谋，里应外合。"李继麟（朱友谦）听到消息，大为恐惧，打算亲自到中央朝见，洗刷自己冤情，他的亲信竭力劝阻。李继麟（朱友谦）说："郭崇韬的功劳，远比我高，而今情势危急，我如果能面见领袖，表明此心忠诚，那些陷害我们的邪恶小人，就可以受到制裁。"

正月六日，李继麟（朱友谦）前往洛阳（首都河南府所在县）朝见。

3 后唐（首都河南府）远征军班师，魏王李继岌将要从成都（四川省成都市）出发，命任圜（音yuán〔元〕）暂代留守长官，等候孟知祥（新任西川〔总部成都府〕司令官）到差。各路兵马已部署就绪，当天（正月六日），宦官马彦珪赶到，把刘皇后的命令拿给李继岌过目，李继岌说："大军就要拔营，郭崇韬又没有什么举动，怎么可以做出这种丧尽天良的事，你们不要再说。而且，没有领袖（李存勖）正式诏书，只凭皇后一纸命令，就杀征剿司令，怎么可以？"宦官李从袭等痛哭流涕说："我们采取行动，已露出痕迹，万一消息走漏，被郭崇韬听到，中途发生变化，就更无法挽救。"宦官们分别陈述意见、分析利害。李继岌不得已，决定接受。

正月七日，早晨，李从袭传达李继岌的命令，召见郭崇韬举行军事会议，李继岌先上楼躲开。郭崇韬刚跨上台阶，李继岌的侍从李环，用铁锤猛挝，把郭崇韬的头部挝碎，并立即诛杀郭崇韬的儿子郭廷诲、郭廷信，这时，外面的人还不知道。总指战部军法官（都统推官）饶阳（河北省饶阳县）人李崧对李继岌说：“远征军作战于三千华里之外，在没有皇上诏书情况下，擅自诛杀大将，大王怎么做出这种危险的事？难道不能忍耐到返回洛阳（首都河南府所在县）？”李继岌说：“你说得对，可是后悔已来不及。”李崧乃召集几个文书员上楼，撤去楼梯，假造一道诏书，盖上临时用蜡刻成的“宰相联合办公厅”印章，向全军公布，军心才大致安定。郭崇韬左右官员，全都逃走躲藏，只机要秘书（掌书记）滏阳（磁州州政府所在县，河北省磁县）人张砺，前往魏王府恸哭哀悼。李继岌命任圜代替郭崇韬总揽军政。

郭崇韬辅佐皇家，在野草丛中开创基业，备尝艰难，功劳之大，无人可比。西方平定巴蜀（四川省），宣扬国威，身死的那天，无论汉人夷人，一齐呼冤！然而，郭崇韬的建树虽然很多，可是权柄太重，却不知道度德量力，性情刚愎暴戾，遇到任何不如意的事，脾气就会立即爆发，既昧于历史，不了解前代人物成败的原因，又看不清当时危机四伏的环境，而竟以天下为己任，唐突孟浪，达到极点（有关郭崇韬的性格和行事作风，参考前年〔九二四〕二月）。内则戏子、宦官对他咬牙切齿，外则旧人老将对他恨入骨髓，终于罗织成灭族的滔天大祸，都有明显的脉络可寻。更加上几个儿子骄傲放纵、贪赃枉法，克复成都之后，把金银珠宝，用车队运到洛阳，充实家宅。当财产及家人没收入官之日，墙砖上的接缝，还是湿泥。虽然李存勖中途被一群奸邪迷惑，以致功臣不能保全，但也不能不说是郭崇韬自己造成。

4 后唐（首都河南府）魏王李继岌的礼仪官（通谒）李廷安，呈献前蜀（首都成都府）音乐师二百余人，有一位名叫严旭的，王宗衍用他当蓬州（四川省仪陇县南）州长。后唐帝（一任庄宗）李存勖问他说："你有什么本领当上州长？"严旭说："我会唱歌！"李存勖命他唱歌，认为他唱得很好，遂下令他恢复原职。

正月十一日，新任西川战区（总部设成都府〔四川省成都市〕）司令官（节度使）孟知祥抵达成都。当时，郭崇韬刚被诛杀，人心仍不安定。孟知祥对官民慰问安抚，对将士分别犒劳赏赐，无论开拔回京（首都河南府）或留下任职驻防的，都欣然接受。

5 闽国（首都福州〔福建省福州市〕）军队击破包围汀州（福建省长汀县）的变民首领陈本（陈本围汀州，参考去年〔九二五〕十二月十二日），把他斩首。

6 契丹帝国（首都西楼城〔内蒙古巴林左旗〕）皇帝（一任太祖）耶律阿保机（本年五十五岁），攻击女真部落（黑龙江下游）及渤海王国（首都龙泉府〔黑龙江省宁安市西南东京城镇〕）。

正月二十一日，耶律阿保机派使节梅老鞋里，前往后唐敦睦邦交，用以防备后唐（首都河南府）乘虚发动攻击。

7 后唐（首都河南府）宦官马彦珪返回洛阳（首都河南府所在县），后唐帝（一任庄宗）李存勖下诏宣布郭崇韬的罪状，并诛杀郭崇韬其他留在后方的儿子郭廷说、郭廷让、郭廷议，全国官员和平民，无不震骇叹息，议论纷纷。李存勖派宦官暗中侦察，保大战区（总部设鄜州〔陕西省富县〕）司令官（节度使）睦王李存乂（李存勖的老弟），是郭崇韬的女婿，宦官为了把郭崇韬的党羽一网打尽，遂打小报告说：“睦王（李存乂）向各将领一面挥动手臂，一面痛哭流涕，声称郭崇韬冤枉，一肚子牢骚，对政府充满怨恨！”

正月二十三日，李存勖下令逮捕李存乂，软禁在家，不准出门。不久，又把李存乂斩首。

戏子景进警告李存勖说：“河中（山西省永济市）有人报告紧急情况，检举李继麟（朱友谦，护国〔总部河中府〕司令官）跟郭崇韬联合谋反。郭崇韬死后，李继麟（朱友谦）又跟睦王（李存乂）联合谋反。”宦官们异口同声劝李存勖动手铲除。于是，李存勖下诏调李继麟（朱友谦）当义成战区（总部设滑州〔河南省滑县〕）司令官（节度使）。当天（正月二十三日）夜晚，派华洋步骑兵基地司令（蕃汉马步使）朱守殷率军包围李继麟（朱友谦）设于京师（首都河南府）的官邸，把李继麟（朱友谦）像赶牲畜一样赶到徽安门外（洛阳北城有二门，西名徽安门），斩首。李存勖下诏恢复李继麟的原名朱友谦（朱简）。朱友谦（李继麟）有两个儿子：朱令德当武信战区（总部设遂州〔四川省遂宁市〕）司令官（节度使）、朱令锡当忠武战区（总部设许州〔河南省许昌市〕）司令官（节度使）。李存勖命魏王李继岌就近到遂州（四川省遂宁市）斩朱令德，命郑州（河南省郑州市）州长王思同就近到许州（河南省许昌市）斩朱令锡；又命河阳战区（总部设孟州〔河南省孟州市〕）司令官（节度使）李绍奇（夏鲁奇）到河中（山西省永济市）屠灭朱友谦（李继麟）全家。李绍奇（夏鲁奇）抵达河中（山西省永济市），朱友谦（李继麟）的妻子张女士，率男女老幼二百余口，晋见李绍奇（夏鲁奇），说：“朱家的人应该处死，只盼望不要连累外姓！”于是挑出婢女奴仆一百人，而率全家一百口赴刑。死前，张女士取出“免死铁券”（参考前年〔九二四〕十一月），拿给李绍奇（夏鲁奇）过目，说：“这是皇上（李存勖）前年（九二四）赏赐，我一介妇女，不认识字，不知道上面刻的是什么？”李绍奇（夏鲁奇）也觉得满面羞惭。朱友谦（李继麟）旧时将领史武等七人，这时都当州长，也屠灭全族。

当时，洛阳（首都河南府所在县，河南省洛阳市）驻屯各军，粮食不足，士卒潦倒饥饿，十分贫苦，于是谣言四起，戏子、宦官就把听到的奏报李存勖，所以朱友谦（李继麟）、郭崇韬都受到诛杀。成德战区（总部设镇州〔河北省正定县〕）司令官（节度使）兼最高立法长（兼中书令·使相）李嗣源（邈佶烈），也是谣言的焦点，李存勖派朱守殷前往察看，朱守殷暗中警告李嗣源（邈佶烈）说：“大帅功高震主，最好是辞职退休，远离伤害。”李嗣源（邈佶烈）说：“我一颗赤心，不辜负天地，是福是祸，无法逃避，一切听天由命！”（有时候，冠冕堂皇的话往往是无可奈何的话！）当时，戏子、宦官当权，有功劳的以及旧日的文武官员，都无法自保，李嗣源（邈佶烈）有三四次之多，身陷绝境，幸亏都靠宫廷事务总监（宣徽使）宦官李绍宏（马绍宏）营救，才保住一命。

8 后唐（首都河南府）魏王李继岌，命步骑兵总指挥官（马步都指挥使）陈留（河南省开封市东南陈留镇）人李仁罕、骑兵总指挥官（马军都指挥使）东光（河北省东光县）人潘仁嗣、左翼总指挥官（左厢都指挥使）赵廷隐、右翼总指挥官（右厢都指挥使）浚仪（汴州州政府所在城〔大梁城〕有二县：一名开封、一名浚仪）人张业、内营指挥官（牙内指挥使）文水（山西省文水县）人武漳、骁锐指挥官（骁锐指挥使）平恩（河北省曲周县东南）人李延厚，留下来驻防成都（四川省成都市）。

正月二十七日，李继岌从成都（四川省成都市）出发，命李绍琛（康延孝）率一万二千人作殿后部队，跟中军大帐保持三十华里的距离。

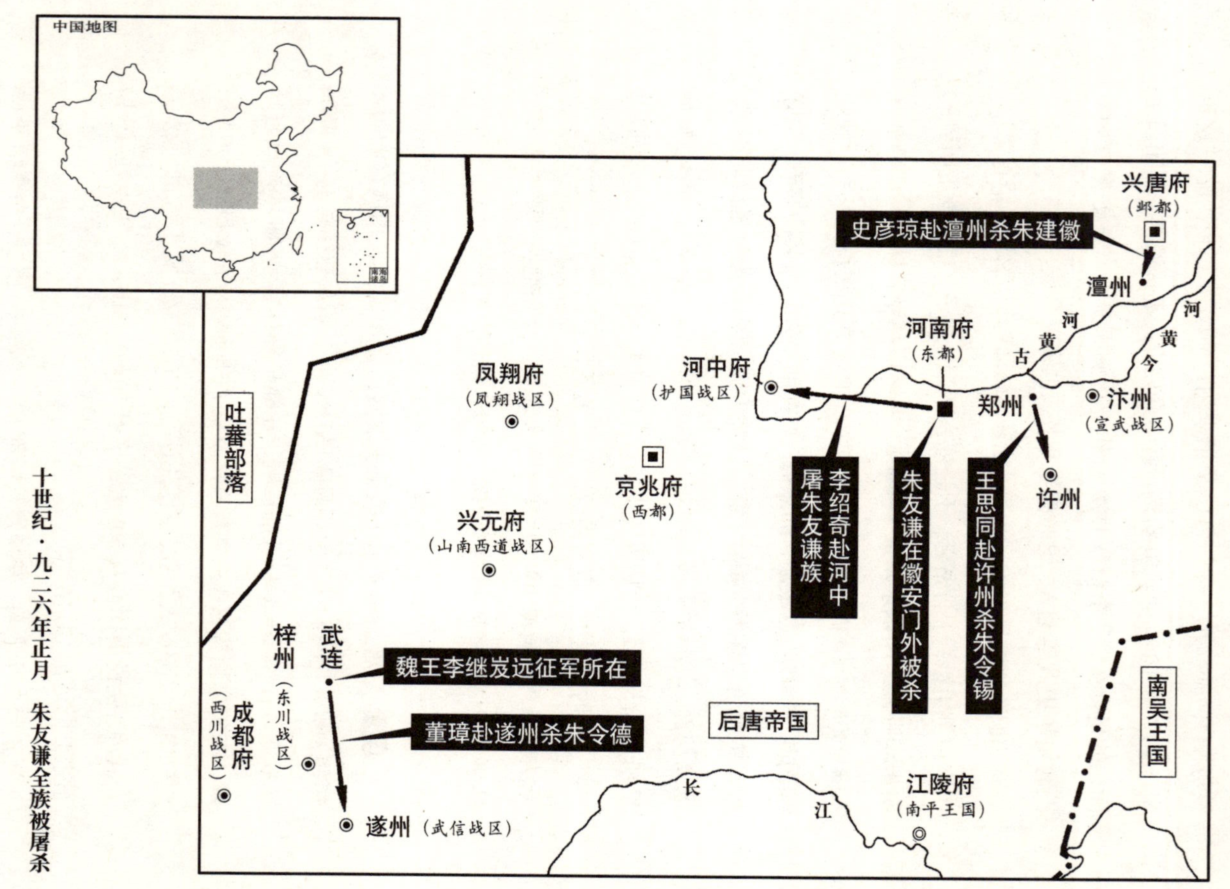

十世纪·九二六年正月　朱友谦全族被屠杀

9 二月一日，后唐帝（一任庄宗）李存勖命宫廷事务南院总监（宣徽南院使）宦官李绍宏（马绍宏）当帝国参谋总部指挥官（枢密使）。

10 后唐（首都河南府）天雄战区（总部设兴唐府〔河北省大名县〕）指挥官（指挥使）杨仁晸，率领他的士卒，驻防瓦桥关（河北省雄县），过了一年，轮调回来，走到贝州（河北省清河县），后唐帝（一任庄宗）李存勖因为邺都（兴唐府）空虚，恐怕他们回去后发生变乱，于是下令他们留在贝州（河北省清河县）。

当时，天下没有人知道郭崇韬犯了什么罪，民间谣言说："郭崇韬杀了李继岌，在巴蜀（四川省）称王，所以屠灭他全族！"朱友谦（李继麟）的儿子朱建徽当澶州（河南省内黄县东南）州长，李存勖密令邺都（兴唐府）监军宦官史彦琼前去行刑。城门官报告留守长官王正言说："史监军深夜骑马，飞奔出城，没有说去什么地方！"于是谣言肯定的说："刘皇后把李继岌被杀这件事，归罪给皇上，已把皇上干掉，所以急命史彦琼进京（首都河南府）讨论后事。"人心越发惊骇恐惶。

杨仁晸部下士卒皇甫晖，跟他的同伴，晚上赌博输了钱，遂利用人心动荡，发动兵变，劫持杨仁晸说："领袖（李存勖）所以能夺取天下，是天雄军队（总部兴唐府）的功劳，我们身不解甲、马不下鞍，已十余年，而今大势已定，领袖不但全不顾念旧日的贡献，反而更加猜忌。派我们去远方驻防，一年有余，正高兴能够回家，想不到离家只几步远（贝州与兴唐府航空距离一百公里），却不准跟家人见面。而今，听说皇后杀了皇上，京师（首都河南府）已经大乱，将士们愿意跟你一同回乡（指总部兴唐府），然后再报告中央。如果皇上仍然平安，出兵讨伐，我们天雄（总部兴唐府）军队足可以抵挡，说不定我们会借着这个机会，取得更多的荣华富贵！”杨仁晸拒绝，皇甫晖斩杨仁晸；又劫持一位军官，军官也拒绝，皇甫晖又斩军官。效节特别营指挥官（效节指挥使）赵在礼听到兵变消息，披上衣服，连腰带都来不及系上，就翻墙逃走，皇甫晖追上，抓住脚把他拉下，拿杨仁晸和军官的人头给赵在礼看，赵在礼恐惧，只好接受，变兵遂拥护他当首领，纵火焚烧贝州（河北省清河县）城，大肆抢劫。皇甫晖，是魏州（即兴唐府，河北省大名县）人。赵在礼，是涿州（河北省涿州市）人。第二天一早，皇甫晖等拥护赵在礼南下，直向临清（河北省临西县）、水济（山东省冠县北）、馆陶（河北省馆陶县），经过的地方，大肆剽掠。

二月五日，晚上，有人从贝州（河北省清河县）到邺都（兴唐府）警告说：变军即将前来攻击，总巡察官（都巡检使）孙铎等，急行晋见监军宦官史彦琼（此时已斩过朱建徽回来），请求发给铠甲登城守卫，史彦琼怀疑孙铎等已有贰心，说：“探马报告说变军才到临清（河北省临西县），计算行程，明天（二月六日）晚上才能到这里（临清与兴唐府航空距离八十公里），明天再动员，仍不算晚！”（史彦琼不发铠甲，除了怀疑孙铎等之外，也因为害怕受到李存勖的责罚。参考去年〔九二五〕正月。）孙铎说：“变军既然作乱，一定乘我们还没有准备妥当，发动突袭，加倍速度，日夜不停的强行军前进，怎么可能像平常一样，轻松走路！请你率军登上城楼，我则招募年轻勇士一千人，埋伏王莽河（古黄河支流，参考七八二年六月注），迎头痛击。变军挫败，一定四散逃走，然后就可以讨伐消灭。如果非等到他们进抵城下，万一有奸人作为内应，事情就危险万状。”史彦琼说：“只要严密守住城池，何必迎战？”当天（二月五日）夜晚，变军前锋突击北门，乱箭射击。当时，史彦琼率步兵部队驻扎北门城楼，听到变军呐喊声音，霎时一哄而散，史彦琼单人匹马逃奔洛阳（首都河南府所在县，河南省洛阳市）。

二月六日，变军进入邺都（兴唐府），孙铎等率军抵抗，不能取胜，逃走。赵在礼遂占领宫城（牙城），命皇甫晖及中级军官（军校）赵进当步骑兵总指挥官（马步都指挥使），放纵士卒，大肆抢劫。赵进，是定州（河北省定州市）人。

留守长官王正言正坐在公案旁召唤文书员草拟奏章，却一个人也不见来，王正言震怒，正要大发脾气，家人告诉他说："变军已经进城，在街上杀人放火，官员们早逃走一空，你还在叫谁？"王正言吃惊说："我怎么一点也不知道！"急叫备马，也没有反应，于是率领文武官员徒步走出留守府大门，晋谒赵在礼，下跪叩头，请求宽恕。赵在礼也下跪叩头，说："官兵们想家思归而已，大帅官高望重，千万不要这么委屈！"安慰解释，送他回去。

大家推举赵在礼当天雄战区（总部设兴唐府〔河北省大名县〕）候补司令官（留后），奏报后唐帝（一任庄宗）李存勖。北京（太原府，山西省太原市）留守长官张宪的家属，仍留在邺都（张宪调太原，参考去年〔九二五〕十二月十七日），赵在礼对他们特别优待，派使节送信给张宪招降，张宪不开信封，立刻诛杀使节，奏报中央。

11 二月七日，后唐帝（一任庄宗）李存勖任命戏子景进当银青光禄大夫（文散官第五级，从三品），摄理立法院最高顾问官（检校右散骑常侍，正三品）、兼总监察官（兼御史大夫，正三品）、上柱国（勋官一级，正二品）。

12 二月九日，后唐（首都河南府）天雄（总部兴唐府）监军宦官史彦琼逃到洛阳（首都河南府所在县）。后唐帝（一任庄宗）李存勖询问帝国参谋总部指挥官（枢密使）宦官李绍宏（马绍宏），谁可以担任统帅，率军讨伐？李绍宏（马绍宏）再度推荐李绍钦（段凝。远征前蜀〔首都成都府〕时，李绍宏就推荐过李绍钦，参考去年〔九二五〕九月七日），李存勖允许，命李绍钦（段凝）拟具作战计划。而李绍钦（段凝）所提的出征人选，都是后梁（首都开封府）旧日将领中李绍钦（段凝）所喜欢的，李存勖起了疑心，撤回原令。刘皇后说："天雄（总部兴唐府）几个毛贼叛乱，不过一件小事，用不着劳动大将，交给李绍荣（元行钦），就可以办好！"李存勖遂命当时担任归德战区（总部设宋州〔河南省商丘市〕）司令官（节度使）的李绍荣（元行钦）率骑兵三千人，前往邺都（兴唐府）招降安抚；同时也动员各战区道野战军，准备万一变军不肯屈服时出征。

13 后唐（首都河南府）远征军郭崇韬被杀之后，李绍琛（康延孝）对董璋说："你还打算去谁那里搬弄是非？"董璋恐惧，请求宽恕（二人结怨事，参考去年〔九二五〕十一月）。魏王李继岌率远征军北返，抵达武连（四川省剑阁县西南武连镇），遇到洛阳（首都河南府所在县）派出的宦官，告以朱友谦（李继麟）已经伏诛，命董璋率军前往遂州（四川省遂宁市）诛杀朱令德（武信〔总部遂州〕司令官）。当时，李绍琛（康延孝）率殿后部队，驻屯魏城（四川省绵阳市东北魏城镇），得到消息，对李存勖不命自己杀朱令德而指派董璋，大吃一惊。不久，董璋经过李绍琛（康延孝）大营，却不进来晋见，李绍琛（康延孝）更加愤怒，乘着几分酒意，对各将领说："帝国南下夺取大梁（后梁帝国）、西上平定巴蜀（前蜀帝国），都出于郭大帅（郭崇韬）的谋略，跟我的战功。至于脱离叛逆（后梁），投效圣明（后唐），跟皇上互相支持呼应，终于击破后梁（首都开封府），则全靠朱大帅（朱友谦），而今，郭朱两位大帅并没有罪，却都受到屠灭全族惨祸，回到中央之后，下一个定会轮到我！苍苍者天，有冤难伸，教我怎么办？"李绍琛（康延孝）部队中很多是河中（山西省永济市）人，护国（总部河中府）将领焦武等在大营门前哭号说：“西平王（朱友谦）有什么罪，全家屠戮，我们回去势必跟史武等死在一起，我们决不往北再走一步！”当天（二月九日），魏王李继岌抵达泥溪（四川省广元市西南），李绍琛（康延孝）抵达剑州（四川省剑阁县），派人报告李继岌说：“护国（总部河中府）将士哭号不停，可能兵变！”

二月十日，李绍琛（康延孝）自剑州（四川省剑阁县）率殿后部队南下，自称西川战区（总部设成都府〔四川省成都市〕）司令官（节度使）、三川地区（西川、东川、汉川）军政总监（三川制置使），发布文告，送到成都，声称：接到诏书，代替孟知祥（西川〔总部成都府〕司令官）安抚人民。三天之间，集结部众多达五万人。

二月十一日，李继曮（凤翔〔总部凤翔府〕司令官）随远征军返抵凤翔（陕西省宝鸡市凤翔区），总监军宦官（监军使）柴重厚拒绝交还司令官（节度使）的印信符节，只催促他前往京师（首都河南府）听候中央安置。

二月十二日，魏王李继岌抵达利州（四川省广元市），李绍琛（康延孝）派人切断桔柏津（四川省广元市西南昭化镇），李继岌得到报告，命任圜当副征剿司令（副招讨使），率步骑兵七千人，会同总指挥官（都指挥使）梁汉颙、监军宦官李延安，追击讨伐。

14 二月十三日，后唐（首都河南府）邢州（河北省邢台市）左右翼步兵常备队士卒（左右步直兵）赵太等四百人兵变，占领州城，自称安国战区（总部设邢州〔河北省邢台市〕）候补司令官（留后）。

后唐帝（一任庄宗）李存勖命东北方面军副征剿司令（东北面招讨副使）李绍真（霍彦威）讨伐。

15 二月十四日，后唐（首都河南府）远征军副征剿司令任圜，

先命别动部队将领（别将）何建崇进攻剑门关（四川省剑阁县北剑门关镇），攻克。 600

16 后唐（首都河南府）北伐军李绍荣（元行钦）抵达邺都（兴唐府，河北省大名县），攻击南门，并派人携带诏书前去劝解招降。变军首领赵在礼送出酒肉慰劳招待，在城楼下跪叩头说："将士们思念家乡，擅自回来，大帅如果肯替我们向皇上奏报求情，使我们得以免于一死，怎敢不改过自新，戴罪立功！"遂把诏书拿给将领士卒们传阅。然而监军宦官史彦琼举手指着城楼大骂说："你们这群死贼，城破之日，碎尸万段！"皇甫晖对变兵们说："听史彦琼的口气，皇上不会放过我们！"遂集结在一起，呐喊呼叫，抢夺诏书，撕成碎片，登上城墙抵抗。李绍荣（元行钦）进攻，失利，上疏奏报，后唐帝（一任庄宗）李存勖大怒说："破城那一天，老少不留！"扩大征调范围讨伐。

二月十五日，李绍荣（元行钦）退到澶州（河南省内黄县东南）。

17 二月十七日，夜晚，后唐（首都河南府）随从骑兵常备队军官（从马直军士）王温等五人，格杀基地司令（军使），密谋兵变，被生擒，斩首。随从骑兵常备队指挥官（从马直指挥使）郭从谦，本是一个戏子，艺名郭门高。后唐帝（一任庄宗）李存勖在德胜（河南省濮阳市）跟后梁对抗时，招募勇士出阵挑战，郭从谦应募，俘虏杀敌而回，因此越发受到宠爱。李存勖在各军中挑选勇士当亲军，分别设置四个指挥官，称为随从骑兵常备队（从马直）。郭从谦自基地司令（军使）累积功劳，擢升到指挥官（指挥使）。郭崇韬掌权的时候，郭从谦把郭崇韬当作叔父敬奉；睦王李存乂则收郭从谦当义子。后来，郭崇韬、李存乂先后被杀，郭从谦悲愤，常用自己的钱犒劳骑兵常备队军官，对着他们痛哭流涕，替郭崇韬辩护呼冤。后来，王温兵变，李存勖开他的玩笑说：“你过去辜负我，去巴结郭崇韬、李存乂，现在又教唆王温造反，你到底想些什么？”郭从谦更加恐惧。退出后，暗中告诉随从骑兵常备队军官们说：“领袖（李存勖）因为王温的缘故，等到邺都（兴唐府，河北省大名县）平定后，要把你们全部坑杀。家里有什么东西，赶快把它们卖掉，吃个酒醉饭饱，不必做长期打算。”亲军官兵都惶恐不安。

二月十八日，前蜀（首都成都府）亡国之君王宗衍抵达长安（西京京兆府所在县，陕西省西安市），李存勖命他暂停前进。

先前，李存勖的老弟们，虽然都兼战区司令官（领节度使），但事实上，本人都留在京师（首都河南府），只领战区司令官（节度使）的薪俸。

二月二十一日，李存勖才命护国战区（总部设河中府〔山西省永济市〕）司令官（节度使）永王李存霸，前去到差（接替朱友谦遗缺）。

18 二月二十二日，后唐（首都河南府）北伐军李绍荣（元行钦）率各战区道的增援部队，再一次进攻邺都（兴唐府，河北省大名县）。

二月二十三日，初级将领（裨将）杨重霸，率数百敢死队，爬上城头，可是没有后续部队，杨重霸等全部阵亡。变军知道中央绝不饶命，所以坚强守卫，宁死不降。后唐帝（一任庄宗）李存勖十分焦虑，每天派宦官西上，催促魏王李继岌急行东进。可是李继岌却因主力精锐部队都在任圜率领下讨伐李绍琛（康延孝），自己不得不留在利州（四川省广元市）等待，不能马上回来。

李绍荣（元行钦）讨伐邺都（兴唐府）变军首领赵在礼，很久无法取胜；而李绍真（霍彦威）讨伐邢州（河北省邢台市）变军首领赵太，也没有进展。就在这时候，横海（总部沧州）兵变，低级军官（小校）王景戡，

十世纪·九二六年二月　天雄兵团兵变，占领兴唐府

中国地图
南海诸岛
易州
满城
瓦桥关
奉化军
莫州
定州
（义武战区）
瀛州
天雄兵团南返
镇州
（成德战区）
祁州
太
孟县
深州
景州
赵州
冀州
行
天雄兵变处
变军占据兴唐，推赵在礼为留后
辽州
邢州
（安国战区）
贝州
变军沿途劫掠
山
临清
洺州
永济
馆陶
博州
脉
磁州
兴唐府
（邺都）
黄
河
古
河
黄
今
相州
郓州
（天平战区）
澶州
濮州

把变军解决，恢复安定，遂自称候补司令官（留后）。河朔（河北平原）各战区道、各州县，纷纷向中央奏报发生变乱，前后相继，情况紧急。李存勖想亲自讨伐邺都（兴唐府），宰相及帝国参谋总部指挥官（枢密使）都认为京师（首都河南府）是根本重镇，最高领袖不可以轻易离开。李存勖说："我看所有将领中，没有一个人可以派遣。"大家一致推荐说："李嗣源（邈佶烈）是元老功臣。"李存勖对李嗣源（邈佶烈）心存猜忌，说："我爱惜李嗣源（邈佶烈），打算留他担任京师（首都河南府）警卫。"大家一致说："再没有更合适的人！"忠武战区（总部设许州〔河南省许昌市〕）司令官（节度使）张全义（张宗奭）也强调："河朔（河北平原）正逢多事之秋，时间拖得越久，祸患陷得越深，最好是请李嗣源统御讨伐大军。如果依靠李绍荣（元行钦）这些人，不知道拖到什么时候。"宦官李绍宏（马绍宏）也不断进言，李存勖因内外高官全体推荐，考虑很久，终于允许。

二月二十七日，李存勖命李嗣源（邈佶烈）率皇家亲军，讨伐邺都（兴唐府）。

19 后唐（首都河南府）保塞战区（总部设延州〔陕西省延安市〕）奏报说：绥（陕西省绥德县）、银（陕西省榆林市东南鱼河镇）二州发生兵变，剽掠州城（绥银二州属定难战区〔总部夏州〕）。

20 后唐（首都河南府）远征军董璋，率军二万人驻扎绵州（四川省绵阳市），会同任圜讨伐变军首领李绍琛（康延孝）。后唐帝（一任庄宗）李存勖派宦官崔延琛，前往成都（四川省成都市），中途恰巧遇到李绍琛（康延孝），崔延琛骗他说："我携带皇上指令，征调孟知祥（西川〔总部成都府〕司令官）回京（首都河南府），你如果不急于发动攻击，巴蜀（西川战区）一定到手。”崔延琛到达成都后，建议孟知祥加强防守戒备。孟知祥遂挖掘整顿壕沟，竖立栅栏工事，派步骑兵总指挥官（马步都指挥使）李仁罕率军四万人、骁锐指挥官（骁锐指挥使）李延厚率军二千人，讨伐李绍琛（康延孝）。李延厚集合部众，宣布说：“有心建立功名、追求荣华富贵的勇士，站到东边。年老患病、胆小体弱、害怕打仗的人，站到西边。”于是集结精锐士卒七百人出击。

当天，任圜追到汉州（四川省广汉市），追上李绍琛（康延孝），李绍琛（康延孝）出兵迎战。征剿司令部机要秘书（招讨掌书记）张砺，建议在阵后埋伏精锐部队，而用老弱残兵作为诱饵，任圜接受，命董璋派东川战区（总部设梓州〔四川省三台县〕）老弱残兵先行接战，但立即退却。李绍琛（康延孝）轻视任圜不过一个普通知识分子，又发现出战的士卒都年老体衰，于是竭力追击，进入口袋阵地，伏兵突起，大破李绍琛（康延孝）军，杀数千人。自此，李绍琛（康延孝）坚守汉州（四川省广汉市），闭城不出。

21 三月一日，后唐（首都河南府）北伐军李绍真奏报说：“克复邢州（河北省邢台市），生擒变军首领赵太等。”

三月四日，李绍真（霍彦威）率军抵达邺都（兴唐府，河北省大名县），在城西北扎营，把赵太等押解到城下，命守城变军观看，然后斩首。

斩赵太等不但不能使变军皇甫晖等畏惧，反而使他们死守的心更为坚定。

22 三月五日，后唐帝（一任庄宗）李存勖擢升威武战区（总部设福州〔福建省福州市〕）副司令官（节度副使）王延翰，当战区司令官（节度使）。

23 三月六日，后唐（首都河南府）北伐邺都（兴唐府，河北省大名县）统帅李嗣源（邈佶烈）抵达邺都（兴唐府），在城西南扎营。

三月八日，李嗣源（邈佶烈）下令明天（三月九日）拂晓攻击。可是，当天（三月八日）夜晚，随从骑兵常备队军士（从马直军士）张破败，发动兵变，率领变军大声呐喊鼓噪，格杀总指挥官（都将），纵火焚烧大营。

三月九日，天色刚明，变军紧逼中军虎帐，李嗣源（邈佶烈）率亲军迎战，无法抵挡，变兵越聚越多，声势浩大。李嗣源（邈佶烈）高声呵叱，问说："你们要什么？"变兵回答说："将士们追随皇上（李存勖）十年，身经百战，终于得到天下（李存勖接收魏州，参考九一五年六月，迄今十二年）。可是皇上却恩断义绝，为了立威，只知道一味诛杀。贝州（河北省青河县）那些出征官兵，不过思念家乡，想回去看看而已，皇上竟不能饶他们一死，发誓说：'破城之后，要把天雄（总部兴唐府）军队全部坑杀！'近来随从骑兵常备队（从马直）几个弟兄吵闹喧哗（指王温事件），皇上竟要把全队处斩。我们当初并没有心叛变，只是怕死。大家商量的结果，愿意跟城里赵在礼联合，击退各战区特遣兵团，请皇上在河南（黄河以南）当皇帝，大帅（李嗣源）在河北（黄河以北）当皇帝，做我们的领袖。"李嗣源（邈佶烈）声泪俱下的劝说解释，变兵不接受。李嗣源（邈佶烈）说："你们不听我的话，那么就随你们的意去做，我自己返回京师（首都河南府）。"变兵们钢刀出鞘，把李嗣源（邈佶烈）围住，警告说："我们这些人是一群虎狼，分不出谁尊贵、谁卑贱，大帅走的话，往哪里走？"于是簇拥李嗣源（邈佶烈）跟李绍真（霍彦威）等，进入兴唐（河北省大名县），可是兴唐（河北省大名县）城里并不知道北伐军戏剧性变化，拒绝他们进城，变军首领皇甫晖迎击，斩张破败，北伐军全部崩溃。赵在礼这时候才终于弄清楚真相，遂率各级军官迎接李嗣源（邈佶烈）进城，下跪叩头，一面流泪，一面请求宽恕，说：“我们辜负大帅，怎么敢不听命令！”李嗣源（邈佶烈）身陷重围，只好乞灵诡计，说：“凡要创立伟大事业，必须有强大兵力。而今，城外北伐军瓦解，士卒四散流失，我为你们出去把他们集结起来。”赵在礼遂让李嗣源（邈佶烈）和李绍真（霍彦威）一起出城。当天（三月九日）晚上，李嗣源（邈佶烈）住宿魏县（河北省魏县），失散的官兵慢慢回来。

24 后唐（首都河南府）西川（总部成都府）汉州（四川省广汉市）没有城墙壕沟，四周的防御工程不过一道树枝围成的木栅。

三月九日，远征军副征剿司令（副招讨使）任圜，向木栅进攻，纵火焚烧；变军首领李绍琛（康延孝）率军到金雁桥（四川省广汉市东雁江桥）迎战，兵败，率领骑兵十余人逃奔绵竹（四川省绵竹市），远征军追赶，把他生擒。西川战区（总部设成都府〔四川省成都市〕）司令官（节度使）孟知祥特地到汉州（四川省广汉市）犒劳军队，跟任圜、董璋大摆酒席聚会。命把装载李绍琛（康延孝）的囚车拉到酒席筵前。孟知祥亲自斟一大杯酒送给他，对他说：“你已身居高位，拥有大将符节旌旗，又有平定巴蜀（前蜀帝国）的功劳，还怕没有荣华富贵？为什么非钻进囚车不可？”李绍琛（康延孝）说：“郭崇韬在辅佐皇上开国功臣中，位居第一；而且，几乎是没有流一滴血，就征服两川（东川、西川）。主要的是，他并没有犯罪，却忽然之间，全族屠灭。像我这样的人，又怎么有信心保住人头，因此不敢返回中央！”魏王李继岌在俘虏李绍琛（康延孝）之后，立即率远征军加倍速度北上。

孟知祥在变军中捕获保义（总部陕州）总指挥官（陕虢都指挥使）汝

十世纪·九二六年二月至三月　李绍琛（康延孝）兵变

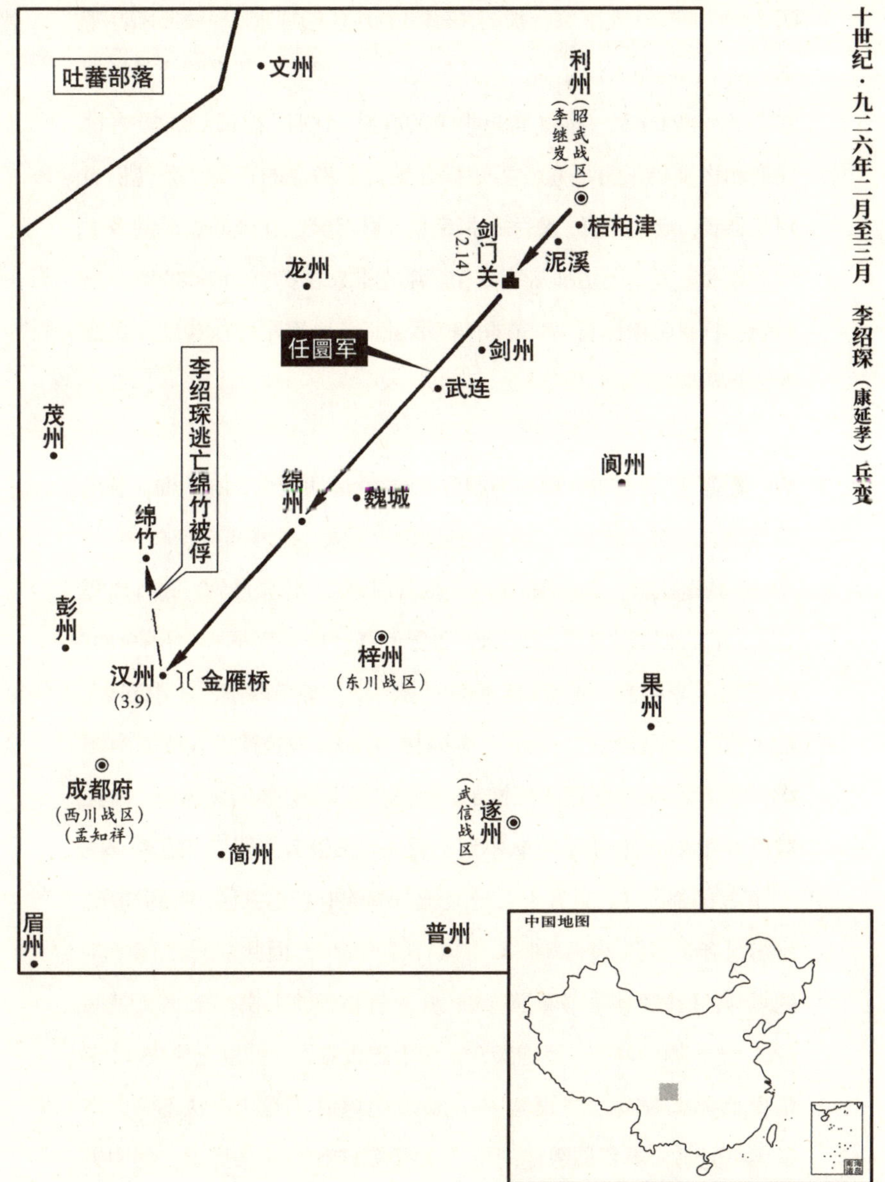

阴（安徽省阜阳市）人李肇、护国（总部河中府）总指挥官（河中都指挥使）千乘（山东省广饶县）人侯弘实，一齐赦免，命李肇当内营步骑兵总指挥官（牙内马步都指挥使），侯弘实当李肇的副手。这时，巴蜀（四川省）各地民变和盗匪仍没有平息，孟知祥开始挑选廉洁的官员，派他们当州长县长，治理州县，废除苛捐杂税，号召流亡在外的农民回乡生产，政令宽大，一切都从头做起。派左翼总指挥官（左厢都指挥使）赵廷隐、右翼总指挥官（右厢都指挥使）张业，分别率军讨伐各地变民盗匪，全部诛杀。

25 后唐（首都河南府）李嗣源（邈佶烈）最初受变兵逼迫时，李绍荣（元行钦，归德〔总部宋州〕司令官）率部众一万人，在邺都（兴唐府，河北省大名县）城南扎营；李嗣源（邈佶烈）派营门官（牙将）张虔钊、高行周等七人，前后相继去召唤他前来，要跟他联合诛杀变军，李绍荣（元行钦）怀疑是李嗣源（邈佶烈）摆下的圈套，就把使节软禁，不准回去，紧闭营门，不作反应。后来，李嗣源（邈佶烈）被裹挟进入邺都（兴唐府），李绍荣（元行钦）遂率军撤退。现在，李嗣源（邈佶烈）出城，驻扎魏县（河北省魏县），手下军队不到一百人，又没有武器。李绍真（霍彦威）率领的部队中，有五千人是成德（总部镇州）特遣兵团，听到消息，纷纷投奔李嗣源（李嗣源是成德〔总部镇州〕司令官），因此李嗣源（邈佶烈）的声势，稍微振作。李嗣源（邈佶烈）对各将领流泪说："我明天就回战区（成德〔总部镇州〕），呈递奏章，至于怎么定罪，听皇上裁决。"李绍真（霍彦威）跟本部参谋官（中门使）安重诲说："这个办法不好，你是大军元帅，不幸被叛徒劫持，李绍荣（元行钦）不战而退，回中央后，一定会拿您当作借口。您如果直接返回战区，岂不是'割据土地，要胁君王'？正好印证那些奸邪的人对你的陷害诽谤。不如日夜不停奔往京师（首都河南府），亲自面见皇上，或许可以洗清自己。”李嗣源（邈佶烈）说：“对极！”

三月十一日，李嗣源（邈佶烈）南下，直向相州（河南省安阳市），遇见御马管理官（马坊使）康福，得到战马数千匹，才勉强像一支军队。康福，是蔚州（河北省蔚县）人。

26 后唐（首都河南府）平卢战区（总部设青州〔山东省青州市〕）司令官（节度使）符习，率本战区特遣兵团进攻邺都（兴唐府，河北省大名县），听到李嗣源（邈佶烈）部众溃散消息，即行回军，走到淄州（山东省淄博市），总监军宦官（监军使）杨希望派军迎头攻击，符习大为恐惧，率军再掉头向西。青州（山东省青州市）指挥官（指挥使）王公俨攻击杨希望，把杨希望诛杀，遂控制青州州城。

当时，各战区道监军宦官，都仗恃李存勖的宠爱，跟战区司令官（节度使）争权夺利，尖锐对立，等到邺都（兴唐府，河北省大名县）兵变，很多地方发生杀监军宦官的事。安义战区（总部设潞州〔山西省长治市〕）监军宦官杨继源，阴谋诛杀战区司令官（节度使）孔勍，孔勍先把杨继源诱进埋伏，遂斩杨继源。武宁战区（总部设徐州〔江苏省徐州市〕）监军宦官认为战区司令官（节度使）李绍真（霍彦威），跟李嗣源（邈佶烈）合作，遂诛杀李绍真（霍彦威）的亲信干部，然后控制城池，拒绝李绍真（霍彦威）班师；暂代候补司令官（权知留后）淳于晏率各将领反击，再诛杀监军宦官。淳于晏，是登州（山东省烟台市蓬莱区）人。

27 三月十二日，后唐（首都河南府）因军队粮食不够，李存勖下诏命首都洛阳特别市长（河南尹），向农家预借夏秋两季赋税，人民穷苦，更难维生。

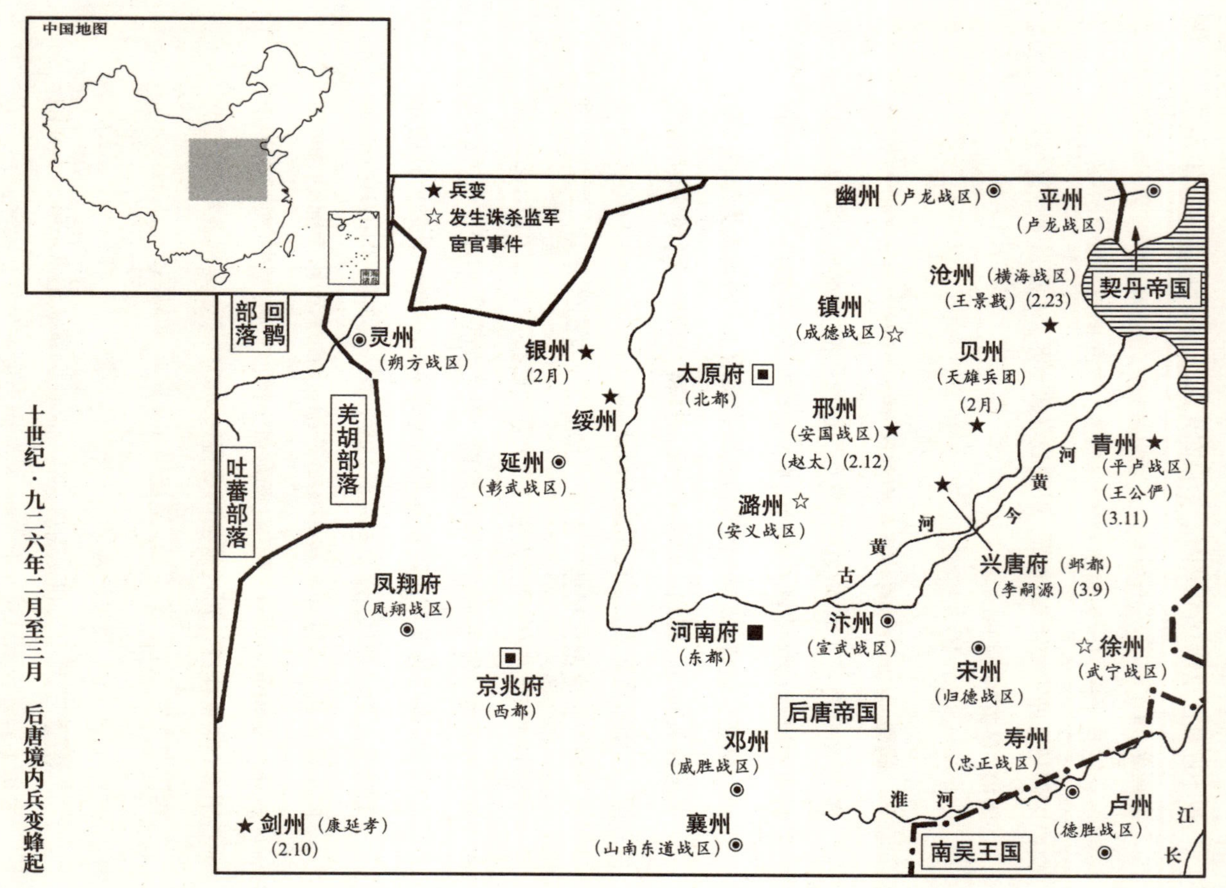

十世纪·九二六年二月至三月　后唐境内兵变蜂起

28 后唐（首都河南府）忠武战区（总部设许州〔河南省许昌市〕）司令官（节度使）、国务院总理（尚书令）、齐王张全义（张宗奭），听到李嗣源（邈佶烈）进入邺都（兴唐府）消息，忧愁恐惧，不肯再进饮食。

三月十五日，张全义在洛阳（首都河南府所在县）逝世（年七十五岁。张全义竭力推荐李嗣源，而李嗣源投入叛军，这是屠杀全族的罪）。

29 后唐（首都河南府）全国物资调节总监（租庸使）孔谦，因仓库储存不够支出，只好克扣军粮。士卒无法吃饱，谣言四起，宰相们发现情势险恶，十分恐惧，率文武百官联名上疏给李存勖说："而今，国库（租庸）已经一空，宫库（内库）却有大量储存，皇家各军将领士卒，连父母妻子儿女都养不活，如果再不救济的话，恐怕军心生变。请陛下动用宫库救他们不死，等过了荒年，原先宫库里的财富，仍会回到宫库（二库之分，参考前年〔九二四〕二月一日）。"李存勖本来马上答应，但刘皇后说："我们夫妇身为君王，管理万邦，固然依靠军队武力，但也出于上天的选择，上天选择了我们，别人能把我们怎么样？"宰相又在便殿再向李存勖口头奏报，刘皇后派人在屏风后暗中偷听，一会工夫，她派人携带了一个梳妆台、三个银盆，以及三个年幼的皇子出来，告诉宰相说："人们都说宫里多的是积蓄，事实上不了解真相，各地进贡的东西，随手都用来赏赐，剩下来的只有这些，请把它们卖掉，犒劳官兵！"宰相们惊慌恐惧，仓猝退出。

30 后唐（首都河南府）李绍荣（元行钦）自邺都（兴唐府，河北省大名县）撤退到卫州（河南省卫辉市），进城固守，奏报说："李嗣源（邈佶烈）已经叛变，跟盗匪结合。"李嗣源（邈佶烈）派人携带奏章为自己辩护，每天都派出几个人。李嗣源（邈佶烈）的长子李从审，当金枪指挥官（金枪指挥使），后唐帝（一任庄宗）李存勖对李从审说：“我深刻了解你家老爹为人忠厚，你去你老爹那里，告诉他我的意思，不要让他不敢肯定自己。”李从审抵达卫州（河南省卫辉市），李绍荣（元行钦）把他逮捕囚禁，打算诛杀。李从审说：“你既然不相信我家老爹，又不允许我到我家老爹那里，那么，请让我回京（首都河南府）护驾。”李绍荣（元行钦）才把他放掉。李存勖怜惜李从审处境艰难，命他改名李继璟，待他像自己的儿子一样。自此以后，李嗣源（邈佶烈）所呈递的奏章，都被李绍荣（元行钦）中途拦截，无法上达，李嗣源（邈佶烈）因此猜疑恐惧。部将石敬瑭（李嗣源的女婿，参考九一九年九月）说：“事情的成功，由于决断迅速；事情的失败，由于犹豫不定。世界上哪有上将跟叛军一同进入叛军据守的城池，而将来能够永保平安？大梁（汴州州政府所在城，河南省开封市）是全国心脏，请交给我骑兵三百人，发动突袭，如果幸而夺取到手，大帅（李嗣源）就率主力急行西进，只有这样，才可以保全自己。”骑兵突击队指挥官（突骑指挥使）康义诚说：“领袖（李存勖）生活荒淫、领导无方，无论军人、平民，都有一腔愤怒怨恨。大帅（李嗣源）跟大家站在一个立场，就可活命，如果坚持效忠守节，恐怕难逃一死。”李嗣源（邈佶烈）终于接受这项建议，命安重诲向各战区发出命令，征调军队集结。康义诚，是代北（山西省代县以北）胡人。

当时，齐州（山东省济南市）警备区司令（防御使）李绍虔（王晏球）、泰宁战区（总部设兖州〔山东省济宁市兖州区〕）司令官（节度使）李绍钦（段凝）、贝州（河北省清河县）州长李绍英，分别率军驻防瓦桥（河北省雄县），北京（太原府）右翼骑兵总指挥官（右厢马军都指挥使）安审通，驻扎奉化军（河北省保定市）。李嗣源（邈佶烈）派使节征调他们南下。李绍英，是瑕丘（兖州州政府所在县，山东省济宁市兖州区）人，本名房知温。安审通，是安金全的侄儿（安金全保护晋阳，建立大功。参考九一六年五月）。李嗣源（邈佶烈）家住真定（镇州州政府所在县，河北省正定县），战区副纠察官（虞候将）王建立，先下手诛杀监军宦官，因此家人得以保住性命。王建立，是辽州（山西省左权县）人。李从珂（王从珂）自石门镇（河北省遵化市西石门镇。李从珂被贬石门镇，参考去年〔九二五〕三月）率他的部队从盂县（山西省盂县）直向镇州（河北省正定县），跟王建立会师，加倍速度急行军投向李嗣源（邈佶烈）。李嗣源（邈佶烈）因李绍荣（元行钦）驻军卫州（河南省卫辉市），所以计划从白皋（河南省滑县北古黄河西岸渡口）南渡黄河，分出三百名骑兵，命石敬瑭率领，充当前锋，命李从珂（王从珂）当后卫，于是军威大振。李嗣源（邈佶烈）的侄儿李从璋，自镇州（河北省正定县）率军南下，路过邢州（河北省邢台市），邢州将领留他当安国战区（总部设邢州〔河北省邢台市〕）候补司令官（留后）。

三月十七日，李存勖下诏命怀远指挥官（怀远指挥使）白从晖率骑兵扼守河阳桥（河南省孟州市黄河大桥。预防李嗣源由孟州渡河进击洛阳）；李存勖这时才拿出金银绸缎，赏赐各军，帝国参谋总部指挥官（枢密使）、宫廷事务总监（宣徽使），以及宫廷侍从总监（供奉内使）景进等，都献出金银绸缎，赞助赏赐。官兵们背着东西，一边走一边诟骂说：“我的妻子儿女都已饿死，要这些东西干什么！”

三月十八日，李绍荣（元行钦）自卫州（河南省卫辉市）回到洛阳（河南省洛阳市），李存勖前往鹞店（洛阳市北）慰劳，李绍荣（元行钦）说：“邺都（兴唐府）变军已派他们的党羽翟建白占领博州（山东省聊城市），打算渡黄河南下袭击郓（山东省东平县）、汴（河南省开封市）二州，希望陛下亲自到关东（汜水关以东）招抚他们归降！”李存勖接受。

戏子景进等建议李存勖说：“魏王（李继岌）还没有到，康延孝（李绍琛）刚被平定，西南还在动荡不安。王宗衍（前蜀二任帝）的家族和党羽，数目不少，如果听到皇上御驾东征，恐怕发生变化，不如一次铲除。”李存勖于是派宦官向延嗣携带诏书，前往执行。诏书上说：“王宗衍一行，全部诛杀。”诏书草稿已经盖上“宰相联合办公厅”（中书）印信，并由李存勖批“可”，帝国参谋总部指挥官（枢密使）张居翰再一次过目审视，就把诏书草稿按在殿中柱子上，用笔涂去“行”字，改作“家”字（成为“王宗衍一家，全部诛杀”）。因此故前蜀帝国文武百官以及王宗衍的婢女奴仆，有一千余人，得免一死（千年之后，我们向张居翰致敬）。向延嗣抵达长安（西京京兆府所在县，陕西省西安市），在秦川驿（今地不详）把王宗衍家族全都斩首。王宗衍的娘亲徐太后临死时，哀号说：“我的儿子献出一个帝国投降，还免不了全家屠灭，抛‘信’弃‘义’，我知道你（李存勖）难逃大祸（李存勖向天发誓不杀王宗衍，参考去年〔九二五〕闰十二月九日）！”（王宗衍年二十七岁。）

三月十九日，李存勖从洛阳（河南省洛阳市）出发。

三月二十一日，李存勖抵达汜水（河南省荥阳市西北汜水镇）。

三月二十二日，李存勖派李绍荣（元行钦）率骑兵沿黄河南岸，向东搜索；追随李存勖出征行列中有李嗣源（邈佶烈）的亲属和党羽，多数乘机溜走。有人劝李继璟（李从审）也早早逃亡；但李继璟（李从审）始终没有逃亡的意思，李存勖屡次派李继璟（李从审）前去晋见老爹李嗣源（邈佶烈），李继璟（李从审）坚决推辞，表示愿死在李存勖的面前，来表明他的一片赤诚。李存勖听说李嗣源（邈佶烈）驻扎黎阳（河南省浚县），勉强李继璟（李从审）渡黄河北上召唤。李继璟（李从审）只好前去，走到半路，遇见李绍荣（元行钦），李绍荣（元行钦）把他诛杀。

31 吴越王国（首都杭州〔浙江省杭州市〕）国王（一任武肃王）钱镠（本

年七十五岁。镠，音㳚〔流〕）患病，返回故乡衣锦军（浙江省杭州市临安区），命次子、镇海（总部杭州）、镇东（总部越州）两战区候补司令官（留后）钱传瓘，监督国政。南吴王国（首都江都府〔江苏省扬州市〕）东海郡王徐温派使节前来问安。钱传瓘建议他不要接见，钱镠说："徐温是一个阴险狡狯的人，名义上前来问安，实际上是对我们侦察！"勉强出来接见。徐温果然集结大军，打算发动突击，听到钱镠病已痊愈，才停止行动。钱镠不久也返回钱塘（首都杭州州政府所在县）。

32 南吴（首都江都府）命国务院左最高执行长（左仆射）、二级实质宰相（同平章事）徐知诰（李知诰）当最高监督长（侍中），命国务院右最高执行长（右仆射）严可求，兼副监督长（兼门下侍郎）、二级实质宰相（同平章事）。

33 三月二十四日，后唐帝（一任庄宗）李存勖从汜水（河南省荥阳市西北汜水镇）继续东进。

三月二十五日，李嗣源（邈佶烈）抵达白皋（河南省滑县北古黄河西岸渡口），遇见山东（太行山以东）进贡绸缎的几艘船，遂夺下来犒赏军队。安重诲的随从争夺舟船，特遣兵团步骑兵司令（马步使）陶玘，把他们斩首示众，于是军中纪律严整。陶玘，是许州（河南省许昌市）人。李嗣源（邈佶烈）遂渡黄河，沿南岸向东推进，抵达滑州（河南省滑县），派人召唤进退失据的符习（平卢〔总部青州〕司令官）。符习遂跟李嗣源（邈佶烈）在胙城（河南省延津县北十八公里胙城乡）会师。安审通也自奉化军（河北省保定市）率军南下投奔李嗣源（邈佶烈）。汴州（河南省开封市）代理州长孔循（赵殷衡）派使节携带奏章西上迎接李存勖，同时也派使节携带奏章北上迎接李嗣源（邈佶烈），说："谁先到，谁先进来。"

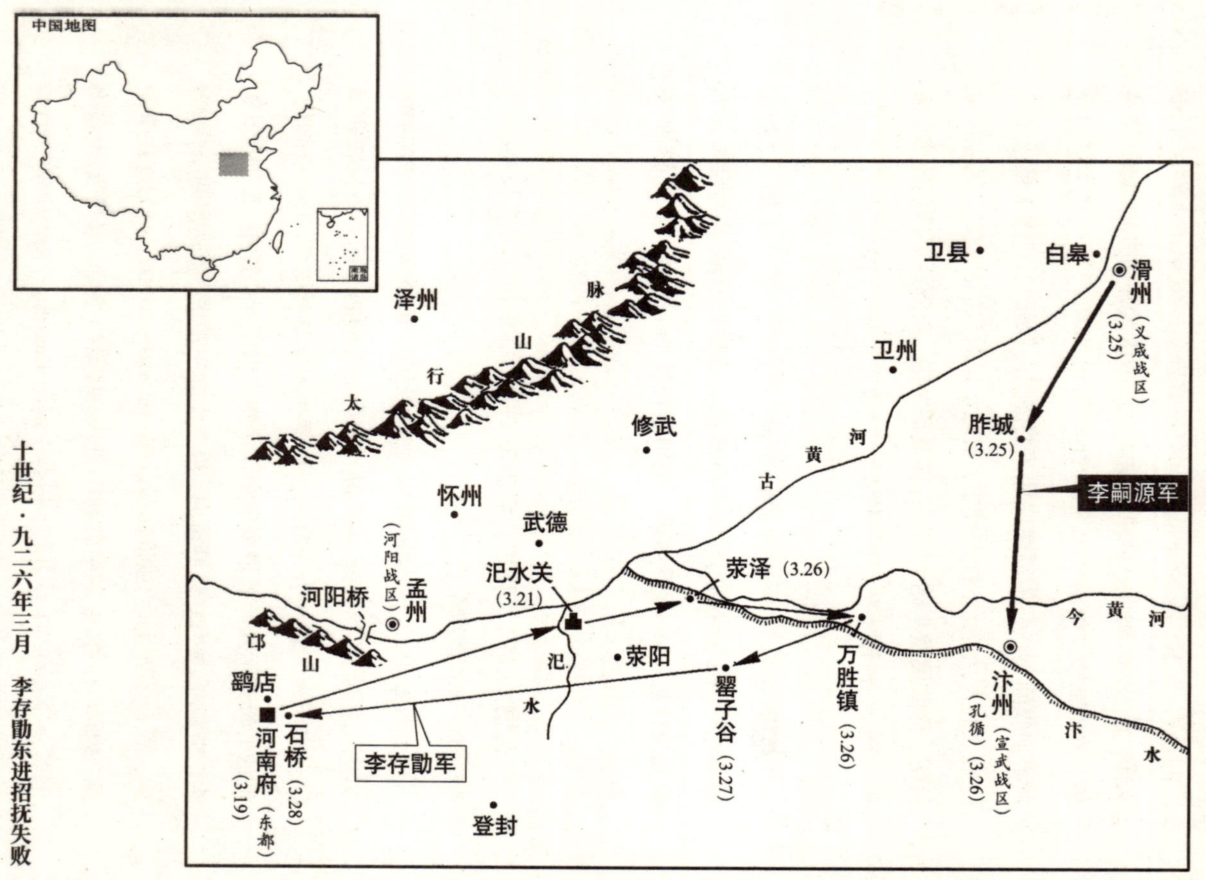

十世纪·九二六年三月 李存勖东进招抚失败

先前，李存勖派骑兵将领满城（河北省保定市满城区）人西方邺（西方，复姓）驻守汴州（河南省开封市），变军将领石敬瑭派初级将领（裨将）李琼，率敢死队杀进封丘门（汴州北面西门），石敬瑭紧随在后，从西门杀入，占领州城，西方邺投降。石敬瑭派使节催促李嗣源（邈佶烈）。

三月二十六日，李嗣源自胙城进入大梁（汴州州政府所在城，河南省开封市。胙城与大梁航空距离五十公里，大道平坦）。当天（三月二十六日），李存勖抵达荥泽（河南省荥阳市东北广武镇）东，派龙骧指挥官（龙骧指挥使）姚彦温率骑兵三千人当前锋，说："你们都是汴州（河南省开封市）人，我进入你们的州境，不想派别的部队当前锋，恐怕骚扰你们家乡！"重重赏赐，送他们出发，姚彦温却马上率他的部队背叛李存勖，投奔李嗣源（邈佶烈），说："京师（首都河南府）非常危急，领袖（李存勖）被元行钦（李绍荣）迷惑，大势已去，不能再拥护他。"李嗣源（邈佶烈）说："这是你自己不忠，怎么说出这种荒谬的话？"命他交出军队。指挥官（指挥使）潘环驻守王村寨（河南省范县西南濮城镇），储存粮草数万石。李存勖派骑兵前去探视，潘环也投奔大梁（汴州州政府所在城）。

李存勖前进到万胜镇（河南省中牟县西北），听说李嗣源（邈佶烈）已进入大梁（河南省开封市），而自己却众叛亲离，神情非常沮丧，登上高丘，叹息说："我不行了。"下令班师。当天（三月二十六日）夜晚，再回汜水（河南省荥阳市西北汜水镇）。李存勖出关（汜水关）时，随从的军队有两万五千人，回来时，竟有一万余人逃亡。于是命秦州（甘肃省秦安县西北）总指挥官（都指挥使）张唐率步骑兵三千人守关（汜水关）。

三月二十七日，李存勖西上回京（首都河南府），经过罂子谷（汜水关东南。罂，音yīng〔婴〕），道路狭窄，每遇到手拿武器的卫兵，李存勖都柔声软语安抚说："刚才接到报告，魏王（李继岌）又运西川（总部成都府）金银五十万两回来，回京（首都河南府）就发给你们。"卫士们回答说:“陛下的赏赐来得太晚,没有人感谢圣恩。”李存勖哑口无言,只是流泪而已。李存勖曾索取长袍、玉带,准备赏赐随从官员,宫库管理宦官(内库使)张容哥说:“已经发放罄尽。”卫士呵责张容哥说:“使我们领袖失掉帝国的,就是你们这种阉割过的贱货。”拔刀追杀,有人从中营救,才逃出一命。张容哥对同是宦官的朋友们说:“皇后吝啬到这种地步,却把过错怪罪到我们头上,万一事情发生变化,我们连尸体都会被剁成万段,我不忍心等到那种下场。”遂投河自杀。

三月二十八日,李存勖抵达石桥(洛阳市东)西,摆设酒席,痛哭流涕,对李绍荣(元行钦)等各将领说:“你们自从追随我以来,无论是灾祸患难、或荣华富贵,没有一样不同当同享,现在我已到了这种情况,难道没有一点办法相救?”一百余位将领,都把头发割下来,放到地上,对天发誓,说:要用生命报答领袖。说到激动之处,大家相对大哭。当天(三月二十八日)夜晚,李存勖进入洛阳(河南省洛阳市)。

李嗣源(邈佶烈)命石敬瑭率前锋直向汜水(河南省荥阳市西北汜水镇)集结散兵游勇;李嗣源(邈佶烈)随后西上。李绍虔(杜晏球)、李绍英(房知温)都率军前来会师。

三月三十日,宰相跟帝国参谋总部指挥官(枢密使)联名建议说:“魏王(李继岌)大军就要到达,陛下最好是东行控制汜水(流经汜水关西侧,向北注入黄河。汜水关因此水得名),集合安抚流散在外的士卒,等待远征军抵达。”李存勖接受,遂出上东门(洛阳城东面北门),检阅骑兵,下令明天(四月一日)凌晨出发。

夏季,四月一日,大军准备就绪,等候命令开拔,骑兵在宣仁门外结阵,步兵在五凤门外结阵。随从骑兵常备队指挥官(从马直指挥使)郭从谦(郭门高),不知道睦王李存乂已被处死(参考去年〔九二五〕

十二月），打算拥护他发动兵变，于是率领部队在营中挥动武器，呐喊暴动，跟“黄甲两军”（不懂）进攻兴教门（宫城南面三门，最西门是兴教门）。李存勖正在吃饭，得到兵变消息，率领各亲王及禁卫骑兵反击，把变军逐出兴教门。这时，华洋步骑兵司令（蕃汉马步使）朱守殷，率骑兵正在城外，李存勖派宦官传话，命他急行进城协防，联合削平变兵，可是朱守殷却不肯来，反而率军北上到邙山（洛阳城北）树林下休息（朱守殷暗中劝告李嗣源，参考本年〔九二六〕正月二十三日）。变军得以反攻，纵火焚烧兴教门，翻城进去，那些割发流泪、誓言死忠的官员将领，都脱下铠甲，乘人不注意时，溜走逃生，（胡三省注：“李绍荣〔元行钦〕一定在此时遁走。”）只编制外总指挥官（散员都指挥使）李彦卿（符彦卿）及禁卫军官何福进、王全斌等十余人，竭力战斗。霎时之间，李存勖被流箭射中，皇家鹰坊管理员（鹰坊人）宦官善友（善，姓），扶李存勖从门楼下城，到绛霄殿廊下，拔出箭头。李存勖觉得胸口烦闷、口干舌渴，想喝口水，刘皇后并不亲自前来看望，只派宦官送来一碗酪浆（酸奶），一会工夫，李存勖逝世（年四十二岁）。

我在大学念书的时候，有位女同学，面目姣好，而腿部较粗，男生们就赠给她一个绰号：“半截美女！”现在回想起来，诚是恶谑！但进入社会之后，发现可被这样称呼的半截人，竟举目皆是，政治上的半截人尤多。李存勖便是一个浓缩的典型，他血战二十年，无论哪方面表现，都是一个出类拔萃的英明首领，简直跟李世民大帝一模一样，包括身经百战，没有一根毫发受伤在内。然而他的勋业太短，只不过保持了两年六个月，就国破身死。攻陷开封（参考九二三年十月）应该是一个转折点，把他转折成一个“半截英雄”。

没有权力制衡的宝座，像一个长满毒牙的巨大蛇口，任何人坐下去，毒牙都会插进他的屁股，射出剧毒。历史上只有一位帝王逃脱此难，就是李世民大帝，只因他对杨广的下场有一种恐惧，这恐惧转化成为自我克制，使他小心翼翼，不重蹈覆辙。然而即令如此，当权十余年之后，恐惧渐减，制衡作用也渐轻，他已有肆虐的危险倾向。李存勖不过一条粗汉，在一个有约束（包括娘亲的约束）的环境中，他可以成为英雄，但一旦约束解除，便完全忘了奋战的目标，也忘了对国家和对部属们所作的承诺及感谢，最后，更忘了他自己是谁，以致出现“以十指取天下”的轻佻镜头，迅速成为戏子宦官手中的电动玩偶；好像二十年血战，只是为了几个戏子宦官的利益。戏子宦官把李存勖紧握在手，四下挥舞，为自己报仇雪恨。李存勖的严重食言，造成历史上少见的激烈回应，没有人再听他过去其效如神的那一套温声软语，像指派汴州军队前往汴州小动作，反而成为笑柄。

限制首领人物的权力，固是为了人民，同时也是为了首领。李存勖在位时，如果有一种力量能够排除戏子宦官干政，他的皇帝宝座恐怕不想坐都不可能，而小民也不致受那么多痛苦。

李彦卿（符彦卿）等看到李存勖已死，痛哭一场，率军离去。左右侍从官员全都逃散，只剩下善友收集走廊上的乐器，堆到李存勖身上，纵火焚烧。李彦卿，是李存审（符彦审）的儿子（李存审，参考前年〔九二四〕五月十五日）。何福进、王全斌，都是太原（山西省太原市）人。刘皇后在得到李存勖逝世消息后，把珠宝装进锦袋，拴到马鞍上，跟申王李存渥，以及李绍荣（元行钦），率七百人骑兵，纵火焚烧嘉庆殿，从师子门出走。通王李存确、雅王李存纪，全投奔南山（河南省洛阳市南群山），宫女很多四处逃散。朱守殷这时候才进宫，挑选三十余名宫女，命她们各自携带乐器跟珠宝，送回自己家宅。于是，本来预备东进所集结的大军，对首都大肆劫掠。

当天（四月一日），李嗣源（邈佶烈）抵达罂子谷（汜水关西），听到李存勖被杀消息，痛哭流涕，对各将领说："领袖一向受官兵爱戴，却被一群奸邪蒙蔽迷惑，竟发生这种事，我将怎么是好！"

四月二日，朱守殷派使节飞奔报告李嗣源（邈佶烈），说："京师（首都河南府）大乱，各部队烧杀抢夺不停，请大帅快来拯救！"

四月三日，李嗣源（邈佶烈）进入洛阳（河南省洛阳市），住在自己私宅，禁止纵火劫掠，在一堆灰烬中拣出李存勖的骨头，装进棺材，暂时厝放。

李嗣源（邈佶烈）当初被变兵胁持拥进邺都（兴唐府，河北省大名县）时，前锋常备指挥官（前直指挥使）平遥（山西省平遥县）人侯益，乘机逃脱，奔回洛阳（河南省洛阳市），李存勖曾抚摸着他的背，失声大哭。现在，侯益自行绑住双手，晋见李嗣源（邈佶烈）请求宽恕。李嗣源（邈佶烈）说："你做一个臣属，尽一个臣属的责任，有什么过错！"命他官复原职。

李嗣源（邈佶烈）对朱守殷说："你好好巡察宫内宫外，等候魏王（李继岌）大驾。淑妃（卫国夫人韩女士）、德妃（燕国夫人伊女士）还在宫中，供应尤其应该丰富，不可缺少。我等到把先帝（李存勖）安葬完毕，帝国有主，自当回到我的岗位，去捍卫北方敌寇（指契丹）。"

当天（四月三日），宰相豆卢革率领文武百官，上疏给李嗣源（邈佶烈），请求他登极称帝。李嗣源（邈佶烈）当面吩咐说："我奉皇上（李存勖）的命令，讨伐盗贼（邺都变军），不幸部属叛变，一哄而散，我本打算进京（首都河南府）向皇上当面解释，又被李绍荣（元行钦）隔绝，猖獗

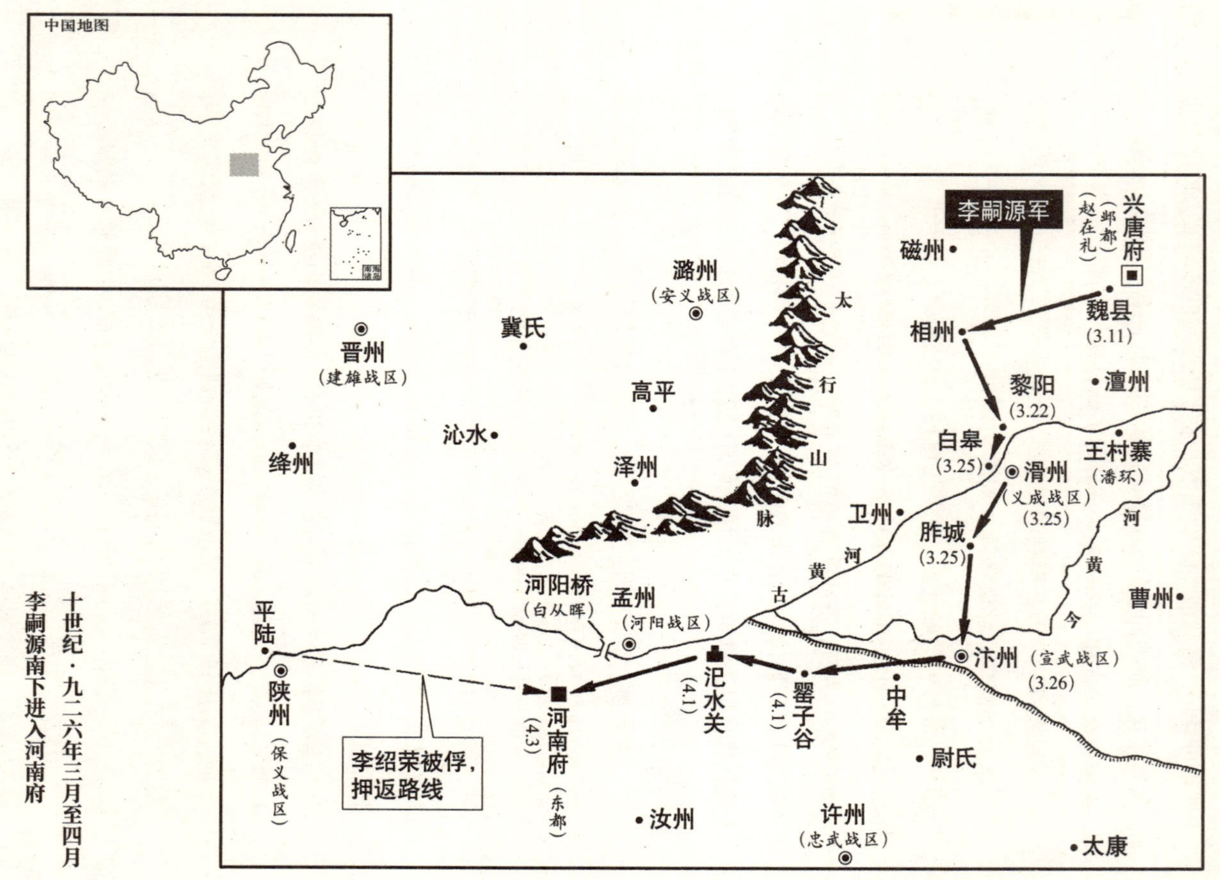

十世纪·九二六年三月至四月
李嗣源南下进入河南府

狂暴，不由分说，终于演变到今天这种情形。我根本没有其他意思，各位却因此对我推戴，实在是对我并不了解，请不要再提这件事。”豆卢革等再三敦请，李嗣源（邈佶烈）坚决拒绝。

李绍荣（元行钦）打算直奔河中（山西省永济市），投靠永王李存霸，可是随从他的军队逐渐逃光。

四月四日，李绍荣（元行钦）走到平陆（山西省平陆县），只剩下几名骑兵，遂被当地官员生擒，打断他的两腿（元行钦以勇猛闻名，防他中途反抗），押送洛阳（首都河南府所在县）。李存霸也放弃护国战区（总部设河中府〔山西省永济市〕）司令官（节度使）位置，率部众一千人，投奔晋阳（山西省太原市）。

34 四月五日，后唐（首都河南府〔河南省洛阳市〕）魏王李继岌率远征军抵达兴平（陕西省兴平市），听到洛阳（河南省洛阳市）动乱消息，不敢前进，回军再行西上，打算退保凤翔（陕西省宝鸡市凤翔区）。

李存勖生前所派宦官向延嗣（参考本年〔九二六〕三月十八日）抵达凤翔（陕西省宝鸡市凤翔区），以李存勖的名义，斩李绍琛（康延孝）。

最初，李存勖命吕姓、郑姓二位宦官，留在晋阳（北都太原府所在县，山西省太原市）行宫，一个管理武装部队，一个管理仓库。自留守长官张宪以下所有官员，都拍马奉承，唯恐怕他们不肯接受。等到邺都（兴唐府）兵变，李存勖又派汾州（山西省汾阳市）州长李彦超（符彦超），当北都（太原府）巡察官（巡检）。李彦超（符彦超），是李彦卿（符彦卿）的老哥。

李存勖死后，司法官（推官）河间（河北省河间市）人张昭远，建议留守长官张宪向李嗣源（邈佶烈）上疏拥戴他登极称帝，张宪说：“我只不过一个平凡的知识分子，从穿布质衣裳到穿紫色官服（三品以上），都是先帝（李存勖）的恩典，怎么能苟且偷生，毫不惭愧！”张昭远流泪说：“这是古人的节操，你能够亲身实行，忠义千古不朽。”

有个名叫李存沼的人，是李存勖的近亲，自洛阳（河南省洛阳市）逃奔晋阳（北都太原府所在县，山西省太原市），假传李存勖的命令，跟吕、郑两位宦官，暗中计划格杀张宪及李彦超（符彦超），然后占领城池，割据称雄。李彦超（符彦超）得到消息，秘密报告张宪，打算先行动手。张宪说：“我受先帝（李存勖）大恩，不忍心做这种事。坚持正义而仍不能免于灾难，只能说是天意！”李彦超（符彦超）犹豫不能决定。

四月六日，夜晚，兵变，变军把住在内城（牙城）的吕、郑两个宦官，跟李存沼全部诛杀，并且大肆抢掠，直到天亮（四月七日）。张宪得到消息，逃往忻州（山西省忻州市）。正巧，李嗣源（邈佶烈）慰问安抚各地军民的文告送到，李彦超（符彦超）下令全体遵守，城里的治安才逐渐恢复。李彦超（符彦超）遂暂时主管北都（太原府）军政。

洛阳（首都河南府所在县）文武百官一连三次上书请李嗣源（邈佶烈）监督国政，李嗣源（邈佶烈）允许。

四月八日，李嗣源（邈佶烈）住进兴圣宫，接受文武百官正式朝见，下令不称“诏”，而称“教令”，文武百官不称他“陛下”，而称他“殿下”。这时，李存勖后宫美女仍有一千余人（应是掳自黄河以北的美女，参考去年〔九二五〕三月），宫廷事务总监（宣徽使）挑选尤其年轻跟尤其美艳的数百人，呈献李嗣源（邈佶烈），李嗣源（邈佶烈）说：“要她们干什么？”宫廷事务总监（宣徽使）说：“宫中事务，不能没有人管理。”李嗣源（邈佶烈）说：“要管理宫中事务，必须熟悉过去的运作情形，她们这么年轻，怎么知道？”遂挑选年纪大的旧人补充，年轻的全部释放出宫，送还她们的家属亲人，没有家属亲人的，随她

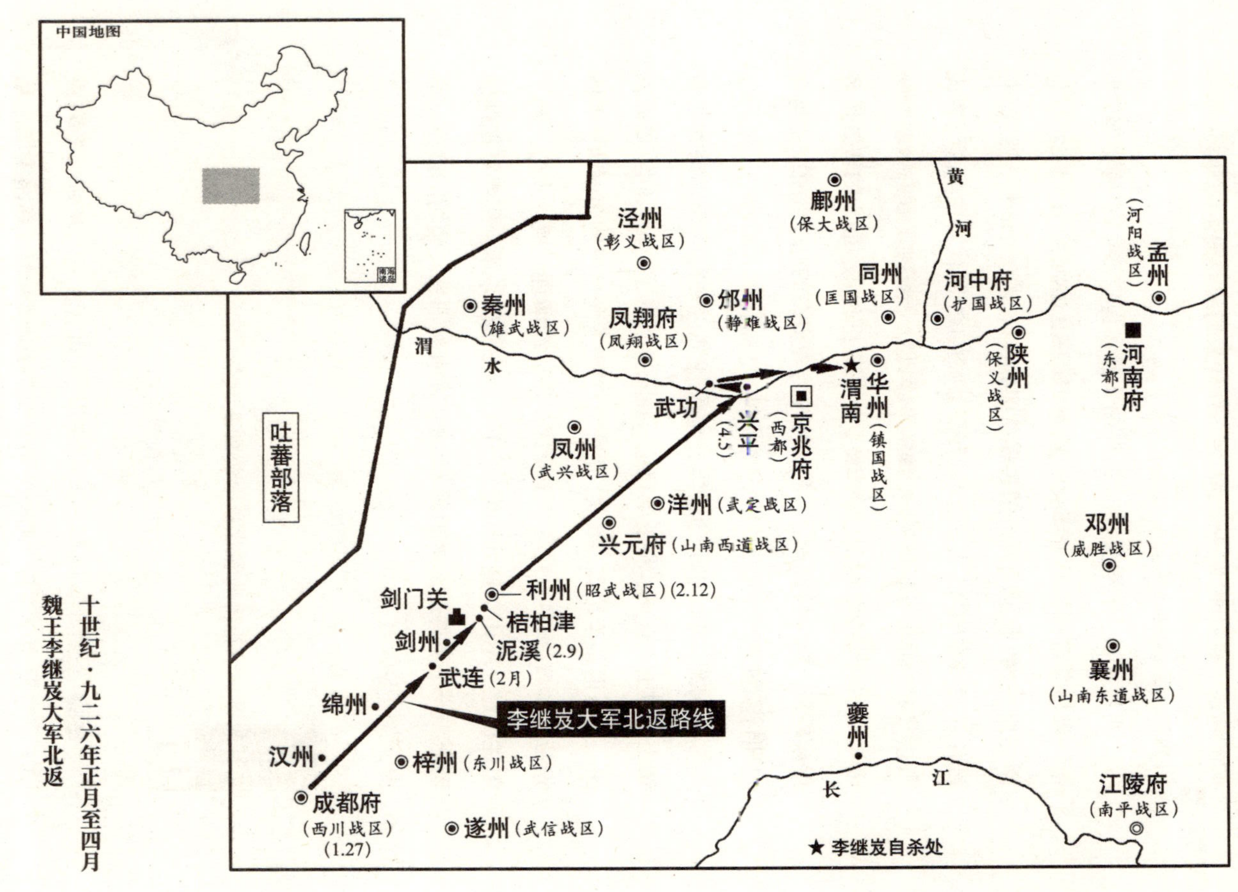

十世纪·九二六年正月至四月
魏王李继岌大军北返

们的意愿，或去或留。从巴蜀（四川省）送来的故前蜀帝国（首都成都府）的宫女，也依照这项规定处理。

四月九日，李嗣源（邈佶烈）任命本部参谋官（中门使）安重诲，当帝国参谋总部指挥官（枢密使），镇州（成德战区总部所在，河北省正定县）总秘书长（别驾）张延朗当帝国参谋总部副指挥官（枢密副使）。张延朗，是开封（河南省开封市）人，后梁帝国（首都开封府）时代，在全国物资调节总监署（租庸）当职员（张延朗兼郓州粮草管理官〔粮料使〕，李嗣源攻陷郓州时〔参考九二三年闰四月二十九日〕收作部属），性情纤细伶巧，最大的长处是会侍候权贵，能讨权贵欢心。把女儿嫁给安重诲的儿子，所以安重诲对他特别推荐。

李嗣源（邈佶烈）下令全国各地寻找逃亡失踪的李存勖家所有亲王，通王李存确、雅王李存纪，躲藏乡下农家。有人向安重诲告密，安重诲跟李绍真（霍彦威）商量说：“殿下既然已监督国政，主持先帝（李存勖）丧事，对各亲王应该早做一次清理，统一人心。殿下生性仁慈，不可以使他知道。”于是秘密派出杀手，到农家把他们刺死。一个多月后，李嗣源（邈佶烈）才听到消息，痛切的责备安重诲，哀伤很久。

抬轿的往往比坐轿的更狠！

35 后唐（首都河南府〔河南省洛阳市〕）刘皇后（一任帝李存勖正妻）跟申王李存渥直奔晋阳（北都太原府所在县，山西省太原市），在路上二人私通。李存渥抵达晋阳（山西省太原市），北都（太原府）巡察官（巡检）李彦超（符彦超）拒绝收容，李存渥继续北逃，逃到岚谷（山西省岢岚县），被他的部属诛杀。第二天，永王李存霸也逃到晋阳（山西省太原市），随从的军队四散一空，李存霸发现情况已变，就剃光头发，身穿和尚衣裳，晋见李彦超（符彦超）说："我愿到荒山野寺去当和尚，不问世事，希望有幸得到你的保护。"李彦超（符彦超）部下士卒们争相攻击李存霸，李彦超（符彦超）说："六相公（李存霸兄弟排行第六）到我们这里来，我们当奏报上去，等候指示。"士卒们不理，把李存霸拖到留守长官府大门的石碑之下，斩首。刘皇后在晋阳（山西省太原市）削发为尼，李嗣源（邈佶烈）派使节就在尼庵里，把她诛杀。薛王李存礼跟李存勖年幼的皇子：李继嵩、李继潼、李继蟾、李继峣，都在动乱中失散，不知道下落。只有邕王李存美因中风卧床，得免一死，仍住晋阳。（朱邪执宜率沙陀部落脱离吐蕃，投奔唐王朝〔参考八〇八年六月〕，屡次帮助唐王朝政府建立大功。朱邪执宜传子朱邪赤心〔李国昌〕，朱邪赤心〔李国昌〕传子李克用，李克用传子李存勖，前后共一百一十九年而灭。）

36 南吴（首都江都府〔江苏省扬州市〕）最高监督长（侍中）徐温、后唐（首都河南府）荆南（总部江陵府）司令官（节度使）高季兴（高季昌）听到李存勖被杀消息，对严可求、梁震更加尊重（严可求、梁震都预测有变，参考九二三年十月，及去年〔九二五〕十一月）。

梁震向高季兴（高季昌）推荐前陵州（四川省仁寿县）执行官（判官）贵平（四川省仁寿县东北）人孙光宪，命他当机要秘书（掌书记）。高季兴（高季昌）全力建造战舰，打算对南楚（首都潭州〔湖南省长沙市〕）发动攻击。孙光宪劝阻说："荆南（总部江陵府）经过多少次动乱之后，在大帅的领导下，使军民获得较长时期的休养，才总算有一点复苏的迹象（高季兴〔高季昌〕辛苦经营，参考九〇七年五月七日），如果跟南楚（首都潭州）邦交破裂，其他国家万一趁着我们筋疲力尽的时候，对我们下手，实在使人担忧！”高季兴（高季昌）才停止。

37 四月十二日，后唐李绍荣（元行钦）身戴脚镣手铐，被押解到洛阳（河南省洛阳市）。监督国政李嗣源（邈佶烈）责问他说：“我什么地方对不起你，杀掉我的儿子？”李绍荣（元行钦）瞪着眼睛直看，说：“先帝（李存勖）什么地方对不起你？”李嗣源（邈佶烈）命把李绍荣（元行钦）斩首，恢复本名元行钦（元行钦原是李嗣源的义子，参考九一三年三月）。

李嗣源（邈佶烈）恐怕正向凤翔（陕西省宝鸡市凤翔区）转进的远征军叛变，于是命石敬瑭当保义战区（总部设陕州〔河南省三门峡市〕）候补司令官（留后）。

四月十三日，李嗣源又命李从珂（王从珂）当护国战区（总部设河中府〔山西省永济市〕）候补司令官（石敬瑭镇守陕州，防远征军攻击洛阳。李从珂镇守河中，防远征军北回太原）。

帝国参谋总部指挥官（枢密使）张居翰请求退休，李嗣源（邈佶烈）批准。宦官李绍宏（马绍宏）屡次推荐孔循（赵殷衡）的才干。

四月十四日，李嗣源（邈佶烈）命孔循（赵殷衡）当帝国参谋总部副指挥官（枢密副使）。李绍宏（马绍宏）请恢复原姓——马，李嗣源（邈佶烈）允许（马绍宏改李绍宏，参考九一九年三月）。

李嗣源（邈佶烈）宣布全国物资调节总监（租庸使）孔谦的罪状：奸诈谄媚，克扣军饷，使人民穷困悲苦；斩首。凡孔谦所定的苛捐杂税，全部废止，并撤销全国物资调节总监（租庸使）及皇宫钱粮管理事务署（内句司），仍恢复“全国盐铁专卖暨运输总监署（盐铁）”“国务院财政部（户部）”“全国财政总监署（度支）”正常机构，指定一名宰相专门负责（全国财政集中物资调节总监署，参考前年〔九二四〕正月十九日）；又废除全国各战区监军宦官（监军宦官之恢复，参考前年〔九二四〕正月）。认为李存勖是亡在宦官手里，李嗣源（邈佶烈）下令各战区就于所在地把他们逮捕斩首（跟唐王朝末年一样，参考九〇三年正月）。

38 后唐（首都河南府〔河南省洛阳市〕）讨伐前蜀（首都成都府）远征军总指战官（都统）、魏王李继岌，自兴平（陕西省兴平市）撤退到武功（陕西省武功县西）。宦官李从袭说："是福是祸，难以预料，与其后退，不如前进，大王最好是急急东下，平定京师（首都河南府）内乱。"李继岌接受。于是再回军向东，走到渭水北岸，暂代西都（京兆府）留守长官张篯（音jiān〔笺〕），已砍断浮桥，大军只好游水渡河。当天，抵达渭南（陕西省渭南市），心腹宦官吕知柔等早已逃亡躲藏。李从袭对李继岌说："大势已去，大王最好自己做个了断。"李继岌这才发现众叛亲离，悲从中来，不停的走来走去，涕泪交流，最后，终于自己趴到床上，命仆夫李环用绳子把自己勒死（李环就是用铁锤挝杀郭崇韬的杀手，参考本年〔九二六〕正月）。任圜代替李继岌发号施令，率大军继续东下。李嗣源（邈佶烈）命石敬瑭慰问安抚，官兵一致接受，没有人反对。

先前，李嗣源（邈佶烈）命他的亲信李冲当镇国战区（总部设华州〔陕西省渭南市华州区〕）总监军官（都监），迎接狼狈西返的远征大军，李冲强迫镇国战区（总部设华州〔陕西省渭南市华州区〕）司令官（节度使）史彦镕前往中央朝见；匡国战区（总部设同州〔陕西省大荔县〕）司令官（节度使）李存敬，路过华州（陕西省渭南市华州区），李冲竟把李存敬诛杀，并屠灭他的全家，接着又诛杀远征军总监军宦官（西川行营都监）李从袭。史彦镕向帝国参谋总部指挥官（枢密使）安重诲哭诉委屈，安重诲命史彦镕

回华州（陕西省渭南市华州区）恢复原职，调李冲回京（首都河南府）。 630

自从李嗣源（邈佶烈）进入洛阳（河南省洛阳市），帝国机密大事，都由李绍真（霍彦威）决定，遂随心所欲，不久，李绍真（霍彦威）没有经过请示，就擅自逮捕威胜战区（总部设邓州〔河南省邓州市〕）司令官（节度使）李绍钦（段凝），及太子少保（太子三少之三）李绍冲（温韬），囚禁监狱，打算斩首。安重诲责问李绍真（霍彦威）说："段凝、温韬的罪恶，都发生在后梁时期，殿下（李嗣源）最近才削平内乱，只希望全国安定，难道专为你一个人去报私仇（《五代史记》：霍彦威跟段凝、温韬一向仇视）？"李绍真（霍彦威）稍稍收敛。

四月十五日，李嗣源（邈佶烈）下令，命李绍钦（段凝）、李绍冲（温韬），分别恢复原来姓名段凝、温韬；一律撤职，驱逐回乡。

四月十六日，李嗣源（邈佶烈）命孔循（赵殷衡）当帝国参谋总部指挥官（枢密使）。

有关单位讨论李嗣源（邈佶烈）登极称帝的礼仪，李绍真（霍彦威）、孔循（赵殷衡）认为唐王朝（包括后唐帝国）的命运已经结束，应该另行建立一个新的帝国，取一个新的国号。李嗣源（邈佶烈）问他的左右侍从说："什么叫国号？"左右侍从说："先帝（一任李存勖）的姓，来自唐王朝李姓皇家的赐予（李存勖的祖父朱邪赤心改姓李，参考八六九年十月），继承昭宗（唐二十四任帝李晔）的宝座（大概后唐政府认为唐王朝末任帝〔二十五任哀帝〕李柷，是朱全忠〔朱温〕所立的傀儡皇帝，所以不承认。当初李存勖建皇家祖庙，就没有李柷的份，参考九二三年闰四月）。而今，全是后梁残留下来的官员，不希望殿下仍然称'唐'！"（霍彦威、孔循都是后梁的降将。）李嗣源（邈佶烈）说："我十三岁那一年，追随献祖（朱邪赤心），献祖（朱邪赤心）因为我跟他属同一个部族（沙陀），所以把我当作儿子看待。以后又追随武皇帝（李克用）将近三十年，追随先帝（李存勖）将近二十年（《资治通鉴》记载始于八八四年五月十四日）；不论政府大计方针，或者沙场攻城掠野，我没有一次不参与，武皇帝（李克用）的基业，就是我的基业，先帝（李存勖）的天下，就是我的天下，哪有一个家分两个国的道理？”命高阶层执政官员，重新研究。国务院文官部长（吏部尚书）李琪说：“如果改变国号，先帝（李存勖）就成了路人，灵柩由谁来埋葬？不但殿下忘记三世领袖的恩情，我们这些当臣属的，心里又怎能平安？前代旁系亲属入继大统的例子太多，应该用皇太子在灵柩前登极的礼仪。”大家同意。

四月二十日，李嗣源（邈佶烈）自兴圣宫前往西宫，穿上最沉痛的一级丧服——斩衰（粗生麻布不缝边），在李存勖灵柩前登极称帝（二任明宗）；文武百官，一律穿素色衣裳。祭悼已毕，李嗣源（邈佶烈，本年六十岁）换上皇冠朱袍，登上金銮宝殿，接受拥戴文书，文武百官则换上喜庆时穿的衣裳，向李嗣源（邈佶烈）祝贺。

四月二十二日，李嗣源（邈佶烈）下令中央和地方所有官员，不准进贡飞鹰、猎狗，以及其他奇玩异宝之类。

有关官员弹劾北都太原（山西省太原市）特别市长（太原尹）张宪弃城逃亡。

四月二十四日，李嗣源（邈佶烈）命张宪自杀。

任圜率远征军二万六千人抵达洛阳（远征军出发时，有六万人，参考去年〔九二五〕九月。三万四千人中，大部分留在巴蜀〔四川省〕，少部分死于康延孝之役）。李嗣源（邈佶烈）慰问安抚，命各军分别回营。

四月二十八日，李嗣源（邈佶烈）下诏大赦天下，改年号天成（之前是同光四年，之后是天成元年），酌量留下一百名宫女、三十名宦官、一百名皇家歌舞演员（教坊）、二十名鹰犬管理人员（鹰坊）、五十名御厨；多余的一律随各人的意思离开，各个有名无实的宫中单位，全都废除。调军队到近畿（首都河南府附近）地区驻扎，用以节省粮运。废除夏秋两季强征的“损耗粮”（过去，人民向政府缴粮，要多缴十分之一，备作消耗）。各战区司令官（节度使）、警备区司令（防御使）等，每逢新年、冬至、端午、皇帝生日（李嗣源九月九日生）四个节日，可以随意进贡，但不可以借此向人民勒索；州长以下的官员，不准有任何呈献（一任帝李存勖时，地方政府呈献的情形，参考前年〔九二四〕二月一日）。候补官员先前曾被涂毁任命状的（涂毁告身，参考前年〔九二四〕三月），李嗣源（邈佶烈）命“文官三单位”（三铨）重新审查，除了伪造之外，政府承认它有效（用一个买来的任命状〔告身〕，就可以获得一官）。

五月一日，李嗣源（邈佶烈）命太子宾客（从三品）郑珏、国务院工程部长（工部尚书）任圜，同时当副立法长（中书侍郎）、二级实质宰相（同平章事）；任圜仍继续代理中央财政三单位管理总监（判三司。三单位：国务院财政部、全国财政总监署、全国盐铁专卖暨运输总监署）。任圜像忧虑家务一样，忧虑帝国，选拔优秀人才，排斥投机分子，一年之间，仓库满盈，军民逐渐富裕，政府的公权力逐渐建立。任圜一直以统一全国、使人民安居乐业，当作自己的责任，因此引起安重诲的嫉妒。

武宁战区（总部设徐州〔江苏省徐州市〕）司令官（节度使）李绍真（霍彦威）、忠武战区（总部设许州〔河南省许昌市〕）司令官（节度使）李绍琼（苌从简）、贝州（河北省青河县）州长李绍英（房知温）、齐州（山东省济南市）警备区司令（防御使）李绍虔（王晏球）、河阳战区（总部设孟州〔河南省孟州市〕）司令官（节度使）李绍奇（夏鲁奇）、洺州（河北省邯郸市永年区东南广府镇）州长李绍能（米君立），分别请求回复原来姓名霍彦威（李绍真）、苌从简（李绍琼）、房知温（李绍英）、王晏球（李绍虔）、夏鲁奇（李绍奇）、米君立（李绍能）。李嗣源（邈佶烈）批准。苌从简，是陈州（河南省周口市淮阳区）人。王晏球本是王家的儿子，因被杜家收养，改称杜晏球，现在也恢复姓王。

五月二日，李嗣源（邈佶烈）命文武百官除了一日、十五日到正殿（文明殿）朝见外，每隔五天，到内殿（中兴殿）朝见。

有几百名宦官逃到深山茂林里躲藏，有的更剃光头发，出家去当和尚，共有七十多人逃亡到晋阳（北都太原府所在县，山西省太原市）。李嗣源（邈佶烈）下诏，命北都（太原府）指挥官（指挥使）李从温把他们全部诛杀。李从温，是李嗣源（邈佶烈）的侄儿。

第二次宦官时代结束不过二十年，大屠杀呼冤号痛的声音，仍在耳际，一个小型宦官时代，竟紧接来临。现在，短短四年的灾难，也在呼冤号痛声音中结束，再一次说明历史的教训功能，微乎其微。人类的行为在社会的恶质环境中，会不断的重犯过去的错误。只有优良的民主政治制度才可能扼阻社会恶质的形成，且也只有全民都有高质量的人权观念，才能建立优良的民主政治制度！

李嗣源（邈佶烈）认为前相州（河南省安阳市）州长安金全，对保卫晋阳（太原府所在县，山西省太原市）建有大功（王檀奇袭晋阳，李存勖妒不赏功，参考九一六年二月），现在追加补偿。

五月七日，李嗣源（邈佶烈）命安金全遥兼二级宰相（同平章事·使相），当振武战区（总部设朔州〔山西省朔州市〕）司令官（节度使）。

五月十一日，邺都（兴唐府，河北省大名县）变军首领赵在礼请李嗣源（邈佶烈）驾临邺都（兴唐府）。

五月十三日，李嗣源（邈佶烈）任命赵在礼当义成战区（总部设滑州〔河南省滑县〕）司令官（节度使）。赵在礼辞让说："军心动荡，不允许离开。"拒绝前去到差。

暂时主管太原（山西省太原市）军政的李彦超（符彦超），到中央朝见，李嗣源（邈佶烈）说："河东（总部太原府）平安无事，是你的功劳。"

五月十五日，李嗣源（邈佶烈）擢升李彦超（符彦超）当建雄战区（总部设晋州〔山西省临汾市〕）候补司令官（留后）。

五月十九日，李嗣源（邈佶烈）加授威武战区（总部设福州〔福建省福州市〕）司令官（节度使）王延翰，遥兼二级宰相（同平章事·使相）。

39 后唐帝（二任明宗）李嗣源（邈佶烈）不认识字，各地呈递的奏章，都教安重诲读给他听。安重诲也不能完全了解，于是奏报说："我用一颗忠诚的赤心，事奉陛下，得以主管帝国军政。当代的事情，还可以粗略的知道，但过去的史迹，我就十分陌生。盼望能仿效前代设置'皇家教授'（侍讲）、'皇家教师'（侍读），近代设置'政务总监署常设文学官'（直崇政院）、'参谋总部常设文学官'（直枢密院）前例，遴选有文学素养的官员，跟我一同办事，准备陛下的咨询（唐王朝时，皇家编译院〔集贤殿〕、皇家文学研究院〔翰林院〕都设有"侍讲""侍读"；后梁设置崇政院，参考九〇七年四月）。"于是设置端明殿侍从文学官（端明殿学士）。

五月二十日，李嗣源（邈佶烈）命皇家文学研究官（翰林学士）冯道、赵凤当端明殿侍从文学官（端明殿学士）。

五月二十一日，李嗣源（邈佶烈）下诏准许把郭崇韬父子尸首，运回故乡安葬（郭崇韬原籍雁门〔代州州政府所在县，山西省代县〕）；恢复朱友谦（李继麟）的官职和爵位，二人被充公没收的家产和家人，全部发还给他们漏网未死的后人。

五月二十三日，李嗣源（邈佶烈）命安重诲遥兼山南东道战区（总部设襄州〔湖北省襄阳市〕）司令官（节度使）。安重诲认为襄阳（襄州州政府所在县）是军事重地，不可以没有统帅坐镇，不适合遥兼，竭力辞让，李嗣源（邈佶烈）批准。

李嗣源（邈佶烈）下诏征调汴州（河南省开封市）控鹤指挥官（控鹤指挥使）张谏等三千人，北上驻防瓦桥（河北省雄县）。

六月十二日，张谏等出城，但不久即行叛变，回军进入汴州（胡三省注：“控鹤，是后梁的侍卫亲军，蛮横而不愿远调，当时天下没有一个部队不是骄兵。”），烧杀劫掠，格毙暂代州长（权知州）及司法官（推官）高逖，强迫步骑兵总指挥官（马步都指挥使）、曹州（山东省菏泽市定陶区）州长李彦饶（符彦饶）当统帅，李彦饶（符彦饶）说：“你们要我当首领，就应该听我的命令，不准放火抢掠。”大家接受。

六月十四日，凌晨，李彦饶（符彦饶）在房间里埋伏武装勇士，各将领进来晋见，李彦饶（符彦饶）说：“前天发动兵变的，不过几个人而已。”遂逮捕张谏等四人，斩首。张谏的同党张审琼率领大家在建国门集合，嘶喊吼叫，李彦饶（符彦饶）调派军队攻击，把四百名变兵，全部诛杀，军政两方，才归安定。就在当天（六月十四日），李彦饶（符彦饶）把兵变情形告诉战区司法官（节度推官）韦俨，并把处理经过，奏报李嗣源（邈佶烈）。

六月十五日，李嗣源（邈佶烈）命帝国参谋总部指挥官（枢密使）孔循（赵殷衡），代理汴州（河南省开封市）州长，搜捕残余变兵跟他们的亲属三千家，全部诛杀。李彦饶（符彦饶），是李彦超（符彦超）的老弟。

40 已覆亡了的前蜀帝国（首都成都府〔四川省成都市〕）文武百官，终于抵达洛阳（后唐首都河南府所在县），永平战区（总部设雅州〔四川省雅安市〕）司令官（节度使）兼最高监督长（兼侍中 · 使相）马全，哀痛的说：“国亡家破，到这种地步，活着不如一死！”绝食而死。

李嗣源（邈佶烈）命前蜀（首都成都府）宰相（平章事）王锴等，分别当

州长、特别市副市长（少尹）、执行官（判官）、作战参谋长（司马）；也有人重回巴蜀（四川省）。 636

41 六月十六日，后唐（首都河南府〔河南省洛阳市〕）义成战区（总部设滑州〔河南省滑县〕）总指挥官（都指挥使）于可洪等暴动，纵火焚烧街市，攻击天雄战区（总部设兴唐府〔河北省大名县〕）驻防滑州（河南省滑县）特遣兵团的三个指挥官，把他们驱逐出境。

六月二十日，后唐帝（二任明宗）李嗣源（邈佶烈）下诏说："我的名字是两个字，只要不把两个字连在一起使用就可以了，如果单独出现，不必避讳（这是唐王朝二任帝李世民的做法，参考六四九年六月）。"

六月二十三日，李嗣源（邈佶烈）加授西川战区（总部设成都府〔四川省成都市〕）司令官（节度使）孟知祥，兼最高监督长（兼侍中·使相）。

被凤翔（总部凤翔府）总监军宦官（监军使）柴重厚驱逐的战区司令官（节度使）李继曮（参考本年〔九二六〕二月十一日），前往洛阳（首都河南府所在县），走到华州（陕西省渭南市华州区），听见洛阳动乱消息，折回凤翔（陕西省宝鸡市凤翔区）。李嗣源（邈佶烈）为他下令斩柴重厚。

荆南（总部江陵府）司令官（节度使）高季兴（高季昌）上疏请求把夔（重庆市奉节县）、忠（重庆市忠县）、万（重庆市万州区）三州，归还荆南（三州原属荆南。张武以三州投降，参考去年〔九二五〕十月三十日）。李嗣源（邈佶烈）批准（遂撤销镇江战区〔总部夔州〕）。

帝国参谋总部指挥官（枢密使）安重诲，仗恃李嗣源（邈佶烈）的宠爱和信任，骄傲蛮横，不可一世。金殿侍从官（殿直）马延，不小心冲撞了安重诲卫队的前导，安重诲大怒，就在马前把马延斩首。总监察官（御史大夫）李琪奏报李嗣源（邈佶烈）。

秋季，七月，李嗣源（邈佶烈）在安重诲要求下，下诏斥责马延冒犯帝国重要高官，全国应引以为戒。

义成（总部滑州）变军首领于可洪，跟天雄（总部兴唐府）特遣兵团分别上告中央，互相指摘对方谋反，李嗣源（邈佶烈）派使节前往，查出真相。

七月七日，把于可洪押解闹市斩首，首先发动攻击的滑州（河南省滑县）左翼特别常备军（左崇牙）全营官兵，连同家族，全部处斩；协助攻击的右翼特别常备军（右崇牙）“两长剑建平”（不懂），将校级军官一百人，也全族处斩。

七月十八日，李嗣源（邈佶烈）开始命文武百官每隔五天，入宫朝见一次，轮流提出简报。

42 契丹帝国（首都西楼城〔内蒙古巴林左旗〕）皇帝（一任太祖）耶律阿保机，进攻渤海王国（首都龙泉府〔黑龙江省宁安市西南东京城镇〕），占领夫余城（吉林省四平市。渤海王国自一任王大祚荣建国〔参考七一三年二月〕，至本年〔九二六〕灭亡，立国二百一十四年）。耶律阿保机在夫余城建东丹王国，命他的长子耶律突欲当东丹国王，称人皇王。命他的次子耶律德光留守首都西楼（内蒙古巴林左旗），称“元帅太子”。

后唐帝（二任明宗）李嗣源（邈佶烈）派贴身宦官（供奉官）姚坤，向契丹（首都西楼城）报丧，耶律阿保机听到李存勖死于乱军之手消息，痛哭说：“他是我‘朝定’（朋友）的儿子，我正要去援救他，因渤海（首都龙泉府）还没有征服，不能前往，使我儿成了这个样子（耶律阿保机跟晋王李克用结拜兄弟事，参考九〇七年五月）。”流泪不止。契丹语“朝定”，汉语“朋友”之意。耶律阿保机又问：“现在的皇帝（李嗣源）听到洛阳（后唐首都河南府所在县）危急，为什么不去援救？”姚坤说：“距离太远，已来不及！”耶律阿保机说：“他怎么自己登极称帝？”姚坤解释李嗣源（邈佶烈）所以登极的原因，耶律阿保机不耐烦的说："汉人最喜欢说冠冕堂皇的话，不必啰唆！"耶律突欲在旁边说："有人手里牵的牛践踏了别人的庄稼，别人就把他的牛夺走，可不可以？"姚坤说："中原当时没有领袖，皇上（李嗣源）万不得已，才登上宝座。好像陛下（耶律阿保机）当初登上宝座（参考九一六年十二月），岂是强行夺取！"耶律阿保机说："你说的有理。"又说："听说我儿（李存勖）只喜欢美女、音乐、打猎，而不管军民生死，难怪有今天这种结局。我听到这个消息后，全家戒酒、遣散戏子、释放猎鹰猎狗。如果效法我儿所作所为，也会自己倒毙。"又说："我儿（李存勖）跟我虽是世交，然而，却不断跟我争斗。我跟现在的皇帝（李嗣源），没有仇怨，应该加强两国友谊。如果把黄河以北（山西、河北两省）土地割让给我，我就不再南下。"姚坤说："这不在使节的权力范围之内。"耶律阿保机大怒，把姚坤囚禁，十几天后，又召见他，说："黄河以北地方太大，恐怕不行，那么，割让镇（成德，河北省正定县）、定（义武，河北省定州市）、幽（卢龙，北京市）三州（应指三战区）也可（之前，契丹也曾向李存勖要求割让幽州，参考前年〔九二四〕七月）。"给姚坤纸笔，命他写同意书，姚坤拒绝，耶律阿保机要把他杀掉，宰相韩延徽劝阻，于是再把姚坤投入监狱。

43 七月二十二日，后唐帝（二任明宗）李嗣源（邈佶烈），把前任帝（一任庄宗）李存勖埋葬雍陵（河南省新安县境），绰号光圣神闵孝皇帝，庙号庄宗。

七月二十三日，成德战区（总部设镇州〔河北省正定县〕）候补司令官（留后）王建立奏报说："涿州（河北省涿州市）州长刘殷肇拒绝新任州长接事，违法乱纪，已出兵讨伐，把他生擒。"（涿州不属成德〔总部镇州〕，

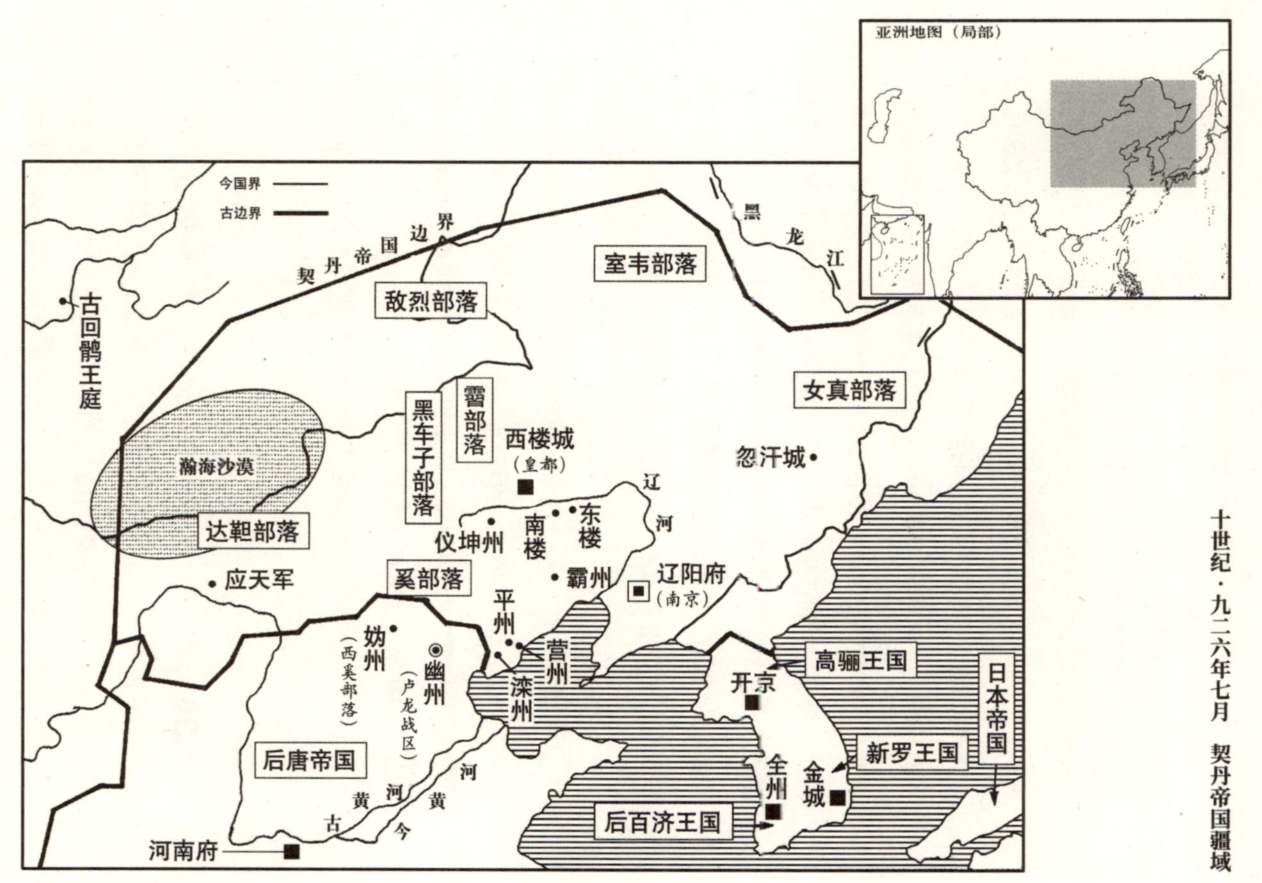

十世纪·九二六年七月 契丹帝国疆域

而属卢龙〔总部幽州〕。王建立只仗恃他是李嗣源的亲信，侵城略地而已。）

七月二十五日，在应州（山西省应县）设彰国战区（应州州政府所在金城县，是李嗣源出生地，也是沙陀部落初来中国放牧地）。

副监督长（门下侍郎）、二级实质宰相（同平章事）豆卢革、韦说，在李嗣源（邈佶烈）面前奏报事情时，有时候态度不太恭敬。文武百官薪俸都打折扣，只豆卢革父子的薪俸，依照全额领取。而文武百官的薪俸都从五月领起（李嗣源称帝之后），只豆卢革父子追溯到正月。因此，大家议论纷纷。韦说则把孙儿假冒成儿子，奏请任命当官；同时又接受候补官王傪的贿赂，派他在京师（首都河南府）附近当官。李嗣源（邈佶烈）吩咐擢升国务院国防部军械司长（库部郎中，从五品上）萧希甫当监督院（门下省）高级顾问官（谏议大夫，正四品下），豆卢革、韦说反对。萧希甫对二人十分痛恨，上疏揭发豆卢革、韦说："不忠于前朝先帝（李存勖），只一味逢迎谄媚，以求受到宠爱！"诬陷说："豆卢革强夺人民田地，纵容佃户擅自杀人。韦说强夺邻居家的水井，盗取前人藏匿其中的金银财宝！"李嗣源（邈佶烈）下令贬豆卢革当辰州（湖南省沅陵县）州长，贬韦说当溆州（湖南省洪江市西北黔城镇）州长（二州都在南楚〔首都潭州〕国境）。

七月二十六日，赏赐萧希甫金银绸缎布匹，晋升最高顾问官（散骑常侍，正三品）。

44 七月二十七日，契丹帝（一任太祖）耶律阿保机在夫余城（吉林省四平市）逝世（年五十五岁）。述律皇后召集高级将领跟重要酋长们的妻子，说："我如今成了寡妇，你们应该跟我一样！"再召集她们的丈夫，哭泣询问说："你们想不想念先帝（耶律阿保机）？"大家回答说："身受先帝大恩，怎么不想念！"述律皇后说："如果真的想念，就应该去找他！”于是把他们全部诛杀。

45 七月二十九日，后唐帝（二任明宗）李嗣源（邈佶烈）再贬豆卢革当费州（贵州省思南县）户籍官（司户），贬韦说当夷州（贵州省凤冈县西北）户籍官（司户）。

七月三十日，剥夺二人官职，把豆卢革流窜陵州（四川省仁寿县），韦说流窜合州（重庆市合川区）。

46 西川（总部成都府）司令官（节度使）孟知祥暗中计划割据巴蜀（四川省），检查军械库，发现储有铠甲二十万件，于是扩张军队，建总部左、右警备（左右牙）等十六特别营，共一万六千人，驻扎内城（牙城）里外。

47 八月一日，日蚀。

48 八月三日，契丹（首都西楼城）述律皇后命她的小儿子安端少君（爵名）留守东丹（首都夫余城〔吉林省四平市〕），而自己跟长子耶律突欲，护送一任帝耶律阿保机的灵柩，率领庞大的部众，从夫余出发西上。

49 当初，后唐（首都河南府）郭崇韬把前蜀（首都成都府）的骑兵，分为左、右骁卫等六特别营，共三千人，步兵则分为左、右宁远等二十特别营，共二万四千人（消灭前蜀时，郭崇韬接收武装部队三万人，参考去年〔九二五〕十一月二十八日）。

八月六日，西川（总部成都府）司令官（节度使）孟知祥增设左、右冲山等六特别营，共六千人，驻扎外城（罗城）里外；又设义宁等二十特别营，共一万六千人，分别驻扎所管辖的各州县，就近征收军粮。又设左、右牢城等四特别营，共四千人，分别驻扎成都特别市辖区。

50 后唐（首都河南府〔河南省洛阳市〕）平卢（总部青州）指挥官（指挥使）王公俨诛杀监军宦官杨希望后（参考本年〔九二六〕三月十一日），希望晋升战区司令官（节度使），对外宣传说：符习（平卢〔总部青州〕司令官）对部属刻薄峻急，武装部队不愿意他再回任。符习中途折返，抵达齐州（山东省济南市），王公俨派军阻止，符习不敢再向东进（此时齐州属天平战区〔总部郓州〕）。王公俨又发动民间领袖上疏拥护自己当统帅，李嗣源（邈佶烈）下诏任命他当登州（山东省烟台市蓬莱区）州长。王公俨并不马上前去到差，声称军心所归，不准他离开。李嗣源（邈佶烈）乃调天平战区（总部设郓州〔山东省东平县〕）司令官（节度使）霍彦威当平卢战区（总部设青州〔山东省青州市〕）司令官（节度使），在淄州（山东省淄博市）集结军队，准备攻击，王公俨大为恐惧。

八月十一日，王公俨才动身前去上任。

八月十三日，霍彦威抵达青州（山东省青州市），派军追赶，把王公俨生擒，连同他的家族和同党，全部斩首，总行政秘书（支使）、北海（山东省潍坊市）人韩叔嗣也在里面。韩叔嗣的儿子韩熙载打算南下逃奔南吴（首都江都府），秘密告诉他的好友汝阴（安徽省阜阳市）进士李谷，李谷把他送到正阳（西正阳，安徽省颍上县东南，位于淮河北岸。另安徽省寿县西南，位于淮河南岸，为东正阳〔即通称的正阳关〕。此时，西正阳属后唐，东正阳属南吴，二者隔淮河相望），痛饮一番后分手，韩熙载对李谷说：“南吴如果用我当宰相，我当指挥大军，长驱直入，平定中原。”李谷笑说：

"中原如果用我当宰相，吞并南吴（首都江都府），比伸手到口袋拿东西，还要容易。"（李谷终于当上宰相，参考九五一年六月；韩熙载也在后来的南唐帝国，当上高官，参考九五二年二月。）

八月十六日，卢龙（总部幽州）奏报说：契丹（首都西楼城）军队攻击边境。李嗣源（邈佶烈）命齐州（山东省济南市）警备区司令（防御使）安审通率军抵御。

九月八日，孟知祥（西川〔总部成都府〕司令官）设左、右飞棹六特别营，共六千人，分别驻扎长江各州，学习水上战斗，防备从夔（重庆市奉节县）、峡（湖北省宜昌市）二州发动的攻击（此时西川〔总部成都府〕所管辖范围，其最东境是戎州〔四川省宜宾市〕。戎州、夔州二地航空距离五百三十公里，而自戎州沿长江往东，沿途经过武信〔总部遂州〕、武泰〔总部黔州〕势力范围，然后才是荆南〔总部江陵府〕所属的夔峡等州。就算夔峡军队逆江而上，穿过各个战区，才不过到达西川〔总部成都府〕的东南边境而已，还要北上岷江，才能到达成都。与其说防备夔峡兵团，不如说孟知祥此时已有割据巴蜀〔四川省〕的野心，遂先训练水军）。

九月十九日，卢龙战区（总部设幽州〔北京市〕）司令官（节度使）李绍斌（赵行实），请求恢复原来的姓。李嗣源（邈佶烈）同意，但另赏给他一个名字：赵德钧（本名赵行实，参考前年〔九二四〕三月）。赵德钧的义子赵延寿，娶李嗣源（邈佶烈）的女儿兴平公主，所以赵德钧（李绍斌）尤其受李嗣源（邈佶烈）的宠爱信任。赵延寿，本是蓨县（河北省景县）县长刘邟的儿子。

李嗣源（邈佶烈）加授南楚王（一任武穆王）马殷（本年七十五岁）中央官衔：暂任国务院总理（守尚书令·使相）。

51 契丹（首都西楼城）述律皇后最爱她的次子耶律德光，打算命他继承帝位。于是，抵达首都西楼（内蒙古巴林左旗）后，命耶律德光跟老哥耶律突欲都骑马站在大帐之前，对各酋长们说：“两个儿子，我都非常喜爱，不知道教谁继位才好？你们可以挑选你们想拥护的，上去抓住他的缰绳。”酋长们知道她的意思，于是争相跑到耶律德光马前，抓住他的缰绳，跳起来欢呼说：“我们愿意侍奉元帅太子。”述律皇后说：“大家的意思是这样，我怎么敢违背！”遂命耶律德光（本年二十五岁）登上天皇王宝座（二任太宗）。耶律突欲大不高兴，率领数百名骑兵南下，打算投奔后唐，被巡逻队拦住。述律皇后也不怪罪他，只把他送往东丹王国（首都夫余城〔吉林省四平市〕）。耶律德光尊娘亲述律女士当皇太后，军国所有事情，都由她决定。述律皇太后又命耶律德光娶娘亲的侄女当皇后。耶律德光天性孝顺谨慎，娘亲患病时吃不下饭，他也吃不下饭，在娘亲面前，对答谈吐，稍微有点不合娘亲心意，娘亲只要扬起眉毛看他一眼，他就心惊胆跳，立刻退下，除非娘亲教他进来，他才敢进来（这正是传统文化中最受人赞美的孝道典型，当儿女的可真是卑屈辛苦）。述律太后命韩延徽当宰相（政事令），准许姚坤返回后唐，派官员阿思没骨馁到后唐（首都河南府）告丧。

52 九月二十八日，后唐帝（二任明宗）李嗣源（邈佶烈）命李继曮（凤翔〔总部凤翔府〕司令官）改名李从曮（当作义子）。

冬季，十月一日，李嗣源（邈佶烈）开始赏赐文武百官春冬两季衣服（只是加发绸缎，并不是真的成衣）。

53 后唐（首都河南府）遥兼二级宰相（同平章事·使相）、威武战区（总部设福州〔福建省福州市〕）司令官（节度使）王延翰，骄傲荒淫、残忍凶暴。

十月六日，王延翰自称大闽王国国王，兴建皇宫宝殿，设置文武百官，展示威严的礼节仪式，以及使用的语言、器具，都仿效帝国制度，要部属称他“殿下”（据《十国春秋·闽嗣王世家》记载，王延翰称王后，仍使用后唐的年号）。王延翰下令全国大赦，追尊老爹王审知（后梁帝国所封闽王）绰号昭武王。

54 后唐（首都河南府）静难战区（总部设邠州〔陕西省彬州市〕）司令官（节度使）毛璋，骄傲自大，违法乱纪，训练军队，制造武器，有反抗中央的企图。李嗣源（邈佶烈）命颍州（安徽省阜阳市）民兵司令（团练使）李承约当战区副司令官（节度副使），侦察毛璋行动。

十月九日，李嗣源（邈佶烈）调毛璋当安义战区（总部设潞州〔山西省长治市〕）司令官（节度使）。毛璋打算拒绝，李承约跟行政执行官（观察判官）、长安（西京京兆府〔陕西省西安市〕西半城）人边蔚，耐心劝导解释，过了很久，毛璋才接受。

55 十月十七日，后唐（首都河南府）卢龙战区（总部设幽州〔北京市〕）奏报说：“契丹（首都西楼城）所属卢龙战区（总部设平州〔河北省卢龙县〕）司令官（节度使）卢文进，投降回归！”（卢文进因变军杀李存矩逃契丹，参考九一七年二月，迄今恰十年。）最初，卢文进替契丹镇守平州（河北省卢龙县）。李嗣源（邈佶烈）登极后，派间谍前去游说，认为新的一代当权，对发生在上一代（晋王李存勖时代）的事，已没有仇怨。卢文进的部众都是汉人，思念故土，于是击杀契丹派到平州的协防特遣兵团，率部众十余万人、篷车八千辆，奔回后唐。

56 最初，后唐（首都河南府）魏王李继岌、郭崇韬，向巴蜀（四川省）富裕人家征收劳军费五百万串，准他们折合金银绸缎缴纳，

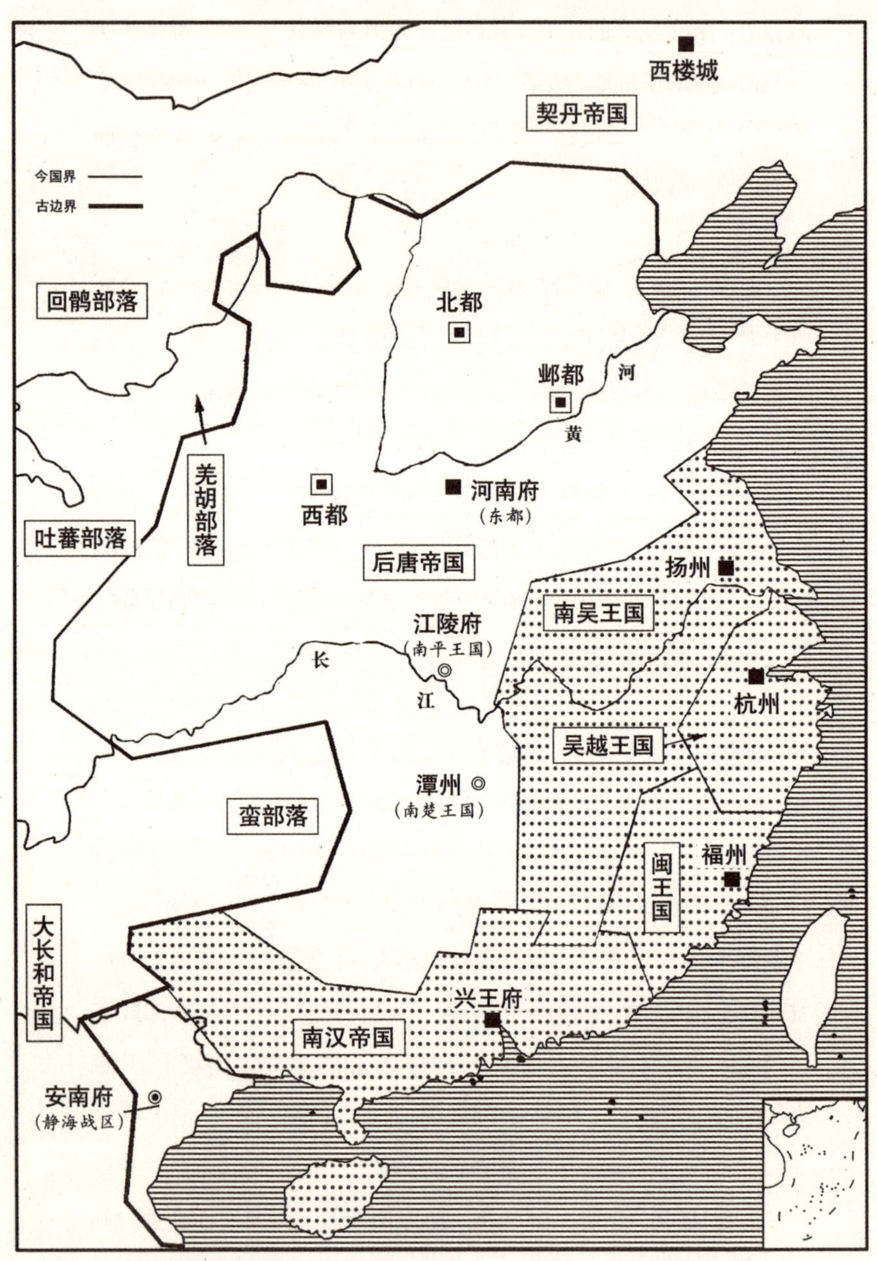

十世纪·九二六年十月　闽王国独立·五国并立

日夜逼迫，有人为此自杀；赏赐给军队之后，仍剩下二百万串。现在，任圜代理中央财政三单位管理总监（判三司。三单位：国务院财政部、全国财政总监署、全国盐铁专卖暨运输总监署），知道巴蜀地区（四川省）富庶，于是派全国盐铁专卖暨运输总监署执行官（盐铁判官）、畜牧部长（太仆卿）赵季良，当致送孟知祥任官令布达特使（官告国信使。李嗣源登极后，加授孟知祥最高监督长〔侍中·使相〕），并同时出任三川（西川、东川、汉川）最高军政暨运输总监（都制置转运使），负责把成都（四川省成都市）仓储跟赋税运往中央。

十月二十一日，赵季良抵达成都，西川（总部成都府）官员都不赞成把仓储交给他，孟知祥说："仓储是别人聚集的财物，呈缴中央，也就算了。但州县征收的租税，却是用来赡养十万名边防部队，他拿不走一文。"赵季良只搬运仓储，不敢再强调他要留下担任的军政及运输总监职务。

帝国参谋总部指挥官（枢密使）安重诲，认为孟知祥及东川战区（总部设梓州〔四川省三台县〕）司令官（节度使）董璋，都据守险要，手握强大的武装部队，恐怕长久下来，难以控制。而孟知祥又是前任帝（一任庄宗）李存勖的近亲（孟知祥的妻子是李存勖的堂姐妹），于是，暗中设计排除。礼宾官（客省使）兼泗州（江苏省盱眙县淮河北岸）警备区司令（空头官衔。此时泗州属南吴〔首都江都府〕）李严，自己请求当西川（总部成都府）监军官，认为他可以克制孟知祥。

十月二十六日，李嗣源（邈佶烈）命李严当西川（总部成都府）总监军官（都监）；命技工管理官（文思使）太原（山西省太原市）人朱弘昭当东川（总部梓州）副司令官（副使）。李严的娘亲贤慧聪明，警告李严说："你从前首先挑起中央征服巴蜀（四川省）的野心（参考前年〔九二四〕四月），今天又去那里，一定会受到报复。"

57 后唐政府（首都河南府）依照过去惯例，国务院文官部（吏部）发给任官状（告身）时，先要当事人呈缴“红胶”“绫纸”工本费，自从大黑暗时代来临，贫苦出身的官员，索性放弃这种正式的任官状（告身），而只要一张任官通知书（敕牒）。

十一月二十一日，国务院文官部副部长（吏部侍郎）刘岳上疏说：“任官状上载有中央对当事人的褒扬或训诫，怎么可以不让当事人知道。”李嗣源（邈佶烈）下令：文官国务院秘书长（丞）、各部司长（郎）、御前监督官（给）、顾问官（谏）以上，武官大将军以上，都应领取任官状（告身）。后来，宰相们讨论，认为任官状真正使用的红胶、绫纸，花费不多，政府既颁发给官员薪俸，又何必在乎这一点点小钱，于是建议说：“以后官员，不再要他们缴钱，都发给任官状（告身）。”当时，中央除了任命正式官职外，还有“试用官”（试衔）、“暂用官”（帖号），用以奖励军队中下级军官。十世纪三〇年代之后，中央更大批任官，于是军队的士卒，甚至战区州县的低级职员，都拥有银青光禄大夫（从三品）跟监察官（宪官）的官衔，中央每年颁发的任官状，以万为单位计算（这跟一任帝李存勖上任不久时，刚刚相反，参考九二三年十一月）。

58 闽王国（首都福州〔福建省福州市〕）国王王延翰，对他的兄弟辈，都没有看到眼里，继承老爹王审知的宝座才一个月，就把他的老弟王延钧放逐出去当泉州（福建省泉州市）州长。王延翰大量搜索民间美女，强行押入皇宫，仍不满足，不断向民间掳掠。王延钧上疏竭力规劝，王延翰大怒，二人感情遂告破裂。老爹王审知有位义子王延禀（周彦琛），当建州（福建省建瓯市）州长，王延翰写信命他搜索美女，王延禀（周彦琛）回信斥责，二人也有嫌恶。

十二月，王延禀（周彦琛）、王延钧联合行动，夹击福州（福建省福州市），王延禀（周彦琛）自建阳溪（闽江支流建溪）顺流而下，先行抵达。福州指挥官（指挥使）陈陶率军迎战，兵败，陈陶自杀。当天夜晚，王延禀（周彦琛）率勇士一百余人直击西门，用云梯爬上城墙，杀进城里，制伏守门人，攻入军械库，夺取武器，杀进王宫寝殿，王延翰惊恐的从床上跳起来，逃到另一房间躲避。

十二月八日，早晨，王延禀（周彦琛）找到王延翰，宣布他的罪状，声称王延翰跟王后崔女士共同谋害老爹王审知，公告军民人等全体知悉，遂在紫宸门外，把王延翰斩首（年龄不详）。当天（十二月八日），王延钧才抵达城南，王延禀（周彦琛）开门迎接进城，拥护王延钧当威武战区（总部设福州〔福建省福州市〕）候补司令官（留后）。

59 十二月十日，后唐帝（二任明帝）李嗣源（邈佶烈）命卢文进当义成战区（总部设滑州〔河南省滑县〕）司令官（节度使）、遥兼二级宰相（同平章事·使相）。

十二月十七日，李嗣源（邈佶烈）命皇子李从荣当天雄战区（总部设兴唐府〔河北省大名县〕）司令官（节度使）、二级实质宰相（同平章事·使相）。

赵季良等押运前蜀帝国（首都成都府）亡国财宝——黄金绸缎十亿（十亿什么？两？匹？段？钱？）返回洛阳（后唐首都河南府所在县）。这时国库枯竭，正无法维持，依靠这笔意外之财，才渡过难关。

60 本年（九二六），吴越王国（首都杭州〔浙江省杭州市〕）国王（一任武肃王）钱镠，因中原大乱，中央政府的命令无法到达地方，于是正式宣告独立，改年号宝正（中国政治传统，改年号是一件血腥的严厉宣告，表示跟旧政权一刀两断，另起炉灶）。但后来又跟中央（中原五代政权）恢复正常关系，遂誓言并没有改过年号（改年号事，参考九二三年二月注）。

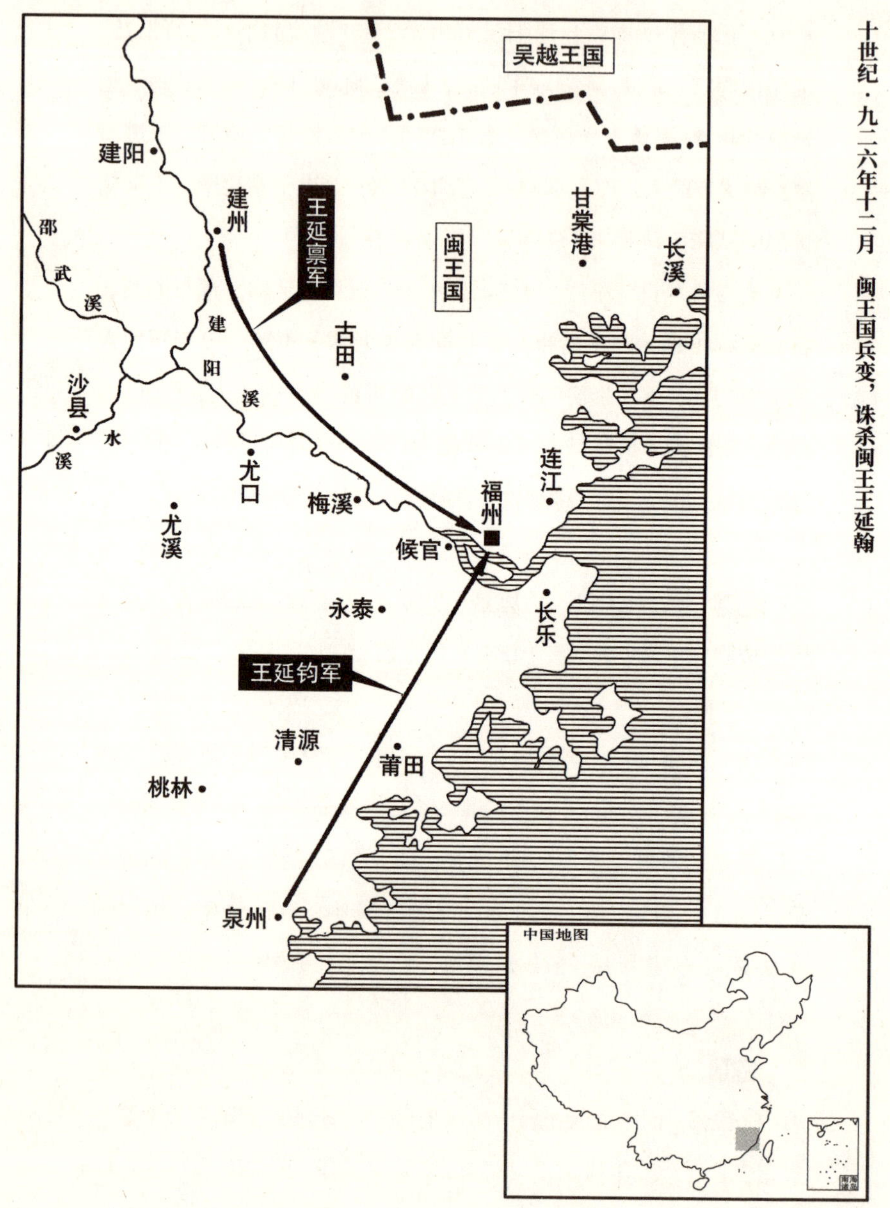

十世纪・九二六年十二月　闽王国兵变，诛杀闽王王延翰

九二七年 丁亥

后唐	天成	二年
南吴	顺义	七年
	乾贞	元年
南楚	天成	二年
吴越	宝正	二年
南汉	白龙	三年
南平	天成	二年
契丹	天赞	六年
	天显	元年

1 春季，正月一日，后唐帝国（首都河南府〔河南省洛阳市〕）皇帝（二任明宗）李嗣源（邈佶烈，本年六十一岁）改名李亶（我们仍称他李嗣源）。

2 后唐（首都河南府）西川战区（总部设成都府〔四川省成都市〕）司令官（节度使）孟知祥，听到中央派李严前来担任总监军官的消息（参考去年〔九二六〕十月），十分反感。有些官员建议他上疏拒绝，孟知祥说：

“何必这么惊天动地，我有我的办法。”派使节前往绵（四川省绵阳市）、剑（四川省剑阁县）二州迎接。正巧，武信战区（总部设遂州〔四川省遂宁市〕）司令官（节度使）李绍文逝世。孟知祥宣称他曾接到李存勖（一任帝庄宗）的密诏，特准他依照实际情形，行使皇帝职权。

正月十日，孟知祥命西川（总部成都府）副司令官（节度副使）、中外步骑兵总指挥官（内外马步军都指挥使）李敬周，当武信战区（总部遂州）候补司令官（留后），催促李敬周迅速动身前去到差，然后再补递奏章，向中央报备。李严先派使节抵达成都（四川省成都市），孟知祥自认为从前对李严有救命之恩（李严拒绝教导李继岌，触怒李存勖，参考九一二年三月），同时也希望李严能够产生恐惧，自行回去，于是孟知祥集结盛大的武装部队，向李严强烈暗示，但李严毫不在意（颟顸和镇静是一体的两面）。

3 后唐（首都河南府）帝国参谋总部指挥官（枢密使）安重诲，因孔循（赵殷衡）从小便在宫廷工作，认为他熟悉政治上的惯例，了解官员们的品格和能力，所以常接受他的意见（孔循〔赵殷衡〕曾陷害蒋玄晖，是官场老混混，参考九〇五年十一月）。宰相豆卢革、韦说被免职（参考去年〔九二六〕七月），政府讨论继任人选，孔循（赵殷衡）不希望用黄河以北人士，所以先前已推荐郑珏，接着再推荐祭祀部长（太常卿）崔协，宰相任圜则打算推荐总监察官（御史大夫）李琪。郑珏一向讨厌李琪，所以孔循（赵殷衡）竭力反对，告诉安重诲说：“李琪并不是没有文学素养，只是不够廉洁。宰相不一定非有才干不可，主要的是要态度端庄、度量宽宏，足可以作为全体官员的表率。”有一天，在李嗣源（邈佶烈）面前讨论国事，李嗣源（邈佶烈）询问谁可以担任宰相，安重诲提出崔协，任圜说：“重诲对政府人事不太熟悉，常被人蒙骗，崔协虽然身出名家，可是认识的字不多！我已经是一个没有学识的宰相了，为什么再增加一个同样没有学识的崔协，被全国人民讥笑？”李嗣源（邈佶烈）说：“宰相的职位十分重要，你们再慎重研究！我在河东（总部太原府）时，曾看到机要秘书（书记）冯道，学问渊博、多才多艺，从来跟人无争，他可以出任宰相！”退出金銮宝殿后，孔循（赵殷衡）也不作揖告别，衣袖一拂，悻悻而去，说：“国家大事，一也要听任圜、二也要听任圜，任圜是什么东西！假使崔协突然死掉，只好作罢，不死的话，看我非教他当宰相不可。”因此声称有病，几天都不朝见。李嗣源（邈佶烈）命安重诲劝解，孔循（赵殷衡）才恢复朝见。安重诲曾经私下对任圜说：“现在政府正缺少人手，暂时让崔协帮忙，是不是可以？”任圜说：“您舍弃李琪，却用崔协，是舍弃‘苏合丸’（从罗马帝国传来的一种香料圆丸），却喜欢屎壳螂推的粪团！”孔循（赵殷衡）跟安重诲在同一机构共事（安重诲是帝国参谋总部指挥官〔枢密使〕、孔循是帝国参谋总部副指挥官〔枢密副使〕），每天抨击李琪，称赞崔协。

正月十一日，终于由李嗣源（邈佶烈）下诏，命端明殿侍从文学官（端明殿学士）冯道及崔协，同时当副立法长（中书侍郎）、兼二级实质宰相（同平章事）。崔协，是崔邠的曾孙（崔邠，参考七九五年四月）。

4 正月十六日，闽王国（首都福州〔福建省福州市〕）建州（福建省建瓯市）州长王延禀（周彦琛）返回建州（福建省建瓯市），威武战区（总部设福州〔福建省福州市〕）候补司令官（留后）王延钧送他。临别时，王延禀（周彦琛）对王延钧说：“好好守住祖先留下来的事业，不要麻烦我这个老哥再次东下！”王延钧恭恭敬敬的接受这番劝勉，但脸色大变（王延禀东下斩闽王王延翰，参考去年〔九二六〕十二月）。

5 正月十八日，后唐政府（首都河南府）第一次下令：地方首长每十天一定要亲自审问一次囚犯。

西川战区（总部设成都府〔四川省成都市〕）司令官（节度使）孟知祥，对总监军官（都监）李严，表面上十分优待，所以李严完全没有察觉到杀机已酝酿成熟。于是，有一天，李严进见孟知祥，孟知祥质问他说："你从前奉派出使王宗衍，回去后建议出军讨伐（参考九二四年五月十一日），庄宗（一任帝李存勖）采纳你的意见，遂使两国都因此败亡。而今你又前来，巴蜀（四川省）人民深感恐惧。全国各地都废除监军（参考去年〔九二六〕四月十四日），只有你偏偏来当监军，告诉我什么原因？"李严这时才发现气氛有异，大为惊惶，哀求宽恕，孟知祥说："众怒难犯。"向他作揖，请他走下公堂，然后逮捕，斩首。又召见左翼步骑兵总纠察官（左厢马步都虞候）丁知俊，丁知俊害怕得发抖，孟知祥指着李严的尸体对他说："从前李严出使王宗衍时，你是副手，可以算是老朋友了，替我把他埋葬。"于是，上疏说："李严假传陛下的口谕，说是命我前往中央，由他接替战区职务。又擅自允许发给官兵们优厚赏赐，我已把他诛杀。"

宫廷杂工管理宦官（内八作使）杨令芝，因事前来巴蜀（四川省），抵达鹿头关（四川省德阳市北黄许镇），听到李严被处死消息，飞奔而回。东川战区（总部设梓州〔四川省三台县〕）副司令官（副使）朱弘昭听到，也心胆俱裂（朱弘昭跟李严同时奉派，参考去年〔九二六〕十一月），计划调回洛阳（首都河南府所在县）。正巧有军事上的问题，司令官（节度使）董璋派他到京师（首都河南府）当面奏报，朱弘昭假装推辞，然后又假装勉强接受，才得以逃过一死。

正月二十一日，后唐帝（二任明宗）李嗣源（邈佶烈）命皇子李从厚当二级实质宰相（同平章事），充任首都洛阳特别市长（河南尹），及皇家禁卫军统帅（判六军诸卫事）。李从厚，是李从荣同一个娘亲的老弟。李从荣听到消息，大不高兴（李从厚既掌军权，又位居京师）。

正月二十七日，李嗣源（邈佶烈）加授帝国参谋总部指挥官（枢密使）安重诲兼最高监督长（兼侍中），加授孔循（赵殷衡）二级实质宰相（同平章事）。

6 南吴王国（首都江都府〔江苏省扬州市〕）骑兵总指挥官（马军都指挥使）柴再用，全副武装登上金銮宝殿，监察官（御史）提出弹劾，柴再用仗恃他立过大功，不肯接受（柴再用曾经是徐知诰的上司，参考九一二年三月）。最高监督长（侍中）徐知诰（李知诰）故意从便殿闯进南吴王杨溥（本年二十八岁）的住宅，假装吃了一惊，急行退回，上疏请求责罚，杨溥用措辞温和的诏书回答，赐予原谅，徐知诰（李知诰）仍坚持罚缴一个月的薪俸。因此无论中央地方，法纪严整。

7 契丹帝国（首都西楼城〔内蒙古巴林左旗〕）改年号天显（之前是天赞六年，之后是天显元年），把一任帝（太祖）耶律阿保机，埋葬木叶山（内蒙古奈曼旗北）。述律太后左右侍从官员有比较凶恶奸诈一点的，述律太后往往对他说：“替我传句话给先帝。”等他们到墓地后，就把他们杀掉，前后杀掉的人以百为单位计算。最后，述律太后又派平州（河北省卢龙县）人赵思温前去，赵思温不肯，述律太后说：“你侍候先帝，是先帝的亲信，现在为什么不肯去？”赵思温说：“最亲近的是太后，太后如果去的话，我随后就到。”述律太后说：“我并不是不愿追随先帝于地下，只因继位的儿子年纪还小，而帝国无主，一时不能动身！”但仍砍下一只手掌，命放到坟墓里。不过赵思温终于也免一死。

8 后唐帝（二任明宗）李嗣源（邈佶烈）为了酬庸冀州（河北省衡水市冀州区）州长乌震三次率军押运粮食供应幽州（契丹游骑兵不停抄掠幽州四郊，乌震三次亲自护送粮食，城池得以保全）。

二月七日，任命乌震当河北地区副征剿司令（河北道副招讨），兼宁国战区（总部设宣州〔安徽省宣城市〕）司令官（空头官衔。此时宣州属南吴〔首都江都府〕），进驻芦台军（河北省青县），接替副征剿司令（副招讨）、泰宁战区（总部设兖州〔山东省济宁市兖州区〕）司令官（节度使）、遥兼二级宰相（同平章事·使相）房知温的职务，李嗣源（邈佶烈）命房知温返回兖州（山东省济宁市兖州区）。

二月九日，李嗣源（邈佶烈）命保义战区（总部设陕州〔河南省三门峡市〕）司令官（节度使）石敬瑭，兼皇家禁卫军副统帅（兼六军诸卫副使）。

二月十五日，又命随从骑兵常备指挥官（从马直指挥使）郭从谦（郭门高）当景州（河北省东光县）州长，等到抵达任所，李嗣源（邈佶烈）派使节尾随而往，屠杀他的全族（郭从谦射死李存勖，参考去年〔九二六〕四月一日）。

9 后唐（首都河南府）荆南战区（总部设江陵府〔湖北省江陵县〕）司令官（节度使）高季兴（高季昌），得到夔（重庆市奉节县）、忠（重庆市忠县）、万（重庆市万州区）三州（参考去年〔九二六〕六月），请求中央不派州长，而由自己派子弟充当，中央不许。等夔州（重庆市奉节县）州长潘炕去职，高季兴（高季昌）立即派军突入州城，屠杀中央驻防部队，而由自己控制。中央宣布奉圣指挥官（奉圣指挥使）西方邺当州长，高季兴（高季昌）不接受，并派军袭击涪州（重庆市涪陵区），不能攻克（涪州属武泰战区〔总部黔州〕）。已故魏王李继岌派大营管理官（押牙）韩珙等押送前蜀（首都成都府）金银珠宝绸缎四十万（四十万件？钱？匹？），顺长江而下，

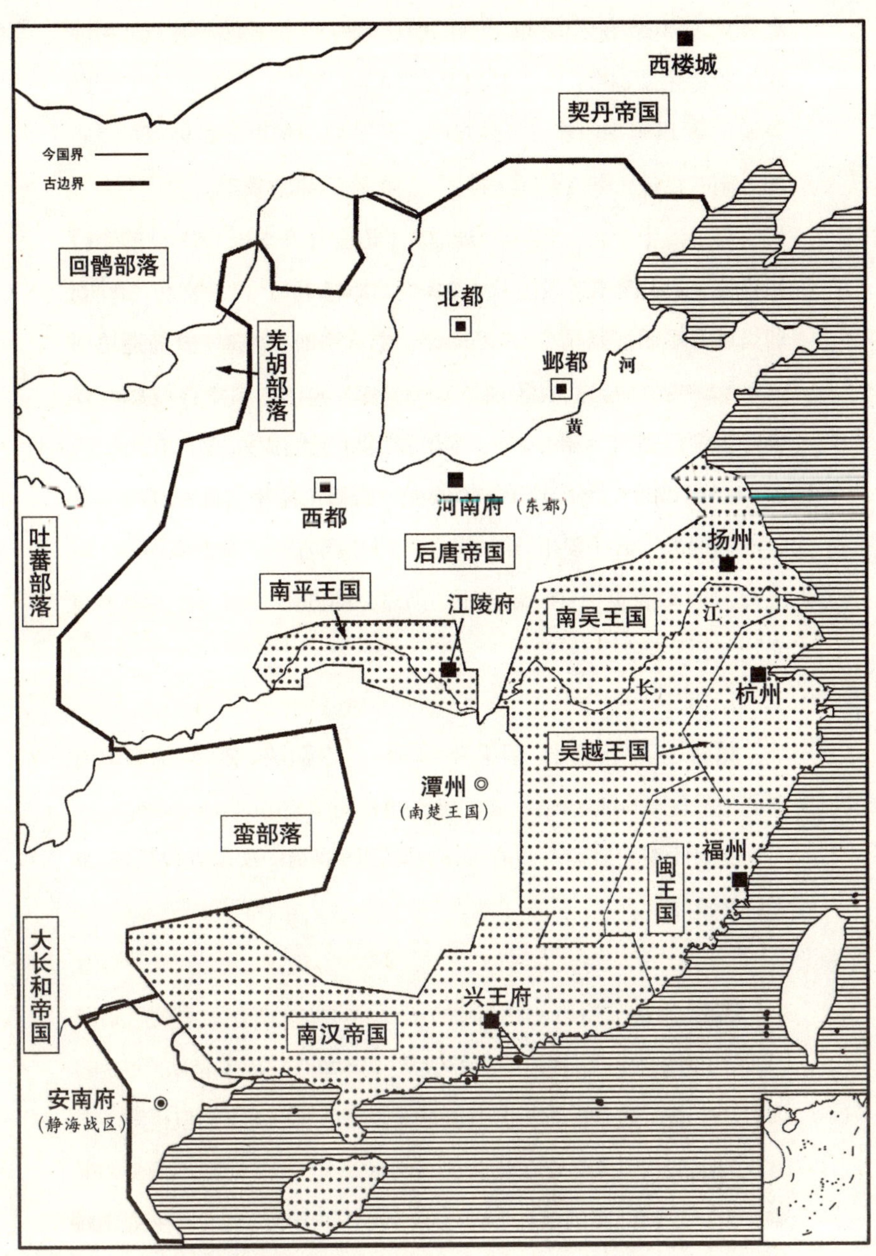

十世纪·九二七年二月　南平王国独立·六国并立

高季兴（高季昌）在西陵峡口（湖北省宜昌市西北），格杀韩珙等，把所押送的货物全部掠夺。中央向高季兴（高季昌）查问，高季兴（高季昌）回答说：“韩珙等舟船穿过三峡东下，茫茫数千华里，如果想知道船翻人溺的缘故，应该查问水神。”李嗣源（邈佶烈）震怒。

二月二十一日，李嗣源（邈佶烈）下诏剥夺高季兴（高季昌）的封爵和官位，命山南东道战区（总部设襄州〔湖北省襄阳市〕）司令官（节度使）刘训当南方军团征剿司令（南面招讨使），主管荆南（总部江陵府）特遣总部（知荆南行府事）；命忠武战区（总部设许州〔河南省许昌市〕）司令官（节度使）夏鲁奇当副征剿司令（副招讨使），率步骑兵四万人讨伐。又命东川战区（总部设梓州〔四川省三台县〕）司令官（节度使）董璋当东南方面军征剿司令（东南面招讨使），新任夔州（重庆市奉节县）州长西方邺当副征剿司令，率巴蜀（四川省）部队，穿三峡东下；仍命会同湖南（南楚〔首都潭州〕辖区）部队，三面进攻。

10 三月十一日，后唐帝（二任明宗）李嗣源（邈佶烈）命李敬周当武信战区（总部设遂州〔四川省遂宁市〕）候补司令官（出于孟知祥的推荐）。

三月十三日，后唐政府（首都河南府）政府第一次设立牧马场（监牧），繁殖战马。

11 当初，后唐（首都河南府）一任帝（庄宗）李存勖消灭后梁帝国（首都开封府〔河南省开封市〕），全靠天雄（总部魏州）总部警备队（牙兵）的兵力。而李存勖败亡时，也由于总部警备队（牙兵）将领皇甫晖、张破败的叛乱。中央调赵在礼前往滑州（河南省滑县），他拒不接受，事实上也是受到部属的挟持（参考去年〔九二六〕五月十三日）。赵在礼计划脱离一个被视为叛徒终于要降临到身上的灾难，于是暗中派心腹部属到京师（首都河南府），请求调差。李嗣源（邈佶烈）乃派皇甫晖当陈州（河南省周口市淮阳区）州长，赵进当贝州（河北省清河县）州长（皇甫晖、赵进是变军的主谋，参考去年〔九二六〕二月），调赵在礼任横海战区（总部设沧州〔河北省沧州市东南〕）司令官（节度使）。李嗣源（邈佶烈）命皇子李从荣镇守邺都（兴唐府，河北省大名县），命宫廷事务北院总监（宣徽北院使）范延光率军护送上任，并负责邺都（兴唐府）武装部队调动移防事宜。于是下令奉节等九个特别营，共三千五百人，命中级军官（军校）龙晊率领，北上驻防芦台军（河北省青县），防御契丹军（首都西楼城）南下，政府并不发给他们铠甲武器，而只把各特别营的旗帜拴到竹竿上，作为区别，官兵不敢反抗，垂头丧气出发。走到中途，听见孟知祥诛杀李严消息，军心更加不安，谣言四起。抵达芦台军（河北省青县）后，中央又恰恰在此时擢升乌震当副征剿司令（副招讨使），谣言更满天横飞。

原任副征剿司令（副招讨使）的房知温（泰宁〔总部兖州〕司令官），痛恨乌震突然夺去自己副征剿司令（副招讨）的职位，准备反击。乌震抵达后，还没有接交印信，兵变爆发。

三月二十一日，乌震在河东大营（大营跨永济渠〔御河〕分为东西二营）摆设酒席，宴请各战区骑兵先锋总指挥官（诸道先锋马军都指挥使）、齐州（山东省济南市）警备区司令（防御使）安审通，即席赌博，房知温煽动龙晊的奉节等九特别营的士卒，就在酒席上暴动，击斩乌震。房知温的部队则在大营外喧哗呐喊。安审通逃出来，夺到船只，渡河（永济渠〔御河〕）到西岸大营，下令骑兵戒备，但不采取任何行动。房知温恐怕事情难以成功，也上马要逃出营门，武装变军拉住他的缰绳说："大帅当替我们作主，又要到哪里去？"房知温骗他说："骑兵都在河西（永济渠〔御河〕），不立刻收服，只有步兵，怎么能成大事！”一提马缰，飞奔上船，渡河（永济渠〔御河〕）到西岸，跟安审通联合，反击变军，变军整队南下，政府军骑兵则紧跟他们之后，阵容严整，变军互相观望，面色苍白，高举火把，连夜行军，逐渐走进荒凉沼泽地带，疲倦饥饿交加。第二天（三月二十二日）一早，政府骑兵完成包围，四面八方发动攻击，变军几乎全被屠杀，残余下来的人再奔回原来河东大营，安审通早已纵火把它烧成一片焦上，变军进无路可进、退无地可退，霎时间崩溃，四散逃命，能躲到草丛壕沟中逃出一命的，不到十分之一二。范延光回到淇门（河南省淇县东南淇门渡），听到芦台军（河北省青县）兵变，立即征调义成战区（总部设滑州〔河南省滑县〕）野战军再往邺都（兴唐府，河北省大名县），预防变军逃窜。

12 后唐帝（二任明帝）李嗣源（邈佶烈）派礼宾官（客省使）李仁矩前往西川（总部成都府），传达诏书安慰孟知祥（西川〔总部成都府〕司令官）及战区官民（中央对孟知祥诛杀李严的唯一反应是只怕凶手介意，而不是谴责凶手）。

三月二十三日，李仁矩抵达成都（四川省成都市）。

13 后唐（首都河南府）讨伐荆南（总部江陵府）大军统帅刘训，抵达荆南（总部江陵府）。南楚王（一任武穆王）马殷（本年七十六岁），派总指挥官（都指挥使）许德勋等，率舰队进驻岳州（湖南省岳阳市），跟刘训呼应。荆南战区（总部设江陵府〔湖北省江陵县〕）司令官（节度使）高季兴（高季昌）紧闭城门，不出兵应战；一面向南吴（首都江都府）求救，南吴（首都江都府）派出舰队支援。

14 夏季，四月十日，后唐帝（二任明宗）李嗣源（邈佶烈）下诏，

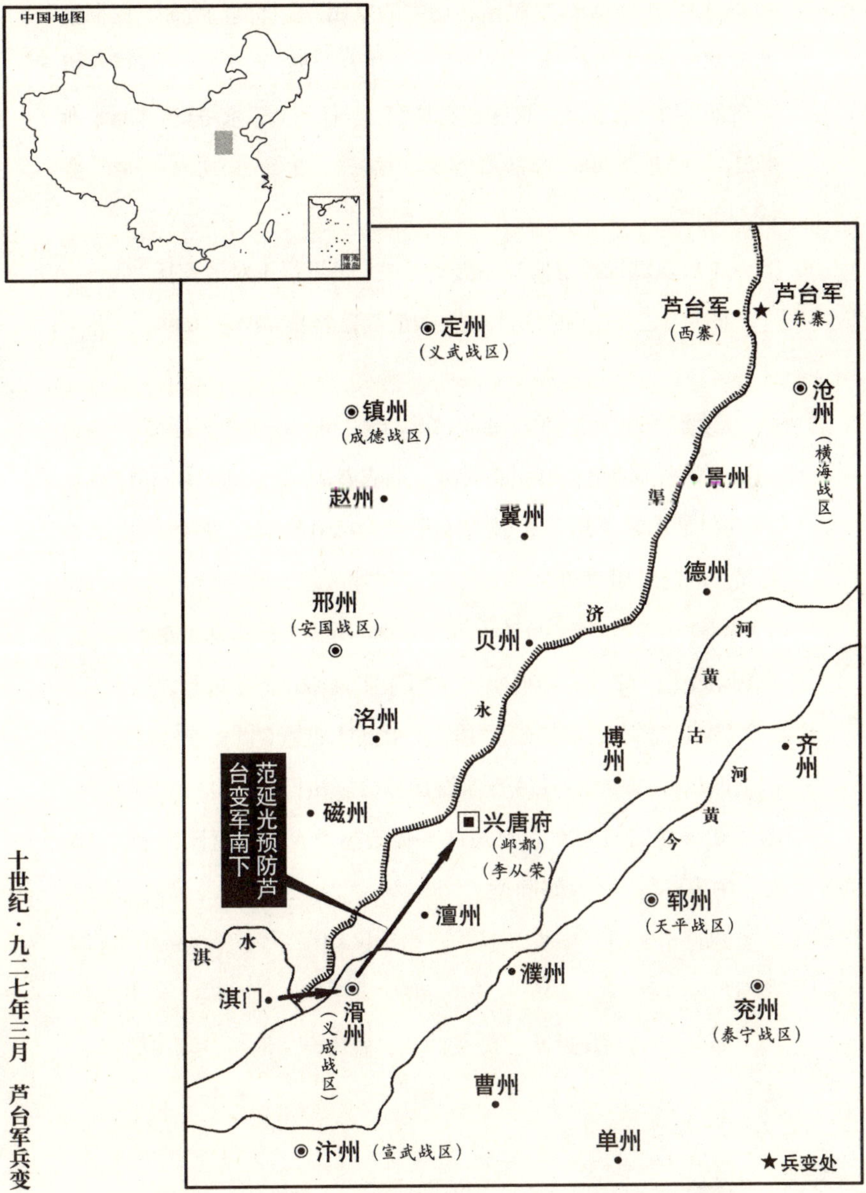

中国地图

南海诸岛

芦台军
(西寨)
芦台军
(东寨)
定州
(义武战区)
镇州
(成德战区)
沧州
(横海战区)
景州
渠
赵州
冀州
德州
邢州
(安国战区)
济
贝州
河
黄
永
洺州
古
博州
齐州
河
范延光预防芦台变军南下
磁州
兴唐府
(邺都)
(李从荣)
黄
今
郓州
(天平战区)
澶州
水
淇
濮州
淇门
滑州
(义成战区)
兖州
(泰宁战区)
曹州
汴州 (宣武战区)
单州
★兵变处

十世纪·九二七年三月　芦台军兵变

命芦台军（河北省青县）变军留在后方的家属，全部满门处斩。诏书抵达邺都（兴唐府，河北省大名县），政府关闭九个城门，把三千五百家男女老幼，约一万余人，驱逐到石灰窑，一律斩首，永济渠（《新唐书·地理志》：七四〇年，魏州州长卢晖从石灰窑到永济渠所开水道，由东向西，横穿全城），变成一条血河（可悲）。

中央虽然知道是房知温鼓动兵变，仍不得不对他安抚。

四月十三日，加授房知温：兼最高监督长（兼侍中·使相）。

15 先前，孟知祥（西川〔总部成都府〕司令官）派内营指挥官（牙内指挥使）文水（山西省文水县）人武漳，前去晋阳（太原府所在县，山西省太原市）迎接他的妻子琼华长公主（一任帝李存勖的堂姐妹），跟他的儿子孟仁赞。走到凤翔（陕西省宝鸡市凤翔区），凤翔战区（总部设凤翔府〔陕西省宝鸡市凤翔区〕）司令官（节度使）李从曮（李继曮）听到孟知祥诛杀李严消息，立刻阻止他们前进，奏报中央，李嗣源（邈佶烈）下令放行。

四月十六日，琼华长公主李女士抵达成都（四川省成都市）。

西川（总部成都府）盐铁专卖暨运输分署执行官（盐铁判官）赵季良，跟孟知祥是旧日老友。孟知祥上疏留赵季良当战区副司令官（副使）。中央不得已，只好同意。

四月十七日，中央命赵季良当战区副司令官（节度副使）。李昊（前蜀皇家文学研究官〔翰林学士〕李昊，曾替前蜀二任帝王宗衍撰写降书，参考前年〔九二五〕十一月二十日）返回巴蜀（四川省），孟知祥命他当行政司法官（观察推官）。

16 后唐（首都河南府）荆南（总部江陵府）江陵（湖北省江陵县）所在地，地势稍低，潮湿蒸热，又加上连绵大雨，讨伐军粮食短缺，将士们纷纷害病，统帅刘训也卧床不起。

四月二十三日，李嗣源（邈佶烈）派帝国参谋总部指挥官（枢密使）孔循（赵殷衡）往前线视察，评估讨伐军取胜的可能性。

17 五月三日，后唐帝（二任明宗）李嗣源（邈佶烈）命威武战区（总部设福州〔福建省福州市〕）候补司令官（留后）王延钧，实任司令官（节度使），暂任最高监督长（守侍中·使相）；封琅邪王。

18 后唐（首都河南府）孔循（赵殷衡）抵达江陵（湖北省江陵县），发动猛攻，不能攻克，于是派人进城游说高季兴（高季昌，荆南〔总部江陵府〕司令官）投降，高季兴（高季昌）态度傲慢，拒不接受。

五月六日，李嗣源（邈佶烈）派使节送湖南（南楚〔首都潭州〕）特遣兵团夏季军服一万套。

五月十七日，又派使节送南楚王（一任武穆王）马殷鞍辔齐全的骏马，以及玉带，命他供应讨伐荆南（总部江陵府）军粮秣，马殷推托迟延，竟不肯供应。

五月二十日，李嗣源（邈佶烈）屈服，命刘训等率军撤回。

南楚王（一任武穆王）马殷派中军基地司令（中军使）史光宪到京师（首都河南府）进贡，李嗣源（邈佶烈）赏赐他骏马十四、美女二人。回来路过江陵（湖北省江陵县），高季兴（高季昌）逮捕史光宪，把骏马美女夺走，为取得外援，于是向南吴（首都江都府）献出领土，请求归降。南吴（首都江都府）最高监督长（侍中）徐温说：“国家领袖一定要重视实际利益，不可以醉心虚名。高家臣服后唐（首都河南府），已有很长一段日子（后梁亡，高季兴即降后唐，参考九二三年十一月），而洛阳（后唐首都河南府所在县）距江陵不远（航空距离三百五十公里），后唐政府无论用步兵或骑兵发动袭击，都非常容易，我们的舰队逆长江前往救援，十分困难。既把人当作臣属，紧急时却不能相救，使他危亡，岂不惭愧！”于是接受高季兴（高季昌）的贡品，而不接受他的称臣，由他仍回归后唐（首都河南府）。

19 后唐（首都河南府）宰相任圜性情刚强正直，仗恃跟李嗣源（邈佶烈）旧日情谊，所以敢作敢当，权贵宠幸们都对他讨厌。依照旧有制度，中央使节出京（首都河南府），都由国务院财政部（户部）发给文件，可是安重诲要求改由皇宫直接发给（帝国参谋总部〔枢密院〕在宫内办公，由皇宫直发者，也就是由帝国参谋总部〔枢密院〕直发，也就是由安重诲直发），于是在李嗣源（邈佶烈）面前，发生争执，反复不停，任圜脸色铁青，嗓门提高。李嗣源（邈佶烈）退朝后，宫女们问：“刚才跟安重诲争论的是谁？”李嗣源（邈佶烈）说：“宰相。”宫女说：“我当年在长安（唐王朝故都，陕西省西安市）宫里，从来没有听说过宰相在皇帝面前奏事时，敢这么嚣张的，只是瞧不起皇上罢了。”李嗣源（邈佶烈）越发不高兴，于是终于接受安重诲的建议。任圜遂请求辞去代理中央财政三单位管理总监（判三司。参考去年〔九二六〕四月），李嗣源（邈佶烈）批准，命帝国参谋总部执行官（枢密承旨）孟鹄，当中央财政三单位副管理总监（三司副使），暂代管理总监（权判）。孟鹄，是魏州（兴唐府，河北省大名县）人。

六月一日，太子宫总管（太子詹事）温辇，请李嗣源（邈佶烈）早立太子。

六月七日，副监督长（门下侍郎）、二级实质宰相（同平章事）任圜免职，改为暂任太子少保（守太子少保，太子三少之三）。

六月十日，李嗣源（邈佶烈）命宫廷事务北院总监（宣徽北院使）张

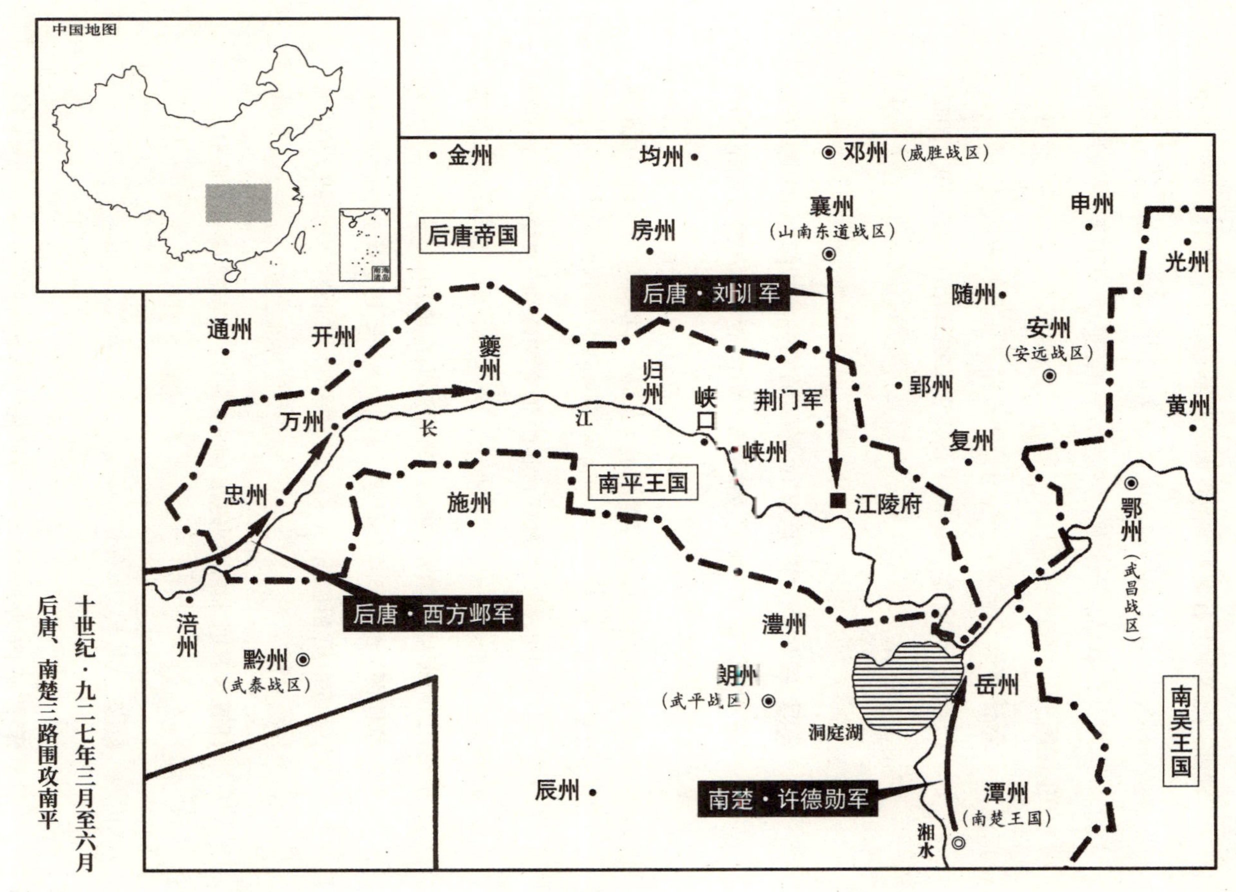

十世纪·九二七年三月至六月
后唐、南楚三路围攻南平

延朗，代理中央财政三单位管理总监（判三司）。

六月十三日，贬刘训当檀州（北京市密云区）州长。

六月十七日，李嗣源（邈佶烈）封南楚王（一任武穆王）马殷当南楚王国国王。

新任夔州（重庆市奉节县）州长西方邺，在三峡中击败荆南（总部江陵府）舰队，夺回夔（重庆市奉节县）、忠（重庆市忠县）、万（重庆市万州区）三州。

20 秋季，七月，后唐（首都河南府）命归德战区（总部设宋州〔河南省商丘市〕）司令官（节度使）王晏球（杜晏球）当北方军团副征剿司令（北面副招讨使。继乌震遗缺）。

七月十七日，后唐（首都河南府）在夔州（重庆市奉节县）设宁江战区（以前称镇江战区），命西方邺当司令官（节度使）。

七月二十四日，李嗣源（邈佶烈）追究把夔（重庆市奉节县）、忠（重庆市忠县）、万（重庆市万州区）三州交给高季兴（高季昌），是豆卢革、韦说的责任（参考去年〔九二六〕六月）。下诏命二人自杀。

李嗣源（邈佶烈）再下诏把段凝（段明远）贬窜辽州（山西省左权县）、温韬（温昭图）贬窜德州（山东省德州市陵城区）、刘训贬窜濮州（山东省鄄城县）。

任圜请求退休，定居磁州（河北省磁县），李嗣源（邈佶烈）同意。

21 八月一日，日蚀。

22 后唐（首都河南府）封爵特使（册礼使）抵达长沙（南楚首都潭州州政府所在县，湖南省长沙市），南楚王（一任武穆王）马殷正式建独立王国，

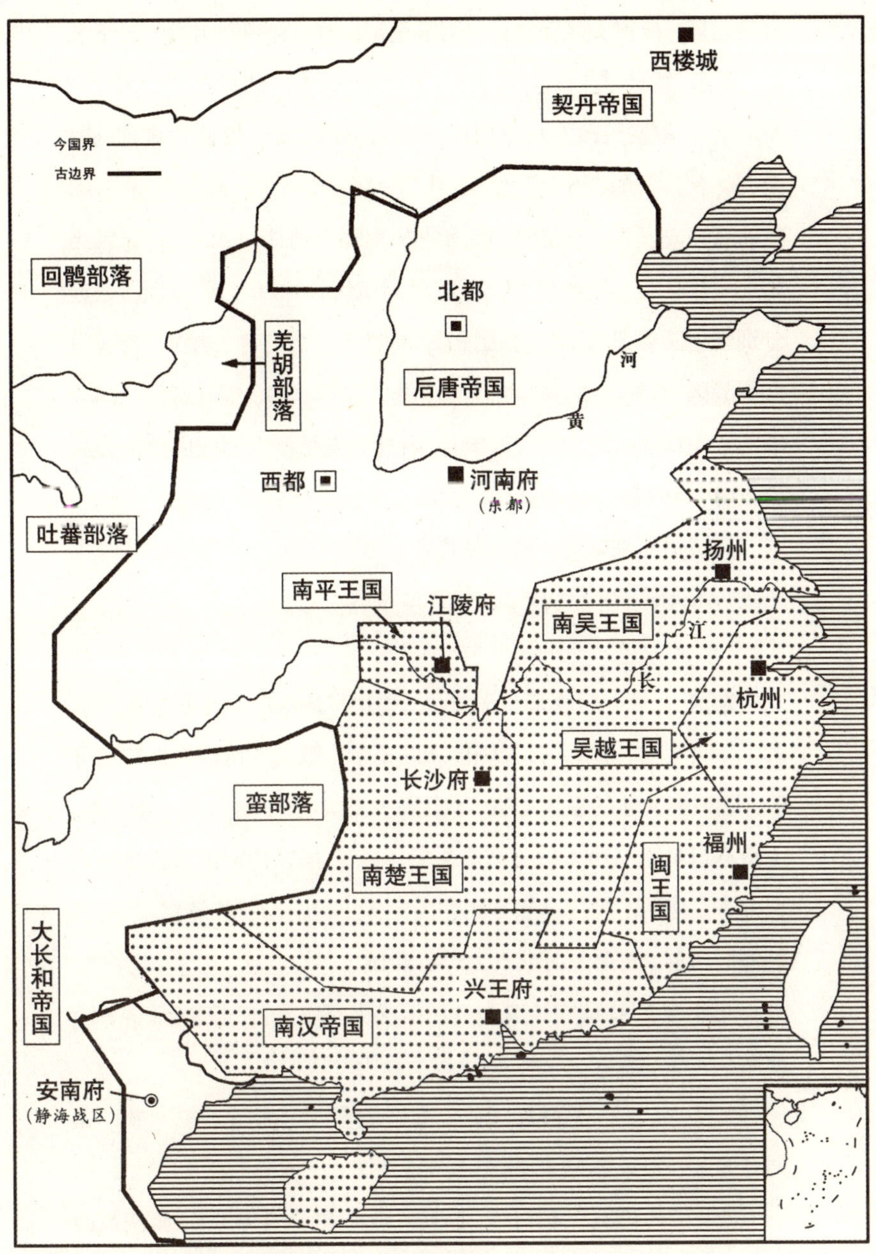

十世纪·九二七年八月　马殷建南楚王国·七国并立

兴筑宫殿，设置文武百官，一切跟皇帝一样，有些则略微改一下名称，例如：翰林学士改文苑学士（皇家文学研究官）、知制诰改知辞制（诏书撰写官）、枢密院改左右机要司（王国左右参谋总部），文武百官称马殷为“殿下”，马殷“下令”为“下教”（首都潭州升格为长沙府，应在此时）。命姚彦章当左丞相、许德勋当右丞相，李铎当司徒（三公之二）、崔颖当司空（三公之三），拓跋恒当国务院最高执行长（仆射），张彦瑶、张迎分别当王国参谋总部代理指挥官（判机要司），各官都称摄理（摄），只武平战区（总部设朗州〔湖南省常德市〕）司令官（节度使）、静江战区（总部设桂州〔广西桂林市〕）司令官（节度使），由马殷先行派人到差后再报告后唐政府（首都河南府）任命。

拓跋恒原来姓元，因马殷的老爹名马元丰，为了避讳，才改姓拓跋（官场文化之斫丧人性尊严，连姓都得改，使人作呕）。

23 九月，后唐帝（二任明宗）李嗣源（邈佶烈）对安重诲说：“从荣（皇次子）左右侍从，有人假传我的指示，教他不可以接近知识分子，恐怕影响他的豪迈之气。我因为从荣年纪轻轻（李从荣年龄不详），主持军事重镇（镇守邺都兴唐府〔河北省大名县〕），所以特别挑选著名的知识分子，作他的辅佐，想不到恶人竟作出恰恰相反的解释。”打算把他们斩首。安重诲请求改为严厉训诫。

北都（太原府）留守长官李彦超请求恢复本姓符，李嗣源（邈佶烈）批准（李彦超是李存审〔符存审〕的长子）。

九月十八日，李嗣源（邈佶烈）命帝国参谋总部指挥官（枢密使）孔循（赵殷衡），兼东都（首都河南府）留守长官。

九月二十四日，契丹帝国（首都西楼城〔内蒙古巴林左旗〕）派使节前来后唐请求和解。后唐政府（首都河南府）派使节报聘。

冬季，十月七日，李嗣源（邈佶烈）从洛阳（首都河南府所在县）出发，打算前去汴州（河南省开封市）。

十月九日，李嗣源（邈佶烈）抵达荥阳（河南省荥阳市）。

民间突然谣传李嗣源（邈佶烈）将御驾亲征南吴（首都江都府），也另谣传说：此行是要处置东方某一位将要叛变的大员。宣武战区（总部设汴州〔河南省开封市〕）司令官（节度使）、摄理最高监督长（检校侍中·使相）朱守殷，大为疑惧；执行官（判官）高密（山东省高密市）人孙晟，鼓励朱守殷起兵反抗，朱守殷遂登城守卫。李嗣源（邈佶烈）派宫廷事务总监（宣徽使）范延光前往解释，范延光说："如果不早日发动攻击，汴州（河南省开封市）的城防就牢不可破，我希望率五百名骑兵同行。"李嗣源（邈佶烈）允许。范延光傍晚出发，天还没有亮，已飞驰二百华里，抵达大梁（汴州州政府所在城，河南省开封市）城下，跟宣武（总部汴州）军队接触，宣武（总部汴州）军队大为吃惊。

十月十日，李嗣源（邈佶烈）抵达京水（古汴河支流，流经河南省郑州市西），派御营司令官（御营使）石敬瑭率亲军随后加倍速度行军，增援范延光。

有人警告安重诲说："落魄失意的政客，流放在外，如果利用盗匪平息之前的机会，或许会制造出来灾难，不如把他铲除。"安重诲认为十分有见解，奏请李嗣源（邈佶烈）派使节传令任圜自杀。端明殿侍从文学官（端明殿学士）赵凤向安重诲痛哭流涕说："任圜是忠义之士，岂肯背叛！你纵情好杀，竟到如此程度，怎能领导国家！"钦差使节抵达磁州（河北省磁县），任圜把全族聚集在一起饮酒，饮得酩酊大醉，然后一一受刑，临死时神情庄严。

十月十一日，李嗣源（邈佶烈）抵达大梁（汴州州政府所在城），四面围攻，城里官民纷纷从城上缒下投降。朱守殷知道大事不能成功，

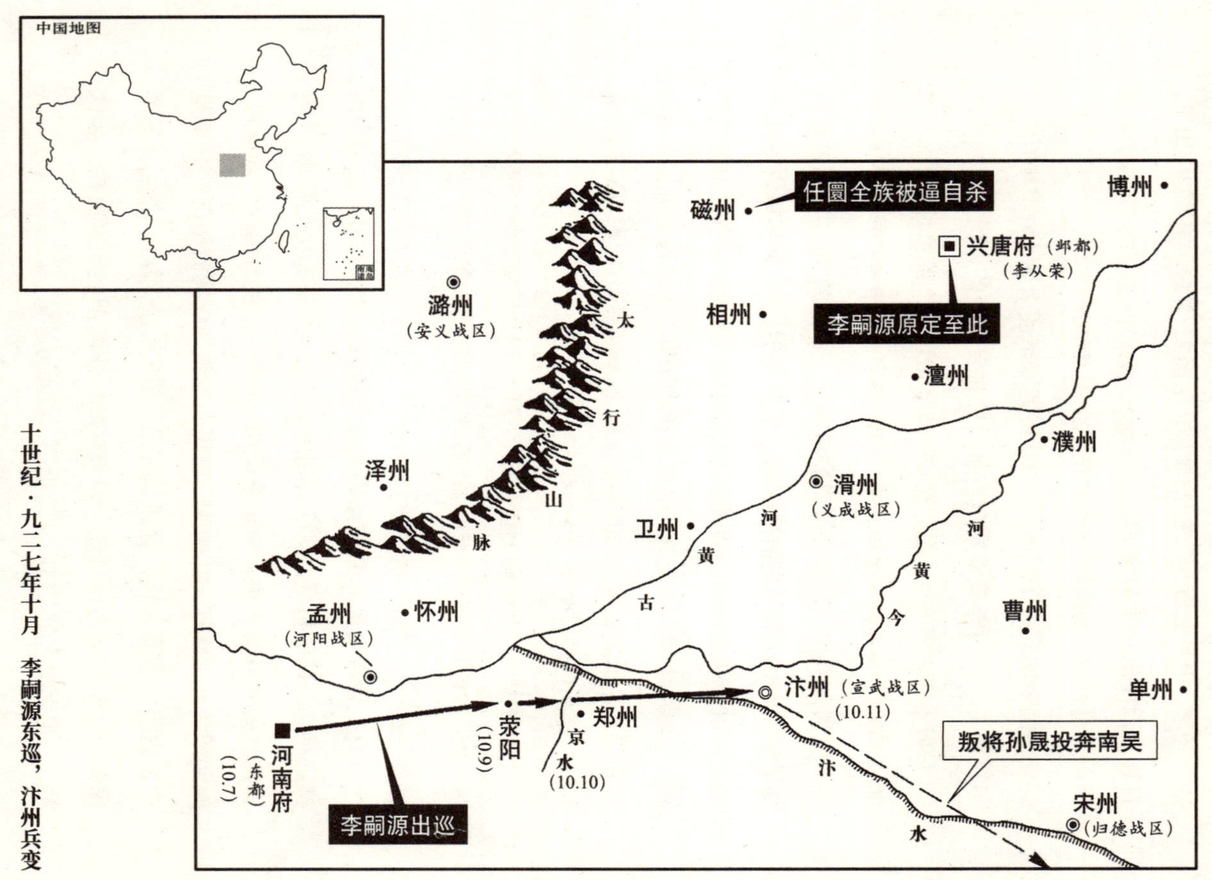

十世纪·九二七年十月 李嗣源东巡，汴州兵变

遂把自己一族男女老幼，全部格杀，然后教左右把自己的头砍下。城楼上守军望见皇帝亲临的旗帜，前后相连的跑下来，打开城门出降。孙晟逃往南吴（首都江都府），南吴宰相徐知诰（李知诰）把他当作自己的宾客。

十月二十日，李嗣源（邈佶烈）下诏免除人民积欠中央财政三单位管理总监署（三司）的税款将近二百万串。

24 十月二十四日，南吴（首都江都府）一级实质宰相（大丞相）、全国武装部队总司令（都督中外诸军事）、各战区道总指战官（诸道都统）、镇海（总部金陵府）宁国（总部宣州）二战区司令官（节度使）、兼最高立法长（兼中书令·使相）、东海郡王徐温逝世（年六十六岁）。

最初，徐温的亲子、作战参谋长（行军司马）、忠义战区（总部设襄州〔湖北省襄阳市〕）司令官（空头官衔。此时襄州属南唐〔首都河南府〕）、二级实质宰相（同平章事）徐知询，因他的老哥徐知诰（李知诰）事实上不是出自徐家血统（徐温收养徐知诰，参考八九五年三月），几次请求代替徐知诰（李知诰）接管南吴（首都江都府）中央政府，徐温说："你们的能力都比不上老哥！"严可求及作战副司令官（行军副使）徐玠，也不断劝徐温用徐知询代替徐知诰（李知诰），徐温因徐知诰（李知诰）孝顺谨慎，不忍心这样做。正妻陈夫人（抚养徐知诰长大成人）也说："知诰是我家贫贱时收养的儿子，为什么在我们富贵了之后，却抛弃他！"但严可求等不断进言，徐温终于决定，打算亲率各战区司令官（节度使）到京师（首都江都府）朝见，劝南吴王杨溥登极称帝，然后对两个儿子另作安排。不料将要动身时，突然患病，于是派徐知询携带劝进奏章前往江都（江苏省扬州市）呈递，呈递后就留下来接替徐知诰（李知诰）执政。徐知诰（李知诰）得到消息，知道难以挽救，就写妥奏章，请求调任镇南战区（总部设洪州〔江西省南昌市〕）司令官（节度使），等第二天早上呈递。而就在当天夜晚，徐温逝世消息传到，才停止行动。徐知询急回金陵（徐温根据地，江苏省南京市）。杨溥追封徐温当齐王，绰号忠武王（齐忠武王）。

25 后唐（首都河南府）山南西道战区（总部设兴元府〔陕西省汉中市〕）司令官（节度使）张筠，疾病缠身，长期卧床，将领参谋官等请求晋见，都被拒绝。副司令官（副使）符彦琳等疑心他已逝世，恐怕左右亲信有什么阴谋诡计，因此请他交出印信（符彦琳，是李存审〔符存审〕的第五子）。张筠大怒，逮捕符彦琳跟执行官（判官）、总指挥官（都指挥使）等下狱，上疏诬告他们谋反。李嗣源（邈佶烈）命他把符彦琳等押解京师（首都河南府）审问，发现他们冤枉，即行释放。调张筠当西都（京兆府）留守长官。

十月二十五日，李嗣源（邈佶烈）命保义战区（总部设陕州〔河南省三门峡市〕）司令官（节度使）石敬瑭，当宣武战区（总部设汴州〔河南省开封市〕）司令官（接朱守殷遗缺），兼侍卫亲军步骑兵总指挥官（兼侍卫亲军马步都指挥使）。

26 十一月三日，南吴王国（首都江都府〔江苏省扬州市〕）国王杨溥，登极称帝（一任睿帝），追尊老爹武孝王杨行密绰号武皇帝、老哥景王杨渥绰号景皇帝，二哥宣王杨隆演绰号宣皇帝。

后唐（首都河南府）安重诲主张出军讨伐新建的南吴帝国，后唐帝（二任明宗）李嗣源（邈佶烈）不准。

十一月十七日，南吴政府（首都江都府）大赦，改年号乾贞（之前是顺义七年，之后是乾贞元年）。

南吴帝（一任睿帝）杨溥尊娘亲王太妃当皇太后，命徐知询当全国各战区道副总指战官（诸道副都统）、镇海（总部金陵府）、宁国（总部宣州）二战区司令官（节度使），兼最高监督长（兼侍中·使相）。加授最高监督长（侍中）徐知诰（李知诰）当全国武装部队总司令（都督中外诸军事）。

27 十二月一日，后唐（首都河南府）孟知祥（西川〔总部成都府〕司令官）征调民夫二十万人，增修成都城。

28 南吴帝（一任睿帝）杨溥封老哥庐江公爵杨濛当常山王，封老弟鄱阳公爵杨澈当平原王、侄儿南昌公爵杨珙当建安王。

29 最初，晋阳（山西省太原市）面相师周玄豹，曾经预言李嗣源（邈佶烈）的容貌贵不可言。李嗣源（邈佶烈）称帝后，打算命他前来京师（首都河南府），端明殿侍从文学官（端明殿学士）赵凤说："周玄豹预言陛下将来会当皇帝，预言已经应验，不知道还要问他什么吉凶？如果把他留在京师（首都河南府），一些轻狂浮躁、行险侥幸的人，一定挤破他的家门，争相查问命运好坏。自古以来，他们这种人信口开河，使人全族屠灭的事太多了，不是使国家平静、人心安定的做法。"李嗣源（邈佶烈）乃命周玄豹以宫廷膳食部长（光禄卿）名义退休，赏赐他大量金银绸缎。

30 后唐（首都河南府）立法官（中书舍人）马缟，建议李嗣源（邈佶烈）依照东汉王朝一任帝（光武帝）刘秀前例，在皇家七座祖庙之外，另建老爹亲庙（刘秀另建"四亲祭庙"，参考二七年正月）。宰相联合办公厅（中书门下）上疏建议依照东汉王朝孝德皇（东汉六任帝〔安帝〕刘祜的老爹刘庆，参考一二一年三月）、孝仁皇（东汉十二任帝〔灵帝〕刘宏的老爹刘苌，参考一六八年闰三月）的前例，李嗣源（邈佶烈）的老爹李霓，只称“皇”，不称“帝”。但李嗣源（邈佶烈）坚持称“皇帝”，文武百官又依照德明皇帝、玄元皇帝、兴圣皇帝的前例（唐王朝李姓皇帝，追尊黄帝王朝司法官皋陶当德明皇帝，《老子》作者李耳当玄元皇帝，大分裂时代西凉王国一任王〔武昭王〕李暠当兴圣皇帝，参考六六六年二月及七四三年正月），建议把亲庙建在京师（首都河南府），李嗣源（邈佶烈）命建在应州（李嗣源故乡，山西省应县）自己旧宅。自四世祖（李聿）父母以下，都追尊绰号，男称皇帝，女称皇后，坟墓称陵。

31 南汉帝国（首都兴王府〔广东省广州市〕）皇帝（一任高祖）刘岩（本年三十九岁），前往康州（广东省德庆县）。

32 本年（九二七），后唐（首都河南府）蔚（河北省蔚县）、代（山西省代县）等州边疆一带丰收，粟米每斗不过十钱。

九二八年 戊子

后唐	天成	三年
南吴	乾贞	二年
南楚	天成	三年
吴越	宝正	三年
南汉	白龙	四年
	大有	元年
南平	乾贞	二年
契丹	天显	二年

1 春季，正月十日，南吴帝国（首都江都府〔江苏省扬州市〕）皇帝（一任睿帝）杨溥（本年二十九岁），封皇子杨琏当江都王、杨璘当江夏王、杨璆（音qiú〔求〕）当宜春王。封前任王（宣王）杨隆演的儿子庐陵公爵杨玢当南阳王。

2 后唐帝国（首都河南府〔河南省洛阳市〕）所属安义战区（总部设潞州〔山西省长治市〕）司令官（节度使）毛璋，骄傲凶恶，派头排场，上比君王，时常穿皇帝才能穿的暗红色衣袍，纵情任性，饮酒寻乐，左右官员有劝告的，毛璋就把劝告者的心挖出来研究察看。后唐帝（二任明宗）李嗣源（邈佶烈，本年六十二岁）得到报告，把他调回中央当右金吾卫（卫军第十二军）上将军。

3 契丹帝国（首都西楼城〔内蒙古巴林左旗〕）攻陷后唐（首都河南府）所属平州（河北省卢龙县。原随卢文进回归后唐，参考前年〔九二六〕十月，迄今又失）。

4 二月一日，日蚀。

5 后唐帝（二任明宗）李嗣源（邈佶烈）准备前去邺都（兴唐府，河北省大名县），当时，护送御驾各路大军官兵们的家属，从洛阳（首都河南府所在县）抵达大梁（汴州州政府所在城，河南省开封市），为时不久，刚安顿妥当，忽然听说又要前去邺都（兴唐府），大家都不高兴，各种谣言，再度排山倒海般传出。李嗣源（邈佶烈）得到报告，停止行动（李嗣源如果为了面子而一意孤行，非去邺都〔兴唐府〕不可，这个新缔造的脆弱政府，可能就在这时候结束）。

6 南吴（首都江都府）自从后唐（首都河南府）一任帝李存勖消灭后梁（首都开封府）之后，便跟后唐使节来往不断（参考九二三年十月）。

二月四日，南吴（首都江都府）使节抵达后唐（首都河南府），后唐（首都河南府）帝国参谋总部指挥官（枢密使）安重诲认为南吴（首都江都府）竟敢跟后唐（首都河南府）站在平等地位，也称皇帝，还派使节前来侦察国情，太不应该；拒绝接受，从此两国邦交断绝。

7 后唐（首都河南府）新任西都（京兆府，陕西省西安市）留守长官张筠，抵达长安（京兆府所在县）到差（张筠调职事，参考去年〔九二七〕十月），守城军队紧闭城门，拒绝他进城。张筠无可奈何，单人匹马前往京师（首都河南府），李嗣源（邈佶烈）命他当左卫（卫军第一军）上将军。

二月十六日，宁江战区（总部设夔州〔重庆市奉节县〕）司令官（节度使）西方邺，攻陷荆南（总部江陵府）所属的归州（湖北省秭归县）。但不久，荆南（总部江陵府）再把它夺回。

帝国参谋总部指挥官（枢密使）、兼二级实质宰相（同平章事）孔循（赵殷衡），性情狡狯，精于谄媚，但安重诲对他却十分亲近。李嗣源（邈佶烈）原打算替皇子娶安重诲的女儿，孔循（赵殷衡）警告安重诲说："你身居皇家机要重地，不应该再跟皇子结亲！"安重诲遂婉拒李嗣源（邈佶烈）的建议。过了很久，有人提醒安重诲说："孔循（赵殷衡）最会离间别人，不应该把他放到皇家机要重地。"孔循（赵殷衡）得到消息，暗中派人结交王德妃（《五代史记·淑妃王氏传》：王德妃本是邠州〔陕西省彬州市〕卖饼家的女儿，绝美，绰号花见羞，幼时卖给刘鄩当婢女，刘鄩逝世，李嗣源收作小老婆，言听计从），求皇子娶自己的女儿。王德妃（花见羞）遂建议李嗣源（邈佶烈）替皇子李从厚娶孔循（赵殷衡）的女儿为妃，李嗣源（邈佶烈）允许。安重诲得到消息，才恍然大悟自己竟被最信任的好友出卖，大怒。

二月十九日，任命孔循（赵殷衡）当忠武战区（总部设许州〔河南省许昌市〕）司令官（节度使），遥兼二级宰相（同平章事·使相）及东都（首都河南府）留守长官（此应是遥兼），逐出京师（首都河南府）。

安重诲性情倔强刚愎，自以为是，雄武战区（总部设秦州〔甘肃省秦安县西北〕。后唐灭前蜀后，因出现两个同名的战区〔另一个天雄战区设于兴唐府〕，遂把秦州的战区改称雄武）司令官（节度使）华温琪，到京师（首都河南府）朝见，请求调中央任职，李嗣源（邈佶烈）十分嘉许，命他当左骁卫（卫军第五军）上将军，每月另加发金钱粮食（当时将领都乐于在外地无法无天，华温琪却请留京师，李嗣源所以感动）。一年后，李嗣源（邈佶烈）对安重诲说："华温琪是从前老友，应该挑选一个军事重镇安置他。"安重诲回答说："目前没有空缺！"后来，李嗣源（邈佶烈）屡次提到这件事，安重诲生气说："我每次都奏报说没有空缺，一定要安置华温琪的话，只有把帝国参谋总部指挥官（枢密使）给他！"李嗣源（邈佶烈）说："那也可以。"安重诲呆在那里，说不出话。华温琪得到消息，大为恐惧，几个月不敢出门。

安重诲十分厌恶成德战区（总部设镇州〔河北省正定县〕）司令官（节度使）、遥兼二级宰相（同平章事·使相）王建立，上疏指控王建立跟王都（刘云郎，义武〔总部定州〕司令官）结交，企图叛变（官场斗争，总是出现诬对手谋反场景）。王建立也上疏指控安重诲专权跋扈，要求到京师（首都河南府）当面禀报，李嗣源（邈佶烈）遂下诏召见。王建立抵达后，抨击安重诲跟宫廷事务总监（宣徽使）、代理中央财政三单位管理总监（判三司）张延朗缔结儿女亲家，互相掩护勾结，作威作福。

三月五日，李嗣源（邈佶烈）见到安重诲，怒不可遏，对他说："现在给你一个战区，好好休息，由王建立代替你的职务，张延朗也派到外地当官。"安重诲抗辩说："我殷勤辛苦，事奉陛下数十年，陛下龙飞登极，我又受命管理皇家机要，几年之间，幸好天下太平无事，而今一旦被驱逐到外地，希望指示我到底有什么过错。"李嗣源（邈佶烈）大不耐烦，站起来就走，稍后，把这件事告诉另一位宫廷事务总监（宣徽使）朱弘昭，朱弘昭说："陛下平时把安重诲当作左右手，何必为了一点小事生气，就把他赶走，请再考虑。"

十世纪·九二八年正月至三月
后唐、南楚再攻南平，围江陵

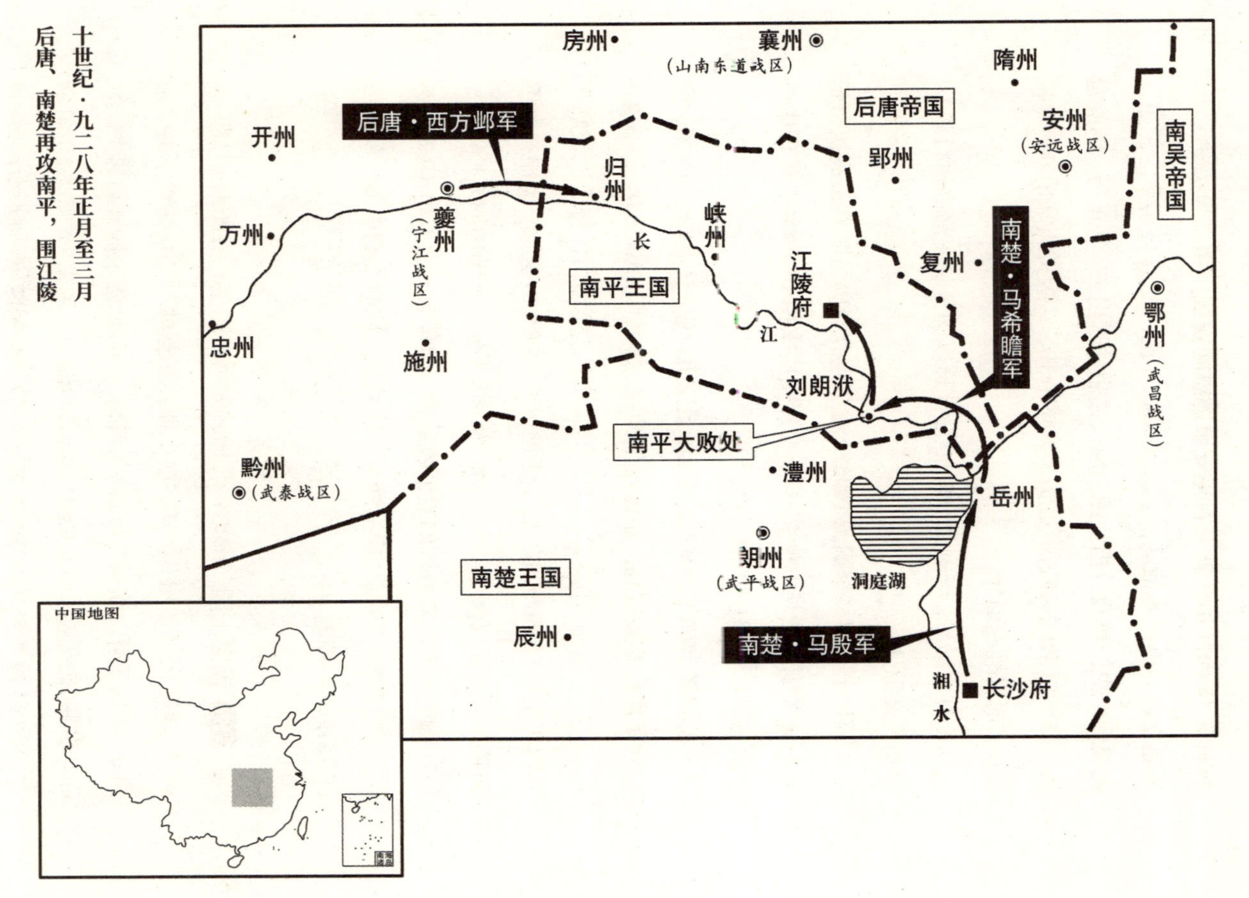

李嗣源（邈佶烈）不久就又召见安重诲慰问安抚。第二天（三月六日），王建立告辞返回本战区，李嗣源（邈佶烈）说："近来你奏章上总是强调要到中央，替我分担忧虑，现在又想往哪里去？"正巧，副监督长（门下侍郎）兼国务院司法部长（兼刑部尚书）、二级实质宰相（同平章事）郑珏，请求辞职退休。

三月十三日，李嗣源（邈佶烈）命郑珏以国务院左最高执行长（左仆射）名义退休。

三月十七日，李嗣源（邈佶烈）命王建立当国务院右最高执行长（右仆射）兼副立法长（兼中书侍郎）、二级实质宰相（同平章事），代理中央财政三单位管理总监（判三司）。

孟知祥（西川〔总部成都府〕司令官）跟董璋（东川〔总部梓州〕司令官），为了争夺食盐专卖权利，不断发生冲突（《新唐书·食货志四》：西川有盐井十三口，东川有盐井四百六十口，东川盐利多过西川），董璋用优待条例鼓励商人购买东川（总部梓州）的盐，运到西川（总部成都府）去卖，孟知祥深感头痛，于是在汉州（四川省广汉市）两川边界处（四川省德阳市东北绵阳河），设立三个关卡，对入境的盐征收重税，每年收入七万串（这是唐王朝时中央政府控制全国盐价的方法，参考七八〇年七月），盐商无利可图，就不再往东川（总部梓州）。

8 南楚王国（首都长沙府〔湖南省长沙市〕）国王（一任武穆王）马殷（本年七十七岁），前往岳州（湖南省岳阳市），派六军基地司令（六军使）袁诠、副司令（副使）王环、监军官（监军）马希瞻，率舰队进攻脱离后唐（首都河南府）的荆南战区（总部设江陵府〔湖北省江陵县〕），荆南（总部江陵府）司令官（节度使）高季兴（高季昌）率舰队迎战。在刘郎洑（湖北省石首市沙步乡刘郎浦。蜀汉一任帝刘备跟孙权之妹结婚处。结婚事，参考二〇九年十二月。洑，音

fú〔扶〕），马希瞻于深夜把数十艘战舰驶进港口埋伏。第二天一早，两军接触，马希瞻发动伏兵，拦腰攻击荆南（总部江陵府）舰队，荆南舰队大败，被俘被杀的以千为单位计算。南楚舰队遂进逼江陵（湖北省江陵县），高季兴（高季昌，荆南〔总部江陵府〕司令官）请求和解，并把所羁留的南楚将领史光宪送回（高季兴扣押史光宪，参考去年〔九二七〕五月）。南楚（首都长沙府）舰队班师，南楚王（一任武穆王）马殷责备王环不应该不乘机夺取荆南（总部江陵府）。王环说："江陵（湖北省江陵县）位于中原（后唐〔首都河南府〕）、江淮（南吴〔首都江都府〕）、巴蜀（西川〔总部成都府〕）中间，四面八方都有敌人，可以随时发动攻击，应该把它留在那里，作我们的屏障。"马殷大为高兴。王环每次作战，都身先士卒，跟大家同甘共苦。身旁经常放着金针、药物，出战回来，一定下令把伤兵抬到指挥部帐前，亲自为他们治疗，调配到王环部下的官兵，都互相庆贺说："我们到了我们愿意死的地方！"所以每次出击，都能取胜。

南楚（首都长沙府）庞大舰队进攻南汉帝国（首都兴王府〔广东省广州市〕），包围封州（广东省封开县），南汉帝（一任高祖）刘岩（本年四十岁）用《易经》卜卦，卜出"大有"（凡卜得此卦的人，"天佑之，吉，无不利"），十分高兴，于是大赦，改年号为大有（之前是白龙四年，之后是大有元年）。命京师（首都兴王府）东西城净街司令（左右街使）苏章，率神箭手三千人、战舰一百艘，前往救援。苏章抵达贺江（临贺水，于广东省封开县注入西江），把粗大的铁链沉到江底，两端拴在隐藏两岸长堤后的巨轮上，用勇士守候，埋伏妥当。苏章率轻快小艇进击，假装失利后退，南楚（首都长沙府）舰队追赶，进入长堤之内，南汉军（首都兴王府）转动巨轮，拉起铁链，南楚舰队进不能进，退不能退，南汉神箭手在贺江（临贺水）两岸夹射，南楚军大败，解除封州（广东省封开县）包围退去。后汉帝（一任高祖）刘岩命苏章当封州民兵司令（团练使）。

9 夏季，四月，后唐帝（二任明帝）李嗣源（邈佶烈）命皇子、邺都（兴唐府）留守长官李从荣，当河东战区（总部设太原府〔山西省太原市〕）司令官（节度使）、北都（太原府）留守长官，命礼宾官（客省使）太原（山西省太原市）人冯赟当副留守长官；又命夹马指挥官（夹马指挥使）新平（陕西省彬州市）人杨思权当步兵总指挥官（步军都指挥使），作为辅佐。

四月三日，李嗣源（邈佶烈）命宣武战区（总部设汴州〔河南省开封市〕）司令官（节度使）石敬瑭，当邺都（兴唐府）留守长官、天雄战区（总部设兴唐府〔河北省大名县〕）司令官（节度使）、遥兼二级宰相（同平章事·使相）；又命帝国参谋总部指挥官（枢密使）范延光当成德战区（总部设镇州〔河北省正定县〕）司令官（节度使）。

四月十一日，又命帝国参谋总部指挥官（枢密使）安重诲，兼首都洛阳特别市长（兼河南尹），命首都洛阳特别市长（河南尹）李从厚当宣武战区（总部设汴州〔河南省开封市〕）司令官（节度使），仍兼皇家禁卫军统帅（判六军诸卫事）。

10 南吴（首都江都府〔江苏省扬州市〕）右雄武军基地司令（右雄武军使）苗璘、静江部队统军王彦章（非后梁将王彦章〔王铁枪〕），率舰队官兵一万人，进攻南楚王国（首都长沙府〔湖南省长沙市〕）所属岳州（湖南省岳阳市），进入洞庭湖，抵达君山（洞庭湖中小岛，今已与陆地相连），南楚王（一任武穆王）马殷派右丞相许德勋率战舰一千艘抵御。许德勋说：“南吴只是乘虚而入，看到我们反攻的大军，一定害怕逃走。”于是暗中推进到角子湖（湖南省岳阳市西南），就在夜晚，命王环率战舰三百艘，进驻阳林浦（岳阳市长江北岸），切断南吴舰队退路。第二天，黎明，南吴（首都江都府）舰队航向荆江口（洞庭湖注入长江处），准备会合荆南（总部江陵府）舰队攻击岳州（湖南省岳阳市）。

四月十二日，南吴（首都江都府）舰队抵达道人矶（湖南省临湘市西长江东岸），南楚（首都长沙府）统帅许德勋命舰队总纠察官（战棹都虞候）詹信，率轻快小舰三百艘出现南吴舰队后方，而许德勋率主力舰迎头夹击，南吴（首都江都府）舰队大败，统帅苗璘、王彦章全被俘虏，押回首都长沙。

11 最初，后唐（首都河南府）所属义武战区（总部设定州〔河北省定州市〕）司令官（节度使）、兼最高立法长（兼中书令·使相）王都（刘云郎），镇守定州（河北省定州市），已有十余年（王都从义父手中夺取定州，参考九二一年十月，迄今八年），自行任命辖区里的州长以下官员，所有田赋捐税，都留下自用，从不呈缴中央。安重诲当权后，稍微依照法令规章行事；而李嗣源（邈佶烈）也因王都（刘云郎）杀父篡位，心里对他厌恶。当时，契丹帝国（首都西楼城〔内蒙古巴林左旗〕）不断侵犯后唐边疆，政府常在幽（北京市）、易（河北省易县）二州间驻扎大军，高级将领来往不停，王都（刘云郎）害怕受到突袭，每次都暗中戒备，于是跟中央逐渐发生摩擦。王都（刘云郎）的根据地在义武（总部定州），唯恐中央把他调差，亲信部属和昭训建议王都（刘云郎）要准备保护自己，王都（刘云郎）遂向卢龙战区（总部设幽州〔北京市〕）司令官（节度使）赵德钧（赵行实）请求缔结姻亲。知道成德战区（总部设镇州〔河北省正定县〕）司令官（节度使）王建立受安重诲排斥，也派人去跟王建立结拜义兄义弟，暗中计划恢复河北（黄河以北）唐王朝末年军阀割据局面（唐王朝时，义武〔总部定州〕自设立以来，一直誓死效忠中央，与河北其他割据军阀对抗，参考八八五年三月，如今却沦落到成为叛乱之源），王建立假装同意，却秘密奏报李嗣源（邈佶烈）。王都（刘云郎）又派密使，携带蜡丸书信送给霍彦威（平

十世纪·九二八年四月　南吴·苗璘、王彦章西侵南楚，兵败被擒

复州
江陵府
沙头
汉阳
鄂州
（武昌战区）
后唐帝国
南平王国
江
长
阳林浦
石首
蒲圻
道人矶
洞庭湖
白田
君山
岳州
角子湖
南吴帝国
沅江
平江
湘阴
益阳
南楚王国
湘
水
长沙府
浏阳

中国地图

卢〔总部青州〕)、房知温(忠武〔总部许州〕)、毛璋(安义〔总部潞州〕)、孟知祥(西川〔总部成都府〕)、董璋(东川〔总部梓州〕)五战区司令官(节度使),挑拨离间。又派人游说北方军团副征剿司令(北面副招讨使)、归德战区(总部设宋州〔河南省商丘市〕)司令官(节度使)王晏球(杜晏球),王晏球(杜晏球)拒绝。王都用金钱收买王晏球(杜晏球)的部下,使部下动手除掉王晏球(杜晏球),失败。

四月十八日,王晏球(杜晏球)把王都(刘云郎)叛乱罪状,上奏中央。李嗣源(邈佶烈)命宫廷事务总监(宣徽使)张延朗,同北方各将领会商讨伐。

12 四月二十三日,南吴(首都江都府)改封常山王杨濛当临川王。

13 四月二十五日,后唐帝(二任明宗)李嗣源(邈佶烈)下诏剥夺王都(刘云郎,义武〔总部定州〕司令官)所有官职爵位。

四月二十七日,命王晏球(杜晏球)当北方军团征剿司令(北面招讨使),暂代定州(河北省定州市)州长;命横海战区(总部设沧州〔河北省沧州市东南〕)司令官(节度使)安审通当副征剿司令;命郑州(河南省郑州市)警备区司令(防御使)张虔钊当总监军官(都监);征调各战区道野战军,讨伐王都(刘云郎)。当天(四月二十七日),王晏球(杜晏球)进攻定州(河北省定州市),攻陷北关(北城门外街市)。王都用大量金银珠宝向奚部落(滦河上游)酋长秃馁求救(秃馁,参考九二二年正月十七日)。

五月,秃馁率骑兵一万人,突入定州(河北省定州市)协防,王晏球(杜晏球)退守城西六十华里的曲阳(河北省曲阳县),王都、秃馁联合追击,在嘉山(河北省曲阳县东)下会战,王晏球(杜晏球)击败王秃联军。秃馁率骑兵二千人逃回定州（河北省定州市）。王晏球（杜晏球）乘胜追击，追到城门，立刻攻城，攻陷西关（西城门外街市）。然而定州（河北省定州市）城墙高大坚固，无法强攻，王晏球（杜晏球）就增修西关关城，作为前进指挥所（行府），命战区所辖三州农民运送钱粮供应军需（义武战区辖三州：定州〔河北省定州市〕、易州〔河北省易县〕、祁州〔河北省无极县〕），准备长期围困。

五月十七日，李嗣源（邈佶烈）擢升天雄战区（总部设兴唐府〔河北省大名县〕）副司令官（节度副使）赵敬怡当帝国参谋总部指挥官（枢密使）。

王晏球（杜晏球）听到契丹（首都西楼城）将要出军援救王都（刘云郎）消息，立刻率大军直向望都（河北省望都县），派张延朗率一部分军队退守新乐（河北省新乐市）。张延朗却一直南下，退到真定（镇州州政府所在县），命赵州（河北省赵县）州长朱建丰率军整修新乐城。但契丹军（首都西楼城）并没有经过望都（河北省望都县），而是从其他道路进入定州（河北省定州市），会同王都（刘云郎）变军，夜袭新乐（河北省新乐市），攻破城池，杀朱建丰。

五月二十一日，王晏球（杜晏球）跟张延朗在行唐（河北省行唐县）会师。

五月二十二日，王晏球（杜晏球）等抵达曲阳（河北省曲阳县）。王都（刘云郎）乘着击破新乐（河北省新乐市）的余威，率领所有军队会同契丹骑兵五千人，共一万余人，直向曲阳（河北省曲阳县），准备截击王晏球（杜晏球）等。

五月二十三日，王晏球（杜晏球）等跟王都（刘云郎）等在城南会战。王晏球（杜晏球）召集各将领及各级军官勉励说："王都（刘云郎）轻佻浮躁，又骄傲狂妄，我们一定要在这次战役中，把他生擒。今天，正是各位报效国家的时候，一律不准使用弓箭，完全改用短

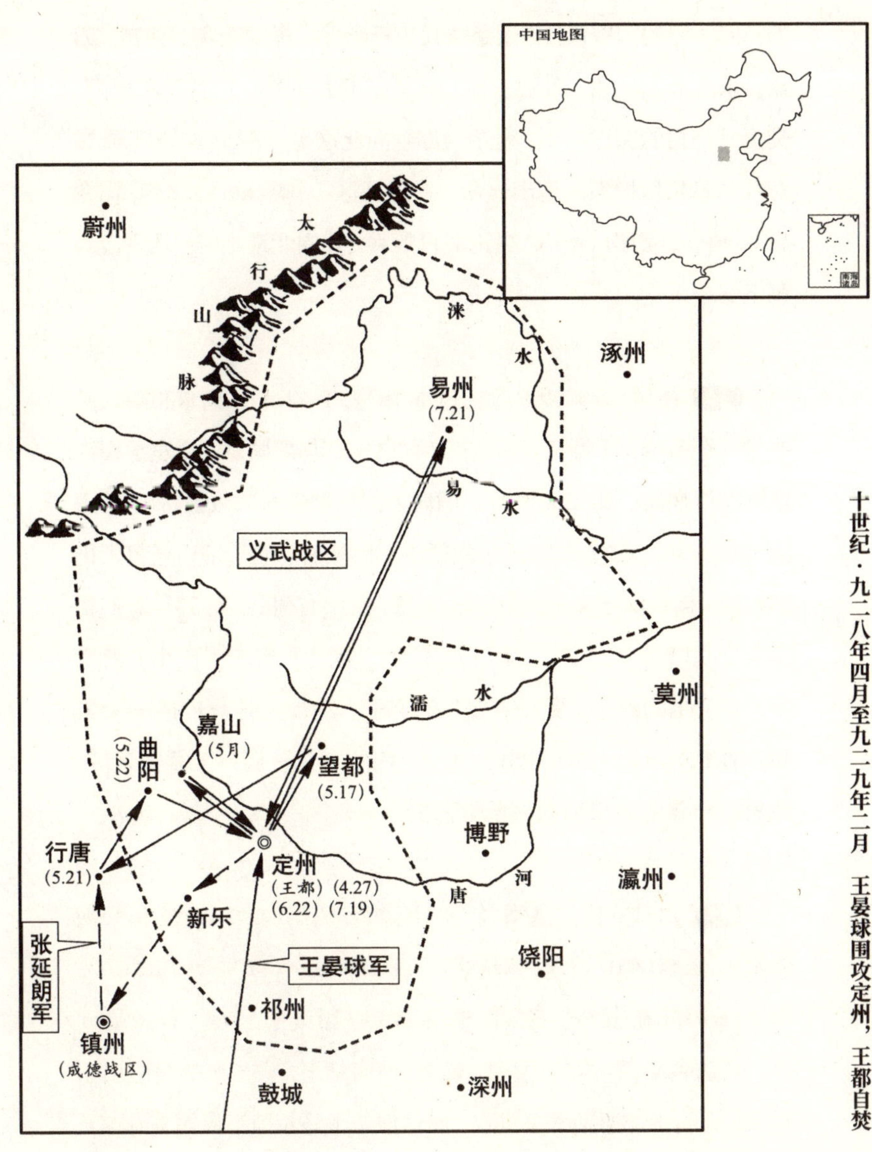

十世纪·九二八年四月至九二九年二月　王晏球围攻定州，王都自焚

刀，回头看的，斩首！”于是骑兵先行出发，挥动链条、铁鎚、刀剑，杀入敌人阵地，大破王都（刘云郎）、契丹联军，尸首满布原野，契丹军阵亡的超过一半，残余的部众向北逃走。王都（刘云郎）、秃馁在几名骑兵保护下，逃出一命。卢龙战区（总部设幽州〔北京市〕）司令官（节度使）赵德钧（赵行实）拦击契丹败兵，凡向北逃走的，几乎没有剩下一个。

14 南吴（首都江都府）派使节向南楚（首都长沙府）请求和解，并要求交还苗璘、王彦章。南楚王（一任武穆王）马殷同意，命左丞相许德勋摆设酒席，给二人饯行。酒席上，许德勋对二人说："南楚王国（首都长沙府〔湖南省长沙市〕）虽然很小，但从前的老干部、老将领仍然在位，请贵国不要再打我们的主意。必须有耐心，等到马驹们相互争夺马槽时（驹，幼马），再计算不迟。"因为马殷宠爱的小老婆太多，正妻生的嫡子，跟小老婆生的庶子，没有区别（《十国春秋》记载，马殷有儿子三十余人，史籍记载的仅十余人），而所有儿子们，又骄傲奢侈，败象已充分呈现，所以许德勋提到。

15 六月八日，高季兴（高季昌，荆南〔总部江陵府〕司令官）再一次向南吴（首都江都府）请求归降称臣（南吴曾经拒绝，参考去年〔九二七〕五月），南吴（首都江都府）接受，晋封高季兴（高季昌）当秦王。

后唐帝（二任明宗）李嗣源（邈佶烈）命南楚王（一任武穆王）马殷出军讨伐。马殷派许德勋率军进攻，而命他儿子马希范当监军官（监军）；前军抵达沙头（湖北省荆州市），高季兴（高季昌）的侄儿、云猛指挥官（云猛指挥使）高从嗣，单人匹马直逼南楚军营门，向马希范挑战，以决胜负；南楚副指挥官（副指挥使）廖匡齐出阵决斗，击碎高从嗣的前胸肋骨，把他格杀；高季兴（高季昌）大为恐惧。第二天，请求和解，许德勋班师。廖匡齐，是赣县（虔州州政府所在县，江西省赣州市）人。

16 后唐（首都河南府）王晏球（杜晏球）知道定州（河北省定州市）守备森严，不容易急切攻克。但朱弘昭、张虔钊对外宣称："统帅（杜晏球）胆小如鼠！"后唐帝（二任明宗）李嗣源（邈佶烈）下令强行攻城，王晏球（杜晏球）不得已，只好发动。

六月二十二日，攻城开始，死伤将士三千人。

先前，李嗣源（邈佶烈）调派西川（总部成都府）军队驻扎夔州（宁江战区总部所在，重庆市奉节县），孟知祥（西川〔总部成都府〕司令官）命左肃边指挥官（左肃边指挥使）毛重威，率三千人前往。不久，孟知祥奏报说："夔（重庆市奉节县）、忠（重庆市忠县）、万（重庆市万州区）三州已经收复，请准许调回特遣兵团，节省粮食运送。"李嗣源（邈佶烈）不允许。孟知祥暗中派人前去引诱，毛重威遂率他的部下，一哄而散，逃回西川（总部成都府）。李嗣源（邈佶烈）下诏要定他们的罪，孟知祥出面请求，才把他们赦免。

17 后唐（首都河南府）所属保义战区（总部设陕州〔河南省三门峡市〕）作战参谋长（行军司马）王宗寿，请求埋葬故前蜀二任帝王宗衍的尸首（王宗衍死于长安，参考前年〔九二六〕二月）。

秋季，七月，李嗣源（邈佶烈）下诏追赠王宗衍为顺正公爵，用公爵的礼仪重新安葬（《九国志·王宗寿传》：王宗寿，是许州〔河南省许昌市〕人，王建视作义子。王宗寿在王宗衍时代，有多次恳切规劝，王宗衍全听不进去，终于国亡。王宗衍死后，王宗寿随着大家东迁，走到渑池〔河南省渑池县〕，听到李存勖被杀，遂逃入熊耳山。九二八年才出来。寻访被杀的王宗衍家人骨骸。李嗣源嘉许他的心愿，任命他当保义〔总部

陕州〕作战参谋长〔行军司马〕，共寻访到王宗衍等十八个尸体，安葬长安南三赵村）。 690

18 后唐（首都河南府）北方军团副征剿司令（北面招讨副使）安审通逝世。

东都（首都河南府）居民有酿造私酒的，留守长官孔循（赵殷衡）诛杀他全族（此事应发生在孔循当宰相时，此时孔循身在许州，不可能在遥兼的东都留守长官职务上，行使杀人职权）。于是有人上疏建议准许居民酿酒，而只在秋季每亩征收税金五钱（唐王朝末年已放宽酒专卖，参考九〇一年四月，或后梁帝国恢复）。

七月十六日，李嗣源（邈佶烈）下诏批准。

19 七月十九日，契丹（首都西楼城）再派他们的指挥官（惕隐）率骑兵七千人救援王都（刘云郎，义武〔总部定州〕司令官）。后唐（首都河南府）讨伐军统帅王晏球（杜晏球）在唐河（海河支流，自定州北，流向东南）以北迎头痛击，大破契丹军。

七月二十一日，王晏球（杜晏球）乘胜追击，追到易州（河北省易县），当时，大雨连绵，河水猛涨，契丹官兵被杀、被俘，以及被淹死的，多到无法可数。

七月二十五日，李嗣源（邈佶烈）封威武战区（总部设福州〔福建省福州市〕）司令官（节度使）王延钧当闽王（自琅邪王晋升闽王）。

契丹残兵败将继续向北逃命，道路泥泞不堪，人饥马乏，好不容易进入卢龙（总部幽州）辖境。

八月二日，赵德钧（赵行实，卢龙〔总部幽州〕司令官）派营门官（牙将）武从谏，率精锐骑兵拦截，一面分出兵力据守险要关卡，结果生擒契丹军指挥官（惕隐）等数百人。剩下来的契丹士卒，四散逃奔附近村落，村民用木棍驱逐殴打，纷纷倒毙，能够逃回本国的不过数十人（六千九百余人丧生）。自此契丹士气沮丧，不敢轻易再侵犯中国边境。

当初，李存勖（一任庄宗）在河北（黄河以北）攻城掠地时，拣到一个小孩，把他带回皇宫抚养。长大后，赐给一个皇家姓名：李继陶。李嗣源（邈佶烈）登极称帝后，命李继陶出宫另谋生活。王都（刘云郎，义武〔总部定州〕司令官）把他迎接到定州（河北省定州市），教他身穿暗红皇袍，坐在城楼上。王都（刘云郎）告诉王晏球（杜晏球）说："他是庄宗皇帝（李存勖）的皇子，登极称帝。你受先帝（李存勖）的厚恩，难道一点也不思念！"王晏球（杜晏球）说："事到如今，搞这些小动作有什么用？我现在给你选择：一是出动全军，决一死战；一是缚住双手，出城投降；除此之外，没有生路。"

王建立因为自己不认识字，请求辞去代理中央财政三单位管理总监（判三司）职务，李嗣源（邈佶烈）不准。

20 八月二十三日，南吴（首都江都府）大赦。

21 吴越王国（首都杭州〔浙江省杭州市〕）国王（一任武肃王）钱镠（本年七十七岁。镠，音刘〔流〕），打算把王位传给儿子钱传瓘（钱镠第七子），遂对所有儿子宣布："你们各自说出对王国的功劳，我选择功劳最多的封他当太子。"钱传瓘的兄弟钱传琇（五哥）、钱传璙（六哥）、钱传璟（十五弟），一致推崇钱传瓘。钱镠遂上疏后唐政府（首都河南府），建议把两大军事重镇（镇海、镇东），传授给钱传瓘。

闰八月五日，后唐帝（二任明宗）李嗣源（邈佶烈）下诏命钱传瓘当镇海（总部杭州）、镇东（总部越州）战区司令官（节度使）。

22 闰八月六日，后唐（首都河南府）赵德钧（赵行实，卢龙〔总部幽州〕司令官）把契丹（首都西楼城）俘虏指挥官（惕隐）等，押解中央呈献，将领们一致请求把他们诛杀。李嗣源（邈佶烈）说："他们都是契丹军中的猛将，如果诛杀，契丹就完全绝望。不如留下性命，用来减轻边境的灾难。"于是赦免指挥官（惕隐）等五十人，安置在亲卫军司令部，其他剩下的士卒六百人，全部斩首。

不久，契丹（首都西楼城）派使节梅老季素等，前来后唐进贡。

当初，卢文进自契丹（首都西楼城）回归后唐（参考前年〔九二六〕十月），契丹政府命华洋总管辖官（蕃汉都提举使）张希崇代替他当卢龙战区（总部设平州〔河北省卢龙县〕）司令官（节度使），镇守平州（河北省卢龙县），并派契丹亲将率骑兵三百人，驻守协防，一面监视。张希崇本是一个知识分子，原在卢龙战区（总部幽州）当营门官（牙将），被契丹（首都西楼城）俘虏。他的性情温和、平易近人，契丹亲将逐渐对他放松戒备，张希崇遂跟他的部属暗中计划回归后唐。部属们哭泣说："回归祖国，时时刻刻，无论吃饭睡觉，都不能忘记，不过契丹的人多，我们的人少（就契丹全国而论，契丹人多，汉人少），怎么办？"张希崇说："我先把他们的将领骗来杀掉，士卒们一定溃散逃走，这里距他们首都一千余华里（西楼城、平州二地航空距离五百公里），等他们知道后征调军队，我们已走得远了。"部众说："好极！"于是先挖掘一个深坑，里面铺上石灰。第二天，宴请契丹（首都西楼城）将领饮酒，等到酩酊大醉，就把他们连同所带的随从，一并诛杀，投入深坑。契丹军营设在城北，张希崇紧急集结军队攻击，契丹士卒果然溃散，向北逃走。张希崇率领他的全体部众二万余人，奔回后唐。

后唐帝（二任明宗）李嗣源（邈佶烈）下诏任命张希崇当汝州（河南省

汝州市）州长。

23 南吴（首都江都府）王太后逝世（王太后，是故王杨行密的妻子）。

24 九月九日，已向南吴（首都江都府）称臣的荆南（总部江陵府），在白田（湖南省岳阳市北白田镇）击败南楚军（首都长沙府），生擒岳州（湖南省岳阳市）州长李廷规，呈献南吴政府（首都江都府）。

25 九月二十三日，后唐帝（二任明宗）李嗣源（邈佶烈）下诏斥责温韬（温昭图）盗掘唐王朝皇帝的陵墓（参考九〇八年十月）及段凝（段明远）反复无常，命他们就在贬窜地自杀（温韬贬窜德州〔山东省德州市陵城区〕，段凝贬窜辽州〔山西省左权县〕，参考去年〔九二七〕七月）。

九月二十七日，李嗣源（邈佶烈）命武宁战区（总部设徐州〔江苏省徐州市〕）司令官（节度使）房知温，兼荆南（总部江陵府）特遣兵团征剿司令（兼荆南行营招讨使），主管荆南特遣总部（知荆南行府事）。分别派宦官到各战区征调军队，在襄阳（湖北省襄阳市）集结，准备讨伐高季兴（高季昌，荆南〔总部江陵府〕司令官）。

九月二十九日，李嗣源（邈佶烈）调庆州（甘肃省庆阳市）警备区司令（防御使）窦廷琬当金州（陕西省安康市）州长。

冬季，十月，窦廷琬控制庆州（甘肃省庆阳市），拒绝调差。

十月五日，李嗣源（邈佶烈）命横海战区（总部设沧州〔河北省沧州市东南〕）司令官（节度使）李从敏，兼北方军团副征剿司令（接替安审通，讨伐定州王都）。李从敏，是李嗣源（邈佶烈）的侄儿。

十月七日，李嗣源（邈佶烈）命静难战区（总部设邠州〔陕西省彬州市〕）司令官（节度使）李敬通出军讨伐窦廷琬。

王都（刘云郎）据守定州（河北省定州市），防卫坚固，控制严密，虽然部属中经常有人计划翻墙接应中央军队，都不能成功。李嗣源（邈佶烈）派使节催促王晏球（杜晏球）攻城，王晏球（杜晏球）跟使节并肩骑马，绕城巡视，指着定州说："城墙如此高大险峻，就算守军不还击，让外军攀登，仅靠云梯、冲车，也没有办法，只不过白白屠杀自己的精锐部队，对变军丝毫没有损伤，又何必这样做？不如只消耗三个州（易定祁）的赋税，爱民养兵，等候良机，我保证他们一定窝里先烂。"李嗣源（邈佶烈）接受。

十一月，有关官员请求给唐王朝末任帝（二十五任哀帝）李柷建立一座祭庙。李嗣源（邈佶烈）命把祭庙建在李柷遇害的地方曹州（山东省菏泽市定陶区。朱全忠谋杀李柷事，参考九〇八年二月二十二日，距今二十一年）。

平卢战区（总部设青州〔山东省青州市〕）司令官（节度使）晋公爵（忠武公）霍彦威逝世（年五十七岁）。

忠州（重庆市忠县）州长王雅，攻陷荆南（总部江陵府）所属的归州（湖北省秭归县。归州之争，参考本年〔九二八〕正月十六日）。

十一月十九日，皇子李从厚娶孔循（赵殷衡）的女儿为妻，孔循因此得以自许州（河南省许昌市）前往大梁（汴州州政府所在城，河南省开封市），拿出大量金银珠宝，巴结贿赂王德妃（花见羞）的党羽，请准他留下来。安重诲上疏揭穿这项勾结，誓死排斥。婚礼完毕后，李嗣源（邈佶烈）催促孔循（赵殷衡）回去。

十一月二十三日，李嗣源（邈佶烈）任命副立法长（中书侍郎）、二级实质宰相（同平章事）王建立，遥兼二级宰相（同平章事・使相），充任平卢战区（总部设青州〔山东省青州市〕）司令官（节度使）。

十一月二十五日，李嗣源（邈佶烈）问端明殿侍从文学官（端明殿学士）赵凤说："君王赐给臣属铁券，有什么意义？"赵凤说："君王向臣属立誓，向臣属保证子子孙孙荣华富贵（铁券，参考前一九五年五月注）！”李嗣源（邈佶烈）说：“先帝（李存勖）在位时，得到这项赏赐的，只有三个人（郭崇韬、李嗣源、朱友谦），郭崇韬、朱友谦不久就被屠灭全族，我之得以逃生，只差毫发（《资治通鉴》并没有记载郭崇韬、李嗣源二人得铁券之事）！”因而叹息很久，赵凤说：“君王心里如果存有大信，不一定要刻到石头上、铸到钢铁上。”

十二月三日，李敬周奏报说，攻陷庆州（甘肃省庆阳市），诛杀窦廷琬全族。

26 南吴（首都江都府）所属荆南战区（总部江陵府〔湖北省江陵县〕）司令官（节度使）高季兴（高季昌）患病卧床，命他的儿子、作战参谋长（行军司马）、忠义战区（总部设襄州〔湖北省襄阳市〕）司令官（空头官衔。此时襄州属后唐〔首都河南府〕）、遥兼二级宰相（同平章事·使相）高从诲，暂时主持总部军政大事（权知军府事）。

十二月十五日，高季兴（高季昌）逝世（年七十一岁）。南吴帝（一任睿帝）杨溥命高从诲（本年三十八岁）当荆南战区（总部设江陵府〔湖北省江陵县〕）司令官（节度使），兼最高监督长（兼侍中·使相）。

27 后唐（首都河南府）国史馆编撰官（史馆修撰）张昭远上疏说：“先帝（一任帝李存勖）在位的时候，皇弟、皇子们都喜欢登台演戏（《资治通鉴》只记载李存勖本人喜欢演戏，参考九二三年十月），回家后尽量鼓励妇女们豪华奢侈，出门时则互相炫耀自己的车辆仆从，习惯风俗这个样子，怎能成长为贤德兼备的绅士！现在，陛下应该替各位皇子用心选择教师，命皇子们谦恭的向他们学习，听他们讲解礼仪的精神，分析国家安危的道理。古代，君王登极，就在皇子中指定太子，特别突显‘嫡’‘庶’的分别（正妻生的儿子称嫡子，小老婆生的儿子称庶子），堵塞灾祸的泉源。眼前选择皇储这件事，我不敢轻率的发表意见。但是在陛下对他们的恩德赏赐上和婚姻关系上、晋谒接见方式上，应该对‘嫡’‘庶’‘长’‘幼’，有所区分，使大家了解地位等差，消除冒险侥幸的野心。”李嗣源（邈佶烈）赞赏他的言论，但不能施行。

28 闽王（首都福州）王延钧，剃度和尚二万人。从此，闽中（福建省）僧侣最多。

29 后唐（首都河南府）河东战区（总部设太原府〔山西省太原市〕）司令官（节度使）、北都（太原府）留守长官李从荣，年纪虽轻，却骄傲恶狠，从不处理政务，李嗣源（邈佶烈）在左右侍从中物色一个跟李从荣感情最亲近的人，派到太原（山西省太原市）跟他生活在一起，以便随时劝导。这人私下对李从荣说：“河南相公（李从厚，当时任首都洛阳特别市长〔河南尹〕）恭敬谨慎，努力向上，礼贤下士，有少年老成的风范。你这个老哥年龄比他大，应该自我警惕勉励，不要使名声屈居在老弟之下。”李从荣大不高兴，等对方告退后，告诉步兵总指挥官（步军都指挥使）杨思权说：“中央的人都推崇从厚而指摘我，难道我要罢黜？”杨思权说：“你手里掌握强大军队，又有我在你旗下，有什么好担忧的？”遂建议李从荣大量招兵买马，整理制造武器铠甲，暗中充实自己的实力。杨思权告诉那位任务在身的使节说：“你总是称赞老弟（李从厚）而压制老哥（李从荣），我们为什么不能助他一臂之力！”那人恐惧，告诉副留守长官冯赟，冯赟秘密奏报。李嗣源（邈佶烈）召见杨思权查问，但因为李从荣的缘故，对杨思权也没有责备。

九二九年 己亥

后唐	天成	四年
南吴	乾贞	三年
	大和	元年
南楚	天成	四年
吴越	宝正	四年
南汉	大有	二年
南平	天成	四年
契丹	天显	三年

1 春季，正月，后唐帝国（首都河南府〔河南省洛阳市〕）北都（太原府，山西省太原市）副留守长官冯赟，被调到中央当宫廷事务总监（宣徽使），对宰相们说：“从荣（李从荣）暴躁刚愎，做事轻率，而思考简单，应该遴选德高望重的人做他的辅佐。”

2 叛离后唐（首都河南府）的义武战区（总部设定州〔河北省定州市〕）司令官（节度使）王都（刘云郎），及奚部落（滦河上游）酋长秃馁，打算突围（后唐军包围定州，参考去年〔九二八〕四月），但包围圈紧密，无法冲出。

二月三日（原文“癸丑”〔十三日〕，顺位不对。据《新五代史·唐明宗纪》改），定州（河北省定州市）总指挥官（都指挥使）马让能打开城门，迎接中央讨伐军进城，王都（刘云郎）眼看绝望，放火全族自焚（王都夺取定州，参考九二一年十月，前后割据八年），中央讨伐军生擒秃馁及契丹（首都西楼城）军队二千人。

二月十一日，后唐帝（二任明宗）李嗣源（邈佶烈，本年六十三岁）命王晏球（杜晏球）当天平战区（总部设郓州〔山东省东平县〕）司令官（节度使），连同赵德钧（赵行实，卢龙〔总部幽州〕司令官），都加授：兼最高监督长（兼侍中·使相。酬庸王晏球破定州、赵德钧擒契丹指挥官〔惕隐〕的功劳）。

把秃馁押解至大梁（河南省开封市），就在街市斩首。

3 后唐（首都河南府）帝国参谋总部指挥官（枢密使）赵敬怡逝世。

二月二十四日，后唐帝（二任明宗）李嗣源（邈佶烈）从大梁（汴州州政府所在城，河南省开封市）出发西归。

二月二十七日，副监督长（门下侍郎）、二级实质宰相（同平章事）崔协，在须水（河南省郑州市西须水街道）逝世。

二月三十日，李嗣源（邈佶烈）返回洛阳（首都河南府所在县。李嗣源于前年〔九二七〕十月由洛阳前往大梁，前后停留十六个月）。

中央讨伐军王晏球（杜晏球）在包围定州（河北省定州市）时，每天用他自己的私财，摆设酒席，慰劳将士。自开始攻城，直到把城池攻陷，没有诛杀过一个士卒。

三月十一日，王晏球（杜晏球）前往京师（首都河南府）朝见，李嗣源（邈佶烈）赞美他的功劳，王晏球（杜晏球）只谦虚的说劳动后方供应钱粮的时间太长。

皇子、右卫（卫军第二军）大将军李从璨，性情刚强，安重诲当权，李从璨从来不把他放在眼里。李嗣源（邈佶烈）前往大梁（河南省开封市）巡视时，命李从璨当首都皇城总监（皇城使）。李从璨在会节园（洛阳城里）大宴宾客，喝酒喝得东倒西歪时，开起玩笑，冒冒失失坐上只有皇帝才可以坐的龙椅上。安重诲上疏请求严办。

三月十六日，李嗣源（邈佶烈）下诏命李从璨自杀。

4 南楚王国（首都长沙府〔湖南省长沙市〕）横山蛮（横山，疑即梅山，今湖南省新化县西北雪峰山）攻击邵州（湖南省邵阳市）。

南楚王（一任武穆王）马殷（本年七十八岁）命他的儿子、武安战区（总部设长沙府〔湖南省长沙市〕）副司令官（节度副使）、首都长沙特别市政府执行官（判长沙府）马希声，当三级实质宰相（知政事），总管内外武装部队（总录内外诸军事）。自此之后，国家大小事情，都先经马希声裁决，再报告马殷。

夏季，四月一日，后唐政府（首都河南府）下令禁止“铁锡钱”。当时，南楚（首都长沙府）在国境之内，专用锡钱（之前的记载是专用铅钱，参考九二五年闰十二月）。而铜钱昂贵，一枚铜钱值一百枚锡钱，而且流入中原地区，禁不胜禁。

四月七日，南楚（首都长沙府）六军基地副司令（六军副使）王环，在石首（湖北省石首市）击败南吴（首都江都府）所属的荆南（总部江陵府）军队。

5 后唐政府（首都河南府）第一次下令在北方沿边地带，设置贩马市场，专向党项部落（黄河河套地区）买马，不准党项部落把马赶到京师（首都河南府）。从前，党项部落总是把马赶到京师（首都河南府），声称进贡，后唐政府就不得不依照他们评估的价格付款，另外还要招待他们住宿，供应伙食，以及额外赏赐，每年都要花费五十余万串。主管单位认为是一项庞大浪费，深受其苦，所以改变方式。

四月十三日，李嗣源（邈佶烈）命皇子李从荣当首都洛阳特别市长（河南尹）、皇家禁卫军统帅（判六军诸卫事）；命李从厚当河东战区（总部设太原府〔山西省太原市〕）司令官（节度使）、北都（太原府）留守长官。

6 契丹帝国（首都西楼城〔内蒙古巴林左旗〕）进攻后唐（首都河南府）所属云州（山西省大同市）。

7 四月十五日，后唐政府（首都河南府）擢升端明殿侍从文学官（端明殿学士）、国务院国防部副部长（兵部侍郎）赵凤，当副监督长（门下侍郎）、二级实质宰相（同平章事）。

五月十七日，宰相联合办公厅（中书）奏报说："祭祀部（太常）把哀帝（唐王朝二十五任帝李柷）的绰号改作昭宣光烈孝皇帝，庙号定为景宗。依照礼法，如果称'宗'，牌位就必须放进皇家祖庙（太庙）里，如果放到其他特建的祭庙里，就不应称'宗'。"而李柷的祭庙建在曹州（山东省菏泽市定陶区。参考去年〔九二八〕十一月），因此撤去景宗庙号。

李嗣源（邈佶烈）将要去京师（首都河南府）南郊祭祀天神，派礼宾官（客省使）李仁矩，携带诏书，前往两川（四川省），命西川（总部成都府）捐钱一百万串、东川（总部梓州）捐钱五十万串。两川都推辞说经费困难，军用不足。西川（总部成都府）只捐献五十万串，东川（总部梓州）只捐献十万串。李仁矩，是李嗣源（邈佶烈）当战区司令官（节度使）时的礼仪官（客将），安重诲对他十分倚重，而李仁矩也仗恃后台强硬，对人态度傲慢。李仁矩抵达梓州（四川省三台县）时，战区司令官（节度使）董璋摆设筵席接风招待，直等到日正中午，他仍没有出现，原来在下榻的招待所，正抱着妓女喝酒喝得有趣。董璋大怒，率领手拿武器的卫士，一直闯进驿马车站宾馆，把李仁矩拖出来，教他站在台阶下，指着他的鼻子诟骂说："你只听说西川（孟知祥）杀李严，难道东川（董璋）不能杀李仁矩！"李仁矩涕泪齐流，跪下叩头，仅逃一死。过了几天，董璋又送给李仁矩厚重贿赂，向他道歉。李仁矩回京（首都河南府），竭力抨击董璋违法乱纪。不久，李嗣源（邈佶烈）再派立法院礼宾官（通事舍人）李彦珣前往东川（总部梓州），进入辖境，稍微有点失礼，董璋逮捕他的随从，李彦珣逃回。

8 南吴帝国（首都江都府〔江苏省扬州市〕）所封秦王高季兴（高季昌，荆南〔总部江陵府〕司令官），当初背叛后唐（首都河南府）时，他的儿子高从诲曾恳切劝阻，高季兴（高季昌）拒绝接受。现在，高从诲（本年三十九岁）继位，对文武官员说："后唐（首都河南府）距我们近，南吴（首都江都府）距我们远（洛阳江陵航空距离四百五十公里、江都江陵航空距离六百二十公里），舍近求远，不是最好的立国之道。"遂通过南楚王（一任武穆王）马殷，向后唐（首都河南府）承认错误，请求恕罪。又写信给后唐山南东道（总部设襄州〔湖北省襄阳市〕）司令官（节度使）安元信，请他上疏代为求情，愿意恢复臣属的职责，继续进贡。

五月二十八日，安元信把高从诲的信件奏报中央，李嗣源（邈佶烈）允许。

9 契丹（首都西楼城）再进攻后唐（首都河南府）所属云州（山西省大同市）。

10 六月十一日，后唐政府（首都河南府）取消邺都（兴唐府，河北省大名县），恢复旧名魏州（魏州升格为东京兴唐府，参考九二三年三月。东京改邺都，参考九二五年三月。不久〔九三二年〕，魏州再升为兴唐府）。留守长官、皇城总监（皇城使）等职位，一律废除。

六月二十三日，高从诲自称“前荆南战区（总部设江陵府〔湖北省江陵县〕）作战参谋长（行军司马）、归州（湖北省秭归县）州长”，上疏后唐帝（二任明帝）李嗣源（邈佶烈），请接受他的归降。

秋季，七月十七日，李嗣源（邈佶烈）任命高从诲当荆南战区（总部设江陵府〔湖北省江陵县〕）司令官（节度使）、兼最高监督长（兼侍中·使相）。

七月二十二日，李嗣源（邈佶烈）下诏撤销荆南地区征剿司令（荆南招讨使。参考前年〔九二七〕二月）。

11 八月，南吴（首都江都府）所属武昌战区（总部设鄂州〔湖北省武汉市〕）司令官（节度使）、兼最高监督长（兼侍中·使相）李简，因病情日重，请求调回首都江都（江苏省扬州市）。

八月十七日，李简在东返途中，走到采石（安徽省马鞍山市西南），逝世。徐知询（镇海〔总部金陵府〕司令官）是李简的女婿，接替老爹徐温的职位，镇守金陵（江苏省南京市），擅自把李简的亲军二千人留下，上疏推荐李简的儿子李彦忠代替老爹镇守鄂州（湖北省武汉市），最高监督长（侍中）徐知诰（李知诰）却用龙武（禁军第三、四军）统军（正三品）柴再用继任武昌战区（总部设鄂州〔湖北省武汉市〕）司令官（节度使）。徐知询大怒说："刘崇俊是你的亲信，三代当濠州（安徽省凤阳县东北临淮关镇）州长（九〇五年九月，州长刘金逝世，子刘仁规接任；后来，刘仁规逝世，子刘崇俊接任）。李彦忠是我妻子的娘家人，为什么偏偏不行？"

12 最初，南楚王（一任武穆王）马殷，依靠智囊、总参谋长（都军判官）高郁（马殷进入潭州，就用高郁，参考八九六年九月），使王国日渐富强，邻近各国都把高郁当作眼中钉。后唐一任帝李存勖进入洛阳时，马殷派儿子马希范前往进贡（参考九二三年十月二十八日），李存勖欣赏马希范的灵敏机警，说："最近常听说马家势力要被高郁篡夺，马家有这样的儿子，高郁怎么能够到手！"高季兴（高季昌，后唐荆南〔总部江陵府〕司令官）也制造谣言，挑拨离间，希望刺激马殷猜忌高郁，但马殷不中圈套，拒绝相信。高季兴（高季昌）遂改变手段，派使节送信给南楚（首都长沙府）武安战区（总部长沙府）副司令官（节度副使）、三级实质宰相（知政事）马希声，竭力赞美高郁对王国的贡献和享有的国际盛名，表示愿跟高郁结拜成为义兄义弟。使节向马希声解释高季兴（高季昌）所以作这种请求的原因，说："我家高大帅（高季兴）常说：马家政事都由高郁作主，恐怕是马家子孙将来的隐忧。"马希声听了，完全相信。作战参谋长（行军司马）杨昭遂，是马希声妻子的娘家人，企图取代高郁的官位，每天都在马希声面前，抨击高郁。马希声屡次向老爹马殷指控高郁生活奢侈、行为放肆，而且跟邻国来往结交，请求把高郁处死。马殷说："使我能建立这么大事业的，都是高郁的功勋，你不可再说这种话！"但马希声坚持解除高郁的军权，马殷不得已，只好调降高郁当作战参谋长（行军司马）。高郁大不高兴，对他的亲信说："请快点整修西山（长沙市湘江西岸岳麓等山）上的别墅，我就要退休到那里养老。小狗长大，已能咬人！”马希声听到，大怒若狂。第二天，马希声假传马殷命令，就在总部公署，格杀高郁，张贴布告，诬称高郁叛变，于是大肆搜捕。高郁家族跟亲戚朋友，全部斩首，屠杀直到天黑，马殷还不知道。当天，大雾弥漫，伸手不见五指，马殷心情不宁，对左右侍从说：“我当年追随孙儒渡淮河南下（参考八八七年十月），每逢善良的人受到冤杀，天象都会有奇异的变化，公安警察厅（马步院）难道有人冤死！”第二天，部下把高郁被杀的事报告马殷，马殷捶胸大哭说：“我已成老糊涂，政府的事都作不了主，使我的老友功臣，受到这种冤酷横祸！”回顾他的左右侍从说：“我又怎么能长久坐在这个位置上！”

13 九月，后唐帝（二任明宗）李嗣源（邈佶烈）跟宰相冯道，在一次休闲的谈话中，提到几年以来，庄稼一连丰收，四方太平，没有动乱。冯道说：“我曾经记得，当年在先帝（李存勖）总部充当幕僚时（冯道曾任河东战区机要秘书〔掌书记〕，参考九一一年十一月），奉派前往中山（定州，河北省定州市），穿越井陉（太行山八陉之五，河北省石家庄市鹿泉区西），路面狭窄，险象横生，担心马失前蹄，所以小心翼翼拉住缰绳，上天保佑，没有损失。可是出了井陉，走到平坦大道，为了偷懒，把缰绳放开，由马奔跑，不久就一下子栽倒。治理国家，跟这种情形一样。”李嗣源（邈佶烈）深深点头，又问说：“今年庄稼丰收，人们是不是富足？”冯道说：“农民遇到歉收，就饿死荒野；遇到丰收，粮价却又猛跌。不管歉收丰收，都要受苦受难的，只有农家。我还记得进士聂夷中的诗（《伤田家》）：‘二月卖新丝，五月粜（卖）新谷（粜，音tiào〔跳〕）。医得眼下疮，挖却心头肉。’（新丝新谷急急卖掉还债，则家无存丝、无存粮，年景稍有水旱虫灾，全家仍陷饥饿。）诗虽然通俗，但道尽农民困境

(聂夷中，是唐王朝末年的诗人，八七一年当进士)。'士''农''工''商'中，农家最勤劳辛苦，领袖不应该不知道。"李嗣源(邈佶烈)十分高兴，命左右官员把聂夷中的诗写下来，常常背诵。

保大战区(总部设鄜州〔陕西省富县〕)驻扎东川战区(总部设梓州〔四川省三台县〕)的特遣兵团，奉命返回本战区，董璋(东川〔总部梓州〕司令官)擅自把部队中年轻力壮的战士强行留下，而只让一些老弱残兵徒手回去，又不准他们携带铠甲武器。

九月二十七日，西川(总部成都府)右翼大营总管理官(右都押牙)孟容的老弟，当资州(四川省资中县)税务官，被查出监守自盗，判处死刑，行政执行官(观察判官)冯瑑、本部副参谋官(中门副使)王处回，都请求饶恕那个税务官一命，孟知祥(西川〔总部成都府〕司令官)说："即令是我自己的亲弟弟犯法，也不能例外，何况别人！"

14 吴越王(一任武肃王)钱镠(本年七十八岁。镠，音刘〔流〕)在他自己割据的范围内，自高自大、自命不凡(钱镠坐在高位上已三十四年〔自八九六年斩董昌并越州，独霸两浙〕，也该自高自大、自命不凡了，有些人板凳还没有暖热，就露原形)。后唐政府(首都河南府)派去的使节，如果对他曲意奉承巴结，他就赠送丰富的礼物，不然的话，他的态度就十分冷淡，送的礼物也相对微薄。钱镠曾经写信给安重诲，措辞用字，都很傲慢(钱镠信上一开始就说："吴越国王致书于帝国参谋总部指挥官〔枢密使〕执事。"既没有寒暄，也没有致意)。后唐帝(二任明宗)李嗣源(邈佶烈)派贴身宦官(供奉官)乌昭遇、韩玫，出使吴越(首都杭州)，乌昭遇跟韩玫二人素有仇怨，回来后，韩玫奏报说："乌昭遇见钱镠，自己称臣，三跪九叩，对钱镠称'殿下'，并且把中央的事暗中告诉钱镠！"安重诲奏报，建议命乌昭遇自杀，李嗣源(邈佶烈)批准。

九月二十七日，李嗣源（邈佶烈）下诏，命钱镠以太师（三师之一）名义退休，其他所有官爵，一律剥夺；吴越（首都杭州）所派的进奏官、使节、进贡官，就在所在地，由当地政府逮捕囚禁。钱镠命他的儿子钱传瓘等上疏辩解，声称蒙冤，后唐政府不理。

15 稍早，后唐（首都河南府）所属朔方战区（总部设灵州〔宁夏灵武市〕）司令官（节度使）韩洙逝世（韩洙继承老爹韩逊官位，参考九一四年五月），老弟韩澄自称候补司令官（留后）。不久，定远军（警州州政府所在，宁夏平罗县南）基地司令（定远军使）李匡宾集结部众，占领保静镇（宁夏永宁县），武装反抗政府，朔方（总部灵州）动乱不安。

冬季，十月二日，韩澄派使节携带写在绢绸上的奏章，前去洛阳（首都河南府所在县），请中央任命他当战区司令官（节度使）。

前磁州（河北省磁县）州长康福，精通沙陀语，后唐帝（二任明宗）李嗣源（邈佶烈）退朝之后，经常在便殿召见康福，询问他一些时事，康福就用沙陀语回答（康福，参考九二六年三月十一日）。安重诲因为无法探听回答的内容，十分反感，常警告他说："康福，你胆敢在皇上面前胡乱讲话，我就砍下你的人头！"康福大为恐惧，请求调到外地。安重诲认为灵州（宁夏灵武市）深入胡人境域，当统帅的大多数都被杀害，决定把康福置于死地。

十月三日，李嗣源（邈佶烈）命康福当朔方战区（总部设灵州〔宁夏灵武市〕）及河西战区（总部设凉州〔甘肃省武威市〕）司令官（河西不过一个空衔）。康福惊恐，晋见李嗣源（邈佶烈），痛哭流涕辞职。李嗣源（邈佶烈）命安重诲把康福改调别的战区，安重诲说："康福没有一点功劳，从州长直升战区司令官（节度使），他还不满意，什么才满意？而且命令已经发表，难以收回。"李嗣源（邈佶烈）不得已，告诉康福说："是安重诲不肯，不是我不肯。”康福只好辞行上任，李嗣源（邈佶烈）特别派将军牛知柔、护国战区（总部设河中府〔山西省永济市〕）总指挥官（都指挥使）卫审都等，率大军一万人，护送康福强行到差。卫审都，是徐州（江苏省徐州市）人。

十月十六日，后唐政府（首都河南府）划出阆（四川省阆中市）、果（四川省南充市）二州，另设保宁战区（总部设阆州〔四川省阆中市〕）。

十月十七日，任命宫廷礼宾官（内客省使）李仁矩当保宁战区（总部阆州）司令官（节度使）。

先前，西川（总部成都府）经常运粮草到宁江战区（总部设夔州〔重庆市奉节县〕）。孟知祥（西川〔总部成都府〕司令官）向中央陈情说，本战区的军队已经够多，难有多余的粮草供应其他战区。李嗣源（邈佶烈）下诏不允许停止，而且不断催促。

十月十九日，孟知祥上疏声明缺少财力，拒绝接受命令。

16 南吴帝国（首都江都府〔江苏省扬州市〕）各战区道副总指战官（诸道副都统）、镇海（总部全陵府）、宁国（总部宣州）两战区司令官（节度使）、兼最高监督长（兼侍中 · 使相）徐知询，自认为手握重兵，位居长江上游（老爹徐温就是在这个位置上起家），对身在中央辅政的徐知诰（李知诰），心存轻视，不断跟徐知诰（李知诰）争夺权力，暗中猜疑忌恨，徐知诰（李知诰）十分忧虑。宫廷机要总管（内枢密使）王令谋说：“你在中央长期掌握权柄，上挟天子、下令全国，谁敢反抗？知询年纪轻轻，对人没有累积的恩德信任，成不了事！”徐知询对他的一些老弟，很是刻薄，老弟们对他也都厌恶。拥护徐知询的作战副司令官（行军副使）徐玠，发现徐知询不是可以辅佐的材料，反而转翻过来，把徐知询的缺点，一一告诉徐知诰（徐玠竭力劝徐温用徐知询代替徐知诰，参考前年〔九二七〕十月）。吴越王（一任武肃王）钱镠送给徐知询金玉镶嵌的马鞍、马勒，以及日用器具，上面都雕饰着只有帝王才可使用的龙凤图案，徐知询不避嫌疑，全部收下使用。徐知询的外宾接待官（典客）周廷望建议说："大帅如果真能不在意金银财宝，拿出来结交中央一些达官贵人和老一辈高级干部，使他们都拥护你，那么，他（徐知诰）还依靠谁？"徐知询接受，派周廷望前往首都江都（江苏省扬州市）进行。周廷望跟徐知诰（李知诰）一位亲近部属周宗，感情深厚，于是透过周宗，秘密向徐知诰（李知诰）归附；但同时也把徐知诰（李知诰）的阴谋，转告徐知询。徐知询要徐知诰（李知诰）到金陵（江苏省南京市）参加为老爹徐温解除丧服的仪式，徐知诰（李知诰）声称南吴帝（一任睿帝）杨溥（本年三十岁）不准他离开京师（首都江都府）。周廷望辞行时，周宗对他说："有人控告徐大帅（徐知询）有七项叛逆大罪，应该赶快进京（首都江都府）解释疏通！"周廷望回来，告诉徐知询，徐知询果然中计。

十一月，徐知询前往京师（首都江都府）朝见，徐知诰（李知诰）不准他回任，强留下来担任皇家禁卫军的统军（正三品），遥兼镇海战区（总部设金陵府〔江苏省南京市〕）司令官；徐知诰（李知诰）另派右雄武特别营指挥官（右雄武都指挥使）柯厚，去金陵（江苏省南京市）调回驻扎当地的野战军。直到这个时候，徐知诰（李知诰）才完全控制南吴政府。徐知询责备徐知诰（李知诰）说："老爹去世，你是人家的儿子，却不亲自主持丧事，可不可以？"徐知诰（李知诰）说："你手举宝剑，杀气腾腾的在那里等我，我怎么敢去？你是人家的臣属，却使用帝王才能使用的车马服装，可不可以？"徐知询把周廷望所报告的秘密，诘问徐知诰（李知诰），徐知诰（李知诰）说："打你小报告的也是他！"于是斩周廷望。

十一月二十七日，南吴帝（一任睿帝）杨溥加尊贵的绰号：睿圣文明光孝皇帝。大赦，改年号大和（之前是乾贞三年，之后是大和元年）。

17 后唐（首都河南府〔河南省洛阳市〕）新任朔方战区（总部设灵州〔宁夏灵武市〕）司令官（节度使）康福，前往任所到差，走到方渠（甘肃省环县），羌族军队截击，康福把他们击败。前进到青刚峡（青冈岭，环县北），遇到吐蕃（西藏）所属的野利、大虫两大部落数千座篷帐，他们对后唐军队的突然出现，一点也不知道，康福派卫审都发动奇袭，大破两大部落，几乎全部格杀和俘虏。康福的声威震动边疆，遂进入灵州（宁夏灵武市）。朔方（总部灵州）从此才接受中央任命的官员（朔方〔总部灵州〕在唐王朝末年被韩逊割据，参考九〇六年正月；传子韩洙、韩澄，前后二十四年）。

18 十二月，南吴政府（首都江都府）命最高监督长（侍中）徐知诰（李知诰）兼最高立法长（兼中书令），并遥兼宁国战区（总部设宣州〔安徽省宣城市〕）司令官（节度使）。

徐知诰（李知诰）宴请徐知询，用金杯酌满了酒递给徐知询，说："愿老弟活一千岁。"徐知询怀疑酒中有毒。于是，另拿一只酒杯，倒出一半，跪到徐知诰（李知诰）面前，说："愿跟大哥各活五百岁。"徐知诰（李知诰）想不到有这种反应，霎时脸色大变，左看右看，不肯接受；而徐知询跪在那里，双手举着酒杯，不肯起身。左右侍从一时呆住，不知道怎么才好。一位名叫申渐高的戏子走过来，说了句幽默的话，把气氛冲淡，然后抢过两只酒杯，再斟在一起，一饮而尽，把金杯揣到怀里退出。徐知诰（李知诰）秘密派人送去解药，然而为时已晚，申渐高已经毒发，脑髓溃烂而死。

19 闽王国（首都福州〔福建省福州市〕）奉国战区（总部设建州〔福建省建瓯市〕）司令官（节度使）、代理建州（福建省建瓯市）州长王延禀（周彦琛），声称患病，回到家中休养，请后唐政府（首都河南府）准许把建州（福建省建瓯市）州长职位传给他的儿子王继雄。

十二月五日，后唐帝（二任明帝）李嗣源（邈佶烈）下诏任命王继雄当建州（福建省建瓯市）州长（王延禀跟王延钧合作诛杀前任王王延翰，参考九二六年十二月。王延禀手握强兵，地居福州上游，跟王延钧势均力敌，遂不再接受王延钧的命令，而直接归附中原）。

20 后唐（首都河南府）帝国参谋总部指挥官（枢密使）安重诲，既派李仁矩镇守阆州（四川省阆中市），命他跟绵州（四川省绵阳市）州长武虔裕，各率军队前往任所。武虔裕，是李嗣源（邈佶烈）的旧部，也是安重诲妻子的老哥。安重诲命李仁矩收集董璋（东川〔总部梓州〕司令官）谋反的证据，李仁矩加油加醋的往上奏报。安重诲又命武信战区（总部设遂州〔四川省遂宁市〕）司令官（节度使）夏鲁奇修筑遂州（四川省遂宁市）城池，整理铠甲武器，更派军增强战力。董璋大为恐惧，当时谣言四起，说又要划出绵（四川省绵阳市）、龙（四川省平武县西南）二州设立战区（二州属东川战区〔总部梓州〕）；孟知祥（西川〔总部成都府〕司令官）也感到恐惧。董璋跟孟知祥一向结怨，平常互不来往。现在形势所逼，董璋派使节前去成都（四川省成都市），替自己的儿子向孟知祥的女儿求婚，孟知祥允许，计划联合两战区的力量，抗拒中央。

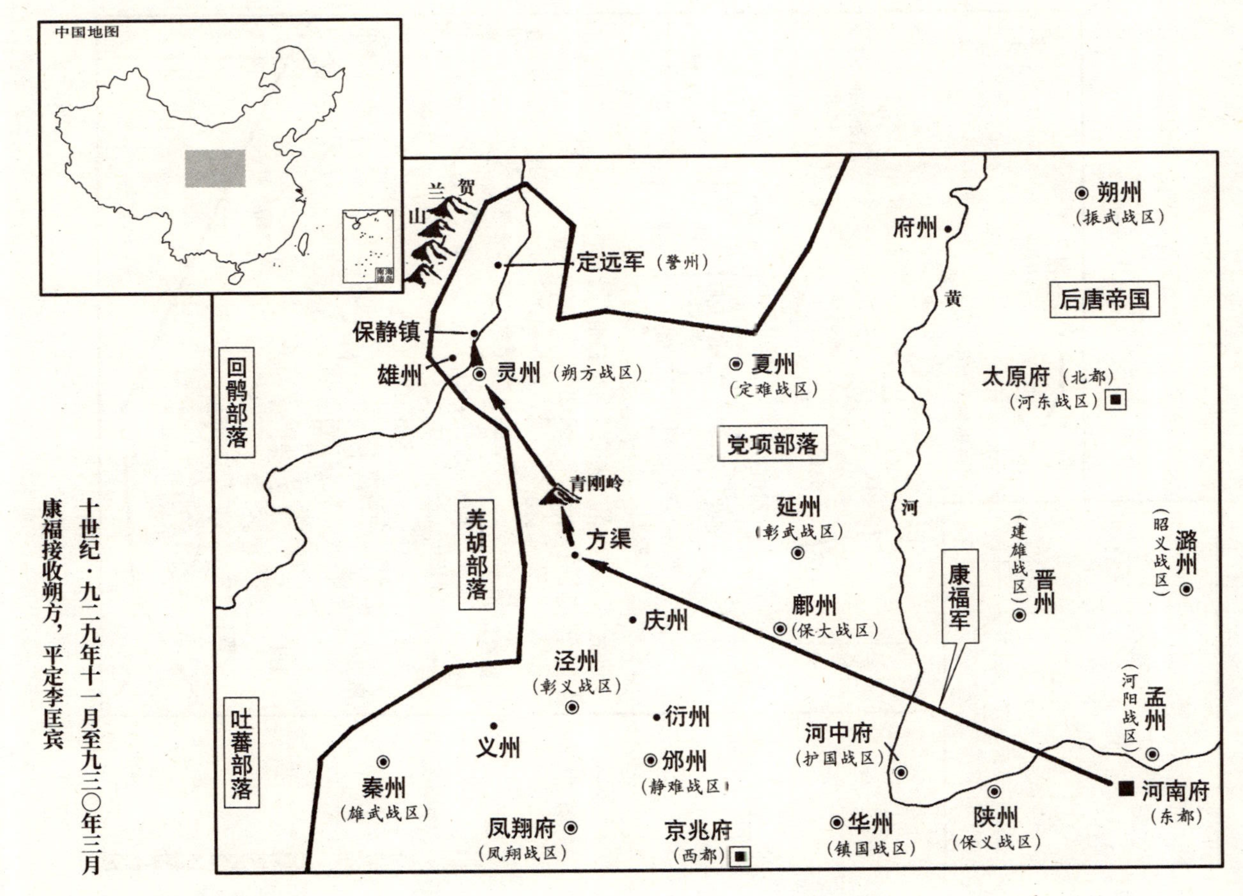

十世纪·九二九年十一月至九三〇年三月
康福接收朔方，平定李匡宾

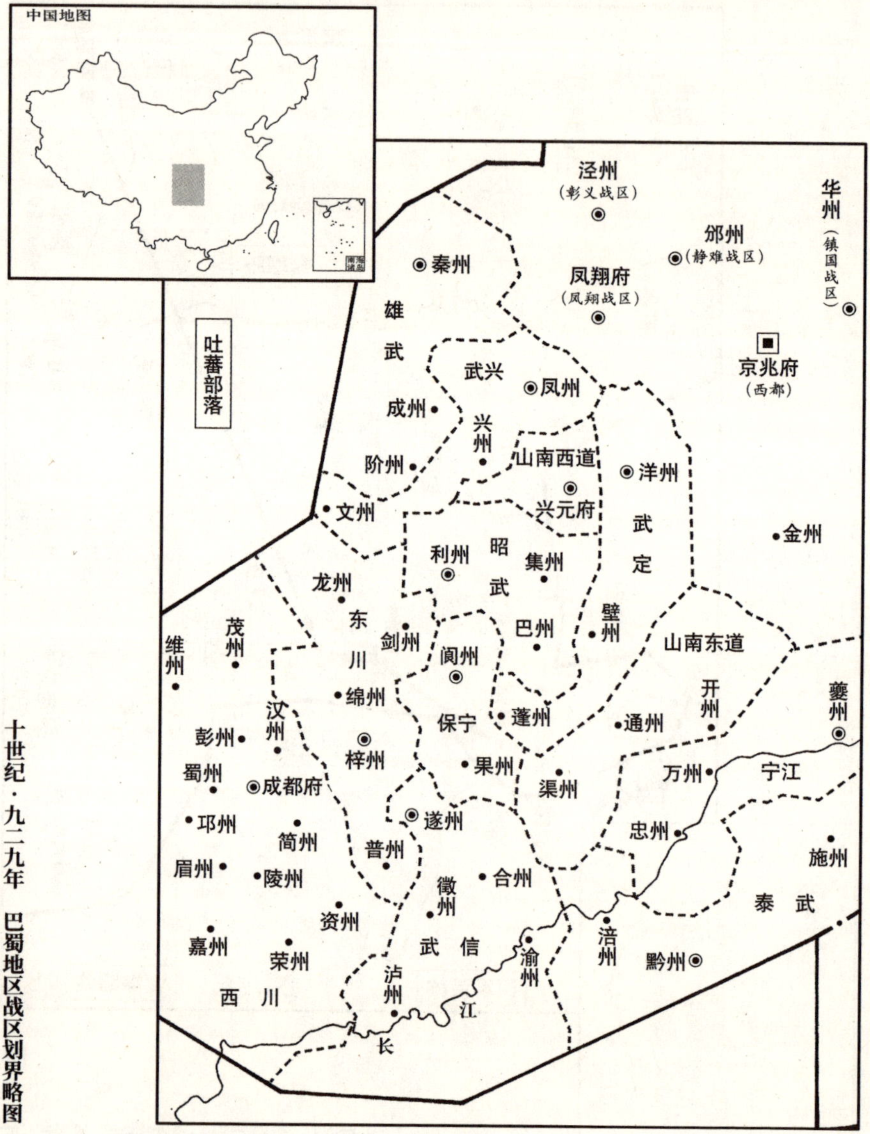

十世纪·九二九年 巴蜀地区战区划界略图

中国地图

吐蕃部落

泾州（彰义战区）
华州（镇国战区）
邠州（静难战区）
凤翔府（凤翔战区）
京兆府（西都）
秦州
雄武
武兴
凤州
成州
兴州
阶州
山南西道
兴元府
洋州
文州
昭武
利州
集州
武定
金州
龙州
东川
剑州
巴州
壁州
山南东道
茂州
维州
阆州
绵州
保宁
蓬州
通州
开州
夔州
汉州
彭州
梓州
果州
渠州
万州
宁江
蜀州
成都府
邛州
遂州
简州
普州
忠州
施州
眉州
陵州
合州
徽州
泰武
资州
嘉州
荣州
武信
涪州
渝州
黔州
泸州
西川
长江

小分裂

- 后唐朱弘昭诬安重诲谋反，杀安重诲。

- 日本醍醐天皇让位给朱雀天皇(六十一代)。
- 以北非为根据地的阿拉伯海盗，两次大掠意大利半岛的热内亚。

九三〇年 庚寅

后唐	天成	五年
	长兴	元年
南吴	大和	二年
南楚	长兴	元年
吴越	宝正	五年
南汉	大有	三年
南平	长兴	元年
契丹	天显	四年

1 春季，正月，后唐帝国（首都河南府〔河南省洛阳市〕）所属东川战区（总部设梓州〔四川省三台县〕）司令官（节度使）董璋，派军在剑门（四川省剑阁县北剑门关镇）建筑七个要塞。

正月十六日，西川战区（总部设成都府〔四川省成都市〕）司令官（节度使）孟知祥，派副司令官（节度副使）赵季良出使梓州（四川省三台县），跟董璋和解，建立友谊。

胡三省曰

董璋在东川（总部梓州），跟孟知祥相邻，但从来没有交往，更因争盐利而互相怨恨（参考前年〔九二八〕三月）。而今董璋求婚，孟知祥派使节求和，为的是恐惧中央讨伐。同在一条船上，即令是北方的胡人、南方的越人，一时之间也会亲密得像是左手之与右手，现在，正是这种情形。安重诲担心两川跋扈，难以控制，却不能利用他们之间的矛盾使他们自斗，反而促使他们结合成为一体，岂是良好的谋略？《兵法》说：对方如果团结，要想办法使他们分离。安重诲所做的，却恰恰相反。

藩属事务部副部长（鸿胪少卿）郭在徽上疏建议铸面值五千、三千、一千的大钱。政府斥责他连一点经济常识都没有（铸造大面值钱币，会令钱币急速贬值），却竟敢云山雾罩，胡说八道，贬作军械供应部编制外副部长（卫尉少卿），但享受编制内副部长待遇。

2 南吴帝国（首都江都府〔江苏省扬州市〕）改封平原王杨澈当德化王。

3 二月一日，后唐（首都河南府）西川（总部成都府）副司令官（节度副使）赵季良返回成都（四川省成都市），警告孟知祥（西川〔总部成都府〕司令官）说：“董璋残暴贪婪，好大喜功，却缺少智慧谋略，恐怕终会跟我们突然翻脸。”

西川（总部成都府）总指挥官（都指挥使）李仁罕、张业，摆下筵席宴请孟知祥；前两天，有位尼姑向孟知祥通风报信说，二位将领阴谋在酒席上动手谋害。孟知祥调查的结果，发现根本没有这回事。

二月三日，孟知祥逮捕最初散布这项谣言的中级军官（军校）都延昌（都，姓）、王行本，腰斩。

二月四日，孟知祥不带一个卫士，只单独一人，前去李仁罕家赴宴，李仁罕叩头在地，涕泪交流说：“老兵（自称）只有一死报答大恩！”从此，将领们对孟知祥都亲近归附。

二月十八日，孟知祥、董璋，联名上疏给后唐帝（二任明宗）李嗣源（邈佶烈，本年六十四岁），说：“两川（西川、东川）听说中央在阆中（阆州州政府所在县）设立战区（保宁战区，参考去年〔九二九〕十月）之后，又增加绵（四川省绵阳市）、遂（四川省遂宁市）驻军，十分惶恐忧虑。”李嗣源（邈佶烈）下诏安慰劝解。

二月二十一日，李嗣源（邈佶烈）赴洛阳（首都河南府所在县）南郊圆形祭坛，祭祀天神，大赦，改年号长兴（之前是天成五年，之后是长兴元年）。凤翔战区（总部设凤翔府〔陕西省宝鸡市凤翔区〕）司令官（节度使）兼最高立法长（兼中书令·使相）李从曮（李继曮），到京师（首都河南府）陪祭。

三月八日，李嗣源（邈佶烈）调李从曮（李继曮）当宣武战区（总部设汴州〔河南省开封市〕）司令官（节度使）。

4 三月九日，南吴帝（一任睿帝）杨溥（本年三十一岁）封皇子江都王杨琏当太子。

5 三月十二日，后唐帝（二任明宗）李嗣源（邈佶烈）命宫廷事务总监（宣徽使）朱弘昭，继任凤翔战区（总部设凤翔府〔陕西省宝鸡市凤翔区〕）司令官（节度使）。

新任朔方战区（总部设灵州〔宁夏灵武市〕）司令官（节度使）康福奏

报说，攻克保静镇（宁夏永宁县），斩变民首领李匡宾（李匡宾事，参考去年〔九二九〕九月）。

后唐政府命安义战区（总部设潞州〔山西省长治市〕）恢复原名昭义战区（改安义，参考九二二年四月）。

李嗣源（邈佶烈）准备擢升曹淑妃当皇后，曹淑妃对王德妃（花见羞）说："我一向喜爱清静，厌烦交际应酬，你来担任这个角色好了。"王德妃（花见羞）说："皇后位居中宫，跟尊贵的皇上地位相等，谁敢代替！"

三月二十六日，李嗣源（邈佶烈）封曹淑妃当皇后。王德妃（花见羞）事奉曹皇后，恭敬谨慎，曹皇后对她又怜又爱。

最初，王德妃（花见羞）得以当李嗣源（邈佶烈）的小老婆，出于安重诲的推荐，所以对安重诲十分感激。李嗣源（邈佶烈）性情节俭朴实，但坐在宝座上的日子一久（其实不过四年而已），生活也逐渐奢侈起来，安重诲总是规劝。王德妃（花见羞）用国库里的绸缎，制成地毯，安重诲恳切的劝阻，并举出刘皇后（一任帝李存勖妻）的下场，作为鉴戒，王德妃（花见羞）遂对安重诲怀恨在心。

孔丘说："君子爱人以德，小人爱人以姑息。"这是从施的一方而言，如果从受的一方，则君子希望人用"德"相待，小人希望人用"姑息"相待。王德妃距刘皇后不远，不过仅只四年，刘皇后的所作所为，王德妃都亲耳听见，亲眼看到，却不能从中吸取教训，反而恨别人提及，可看出她的智商远低于她的容貌。

一个人强烈而急躁的私欲，会造成盲点，看不到应该看到的东西——即令一根针扎到眼睛里，也毫无感觉，他只看到他想看到的，和立刻可以满足他私欲的东西。于是盲点不断扩大，转化成为意识形态，提供为盲点辩护的理论基础。而这正是周围清醒的人无力感的主要原因。

6 新近归附后唐（首都河南府）的高从诲（荆南〔总部江陵府〕司令官），派使节携带奏章，前往南吴（首都江都府），陈述高家祖先坟墓都在中原（高季兴〔高季昌〕，是陕州硖石〔河南省三门峡市东硖石乡〕人），恐怕一旦被后唐（首都河南府）讨伐，南吴（首都江都府）援救不及，所以不得不再回归后唐（荆南归附南吴，前后三年，参考九二八年六月）。

南吴（首都江都府）派舰队对高从诲攻击，不能取胜。

7 后唐（首都河南府）董璋（东川〔总部梓州〕司令官）恐怕绵州（四川省绵阳市）州长武虔裕侦察他所作所为（绵州属东川战区〔总部梓州〕，只是武虔裕乃由中央任命），乞灵于诡计。

夏季，四月一日，董璋上疏中央政府，推荐武虔裕兼总部作战参谋长（兼行军司马），把他诱到梓州（四川省三台县）后囚禁。

宣武战区（总部设汴州〔河南省开封市〕）司令官（节度使）符习，自认是帝国老将（符习本成德〔总部镇州〕将领，王镕被杀后，随李存勖苦战黄河两岸，参考九二一年七月），在讨论国事，发现安重诲错误的时候，总是公然对抗。安重诲于是收集他的过失，奏报李嗣源（邈佶烈）。

四月四日，李嗣源（邈佶烈）下诏符习以太子太师（太子三师之一）名义退休。

四月五日，李嗣源（邈佶烈）加授孟知祥（西川〔总部成都府〕司令官）兼最高立法长（兼中书令·使相），命夏鲁奇（武信〔总部遂州〕司令官）遥兼二级宰相（同平章事·使相）。

最初，李嗣源（邈佶烈）在真定（镇州州政府所在县，河北省正定县）时（参考九二五年二月），义子李从珂（王从珂）曾跟安重诲在酒席上发生争执，互相诟骂，李从珂（王从珂）动手殴打，安重诲狼狈逃走。李从珂（王从珂）酒醒后，十分后悔，向安重诲道歉，安重诲表面上接受，但始终记恨在心。而现在，安重诲手握生死大权，连皇子李从荣、李从厚对他都得巴结。李从珂（王从珂）当护国战区（总部设河中府〔山西省永济市〕）司令官（节度使），遥兼二级宰相（同平章事·使相），安重诲开始复仇，在李嗣源（邈佶烈）面前屡次检举李从珂（王从珂）的过失，李嗣源（邈佶烈）都不理会。于是，安重诲假传李嗣源（邈佶烈）的诏书，命护国（总部河中府）内营指挥官（河中牙内指挥使）杨彦温用武力把李从珂（王从珂）逐走。有一天，李从珂（王从珂）出城检查战马，杨彦温命部队备战，关闭城门，拒绝李从珂（王从珂）回城。李从珂（王从珂）派人敲打城门，诘问杨彦温说："我待你不薄，怎么会做出这种事？"杨彦温说："我绝不敢辜负恩德，只是帝国参谋总部（枢密院）有令，请大帅前去中央朝见。"李从珂（王从珂）只好退驻虞乡（山西省永济市东虞乡镇，河中府东三十公里），派使节奏报中央。

四月九日，李从珂（王从珂）的使节抵达京师（首都河南府），李嗣源（邈佶烈）向安重诲查问说："杨彦温怎么会说这种话？"安重诲回答说："这是叛徒信口开河，应该立即讨伐。"李嗣源（邈佶烈）开始起疑，为了引诱杨彦温到京师（首都河南府），当面查明内情，打算任命杨彦温当绛州（山西省新绛县）州长（准备他来京师谢恩时盘问）。但安重诲坚决主张讨伐，于是命西都（京兆府，陕西省西安市）留守长官索自通、步兵指挥官（步军指挥使）药彦稠，率大军出击。李嗣源（邈佶烈）告诫药彦稠说："不可杀杨彦温，定要活捉，我打算当面询问。"命李从珂（王从珂）前来洛阳（首都河南府所在县）。李从珂（王从珂）

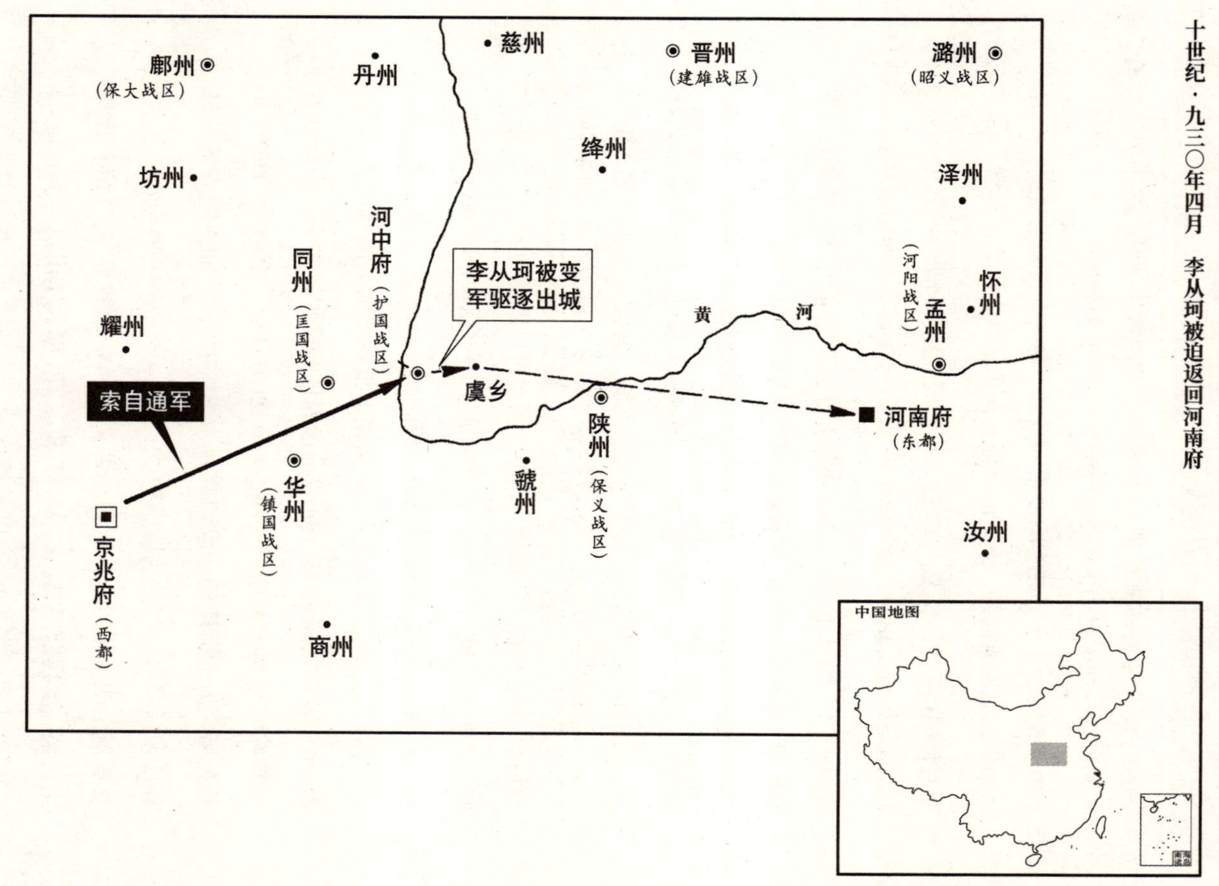
十世纪·九三〇年四月 李从珂被迫返回河南府
鄜州
（保大战区）
丹州
慈州
晋州
（建雄战区）
潞州
（昭义战区）
坊州
绛州
泽州
河中府
（护国战区）
同州
（匡国战区）
李从珂被变
军驱逐出城
黄
河
（河阳战区）
孟州
怀州
耀州
虞乡
索自通军
华州
（镇国战区）
虢州
陕州
（保义战区）
河南府
（东都）
京兆府
（西都）
汝州
商州
中国地图

知道被安重诲陷害，立即快马加鞭，奔向京师（首都河南府），表明自己清白。

李嗣源（邈佶烈）加授安重诲兼最高立法长（兼中书令）。

李从珂（王从珂）抵达洛阳（首都河南府所在县），李嗣源（邈佶烈）责备他，命他回家闭门思过，不准朝见。

四月十八日，索自通等攻克河中（山西省永济市），斩杨彦温（这是明显的杀人灭口）。

四月二十日，索自通把杨彦温的人头呈献中央。李嗣源（邈佶烈）对药彦稠不能保住杨彦温一命，严厉斥责。

安重诲唆使宰相冯道、赵凤，上疏指控李从珂（王从珂）失职弃土，应该加罪。李嗣源（邈佶烈）说："我儿被奸党陷害，真相还没有调查清楚，怎么忽然说出这种严重的话？难道是要他不能活在世上？我想不是你们的意思！"二人惊恐退出。有一天，赵凤又提出，李嗣源（邈佶烈）不回答。第二天，安重诲亲自出马，向李嗣源（邈佶烈）请求，李嗣源（邈佶烈）说："我从前当低级军官（小校）的时候，家贫如洗，靠他这个小孩出去拾卖马粪，维持生活，直到今天，我身为天子，难道连他都不能保护？你既然坚持非处置不可，那么你觉得怎么处置好，你就怎么处置。"安重诲说："陛下父子之间，骨肉之情，我怎么敢发言，只听陛下吩咐！"李嗣源（邈佶烈）说："教他在家闲住，已经够了，还吩咐什么！"

四月二十三日，李嗣源（邈佶烈）命索自通当护国战区（总部设河中府〔山西省永济市〕）司令官（节度使）。索自通到差后，接受安重诲的指使，收集军政总部的武器，分几次呈缴中央，指是李从珂（王从珂）私自铸造。幸亏王德妃（花见羞）在宫中多方保护，李从珂（王从珂）才得以逃出安重诲的毒手。京师（首都河南府）文武百官及所有知识分子，都不敢跟李从珂（王从珂）来往。只有国务院教育部祭祀司长（礼部郎中）、国史馆编撰官（史馆修撰）吕琦，因住宅距离较近，常去看他，李从珂（王从珂）有什么事要奏报李嗣源（邈佶烈）的，总要先跟吕琦商量。

四月二十五日，李嗣源（邈佶烈）加尊贵绰号：圣明神武文德恭孝皇帝。

安重诲奏报说：昭义战区（总部设潞州〔山西省长治市〕）司令官（节度使）王建立，经过魏州（河北省大名县）时，说了一些煽动军心的话，要求惩罚。

五月三日，李嗣源（邈佶烈）命王建立以太傅（三师之二）名义退休（安重诲跟王建立有宿怨，参考前年〔九二八〕二月）。

8 后唐（首都河南府）东川战区（总部设梓州〔四川省三台县〕）司令官（节度使）董璋，集结民兵检阅，都剪光头发，脸上刺字。在剑门（四川省剑阁县北剑门关镇）以北，再筑永定关，设置烽火。

西川战区（总部设成都府〔四川省成都府〕）司令官（节度使）孟知祥，一连上疏请求把云安（重庆市云阳县西北云安镇）等十三个盐场，隶属西川（总部成都府），而用这项专卖收入，直接补给宁江战区（总部设夔州〔重庆市奉节县〕）驻军（云安县属夔州。西川派驻夔州兵团，参考前年〔九二八〕六月）。

五月二十八日，李嗣源（邈佶烈）批准。

9 六月一日，日蚀。

10 六月十九日，后唐帝（二任明宗）李嗣源（邈佶烈）下诏：凡警备区司令（防御使）、民兵司令（团练使）、州长（刺史）、作战参谋长（行军司马）、战区副司令官（节度副使）出缺，都由中央直接遴选任命，各战区不可上疏推荐（战区司令官自行任命战区内各属官，是唐王朝留下来的积弊，参考八一九年四月注）。

11 董璋（东川〔总部梓州〕司令官）派出军队剽掠遂（武信总部，四川省遂宁市）、阆（保宁总部，四川省阆中市）二州中央特遣兵团。

秋季，七月七日，两川（西川、东川）战区因中央继续不断派军进驻遂（四川省遂宁市）、阆（四川省阆中市）二州，再上疏争论抗议，气氛紧张，西北方面及中原地区商人旅客，只有很少数人，敢进入巴蜀（四川省）。

12 八月四日，后唐（首都河南府）捧圣军基地司令（捧圣军使）李行德、带兵官（十将）张俭，根据告密人边彦温的检举，奏报说："安重诲征调军队，声称要亲自讨伐南吴（首都江都府），又找巫术师替自己算命卜卦。"李嗣源（邈佶烈）询问侍卫总指挥官（侍卫都指挥使）安从进、药彦稠，两人说："这只是奸邪之辈企图挑拨陛下跟高级官员之间的感情罢了。安重诲事奉陛下三十年（安重诲辅助李嗣源，参考九一六年九月），有幸享受荣华富贵，何苦叛变？我们愿用全家生命保证。"李嗣源（邈佶烈）于是斩边彦温，召见安重诲，安抚慰问，君臣二人，相对流泪。

李嗣源（邈佶烈）命前忠武战区（总部设许州〔河南省许昌市〕）司令官（节度使）张延朗，代理国务院工程部长（行工部尚书），充当中央财政三单位管理总监（三司使）。中央财政三单位管理总监（三司使）名称，从这时开始出现（"三司使"一词，在唐王朝末年已出现，参考九〇六年三月。三单位：

国务院财政部、全国财政总监署、全国盐铁专卖暨运输总监署)。 724

13 南吴(首都江都府)最高监督长(侍中)徐知诰(李知诰)因海州(江苏省连云港市)总指挥官(都指挥使)王传拯，享有威名，深受部众爱戴。正巧，海州民兵司令(团练使)陈宣免职回京(首都江都府)，徐知诰(李知诰)承诺用王传拯接替陈宣的职位。不知道什么原因，徐知诰(李知诰)又命陈宣回任，而征召王传拯返首都江都(江苏省扬州市)。王传拯认为是陈宣谗言陷害，大怒不止。

八月八日，王传拯率部下到总部向陈宣辞行，遂斩陈宣，放火烧城，大肆劫掠，率武装部队五千人，逃往后唐(首都河南府)投降。徐知诰(李知诰)得到报告后，说："这是我的错！"赦免王传拯的妻子儿女。涟水(江苏省涟水县，海州西南航空距离一百公里)军政总监(制置使)王岩，率军进入海州(江苏省连云港市)。徐知诰(李知诰)命王岩当威卫(卫军第九、十军)大将军，代理海州州长。

王传拯，是王绾的儿子(王绾，参考八九九年七月)，王传拯的叔父王舆是光州(河南省潢川县)州长。王传拯派秘密使节，携带书信前往光州(河南省潢川县)，王舆把使节逮捕囚禁，奏报中央，并请求退休回乡。徐知诰(李知诰)命王舆当控鹤总纠察官(控鹤都虞候)。当时，南吴政府大权，全握徐家之手，禁卫军将领，尤其难以物色，徐知诰(李知诰)因王舆谨慎忠厚，所以重用。

14 八月十一日，后唐(首都河南府)宰相赵凤奏报说："听说最近有奸人诬陷高官，动摇国本，却没有全被定罪。"李嗣源(邈佶烈)于是逮捕李行德、张俭，屠杀二人全族。

李嗣源(邈佶烈)封皇子李从荣当秦王。

八月二十五日，再封皇子李从厚当宋王。

15 董璋（东川〔总部梓州〕司令官）的儿子董光业，当后唐（首都河南府）御花园管理官（宫苑使），在洛阳（首都河南府所在县）供职。董璋写信给他说："中央割裂我的战区，另建军事重镇，驻军三川（西川、东川、汉川），是决心杀我（东川〔总部梓州〕原管五州：梓绵剑龙普，此时完整无缺，都隶属董璋。董璋所指，是针对中央在其五州周边驻守重兵，破了东川的天险优势，而其所属的绵州州长武虔裕，又是中央派来的人）。你可晋见当权官员（安重诲）表明：只要中央再派一个骑兵进入斜谷（陕西省太白县境），我一定叛变，跟你永诀。"（董璋想用叛变威胁安重诲，却不知安重诲正要逼迫董璋叛变，以便动手扑杀，阻吓之词反而成为邀请文书。）董光业把信拿给帝国参谋总部执行官（枢密承旨）李虔徽。不久，中央又派别动部队将领（别将）荀咸乂，率军进驻阆州（四川省阆中市），董光业警告李虔徽说："这支军队还没有到，我父亲一定叛变。我不敢只为了我自己，而是恐怕有劳中央遣兵调将，但愿现在停止，我父亲绝没有贰心。"李虔徽告诉安重诲，安重诲拒绝。董璋听到消息，立刻宣告脱离中央。昭武（总部利州）、保宁（总部阆州）、武信（总部遂州）三战区奏报中央说：董璋集结大军，打算先行进攻三战区，安重诲毫不理会。董璋得到报告，遂公开叛变。安重诲说："我早知道他一定会这样，只是陛下包容，不肯讨伐。"李嗣源（邈佶烈）说："我不辜负别人，如果别人辜负我，我才会动手。"

九月三日，西川（总部成都府）进奏官苏愿，警告孟知祥说："中央准备派遣大军讨伐两川（西川、东川）。"孟知祥跟战区副司令官（副使）赵季良商议，赵季良建议东川（总部梓州）应先派军夺取遂（四川省遂宁市）、阆（四川省阆中市），然后集中兵力，坚守剑门（四川省剑阁县北剑门关镇），则中央大军即令南下，两川也不会有后顾之忧。孟知祥同意，派使节晋见董璋，约定同时发动。董璋用正式公文通知昭武（总部利州）、武信（总部遂州）、保宁（总部阆州）三战区，斥责他们挑拨离间，应受到惩罚。于是率军首先攻击阆州（四川省阆中市）。

九月十日，孟知祥命总指挥官（都指挥使）李仁罕当特遣兵团野战司令官（行营都部署），汉州（四川省广汉市）州长赵廷隐当野战副司令官。命简州（四川省简阳市）州长张业当先锋指挥官（先锋指挥使），率军三万攻击遂州（四川省遂宁市），另派别动部队将领（别将）、内营总指挥官（牙内都指挥使）侯弘实、先登指挥官（先登指挥使）孟思恭，率军四千人，会合东川（总部梓州）部队，攻击阆州（四川省阆中市）。

安重诲长期掌握大权，专断横行，无论中央及地方，对他厌恶痛恨的人，越来越多。王德妃（花见羞）跟宫廷杂务官（武德使）孟汉琼，都深得李嗣源（邈佶烈）的信任，逐渐干涉政治，不断在李嗣源（邈佶烈）面前抨击安重诲的过失，安重诲心里忧惧，上疏请求解除职务，李嗣源（邈佶烈）说："我对你没有误会，诬告你的人我已诛杀（指李行德等），你为什么还这个样子？"

九月十四日，安重诲晋见李嗣源（邈佶烈），当面再作请求，说："我出身寒微卑贱，而终于擢升到现在高位，忽然被诬告背叛，如果不是陛下明察，我家连一个人都难留下。由于我才能太低，责任太重，恐怕终有一天，阻挡不住这种流言。但愿准我退休，赐我一个战区，使我能保全残生。"李嗣源（邈佶烈）不准，安重诲请求不止，李嗣源（邈佶烈）大怒说："随你的便，我难道找不到人！"前成德战区（总部设镇州〔河北省正定县〕）司令官（节度使）范延光劝李嗣源（邈佶烈）挽留安重诲，说："安重诲如果辞职，谁能代替？"李嗣源（邈佶烈）说："你难道不行？"范延光说："我接受陛下差遣的日子很短

（范延光任宫廷事务北院总监〔宣徽北院使〕，参考九二七年三月），而才能又不如安重诲，怎么敢当这种重责大任！”李嗣源（邈佶烈）派孟汉琼到宰相联合办公厅（中书）讨论安重诲辞职事项，冯道说：“各位如果真的爱护安先生，就应该准他解除参谋总部指挥官（枢密使）的职务。”赵凤说：“你说错了话！”于是上疏强调：对资深高官，不可以轻易罢黜。

16 东川（总部梓州）变军抵达阆州（四川省阆中市），后唐（首都河南府）守军将领们都说：“董璋早就打算叛变，常用金银绸缎讨好他的战士，一旦发动攻击，锐气百倍，难以抵挡。我们应该挖深壕沟，增高城墙，先打击他的锐气，用不了十天，中央援军抵达，盗贼自会逃走。”守军统帅李仁矩（保宁〔总部阆州〕司令官）说：“巴蜀（四川省）士卒一向胆小如鼠（这是唐王朝时给人的印象，参考八七〇年二月一日），怎么能抵挡我的精兵！”遂出城迎战，还没有跟东川（总部梓州）变军接触，便一哄而散，逃回城里。董璋日夜进攻。

九月二十日，董璋攻克阆州（四川省阆中市），斩李仁矩，屠杀全族。

最初，董璋在后梁（首都河南府）当将领，指挥官（指挥使）姚洪曾当他的部属，如今，姚洪率军一千人驻防阆州（四川省阆中市），董璋秘密引诱他作内应，姚洪把送信的人杀掉，把尸首投到茅坑。不久，城池陷落，董璋生擒姚洪，责备他说：“我从低微的士卒中，提拔你当军官，为什么辜负我？”姚洪说：“老贼，你从前在李家当家奴时（《旧五代史·董璋传》：董璋少年时，跟高季兴〔高季昌〕、孔循，一起当汴州土豪李彦威〔朱友恭〕家僮），要你每天打扫马粪，才赏你一片烤肉，你就感恩不止。现在天子用你当战区司令官（节度使），有什么地方辜负你，

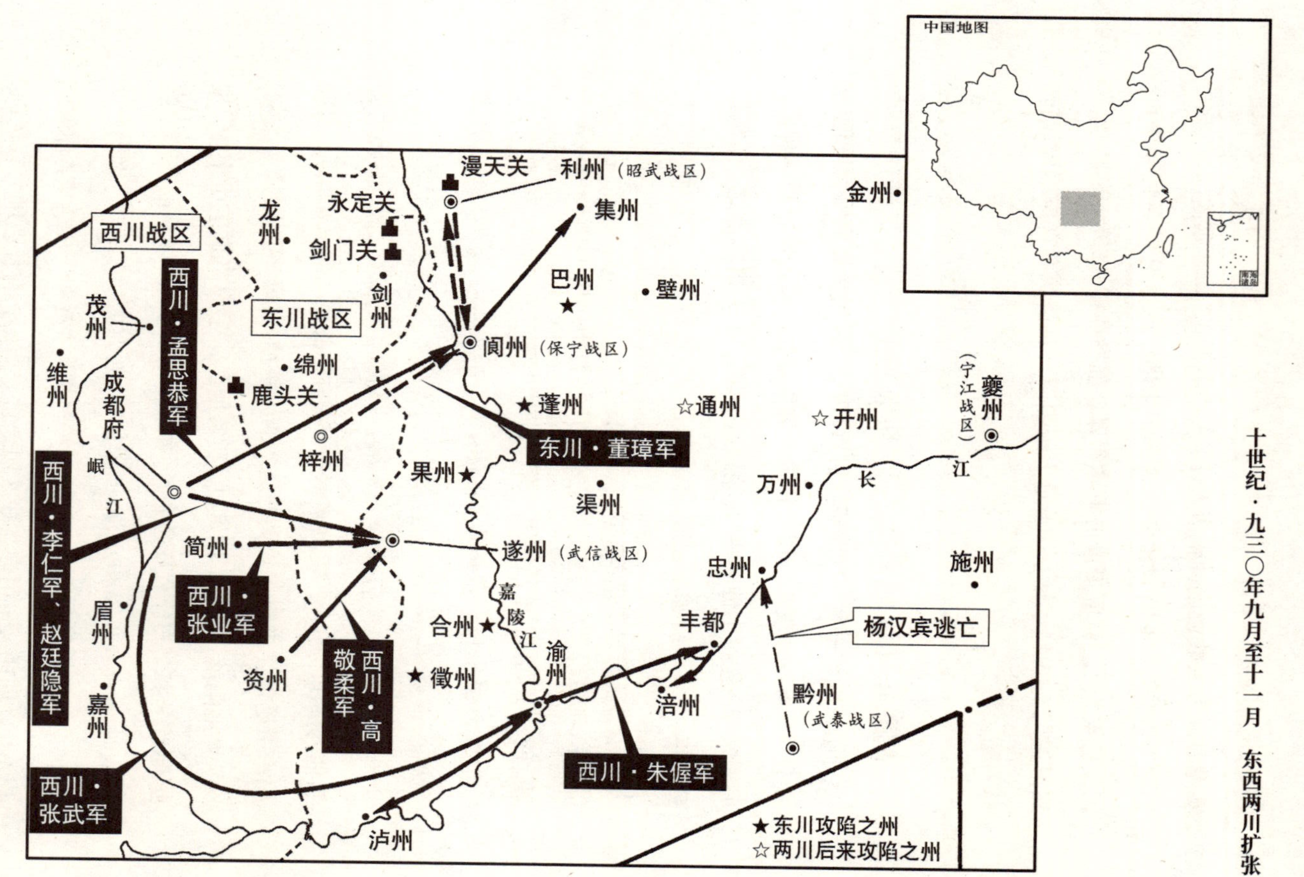

十世纪·九三〇年九月至十一月　东西两川扩张

你竟然叛变！你连天子都辜负，对我有什么恩德？竟敢说辜负你的话？你是一个奴才胚子，固然无耻，我是堂堂义士，怎么肯跟你一样？我宁愿为天子而死，也不愿跟一个家奴一块活在这个世界上。”董璋大怒，就在公堂上架起大锅，烧水沸腾，命十个勇士生割姚洪身上的肉煮吃，姚洪直到断气，还一直不停大骂。李嗣源（邈佶烈）听到消息，把姚洪的两个儿子任命为禁卫军官，对他家丰富赏赐。

17 九月二十四日，后唐政府（首都河南府）命范延光当帝国参谋总部指挥官（枢密使），安重诲也恢复原职。

18 九月二十六日，后唐帝（二任明帝）李嗣源（邈佶烈）下诏剥夺董璋（东川〔总部梓州〕司令官）所有官职爵位；出军讨伐。

九月二十七日，李嗣源（邈佶烈）下诏命孟知祥（西川〔总部成都府〕司令官）兼任西南方面军后勤补给司令（兼西南供馈使），命天雄战区（总部设魏州〔河北省大名县〕）司令官（节度使）石敬瑭，当东川（总部梓州）特遣兵团总征剿司令（东川行营都招讨使），命夏鲁奇（武信〔总部遂州〕司令官）当副手。

董璋命孟思恭（西川〔总部成都府〕将领）派一部分军队进攻集州（四川省南江县），孟思恭轻率冒进，战败撤退（集州属昭武战区〔总部利州〕）。董璋震怒，把他送回成都（四川省成都市），孟知祥免除孟思恭官职。

九月二十八日，李嗣源（邈佶烈）命石敬瑭暂代东川（总部梓州）执行官（权知东川事）。

九月三十日，李嗣源（邈佶烈）命右武卫（卫军第四军）上将军王思同当西都（京兆府，陕西省西安市）留守长官兼特遣兵团步骑兵总纠察官

（兼行营马步都虞候），作为讨伐巴蜀（四川省）的先锋。 730

19 南汉帝国（首都兴王府〔广东省广州市〕）皇帝（一任高祖）刘岩（本年四十二岁），派他的将领梁克贞、李守鄘，进攻交州（即安南府，越南河内市），攻克，生擒割据的军阀、静海战区（总部设安南府〔越南河内市〕）司令官（节度使）曲承美，班师（曲承裕据静海，参考九〇六年正月；传子曲颢、曲承美，迄今灭亡，共二十五年）。而命他的将领李进镇守（南汉至此才拥有静海战区〔总部安南府〕）。

20 冬季，十月三日，西川（总部成都府）将领李仁罕包围遂州（四川省遂宁市），守将夏鲁奇（武信〔总部遂州〕司令官）登城固守。孟知祥（西川〔总部成都府〕司令官）命大营总管理官（都押牙）高敬柔，率资州（四川省资中县）义勇部队二万人，兴筑长墙，加强包围。夏鲁奇命骑兵总指挥官（马军都指挥使）康文通出城迎战，康文通听到阆州（四川省阆中市）陷落消息，率他的部众，投降李仁罕。

十月八日，董璋率军向利州（四川省广元市）进击，偏偏天降大雨，粮食供应不上，遂退回阆州（四川省阆中市）。孟知祥接到报告，大惊说：“刚攻破阆中（阆州州政府所在县）的时候，就应该一直前进夺取利州（四川省广元市），中央军那些将领一个比一个懦弱，一定会望风而逃，我们接收他们的仓库，防守漫天关（大小漫天关，都在利州北明月峡一带）天险，中央军绝救不了武信（总部遂州）。董大帅（董璋）驻扎偏远荒凉的阆州（四川省阆中市），把剑阁（四川省剑阁县）抛到远远的地方，不是好办法（利州在剑门关之北，孟知祥希望董璋夺取利州，作为保护剑门关的屏障；而董璋所攻取的阆州，其所在并不位于中原入蜀必经之道上，不能阻止中央继续派军南下）。”打算派军三千人协防剑门（剑阁县北剑门关镇），董璋坚持说：“剑门已有万全戒备。”

21 吴越王国（首都杭州〔浙江省杭州市〕）国王（一任武肃王）钱镠（本年七十九岁。镠，音刘〔流〕），趁着后唐（首都河南府）派赴福州（闽首都，福建省福州市）加封王延钧当闽王（参考前年〔九二八〕七月）的使节裴羽，返回洛阳（后唐首都河南府所在县）之便，请裴羽携带奏章，奏章上深刻责备自己的过失；他的儿子钱传瓘以及所有将领、参谋官等，也不断上疏后唐政府（首都河南府），为钱镠呼冤（钱镠傲慢，参考去年〔九二九〕九月）。

十月十三日，李嗣源（邈佶烈）下诏，命各地方政府释放吴越（首都杭州）使节官员。命宫廷事务北院总监（宣徽北院使）冯赟，当左卫（卫军第一军）上将军、北都（太原府）留守长官。

十月十七日，后唐政府屠杀董光业全族（因老爹董璋谋反）。

22 南楚王（一任武穆王）马殷（本年七十九岁）患病，派使节前往后唐（首都河南府），请求把王位传给他儿子马希声。后唐政府怀疑马殷已经死亡。

十月二十一日，后唐政府命马希声中止服丧，出任武安战区（总部设长沙府〔湖南省长沙市〕）司令官（节度使）兼最高监督长（兼侍中·使相）。

23 孟知祥（西川〔总部成都府〕司令官）命前蜀帝国时代镇江战区（总部设夔州〔重庆市奉节县〕）司令官（节度使）张武（参考九二五年十月三十日），当峡路（三峡地区）特遣兵团征伐绥靖司令（峡路行营招收讨伐使），率长江舰队直向夔州（重庆市奉节县）；命左飞棹指挥官（左飞棹指挥使）袁彦超当副手。

十月二十三日，东川（总部梓州）变军攻陷徽（唐王朝及前蜀帝国都没有徵州，但因后唐时期，《资治通鉴》一直没有出现过“昌州”〔重庆市大足区〕，可能后唐政府因一任帝李存勖祖父名李国昌〔朱邪赤心〕，避讳把昌州改为徵州）、合（重庆市合川区）、巴（四川省巴中市）、蓬（四川省仪陇县南）、果（四川省南充市）五州。

24 十月二十六日，南吴（首都江都府）国务院左最高执行长（左仆射）、二级实质宰相（同平章事）严可求逝世。最高监督长（侍中）徐知诰（李知诰）命他的长子、大将军徐景通当国务院国防部长（兵部尚书）、三级实质宰相（参政事）；因徐知诰（李知诰）将出京（首都江都府）镇守金陵（江苏省南京市），才有此布置。

25 南汉（首都兴王府）将领梁克贞进入占城王国（即环王国，首都占城〔越南中部茶荞城〕），掠夺金银财宝而回。

26 十一月九日，西川（总部成都府）变军东征统帅张武，抵达渝州（重庆市），州长张环投降，张武再攻克泸州（四川省泸州市），派先锋官朱偓分别率军直向黔（重庆市彭水县）、涪（重庆市涪陵区）二州。

27 十一月十日，南楚王（一任武穆王）马殷逝世（年七十九岁），遗嘱命他的儿子们兄终弟及——兄弟相传，并在祠堂设置一把佩剑，说：“敢违抗我命令的，诛杀！”各将领商议先增兵四方边境，然后发布死讯，国务院国防部副部长（兵部侍郎）黄损说：“我们丧失一位君王，另立一位君王，有什么可戒备的，倒是该派使节到相邻各国各战区告哀，通知他们嗣子登位，就可以了。”

28 后唐（首都河南府）讨伐军统帅石敬瑭南下进入散关（陕西省

宝鸡市西南），阶州（甘肃省陇南市武都区东）州长王弘贽、泸州（四川省泸州市）州长冯晖，会同前锋步骑兵总纠察官（前锋马步都虞候）王思同、步兵总指挥官（步军都指挥使）赵在礼，率军穿过人头山（四川省广元市北）后，绕道剑门（四川省剑阁县北剑门关镇）之南，再回军北上，奇袭剑门关。

十一月十三日，攻克剑门（四川省剑阁县北剑门关镇），格杀东川（总部梓州）守军三千人，生擒东川（总部梓州）总指挥官（都指挥使）齐彦温，占领要地据守。冯晖，是魏州（河北省大名县）人。

十一月十五日，王弘贽等又攻陷剑州（四川省剑阁县），可是讨伐军主力不能及时赶到，王弘贽只好纵火焚烧街市房舍，夺取所有粮食，退回剑门。

十一月十六日，李嗣源（邈佶烈）下诏，免除孟知祥（西川〔总部成都府〕司令官）所有官职及爵位。

十一月二十日，董璋派使节前往成都（四川省成都市）报告紧急情况。孟知祥听到剑门（剑阁县北剑门关镇）失守，大为恐惧，说："董璋果然害了我！"

十一月二十一日，孟知祥派内营总指挥官（牙内都指挥使）李肇，率军五千人北上增援，告诫他说："你要加倍速度急行军前进，先行占领剑州（四川省剑阁县），中央军对我们就无可奈何。"又派使节赶往遂州（四川省遂宁市），命李仁罕继续围城，调赵廷隐率本部人马一万人北上，会同李肇驻防剑州（四川省剑阁县）。又派前蜀帝国时代永平战区（总部设雅州〔四川省雅安市〕）司令官（节度使）李筠，率军四千人，直向龙州（四川省平武县东南），把守险要（防备中央军从邓艾旧路〔参考二六三年十月〕直袭）。这时候天寒地冻，士卒畏惧艰苦及对阵厮杀，互相观望，不肯马上出发，赵廷隐向大家流泪喊话说："中央军声势强大，你们如果不奋力作战，把他们击退，妻子儿女都将成为人家的俘虏。”大家才振作激奋（龙剑二州是东川〔总部梓州〕属州，但此时东川兵团正在东方开拓地盘，攻夺嘉陵江中下游流域的阆蓬果巴合徵六州，却忘了把守北方门户剑门关。现在局势紧急，孟知祥遂不再等待董璋西返，而径自派军把守）。

董璋从阆州（四川省阆中市）出发，率两川（西川、东川）联军，进驻木马寨（四川省剑阁县东南木马镇）。

先前，西川（总部成都府）内营指挥官（牙内指挥使）太谷（山西省晋中市太谷区）人庞福诚、昭信特别营指挥官（指挥使）谢锽，驻防来苏村（四川省剑阁县东南三十五公里），听到剑门（四川省剑阁县北剑门关镇）失守消息，商量说：“假使中央军占据剑州（四川省剑阁县），两川（西川、东川）全陷危境。”二人遂率本部人马一千余人，从小路捷径，直向剑州（四川省剑阁县）。刚刚抵达，中央军一万余人从北山涌下，这时天已傍晚，二人商议说：“敌众我寡，根本无法抵挡，等到明天天亮，我们连一个人也剩不下。”庞福诚当夜率敢死队数百人，攀登北山，暗中逼近中央军营背后，突然大声嘶喊，而谢锽率其余部众，手拿刀剑等短兵器，在中央军营门前迅速发动正面攻击，中央军大惊，放弃大营，全部逃回剑门（剑阁县北剑门关镇），十几天不再出来。孟知祥得到报告，大喜说：“我当初认为王弘贽等攻克剑门，一定会再攻剑州（四川省剑阁县），严防坚守，或者率军直向梓州（四川省三台县），董璋一定放弃阆州（四川省阆中市）逃回。西川（总部成都府）失去支援，只好解除遂州（四川省遂宁市）的包围。这样的话，我们受到内外夹攻，人心动摇，危险万状。他们竟然火烧剑州（四川省剑阁县），把粮食运回剑门，停在那里不向前推进，我的事情就要成功！”

中央讨伐军派一支兵力直向文州（甘肃省文县），打算袭击龙州（四川省平武县东南），被西川（总部成都府）定远指挥官（定远指挥使）潘福超、义胜作战司令（义胜都头）太原（山西省太原市）人沙延祚击败（中央军果然

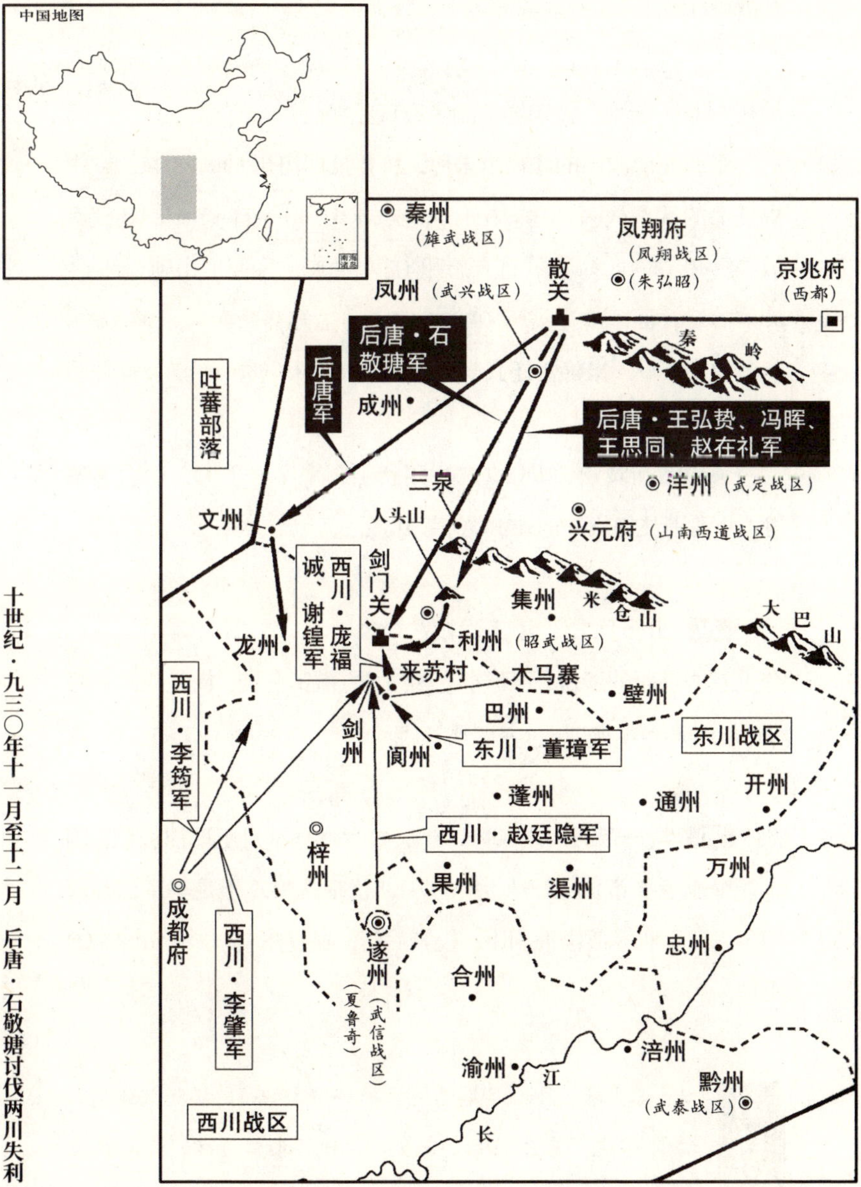

十世纪・九三〇年十一月至十二月　后唐・石敬瑭讨伐两川失利

中国地图
南海诸岛
秦州
(雄武战区)
凤翔府
(凤翔战区)
(朱弘昭)
京兆府
(西都)
散关
凤州　(武兴战区)
后唐・石敬瑭军
后唐军
秦岭
吐蕃部落
成州
后唐・王弘贽、冯晖、王思同、赵在礼军
三泉
洋州　(武定战区)
人头山
兴元府　(山南西道战区)
文州
剑门关
西川・庞福诚、谢锽军
集州
米仓山
大巴山
龙州
利州　(昭武战区)
来苏村
木马寨
壁州
巴州
西川・李筠军
剑州
阆州
东川・董璋军
东川战区
蓬州
通州
开州
西川・赵廷隐军
梓州
果州
渠州
万州
成都府
西川・李肇军
遂州
(武信战区)
(夏鲁奇)
合州
忠州
涪州
渝州
江
长
黔州
(武泰战区)
西川战区

利用邓艾旧道)。

十一月二十五日，西川(总部成都府)峡路(三峡地区)统帅张武在渝州(重庆市)逝世，孟知祥命副手袁彦超接任。

张武先前派出的先锋官朱偓，将要抵达涪州(重庆市涪陵区)，中央任命的武泰战区(总部设黔州〔重庆市彭水县〕)司令官(节度使)杨汉宾放弃黔州(重庆市彭水县)，逃奔忠州(重庆市忠县)。朱偓追击到丰都(重庆市丰都县)，回军攻克涪州(重庆市涪陵区)。孟知祥命西川(总部成都府)行政秘书(支使)崔善暂任武泰战区(总部设黔州〔重庆市彭水县〕)候补司令官(权留后)。

董璋派前陵州(四川省仁寿县)州长王晖率军三千人，会合李肇等，分别进驻剑州(四川省剑阁县)南山。

29 十一月二十七日，南楚(首都长沙府)马希声(本年三十二岁)登上老爹马殷的遗位，声称奉老爹遗命，撤销王国，恢复战区称号(马殷建立王国体制，参考九二七年八月)。

30 契丹帝国(首都西楼城〔内蒙古巴林左旗〕)东丹王耶律突欲，因不能继承老爹帝位(参考九二六年九月)，忧郁怨愤，于是率亲信部属四十人，乘船纵渡渤海南下，投奔后唐，在登州(山东省烟台市蓬莱区)上岸。

《实录》上说：“耶律阿保机(一任帝太祖)的妻子(述律太后)命耶律德光前去渤海(东丹王国)，代替耶律突欲，命耶律突欲回西楼(契丹首都，内蒙古巴林左旗)，打算立他当契丹皇帝。但耶律德光既手握军权，不准备前往渤海(东丹王国)，遂自称

契丹皇帝，阴谋杀害耶律突欲，娘亲（述律太后）无法阻止。耶律突欲恐惧，遂航海投奔后唐。”按耶律德光后来进入汴州（河南省开封市），还悬赏逮捕谋害耶律突欲的凶手诛杀（参考九四七年正月），岂有在国内时反而想谋害他的道理！

柏杨曰

耶律德光是不是曾经计划谋害老哥，我们不知道，但司马光根据他后来缉拿谋害老哥的凶手上，就判断绝无此事，简直天真得出奇。世界上多少谋杀，虽自己亲自动刀，照样处决凶手。政治事件，必须从政治切入，只根据桌面上的一点小动作，粗糙推理，就很容易滑进主导者设计的陷阱，永不能发现真相。

31 十二月三日，后唐（首都河南府）中央讨伐军统帅石敬瑭抵达剑门（四川省剑阁县北剑门关镇）。

十二月六日，进驻剑州（四川省剑阁县）北山的西川（总部成都府）将领赵廷隐，在剑州（四川省剑阁县）内城（牙城）后山结阵，东川（总部梓州）将领李肇、王晖，在河桥（今地不详）结阵。石敬瑭率步兵攻击赵廷隐，赵廷隐命神箭手五百人埋伏在石敬瑭归途上，严阵以待，等到中央军走进埋伏，长矛几乎可以够得着的时候，忽然间军旗招展，战鼓雷鸣，嘶喊声起，两川（西川、东川）变军发动突击，中央军撤退，有的跌下山谷，被杀被俘的有一百余人。石敬瑭又命骑兵攻击河桥，李肇用强弓发箭阻止，骑兵无法前进。黄昏时分，石敬瑭率军退走，赵廷隐率军尾随，跟伏兵会合攻击，取得胜利。石敬瑭退守剑门。

十二月十四日，夔州（重庆市奉节县）奏报后唐政府说：收复开州

（重庆市开州区）。

32 十二月二十一日，后唐政府（首都河南府）命武安战区（总部设长沙府〔湖南省长沙市〕）司令官（节度使）马希声，当武安（总部长沙府）、静江（总部桂州）二战区司令官（节度使）兼最高立法长（兼中书令·使相）。

33 后唐（首都河南府）石敬瑭讨伐两川（西川、东川），没有功劳。凡是从前方回到京师（首都河南府）的使节，都向后唐帝（二任明宗）李嗣源（邈佶烈）奏报说：山路狭窄险要，行军困难，关西（潼关以西）人民，负责转运粮饷，已筋疲力尽，往往逃窜深山大谷，躲藏聚集，当起强盗。李嗣源（邈佶烈）十分忧虑。

十二月二十三日，李嗣源（邈佶烈）对亲近的官员说："谁能替我办事？我只好亲自出征！"安重诲说："我身在参谋总部（枢密院），而军队战斗力却低落到如此地步，我应该负责，请准我亲去前方督战。"李嗣源（邈佶烈）同意。安重诲遂即叩头辞行。

十二月二十四日，安重诲出发，急如星火，每天奔驰数百华里，西方各战区得到消息，都惊骇惶恐，过去执行不力的金钱、绸缎、粮食、草料供应，现在都昼夜不停的运往利州（四川省广元市）中央军大营，人员、牲口倒毙在山谷中的不计其数。这时，李嗣源（邈佶烈）对安重诲已经疏远，而石敬瑭本来就不赞成采取军事行动，所以等到安重诲离开李嗣源（邈佶烈）身旁，就不断上疏分析，认为不可以讨伐，李嗣源（邈佶烈）觉得理由充分。

西川（总部成都府）派驻夔州（重庆市奉节县）的特遣兵团有士卒一千五百人，李嗣源（邈佶烈）命释放他们回去（孟知祥曾要求调返，参考前年〔九二八〕六月）。

九三一年 辛卯

后唐	长兴	二年
南吴	大和	三年
南楚	长兴	二年
吴越	宝正	六年
南汉	大有	四年
南平	长兴	二年
契丹	天显	五年

1 春季，正月二日，后唐帝国（首都河南府〔河南省洛阳市〕）孟知祥（西川〔总部成都府〕司令官）上疏后唐帝（二任明宗）李嗣源（邈佶烈，本年六十五岁），对释放驻防夔州（重庆市奉节县）的西川士卒（参考去年〔九三〇〕十二月），表示感谢。

正月十一日，李仁罕（西川〔总部成都府〕将领）攻陷遂州（四川省遂宁市），中央军守将夏鲁奇（武信〔总部遂州〕司令官）自杀（年四十九岁）。

2 正月十四日，后唐（首都河南府）中央讨伐军统帅石敬瑭，率军再次抵达剑州（四川省剑阁县），驻扎北山。孟知祥砍下夏鲁奇的人头，拿到前方让石敬瑭观看。夏鲁奇的两个儿子追随石敬瑭南征，正在军中，痛哭流涕，请求准许他们前往敌营，取回老爹的人头埋葬，石敬瑭说：“孟知祥是忠厚长者，一定会把你家老爹全尸入土，岂不比身首异处要好！”（孟知祥埋葬时，夏鲁奇身首仍能合为一体，如取回人头，则身首分葬两处。）不久，孟知祥果然把夏鲁奇安葬。而石敬瑭跟赵廷隐会战，失利，再退保剑门（四川省剑阁县北剑门关镇）。 740

正月二十七日，后唐帝（二任明宗）李嗣源（邈佶烈）加授高从诲（荆南〔总部江陵府〕司令官）中央官衔：兼最高立法长（兼中书令·使相）。

东川（总部梓州）把合州（重庆市合川区）归还武信战区（总部设遂州〔四川省遂宁市〕。去年〔九三〇〕十二月所夺）。

最初，凤翔战区（总部设凤翔府〔陕西省宝鸡市凤翔区〕）司令官（节度使）朱弘昭，用尽心机谄媚帝国参谋总部指挥官（枢密使）安重诲，所以一连串出任一级战区司令官。现在，安重诲往前方督战，路过凤翔（陕西省宝鸡市凤翔区），朱弘昭亲自出来迎接，在马前下跪叩头，当晚就接到自己家宅下榻，并请到后堂卧房，朱弘昭的妻子儿女也环绕着安重诲下跪叩头，端上酒菜，礼貌十分恭敬谨慎。安重诲对朱弘昭流泪说：“奸人一再诬告陷害，几乎难逃一死，幸靠领袖明察秋毫，才保住全家。”安重诲告辞后，朱弘昭立即奏报说：“安重诲满肚子牢骚怨恨，对陛下口出恶言，不应该允许他到前线大营，恐怕夺取石敬瑭的军权。”同时写信给石敬瑭说：“安重诲行动乖张，如果抵达前方，恐怕将士们猜疑惊骇，还没有作战，就自行崩溃，最好迎头阻拦。”石敬瑭大为恐惧，上疏说：“安重诲如到前线，恐怕军心有变，最好命他急行回京（首都河南府）！”宫廷事务总监（宣徽使）孟汉琼从西方回到中央，也向李嗣源（邈佶烈）指控安重诲罪恶过失。李嗣源（邈佶烈）下诏命安重诲折返。

朱弘昭昔日之言（劝李嗣源不可抛弃安重诲，参考九二八年三月），是知道安重诲所受的宠爱还没有衰退。今日之言，是确定安重诲的权柄已经失去。小人的心肠，随着现实而反复，使人畏惧。

官场友谊，发展到朱弘昭身上，可谓登峰造极，功力无与伦比。变化之大，反复之快，使人拍案叫绝。

我宁可一辈子孤独而死，也求上帝保佑，不要交上朱弘昭这种朋友。

3 二月一日，后唐（首都河南府）讨伐军统帅石敬瑭，认为遂（四川省遂宁市）、阆（四川省阆中市）二州已经陷落，粮食不能充分供应，没有等到中央命令，就烧毁大营，撤退北归。西川（总部成都府）变军前线将领报告孟知祥（西川〔总部成都府〕司令官），孟知祥把报告放在一边，故意问赵季良（西川〔总部成都府〕副司令官）说："中央军一天天逼近，我们怎么办？"赵季良说："顶多推进到绵州（四川省绵阳市），一定回去。"孟知祥请他解释缘故，赵季良说："我们安逸，他们疲劳，一支孤军深入敌境千里，而粮食吃完，能不逃走？"孟知祥大笑，把报告拿给他看。

4 后唐（首都河南府）安重诲抵达三泉（陕西省宁强县西北阳平关镇），接到诏书，立即返回。经过凤翔（陕西省宝鸡市凤翔区）时，朱弘昭（凤翔〔总部凤翔府〕司令官）拒绝他进城，安重诲才发现事态严重，大为恐惧，上马向东狂奔，急行回京（首都河南府）。

5 两川（西川、东川）变军追击石敬瑭，直到利州（四川省广元市）。

二月四日，后唐（首都河南府）任命的昭武战区（总部设利州〔四川省广元市〕）司令官（节度使）李彦琦，放弃利州城（四川省广元市）逃走。

二月六日，两川（西川、东川）变军进入利州（四川省广元市）。孟知祥（西川〔总部成都府〕司令官）命赵廷隐当昭武（总部利州）候补司令官（留后）。赵廷隐派密使报告孟知祥说："董璋（东川〔总部梓州〕司令官）生性狡诈，可跟他共患难，不可跟他共安乐（这是范蠡评论姒勾践语，参考二六三年十二月注），有一天一定成为你的灾难。是不是可以趁他去剑州（四川省剑阁县）劳军的时候，对他下手。把两川（西川、东川）的军队，统一在一个统帅之下，就可以征服全国（指故前蜀版图）。"孟知祥不允许。董璋到赵廷隐大营，住了一晚，第二天（二月七日）告辞。赵廷隐叹息说："不接受我的建议，灾难就没有个完。"

二月十二日，孟知祥命武信战区（总部设遂州〔四川省遂宁市〕）候补司令官（留后）李仁罕当峡路（三峡地区）特遣兵团征剿司令（行营招讨使），率舰队东下夺取土地。

6 二月十三日，后唐帝（二任明宗）李嗣源（邈佶烈）命帝国参谋总部指挥官（枢密使）兼最高立法长（兼中书令）安重诲，当护国战区（总部设河中府〔山西省永济市〕）司令官（安重诲还没有到京师〔首都河南府〕，就被命往河中，不允许他再回中央）。宰相赵凤作最后努力，对李嗣源（邈佶烈）说："安重诲是陛下的家臣，考察他的内心，绝对不会背叛主人。只因他做事粗鲁任性，不够圆通，被人陷害，陛下如果不洞察他的心迹，安重诲的死就在眼前。”李嗣源（邈佶烈）认为他跟安重诲是一党，大不高兴。

7 二月十七日，西川（总部成都府）统帅赵廷隐、李肇，从剑州（四川省剑阁县）率军返回成都（四川省成都市），留士卒五千人驻防利州（四川省广元市）。

二月十八日，董璋（东川〔总部梓州〕司令官）也返回东川（总部梓州），留士卒三千人驻防果（四川省南充市）、阆（四川省阆中市）二州。

二月二十九日，李仁罕攻陷忠州（重庆市忠县）。

8 南吴帝国（首都江都府〔江苏省扬州市〕）最高监督长（侍中）徐知诰（李知诰），打算擢升副立法长（中书侍郎）、宫廷机要总管（内枢使）宋齐丘当宰相。宋齐丘认为自己的资历和声望，一向低微，同时也计划以退为进，用谦让烘托自己的清高，于是特别请假回洪州（江西省南昌市）安葬老爹（宋齐丘是洪州进士，参考九一二年五月）。回洪州（江西省南昌市）后，乘机进入九华山（安徽省青阳县南），在应天寺下榻，上疏请求准他从此隐居。南吴帝（一任睿帝）杨溥（本年三十二岁）下诏命他进京（首都江都府）；徐知诰（李知诰）也写信要他回来，宋齐丘全不接受。最后，徐知诰（李知诰）派他的儿子徐景通亲到九华山恳切劝说，宋齐丘才回中央，遂以国务院右最高执行长（右仆射）名义退休。把应天寺改名征贤寺。

9 三月一日，西川（总部成都府）东征统帅李仁罕，攻陷万州（重庆市万州区）。

三月二日，李仁罕再攻陷云安监（重庆市云阳县西北云安镇）。

10 三月三日，后唐帝（二任明宗）李嗣源（邈佶烈）命契丹帝国（首都西楼城〔内蒙古巴林左旗〕）所属东丹王耶律突欲（归降后唐事，参考去年〔九三〇〕十一月），改姓东丹，名慕华，当怀化战区（总部设慎州〔羁縻州，河北省涿州市西北〕）司令官（节度使）兼瑞（羁縻州，北京市西南窦店镇）、慎（羁縻州，河北省涿州市西北）等州行政长官（观察使）。东丹慕华（耶律突欲）的部属，以及后唐（首都河南府）从前所俘虏的契丹将领、指挥官（惕隐）等，都给他们一个汉族姓名。其中一位指挥官（惕隐）赫邈被命名为狄怀忠（契丹官兵被俘，参考九二八年七月）。

11 西川（总部成都府）东征统帅李仁罕，抵达夔州（重庆市奉节县），后唐政府（首都河南府）所任命的宁江战区（总部设夔州〔重庆市奉节县〕）司令官（节度使）安崇阮，放弃城池，跟杨汉宾（参考去年〔九三〇〕十一月）经由均（湖北省丹江口市西北）、房（湖北省房县）二州，逃回中央。

三月四日，李仁罕攻陷夔州（重庆市奉节县）。

12 后唐帝（二任明宗）李嗣源（邈佶烈）解除安重诲的职务后，才召见李从珂（王从珂），不禁流泪说："如果依照安重诲的意思做，你怎么能再看到我！"（安重诲陷害李从珂，参考去年〔九三〇〕四月）。

三月八日，命李从珂（王从珂）当左卫（卫军第一军）大将军。

三月十四日，横海战区（总部设沧州〔河北省沧州市东南〕）司令官（节度使）、遥兼二级宰相（同平章事·使相）孔循（赵殷衡）逝世（年四十八岁）。

13 三月二十七日，后唐政府（首都河南府）命钱镠（本年八十岁。镠，音㓼〔流〕）恢复天下兵马总元帅、尚父、吴越国王等官爵。派监门（卫军第十三、十四军）上将军张篯，前往杭州（吴越首都，浙江省杭州市）传

十世纪·九三一年二月至三月　西川吞并宁江战区

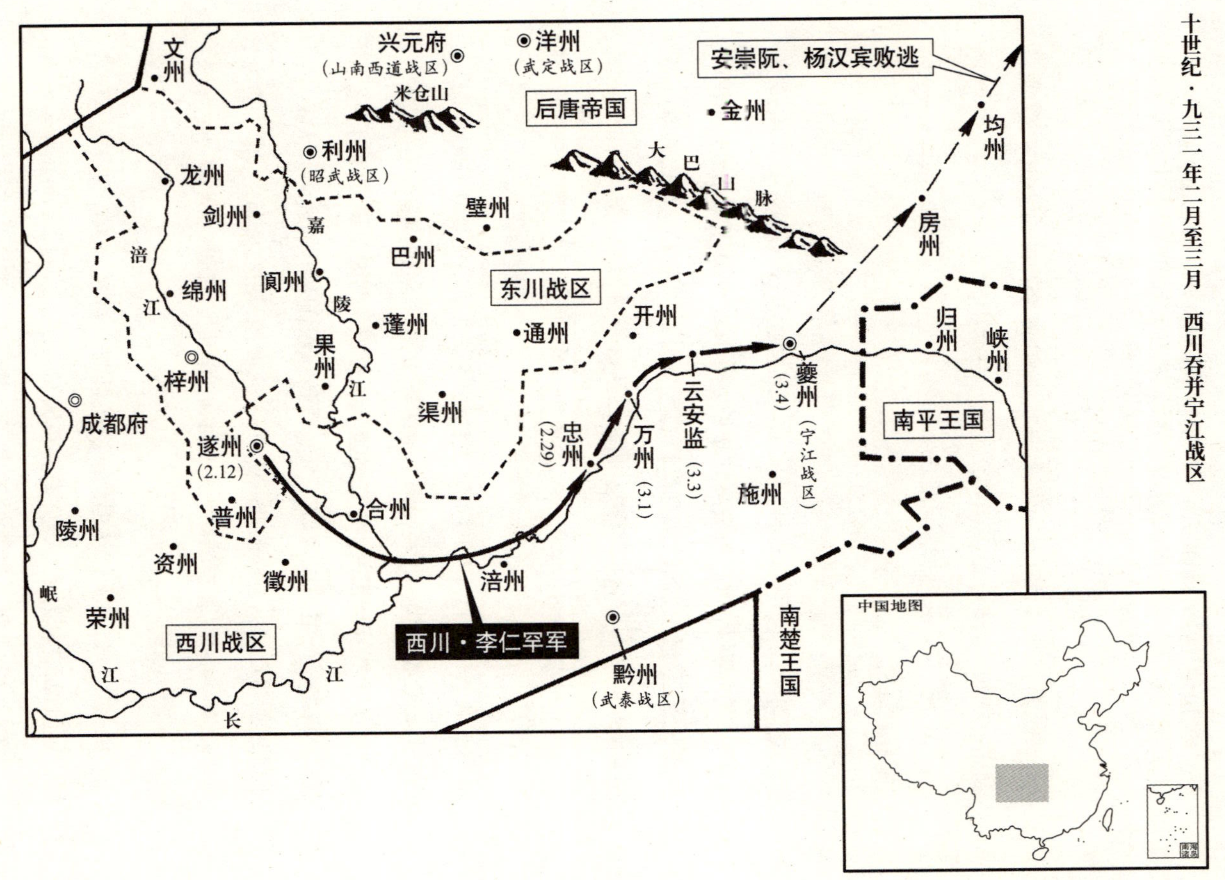

达中央决定。告诉钱镠，说：饬令他退休那件事，是安重诲假传圣 746
旨（参考前年〔九二九〕九月）。

14 三月二十九日，后唐（首都河南府）命祭祀部长（太常卿）李愚当副立法长（中书侍郎）、二级实质宰相（同平章事）。

夏季，四月三日，李嗣源（邈佶烈）擢升王德妃（花见羞）当淑妃（小老婆群第一级）。

15 闽王国（首都福州〔福建省福州市〕）奉国战区（总部设建州〔福建省建瓯市〕）司令官（节度使）兼最高立法长（兼中书令·使相）王延禀（周彦琛），听到闽王王延钧患病的消息，野心万丈，命次子王继升代理奉国（总部建州）候补司令官（知留后），而自己亲自率领长子、建州（福建省建瓯市）州长王继雄，以及水上作战部队，袭击福州（福建省福州市）。

四月十五日，王延禀（周彦琛）进攻西门，王继雄进攻东门。王延钧派舰队指挥官（楼船指挥使）王仁达率军抵抗。王仁达在船上设下伏兵，竖起白旗，假装投降，王继雄大喜，不带左右侍卫，就登上王仁达坐舰安抚慰问。王仁达遂斩王继雄，把人头悬挂西门。王延禀（周彦琛）正要放火攻城，忽然看到儿子血淋淋的人头，大哭，王仁达乘机攻击，王延禀（周彦琛）的军队崩溃，左右侍从用“斛”抬着王延禀（周彦琛）逃走（到现在我仍弄不清“斛”和“斗”的区别，看情形“斛”比“斗”大，“斗”坐不下一个人）。

四月十六日，王仁达追到，把王延禀（周彦琛）生擒。王延钧受俘，对他说：“果然又麻烦你老哥再来！”（王延禀〔周彦琛〕得意语，参考九二七年正月六日。）王延禀（周彦琛）满脸羞惭，无言回答。王延钧把王延禀（周彦琛）囚禁在另一间房子里，派使节去建州（福建省建瓯市）招降同党。同党格杀使节，拥护王继升跟老弟王继伦，逃奔吴越（首都杭州）。王仁达，是王延钧的侄儿。

16 后唐帝（二任明宗）李嗣源（邈佶烈）任命宫廷事务北院总监（宣徽北院使）赵延寿（刘延寿），当帝国参谋总部指挥官（枢密使）。

四月二十一日，命天雄战区（总部设魏州〔河北省大名县〕）司令官（节度使）、遥兼二级宰相（同平章事·使相）石敬瑭，兼皇家禁卫军副统帅（兼六军诸卫副使）。

四月二十三日，命朱弘昭当宫廷事务南院总监（宣徽南院使）。

17 五月，闽王王延钧在首都福州（福建省福州市）闹市上，斩王延禀（周彦琛），恢复他本来的姓名周彦琛。王延钧派老弟、总教练官（都教练使）王延政，前往建州（福建省建瓯市）安抚慰问官民人等。

18 五月十日，后唐（首都河南府）取消以亩为单位征收酒税办法（每亩五钱，参考九二八年七月），另定新法：城里由政府专卖，酒价减少一半，乡村则由人民自由酿制，不加禁止。大家都感到方便。

五月二十二日，李嗣源（邈佶烈）命孟汉琼代理宦官总管（知内侍省事），充当宫廷事务北院总监（宣徽北院使）。孟汉琼，本是赵王王镕的家奴（王镕，八八三年正月至九二一年二月，任成德战区〔总部镇州〕司令官）。当时，范延光、赵延寿（刘延寿）虽然都是帝国参谋总部指挥官（枢密使），但眼看安重诲因刚愎自用受到排斥，所以每次谈论国家军政大事，都不敢坚持自己意见。只有孟汉琼跟王淑妃（花见羞）手握大权，人们对二人都心怀畏惧。先前，皇宫费用如果稍微超过预算，安重诲都奏报李嗣源（邈佶烈），因此，提出非分要求的事就几乎绝迹。可是到了现在，孟汉琼干脆以皇后、淑妃的名义，直接支用国库里的金银财宝，根本不通知帝国参谋总部（枢密院）和中央财政三单位管理总监署（三司），而且在支用时根本没有文件，全凭孟汉琼一句话，所支用的东西，多到无法记载。

五月二十四日，李嗣源（邈佶烈）命相州（河南省安阳市）州长孟鹄，当左骁卫（卫军第五军）大将军，充当中央财政三单位管理总监（三司使）。

19 昭武战区（总部设利州〔四川省广元市〕）候补司令官（留后）赵廷隐，自成都（四川省成都市）前往利州（四川省广元市）到差，过了一个月，建议孟知祥（西川〔总部成都府〕司令官）增派军队，夺取兴元（山南西道总部，陕西省汉中市）及秦（雄武总部，甘肃省秦安县西北）、凤（武兴总部，陕西省凤县）二州（均是大巴山脉以北重镇），孟知祥认为士卒疲惫，人民贫困，不许。

20 后唐（首都河南府）护国战区（总部设河中府〔山西省永济市〕）司令官（节度使）兼最高立法长（兼中书令·使相）安重诲，心里一直惊恐不安，上疏请求退休。

闰五月三日，李嗣源（邈佶烈）下诏，命安重诲以太子太师（太子三师之一）名义退休。就在当天（闰五月三日），他的两个儿子安崇赞、安崇绪，逃出京师（首都河南府），奔往河中（山西省永济市）。

闰五月九日，李嗣源（邈佶烈）命保义战区（总部设陕州〔河南省三门峡市〕）司令官（节度使）李从璋，当护国战区（总部设河中府〔山西省永济市〕）司令官（节度使）。

闰五月十一日，李嗣源（邈佶烈）派步兵指挥官（步军指挥使）药彦稠率军直向河中（山西省永济市）。

安崇赞兄弟逃抵河中（山西省永济市），安重诲大惊说：“你们怎么可以来到这里？”停了一会，叹息说：“我知道了，这不是他（指李嗣源）的意思，只是受别人指使摆布罢了。我用一死报效国家，还有什么可说。”于是把两个儿子捆绑，派人携带奏章，押解前往京师（首都河南府）。

第二天（闰五月十二日），有宦官从京师（首都河南府）来到河中（山西省永济市），看见安重诲，放声大哭，不能停止。安重诲问他缘故，宦官说：“人们指控你背叛，中央已派药彦稠率军西上，就要抵达。”安重诲说：“我受国家大恩，死都报答不完，怎么敢背叛？劳动政府派遣军队，又让领袖（李嗣源）忧虑，我的罪恶就更沉重！”安崇赞等经过陕州（河南省三门峡市），李嗣源（邈佶烈）诏书适时到达，命把他们囚禁监狱。皇城总监（皇城使）翟光邺，一向厌恶安重诲，李嗣源（邈佶烈）派他前去河中（山西省永济市）调查，说：“安重诲真有什么不法企图的话，就把他诛杀。”翟光邺抵达河中（山西省永济市），会同李从璋，派武装部队包围安重诲家宅。李从璋自己进去拜见安重诲，在院子里下跪叩头，安重诲大吃一惊，从台阶跑下来，也下跪叩头回礼，李从璋取出铁锤，照安重诲头上猛击，安重诲的妻子张女士惊骇，大叫一声，扑上去拯救，李从璋也把她挝杀。立即把行刑经过，上疏奏报。

闰五月十二日，李嗣源（邈佶烈）下诏斥责安重诲：“离间孟知祥（西川〔总部成都府〕司令官）、董璋（东川〔总部梓州〕司令官）、钱镠（吴越〔首都杭州〕国王）跟中央的感情。”并诬陷说：“安重诲打算亲自率军进攻南吴（首都江都府），借以掌握军权（边彦温诬告的正是如此，参考去年〔九三〇〕八月），更派忠心侍卫把两个儿子暗中接回战区。”于是，连同两个儿子，一并处死。

柏杨曰

安重诲含冤而死，并死于酷刑，夫妇同被剥去衣服，裸尸数日，血流盈庭，下场可哀。然而仅就《资治通鉴》记载，只不过五年之间，自马延（参考九二六年六月）以下，安重诲杀宰相任圜（参考九二七年十月）、杀皇子李从璨（参考前年〔九二九〕三月）、又企图谋害大将康福（参考前年〔九二九〕十月），接着逼反战区司令官董璋、孟知祥（参考前年〔九二九〕十一月）。他所致力的，几乎全在为自己复仇泄愤，甚至不惜策动国防军叛变，为的是要诬陷另一皇子李从珂（参考去年〔九三〇〕四月），只因十多年前打过一架，自己挨了几拳，李从珂虽然道歉，安重诲仍不肯罢休。

安重诲被称赞为干练之才，但是，睚眦必报、胸襟如豆，把干练大量用到复自己之仇、泄自己之愤上，他制造的灾祸百倍于他的贡献。使人想到唐王朝的李德裕（参考八四九年十二月），二人简直是一个模子浇出来的下流货色！

闰五月十九日，李嗣源（邈佶烈）命西川（总部成都府）进奏官苏愿、东川（总部梓州）将领刘澄，各回他们的战区，告诉官兵说安重诲专权，擅自出军讨伐，而今已经处死。

六月九日，李嗣源（邈佶烈）命李从珂（王从珂）遥兼二级宰相（同平章事·使相），充当西都（京兆府，陕西省西安市）留守长官。

六月二十日，后唐政府（首都河南府）命各战区道应调整降低人民的田赋捐税负担。

21 闽王（首都福州）王延钧深信神仙鬼怪，道士陈守元、巫法师徐彦林、盛韬，共同诱导他兴筑宝皇宫，土木工程极尽奢侈豪华，而命陈守元当宫主。

22 秋季，九月十五日，李嗣源（邈佶烈）命东丹慕华（耶律突欲）再改姓名李赞华。

23 南吴（首都江都府）镇南战区（总部设洪州〔江西省南昌市〕）司令官（节度使）、遥兼二级宰相（同平章事·使相）徐知谏逝世。南吴政府命各战区道副总指战官（诸道副都统）、镇海战区（总部设金陵府〔江苏省南京市〕）司令官（遥领）、暂任最高立法长（守中书令）徐知询接替，封徐知询当东海郡王（继承老爹徐温爵位）。徐知诰（李知诰）征召徐知询前来中央时（参考前年〔九二九〕十月），徐知谏参加秘密作业。徐知询在到差途中，遇到徐知谏的灵柩丧车，抚摸着棺材，哭泣说："老弟，你用心是这样，我也没有遗憾，然而，你有什么面目在地下再见老爹（徐温）！"

24 九月十七日，后唐帝（二任明宗）李嗣源（邈佶烈）加授帝国参谋总部指挥官（枢密使）范延光：二级实质宰相（同平章事）。

九月二十七日，李嗣源（邈佶烈）下诏释放皇家鹰犬管理处（五坊）的猎鹰，无论中外，以后不准再行进贡（之前曾下此令，参考九二六年四月二十二日）。宰相冯道说："陛下可以说仁爱广及禽兽！"李嗣源（邈佶烈）说："不是这样，我从前曾追随武皇（李克用）打猎，当时秋天的庄稼刚熟，马上就要收割，偏偏有只野兽逃到田里，武皇（李克用）派骑兵追捕，等到捉住野兽，庄稼剩下的已没有几棵。我常想这件事，打猎只有害处，没有益处，所以不做。"

冬季，十月十三日，洋州（陕西省洋县）指挥官（指挥使）李进唐，进攻被两川（西川、东川）占领的通州（四川省达州市达川区），攻克。

25 十月二十八日，李嗣源（邈佶烈）任命王延政当建州（福建省建瓯市）州长。

26 十一月一日，日蚀。

27 十一月十日，西川（总部成都府）进奏官苏愿抵达成都（四川省成都市），孟知祥（西川〔总部成都府〕司令官）听到在洛阳（首都河南府所在县）的家属亲戚都平安无事，派人告诉董璋（东川〔总部梓州〕司令官）说，准备跟他一同上疏请求恕罪。董璋大怒说："你的家属亲戚仍然完整，固然应该回归中央。可是我已经灭族（指中央屠杀他的儿子董光业全家，参考去年〔九三〇〕十月十七日），有什么请他宽恕的？诏书都在苏愿肚子里，刘澄怎么能够知道，我难道连这些花样都弄不清！"于是，跟孟知祥恢复敌视。

十一月十二日，李仁罕（西川〔总部成都府〕将领）自夔州（重庆市奉节县）率东征军返回成都（四川省成都市）。

28 南吴（首都江都府）最高立法长（中书令）徐知诰（李知诰）上疏南吴帝（一任睿帝）杨溥，声称辅佐皇家时日已久，请准他回到金陵（江苏省南京市）养老（徐知诰本年四十四岁）。杨溥乃命徐知诰（李知诰）当镇海（总部金陵府）、宁国（总部宣州）二战区司令官（节度使），镇守金陵（江苏省南京市），其他官职一律保持原状，并总管中央政府（总录朝政），一切依照徐温当年前例（徐温晋封东海郡王，总揽大局，参考九一九年四月）。命徐知诰（李知诰）的儿子徐景通当司徒（三公之二）、二级实质宰相（同平章事），代理全国武装部队总司令（知中外左右诸军事），留在首都江都（江苏省扬州市）中央政府辅政。命宫廷机要总管（内枢使）、二级实质宰相（同平章事）王令谋，当国务院左最高执行长（左仆射），兼副监督长（兼门下侍郎）；命宋齐丘当国务院右最高执行长（右仆射），兼副立法长（兼中书侍郎）；二人都当二级实质宰相（同平章事），兼宫廷机要总管（兼内枢使），辅佐徐景通。

南吴帝（一任睿帝）杨溥封德胜战区（总部设庐州〔安徽省合肥市〕）司令官（节度使）张崇当清河王。张崇在庐州（安徽省合肥市）贪污凶暴，州民痛苦不堪。张崇几次到中央朝见，都使用大量贿赂，结交权贵，因此每次都会官回原职，给庐州（安徽省合肥市）带来灾祸长达二十余年（张崇事，参考九一六年九月）。

29 十二月一日，后唐（首都河南府）第一次准许人民自由铸造农耕用具及其他铁器，而由政府夏秋两季每二亩加征农具税三钱。

30 南楚（首都长沙府〔湖南省长沙市〕）武安（总部长沙府）、静江（总部桂州）二战区司令官（节度使）马希声（本年三十三岁），听说后梁一任帝朱全忠（朱温）喜爱吃鸡，十分羡慕，继承老爹（一任王马殷）的官位后，每天都杀五十只鸡作为菜肴；在老爹的丧事期间，脸上没有一丝哀伤的表情。

十二月七日，马希声把老爹、一任王马殷安葬在衡阳（衡州州政府所在县，湖南省衡阳市）。将要移灵，还一口气吃下几碗鸡羹。国务院文官部前副部长（前吏部侍郎）潘起讥刺他说：“从前，阮籍居丧的时候吃蒸猪肉，哪个时代没有贤才（阮籍，晋王朝“竹林七贤”之一，参考二六二年）！”

31 十二月十日，南吴（首都江都府）最高立法长（中书令）徐知诰（李知诰）抵达金陵（江苏省南京市）。

32 西川（总部成都府）昭武战区（总部设利州〔四川省广元市〕）候补司令官（留后）赵廷隐，报告孟知祥（西川〔总部成都府〕司令官）说：利州（四川省广元市）城池修筑已经完成，前在剑州（四川省剑阁县）击败石敬瑭之役，跟内营总指挥官（牙内都指挥使）李肇，共同建立功劳（参考去年〔九三〇〕十二月），愿意把昭武（总部利州）让给李肇。孟知祥传令嘉奖，但不允许辞让，而赵廷隐再三请求。

十二月二十日，孟知祥命赵廷隐返回成都（四川省成都市），派李肇接替。

33 闽王国（首都福州）宝皇宫宫主陈守元等，声称奉到宝皇的命令，对国王王延钧说："你如能避开王位，作道教修炼，就可以当皇帝六十年。"王延钧相信。

十二月二十三日，王延钧命他的儿子、战区副司令官（节度副使）王继鹏，暂管政府军政大事。王延钧则避开王位，接受道教符箓，道号玄锡。

34 南汉帝国（首都兴王府〔广东省广州市〕）爱州（越南清化市）将领杨廷艺，收养义子三千人，企图夺回交州（安南府。南汉取安南府，参考去年〔九三〇〕九月）。南汉（首都兴王府）交州（安南府，越南河内市）守将李进早得到消息，可是贪图杨廷艺的贿赂，没有向中央报告。

本年（九三一），杨廷艺率军包围交州（安南府，越南河内市）。南汉帝（一任高祖）刘岩（本年四十三岁）派皇家文学研究院院长（承旨）程宝，率军援救，还没有走到，城池陷落，李进逃回，刘岩把他诛杀。程宝包围交州（安南府），杨廷艺出城反攻，程宝战败阵亡。

九三二年 壬辰

后唐	长兴	三年
南吴	大和	四年
南楚	长兴	三年
吴越	宝正	七年
南汉	大有	五年
南平	长兴	三年
契丹	天显	六年

1 春季，正月，后唐帝国（首都河南府〔河南省洛阳市〕）参谋总部指挥官（枢密使）范延光上疏说："自灵州（宁夏灵武市）到邠州（陕西省彬州市）中途，有个方渠镇（甘肃省环县。唐王朝时筑，参考七九七年二月），外国派来后唐进贡的使节，很多人在这个地方被党项部落（黄河河套地区）掠夺，请派军征剿。"

正月七日，后唐帝（二任明宗）李嗣源（邈佶烈，本年六十六岁）命静难战区（总部设邠州〔陕西省彬州市〕）司令官（节度使）药彦稠、前朔方战区（总部设灵州〔宁夏灵武市〕）司令官（节度使）康福，率步骑兵七千人讨伐。

2 正月十三日，孟知祥（西川〔总部成都府〕司令官）的妻子福庆（琼华）长公主李女士逝世。

孟知祥因中央态度宽厚，渴望归降，可是董璋（东川〔总部梓州〕司令官）却堵住绵州（四川省绵阳市）交通要道，不准西川（总部成都府）使节通过，所以十分忧虑，跟战区副司令官（节度副使）赵季良等人研究，打算绕道峡路（长江三峡）前往京师（首都河南府）呈递奏章。机要秘书（掌书记）李昊说："你不先跟东川（总部梓州）商量，而单独行动，恐怕破坏誓约的责任，就落到我们头上。"

孟知祥于是第二度派使节前往游说，董璋仍不接受。

二月，赵季良跟各将领讨论，打算派昭武战区（总部设利州〔四川省广元市〕）总监军官（都监）太原（山西省太原市）人高彦俦，率军夺取壁州（四川省通江县），用以阻止山南（秦岭以南，即山南西道〔总部兴元府〕、武定〔总部洋州〕、金州等地）军队由那里渗透到山后（米仓山南）各州。（胡三省注："指巴〔四川省巴中市〕、蓬〔四川省仪陇县南〕、果〔四川省南充市〕等州。"）孟知祥征求幕僚的意见，李昊反对说："中央把苏愿等遣送回来，我们还没有谢恩，今天反而派军攻城掠地，你如果不顾虑祖先坟墓和家属亲戚，倒不如索性出兵直接攻击梁（兴元府，陕西省汉中市）、洋（陕西省洋县）二州，用不着考虑一个小小壁州（四川省通江县）！"孟知祥这才停止，而赵季良也因此讨厌李昊。

3 二月十九日，后唐（首都河南府）第一次命国立贵族大学（国子监）订正"九经"（儒家学派九部经典：《易经》《书经》《诗经》《春秋》《礼记》《大学》

《中庸》《论语》《孟子》)，雕版印刷贩卖。

4 后唐（首都河南府）讨伐军统帅药彦稠等奏报说：击破党项（黄河河套地区）十九个部落，俘虏二千七百人。

5 后唐帝（二任明宗）李嗣源（邈佶烈）封高从诲（荆南〔总部江陵府〕司令官）当渤海王。

6 南吴帝国（首都江都府〔江苏省扬州市〕）最高立法长（中书令）徐知诰（李知诰），在他的金陵（江苏省南京市）官邸中，兴建“礼贤院”，聚集图书，延揽知识分子，跟孙晟以及海陵（江苏省泰州市）人陈觉，谈论时事。

7 孟知祥第三次派遣使节游说董璋，提醒他说，中央对两川（西川、东川）十分尊重礼遇，如果不上疏承认错误，恐怕再招来讨伐大军。董璋拒绝。

三月十九日，孟知祥再派李昊前去梓州（四川省三台县），打算向董璋作深入的分析和评估，董璋一见李昊，就破口大骂，坚决拒绝。李昊回来报告孟知祥说：“董璋根本听不进去，而且还有图谋西川（总部成都府）的野心，我们必须严加戒备。”

8 三月二十二日，闽王国（首都福州〔福建省福州市〕）国王王延钧复位（避位事，参考去年〔九三一〕十二月）。

9 吴越王国（首都杭州〔浙江省杭州市〕）国王（一任武肃王）钱镠（音

liú〔流〕）病重，对他的将领及参谋官员说：“我的病没有痊愈的可能，儿子们又都愚昧懦弱，不知道谁可以继承统帅职务？”大家流泪说：“传瓘仁爱孝顺，而又有功劳，哪一个不爱戴？”钱镠遂把所有印信、钥匙，交给钱传瓘，说：“文武官员拥护你，你要好好守住（钱镠早已选定钱传瓘为储君，参考九二八年八月）。”又吩咐：“子孙们应小心翼翼事奉中原，不要因政府换了朝代，皇帝改了姓名，竟也跟着改变立场。”

三月二十八日，钱镠逝世，年八十一岁。

钱传瓘跟兄弟们挤在一个篷帐里为老爹哀悼，内营指挥官（内牙指挥使）陆仁章说：“你继承先王的霸主地位，文武官员早晚晋见请示，应该跟兄弟们分开两处。”乃命主持人另搭一个篷帐，把钱传瓘扶到里面居住，宣布说：“从今以后，晋见大帅的人才可以进去，先王的其他儿子以及他们的随从，不可以随便进去。”日夜不停的严密戒备，从不休息。钱镠晚年，左右官员都靠拢钱传瓘，只陆仁章在很多事情上冒犯。到了现在，钱传瓘对他特别慰问勉励，陆仁章说：“先王（钱镠）在位时，我不知道有您。今天效忠您，跟当年效忠先王（钱镠）一样！”钱传瓘嘉许叹息很久。

钱传瓘（本年四十六岁）继承王位（二任文穆王）后，改名钱元瓘，兄弟中名“传”的，一律改作“元”（钱镠有三十八个儿子，全都以“传”字排辈）。并宣布先王钱镠遗命，取消国王礼仪，恢复战区司令官（节度使）身份（钱镠建立王国体制，参考九二三年二月）。废除荒田（有主人而未耕种）、绝户（人死又没有子女）的租税。命处州（浙江省丽水市）州长曹仲达暂时主管政府（权知政事）。另设“择能院”，负责选拔人才，命浙西（钱塘江以西）农田屯垦副司令（营田副使）沈崧兼任院长。

内营指挥官（内牙指挥使）富阳（浙江省杭州市富阳区）人刘仁杞（音qǐ

〔启〕），跟陆仁章长期以来掌握大权，陆仁章性情刚强，刘仁杞喜欢攻击别人的短处，大家对二人都很厌恶。有一天，各将领集结在一起，前往王府，请求把二人处死。钱元瓘（钱传瓘）派堂侄钱仁俊向他们解释说："刘陆两位，侍奉先王的日子很久（陆仁章事，参考九〇九年四月；刘仁杞事，史书没有记载），我正要赏他们的功劳，你们却为了私仇，要他们的性命，是不是可以？我既然是你们的国王，你们应听从我的命令。不然的话，我就回临安（钱家故乡衣锦军，浙江省杭州市临安区），让出贤才上进之路！"大家恐惧退出。钱元瓘（钱传瓘）命陆仁章当衢州（浙江省衢州市）州长，刘仁杞当湖州（浙江省湖州市）州长。无论中央或地方，有人上书检举二位将领的，钱元瓘（钱传瓘）都不受理，因此文武官员之间的感情，十分和睦。

10 最初，契丹帝国（首都西楼城〔内蒙古巴林左旗〕）带兵官（舍利）萴刺（萴，音cè〔侧〕），及另一指挥官（惕隐），被赵德钧（赵行实，卢龙〔总部幽州〕司令官）生擒（参考九二八年八月），契丹（首都西楼城）屡次派人请求释放二人回国。后唐帝（二任明宗）李嗣源（邈佶烈）征求高级将领们的意见，赵德钧（赵行实）等一致认为："数年之久，契丹所以没有侵犯后唐，还不断派人请求和解，只因有他们二员将领在我们手里，如果放掉，边界的灾难，将再度发生。"李嗣源（邈佶烈）又问冀州（河北省衡水市冀州区）州长杨檀，杨檀回答说："萴刺，是契丹的勇将，从前协助王都（刘云郎，义武〔总部定州〕司令官），为害我们，幸而把他活捉，陛下饶他一死，已经够宽大的了，契丹失掉他们，好像失掉手脚。他们在我国已很多年，对中原的缺点弱点，十分清楚，如果回国，再率军南侵，灾祸必定更为严重，他们只要一出塞门，弓箭就会射向南方，到时候我们后悔已来不及。"李嗣源（邈佶烈）才停止。杨檀，是沙陀人。

李嗣源（邈佶烈）打算让李赞华（耶律突欲）主持河南（黄河以南）一个战区，文武百官全都反对，李嗣源（邈佶烈）说："我跟他老爹（契丹一任帝耶律阿保机）曾对天发誓，亲如兄弟（史书没有记载二人结拜之事，倒是有李克用跟耶律阿保机结拜为兄弟，参考九〇七年五月），所以赞华（耶律突欲）才投奔于我，我年龄已老，后世继位的君王，即令请他来，能请得动吗？"

夏季，四月十一日，命李赞华（耶律突欲）当义成战区（总部设滑州〔河南省滑县〕）司令官（节度使），特别在中央官员中，遴选若干人当他的幕僚辅佐，李赞华（耶律突欲）只顶一个官衔，每天过他悠闲自在的日子，不管实际事务，李嗣源（邈佶烈）很是嘉许，虽然他偶尔犯法乱纪，也都宽恕，并且把一任帝李存勖的一位小老婆夏女士，赏赐给李赞华（耶律突欲）当正妻（《五代史记·唐太祖家人传》：李存勖在位时，夏女士封虢国夫人。李嗣源进入洛阳〔首都河南府所在县〕，下令宫中妇女，全都各回各家〔参考九二六年四月八日〕，只夏女士无家可归，李嗣源认为夏鲁奇是她同宗，命她回到夏家，而今命她再嫁李赞华）。可是，李赞华（耶律突欲）野蛮成性，喜爱喝人的鲜血，小老婆们都被他割破手臂血管，让他吸吮。仆人婢女稍微有点过失，有的被挖出眼睛，有的被利刀在身上脸上乱划，有的被火烧伤。夏女士无法忍受这种残酷暴行，上疏离婚，出家当尼姑。

11 四月十三日，后唐帝（二任明宗）李嗣源（邈佶烈）加授皇子宋王李从厚（天雄〔总部兴唐府〕司令官）：兼最高立法长（兼中书令·使相）。

12 东川战区（总部设梓州〔四川省三台县〕）司令官（节度使）董璋，

召集军事会议，讨论袭击成都（四川省成都市）的可能性，将领们认为一定可以攻克。前陵州（四川省仁寿县）州长王晖说：“剑南（剑门关以南，四川省）面积万里，成都是第一大城，现在正逢炎热的夏天，我们先下手攻击，却没有强有力的政治号召，一定不能成功。”董璋不接受。孟知祥得到消息，派骑兵总指挥官（马军都指挥使）潘仁嗣，率三千人前往汉州（四川省广汉市）戒备。

董璋大军进入西川（总部成都府）边界，攻破白杨林镇（广汉市东），俘虏驻军将领武弘礼，声势强大。孟知祥十分忧虑，赵季良说：“董璋这个人作起战来固十分勇猛，但平常对部属没有恩德，士卒们不跟他一条心，如果坚守城池，倒也很难攻克，如果在野外决战，则非被生擒活捉不可。现在他不守他的巢穴，对你有利。董璋作战，所有精锐部队，都在先锋。你最好是用老弱残兵引诱他不断追击，而事先准备好精兵埋伏，开始时我们会有小小挫败，接着一定大胜。董璋向来威名在外，而今突然打到眼前，大家恐惧惊慌，你应该亲自出战，稳定人心。”赵廷隐同意赵季良的分析，说：“董璋轻率浮躁，没有谋略，出兵一定失败，我当替大帅把他生擒。”

四月二十九日，孟知祥命赵廷隐当特遣兵团步骑兵野战司令官（行营马步军都部署），率大军三万人迎敌。

五月一日，赵廷隐到总部向孟知祥辞行，而董璋的文告恰巧递到，另外还有写给赵季良、赵廷隐，以及李肇的信，信上宣称：赵季良、赵廷隐跟自己暗中结合，因此命他们快来东川（总部梓州）共同行动。孟知祥把信交给赵廷隐，赵廷隐看都不看，扔到地上，说：“不过一套反间计，想请大帅杀赵季良跟赵廷隐而已。”下跪叩头辞行，立即出发，孟知祥说：“事情一定成功。”李肇不认识字，拆开信封，瞪眼了一阵，说：“董璋教我叛变罢了！”逮捕他的使节，囚禁监狱，然而却按兵不动，希望留一条退路，保住自己性命。

董璋抵达汉州（四川省广汉市），西川（总部成都府）先遣将领潘仁嗣在赤水（广汉市东南）迎战，大败，被董璋生擒，汉州（四川省广汉市）陷落。

五月二日，孟知祥命赵季良跟高敬柔留守成都（四川省成都市），亲自率军八千人，直向汉州（四川省广汉市），抵达弥牟镇（四川省成都市东北弥牟镇），赵廷隐在弥牟镇北构筑阵地。

五月三日，大将亮时，赵廷隐又到鸡踪桥（四川省成都市新都区北三十五公里）构筑阵地，义胜定远总作战司令（义胜定远都知兵马使）张公铎，在赵廷隐背后扎营。不久，董璋望见西川（总部成都府）军队人数众多、士气高昂，下令撤退到武侯庙（诸葛亮庙）下，董璋中央虎帐一些骁勇战士，大声喊叫说：“让我们在这里晒大太阳干什么？为什么不快点决战！”董璋于是上马，发动攻击，刚刚接触，东川（总部梓州）右翼步骑兵总指挥官（右厢马步都指挥使）张守进，向孟知祥投降，说：“董璋的军队就只有这么多，再没有援军，应该立即反击。”孟知祥登上高岗督战，形势不利，左明义指挥官（左明义指挥使）毛重威、左冲山指挥官（左冲山指挥使）李瑭，据守鸡踪桥，都被东川兵团（总部梓州）格杀；而赵廷隐发动三次冲锋，也都受阻，内营副总指挥官（牙内都指挥副使）侯弘实的部队也向后退，孟知祥大为恐惧，用马鞭向后阵遥指，张公铎望见，率领后备部队，大声呐喊，杀入战场，东川兵团（总部梓州）大败，死亡数千人，中军总指挥官（中都指挥使）元瓒、内营副指挥官（牙内副指挥使）董光演等八十余人，被西川兵团（总部成都府）生擒。董璋捶胸长叹说：“亲军死尽，我依靠什么？”

在几个骑兵保护下，逃走，剩下的七千人，全部投降西川（总部成都府），西川（总部成都府）又救回潘仁嗣。孟知祥率军追击董璋，追到五侯津（四川省广汉市西南），东川（总部梓州）步骑兵总指挥官（东川马步都指挥使）元瓌投降。西川兵团（总部成都府）进入汉州（四川省广汉市）指挥部搜捕董璋，没有找到，士卒们争夺董璋的军用物资，董璋就借着这个混乱机会逃走。赵廷隐追到赤水（四川省广汉市东南），又接受东川（总部梓州）士卒三千人投降。当天（五月三日）夜晚，孟知祥住宿雒县（汉州州政府所在县。胡三省注："州政府已被乱兵劫掠全毁，只好住雒县县政府房舍。"）。命李昊撰写文告，向东川（总部梓州）人民解释沟通，并再写一封信给董璋，声称就去梓州（四川省三台县），询问他叛盟背誓的原因，请求拿出所以被讨伐的罪状。

五月四日，孟知祥跟赵廷隐在赤水（四川省广汉市东南）会师，遂西返成都（四川省成都市），命赵廷隐率军进攻梓州（四川省三台县）。

董璋狼狈逃回梓州（四川省三台县），乘坐小轿进城，王晖迎面问说："大帅率全体武装部队出征，而今活着回来的不到十个人，什么缘故？"董璋哭泣流泪，不能回答，回到自己私宅，正在吃饭，王晖跟董璋的堂侄、内营总纠察官（牙内都虞候）董延浩，率武士三百人，喊声震天，闯了进来，董璋急率他的妻子儿女登上城楼，他的儿子董光嗣自杀。董璋好不容易逃到北门城楼，呼喊指挥官（指挥使）潘稠，命他讨伐变军，潘稠率十个士兵应声上城，一刀砍下董璋的人头，再割下董光嗣的人头，交给王晖，王晖遂献出城池，向西川（总部成都府）投降。赵廷隐进入梓州（四川省三台县），查封仓库，等候孟知祥。李肇（昭武〔总部利州〕候补司令官）听到董璋失败消息，才把董璋的使节斩首，呈报孟知祥。

五月五日，孟知祥返抵成都（四川省成都市）。

五月六日，孟知祥率士卒八千人前往梓州（四川省三台县），当天抵达新都（四川省成都市新都区）。

五月八日，孟知祥从玄武（四川省中江县）出发，赵廷隐呈献董璋的人头，率东川（总部梓州）文武官员出城迎接。

13 后唐（首都河南府）讨伐军统帅康福奏报说：剽掠各国进贡使节的党项部落（黄河河套地区）头目，都已诛杀，其余部众，也都投降。

14 五月十一日，孟知祥（西川〔总部成都府〕司令官）患病。

五月十二日，孟知祥病重，本部副参谋官（中门副使）王处回在左右侍候，厨房每餐送进菜饭，等送出去时，一定吃光，用以安定军心。李仁罕从遂州（四川省遂宁市）前来，赵廷隐到板桥（四川省三台县东南）迎接，李仁罕不但没有称赞赵廷隐征服东川（总部梓州）大功，反而对赵廷隐欺凌侮辱。赵廷隐大怒。

五月十四日，孟知祥病愈。

五月十六日，孟知祥进入梓州（四川省三台县）。

五月十七日，孟知祥犒赏将士，完毕之后，对李仁罕、赵廷隐说："二位将军谁愿意镇守这里？"李仁罕说："大帅如果再教我当蜀州（四川省崇州市）州长，我也接受。"（李仁罕可能当过蜀州州长。）赵廷隐不接腔，孟知祥呆了一下，等大家退出，命李昊准备空白任命状，等待李赵两位将领互相推举之后，就再任命另一位当候补司令官（留后）。李昊说："从前，朱全忠（朱温）、庄宗（后唐一任帝李存勖），都曾身兼四个战区（朱全忠兼宣武〔总部汴州〕、宣义〔总部滑州〕、天平〔总部郓州〕、护国〔总部河中府〕，参考九〇一年五月。李存勖兼河东〔总部太原府〕、天雄〔总部魏州〕、

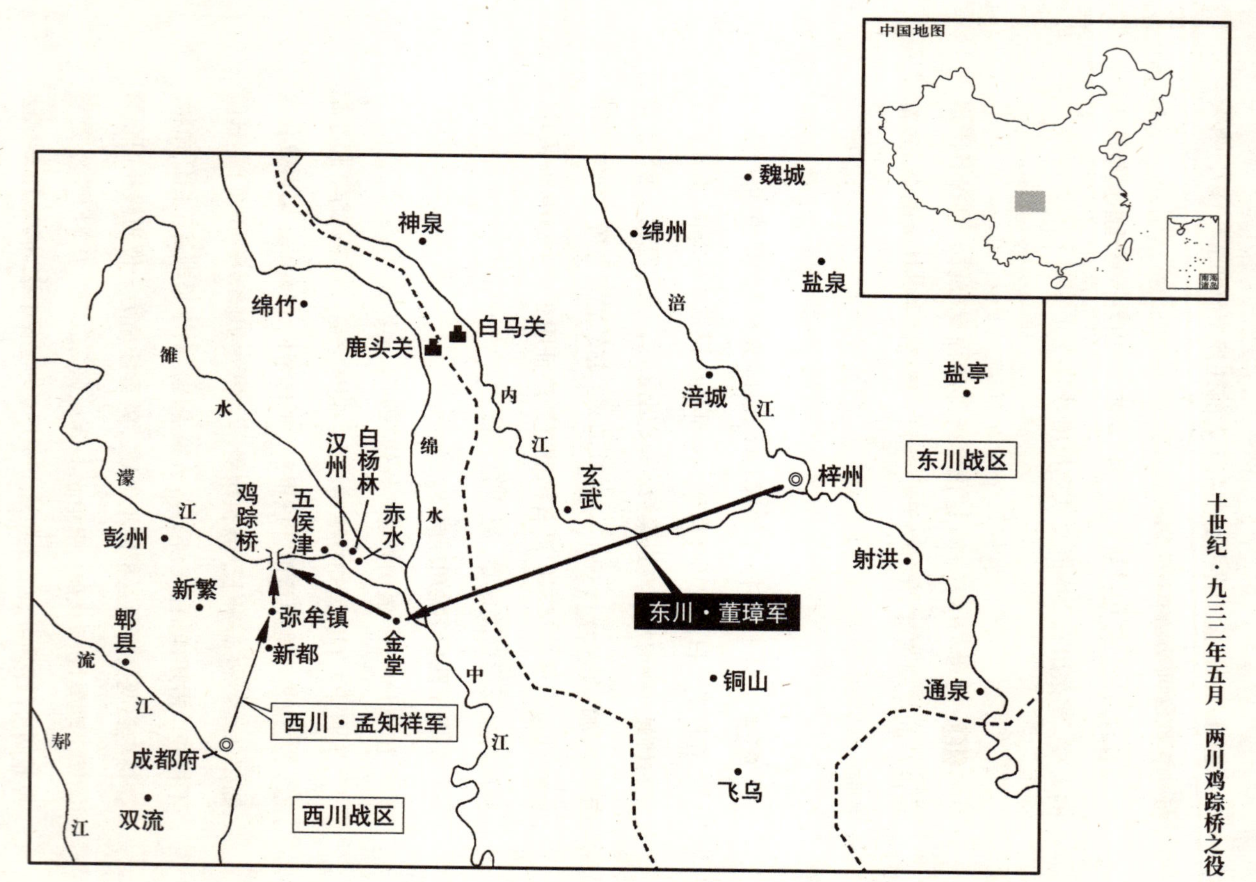

十世纪・九三二年五月　两川鸡踪桥之役

卢龙〔总部幽州〕、成德〔总部镇州〕，参考九二二年九月），而今，两位将军互不相让，只有大帅兼任，才最合适，你最好立即返回成都（四川省成都市），再跟赵季良商量。”

15 五月十八日，出使后唐（首都河南府）的契丹（首都西楼城）使节迭罗卿，辞行归国，后唐帝（二任明宗）李嗣源（邈佶烈）告诉宰相说：“我最大的希望是边界能够永久安定，对他们的要求不可以不多少让步！”于是连同从前俘虏的带兵官（舍利）荝骨，一并送回。契丹因后唐仍扣留荝剌不放，大为不满，遂不断侵扰大同（总部云州）、振武（总部朔州）。

16 孟知祥（西川〔总部成都府〕司令官）命李仁罕（武信〔总部遂州〕候补司令官）回遂州（四川省遂宁市），而留赵廷隐当东川（总部梓州）巡查官（巡检），另命李昊代管东川（总部梓州）总部军政（行梓州军府事）。李昊说：“两只猛虎（李仁罕、赵廷隐）正在恶斗，我不敢插身其间，希望能稍后返回成都（四川省成都市）。”孟知祥乃命大营总管理官（都押牙）王彦铢，当东川（总部梓州）总监军官（监押）。

五月二十二日，孟知祥抵达成都（四川省成都市）。赵廷隐不久也率军西返。

孟知祥对李昊说：“我得到东川（总部梓州）之后，麻烦更大。”李昊问他缘故，孟知祥说：“自从离开梓州（四川省三台县），总共接到李仁罕七份报告，都强调：‘你最好自己兼管东川（总部梓州），不然将领们不服。’而赵廷隐说：‘我本来不敢奢望东川（总部梓州），因李仁罕一点也不谦让，才挺身跟他争夺。’你替我告诉赵廷隐，我打算恢复设在阆州（四川省阆中市）的保宁战区，再增加果（四川省南充市）、蓬（四川省仪陇县南）、渠（四川省渠县）、开（重庆市开州区）四州，教他前去镇守，东川（总部梓州）则由我自己兼管，好教李仁罕死了这条心（保宁〔总部阆州〕之废，应在董璋攻陷阆州时，参考前年〔九三〇〕九月。辖区由两个州增置现在的五个州，相信是因为东川〔总部梓州〕也管辖五个州〔梓绵剑龙普〕，使赵廷隐能体面地上任。新的保宁战区所加的蓬州，原属武定〔总部洋州〕，渠开二州则原属山南西道〔总部兴元府〕；这两个战区的总部位于今大巴山以北，虽然仍为后唐中央固守，但对于它们位于大巴山以南各属州，已无力救援）。”赵廷隐仍愤愤不平，要求跟李仁罕决斗，胜利的当东川（总部梓州）司令官（节度使），李昊一再劝解，他才接受。

六月，孟知祥命赵廷隐当保宁战区（总部设阆州〔四川省阆中市〕）候补司令官（留后）。

六月七日，赵季良率文武官员联合请孟知祥兼镇东川（总部梓州），孟知祥允许。赵季良等又请孟知祥称王，暂时使用诏书，并且大赏功臣，孟知祥拒绝。

董璋出兵攻击西川（总部成都府）的时候，后唐（首都河南府）山南西道战区（总部设兴元府〔陕西省汉中市〕）司令官（节度使）王思同奏报中央。帝国参谋总部指挥官（枢密使）范延光报告李嗣源（邈佶烈），说：“如果两川（西川、东川）落到一个家伙手里，安抚军民，据守险要，我们再要进取，就十分困难，应该趁他们互斗，早点下手。”李嗣源（邈佶烈）命王思同率本战区特遣兵团，秘密计划行动。没有多久，得到董璋失败被杀消息，范延光说：“孟知祥虽然据守全部巴蜀（四川省），可是武装部队却都是中原人士，孟知祥对他们思念家乡，可能发生变化，一定深怀恐惧，需要依靠中央，才能镇压，陛下如果不肯委屈自己一点去安抚他，他就丧失改过自新的门路！”李嗣源（邈佶烈）说：“孟知祥是我的老友，被别人（指安重诲）

挑拨离间到今天这个样子，哪里来的委屈！”于是派贴身侍从（供奉官）李存瓌前去成都（四川省成都市），携带给孟知祥的诏书说：“董璋狐狼成性，自找全族屠灭。你家的坟墓和亲戚，都完整平安，自应好好保全你家世代的美名，遵守君臣的大节。”李存瓌，是李克宁的儿子、孟知祥的外甥（孟知祥的姐妹嫁李克宁，煽动夺权，惹下满门处斩大祸，参考九〇八年二月）。

17 闽王国（首都福州〔福建省福州市〕）国王王延钧，对陈守元（宝皇宫主）说：“替我问问宝皇，既然可当六十年天子（参考去年〔九三一〕十一月），六十年以后该怎么样？”第二天，陈守元进宫报告说：“昨天晚上，我上奏天庭，得到宝皇圣旨，到时候大王当成大罗仙主！”巫法师徐彦林等也说：“北庙崇顺王曾经晋见宝皇，他的话跟陈守元的话一模一样。”王延钧越发得意，开始考虑登极称帝，上疏后唐政府（首都河南府）说：“钱镠死（参考本年〔九三二〕三月），请封我当吴越王。马殷死（参考前年〔九三〇〕十一月），请命我当国务院总理（尚书令·使相）。”后唐政府不理，王延钧遂不再进贡，断绝关系（当初，老哥王延翰自称大闽国王时，仍保持与中原政权〔后唐〕传统上的从属关系，参考九二六年十月；如今正式脱离）。

18 秋季，七月一日，后唐（首都河南府）朔方（总部灵州）奏报说：夏州（定难战区总部所在，陕西省靖边县北白城则村）党项部落入侵，已把他们击败，一直追到贺兰山（贺兰山位灵州之西，看情形党项部落入侵的目的是穿境而出）。

19 七月九日，后唐政府（首都河南府）加授镇海（总部杭州）、镇东（总部越州）战区司令官（节度使）钱元瓘（钱传瓘）中央官衔：暂任最高立法长（守中书令·使相）。

20 七月十日，后唐（首都河南府）使节李存瓌抵达成都（四川省成都市），孟知祥（西川〔总部成都府〕司令官）感动流泪，下跪叩头，接受诏书。

21 南楚（首都长沙府〔湖南省长沙市〕）武安（总部长沙府）、静江（总部桂州）战区司令官（节度使）马希声，因湖南地区（湖南省）连年大旱成灾，命关闭南岳（衡山，湖南省衡山县西）及境内所有寺庙，可是仍不落雨。

七月十一日，马希声逝世（年三十四岁），六军基地司令（六军使）袁诠、潘约等，前往朗州（湖南省常德市）迎接镇南战区（总部设洪州〔江西省南昌市〕）司令官（空头官衔。此时洪州属南吴〔首都江都府〕）马希范，拥护他继承职务。

22 七月十五日，后唐（首都河南府）孟知祥（西川〔总部成都府〕司令官）送李存瓌回京（首都河南府），上疏请求宽恕，并奏报福庆公主逝世消息，自此回归中央，但态度较从前更为骄傲。

23 七月二十日，后唐帝（二任明宗）李嗣源（邈佶烈）命遥兼二级宰相（同平章事）、西京（京兆府，陕西省西安市）留守长官李从珂（王从珂），当凤翔战区（总部设凤翔府〔陕西省宝鸡市凤翔区〕）司令官（节度使）。

后唐政府（首都河南府）撤销武兴战区（总部设凤州〔陕西省凤县〕），把所辖凤（陕西省凤县）、兴（陕西省略阳县）、文（甘肃省文县）三州，归还山南西道战区（总部设兴元府〔陕西省汉中市〕。武兴战区始设于前蜀帝国，参考九一五年十二月）。

七月二十七日，命副监督长（门下侍郎）、二级实质宰相（同平章事）赵凤，当安国战区（总部设邢州〔河北省邢台市〕）司令官（节度使），遥兼二级宰相（同平章事·使相）。

24 八月十一日，南楚（首都长沙府）马希范抵达长沙（湖南省长沙市）。

八月十二日，马希范（本年三十四岁）继承遗位（三任文昭王。虽然老哥马希声继任南楚元首以来，一直未封王，但有关单位在他死后，仍追封衡阳王，所以算是南楚二任王。如此，马希范便成了三任王）。

25 八月十五日，后唐（首都河南府）孟知祥（西川〔总部成都府〕司令官）命李昊用武泰战区（总部设黔州〔重庆市彭水县〕）候补司令官（留后）赵季良等五个候补司令官（留后）的名义，草拟奏章，请中央封孟知祥当蜀王，并可颁发墨笔诏书，同时为各人自己请求印信符节，擢升实任司令官。李昊说："最近，将领们攻克一个地方，就拥有那个地方，而今又自己向中央要求印信符节，而且还替你争取爵位，这样的话，大小权力岂不全都握在部属之手。假如你自己直接向中央请求，难道就不行？"孟知祥恍然大悟，便教李昊用自己的名义撰写奏章，请求准许颁发墨写诏书及任命两川（西川、东川）州长以下官员，又请擢升赵季良等五位战区候补司令官（留后）实任战区司令官（武泰〔总部黔州〕赵季良、武信〔总部遂州〕李仁罕、保宁〔总部阆州〕赵廷隐、宁江〔总部夔州〕张业、昭武〔总部利州〕李肇）。

当初，安重诲阴谋夺取两川（西川、东川），自从孟知祥诛杀李严

（参考九二七年正月），中央每任命一个州长，都同时派武装部队护送，小州至少也有五百人，大州如夏鲁奇（遂州）、李仁矩（阆州）、武虔裕（绵州），甚至各率数千人，一律用总部警备队（牙队）名义。现在，孟知祥占领遂（武信，四川省遂宁市）、阆（保宁，四川省阆中市）、利（昭武，四川省广元市）、夔（宁江，重庆市奉节县）、黔（武泰，重庆市彭水县）、梓（东川，四川省三台县）六个大州（皆战区总部所在），共接收中央军三万人，恐怕中央把他们调回，于是上疏请中央遣送战士们的妻子儿女，来巴蜀（四川省）团圆。

26 南吴（首都江都府）最高立法长（中书令）徐知诰（李知诰）扩建金陵城（江苏省南京市），周围二十华里（徐知诰任昇州〔金陵府〕州长时，已修筑金陵城，参考九一七年四月）。

27 最初，契丹（首都西楼城）开始强盛时，对卢龙（总部幽州）所属各州，烧杀掳掠，没有一个地方遗漏，幽州（北京市）城门之外，契丹骑兵纵横奔驰，如入无人之境。后唐粮饷供应，都从涿州（河北省涿州市）北上，直接进入幽州（北京市），契丹往往在阎沟（北京市西南良乡镇）设下埋伏，掳掠而去。后来赵德钧（赵行实）当战区司令官（节度使），在阎沟修筑城池，派军驻防，把良乡县政府，迁到阎沟城，运输线稍稍畅通。幽州（北京市）城东十华里之外，人迹断绝，没有人敢去砍柴或放牧，赵德钧（赵行实）把城东五十华里处的古潞县（北京市东通州区），整顿修建，派军驻防，州城附近的居民，才得以耕种庄稼。现在，又在幽州（北京市）东北一百余华里处，筑三河县（河北省三河市）城池，打通到蓟州（天津市蓟州区）的供应线。契丹骑兵发动攻击，阻挠筑城工事，赵德钧（赵行实）把他们击退。

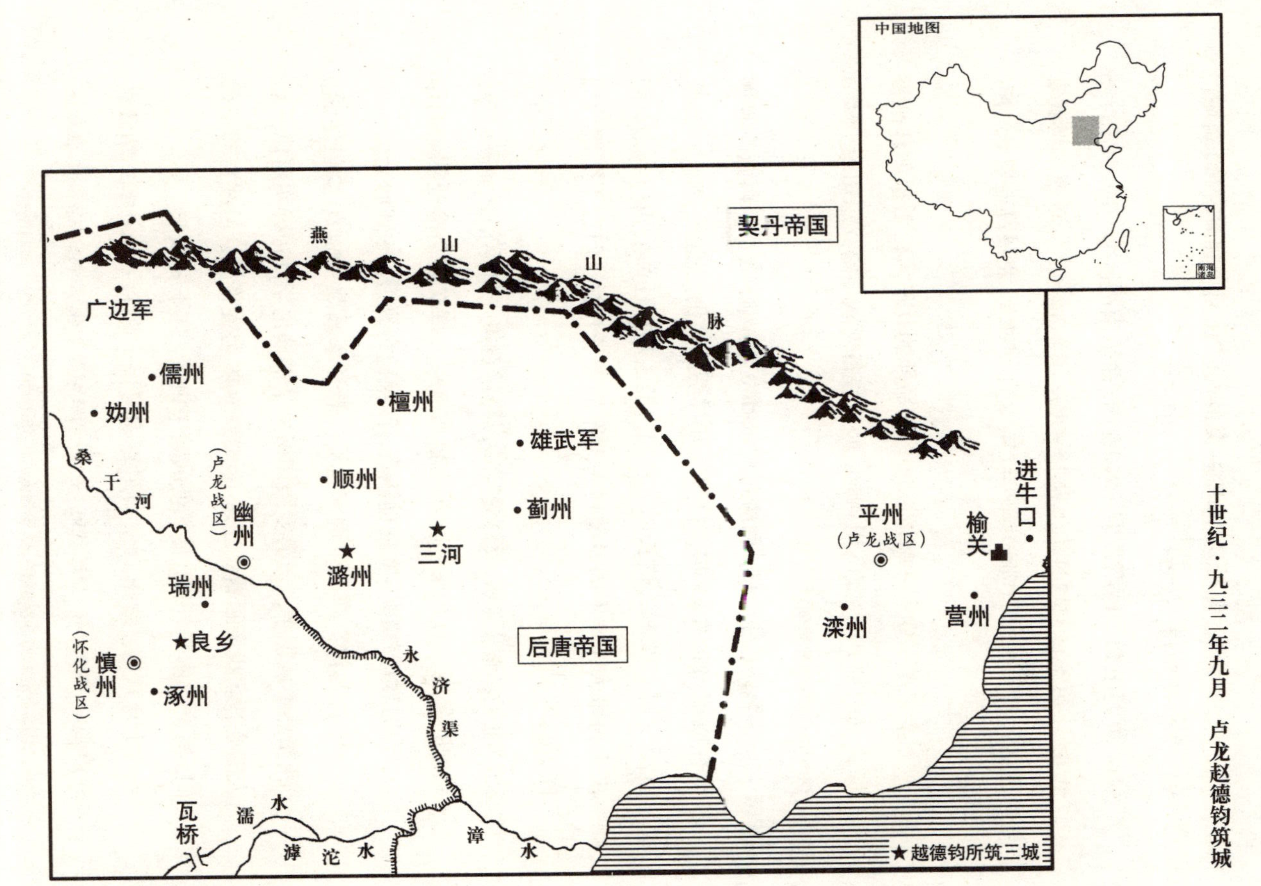

十世纪·九三二年九月　卢龙赵德钧筑城

九月一日，赵德钧（赵行实）奏报说：“三河（河北省三河市）筑城已毕。”沿边居民，依赖这座城池保护平安。

九月三日，后唐政府（首都河南府）命镇南战区（总部设洪州〔江西省南昌市〕）司令官（空头官衔。此时洪州属南吴〔首都江都府〕）马希范，当武安战区（总部设长沙府〔湖南省长沙市〕）司令官（节度使）兼最高监督长（兼侍中·使相）。

孟知祥（西川〔总部成都府〕司令官）命他的儿子孟仁赞摄理作战参谋长（摄行军司马），兼两川（西川、东川）警备部队步骑兵总司令（兼都总辖两川牙内马步都军事）。

冬季，十月一日，后唐帝（二任明宗）李嗣源（邈佶烈）再派李存瓌前往成都（四川省成都市），批复孟知祥奏章：剑南地区（四川省）自战区司令官（节度使）、州长以下官员，准孟知祥任命后再行奏报，中央不再派人。唯不同意遣送特遣军的妻子儿女，但也不征调他们回去。

皇子、秦王李从荣喜爱写诗，经常召集一群浮华之徒高辇等，到他的幕府，互相唱和，相当自负自夸。每次宴会都要部属们作诗，有时候诗作得不太使他满意，他就把它撕毁，摔到地上。

十月四日，李从荣进宫晋见，老爹李嗣源（邈佶烈）警告他说：“我虽然不认识字，但喜爱跟知识分子们谈论学问，确实可以开启人的心智。我亲眼看到庄宗（一任帝李存勖）喜爱作诗，但武官的子弟们，写文章本来外行，徒然使人暗中讥笑，你不要效法。”

十月八日，幽州（北京市）驻军奏报说：“契丹（首都西楼城）军队进驻捺剌泊（今地不详。《旧五代史·唐书·明宗本纪》记载，捺剌泊在黑沙漠〔黑榆林〕之南。黑沙漠是瀚海沙漠群之一，参考四二五年十月）。”

前彰义战区（总部设泾州〔甘肃省泾川县〕）司令官（节度使）李金全，

屡次呈献骏马，李嗣源（邈佶烈）拒绝接受，说：“你在任上的成绩怎么样？不要把精神用到呈献马匹上。”李金全，是吐谷浑（山西省东北部）人。

十月二十四日，最高法院副院长（大理少卿）康澄上疏说：“我曾经听说过：童谣不是祸福的根本，妖孽和祥瑞也不是兴衰的契机。所以野鸡飞到鼎上啼叫、桑树米谷一起生长在中央政府的庭院，看来似乎邪恶，却不能阻止商王朝蒸蒸日上（二事参考二三五年八月注），神马长嘶、石龟示祥，不能延长晋王朝的寿命（《宋书·符瑞志》：三一二年二月，晋王朝首都洛阳〔河南省洛阳市东白马寺东，当时已被汉赵帝国攻陷〕南城门，出现一匹神奇的马长嘶。常山王司马乂改封长沙王时〔参考二〇一年七月〕，有人在常山国〔河北省正定县〕境内开凿水井，深入地下四丈，挖到一块三四尺大小的白玉，白玉之下有一块大石，其中有一只长二尺余的乌龟，当时的人认为是国家恢复安定的祥瑞）。我们应该知道，国家不须害怕的事有五，而应该深刻畏惧的事有六：寒暑冷热的变化不规则不值得害怕；日月星辰的运行大乱不值得害怕；小人乱造谣言诬陷误导不值得害怕；山岳崩裂河川干枯不值得害怕；病虫损害庄稼也不值得害怕。可是，如果贤能的人隐退，不肯为国效力，值得担心；士农工商四处流亡，不能安居乐业，值得担心；领袖和干部互相呼应，上下比赛违法乱纪，值得担心；社会上人们都丧失廉耻，值得担心；善恶是非以及诽谤或赞誉，都恰恰相反，使真相颠倒，值得担心；领袖一直听不到逆耳之言，值得担心。不值得害怕的，陛下不妨把它搁置在一边，不必理会。而值得担心的，请陛下多多注意，不要有什么失误。”李嗣源（邈佶烈）用措辞温和的诏书，回答嘉勉。

秦王李从荣，看人时眼睛像鸷鹰（低着头斜眼注视），行为轻佻，待人十分苛刻，既主管皇家禁卫军事，又参与中央政府的决策，所作所为，傲慢横暴，气势不可一世，常不遵守法纪。

最初，安重诲当帝国参谋总部指挥官（枢密使），李嗣源（邈佶烈）对他十分信任。李从荣及宋王李从厚，从婴儿时代就跟安重诲玩在一起，关系亲密，弟兄们虽然手握军权，但常被安重诲约束，他们对安重诲也敬畏有加。安重诲死后，王淑妃（花见羞）跟宫廷事务总监（宣徽使）孟汉琼掌权，负责传达李嗣源（邈佶烈）的命令。范延光、赵延寿（刘延寿）虽是帝国参谋总部指挥官（枢密使），李从荣却没有把他们看到眼里，常常欺侮。河阳战区（总部设孟州〔河南省孟州市〕）司令官（节度使）、遥兼二级宰相（同平章事·使相）石敬瑭，兼皇家禁卫军副统帅（兼六军诸卫副使），妻子永宁公主跟李从荣不是同一个娘亲所生，平常就互相憎恨。李从荣因李从厚的声名高出自己（参考九二八年十二月），尤其嫉妒。李从厚特别表现自己懦弱和卑微，尽力侍奉这位老哥，所以外表上看不出什么裂痕。石敬瑭不想跟李从荣共事，常想调到远地躲开他。范延光、赵延寿（刘延寿）也恐惧大祸临头，屡次辞职，请求跟别人互相对调，李嗣源（邈佶烈）不许。正巧，契丹（首都西楼城）侵入边境，李嗣源（邈佶烈）命推选一位将领镇守河东（总部太原府）。范延光、赵延寿（刘延寿）都说："现在高级将领中可以出去的，只剩下石敬瑭、康义诚！"石敬瑭十分愿意，李嗣源（邈佶烈）立即下达人事命令。石敬瑭接到诏书，发现仍保留皇家禁卫军副统帅官职，于是再辞兼职，李嗣源（邈佶烈）命宫廷事务总监（宣徽使）朱弘昭主持山南东道战区（总部设襄州〔湖北省襄阳市〕），代替康义诚职务，命康义诚前来京师（首都河南府）。

十一月三日，李嗣源（邈佶烈）命中央财政三单位管理总监（三司使）孟鹄，当忠武战区（总部设许州〔河南省许昌市〕）司令官（节度使），命忠武战区司令官（节度使）冯赟当宫廷事务南院总监（宣徽南院使）、中央财政三单位管理总监（三司使）。孟鹄本是一个低级司法人员（刀笔吏），跟范延光是同乡（范延光是相州人，孟鹄是魏州人，相邻而已），感情亲密。所以几年之间，范延光擢升孟鹄当战区司令官（节度使）。李嗣源（邈佶烈）虽然知道升迁得太快，然而，他不能阻止。

十一月七日，李嗣源（邈佶烈）因契丹（首都西楼城）不断侵入北方边疆，命马上决定河东（总部设太原府）统帅，石敬瑭希望前去，而范延光、赵延寿（刘延寿）则想用康义诚，讨论久久不能决定，暂任帝国参谋总部常设文学官（权枢密直学士）李崧，认为非石敬瑭不可，范延光说："我也屡次奏报，只是皇上想留他负责禁卫！"正巧，李嗣源（邈佶烈）派宦官催促，大家才接受李崧的意见（上段石敬瑭已被任命，此段重叙）。

十一月九日，李嗣源（邈佶烈）命石敬瑭当北京（太原府）留守长官、河东战区（总部设太原府〔山西省太原市〕）司令官（节度使），兼大同（总部云州）、振武（总部朔州）、彰国（总部应州）、威塞（总部新州）四战区华洋步骑兵总司令（蕃汉马步总管），兼最高监督长（兼侍中·使相）。

十一月十一日，命帝国参谋总部指挥官（枢密使）赵延寿（刘延寿），兼二级实质宰相（同平章事）。

28 南吴政府（首都江都府）命最高立法长（中书令）、各战区道总指战官（诸道都统）徐知诰（李知诰）出任大丞相、太师（三师之一），遥兼德胜战区（总部设庐州〔安徽省合肥市〕）司令官（节度使）。徐知诰（李知诰）辞让大丞相、太师（三师之一）。

29 后唐（首都河南府〔河南省洛阳市〕）大同战区（总部设云州〔山西省大同市〕）司令官（节度使）张敬达，在要害地方集结部队，契丹（首都西楼城）大军竟不敢南下，即行撤退。张敬达，是代州（山西省代县）人。

蔚州（河北省蔚县）州长张彦超，本是沙陀人，一度当李嗣源（邈佶烈）的义子，跟石敬瑭之间怀有私怨，听说石敬瑭当总统帅，就献出城池，投降契丹（首都西楼城），契丹命他当大同战区（总部仍设蔚州〔河北省蔚县〕）司令官（节度使）。

石敬瑭抵达晋阳（太原府所在县），命部将刘知远、周瓌当大营总管理官（都押牙），作为自己的心腹。军事交给刘知远，财政交给周瓌。周瓌，是晋阳（山西省太原市）人。

十二月十一日，李嗣源（邈佶烈）命康义诚当河阳战区（总部设孟州〔河南省孟州市〕）司令官（节度使），兼侍卫亲军步骑兵总指挥官（兼侍卫亲军马步都指挥使）；又命朱弘昭当山南东道战区（总部设襄州〔湖北省襄阳市〕）司令官（节度使）。

30 本年（九三二），南汉帝国（首都兴王府〔广东省广州市〕）皇帝（一任高祖）刘岩（本年四十四岁），封皇子刘耀枢当雍王、刘龟图当康王、刘弘度当宾王、刘弘熙当晋王、刘弘昌当越王、刘弘弼当齐王、刘弘雅当韶王、刘弘泽当镇王、刘弘操当万王、刘弘杲当循王、刘弘暐当思王、刘弘邈当高王、刘弘简当同王、刘弘建当益王、刘弘济当辩王、刘弘道当贵王、刘弘昭当宜王、刘弘政当通王、刘弘益当定王。不久，改封宾王刘弘度当秦王。